Collezione storica

Peter Heather

LA CADUTA DELL'IMPERO ROMANO

Una nuova storia

Garzanti

Prima edizione: ottobre 2006
Prima ristampa: gennaio 2007

Traduzione dall'inglese di
Stefania Cherchi

Titolo originale dell'opera:
The Fall of the Roman Empire

© Peter Heather, 2005

ISBN 978-88-11-69402-1

www.garzantilibri.it

LA CADUTA DELL'IMPERO ROMANO

Introduzione

L'impero romano è il più grande stato che l'Eurasia occidentale abbia mai conosciuto. Per più di quattrocento anni ha governato su un territorio vastissimo, dal Vallo di Adriano all'Eufrate, trasformando l'esistenza di tutti coloro che vivevano dentro e fuori le sue frontiere, dominando genti e paesaggi per centinaia di chilometri oltre i suoi confini. Sistemi di fortezze collegate fra loro, una strategica rete stradale ed eserciti professionali lungamente addestrati ne simboleggiavano e a un tempo garantivano il dominio, e le sue forze armate erano pronte a massacrare chiunque osasse varcare la linea di demarcazione. Le scene iniziali del *Gladiatore*, grande successo cinematografico del 2000, rappresentano le vittorie riportate alla fine del II secolo d.C. da Marco Aurelio sui marcomanni, una tribù germanica dell'Europa centromeridionale. Duecento anni dopo i romani erano ancora sostanzialmente allo stesso punto: nel 357 i 12.000 soldati romani dell'imperatore Giuliano sconfiggevano un esercito di 30.000 alamanni nella battaglia di Strasburgo.

Ma soltanto una generazione più tardi l'ordine romano veniva scosso dalle fondamenta e le armate dell'impero, come disse un contemporaneo, «svanirono come ombre». Nel 376 sulle rive del Danubio, frontiera dell'impero, arrivò un grosso gruppo di profughi in cerca d'asilo. Caso assolutamente eccezionale nella politica estera di Roma, a quei profughi fu permesso di entrare senza che fossero stati sconfitti. Ma essi poi si ribellarono e nel giro di due anni vinsero e uccisero l'imperatore Valente – che li aveva accolti – sterminando due terzi dei suoi soldati nella battaglia di Adrianopoli. Il 4 settembre del 476, un secolo dopo l'attraversamento del Danubio per opera dei visigoti, l'ultimo imperatore romano d'occidente, Romolo Augustolo, fu deposto, e i discendenti di quei profughi confluirono nel nucleo militare di uno dei principali stati successori dell'impero: il regno dei visigoti. Il quale, ubicato nell'Europa sudoccidentale, a cavallo tra Francia e Spagna, era soltanto uno dei molti stati emersi dalle rovine dell'Europa romana e basati sulla potenza militare degli stranieri immigrati nell'impero. Il crollo di Roma e della metà occidentale del suo dominio è una delle grandi rivoluzioni che hanno modellato la storia europea: da sempre la tradizione storiografica lo considera l'evento che chiude l'età antica e dà inizio al medioevo. Un fatto che, come il rinascimento, la Riforma e la rivoluzione industriale, ha cambiato il mondo per sempre.

Dopo l'epopea in più volumi pubblicata da Gibbon tra il 1776 e il 1788 il tema, nell'insieme o nei suoi aspetti particolari, è stato oggetto di circa duecento studi, né vi sono indizi di un calo dell'interesse in tempi più recenti. Negli anni Novanta del secolo appena concluso la European Science Foundation ha finanziato un progetto quinquennale di ricerca su *La trasformazione del mondo romano*, che ha già prodotto parecchie pubblicazioni interessanti. Come spesso avviene, gli studiosi non hanno raggiunto l'accordo né sulle linee generali – dove pure ci aspetteremmo maggiore concordia – né sui dettagli. Al centro della discussione c'è l'eterna domanda: che cosa esattamente ha provocato il crollo dell'impero? Gli stranieri in armi – i «barbari» – che costituirono l'ossatura militare dei nuovi regni sono senz'altro implicati. Ma gli storici, sia prima che dopo Gibbon, hanno sempre ritenuto che una grande potenza come Roma non possa esser crollata per l'azione di popoli analfabeti il cui livello culturale – politico, economico, sociale, artistico – non era nemmeno lontanamente paragonabile a quello, spesso sorprendentemente avanzato, raggiunto dal mondo romano. I romani avevano un sistema di riscaldamento centralizzato, una rete bancaria basata su princìpi capitalistici, fabbriche di armi, perfino dei professionisti esperti in comunicazione e immagine politica, mentre i barbari erano semplici contadini con un debole per le spille decorative.[1] Quindi, anche se probabilmente ebbero una qualche responsabilità nei fatti, non possono essere stati loro a far crollare l'impero. Più probabilmente si limitarono a sfruttare a proprio vantaggio i principali problemi interni al mondo romano.

Ma è davvero così che andarono le cose? Questo libro riapre uno dei più grandi misteri della storia: la strana morte dell'Europa romana.

8

Una simile riesumazione è motivata da ragioni generali così come specifiche. Il periodo dal 300 al 600 d.C., che comprende il crollo dell'impero romano d'occidente e la nascita dei primi regni medievali, è oggetto di alcuni degli studi storici più innovativi degli ultimi quarant'anni. Si tratta di un'età che, tradizionalmente, è stata considerata una sorta di buco nero, una terra di nessuno tra l'antichità e il medioevo concordemente schivata dagli studiosi di entrambe le età. Ma a partire dagli anni Sessanta del Novecento abbiamo fatto notevoli passi avanti nella comprensione delle molte e complesse sfaccettature del periodo ribattezzato «tarda antichità». Molte scoperte sono ormai patrimonio condiviso tra gli specialisti, anche se ancora non sono state metabolizzate dal grande pubblico, le cui aspettative in merito (almeno a giudicare dai pregiudizi con cui molti dei miei studenti si avvicinano alla materia) sono ancora condizionate dalla tradizione che fa capo a Gibbon. Negli ultimi quarant'anni, per la prima volta, docenti e studenti hanno fatto la conoscenza di un tardo impero romano che non era affatto sull'orlo del collasso sociale, economico e morale, e con un mondo al di là delle sue frontiere tutt'altro che caratterizzato da una banale, inerte barbarie. Dal secondo dopoguerra in qua, due generazioni di studiosi hanno rivoluzionato la nostra comprensione sia dell'impero romano sia del mondo, ben più esteso, che i romani stessi chiamavano *barbaricum*. Il presente volume si basa ampiamente sulle loro ricerche.

L'entusiastica «scoperta» della tarda antichità si è verificata in un mondo intellettuale in cui gli storici di tutti i periodi hanno cominciato a rendersi conto che nella storia c'è molto di più dell'economia, dell'alta politica, delle guerre e della diplomazia che, tradizionalmente, sono sempre state ritenute i suoi cavalli di battaglia. La tarda antichità, con la ricchezza di fonti scritte e archeologiche che ci ha lasciato la sofisticatissima cultura letteraria delle élite romane, si è rivelata una fruttuosa area di ricerca per molte discipline: la storia di genere e quella culturale, per esempio, o la storia delle credenze popolari. Una ricca vena di studi, quindi, in sintonia con le tendenze storiografiche più recenti, che hanno messo in crisi molti dei pregiudizi che implicitamente ispiravano le «grandi narrazioni» tradizionali. L'immagine dei romani «civilizzati» ma in perenne declino, sempre in guerra con gli stranieri «barbari», non è che l'esempio più macroscopico di come funzionassero tali narrazioni. Il pensiero più recente si è giustamente scrollato di dosso quella tradizione, concentrandosi sui molti esempi di cooperazione e interazione non violenta tra barbari e romani trasmessi dalle fonti. Anche lo sforzo di leggere i testi di alcuni autori per comprendere la visione del mondo che li orientava ha avuto un notevole impatto sulla storiografia: un'interpretazione che impone agli storici di trattare i testimoni antichi non come fonti obiettive ma alla stessa stregua di un venditore di automobili usate, prendendo cioè le loro affermazioni con la giusta cautela.

Queste linee di tendenza hanno avuto un impatto elettrizzante sullo studio della tarda antichità: hanno portato alla frammentazione dei risultati, allontanando gli studiosi dalla sintesi e spingendoli a produrre solo ricerche dettagliate su alcuni aspetti particolari. Trascurando così il compito di ricostruire la narrazione di ciò che è effettivamente accaduto, per concentrarsi su come fonti e individui hanno percepito gli avvenimenti e se li sono raffigurati. Nell'ultimo decennio abbiamo letto innovative monografie su argomenti e su autori di grande rilevanza, ma nemmeno un tentativo di descrivere in termini generali la caduta dell'impero.[2] Indubbiamente l'esplorazione intensiva di tutti gli elementi della materia era e resta a tutt'oggi assolutamente necessaria.[3] Ma la particolareggiata reinterpretazione dei singoli aspetti di un periodo ha delle implicazioni anche per la comprensione del tutto: e a mio parere è venuto il momento di radunare quei frammenti, che oggi conosciamo in modo molto più preciso di prima, per vedere cos'hanno da dirci sul crollo dell'impero in generale.[4] I lettori giudicheranno da sé fino a che punto tale approccio sia fondato.

Credo sia di vitale importanza non perdere di vista la narrazione storica in quanto tale anche se oggi, ispirandosi alle più recenti tendenze dell'analisi letteraria, l'accento cade piuttosto sull'ideologia e sulla percezione soggettiva. Alcuni studiosi sono arrivati addirittura a dubitare che sia possibile, data la natura delle fonti, spingersi oltre la rappresentazione che gli autori si creavano della realtà per attingere agli «eventi reali». E a volte le cose stan-

10

no effettivamente così. In ogni caso mi pare che non sempre il tipo di processo intellettuale che si addice alla critica letteraria risulti adeguato agli studi storici. Gli strumenti dell'analisi letteraria sono utilissimi per la comprensione degli scrittori dell'antichità; ma è piuttosto l'analogia con il mondo giudiziario, a mio avviso, quella che rende meglio l'impresa del fare storia nel suo insieme. Le fonti storiche sono testimoni che, per ragioni proprie, tentano di venderci una certa visione dei fatti: ma ciò che esse descrivono non è, o non è sempre, un frutto dell'immaginazione nel senso applicabile ai testi letterari. La storia, come la scena di un crimine, ha le sue proprietà saccheggiate e i suoi corpi del reato, anche se la comprensione di tali fenomeni dev'essere raggiunta a partire da fonti contaminate ideologicamente. All'interno dell'impero romano, come vedremo, l'ideologia era un fattore molto importante, e lo stato promuoveva attivamente un certo modo di vedere il mondo. Ma c'erano anche apparati burocratici, leggi, tasse ed eserciti: e nel V secolo la metà occidentale dell'impero cessò di esistere insieme a tutte le strutture e le procedure che per secoli aveva creato e mantenuto, lasciandosi dietro il cadavere che studieremo in questo libro.

Ciò che segue è un tentativo di comprendere, attraverso la ricostruzione narrativa, questa grande rivoluzione della storia europea, rendendo giustizia al patrimonio di sofisticati saggi storiografici che hanno visto la luce negli ultimi anni. Io stesso mi sono occupato per lavoro sia del mondo tardoromano sia di quello «barbarico»: come insegnante e come autore di libri di storia ho studiato i due lati della barricata con pari impegno, concentrandomi in particolare sulla fine del IV e sul V secolo d.C. Pur attingendo al lavoro di altri studiosi, la particolare sintesi che caratterizza il presente volume è ovviamente opera mia, come alcune delle idee chiave e delle osservazioni su cui si basa.

Oltre a ricostruire come meglio ho potuto la storia della caduta dell'impero romano d'occidente e a presentarne una interpretazione il più possibile convincente, con questo lavoro mi sono posto anche un altro obiettivo. La comprensione del passato somiglia sempre al lavoro di un detective. Per capire cos'è realmente successo il lettore sarà chiamato a far parte della giuria – per

11

continuare l'analogia col sistema giudiziario – e a partecipare attivamente al processo di valutazione e di sintesi delle varie testimonianze. La struttura stessa del libro incoraggia un simile approccio: non è semplicemente la narrazione della crisi che nel V secolo travolse l'Europa occidentale, ma anche un'indagine analitica. Nella Parte Prima, quindi, si ricostruirà l'immagine d'insieme delle condizioni in cui versavano l'impero e i suoi vicini europei alla fine del IV secolo: un allestimento scenico senza il quale non potremmo comprendere il crollo successivo. L'analisi è elemento integrante anche dei capitoli più narrativi delle Parti Seconda e Terza; e in tutto il libro mi sono sforzato di coinvolgere il lettore nel lavoro d'indagine, senza costringerlo al ruolo di recettore di verdetti oracolari. Così, per amore di coerenza, ogni volta che i pezzi non combaciano e la traccia scompare, come a volte succede nella ricerca storica, non farò nulla per nasconderlo. Una delle ragioni per cui ho scelto di lavorare sugli anni centrali del primo millennio – a parte l'amore per le rovine antiche suscitato in me da mia madre, che spesso mi portava da bambino a vedere ville, terme e fortezze romane – è che il tema pone delle intriganti sfide intellettuali. Amo i puzzle: e sono talmente tante le testimonianze storiche perdute o che ci sono giunte criptate nei complessi codici dei generi letterari romani (una delle ragioni per cui gli insegnamenti della critica postmodernista sono così utili per i nostri studi), che in quest'avventura c'è ben poco di semplice e lineare. Per alcuni ciò è un fattore di disturbo, che rovina irrimediabilmente quello che altrimenti sarebbe un periodo storico molto interessante. Per altri, come me, tali caratteristiche rendono l'avventura della ricerca ancora più stimolante; e quasi sempre, giudicando uno studente in base alla sua reazione istintiva di fronte alla scarsità di prove, sono in grado di dire se ha la tempra dello studioso del primo millennio oppure no.

Nel raccontare la mia storia – perché in fin dei conti di una storia si tratta – mi pongo anche l'obiettivo di familiarizzare il lettore con i processi che l'hanno prodotta e di fargli scoprire i segreti dei corpi del reato giunti fino a noi. A tal fine, ogni volta che sarà possibile racconterò questa storia, direttamente e indirettamente, con le parole dei testimoni oculari, cioè delle persone travolte dall'uragano che avrebbe cambiato per sempre la storia d'Europa.

12

Testimoni che sono molto più numerosi di quanto in genere si creda, ed estremamente diversi tra loro. I loro scritti, se adeguatamente decodificati, fanno del crollo dell'impero romano d'occidente uno dei periodi più vividamente documentati di tutta la storia antica.

PRIMA PARTE
LA PAX ROMANA

1. I romani

Siamo all'inizio dell'inverno del 54 a.C.: una tipica giornata di novembre, umida e grigia, nel Belgio orientale. In un accampamento militare romano dalle parti dell'odierna Tongres, vicino a dove oggi s'intersecano i confini di Belgio, Olanda e Germania, si tiene consiglio di guerra. Un'intera legione – dieci coorti, teoricamente da 500 uomini ciascuna, più cinque coorti aggregate – ha stabilito l'acquartieramento invernale a ovest del Reno nel territorio di una piccola tribù di lingua germanica, gli eburoni. Alla fine di ogni stagione militare, infatti, Giulio Cesare è solito disperdere le sue legioni in remoti accampamenti fortificati che i legionari stessi costruiscono secondo uno schema fisso: un fossato, un terrapieno, bastioni e torri difensive sul lato esterno, blocchi di baracche all'interno. La lunghezza delle mura è dettata da un'antica formula: duecento volte la radice quadrata del numero di coorti destinate a risiedervi. Le tribù sottomesse che vivono attorno agli accampamenti sono tenute a rifornirli di cibo per tutto l'inverno, finché l'erba nuova non tornerà a spuntare per nutrire gli animali da carico e non ricominceranno le operazioni militari.

Per un po' tutto è filato liscio. Le truppe romane sono giunte sul luogo dell'accampamento accompagnate dai due re degli eburoni, Ambiorige e Catuvolco, quest'ultimo molto più anziano. Le fortificazioni sono state erette per tempo e gli eburoni hanno consegnato le prime derrate alimentari. Tre settimane dopo, le cose hanno cominciato a mettersi male. Incoraggiati dalle rivolte scoppiate altrove e sobillati da Induziomaro, capo dei treveri (una tribù confinante molto più numerosa, stanziata nella valle della Mosella), alcuni eburoni hanno teso un'imboscata a una squadra d'approvvigionamento romana e l'hanno massacrata. Poi si sono scagliati contro l'accampamento, ma hanno dovuto battere in ritirata sotto una pioggia di proiettili. Improvvisamente all'accampamento l'atmosfera si è fatta tesa, e da quel momento in poi il sen-

17

so di disagio non ha fatto che aumentare. Ambiorige e Catuvolco sono venuti a parlamentare, e hanno attribuito l'attacco a un manipolo di teste calde: soprattutto Ambiorige faceva del suo meglio per presentarsi come un fedele alleato di Roma. I due hanno aggiunto che sicuramente si stava preparando una grande rivolta, e che moltissimi mercenari germanici stavano per arrivare in Gallia dalle terre a est del Reno. Ambiorige ha precisato che non stava certo a lui suggerire ai comandanti romani cosa fare, ma che se si fosse deciso di concentrare maggiormente le forze per resistere a quell'attacco imminente, lui avrebbe aiutato la legione a raggiungere sana e salva uno qualunque dei due accampamenti situati a un'ottantina di chilometri da lì, uno a sud-est e l'altro a sud-ovest.

Tutto è andato secondo il copione preparato da Ambiorige. Al comando delle truppe romane ci sono due legati, Quinto Titurio Sabino e Lucio Aurunculeio Cotta. Il consiglio si trascina e il clima è carico di rancori. Cotta e alcuni dei suoi ufficiali dicono che è meglio restare lì: il cibo è sufficiente e il campo completamente circondato da trincee; non appena saprà della rivolta, Cesare manderà i rinforzi (la Gallia è famosa per la rapidità con cui vi si diffondono le notizie). Sabino, invece, pensa che i nativi non oserebbero ribellarsi se Cesare non fosse ormai lontano, in viaggio per l'Italia. Chissà quando verrà a sapere della rivolta: e nel frattempo le legioni, disperse nei loro remoti acquartieramenti invernali, rischiano di essere spazzate via una dopo l'altra. Per Sabino, dunque, l'offerta di protezione per lo spostamento dev'essere accettata. E senza ulteriori perdite di tempo. Tutti sanno che le truppe di quell'accampamento sono le meno addestrate di tutti gli eserciti di Cesare: arruolate la primavera precedente, per ora sono state impiegate solo per custodire le salmerie durante la battaglia. Il consiglio va avanti: i nervi si logorano, le voci si alzano, e a un certo punto Sabino fa deliberatamente trapelare la voce che i comandanti si rifiutano di adottare un piano che li porterebbe rapidamente in salvo. Verso la mezzanotte Cotta getta la spugna. La cosa più importante per il morale delle truppe è che gli ufficiali facciano quadrato e si mostrino uniti. I legionari si preparano in fretta e furia a levare il campo, e alle prime luci dell'alba si mettono in marcia. Convinti che Ambiorige abbia parlato da vero amico i soldati si incamminano in or-

18

dine di marcia, non di battaglia: una lunga colonna di uomini carichi di quasi tutte le salmerie pesanti.

A tre chilometri dal campo la strada attraversa una fitta boscaglia e scende in una profonda vallata. Prima che la squadra esplorativa cominci a risalire l'altro versante della conca, mentre il grosso della colonna si allunga ancora nel fondovalle, scatta la trappola. Gli eburoni spuntano fuori dalla macchia su entrambi i crinali e comincia un diluvio di proiettili. La battaglia è lunga, ma gli eburoni riportano una piena vittoria. Allo spuntare del giorno solo pochi romani sbandati sono ancora in vita, perché nel caos del combattimento si sono gettati a terra fingendosi morti. La stragrande maggioranza dei più di 7000 uomini che qualche settimana prima avevano eretto il campo è rimasta uccisa. Un evento di straordinaria brutalità, e assolutamente inatteso. Un destino raramente sperimentato dalle armate di Giulio Cesare, famoso per una delle più grosse spacconerie della storia: *Veni, vidi, vici* («Venni, vidi, vinsi»).

L'azione, comunque, merita un'analisi più approfondita. Nonostante la disfatta, i particolari del combattimento confermano la sbalorditiva abilità guerresca dei legionari che avevano costruito l'impero. Appena aveva capito di essere caduto in un agguato, Sabino aveva perso la testa, consapevole di aver guidato i suoi uomini in una trappola mortale. Cotta invece si era comportato meglio: intuendo fin dall'inizio che qualcosa non andava, aveva preso qualche precauzione. Quando i proiettili avevano cominciato a fischiare sopra le loro teste, con i centurioni anziani aveva rapidamente compattato in un quadrato la lunga colonna di soldati, abbandonando le salmerie. A quel punto si potevano impartire gli ordini necessari: nonostante la posizione tattica sfavorevole, le coorti potevano così essere manovrate come un tutto unico. Ambiorige però aveva il vantaggio della posizione elevata e abbastanza controllo sui suoi seguaci da poterne pienamente approfittare. Gli eburoni infatti avevano evitato per molte ore lo scontro corpo a corpo, limitandosi a bersagliare i nemici con vari tipi di proiettili: aste, frecce e munizioni da fionda. I romani avevano subìto fin dall'inizio perdite ingenti: ogni volta che una coorte tentava una sortita sulla destra o sulla sinistra, per avvicinarsi agli assalitori e ingaggiare il corpo a corpo, si trovava esposta ai colpi da dietro.

Intrappolate, con le forze che scemavano sempre più, le truppe romane avevano comunque resistito per otto ore: un'impresa davvero straordinaria. A un certo punto Sabino avrebbe voluto parlamentare con Ambiorige, ma Cotta, che pure era stato colpito in pieno volto da una munizione da fionda, aveva protestato che i romani non discutevano con un nemico in armi. Sabino era caduto proprio mentre stava parlando, e per gli eburoni quello era stato il segnale per lanciarsi all'attacco e dare inizio al massacro. Molti legionari avevano combattuto ed erano caduti insieme a Cotta nel fondovalle; altri, mantenendo la formazione, avevano cercato di ritirarsi verso l'accampamento, tre chilometri più indietro. Qui i sopravvissuti avevano tenuto a bada gli eburoni fino al tramonto, poi si erano suicidati per non cadere vivi in mano al nemico. Se una manciata di reclute addette alle salmerie era in grado di combattere per un'intera giornata senza alcuna speranza di vittoria e poi di suicidarsi in massa piuttosto che arrendersi, i nemici di Roma potevano star certi di aver trovato pane per i loro denti.[1]

L'ascesa di Roma imperiale

Se le radici del potere imperiale di Roma stavano nella forza militare delle legioni, la chiave di volta dell'incredibile spirito guerresco dei legionari era l'addestramento. Come in tutte le formazioni militari d'élite – antiche o moderne – la loro disciplina era rigidissima. Non avendo tribunali per i diritti umani di cui preoccuparsi, gli istruttori erano liberi di picchiare gli indisciplinati anche a morte, se necessario. Se una coorte disobbediva agli ordini, la pena era la decimazione: un soldato ogni dieci veniva frustato a morte davanti ai commilitoni. Ma il morale delle truppe non poteva reggersi unicamente sulla paura e la coesione di gruppo era costruita anche con strumenti positivi. Le reclute si addestravano insieme, combattevano insieme e giocavano insieme in gruppi di otto: il cosiddetto *contubernium* (cioè il gruppo di uomini che condivide una tenda). I soldati si arruolavano giovanissimi: tutti gli eserciti hanno un debole per i giovanotti pieni di testosterone. Ai legionari, però, erano proibiti i rapporti sessuali re-

20

golari: se avessero avuto moglie e figli, ci avrebbero pensato due volte prima di affrontare i rischi di una battaglia. L'addestramento di base era estenuante: bisognava imparare a percorrere trentasei chilometri in cinque ore con venticinque chili abbondanti di armi ed equipaggiamento sulle spalle. I soldati si sentivano continuamente dire quanto fossero speciali, loro e i loro amici, e a quale incredibile formazione d'élite appartenessero. Un po' come nei Marines, solo con più cattiveria.

Il risultato erano gruppi di giovani uomini superallenati, in qualche misura brutalizzati e quindi pronti a comportarsi con brutalità, strettamente legati l'uno all'altro ma impossibilitati a stringere altri vincoli sentimentali, e soprattutto follemente orgogliosi della loro unità. Tutto ciò era simboleggiato dai giuramenti religiosi che i soldati pronunciavano davanti alle insegne di quella unità, le leggendarie aquile di Roma. Alla fine del percorso d'addestramento il legionario giurava sulla sua vita e sul suo onore di seguire ovunque le aquile e di non abbandonarle mai, a costo della sua stessa vita. La determinazione di non lasciar cadere le insegne in mani nemiche era tale che a Tongres uno dei portainsegne di Cotta, Lucio Petrosidio, benché colpito a morte riuscì a scagliare la sua aquila dentro le fortificazioni per impedirne la cattura. L'onore dell'unità e il legame con i commilitoni erano gli elementi più importanti nella vita di un legionario, che ne ricavava il coraggio di battersi e la cieca obbedienza agli ordini: il nemico sicuramente non aveva niente del genere.

A questo condizionamento fisico e psicologico l'addestramento militare aggiungeva il conseguimento di abilità pratiche di primissimo livello. I legionari romani, che pure non avevano armi segrete, erano molto ben armati per gli standard dell'epoca. Buona parte del loro equipaggiamento era una copia di quello dei popoli confinanti: per esempio il caratteristico, massiccio scudo (lo *scutum*) derivato da quello dei celti. Essi però erano accuratamente addestrati a usare quei mezzi in modo particolare. Ogni recluta imparava presto a disprezzare quelli che roteavano selvaggiamente la spada e a parare quel genere di colpi con lo scudo. La sua caratteristica spada corta, invece (il *gladius*), era fatta per colpire con un movimento breve e preciso il fianco dell'avversario quando questi lo scopriva proprio per roteare la spada. I legionari inoltre portavano un'armatura difensiva che, insieme all'addestramento nell'uso delle armi, nel corpo a corpo conferiva loro un notevole vantaggio.

In tutte le campagne che Cesare aveva condotto in Gallia, dunque, le legioni erano sempre riuscite a sconfiggere eserciti anche molto più numerosi; per questo Ambiorige fece bene a trattenere gli eburoni dal precipitarsi giù dalle colline fino a che otto ore di tiro al bersaglio non ebbero sfoltito i ranghi dei romani. Le legioni erano addestrate a muoversi come unità compatte, a ricevere ordini da una tromba e a rimanere in formazione anche nella confusione della battaglia. Il risultato è che qualsiasi comandante romano degno di questo nome poteva sferrare un massiccio attacco quando se ne presentava l'occasione e ritirarsi poi se necessario col massimo ordine. Truppe disciplinate e coese costituiscono un importantissimo vantaggio tattico rispetto a un esercito di nemici magari più numerosi, ma che agiscano come individui; e fu solo il determinante svantaggio tattico di essere intrappolato a fondovalle che impedì a Cotta di guidare a buon fine la resistenza delle sue coorti. In un'altra occasione, su un terreno più pianeggiante, un esiguo manipolo di 300 legionari tagliati fuori dal grosso delle truppe aveva resistito per ore all'assalto di 6000 nemici riportando in tutto solo qualche ferita.[2]

Ma la legione romana sapeva fare anche dell'altro. Imparare a costruire, e rapidamente, era parte integrante dell'addestramento: realizzare strade, accampamenti fortificati e macchine da assedio erano solo alcuni dei compiti che si potevano affidare ai legionari. Una volta Cesare ebbe bisogno di un ponte di barche per attraversare il Reno, e i soldati lo costruirono in soli dieci giorni; e piccoli contingenti di truppe romane controllavano regolarmente territori anche molto estesi dall'interno di bastioni fortificati. In quella giornata autunnale, se il consiglio di Cotta di rimanere al sicuro nell'accampamento avesse prevalso probabilmente nessuno si sarebbe fatto male. Tre anni prima un altro contingente romano, formato da sole otto coorti, era stato mandato a svernare in una vallata alpina alle sorgenti del Rodano, sopra il Lago di Ginevra, perché Cesare voleva che custodisse il Passo del San Bernardo. Attaccati da un nemico di gran lunga più numeroso, i romani avevano usato le fortificazioni e la loro accortezza tattica per infliggere agli assalitori una tale batosta da potersi poi ritirare indisturbati.

L'abilità costruttiva delle legioni poteva essere impiegata con altrettanta efficacia per stringere d'assedio le città nemiche: l'esempio più famoso è la conquista di Alesia, roccaforte e quartier generale del grande condottiero gallo Vercingetorige. Qui, su un circuito di oltre ventidue chilometri, le legioni di Cesare avevano scavato tre trincee concentriche verso l'interno – una larga e profonda sei metri, le altre due da quattro metri e mezzo ciascuna – piene di trappole anti-uomo di vario tipo, ma tutte altrettanto letali; subito dietro avevano innalzato un terrapieno sormontato da una palizzata alta tre metri e mezzo, coronata da merli e con una torre ogni venticinque metri. Quando i galli avevano mandato rinforzi per rompere l'assedio, a queste fortificazioni era stato rapidamente aggiunto un nuovo insieme di barricate rivolte all'esterno. In questo modo i romani, nonostante le forze nemiche fossero superiori di numero, erano riusciti a sventare molti tentativi di uscire dalla città assediata o di entrarvi, e avevano potuto combattere quasi sempre da una posizione di vantaggio perché le fortificazioni consentivano di spostare rinforzi nei punti più minacciati. Durante un altro assedio, quello dell'apparentemente inespugnabile forte gallo di Uxellodunum, Cesare aveva utilizzato una torre a dieci piani montata su una massiccia rampa e delle miniere sotterranee per impedire agli assediati di accedere alla sorgente montana che era per loro l'unica fonte d'acqua, costringendoli così alla resa.

Se in combattimento la legione romana era una macchina bellica altamente professionale, essa sapeva rendersi utile anche in altre occasioni. Le sue capacità costruttive potevano trasformare immediatamente una vittoria militare nel controllo definitivo di un territorio o di un'intera regione: la legione era dunque l'arma strategica più adatta per costruire un impero.[3]

Le campagne di Cesare in Gallia appartengono però a una fase relativamente tarda dell'ascesa di Roma come potenza imperiale. Tutto era cominciato con una città-stato come tante altre, che inizialmente aveva lottato per la sopravvivenza e poi per l'egemonia locale sull'Italia centromeridionale. Le origini di Roma si perdono nella mitologia e così anche i particolari di molte delle sue prime

23

guerre locali. Sappiamo qualcosa di più preciso solo a partire dalla fine del VI secolo a.C.: quelle guerre andarono avanti con cadenza periodica fino all'inizio del III secolo, quando, nel 283, il dominio di Roma sul territorio circostante fu definitivamente confermato dalla capitolazione degli etruschi e nel 275 caddero le città-stato greche dell'Italia meridionale. Dopo aver vinto le eliminatorie locali, dunque, Roma si qualificò per le regionali contro Cartagine, l'altra grande potenza del Mediterraneo occidentale. La prima delle cosiddette guerre puniche durò dal 264 al 241 a.C., e finì quando Roma conquistò la Sicilia facendone la sua prima provincia. Ci vollero altre due guerre (la seconda guerra punica, dal 218 al 202, e la terza, dal 149 al 146) per spezzare definitivamente la potenza di Cartagine: ma alla fine quella vittoria fece di Roma l'incontestata capitale del Mediterraneo occidentale, permettendole di assoggettare al suo potere anche il Nordafrica e la Spagna. Contemporaneamente l'influenza romana si andava estendendo su un'area molto più vasta. La Macedonia fu conquistata nel 167 a.C., e a partire dal 140 circa Roma governò direttamente anche la Grecia: con tali sviluppi divenne evidente che ben presto l'egemonia romana si sarebbe estesa a tutte le ricche regioni interne del Mediterraneo orientale. Verso il 100 a.C. anche la Cilicia, la Frigia, la Lidia, la Caria e molte altre province dell'Asia Minore erano cadute in mani romane, e altre subirono lo stesso destino poco dopo. Il cerchio della dominazione del Mediterraneo si chiuse nel 64 a.C., quando Pompeo annesse la Siria dei Seleucidi, e nel 30 a.C., quando Ottaviano conquistò l'Egitto.

Il Mediterraneo e le sue regioni costiere erano indubbiamente il centro di gravità delle ambizioni imperiali di Roma: ma per renderlo sicuro divenne presto necessario portare le legioni a nord delle Alpi, nel cuore dell'Europa non mediterranea. L'imposizione del dominio romano sui celti del Nord Italia fu seguita, attorno al 120 a.C., dalla creazione della provincia della Gallia Narbonense, nella Francia mediterranea. Il nuovo territorio era necessario per la difesa dell'Italia settentrionale, dato che le catene montuose, anche le più alte, non costituiscono di per sé una frontiera invalicabile, come aveva dimostrato Annibale. Tra la fine della repubblica e i primi anni dell'impero, cioè nei cinquant'anni a cavallo della nascita di Cristo, l'impero continuò a crescere, anche per il desiderio di gloria individuale dei comandanti romani. In questa fase, infatti, la conquista di territori al di là del mare divenne un modo universalmente riconosciuto per arrivare al potere: quindi il processo di espansione andò avanti, annettendo anche aree che non erano né particolarmente vantaggiose dal punto di vista economico né di vitale importanza strategica. Grazie a Cesare, tra il 58 e il 50 a.C. tutta la Gallia cadde sotto il gladio romano. Altre conquiste si ebbero sotto il suo successore, il nipote e figlio adottivo Ottaviano Augusto, primo imperatore di Roma. Verso il 15 a.C. i sandali chiodati dei legionari calpestarono il suolo delle regioni dell'alto e del medio Danubio, corrispondenti alle odierne Baviera, Austria e Ungheria: terre che erano state governate a lungo da re vassalli dell'impero, ma che in quella fase divennero province a tutti gli effetti, controllate direttamente da Roma. Attorno al 9 a.C. era stato annesso tutto il territorio percorso dal Danubio, e un arco di regioni collocate attorno ai valichi alpini si era aggiunto ai possedimenti dell'impero. Poi, per trent'anni circa, il confine nordeuropeo di Roma non fece che spostarsi al di qua e al di là dell'Elba, finché le difficoltà incontrate nella conquista delle foreste germaniche non portarono i comandanti romani ad abbandonare ogni velleità di dominio sulla vasta regione a est del Reno. Nel 32 d.C., sotto Claudio, ebbe inizio la conquista della Britannia, e tre anni dopo l'ex regno di Tracia (odierna Bulgaria e oltre) fu formalmente annesso come provincia allo stato romano. E così la frontiera settentrionale dell'impero si assestò sulla linea di due grandi fiumi: il Reno e il Danubio. E lì rimase per il resto della sua storia.[4]

Il sistema militare di Roma e le sue acquisizioni territoriali erano dunque il prodotto di secoli di guerre: ma la mera forza militare non basta a costruire un impero. Per lungo tempo infatti Roma combinò questo fattore di grandezza alla diplomazia mirata e, ove necessario, alla più crudele spietatezza. Più di una volta Cesare dimostrò grande clemenza verso i galli suoi prigionieri, lasciandoli liberi di tornarsene a casa quando ciò potesse essere nell'interesse di Roma. Si preoccupava inoltre di non sottoporre a eccessive pressioni la lealtà dei gruppi galli che gli si arrendevano, imponendo loro solo un modesto tributo in milizie ausiliarie e fornitu-

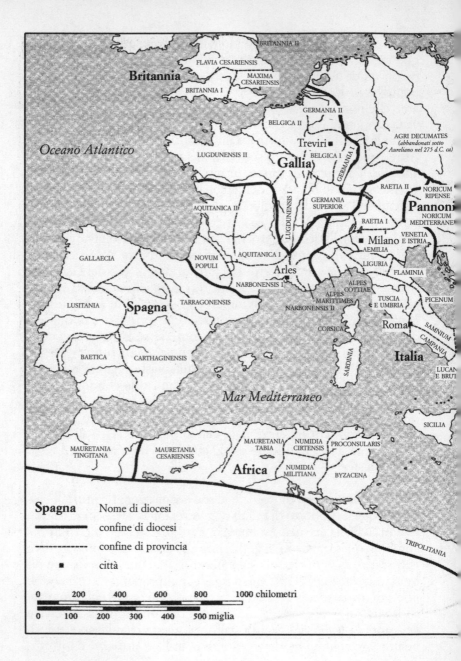

Britannia

BRITANNIA II

FLAVIA CESARIENSIS

MAXIMA CESARIENSIS

BRITANNIA I

Oceano Atlantico

GERMANIA II

BELGICA II

Treviri ■

AGRI DECUMATES
*(abbandonati sotto
Aureliano nel 275 d.C. ca)*

LUGDUNENSIS II

BELGICA I

Gallia

GERMANIA I

RAETIA II

NORICUM RIPENSE

AQUITANICA II

LUGDUNENSIS I

GERMANIA SUPERIOR

Pannoni

NORICUM MEDITERRANE

RAETIA I

GALLAECIA

NOVUM POPULI

AQUITANICA I

VENETIA E ISTRIA

■ Milano

AEMILIA

Italia

LIGURIA

Arles ■

FLAMINIA

NARBONENSIS I

ALPES COTTIAE

ALPES MARITTIMES

TUSCIA E UMBRIA

PICENUM

LUSITANIA

Spagna

TARRAGONENSIS

NARBONENSIS II

CORSICA

Roma ■

SAMNIUM

CAMPANIA

BAETICA

CARTHAGINENSIS

SARDINIA

Italia

LUCAN E BRUT

Mar Mediterraneo

SICILIA

MAURETANIA TINGITANA

MAURETANIA CESARIENSIS

MAURETANIA TABIA

NUMIDIA CIRTENSIS

PROCONSULARIS

Africa

NUMIDIA MILITIANA

BYZACENA

TRIPOLITANIA

Spagna   Nome di diocesi

——————   confine di diocesi

------------   confine di provincia

■   città

| 0 | 200 | 400 | 600 | 800 | 1000 chilometri |

| 0 | 100 | 200 | 300 | 400 | 500 miglia |

26

NNONIA I

VALERIA

DACIA
*(abbandonata sotto
Aureliano nel 275 d.C. ca)*

Sirmio

NONIA II

MOESIA I

MOESIA II

LMATIA

DACIA

SCYTHIA

Mar Nero

PONTICA

DARDANIA

THRACIA

HAEMIMONTUS

Tracia

PONTUS

PAPHLAGONIA

DIOSPONTUS

PONTUS PLEMONIACUS

PRAEVALITANA

Moesia

MACEDONIA

Costantinopoli

RHODORE

EUROPA

BIHTYNIA

ARMENIA MINOR

APULIA E ALABRIA

ERIPUS NOVA

HELLESPONTUS

PHRYGIA

GALATIA

Pontica

MESOPOTAMIA

THESSALIA

LYDIA

PHRYGIA

CAPPADOCIA

AUGUSTA EPHRATENSIS

OSRHOENE

ERIPUS VETUS

ASIA

Asiana

PISIDIA

CILICIA

ACHEA

CARIA

LYCIA E PAMPHYLIA

ISAURIA

Antiochia
SYRIA COELE

CRETA

CYPRUS

PHOENICIA

AUGUSTA LIBANENSIS

Mar Mediterraneo

PALESTINA

ARABIA I

Oriente

ARABIA II

LIBIA INFERIOR

AEGYPTUS IOVIA

LIBIA SUPERIOR

AEGYPTUS HERCULIA

Mar Rosso

THEBAIS

re alimentari, e concedendo sempre ai nuovi alleati la protezione delle legioni contro l'aggressione di terzi. Davanti a posizioni così moderate, molte tribù galliche capirono presto che la cooperazione poteva rivelarsi molto più vantaggiosa dell'inimicizia. Tattiche analoghe furono impiegate in moltissime altre occasioni e l'impresa militare di costruzione dell'impero romano fu spesso costellata da momenti di fruttuosa diplomazia. Nel 133 a.C., per esempio, Attalo III, ultimo sovrano indipendente del ricco regno ellenistico di Pergamo (nell'odierna Turchia nordoccidentale), lasciò spontaneamente il suo stato in eredità a Roma.

La diplomazia conciliatoria, comunque, era così fruttuosa proprio perché veniva utilizzata in pochi casi selezionati su uno sfondo di controllata e spietata brutalità. Dopo la terza guerra punica, che cancellò definitivamente la potenza di Cartagine, il senato romano decretò che la città dovesse sparire per sempre dalla faccia della terra, e il luogo ove un tempo essa sorgeva fu simbolicamente arato e cosparso di sale in modo che non potesse più risorgere. Più a est, il rivale più pericoloso di Roma era Mitridate VI Eupatore Dioniso re del Ponto, che a un certo punto arrivò a dominare la maggior parte dell'odierna Turchia e la costa settentrionale del Mar Nero. Questo monarca si era macchiato delle terribili atrocità note col nome di Vespri di Efeso, che avevano portato al massacro di migliaia di romani e italiani che risiedevano nel territorio. Ci volle un po' di tempo, ma alla fine, dopo tre diverse campagne militari (guerre mitridatiche), verso il 63 a.C. anche quel re tanto orgoglioso dovette rifugiarsi nel suo ultimo fortino, in Crimea. A quel punto Mitridate decise di togliersi la vita: ma siccome i molti anni di assunzioni preventive l'avevano reso immune al veleno, dovette chiedere a una delle sue guardie di trafiggerlo con la spada.

L'approccio di Cesare al problema della Gallia, comunque, sapeva anche essere implacabile. I capi nemici accusati di aver provocato disordini venivano frustati a morte: punizione che toccò anche ad Acco, capo dei senoni e dei carnuti, alla fine della stagione militare del 53 a.C. I nemici che si rifiutavano di arrendersi alle legioni potevano essere tratti in schiavitù o addirittura uccisi sul posto. Nel 52 a.C. Cesare fu bloccato per un po' dalla strenua difesa della roccaforte di Avarico, attaccata dopo il massacro di un gruppo di mercanti romani in viaggio con le loro famiglie. Alla fine, quando gli assediati furono sbaragliati, i legionari vennero lasciati liberi di rubare e massacrare: a quanto ci dicono solo ottocento persone rimasero in vita su una popolazione totale di 40.000 uomini, donne e bambini. Anche in questo caso, come sempre, non possiamo sapere fino a che punto Cesare, riferendo l'episodio nel *De bello Gallico*, stia esagerando, ma non possiamo avere dubbi sulla ferocia con cui i romani infierivano sui loro nemici.[5]

Essi non dimenticavano né perdonavano, e con la consueta brutalità si vendicarono anche della morte di Cotta e dei suoi. Qualche tempo dopo la battaglia, Induziomaro dei treveri, mentre conduceva un assedio, fu separato dal grosso delle sue truppe da un improvviso attacco della cavalleria e venne ucciso. Anche i treveri, come già gli eburoni prima di loro, furono costretti a disperdersi dalla ferocia con cui i romani, nella successiva stagione militare, devastarono il loro territorio. Ma invece di rischiare la vita dei propri soldati mandandoli a stanare i nemici dai loro boschi, Cesare invitò cortesemente le tribù confinanti a unirsi a lui nel saccheggio: tutti i villaggi dei treveri furono dati alle fiamme, e molti di loro morirono nelle scaramucce con i saccheggiatori. Il re degli eburoni, Catuvolco, ben presto ne ebbe abbastanza: Cesare stesso racconta che «non poteva reggere le fatiche di una guerra o di una fuga. Perciò, dopo aver maledetto con ogni sorta d'imprecazioni Ambiorige, l'ideatore del piano, si tolse la vita [impiccandosi] a un tasso». Probabilmente, se non si fosse impiccato, ci avrebbe pensato qualcun altro a farlo fuori: a quei tempi la sovranità comportava quasi sempre una responsabilità diretta e personale sui destini del popolo, e se le cose andavano male il re poteva essere sacrificato nella speranza che ciò servisse a ribaltare l'avverso destino. Un principio che, secondo alcuni, potrebbe essere utile anche nel contesto politico moderno. Quanto ad Ambiorige sappiamo che rimase in pista ancora alcuni anni, ma nel *De bello Gallico* Cesare non ci racconta come andò a finire. Lo incontriamo ancora una volta nel 52 a.C., quando una nuova legione romana saccheggiò e diede alle fiamme il territorio degli eburoni con l'obiettivo specifico di attirare sulla sua testa talmente tanto odio da spingere i suoi stessi sudditi a liberarsi di lui.[6]

Non che questa politica del bastone e della carota fosse particolarmente geniale, ma nemmeno c'era bisogno che lo fosse: combinata con l'uso delle legioni, in quella particolare congiuntura storica dell'Europa occidentale, era più che sufficiente a creare un impero.

Roma riuscì dunque a costruire un grande stato la cui diagonale maggiore andava dal Vallo di Adriano (al confine tra l'Inghilterra e la Scozia) alla Mesopotamia, dove scorrono il Tigri e l'Eufrate: 4000 chilometri circa. Lungo l'altra diagonale, una distanza relativamente più piccola di 2000 chilometri separava le installazioni romane alla foce del Reno dai posti di guardia sui monti dell'Atlante, in Nordafrica. Uno stato che fu, oltretutto, estremamente longevo: senza contare una breve avventura transilvana (durata solo 150 anni), Roma regnò su questo territorio nella sua pressoché totale interezza per ben 450 anni, dall'età di Augusto fino al V secolo d.C. Con eventi così remoti è facile perdere il senso del tempo. Val dunque la pena di fermarsi un momento a riflettere che, andando indietro di 450 anni a partire da oggi, si arriva al 1555: cioè, per quanto riguarda per esempio la storia inglese, all'epoca che precedette l'ascesa al trono di Elisabetta I. Oppure, volendo considerare un teatro più vasto, a un'Europa attraversata dai fermenti religiosi della Riforma. L'impero romano durò dunque davvero molto a lungo. Sia per dimensioni che per longevità, quello creato dalle legioni di Roma fu lo stato di maggior successo che quest'angolo di mondo abbia conosciuto. Ed è proprio l'entità di tale successo a rendere tanto interessante per noi lo studio della sua fine.

La longevità dell'impero conduce dritti a un altro punto d'importanza cruciale. Se ci fermiamo a riflettere, è evidente che nel corso di quei lunghi secoli l'impero dev'essersi trovato ad affrontare e a risolvere molte grandi sfide. L'Inghilterra è stata pressoché continuativamente un regno fin dai tempi di Elisabetta I, ma ha vissuto cambiamenti che l'hanno resa quasi irriconoscibile. Lo stesso vale per l'impero romano: nel IV secolo d.C. quei 400 anni abbondanti di storia avevano fatto del tardo impero un oggetto che probabilmente Giulio Cesare avrebbe faticato a riconoscere. Tradizionalmente i due fattori sono stati correlati, dando origine a una scuola di pensiero secondo la quale furono proprio le grandi trasformazioni introdotte dai secoli nella struttura dell'impero la causa determinante del suo crollo. I vari storici hanno messo l'ac-

30

cento su diverse trasformazioni: per Edward Gibbon, com'è noto, l'elemento cruciale fu la cristianizzazione, in quanto l'ideologia pacifista della nuova religione avrebbe annacquato lo spirito guerresco dell'esercito romano e la sua teologia avrebbe diffuso una superstizione che minò la razionalità della cultura classica. Nel XX secolo la tendenza è stata quella di concentrarsi sui fattori economici: nel 1964, per esempio, A.H.M. Jones ha affermato che nell'impero del IV secolo il prelievo fiscale era diventato talmente oneroso che i contadini non potevano trattenere dai loro prodotti nemmeno quanto serviva a sostentare la famiglia.[7]

Per dire qualcosa di significativo sulla fine di Roma, indubbiamente, bisogna comprendere le mutazioni interne che resero il tardo impero così diverso dalla sua versione più antica. D'altra parte questo libro dimostrerà che il punto di vista secondo cui nel IV secolo le trasformazioni interne indebolirono talmente l'impero da farlo crollare sotto il suo stesso peso è insostenibile. Le cause del crollo del V secolo vanno ricercate altrove. Per identificare l'inizio della fine dobbiamo innanzitutto esplorare i modi di funzionamento del tardo impero romano e i cambiamenti che li avevano generati. E il luogo in cui cominciare questo lavoro è proprio la città di Roma.

«La parte migliore dell'umanità»

Per tutto il IV secolo d.C. la città rimase sostanzialmente quella che era ai tempi di Cesare, una massa imperiale in espansione. Allora come oggi una gran folla di visitatori vi si recava per ammirarne i monumenti: il foro, il Colosseo, il senato, i bei palazzi pubblici e privati. Tutti coloro che vi avevano regnato le avevano lasciato in eredità i monumenti della loro gloria: la colonna istoriata di Marco Aurelio per esempio (II secolo d.C.), che celebra le vittoriose campagne militari dell'«imperatore filosofo» in paesi remoti, o il più recente arco di Costantino, eretto a partire dal 310 per ricordare le vittorie dell'imperatore sui nemici interni. Anche la sua popolazione, in un certo senso, era ancora «imperiale», cioè artificialmente gonfiata da un flusso continuo di nuovi arrivati provenienti dal resto dell'impero. Nel IV secolo Roma aveva quasi un milione di abitanti, mentre solo una manciata di città al mondo ne aveva più di centomila e la maggior parte meno di diecimila. Nutrire tutta quella gente era un problema tale da costituire un cruccio perenne per qualsiasi sovrano, anche perché una considerevole fetta di romani aveva i requisiti per accedere alla quotidiana distribuzione gratuita del pane, del vino e dell'olio d'oliva che spettavano alla capitale come diritto di conquista. A dimostrazione dei conseguenti problemi di approvvigionamento, possiamo osservare ancor oggi le sbalorditive rovine dei due porti di Roma, quello di Ostia e quello sul Tevere. Un solo ordine di moli non bastava a garantire lo smaltimento di quel flusso di derrate alimentari, quindi fu necessario costruirne un secondo. I grandi scavi finanziati dall'Unesco a Cartagine, capitale del Nordafrica romano, hanno illuminato l'altro estremo di questa linea di rifornimento, riportando in superficie le massicce installazioni portuali che servivano a caricare sulle navi i cereali destinati a nutrire il cuore pulsante dell'impero.[8]

Al centro della città, in ogni senso, c'era il senato: il perno del sistema imperiale, la casta da cui erano usciti sia Cesare che la maggior parte dei suoi alleati e avversari. Nei suoi giorni di gloria il senato di Roma contava circa novecento membri: tutti ricchi proprietari terrieri, ex magistrati e colleghi dell'immediata periferia capitolina, membri di quelle famiglie patrizie che dominavano la politica, la cultura e l'economia di Roma repubblicana.[9] Ma nel IV secolo in senato sedevano ormai ben pochi discendenti diretti di quelle antiche famiglie, forse nessuno. La ragione è molto semplice. Il matrimonio monogamico tende a produrre un erede maschio per non più di tre generazioni consecutive. In circostanze naturali il 20 per cento circa delle unioni monogamiche non genera rampolli e un altro 20 per cento ha solo figlie femmine. Naturalmente possono esserci delle eccezioni (la più notevole è costituita dalla famiglia reale dei Capetingi, nella Francia medievale, che ebbe eredi maschi in linea diretta per più di seicento anni consecutivi), ma scommetterei che nemmeno una delle famiglie senatoriali del IV secolo poteva risalire in linea retta maschile fino ai contemporanei di Giulio Cesare. Almeno indirettamente, però, molti senatori discendevano pur sempre dai grandi del passato – e non avevano problemi a dichiararlo – e le caratteristiche stesse del loro patrimonio lo dimostrano.

Di tutti i senatori del tardo impero quello che conosciamo meglio, grazie agli scritti che ci ha lasciato, è un certo Quinto Aurelio Simmaco, la cui vita adulta si svolse nella seconda metà del IV secolo. Tra il 364 e il 402, data della sua morte, questo illustre personaggio compose sette discorsi e circa novecento lettere: tutti gli scritti, pubblicati solo in parte dallo stesso autore, furono editi postumi dal figlio e poi ricopiati infinite volte dai monaci medievali in quanto modelli di stile latino. I suoi discorsi sono indubbiamente interessanti e avremo occasione di riparlarne più avanti. Ma l'insieme delle lettere è addirittura affascinante: innanzitutto per il numero dei destinatari e poi per la luce che gettano su molti aspetti dello stile di vita romano nel tardo impero. Simmaco era molto benestante e il suo patrimonio di tenute agrarie (sparse fra l'Italia centrale e meridionale, la Sicilia e il Nordafrica) era assolutamente tipico della sua classe; altri senatori ne possedevano anche in Spagna e nella Gallia meridionale.[10] Le sue tenute siciliane e nordafricane erano una conseguenza diretta delle conquiste che i grandi del passato avevano fatto durante le guerre puniche e che poi secoli di lasciti testamentari e accordi matrimoniali si erano incaricati di suddividere tra i discendenti. Ognuno dei regni che facevano parte dell'impero aveva visto qualche «uomo nuovo» coronare la propria carriera sposando la figlia di un'eminente stirpe locale: ma nel corso dei secoli il senato era rimasto l'apogeo della società imperiale, il parametro d'eccellenza che tutti gli arrampicatori sociali di Roma si sforzavano di raggiungere. A secoli di distanza, la distribuzione geografica del patrimonio terriero dei senatori rifletteva ancora la fase iniziale dell'ascesa di Roma alla grandezza e al potere.

Simmaco e i suoi pari erano acutamente consapevoli di quanta storia si incarnasse in loro stessi e nell'istituzione che rappresentavano: la cosa emerge chiaramente dalle lettere in cui Simmaco parla del senato di Roma come della «parte migliore dell'umanità», *pars melior humani generis*.[11] Con tali parole lo scrittore non vuole semplicemente dire che lui e i suoi pari sono i più ricchi di tutti, bensì che sono esseri umani «migliori» anche in senso morale: i più grandi nella virtù. In passato era piuttosto comune dire che, se una persona possedeva di più, era perché il suo maggior valore morale la autorizzava a tanto: è solo a partire dal secondo dopoguerra che il culto della ricchezza in quanto tale si è diffuso tanto da rendere superflua qualsiasi giustificazione etica. Le lettere di Simmaco ci regalano un punto di vista privilegiato sull'idea di superiorità personale con cui i romani di Roma giustificavano la loro ricchezza. Circa un quarto dell'epistolario è composto da lettere di raccomandazione per qualche membro giovane della casta che vuole avvicinare i potenti amici dell'autore. Vi si discute di questa o di quell'altra virtù: «integrità», «rettitudine», «onestà» e «purezza di maniere» compaiono a intervalli regolari. Non è semplicemente una collezione di attributi casuali: per Simmaco e per i suoi pari, il possesso di quelle virtù era strettamente connesso a un particolare tipo di formazione.

Alla base del sistema c'era lo studio intensivo di un piccolo gruppo di testi letterari sotto la guida di un esperto di lingua e interpretazione letteraria, il grammatico. Ogni ragazzo vi dedicava sette anni o più, a partire dall'età di otto anni, nei quali si concentrava sempre e soltanto su quattro autori: Virgilio, Cicerone, Sallustio e Terenzio. Compiuta questa prima parte lo studente diventava un «retore» e il numero degli autori da studiare si allargava, ma il metodo rimaneva sostanzialmente lo stesso. I libri venivano analizzati riga per riga, e ogni torsione della lingua era accuratamente identificata e discussa. Un tipico esercizio scolastico consisteva nel raccontare un banale avvenimento quotidiano nello stile di uno degli autori studiati («Descrivete una corsa delle bighe come l'avrebbe fatto Virgilio»). In sostanza si riteneva che quegli antichi testi contenessero il canone della lingua «corretta» e che i ragazzi dovessero apprenderlo sia nella parte lessicale sia nella complessa grammatica di cui si serviva. Una delle conseguenze è che il latino colto fu tenuto in una sorta di morsa culturale che impedì, o perlomeno rallentò di molto, il normale processo dell'evoluzione linguistica. Ma in cambio ciò permise ai suoi cultori un'identificazione istantanea: ogni volta che un membro dell'élite romana apriva bocca, era subito evidente a tutti che aveva studiato e che sapeva il latino «corretto». È come se un sistema educativo odierno si concentrasse unicamente sulle opere di Shakespeare al fine di rendere immediatamente riconoscibili le persone colte dalla loro capacità di parlare l'inglese shakespeariano. A riprova di quanto, nel IV secolo, il latino delle élite si fosse allontanato dalla par-

34

lata popolare, i graffiti ritrovati a Pompei – sepolta da un'eruzione del Vesuvio nel 79 d.C. – dimostrano che l'uso quotidiano stava già evolvendo verso una lingua romanza grammaticalmente meno complessa.

Saper parlare come si deve, però, era solo una parte del bagaglio culturale delle élite. A prescindere dalla forma linguistica dei testi antichi, per Simmaco e i suoi amici era l'assorbimento del contenuto di quelle opere a fare di loro degli esseri umani sostanzialmente ineguagliabili. La grammatica latina, dicevano, serviva a sviluppare un modo di pensare logico, preciso. Senza il dominio di casi e tempi era impossibile esprimere esattamente ciò che si voleva dire, o l'esatta relazione tra gli oggetti.[12] La grammatica come introduzione alla logica formale, in altre parole. Per l'élite romana, poi, gli antichi testi letterari erano una sorta di database morale in cui, nel corso dei secoli, si era distillato tutto ciò che c'era da sapere sul comportamento umano – buono o malvagio che fosse – e da cui, con una guida opportuna, si poteva apprendere cosa fosse giusto o sbagliato. Banalmente, dalle vicende di Alessandro Magno apprendiamo che è meglio non bere troppo a cena, altrimenti si rischia di trafiggere con la lancia l'amico del cuore. Ma ci sono anche lezioni più raffinate sull'orgoglio, la tolleranza, l'amore e così via, e sulle loro conseguenze: il tutto esemplificato nelle azioni e nel destino di certe personalità storiche. A un livello ancora più profondo – e qui ritroviamo l'eco di una filosofia dell'educazione sviluppata per la prima volta nella Grecia classica – Simmaco e i suoi pari pensavano che, riflettendo a fondo sulla vita di uomini descritti nelle fonti come buoni o malvagi, era possibile vivere un analogo ventaglio di esperienze intellettuali ed emotive raggiungendo la condizione più elevata cui un essere umano potesse ambire. La vera compassione, il vero amore, il vero odio e la vera ammirazione, secondo quei signori, non potevano verificarsi spontaneamente negli esseri umani privi d'istruzione: l'essere illuminato e veramente umano si forgiava e si perfezionava nelle aule di latino. Simmaco lo esplicita parlando di un certo Palladio: «[La sua] eloquenza commuoveva il pubblico latino per l'abilità con cui organizzava il discorso, per la ricchezza della sua immaginazione, per il peso delle sue riflessioni, per la brillantezza dello stile. Vi dirò cosa ne penso: i doni della sua reto-

35

rica sono esemplari quanto il suo carattere».[13] I romani istruiti non si limitavano a parlare una lingua superiore: secondo Simmaco e i suoi compagni, in quella lingua discutevano di cose inaccessibili alle persone non istruite.

Alla nostra sensibilità moderna queste argomentazioni non risultano molto convincenti. E poi, nonostante il grammatico utilizzasse i testi antichi anche per insegnare un po' di storia, di geografia, di scienze e di altre materie, il *curriculum studiorum* dei giovani latini era incredibilmente limitato. Tutta quella concentrazione sulla lingua aveva fatto del latino scritto un mezzo di comunicazione molto formale. Nelle sue lettere Simmaco tende a rivolgersi alle persone come al pubblico di una conferenza. Lo stesso difetto che la regina Vittoria rimproverava a Gladstone. «Affinché nessuno possa accusarmi del crimine di aver interrotto la nostra corrispondenza, preferisco affrettarmi a compiere il mio dovere piuttosto che attendere, con lunga inoperosità, la vostra risposta»:[14] così comincia la prima lettera della raccolta, indirizzata al padre e datata 375. Tanta formalità tra padre e figlio, nel IV secolo, era considerata tutt'altro che disdicevole. Ma per tornare agli autori antichi, i frutti di quello studio raffinato dovevano manifestarsi innanzitutto e con la massima visibilità proprio nell'arte di parlare in pubblico. Ai suoi tempi Simmaco era conosciuto come «il Retore», soprannome cui teneva moltissimo, e aveva l'abitudine di inviare copia dei suoi discorsi agli amici più cari.[15]

Non tutti i romani del tardo impero apprezzavano così tanto gli studi, o erano convinti della loro importanza quanto Simmaco; ma tutti concordavano sul fatto che non solo essi permettevano all'individuo di riconoscere la virtù in quanto tale, ma fornivano anche gli strumenti necessari per comunicare agli altri la propria (corretta) opinione e per convincerli. In altre parole, quegli studi costituivano un bagaglio obbligatorio per chiunque volesse candidarsi a guidare il resto dell'umanità.

Dal possesso di quell'ambitissimo vantaggio, com'è ovvio, discendevano molte responsabilità. Preparati per primeggiare, quegli uomini dovevano diventare dei capi. Potevano farlo collaborando alla stesura e al varo di leggi giuste, svolgendo con esemplare correttezza elevati incarichi pubblici o, a un livello meno formale, comportandosi nella loro esistenza pubblica e privata come esempi viventi di rettitudine e moralità: la società dell'antica Roma era convinta che non si potesse ambire a governare gli altri se non ci si dimostrava capaci di governare sé stessi. Le persone istruite, inoltre, avevano il dovere di mettersi al servizio della tradizione letteraria che li aveva educati: lo studio dei testi antichi, con la preparazione di nuove edizioni e commenti, era un compito che durava tutta la vita, e gli intellettuali dell'élite tardoimperiale erano lieti di potervi dedicare il loro tempo libero. Nelle sue lettere Simmaco accenna a un'opera da lui stesso redatta sulla *Naturalis historia* di Plinio, e uno dei suoi più intimi amici, Vettio Agorio Pretestato, era un celebre editore e studioso di Aristotele. La tradizione manoscritta di molti classici ha conservato i commenti a margine dei personaggi più in vista dell'antica Roma, ricopiati infinite volte nel corso dei secoli dai monaci amanuensi.[16]

Ma la cosa forse più importante è che ogni membro dell'élite colta era tenuto a restare in buoni rapporti con i suoi pari. In un certo senso le lettere di Simmaco sono per noi estremamente frustranti: i suoi erano tempi interessantissimi, lui conosceva tutte le persone importanti e si teneva in corrispondenza con loro, ma nelle sue missive è rarissimo trovare qualche accenno all'attualità. E così gli storici, il più delle volte, le hanno messe da parte con un senso d'esasperazione: «Mai visto un uomo che abbia scritto così tanto per dire così poco».[17] In realtà Simmaco aveva delle opinioni sue, e anche piuttosto precise: ma il punto non è questo. L'importanza storica delle sue lettere sta nella loro mole d'insieme e in ciò che possono insegnarci sui valori professati dall'élite del tardo impero, e non in ciò che dicono o non dicono degli avvenimenti concreti. Il messaggio generale è che l'élite di Roma era cementata da una cultura distinta e privilegiata, e aveva bisogno di restare unita nella buona e nella cattiva sorte. L'epistolario di Simmaco comunica l'idea che mittente e destinatario appartengono allo stesso club: che sono, come disse impagabilmente Margaret Thatcher, «dei nostri». Gli imperativi dell'etichetta erano molto precisi. La prima lettera a una persona era un po' come la prima visita a casa sua: e chi non rispondeva, a meno che non avesse gravi ragioni, destava sospetto o provocava inimicizia. L'elenco delle scuse accettabili per non rispondere a una lettera, una volta avviata la comunicazione epistolare, andava da una malattia (propria o di

37

un familiare) all'eccessivo carico di lavoro. Cosa piuttosto strana, una persona in procinto di lasciare Roma doveva scrivere per prima, e solo allora il suo corrispondente le rispondeva. I rapporti epistolari potevano servire a vari scopi – come testimoniano le duecento e passa lettere di raccomandazione di Simmaco – ma la cosa più importante restava pur sempre la relazione in sé.[18]

Questo mondo e i presupposti su cui si basava, in buona misura, sarebbero sembrati familiari anche a Giulio Cesare. Era la Grecia, dove a partire dalla metà del I millennio a.C. gli intellettuali avevano sviluppato sofisticate teorie sociali e politiche, che aveva trasmesso alla cultura romana la sostanza di questa pedagogia, e tutto ciò era già avvenuto ai tempi di Cesare, lui stesso uomo di lettere e grande oratore all'interno di una società in cui tali doti erano tenute nella massima considerazione. Cicerone, il più grande dei retori latini e uno dei quattro autori studiati con tanta passione da Simmaco e compagni, era un contemporaneo di Cesare. Ovviamente, dopo quattrocento anni di studi su un corpus letterario così limitato le regole della composizione nei diversi generi letterari erano diventate più complesse che non ai tempi di Cesare, ma l'idea di base era rimasta sostanzialmente la stessa. Analogamente, Simmaco e Cesare avevano in comune la concezione di un'élite caratterizzata da una formazione esclusiva e destinata a governare l'intera umanità.[19]

Cesare avrebbe riconosciuto anche la grande massa della non élite, quella che nel IV come nel I secolo costituiva la maggioranza della popolazione di Roma. La massa compare solo marginalmente nelle lettere di Simmaco, ma riconosciamo il consueto bisogno di *panem et circenses*, pane e divertimenti, che l'establishment sfruttava per tenere il popolo quieto e per prevenire i disordini sociali. Una volta, all'epoca di Simmaco, capitò che dal Nordafrica non arrivasse cibo sufficiente per tutti: allora la plebe senza terra si arrabbiò per davvero, e ne aveva tutte le ragioni. Una cosa simile era già capitata all'epoca di suo padre durante una carestia di vino. Bisogna sapere infatti che i romani avevano una ricetta per la fabbricazione del cemento subacqueo che richiedeva l'impiego di vino; Simmaco senior stava appunto supervisionando alcune opere edili in cui si usava quel genere di intruglio, quando la plebe venne a conoscenza del paradosso. Usare il vino per fare il cemento quando *loro* non ne avevano a sufficienza per bere? Lo scandalo provocò quasi un'insurrezione,[20] e Simmaco padre dovette lasciare la città.

La preoccupazione di divertire il popolo traspare anche dagli elaborati preparativi di Simmaco per i giochi che suo figlio era tenuto a offrire in occasione del suo ingresso nell'ordine senatoriale. Anche Cesare, qualche secolo prima, ne aveva organizzati. Fra le varie attrazioni Simmaco si era procurato sette cani da caccia scozzesi – probabilmente una qualche varietà di cane lupo – e grazie alle sue amicizie aveva fatto venire dalle regioni di frontiera venti schiavi, cinque per ognuna delle quattro squadre che avrebbero partecipato alla corsa delle bighe all'ippodromo. Fu un sorta di gigantesco allestimento teatrale, ma costellato da un'infinità di problemi, certo non drammatici, minuziosamente descritti nelle lettere. In una di queste, dal tono piuttosto irritato, Simmaco si lamenta della tassa d'importazione che ha dovuto pagare per alcuni orsi provenienti dal Nordafrica.[21] Altra seccatura, una compagnia di attori e di artisti del circo scritturata in Sicilia si «era persa» sulle spiagge del golfo di Napoli, dove probabilmente aveva accettato un ingaggio notturno «in nero» prima che gli agenti di Simmaco la rintracciassero e la trascinassero a Roma.[22] Simmaco ricordava che qualche decennio prima, durante i giochi che aveva organizzato per la sua stessa nomina a senatore, i cavalli spagnoli avevano dato buona prova: e così tormentò un suo conoscente iberico perché gliene mandasse alcuni per la festa del figlio. Sfortunatamente, solo undici dei sedici puledri inviati sopravvissero al viaggio, il che mandò tutto a monte (ci volevano quattro gruppi di quattro destrieri – uno per ogni squadra – per organizzare una corsa delle bighe).[23] L'ultima volta che lo vediamo nel ruolo di organizzatore di pubblici intrattenimenti, Simmaco è davvero disperato: c'erano stati dei ritardi, dice la lettera, i pochi coccodrilli sopravvissuti al viaggio si rifiutavano di mangiare; quindi l'orgoglioso padre del festeggiato si raccomandava tanto di dare inizio ai giochi al più presto, prima che anche questi morissero di fame.[24] Dietro ogni forma teatrale si cela il caos: e probabilmente le cose andavano così già ai tempi di Cesare.

Se si fissa lo sguardo solo sulla città di Roma, la vera entità delle trasformazioni avvenute tra l'epoca di Cesare e quella di Simmaco non è immediatamente percepibile. Nel IV secolo essa era ancora la tronfia capitale dell'impero, la cui popolazione e magnificenza erano artificialmente gonfiate da un flusso migratorio proveniente dai quattro angoli del mondo. Ancora dominata da un'élite narcisista, di sangue blu e assolutamente convinta della propria superiorità, la città non dedicava che un'occhiata sprezzante alle sue masse urbane. Ma pur essendo grande e importante, Roma era solo un angolo dell'impero; e anche se la sua magnificenza non si era appannata, quell'immutabilità era più apparente che reale.

La corona imperiale

All'inizio dell'inverno 368-369 Simmaco lasciò Roma e si diresse verso nord. Ma non per una gita di piacere: l'illustre senatore era a capo di un'ambasceria senatoriale diretta al di là delle Alpi, a Treviri, nella valle della Mosella (dove oggi corre il confine tra Germania, Francia e Lussemburgo) – ex teatro delle imprese di quell'Induziomaro capo dei treveri che 421 anni prima aveva istigato gli eburoni ad attaccare Sabino e Cotta. Come al solito le lettere di Simmaco non ci raccontano i particolari concreti del viaggio, come il percorso seguito dalla carovana o altre circostanze analoghe. Trattandosi di una missione ufficiale per conto del senato, comunque, sicuramente lui e i suoi compagni utilizzarono il *cursus publicus*, la rete di stazioni di posta realizzata e mantenuta a spese dell'erario in cui i viaggiatori potevano cambiare i cavalli e trovare alloggio per la notte. La principale arteria per il nord attraversava le Alpi al Passo del San Bernardo, quindi sfiorava le sorgenti del Rodano, costeggiava la Saône fino alle sorgenti della Mosella e infine ne seguiva il corso fino a Treviri (Carta n. 1). Se il divinizzato spirito di Cesare avesse seguito gli ambasciatori nel loro viaggio, il senso di rassicurante familiarità che aveva provato nell'osservare Roma sarebbe svanito al vedere quanto quei territori si erano trasformati nei quattro secoli trascorsi dalla sua morte.

Una prima mutazione profonda, per quanto ovvia, era implicita nell'obiettivo stesso della missione. Simmaco e i suoi compagni, infatti, dovevano portare l'oro della corona (*aurum coronarium*) all'imperatore regnante, Valentiniano I. Si trattava di un pagamento in contanti, in teoria volontario, che ogni città versava all'imperatore al momento della sua ascesa al trono e poi a ogni quinto anniversario dall'investitura (*quinquennalia*). Valentiniano era stato elevato alla porpora imperiale nel 364, quindi la missione di Simmaco celebrava il quinto anniversario del suo titolo. La spedizione era leggermente in anticipo, ma gli ambasciatori avevano voluto prendersi tutto il tempo necessario per arrivare puntualmente dal sovrano il 26 febbraio, giorno dell'efemeride. Ai tempi di Cesare, ovviamente, non era un imperatore a guidare l'impero romano, bensì un insieme di oligarchi rissosi le cui rivalità e i cui litigi avevano spesso scatenato la guerra civile. Nel 45 a.C. Cesare stesso era stato nominato *imperator* (cioè comandante dell'esercito) a vita, e un anno dopo, poco prima del suo assassinio, gli era stata offerta la corona. Ciononostante il titolo di imperatore era ancora una novità assoluta quando suo nipote Ottaviano Augusto lo rivendicò per sé e ne diede la definizione. E dopo di allora la carica era stata stravolta fino a diventare irriconoscibile.

Innanzitutto, ogni sogno di tornare alla forma repubblicana era ormai svanito da tempo. Augusto si era sforzato di fingere che le strutture di potere da lui create non rappresentassero la fine della repubblica, e che con la nuova costituzione di tipo misto il senato avesse ancora un ruolo importante. Ma già sotto il suo regno la maschera era caduta, e nel IV secolo ormai tutti pensavano all'imperatore come a un monarca autocratico. L'idea ellenistica della sovranità, sviluppatasi durante i vari regni sorti dopo l'effimero impero di Alessandro Magno, aveva completamente trasformato l'ideologia e il cerimoniale fino a definire l'immagine dell'imperatore legittimo come un semidio scelto e ispirato dal cielo. L'ex *primus inter pares* era diventato un sovrano sacro in comunicazione diretta con l'ente supremo, e in sua presenza i comuni mortali erano tenuti a comportarsi con la dovuta deferenza. Nel IV secolo il normale protocollo prevedeva ormai la *proskýnesis* (gli ammessi alla sacra presenza dell'imperatore erano cioè tenuti a gettarsi lunghi distesi per terra), mentre a pochi privilegiati era concesso l'onore di baciare l'orlo della sua veste. Dagli imperatori, ovviamente, ci si aspettava che si comportassero di conseguenza. Una memorabile cerimonia descritta da Ammiano Marcellino, lo storico del IV secolo, ci mostra l'imperatore Costanzo II nell'atto di entrare trionfalmente a Roma nel 357. Ammiano, che pure per altri versi non lo approvava affatto, riteneva Costanzo la quintessenza dell'imperatore da cerimonia: «Quasi avesse il collo bloccato, tenendo lo sguardo fisso in linea retta, nessuno lo vide voltare il capo a destra o a sinistra [...] o chinare il capo quando le ruote sobbalzavano, o sputare, o pulirsi o grattarsi il naso o la faccia, o agitare le mani». Così, ogni volta che l'occasione lo richiedeva – cioè nelle giornate importanti, quando bisognava dimostrare di essere un vero sovrano scelto dal cielo – Costanzo sapeva assumere un contegno quasi sovrumano, libero da quei segni dell'umana fragilità che caratterizzano i comuni mortali.[25]

D'altra parte gli imperatori del IV secolo non si limitavano ad *apparire* più potenti dei loro colleghi del I secolo. Da Augusto in poi essi avevano sempre avuto un'immensa autorità, ma col passare dei secoli il loro mansionario si era allargato. Prendiamo per esempio il compito di fare le leggi. Fino alla metà del III secolo il sistema legale romano si sviluppava con il concorso di varie fonti giuridiche: il senato aveva il potere di legiferare, e altrettanto poteva fare l'imperatore, ma il gruppo che portava avanti l'innovazione legale era soprattutto quello degli avvocati accademici specializzati, i «giureconsulti», che su mandato diretto dell'imperatore affrontavano e risolvevano le questioni inerenti l'interpretazione della legge e affrontavano argomenti nuovi applicando i princìpi legali consolidati. Dal I secolo alla metà del III la giurisprudenza romana si sviluppò dunque soprattutto grazie alla competenza di questi personaggi: che però nel IV secolo furono soppiantati dall'imperatore, alla cui attenzione venivano ormai sottoposti tutti i casi legali dubbi. Era l'imperatore, quindi, a dominare il processo legislativo. Lo stesso vale per moltissime altre materie, non ultima l'esazione fiscale, sulla quale nel IV secolo i funzionari imperiali avevano un ruolo molto più diretto che non nel I secolo. Gli imperatori avevano sempre avuto l'autorità potenziale di espandere il raggio delle proprie funzioni: ma nel IV secolo questa potenzialità si era in buona misura attuata, per quanto riguarda sia il cerimoniale sia il ventaglio delle funzioni del sovrano.[26]

Altrettanto importante è il fatto che ormai la condivisione del potere al vertice dell'impero era diventata un'abitudine: sul trono, cioè, sedeva di solito più di un imperatore. Nel IV secolo non si era ancora formalizzato il sistema che prevedeva due distinte metà dell'impero, quella orientale e quella occidentale, ciascuna con il suo sovrano: e a tratti un solo uomo cercava ancora di governare tutto il territorio. L'imperatore Costanzo II (337-361), per esempio, governò da solo per una parte del suo regno, e i suoi immediati successori, Giuliano e Gioviano, fecero altrettanto fra il 361 e il 364. Anche Teodosio ci provò nell'ultimo decennio del IV secolo. Ma nessuno di questi esperimenti durò a lungo, e per la maggior parte del IV secolo il lavoro di reggere e governare l'impero fu suddiviso tra più persone. Questa condivisione del potere fu organizzata in vari modi. Alcuni imperatori usarono parenti più giovani – figli, se ne avevano, altrimenti nipoti – come colleghi secondari ma non meno imperiali, ognuno con una corte sua propria. Costantino I utilizzò questo modello dal 310 fino alla sua morte, avvenuta nel 337; Costanzo II fece altrettanto con i nipoti Gallo e Giuliano per buona parte del decennio successivo al 350; e infine Teodosio I, nell'ultimo decennio del secolo, cercò di fare qualcosa del genere con i suoi due figli proclamandoli Augusti, ma alla sua morte essi erano ancora troppo giovani per esercitare una vera autorità. Altri imperatori condivisero il potere alla pari con altri parenti, in genere i fratelli: i figli di Costantino I lo fecero dal 337 al 351, e Valentiniano e Valente nel decennio successivo al 364. Tra la fine del III e l'inizio del IV secolo, inoltre, per un lungo periodo il potere fu condiviso sostanzialmente alla pari con persone che non erano nemmeno imparentate con l'imperatore: Diocleziano, per esempio, nell'ultimo decennio del III secolo istituì la cosiddetta tetrarchia («potere di quattro»): lui e un collega avevano il titolo di Augusto, e poi c'erano due Cesari,[27] e ciascuno dei quattro aveva una sua zona d'influenza. Con un certo alternarsi di imperatori il sistema tetrarchico durò fino a poco dopo il 320. Il tardo impero conobbe dunque vari modelli di condivisione del potere: ma per la maggior parte del IV secolo ci furono due imperatori, generalmente con base uno in oriente e l'altro in occidente. E nel V secolo questa realtà si cristallizzò in un sistema più o meno formale.

Non solo, dunque, c'era un imperatore, anzi spesso più d'uno: c'è anche un'altra importante trasformazione implicita nel fatto che l'ambasceria di Simmaco dovesse viaggiare verso nord per

43

raggiungere Valentiniano in un'occasione importante come il quinto anniversario della sua ascesa al trono. Nel campo di studi della tarda romanità succedono cose abbastanza curiose: per esempio gli storici si sono domandati a lungo se, nel corso del IV secolo, l'imperatore di volta in volta regnante sia stato a Roma quattro o cinque volte (senza comunque fermarvisi mai per più di un mese).[28] Bizzarra controversia. La cosa davvero importante, ovviamente, non è se l'imperatore sia stato a Roma quattro o cinque volte: il punto è che nel IV secolo gli imperatori non ci andavano praticamente mai. La città, che pure era ancora la capitale simbolica dell'impero e riceveva una quota assolutamente sproporzionata del reddito complessivo sotto forma di cibarie distribuite gratuitamente e altri sussidi, non era più un centro politico o amministrativo rilevante. Soprattutto tra la fine del III e l'inizio del IV secolo si erano sviluppati nuovi centri di potere, molto più vicini alle principali frontiere dello stato romano. In Italia fu Milano, a vari giorni di viaggio da Roma, a imporsi come sede delle attività governative imperiali. Altrove e in momenti diversi acquistarono importanza anche Treviri, sulla Mosella, Sirmio, alla confluenza tra la Sava e il Danubio, Nicomedia, in Asia Minore, e Antiochia, vicino al fronte persiano; ciò avvenne soprattutto durante la tetrarchia di Diocleziano, quando i quattro imperatori in carica avevano ciascuno una propria sfera d'influenza geografica. Nel IV secolo, poi, la situazione si stabilizzò: Milano e Treviri in occidente, Antiochia e una nuova capitale, Costantinopoli, in oriente, si confermarono come centri di dominio politico e amministrativo dell'impero.

In un discorso del 364 indirizzato a Valente, fratello di Valentiniano, il filosofo e oratore Temistio paragona implicitamente Costantinopoli e Roma in un modo che non può che far risaltare gli inconvenienti di quest'ultima come capitale dell'impero:

Costantinopoli collega due continenti [Europa e Asia], è un buon ancoraggio per i traffici marittimi, un ottimo mercato per i commerci via terra e via mare e un efficace ornamento del comando romano. Difatti non è stata costruita, come un qualche recinto sacro, lontano dalla via principale, né impedisce agli imperatori di occuparsi dei pubblici affari quando vi sono trattenuti, essendo il luogo ove devono passare per forza tutti coloro che vengono o vanno in qualsiasi direzione; di modo che, pur tenendoli il più vicino possibile a casa, essa li colloca nel vero centro dell'impero.[29]

«Un recinto sacro» – pieno di templi dedicati alle divinità artefici di antiche vittorie – e «lontano dalla via principale» sono espressioni che riassumono abbastanza bene le caratteristiche della Roma imperiale del IV secolo. Come Temistio coglie con precisione, una delle ragioni per cui gli imperatori abbandonarono la loro prima capitale riguarda mere necessità di politica amministrativa. Le pressanti minacce esterne che reclamavano la loro attenzione venivano dalle regioni a est del Reno, a nord del Danubio e lungo il fronte persiano, tra il Tigri e l'Eufrate. L'asse strategico dell'impero, cioè, correva lungo una diagonale che dal Mare del Nord costeggiava il Reno e il Danubio fino alle Porte di Ferro, dove il grande fiume incrocia i Carpazi, e proseguiva poi attraverso i Balcani e l'Asia Minore fino ad Antiochia, da dove si poteva controllare l'intero fronte orientale. Tutte le capitali del IV secolo sono ubicate su questa linea o poco lontano da essa (Carta n. 1). Roma invece ne era troppo distante per essere operativa: le informazioni ci mettevano troppo tempo a raggiungerla, e gli ordini che ne uscivano avevano effetto solo molto tempo dopo.[30]

Ma le necessità amministrative da sole non bastano a spiegare perché Roma fosse ignorata in modo così radicale. Si trattava pur sempre delle stesse necessità logistiche e strategiche che ogni estate avevano spinto Giulio Cesare a scavalcare le Alpi, inoltrandosi poi a ovest fino alla Spagna o a est fino all'altra sponda del Mediterraneo; ma poi, d'inverno, egli tornava immancabilmente a Roma per rafforzare la propria posizione politica, coprire di doni gli amici e mettere paura ai nemici. E doveva farlo: perché ai suoi tempi il senato di Roma era il luogo in cui si svolgevano quelle lotte per il potere politico alle quali lui e i suoi colleghi oligarchi dedicavano tanta parte delle loro energie (quando non erano occupati a conquistare un altro pezzetto di Mediterraneo). Tutti i principali sostenitori e avversari di Cesare erano membri del senato; la maggior parte degli ufficiali superiori e tutti i comandanti delle legioni appartenevano all'ordine senatorio; ed era in senato che andavano in scena i grandi scontri di potere. Infatti, simbolicamente, fu sulla gradinata del senato che alle idi di marzo del 44 a.C. Giulio Cesare venne assassinato. Gli imperatori del IV secolo, invece, non avevano ragione di trattenersi a Roma perché, a parte le pressanti necessità amministrative che li richiamavano fuori dall'Italia, l'arena politica in cui si svolgevano i loro maneggi era un'altra. Nel IV secolo gli imperatori non andavano spesso a Roma perché la loro presenza era richiesta altrove non solo dalle necessità della pubblica amministrazione, ma anche da ragioni di carattere politico. Per comprendere questo sviluppo cruciale nell'evoluzione dell'impero bisogna ricordare che ormai era la corte imperiale – dovunque risiedesse – il centro da cui emanava tutto ciò cui i romani potevano aspirare: ricchezza, cariche pubbliche, favori, promozioni, tutto dipendeva dalla presenza fisica dell'imperatore, il luogo concreto in cui veniva ridistribuito il gettito fiscale dell'Eurasia occidentale.

I contemporanei ne erano perfettamente consapevoli. Nel 310, parlando davanti all'imperatore Costantino, qualcuno riassunse il concetto come segue: «Nei luoghi che la vostra divinità vuol onorare con maggior frequenza delle sue visite tutto si accresce: uomini, mura e favori; così come la terra faceva spuntare fiori freschi laddove Giove giaceva con Giunone, non meno abbondantemente templi e città sorgono ovunque i vostri piedi lascino la loro impronta».[31] Ai tempi di Cesare chi voleva conquistare nuovi amici e influenzare le masse nell'arena cruciale di Roma doveva reinvestirvi tutta la ricchezza dell'impero; nel IV secolo invece quella strategia sarebbe stata un suicidio politico. Dopo le idi di marzo, e per centinaia d'anni, i rapporti clientelari dell'impero avevano dovuto diffondersi su un'area molto più vasta.

Piuttosto che al senato di Roma, nel IV secolo le arene politiche più importanti dell'impero erano altrove. Innanzitutto, e da tempo ormai immemorabile, era l'esercito, o per meglio dire il suo corpo ufficiali, uno dei soggetti principali della politica imperiale. È ormai entrato nella tradizione trattare l'«esercito romano» come un soggetto politico. Non stiamo parlando della truppa, ovviamente, che di norma non aveva opinioni proprie: ogni volta che leggiamo un resoconto un po' dettagliato vediamo che sono sempre e soltanto gli ufficiali superiori a partecipare alla discussione su chi debba essere innalzato alla porpora o all'organizzazione di un colpo di stato. Naturalmente anche i cambiamenti intervenuti nell'ordine di battaglia dell'esercito dai tempi di Giulio Cesare determinavano quali ufficiali potessero avere un ruolo politico di primo piano. Sotto Cesare l'esercito era composto da legioni di più di 5000 uomini, ognuna delle quali era già di per sé una cospicua formazione militare: tutti i comandanti di legione – i *legati*, in genere appartenenti alla classe senatoria – tendevano ad avere un certo peso politico. Nel IV secolo invece le figure chiave della gerarchia militare erano i generali di primo grado e gli ufficiali superiori degli eserciti di campo regionali, i *comitatenses*. In generale c'era sempre un'importante forza mobile a copertura di ciascuna delle tre frontiere principali: una a occidente (raggruppata lungo il Reno e – spesso – nell'Italia del Nord), una nei Balcani, a protezione del Danubio, e una in oriente, nella Mesopotamia settentrionale.[32]

L'altro soggetto politico cruciale del tardo impero era la burocrazia imperiale (i *palatini*: da *palatium*, che significa appunto palazzo). I burocrati, pur non avendo alle spalle il peso militare dei generali di primo grado, controllavano sia le finanze sia i procedimenti legislativi ed esecutivi dello stato, e nessun regime politico avrebbe potuto funzionare senza la loro partecipazione attiva. Attorno all'imperatore, naturalmente, c'erano sempre stati dei funzionari burocratici, ed erano sempre stati potenti. Già nell'alto impero i liberti del sovrano erano influenti e temutissimi. La novità di questa fase stava piuttosto nelle dimensioni della macchina burocratica centrale. Nel 249 d.C. in tutto l'impero c'erano ancora soltanto 250 funzionari burocratici superiori: verso il 400, solo 150 anni dopo, erano diventati 6000. La maggior parte di questi burocrati operava all'interno del quartier generale imperiale che supervisionava ciascuna delle tre frontiere principali: non stavano a Roma, dunque, ma a seconda dell'imperatore che servivano risiedevano a Treviri e/o a Milano per la frontiera del Reno, a Sirmio o sempre più spesso a Costantinopoli per quella del Danubio e ad Antiochia per quella orientale. Non era più il senato di Roma a decidere sui destini politici dell'impero, bensì i *comitatenses* concentrati sulle principali frontiere e i funzionari d'alto livello della burocrazia residenti nelle capitali che amministravano quelle frontiere.[33]

Di norma il trono imperiale passava di mano in mano lungo linee di successione dinastiche, ma solo se queste potevano proporre un candidato adatto, che potesse comandare con un ragionevole grado di consenso da parte di generali e burocrati. L'imperatore Gioviano, per esempio, alla sua morte (avvenuta nel 364) lasciò un figlio ancora bambino, che fu prontamente scavalcato; e nel 379 alla porpora fu innalzato Teodosio I, che non aveva alcun legame di parentela con la dinastia imperiale, solo perché, nonostante due dei figli di Valentiniano I fossero già stati proclamati imperatori, il secondo, Valentiniano II, era ancora troppo giovane per governare davvero l'oriente. C'erano poi momenti di discontinuità dinastica: nel 363-364 la stirpe di Costantino si estinse per mancanza di eredi maschi idonei, e una cricca di generali anziani e alti funzionari della burocrazia cominciò a discutere su una rosa di possibili candidati. In questi casi, in genere, erano i militari ad avere la meglio (prima con Gioviano, nel 363; e poi, dopo la sua morte prematura, con Valentiniano, nel 364): ma gli alti livelli della burocrazia erano sempre coinvolti nel processo decisionale, e non era impossibile che qualche burocrate prendesse in considerazione l'idea di scendere in lizza per i propri colori. Nel 363, quando Gioviano divenne imperatore, un burocrate omonimo fu gettato in un pozzo, evidentemente perché costituiva una minaccia troppo seria; e nel 371 uno scribacchino d'alto livello di nome Teodoro fu condannato a morte per aver complottato contro Valente, fratello di Valentiniano. Durante la congiura si era tenuta anche una seduta spiritica, e Teodoro aveva chiesto allo spirito del defunto di svelargli il nome del prossimo imperatore. Sulla plancia furono indicate le lettere T-e-o-d, e a questo punto la seduta fu interrotta per stappare una bottiglia di Farlerno, uno dei vini più costosi dell'antichità. Se solo avessero avuto un po' di pazienza i congiurati si sarebbero risparmiati tante false speranze e una morte orribile, dato che il successore di Valente fu appunto Teodosio.[34]

Una potente combinazione di fattori logistici e politici aveva dunque prodotto un cambiamento fondamentale nella geografia del potere, spingendo eserciti, generali, imperatori e burocrati ad allontanarsi dall'Italia. Questo processo spiega anche perché, diversamente da prima, l'impero non potesse più accontentarsi di un solo imperatore. Per amministrare in concreto la cosa pubblica Antiochia e Costantinopoli erano troppo lontane dal Reno, mentre Treviri e Milano erano troppo lontane dall'oriente: un solo imperatore dunque non poteva esercitare un controllo efficace su tutte e tre le principali frontiere dello stato. Ma anche a livello politico un solo centro di distribuzione dei favori clientelari non bastava più ad accontentare tutti gli ufficiali e i burocrati d'alto livello in misura sufficiente a prevenire i tentativi di usurpazione. Ognuno dei tre settori principali dell'esercito pretendeva una congrua fetta del bottino, che gli veniva versata in oro: in somme annuali relativamente piccole, e in donativi molto più sostanziosi a ogni anniversario imperiale (come i *quinquennalia* che spinsero Simmaco a nord delle Alpi). Gli ufficiali inoltre gradivano particolarmente le promozioni e le altre onorificenze – per non parlare degli inviti a cena – che emanavano dalla presenza fisica dell'imperatore; e lo stesso vale per il versante civile della piramide. Nessun regime poteva permettersi di concentrare tutte le attività clientelari in una capitale sola, rischiando di scontentare qualcuno di importante. Nel IV secolo, di solito, questo tipo di necessità politiche veniva tenuto in gran conto: ma ogni volta che un imperatore cercava di governare da solo per troppo tempo cominciavano a sorgere dei problemi. Verso la fine del secolo Teodosio I risiedeva a Costantinopoli e per precise ragioni dinastiche (desiderava che alla sua morte i suoi due figli ereditassero ciascuno una metà dell'impero) non voleva scegliere un secondo imperatore da mettere a capo dell'occidente. Di conseguenza dovette affrontare parecchi brontolii nella sua stessa capitale e anche vari pericolosi usurpatori, i quali trovarono ampio sostegno tra ufficiali e funzionari che ritenevano di non ricevere una fetta adeguata della torta imperiale.

Il declino dell'importanza politica e amministrativa di Roma non fu un avvenimento improvviso. Già nel I e nel II secolo d.C. gli imperatori avevano cominciato a essere itineranti e a operare tramite un collega per risolvere alcune situazioni particolari: tra il 161 e il 169, per esempio, Lucio Vero era stato Augusto insieme a Marco Aurelio.[35] Ma nel IV secolo i giorni gloriosi della repubblica, quando ancora tutti gli scontri tra fazioni e tutte le cospirazioni di qualche importanza avvenivano a Roma e le risoluzioni del senato giocavano un ruolo fondamentale nella conduzione dello stato, erano ormai tramontati per sempre. Il ruolo del senato in seno all'impero era ormai quasi solo cerimoniale, e le sue decisioni e i suoi membri avevano una parte marginale nell'acquisizione e nell'esercizio del potere. I senatori erano ancora ricchissimi, e potevano fare una bella e significativa carriera pubblica:[36] ma anche in questo caso la loro traiettoria politica era limitata. La carriera di un senatore del tardo impero – il cosiddetto *cursus honorum* – era esclusivamente civile, e non poteva in nessun caso conferirgli un comando militare: dunque ai senatori era precluso l'ultimo scalino prima della dignità imperiale, la quale, come abbiamo visto, in genere era riservata ai generali di primo grado. Note del senato venivano ancora sottoposte all'attenzione dell'imperatore (il quale ovviamente le leggeva); dispacci imperiali informavano regolarmente il senato su tutte le questioni importanti (era un onore ambitissimo, che a volte toccò anche a Simmaco, quello di leggere ad alta voce le missive del sovrano); e il senato, tramite un'ambasceria all'imperatore, poteva dire la sua sui problemi che riteneva rilevanti. Ma l'assemblea non era particolarmente coinvolta nell'elezione del sovrano, e quindi non vi era motivo di corteggiarla se non al momento di decidere l'ammontare dei contributi annui «volontari» alle finanze imperiali. Il senato era pieno di uomini ricchi che pagavano un utile contributo fiscale e che potevano fare un'importante carriera: ma non era più – nel suo insieme – un attore di primo piano nella lotta per il potere e nella gestione della cosa pubblica.

Non stupisce quindi che, poco a poco, i suoi membri siano stati degradati. Prima del IV secolo i senatori di Roma (insigniti del titolo di *clarissimi*, cioè illustrissimi) condividevano tutti un unico status: erano esentati dalla partecipazione a tutte le altre istituzioni cittadine e godevano di vari privilegi legali e finanziari. Nel corso del IV secolo, invece, furono introdotte varie modifiche a questo stato di cose: innanzitutto, gradualmente ma con fermezza, gli imperatori cominciarono a innalzare alla dignità senatoriale moltissimi nuovi burocrati. All'inizio ciò avvenne solo in singoli, rarissimi casi: ma poi, nel 367 d.C., l'imperatore Valentiniano varò una sostanziale modifica del *cursus honorum* che riuniva in un unico sistema tutti i possibili segni di status sociale del settore civile dell'impero. E da allora in poi l'appellativo di *clarissimus* fu alla portata di tutti. Fino alla fine del secolo ci fu dunque una forte inflazione di titoli che vide molti ruoli burocratici accedere al grado di *clarissimi*. Tutti i 6000 funzionari della burocrazia imperiale del 400 d.C. occupavano posti di lavoro che comportavano lo status senatoriale, conseguibile già negli anni lavorativi oppure dopo il pensionamento. Le famiglie che tradizionalmente avevano un seggio al senato di Roma non monopolizzavano più una nicchia sociale esclusiva. Anzi, il gran numero di nuovi *clarissimi* costrinse l'imperatore, per poter avere ancora qualcosa da concedere, ad articolare ulteriormente la classe senatoriale con la creazione di due scalini ancora più eccelsi: quello degli *spectabiles* e quello degli *illustres,* ai quali in sostanza si accedeva solo grazie al servizio attivo nella burocrazia e non per diritto di nascita. Circa nello stesso periodo, tra il 330 e la fine del secolo, una serie di imperatori prese poi delle misure che portarono alla creazione di un secondo senato imperiale, alla pari con quello di Roma, nella nuova capitale d'oriente: la nuova assemblea fu costituita in buona misura promuovendo degli uomini nuovi, ma anche trasferendovi alcuni senatori romani della vecchia leva che già risiedevano da quelle parti. Tra il 250 e il 400 d.C., dunque, i senatori romani di sangue blu videro un vasto ceto emergente erodere poco a poco quella posizione sociale cui tenevano tanto, assistettero alla lenta ma decisa ascesa di una classe senatoria parallela a Costantinopoli.[37]

Tutte queste trasformazioni forgiarono un mondo politico che per Giulio Cesare sarebbe stato irriconoscibile. Il *primus inter pares* era diventato un sovrano d'origine divina, a capo di quello che alcuni storici hanno ribattezzato «impero *inside-out*» (per via della particolare geografia delle sue capitali), che di solito operava con almeno un collega di pari livello ed esercitava la sua autorità su quasi tutti gli aspetti della vita dei sudditi. La burocrazia imperiale si era imposta come nuova aristocrazia, rimpiazzando il demilitarizzato e marginalizzato senato di Roma. Nel loro insieme queste evoluzioni spiegano perché, per consegnare a Valentiniano l'oro della corona, Simmaco e la sua ambasceria dovettero andare fino a Treviri. Sommandosi l'una all'altra, tutte quelle trasformazioni avevano creato un nuovo, fondamentale problema: ai tempi di Cesare il mondo romano non era molto più piccolo che nel IV secolo, eppure non c'era bisogno di due imperatori per governarlo o di una più ampia distribuzione dei privilegi clientelari per prevenire l'usurpazione e la rivolta. E allora, cos'era cambiato tra il 50 a.C. e il 369 d.C.? Per trovare risposta a questa domanda dobbiamo osservare un po' più da vicino la meta verso cui tendeva l'ambasceria di Simmaco: la città di Treviri, centro di comando della frontiera del Reno.

Roma è là dove ti batte il cuore

La Treviri romana era nata come piccolo insediamento militare su un guado strategico della Mosella nel cuore di un territorio abitato da treveri ostili. La città che nell'inverno del 368-369 accolse Simmaco e i suoi colleghi, però, già da tempo non era più un accampamento militare, bensì il prospero e popoloso bastione della *romanitas* nella regione frontaliera del Reno. Siccome arrivavano da ovest, probabilmente gli ambasciatori entrarono in città dalla Porta Nigra, il più bell'esempio di ingresso cittadino romano che sia giunto intatto fino a noi. Ancora oggi che è circondata da edifici moderni essa è una costruzione impressionante, e possiamo immaginare quale fosse il suo impatto su un osservatore del IV secolo. Innanzitutto ci si parava davanti una massiccia saracinesca di ferro; se si era ammessi a entrare si avanzava in una corte interna, e solo allora si poteva varcare la porta vera e propria. Su entrambi i lati c'erano due torri con archi a quattro piani, brulicanti di guardie pronte a scagliare proiettili su qualsiasi forza ostile che fosse rimasta intrappolata tra la saracinesca e la porta (questo spazio deve la sua sopravvivenza a un santo del X secolo che ne fece la sua cella, dopodiché probabilmente divenne una chiesa mentre le mura e le altre porte romane vennero abbattute per ricavarne materiale da costruzione). All'epoca di Simmaco l'imponente edificio interrompeva una muraglia lunga sei chilometri, alta sei metri e spessa tre, che racchiudeva un'area urbana di 285 ettari. Un'altra grande porta dominava il ponte sulla Mosella che già da tempo aveva sostituito il vecchio guado, e che possiamo ammirare in un medaglione d'oro del IV secolo rinvenuto a Treviri.

52

Ma anche l'interno della città non era da meno. All'inizio del IV secolo tutto il quartiere nordorientale era stato ricostruito per essere il centro funzionale e cerimoniale dell'impero nella regione. Poi, a partire dal 310, i lavori furono portati avanti dai vari sovrani della dinastia di Costantino; infine, dopo la morte dell'ultimo erede, da altri successori non dinastici. Il palazzo imperiale, la cattedrale e il circo – più un gruppo di edifici termali probabilmente riservati all'imperatore, le *Kaiserthermen* – dominavano ora questa parte della città. Molte cerimonie del tardo impero si svolgevano appunto nel circo, e un passaggio sotterraneo permetteva all'imperatore di raggiungere dal palazzo direttamente il suo palco privato. La pianta della cattedrale, che come indicano le fonti fu completata nel 370 circa, è tornata alla luce grazie a scavi realizzati nel secondo dopoguerra. Sotto il livello del suolo si possono vedere i resti del complesso termale e, più o meno intatta, la basilica (la grande sala delle udienze degli imperatori romani). Come la Porta Nigra, anche questo edificio è sopravvissuto al medioevo grazie al fatto di essere stato trasformato in chiesa, e oggi sorge severo e isolato nel bel mezzo di un sistema di viabilità a senso unico.[38]

Ma per tornare al IV secolo, la basilica era fiancheggiata da portici e dalle aree private del palazzo, eppure si stagliava massiccia sugli edifici circostanti: 67 metri di lunghezza per 27,5 di larghezza e 30 di altezza dal pavimento al soffitto, quasi il doppio della Porta Nigra. La basilica di Treviri ci interessa perché è il luogo in cui Simmaco e il resto della sua delegazione consegnarono all'imperatore Valentiniano l'oro che avevano portato da Roma. All'esterno, in origine, l'edificio era coperto di stucchi. Così come li vediamo oggi interno ed esterno sono semplici e disadorni, ma nel IV secolo dovevano fare tutto un altro effetto con il pavimento di piastrelle bianche e nere a disegni geometrici, la fascia sotto le finestre dipinta a finto marmo e le molte nicchie alle pareti con le statue originarie. Probabilmente gli ambasciatori entrarono nello splendido edificio dalla porta principale, quella a sud, per avere subito la visuale migliore dell'imperatore assiso in trono nell'abside, all'altro capo della sala. Di solito la presenza del monarca era celata da una ricca tenda, attraverso la quale la silhouette di sua magnificenza si intravedeva appena: ma in una grande occasione cerimoniale come la consegna dell'oro della corona questo schermo veniva sicuramente rimosso. I dignitari civili e militari della corte, probabilmente allineati lungo le pareti, sfoggiavano i loro abiti più sontuosi ed erano disposti secondo il rigido ordine di precedenza che Valentiniano stesso aveva stabilito un paio d'anni prima. L'insieme dava un'impressione d'ordine e di splendore, e gli occhi di tutti erano irresistibilmente attratti dalla figura dell'imperatore. Seguiva un breve discorso e tutto era finito.[39] Gli ambasciatori potevano ritirarsi.

Ma Simmaco non tornò subito a casa, e si trattenne a Treviri e dintorni fino alla fine dell'anno. Ebbe così tutto il tempo di osservare la città, la regione e i loro abitanti. Probabilmente ne rimase molto colpito: Treviri era romana fino al midollo, e lo era ormai da moltissimo tempo. I nuovi edifici imperiali si erano innestati su una città già interamente romana. Appena superata la porta del ponte sulla Mosella, nella parte orientale della città, c'era uno dei più grandi complessi termali dell'impero d'occidente (esclusa ovviamente Roma), le *Barbarathermen* (delle *Kaiserthermen* abbiamo già parlato): questa grande attrazione pubblica con cortile porticato, bagni caldi, freddi e tiepidi e palestra, era stata costruita nel secondo quarto del II secolo, e all'arrivo di Simmaco era ancora frequentatissima. Poco lontano sorgevano gli edifici municipali: il foro, il tribunale e la sede del consiglio cittadino. Quest'ultima, vero cuore politico della città, nel corso degli anni era stata rimaneggiata più volte, ma esisteva già nel I secolo d.C. Pressappoco nella stessa epoca la città aveva avuto anche il suo anfiteatro: posto sul fianco di una collina, a est dell'abitato, proprio in faccia alle terme, era più grande di quelli di Arles e di Nîmes che ancor oggi si possono ammirare in Francia. A sud-ovest dell'anfiteatro, nel cosiddetto Altbachtal, c'erano una cinquantina di templi che, nell'insieme, formavano il più vasto complesso di edifici sacri dell'impero occidentale. In più, anche se non è ancora stato ritrovato, sappiamo per certo che esisteva un altro tempio dedicato alla divinità protettrice di Roma: Iuppiter Optimus Maximus. Più tardi Treviri ebbe anche un teatro e, nel III secolo, un moderno sistema d'approvvigionamento idrico: un acquedotto lungo dodici chilometri che prosciugava la valle del Ruwer, tra i rilievi circostanti, per dare acqua alle fontane e alle fogne dell'agglomerato urbano. Sin dai primi anni del II secolo d.C., dunque, la città era diventata un vero e proprio spazio urbano romano, e da allora in poi non aveva smesso di crescere e di evolversi.

Né tutte queste trasformazioni si limitavano alla sola Treviri. Città romane erano sorte un po' in tutta la Gallia, e ce n'erano anche in Britannia, in Spagna, nel Nordafrica, nei Balcani, in Asia Minore e nella mezzaluna fertile. Molte di tali città, che soprattutto nell'area del Mediterraneo erano state fondate su antichi insediamenti greci, esistevano già al tempo della conquista romana; altre furono erette nel corso del I secolo d.C. (nei luoghi più remoti, come la Britannia, forse nel II). Il loro numero varia da regione a regione, ma più ci si allontana dagli immediati dintorni del Mediterraneo più si diradano. In ogni caso, l'estensione e la profondità di questi cambiamenti non vanno sottovalutate. Lo spirito di Cesare, se avesse accompagnato la delegazione di Simmaco, ne sarebbe rimasto stupefatto. Ai suoi tempi l'Europa centrosettentrionale aveva solo qualche sparsa roccaforte degli indigeni, numerosi villaggi rurali e qua e là qualche accampamento militare romano: nel IV secolo invece quel paesaggio era pressoché interamente romanizzato, e le sue città erano le fondamenta amministrative dell'impero. Una città romana, infatti, era molto più del suo centro urbano: possedeva e amministrava anche il circostante territorio rurale. Nel IV secolo, a parte pochissime eccezioni, amministrativamente l'impero era costituito da un mosaico di territori cittadini e ogni città era governata da un consiglio municipale (*curia*) composto da decurioni (altrimenti detti *curiales*).[40]

Nel corso dell'anno che passò alla corte di Valentiniano, Simmaco fu variamente intrattenuto da molti personaggi eminenti. Alcuni abitavano in belle case di città: frammenti di un paio di queste eleganti dimore, in genere sezioni dei bei pavimenti a mosaico, sono tornati alla luce grazie agli scavi archeologici realizzati sotto la città odierna. Molti possedevano anche lussuose tenute nelle campagne circostanti, che conosciamo molto meglio proprio perché non giacciono sotto la complessa realtà urbana di una città moderna. La più grande di tali ville riportate sinora alla luce – a Konz – sorgeva un'ottantina di chilometri a monte della confluenza tra la Mosella e la Saar, in una posizione elevata sulla scoscesa riva del fiume, e probabilmente dalle sue terrazze si godeva una vista magnifica; i vari edifici di cui era composta occupavano una superficie rettangolare di 100 metri per 35. L'intero complesso gravitava attorno a una sala delle udienze centrale con tanto di abside: abbiamo ragione di credere che si trattasse della residenza estiva dell'imperatore, Contionacum. Se ebbe la fortuna di esservi invitato, Simmaco deve avervi goduto di intrattenimenti davvero regali.

A Treviri e dintorni sono state rinvenute moltissime ville, la maggior parte delle quali solo leggermente meno grandiose di questa (quasi tutte dimore private, non imperiali), disposte in luoghi ameni sulle due rive del fiume. A parte i granai e gli altri edifici necessari a un'operosa proprietà rurale, queste ville presentavano il classico miscuglio di locali pubblici e privati considerato irrinunciabile per condurre anche in campagna un'esistenza da romano civilizzato: terme, sala delle udienze, mosaici, riscaldamento centralizzato, ombrosi cortili porticati, eleganti giardini e fontane. Non c'è niente di eccezionale nel fatto che questi germi di eleganza romana si trovassero tanto lontano dall'Italia: la vicinanza di Treviri e la capacità di spesa della corte imperiale bastavano a rendere le ville sulla Mosella più grandi e più sontuose di quanto sarebbero state senza quella fortunata coincidenza. Né la presenza di quelle ville era un fenomeno nuovo per la regione. Costruzioni del genere avevano cominciato a sorgervi già nel 100 d.C., e da allora si erano moltiplicate fino a diventare un tratto costante del paesaggio. L'unico dettaglio costruttivo diffuso nell'Italia romana che le zone più settentrionali non avevano potuto copiare, per via delle differenti condizioni di piovosità e temperatura, è la zona scoperta al centro della casa per la raccolta dell'acqua piovana. Proprio come nei dintorni di Treviri, belle ville romane punteggiavano la campagna attorno a tutte le altre città romane sorte nei territori via via assoggettati all'impero. Cambiava solamente la loro diffusione, la velocità con cui sorgevano o il lusso di cui erano dotate: in Britannia, per esempio – a parte il palazzo di Fishbourne, risalente alla metà del I secolo –, le ville comparvero un po' più tardi e si diffusero più lentamente che nel resto d'Europa. Nel IV secolo, dopo duecento anni di pavimenti decorati a geometrie in bianco e nero, finalmente i mosaici a colori raggiunsero anche le province a nord della Manica. Nei quattro secoli che

56

separano Cesare da Simmaco, sia le città sia le campagne dell'Europa centrosettentrionale si erano evolute abbastanza da copiare le decorazioni più alla moda di Roma.[41]

I cambiamenti non riguardavano solo gli edifici, ma anche le persone. Durante l'anno che trascorse presso la corte di Treviri, Simmaco seppe allacciare e sfruttare numerose conoscenze: la più importante fu quella con un collega specializzato in lingua e letteratura latina, Decimo Magno Ausonio, forse di una trentina d'anni più anziano di lui. Dopo una brillante carriera accademica Ausonio era stato assunto dall'imperatore Valentiniano come precettore di suo figlio, il futuro imperatore Graziano. La lettera con cui Simmaco gli si presentò, composta in termini altamente lusinghieri per il destinatario, è stata identificata solo di recente tra le molte missive anonime dell'epistolario.[42] Ne emergono due punti di particolare interesse. Innanzitutto, la riconoscibile eccellenza in latino aveva il potere di cancellare l'inferiorità sociale: Ausonio infatti, pur appartenendo all'élite colta, non veniva certo da una famiglia distinta come quella di Simmaco. Secondariamente, ma per i nostri scopi la cosa riveste particolare importanza, Ausonio si era fatto un nome come insegnante indipendente di retorica latina presso l'università di Bordeaux, vicino alla costa atlantica della Gallia, che nel IV secolo si era affermata come uno dei principali centri d'eccellenza per l'insegnamento del latino. Sappiamo che la conoscenza approfondita del latino classico si era diffusa ben oltre i confini dell'Italia, ma in questo caso c'è qualcosa di più: uno studioso di fama come Ausonio non soltanto non era di Roma, ma non era nemmeno italiano e inoltre era nato e vissuto in Gallia.[43] Ciononostante vediamo un romano di Roma, e per giunta di sangue blu, rivolgersi a lui con deferenza e cercare di ingraziarselo parlandogli di questioni attinenti la letteratura latina. E non è ancora tutto: all'inizio della sua epistola Simmaco accenna abilmente al fatto che lui stesso, a Roma, aveva studiato retorica latina con un precettore nato in Gallia.

Il caso di Ausonio dimostra ancora una volta quanto fosse cambiato il mondo romano. Come Treviri e le sue ville anche questo personaggio, con le sue caratteristiche peculiari, incarna schemi di trasformazione molto ampi e profondi. Anche ai tempi di Cesare c'erano dei galli che sapevano bene il latino, soprattutto nelle città della Gallia Narbonense, la provincia romana della Francia mediterranea: ma l'idea che uno specialista di lingua e letteratura latina formatosi a Roma e appartenente alla classe senatoria potesse rivolgersi a un gallo come a un intellettuale a lui superiore nella tradizione latina, per Cesare sarebbe stata un'assurdità.

Poco dopo la nascita dell'impero le due lingue imperiali – il latino nella parte occidentale, integrato in qualche misura dal greco in quella orientale – cominciarono a essere studiate, in aggiunta ai loro idiomi materni, dai nuovi sudditi di Roma, soprattutto i più benestanti. All'inizio ciò era avvenuto per scopi concreti; ma ben presto in quasi tutte le città dell'impero comparvero grammatici latini professionisti. Già verso il 23 d.C. ad Autun, nella Francia centrale – la città da cui proveniva la famiglia di Ausonio –, esisteva una scuola di tipo romano. La presenza di tali scuole significava che la formazione intensiva in lingua e letteratura latina tipica delle élite veniva messa a disposizione dei rampolli delle famiglie benestanti di tutto l'impero. Nel IV secolo, ormai, anche in provincia si poteva acquisire una buona formazione latina sotto la guida di un grammatico esperto. La lingua in cui sono redatte le poche lettere sopravvissute di san Patrizio, nato in una famiglia di piccoli proprietari terrieri della Britannia nordoccidentale, dimostra che nel IV secolo quel tipo di formazione scolastica era impartito anche ai confini dell'impero; mentre il Nordafrica, per andare all'altro estremo dei domini romani, era giustamente famoso per una tradizione scolastica che aveva già prodotto sant'Agostino da Ippona, in assoluto uno dei romani più colti del tardo impero. Era il trionfo di Virgilio sui suoi rivali culturali non latini e preromani.

Tutto ciò ci mette di fronte al cambiamento più importante in assoluto, alla dimensione dell'evoluzione imperiale sottesa a tutti i mutamenti specifici che abbiamo osservato: la creazione di paesaggi urbani e rurali romanizzati fuori dai confini dell'Italia e l'ampliamento della comunità politica ben oltre quella di Roma e il suo senato. La lingua e la letteratura latina si diffusero in tutto il mondo romano perché i popoli conquistati dalle legioni di Cesare rimasero affascinati dall'ethos romano e scelsero di farlo proprio: una cosa ben diversa dall'imparare un po' di latino per ragioni pratiche, come mandare di tanto in tanto una vacca o un maiale in dono a un conquistatore romano (cosa che comunque accadeva spesso). Accogliere la figura del grammatico e il suo tipo di formazione comportava l'accettazione di tutto un sistema di valori in base al quale, come abbiamo visto, solo da quel determinato percorso formativo potevano nascere degli esseri umani pienamente sviluppati, e per ciò stesso superiori a tutti gli altri.

È lo stesso processo d'investimento nei valori della *romanitas* che aveva fatto sorgere ville e città romane anche in quelle zone dell'impero che prima dell'arrivo delle legioni non ne avevano mai vista una. Tutti i modelli che stanno alla base della vita urbana di Treviri erano nati nel Mediterraneo; poi, nei territori conquistati, i romani avevano fondato degli insediamenti di veterani proprio per dare agio ai nativi di osservare da vicino la vita urbana vissuta dai «veri» romani. Ma non è così che era nata la Treviri romana. Il titolo ufficiale della città (il cui nome moderno, in francese, è Trèves), svela subito le sue origini: *Augusta Treverorum*, «Augusta dei treveri». La città era stata cioè legalmente costituita sotto l'imperatore Augusto a opera di membri della tribù dei treveri (proprio quella che generò Induziomaro, responsabile ultimo della tragica fine di Cotta e dei suoi legionari). Nel corso del I e del II secolo, dunque, Treviri fu costruita da treveri che volevano avere una loro città romana: il che è confermato da un ampio corpus di iscrizioni dedicatorie del tutto simile a quello di molte altre città analoghe. La maggior parte degli edifici pubblici di questi agglomerati urbani era infatti finanziata da donazioni e sottoscrizioni locali. Tale era l'entusiasmo con cui queste popolazioni volevano dimostrare la propria *romanitas* che per realizzare i loro progetti le ex tribù (galliche, britanniche, iberiche ecc.) si facevano prestare ingenti quantitativi d'oro da prestavalute italiani, a costo di mettersi nei guai. Il primo insediamento romano di Treviri era indubbiamente un accampamento militare, ma la città romana omonima, come tutte le altre città dell'impero, non era stata costruita da immigranti venuti dall'Italia bensì dalla popolazione autoctona. A partire dal II secolo diventa praticamente impossibile distinguere la villa fatta costruire da un italiano da quella di un provinciale.

Tutti gli edifici caratteristici di una città romana – le terme, i templi, la sede del consiglio cittadino, l'anfiteatro – erano spazi costruiti per assolvere a particolari funzioni e per accogliere determinati eventi: e non aveva senso erigerli a meno che non si intendesse celebrare quegli eventi. I «veri» romani facevano il bagno in un locale pubblico; il culto religioso prevedeva cerimonie cui partecipava tutta la popolazione urbana; la sede del consiglio cittadino e i suoi cortili erano il luogo in cui si discuteva della gestione della cosa pubblica; il foro era la sede idonea in cui organizzare l'autogoverno. E nell'ideologia romana della civiltà, che discendeva direttamente da quella della Grecia classica, l'esercizio dell'autogoverno locale era uno strumento fondamentale per forgiare esseri umani civilizzati. Con l'abitudine di discutere i temi locali davanti all'assemblea dei pari, si pensava, le facoltà razionali si sarebbero sviluppate a un livello altrimenti impossibile.[44] La fondazione di una città romana, dunque, non si esauriva nel costruire una serie di edifici romani standard, bensì comportava la riforma completa della vita politica secondo uno schema particolarissimo, quello di Roma.

L'esatta natura di tali riforme è bene illustrata da una stupefacente serie di ritrovamenti nell'entroterra della costa meridionale della Spagna mediterranea. Dopo la conquista romana, in un tempo estremamente breve, anche qui un certo numero di comunità locali furono rifondate come città romane, e per varie ragioni vollero incidere la loro nuova costituzione su tavole di bronzo. La serie più completa di tali tavole è stata ritrovata nella primavera del 1981 su un'insignificante collinetta denominata Molino del Postero, in provincia di Siviglia. Si tratta di dieci tavole di bronzo alte 58 centimetri e larghe 90 sulle quali è incisa – su tre colonne per tavola – la *Lex Irnitana*: cioè la costituzione della città romana di Irni. Confrontando questo insieme di tavole con i frammenti rinvenuti in altri siti si è scoperto che esisteva una sorta di costituzione di base, elaborata a Roma, che tutte le altre città adottavano modificandone solo qualche piccolo dettaglio per renderla più adatta alle circostanze locali. Le leggi fondamentali della città vi erano esposte in maniera particolareggiata: ne risulta un testo composito in cui si combinano frammenti concepiti in insediamenti diversi, e che nella traduzione inglese risulta lungo diciotto fitte pagine.[45] Fra le altre cose si specifica chiaramente chi poteva essere eletto al consiglio cittadino e come si dovevano scegliere i vari magistrati (cioè i funzionari esecutivi: in genere *duumviri*, cioè due per ciascuna carica), quali processi legali potevano essere celebrati localmente e come andavano gestiti e controllati gli affari economici. Solo i dettagli, per esempio il numero dei consiglieri, potevano variare da città a città a seconda delle dimensioni della comunità e della sua ricchezza. Lo stesso vale per quella particolarissima forma di agglomerato rurale che chiamiamo villa, le cui caratteristiche riflettono l'idea canonica greco-romana di come si dovesse organizzare la vita civilizzata in una residenza di campagna.[46]

I valori mediterranei, però, si intrufolavano nella vita delle province anche in molti altri modi. I precetti di culto vigenti nella Roma pagana, per esempio, prevedevano una completa separazione tra vivi e morti: e infatti i cimiteri delle nuove città non sono mai all'interno dei confini urbani. Un'abitudine che ben presto entrò a far parte del nuovo modello di vita cittadina. In un ambito più terreno, l'uso del grano per fare il pane invece che il porridge, con tutti i mutamenti delle tecniche e delle attrezzature di cucina che ciò comportava, si diffuse verso nord insieme allo stile di vita romano.

Vediamo dunque che la trasformazione della vita quotidiana spinse un po' ovunque i provinciali a rimodellare la loro esistenza su schemi e sistemi di valori romani. Dopo un paio di secoli di conquiste possiamo dire che l'impero era diventato compiutamente romano. Su qualsiasi bigino di storia si può leggere come, nel IV secolo, la Britannia romana finì bruscamente con la partenza delle legioni e il cambio della toponomastica (un quadro piuttosto bizzarro fatto di soldati in marcia e di segnali stradali divelti, per come lo ricordo io). Ma le cose non andarono propriamente così. Nel tardo impero, infatti, i romani che vivevano nella Britannia romana non erano più immigrati venuti dall'Italia ma gente del posto, che aveva adottato lo stile di vita romano con tutto ciò che ne derivava: e quello stile di vita non poteva certo scomparire da un giorno all'altro con la partenza di una manciata di legionari. La Britannia, come qualsiasi altro luogo tra il Vallo di Adriano e l'Eufrate, non era più romana soltanto «per occupazione».

Conte di terza classe

Un bel giorno, nei primi mesi del 369, Simmaco si rimise dunque in viaggio verso casa. Ormai aveva visto coi suoi occhi la *ro-*

manitas fiorire nella valle della Mosella, la missione senatoriale era compiuta e lui era stato magnificamente intrattenuto dall'imperatore e da molti membri della corte. L'aver portato a termine con successo un'importante ambasceria per conto della città veniva registrato nel *curriculum vitae* di una persona, e ciò avvenne anche nel caso di Simmaco che se ne tornò a Roma addirittura con un titolo di corte. A un certo punto della visita, infatti, Valentiniano lo aveva nominato *comes ordinis tertii*: letteralmente, conte di terza classe. Quello dei *comites* era un ordine di compagni dell'imperatore creato da Costantino per onorare coloro che godevano del suo favore personale, anche se spesso corrispondeva anche ad alcuni incarichi effettivi. Quello di Simmaco era stato un lavoro ben fatto, nell'insieme: le sue lettere dimostrano con quanta abilità, negli anni seguenti, egli sarebbe riuscito a sfruttare le amicizie intrecciate alla corte di Valentiniano. Chi conosce personalmente molti importanti dignitari è spesso ricercato da giovanotti freschi di studi e bisognosi di lettere di raccomandazione: e così questo genere di favori divenne per Simmaco quasi un lavoro.

Tra i suoi contatti a corte, quello con il retore gallo Ausonio non era certo l'ultimo in ordine d'importanza. Nell'insieme del loro carteggio, in genere molto amichevole, spicca però una lettera di tono diverso. Poco dopo essere rientrato a Roma, Simmaco scrive al suo nuovo amico:

La vostra *Mosella* – il poema che ha immortalato un fiume in versi celestiali – vola di mano in mano [qui a Roma] e di cuore in cuore: e io non posso far altro che guardarla volare. Vi prego, ditemi almeno perché avete voluto negarmi ogni parte o condivisione nei destini del vostro libretto: dovete avermi giudicato o troppo poco colto per apprezzarlo, o troppo tirchio per lodarlo, arrecando il peggior affronto o alla mia testa o al mio cuore.[47]

Il testo della *Mosella* è sopravvissuto fino a noi ed è generalmente considerato il capolavoro di Ausonio. Seguendo una consolidata tradizione poetica l'autore si serve di un fiume importante per tessere le lodi dell'intera regione. Il fiume in quanto tale vi ha un ruolo importante, e viene esaurientemente descritto: eppure il tema della composizione poetica non è tanto la bellezza *natu-*

rale quanto quella, assai più profonda, creata nella regione dall'interazione tra uomo e ambiente. Un punto di vista molto appropriato per una società che, come abbiamo visto, considerava i pregi della vera civiltà come frutti di un'attenta coltivazione piuttosto che come conseguenza di un talento naturale. Dopo un brano citatissimo che parla delle molte varietà di pesci che popolano il fiume, Ausonio dipinge un quadro d'insieme della valle:[48]

Dalle creste più elevate al fondo della vallata, tutta la riva del fiume è fittamente piantata di verdi vigne. La gente, lieta nel lavoro, e i villici infaticabili si danno da fare ora sulla cima di un colle, ora nella valle, scambiandosi grida in chiassosa rivalità. Qui un viandante percorre la bassa banchina, là un barcaiolo scivola via gridando una battuta salace ai pigri vignaioli.

Tra le sculture romane di Treviri c'è una bella incisione raffigurante una chiatta da uva sulla Mosella, con tanto di botti e rematori.

Ausonio descrive poi le eleganti ville che sorgono sulle due rive del fiume:

Che dire poi dei cortili posti accanto a prati uberrimi, o dei lindi tetti che sormontano le innumerevoli colonne? Che dire dei bagni costruiti in basso, sull'orlo della banchina? [...] Lo straniero che giungesse fin qui dalle spiagge di Cuma potrebbe pensare che la Baia Eubea abbia trasmesso alla regione una copia in miniatura delle sue delizie, tanto è il fascino della sua raffinatezza e distinzione e dei piaceri scevri da ogni eccesso.

Cuma e Baia, rinomata località termale, erano le villeggiature nel Golfo di Napoli dei romani ricchi e famosi (fondate entrambe nell'VIII secolo a.C. da coloni greci provenienti dall'Eubea): Ausonio quindi vuole dirci che la Mosella poteva rivaleggiare con le più splendide località dell'impero in termini di colta e civilizzata vita romana di campagna. Da notarsi inoltre che, secondo il poeta, la vita rurale nei dintorni di Treviri era scevra di quella rilassatezza dei costumi che, per i romani, era un vizio tipicamente greco.

Dopo aver dato un'occhiata alle campagne, eccoci arrivati dunque alla città di Treviri:

Citerò i tuoi villici pacifici, gli abili giuristi e i poderosi avvocati, grande difesa degli accusati; uomini nei quali il consiglio cittadino riconosce i

suoi splendidi comandanti e un vero e proprio senato, retori la cui eloquenza, famosa nelle scuole della gioventù, li innalza a una fama pari a
quella di Quintiliano.

Quintiliano (attivo tra il 35 e il 95 d.C.) era un famoso giurista
che aveva dato sistematicità a molte di quelle regole di retorica
che ancora informavano il latino erudito di Simmaco e Ausonio.[49]
Ciò che Ausonio vuole dirci, ovviamente, è che Treviri era ricca di
tutte le virtù essenzialmente romane la cui amplissima diffusione
sta al centro della rivoluzione di cui ci stiamo occupando: eloquio
e princìpi morali raffinati, conoscenza della giurisprudenza e autogoverno locale esercitato tramite un'assemblea dei pari. Per far-
la breve: con la sua agricoltura, le sue ville di campagna e la sua
capitale, la regione della Mosella dimostrava di essere assolutamente civilizzata secondo i dettami della *romanitas*.

Non sappiamo con certezza perché Ausonio non avesse mandato a Simmaco una copia della *Mosella*, ma possiamo azzardare
un'ipotesi. Durante la sua permanenza nella regione frontaliera
del Reno, Simmaco aveva potuto pronunciare davanti all'imperatore e alla corte alcuni discorsi che erano dei veri e propri pezzi di
bravura. Frammenti di tre di queste allocuzioni sono giunti fino a
noi in un manoscritto gravemente danneggiato, e ci offrono un'interessante immagine di come Roma, impersonata da Simmaco,
percepisse la frontiera del Reno. Nel primo discorso l'autore si
esprime come segue: «Se vi interessano le belle lettere, dice Cicerone, per il greco dovete andare ad Atene, e non in Libia, mentre
per il latino dovete andare a Roma, e non in Sicilia». Oppure, in
termini più generali: «Lasciando l'Oriente al vostro invitto fratello [Valente], voi [Valentiniano] avete preso la via che mena alle rive semibarbare dell'indomito Reno [...] tornando all'antico modello di un impero creato dalle imprese militaresche».

Per Simmaco dunque Roma era ancora il perno della civiltà romana cristallizzata nella lingua latina e le province «semibarbare»
della frontiera avevano il compito di proteggerla a rischio della loro stessa vita. Possiamo facilmente immaginare come reagì la corte di Valentiniano sentendo quel giovane senatore presuntuoso
salire in cattedra e pontificare sul prezioso lavoro che tutti loro
stavano facendo in difesa della *romanitas* di Roma. Proprio per

questo, sospetto, Ausonio non mandò a Simmaco una copia della *Mosella:* per fargli capire quanto poco avesse apprezzato il suo atteggiamento «al fronte». Treviri e i suoi dintorni, checché ne pensasse Simmaco, non erano affatto «semibarbari», bensì la quintessenza della civiltà romana. Ci colpisce particolarmente il fatto che Ausonio paragoni le ville della Mosella proprio a quelle di Baia: nelle sue lettere Simmaco parla anche troppo spesso degli squisiti piaceri che si potevano gustare in una sua villa in quella famosa località.[50] Probabilmente il romano aveva annoiato a morte i suoi ospiti treviriani con le lodi sperticate delle bellezze di Baia. Ipotizzando che Ausonio, dopo la partenza dell'ospite per Roma, avesse avuto voglia di divertirsi un po' alle sue spalle, questo passaggio potrebbe addirittura contenere un'accusa implicita a Simmaco stesso e a tutti i pezzi grossi di Roma (i cui nomi sicuramente avevano costellato la sua conversazione) di una rilassatezza di costumi di stampo greco.

Non dobbiamo stupirci troppo, quindi, se Ausonio non mandò a Simmaco una copia del suo poema: evidentemente ne aveva fin sopra i capelli di lui. E l'altro, quando finalmente riuscì a mettere le mani su una copia dell'opera, non seppe far altro che replicare allo sgarbo con un piccolo sarcasmo sulla questione dei pesci:

Non crederei mai a tutto ciò che scrivete sulle sorgenti della Mosella se non vi sapessi assolutamente incapace di mentire: nemmeno in versi. [...] Eppure, pur avendo partecipato spesso alla vostra mensa ed essendomi molto meravigliato per la ricca varietà dei cibi, [...] non credo di aver gustato pesci di tutte le qualità da voi descritte.[51]

Questione del pesce a parte, la *Mosella* di Ausonio interpretava esattamente lo stato d'animo del pubblico di Treviri; e infatti ottenne riconoscimenti entusiastici. Dopo aver ricevuto il titolo di *comes*, per breve tempo, Simmaco fu superiore in grado ad Ausonio (quindici a zero per lui). Ma «conte di terza classe» non ha un suono particolarmente esaltante, anche a prescindere dalla sua traduzione letterale,[52] e poco tempo dopo aver composto la *Mosella* Ausonio fu nominato *comes et quaestor*, laddove «questore» significava ufficiale giudiziario dell'imperatore: un titolo equivalente a quello di conte di prima classe (trenta a quindici per Ausonio). Nel novembre del 375 poi, alla morte di Valentiniano, salì al trono suo figlio Graziano, proprio quello che era stato allievo di Ausonio: e la famiglia di quest'ultimo fu travolta da un indescrivibile vortice di nepotismo. Lui stesso divenne prefetto pretoriano (primo ministro), prima per la sola Gallia e poi per la Gallia, l'Italia e l'Africa (combinazione alquanto insolita). Suo figlio ebbe la carica di prefetto pretoriano aggiunto per la Gallia, e poi di prefetto pretoriano per l'Italia; suo padre – quasi novantenne – divenne prefetto pretoriano per i Balcani occidentali; suo genero primo ministro supplente in Macedonia e un nipote direttore del tesoro imperiale (game, set, partita e campionato per Ausonio). Nel 371 nessuno poteva certo prevedere questo spettacolare concentrarsi delle redini del potere nelle mani della famiglia di Ausonio: ma già l'abile concezione della *Mosella* era bastata a convincere Simmaco che, se proprio bisognava essere sarcastici col nuovo amico, la cosa andava fatta con bel garbo. La lettera in cui egli lamenta di non aver ricevuto una copia del libro si chiude con alte lodi del poema stesso ed è seguita da molte altre missive di tono più amichevole; Ausonio era un cortigiano troppo utile e importante perché Simmaco commettesse l'errore di darsi la zappa sui piedi per un pugno di stupidi pesci.[53]

L'ambasceria senatoriale di Simmaco e il rapporto epistolare che ne seguì ci svelano quindi molto delle radicali trasformazioni che nei 400 anni seguiti alla morte di Cesare avevano cambiato la faccia del mondo romano. In ogni angolo dell'impero, ormai, l'entusiastica adesione ai valori romani aveva trasformato i provinciali in romani fatti e finiti. E proprio qui sta la particolare genialità dell'impero romano come fenomeno storico: inizialmente conquistati e sottomessi dalle legioni, da quel momento in poi i popoli indigeni cominciavano spontaneamente a costruire ville e città romane e a vivere un'esistenza da veri romani. Tutto ciò non accadde dalla sera alla mattina, eppure si verificò abbastanza in fretta, nel giro di due, quattro generazioni al massimo: un batter d'occhi nella storia complessiva di un impero durato 450 anni. I nuovi sudditi dell'impero sposarono integralmente anche le tanto decantate virtù della lingua latina: non solo le facoltose élite di provincia mandavano i figli a studiare nelle scuole latine di Roma (antesignani di quei principi indiani che, molti secoli dopo, avrebbero mandato i figli a Eton, o delle élite asiatiche e sudamericane che frequentano Harvard o il MIT), ma copie esatte di quelle scuole aprivano i battenti anche nei capoluoghi di provincia. Alla fine del processo gli insegnanti oriundi di quelle terre remote erano diventati così esperti da poter insegnare anche ai cittadini della capitale, come nel caso di Ausonio.

Questi impressionanti sviluppi rivoluzionarono il senso dell'essere romani. Una volta che la cultura politica, lo stile di vita e il sistema di valori di Roma si furono imposti dal Vallo di Adriano all'Eufrate, tutti gli abitanti di questo immenso territorio poterono a buon diritto dirsi romani. «Romano» non era più un attributo di carattere geografico: era diventato sinonimo di un'identità culturale potenzialmente accessibile a tutti. Da ciò discende la conseguenza più significativa del successo dell'impero: una volta acquisita la *romanitas*, prima o poi i nuovi romani rivendicavano il diritto di partecipare ai processi politici dell'impero e di condividere in qualche misura il potere e i benefici derivanti dall'appartenenza a uno stato così immenso. Già nel 69 a.C. in Gallia era scoppiata una grande rivolta, che almeno in parte nasceva proprio dal crescente senso d'identità degli abitanti. Quella rivolta fu sconfitta: ma nel IV secolo gli equilibri di potere erano ormai definitivamente cambiati. A Treviri, Simmaco aveva potuto constatare senza possibilità d'errore che «la parte migliore del genere umano» non comprendeva soltanto il senato di Roma, ma tutti i romani civilizzati sparsi ai quattro angoli dell'impero.

2. I barbari

Nel 15 d.C. l'esercito romano al comando di Cesare Germanico, nipote dell'imperatore regnante Augusto Tiberio, stava marciando verso il *Saltus Teutoburgiensis*, la Selva di Teutoburgo, 300 chilometri a nord-est di Treviri. Sei anni prima tre intere legioni al comando di Publio Quintilio Varo, circa 20.000 uomini contando anche le truppe ausiliarie, erano state massacrate in quello stesso punto durante una delle più famose battaglie dell'antichità.

La scena era all'altezza dei pensieri orribili che vi erano associati. Il primo, grande accampamento di Varo, con la sua ampia estensione e i quartieri generali ben distinti fra loro, testimoniava delle fatiche dell'intero esercito. Un parapetto mezzo in rovina e una trincea poco profonda indicavano il punto in cui si erano raccolti gli ultimi, commoventi sopravvissuti. Sul terreno aperto c'erano dappertutto ossa sbiancate dal sole, sparpagliate laddove gli uomini erano caduti, ammonticchiate dove erano rimasti in piedi e avevano resistito all'attacco. C'erano anche frammenti d'aste e resti di cavalli, e teste umane legate ai rami degli alberi. Nei cespugli vicini si vedevano ancora i bizzarri altari su cui i germani avevano massacrato i «colonnelli» e i «comandanti di compagnia» romani. I sopravvissuti alla catastrofe, fuggiti dal campo di battaglia o dalla prigionia, indicavano col dito il punto in cui erano caduti i generali e quello in cui le aquile erano state catturate. Mostravano dove Varo era stato ferito e dove era morto per sua stessa, disgraziata mano. E raccontavano di [...] tutte le forche e le fosse che erano state allestite per i prigionieri.[1]

Il massacro era avvenuto a opera di una coalizione di guerrieri germanici guidata da un certo Arminio, capo dei cherusci, una piccola tribù che viveva tra i fiumi Ems e Weser in quella che oggi è la Germania settentrionale. Le antiche fonti romane che ne parlano furono riscoperte nei secoli XV e XVI e circolarono ampiamente tra gli studiosi: da allora in poi Arminio, più noto come Hermann («il

69

Germano») nella versione delatinizzata del suo nome, è assurto a simbolo della nazione tedesca. Tra il 1676 e il 1910 ben settantasette opere hanno visto la luce per celebrarne le imprese e nel XIX secolo, poco lontano dalla cittadina di Detmold, in mezzo al bosco che oggi porta il nome di Teutoburger Wald (Selva di Teutoburgo), fu eretto un gigantesco monumento in suo onore: la prima pietra fu posata nel 1841 e l'opera venne inaugurata nel 1875, quattro anni dopo che Bismarck, sconfiggendo la Francia, ebbe unificato buona parte dell'Europa nordoccidentale di lingua tedesca sotto la monarchia prussiana. La statua di Hermann, di rame, alta 28 metri, sorge su un basamento di pietra della stessa altezza ed è posta in cima a una collina di 400 metri: il suo scopo è quello di ricordare all'osservatore che il trionfo dell'unificazione tedesca in età moderna affonda le sue radici già in epoca romana.

Il monumento a Hermann, però, sorge in realtà nel posto sbagliato. Il nome di Teutoburger Wald fu dato all'area forestale attorno a Detmold soltanto nel XVII secolo, quando la gente cominciò a chiedersi dove mai potesse essersi svolta la famosa battaglia. Grazie ad alcuni straordinari ritrovamenti oggi è stato possibile identificare il vero campo di battaglia, una settantina di chilometri più a nord. Appena fuori Osnabrück la pianura costiera della Germania settentrionale è orlata da una catena di bassi rilievi, i monti Wiehengebirge: a partire dal 1987 gli archeologi hanno rinvenuto un gran numero di monete romane e di oggetti che facevano parte dell'equipaggiamento delle legioni in un'area di circa sei chilometri per quattro e mezzo lungo il margine settentrionale di questa catena di colline, nella cosiddetta depressione di Kalkriese-Niewedde. A sud di quest'area sorge il Kackriese Berg, una collina di un centinaio di metri che anticamente doveva essere ricoperta da una fitta boscaglia. A nord la zona è orlata da una striscia di terreno sabbioso, talmente stretta che in alcuni punti potrebbero marciarvi affiancati non più di quattro uomini; al di là si estende una vasta torbiera. Nel 9 d.C. l'esercito romano stava percorrendo proprio questa striscia di terra, da est a ovest, seguendo le guide locali che Arminio stesso aveva mandato – il capo cheruscio aveva convinto Varo della sua fedeltà agli interessi di Roma – quando cadde in un'imboscata tra i fianchi boscosi della collina e la torbiera. Le fonti più attendibili narrano che la battaglia durò

70

quattro giorni. A lungo i romani, pur subendo gravi perdite, riuscirono a mantenere la formazione e ad avanzare verso la salvezza, ma il quarto giorno fu evidente ormai a tutti che l'armata non ne poteva più e stava per soccombere. Dopo aver detto ai soldati superstiti di mettersi in salvo come potevano, Varo si suicidò per non cadere vivo in mano al nemico. Ma ben pochi sopravvissero per raccontare cos'era successo.[2]

La catastrofe sembra una versione in grande di quella che aveva travolto Cotta e i suoi, traditi e incastrati in una posizione indifendibile 63 anni prima; ma le sue conseguenze a lungo termine furono del tutto diverse. Mentre eburoni e treveri, alla fine, furono sottomessi e indotti a imparare il latino, a portare la toga e a costruire città-stato, i cherusci di Arminio non ne vollero sapere: nel tardo impero la regione tra il Reno e l'Elba rimase fuori dalle frontiere dell'impero. Anche nella sua cultura materiale non troviamo traccia della civiltà romana. La linea segnata allora sulla sabbia d'Europa è leggibile ancor oggi nella moderna divisione tra lingue romanze, cioè derivate dal latino, e lingue germaniche. Ciò sembrerebbe spiegare anche perché nel V secolo l'impero romano d'occidente abbia lasciato il posto a una serie di regni il cui nocciolo era costituito da gruppi di guerrieri di lingua tedesca: la Germania a est del Reno non poté essere inglobata nell'impero dalle solite legioni conquistatrici perché i suoi abitanti resistettero con le unghie e coi denti e alla fine, più di quattro secoli dopo, si vendicarono brutalmente delle angherie subite distruggendo l'impero stesso. Questa almeno è la spiegazione avanzata dai nazionalisti tedeschi del XIX secolo: forgiata all'interno dei circoli eruditi, la tesi fu accettata anche da un pubblico più vasto. Felix Dahn, la cui grande opera sui regni germanici resta un classico della materia, scrisse anche un famoso romanzo intitolato *Ein Kampf um Rom* (*Una guerra contro Roma*) che tra la fine del XIX e l'inizio del XX secolo ebbe numerose edizioni.[3]

Eppure c'è qualcosa che non quadra. Se si fosse domandato a un qualunque romano del IV secolo quale fosse la minaccia più grave che incombeva sulla sicurezza dell'impero, egli avrebbe sicuramente indicato, al di là dei confini orientali, la Persia. E avrebbe avuto ragione, dato che attorno al 300 a.C. la Persia costituiva indubbiamente per Roma una minaccia molto più seria che

71

non la Germania e nessuna delle altre frontiere correva rischi concreti.[4] E infatti a una più attenta lettura delle fonti, soprattutto alla luce di prove archeologiche che Dahn non poteva conoscere, emerge il fatto che le legioni, all'inizio del I secolo d.C., si fermarono alla linea del Reno e del Danubio per ragioni che non hanno niente a che fare con la precoce nascita del nazionalismo tedesco. Ciò spiega anche perché il romano della strada si preoccupasse molto di più della minaccia persiana che non di quella germanica.

La Germania e i limiti dell'espansionismo romano

Nel I secolo d.C. gruppi di popolazione di lingua germanica dominavano la maggior parte dell'Europa centrosettentrionale al di là dei fiumi che facevano da confine all'impero romano. I germani, così li chiamavano i romani, occupavano tutto l'immenso territorio che va dal Reno a ovest (prima della conquista romana il fiume aveva fatto da confine naturale tra i popoli di lingua germanica e celtica) fin oltre la Vistola a est, e dal Danubio a sud al Mar Baltico e al Mare del Nord. A parte alcuni gruppi nomadi di sarmati che parlavano iraniano e si spostavano qua e là per la grande pianura ungherese e alcune tribù di lingua dacia stanziate dalle parti dei Carpazi, tutti i vicini di casa dei romani parlavano tedesco: dai cherusci di Arminio, che con i loro alleati occupavano la foce del Reno, ai bastarni che dominavano ampi tratti di territorio alla foce del Danubio (Carta n. 2).

Cercare di ricostruire il modo di vivere e le istituzioni sociali di un territorio così esteso, per non parlare delle sue strutture politiche e ideologiche, è compito tutt'altro che facile. Il problema principale è che le società dell'Europa germanica, in età romana, sostanzialmente ignoravano la scrittura. Informazioni di vario genere si possono spigolare dagli autori greci e latini, ma l'operazione comporta due gravi inconvenienti. Primo, gli scrittori romani s'interessavano alle società germaniche soprattutto per via della minaccia – potenziale o attuale – che costituivano per la sicurezza delle frontiere. Di conseguenza nelle loro pagine possiamo leggere quasi solo brani isolati e di carattere narrativo sui rapporti tra l'impero e uno o più popoli germanici confinanti. I gruppi stanziati più lontano dalle frontiere non vengono nemmeno nominati, e lo stesso avviene per il funzionamento interno della società germanica. Secondo, le informazioni che queste fonti ci tramandano sono viziate dal pregiudizio tutto romano secondo cui i germani erano innanzitutto dei barbari, e dai barbari ci si potevano aspettare certi comportamenti e tutto un ventaglio di caratteristiche negative: i commentatori romani, in genere, fanno del loro meglio per dimostrarci che le cose stavano effettivamente così.

Dall'interno del mondo germanico sono potute giungere fino a noi ben poche voci atte a correggere i fraintendimenti, le omissioni e le tendenziosità degli autori romani. Per buona parte dell'età romana i germani usarono le rune per scopi divinatori, e c'è qualche altra limitata eccezione alla regola del loro analfabetismo, ma purtroppo non possediamo nemmeno un resoconto di prima mano scritto da un membro di quelle civiltà. Quindi ci sono moltissime cose che non sappiamo e che non sapremo mai, e per ogni cosa dobbiamo scegliere se credere a ciò che ne dicono i romani o formulare congetture più o meno attendibili. Nel tentativo di ricostruire le istituzioni sociali di quel mondo, per esempio, possiamo consultare le fonti letterarie – soprattutto legali – provenienti dai regni a dominazione germanica della fine del V e di tutto il VI secolo per estrapolarne dati che possano valere anche per le epoche più antiche. Estesa dal Reno alla Crimea, la Germania comprendeva paesaggi geografici ed economici diversissimi tra loro: quindi dobbiamo sempre domandarci se quanto ci vien detto di un gruppo possa valere anche per un altro. Le fonti letterarie ci offrono quindi una scelta ben poco appetibile tra testimonianze romane piene di pregiudizi e materiali molto più tardi: cose che a volte possono risultare illuminanti, ma che vanno maneggiate con onestà intellettuale e sempre citandone esplicitamente i limiti intrinseci.

Fino a un certo punto, la mancanza di fonti germaniche di prima mano riguardanti l'epoca che ci interessa è compensata dai ritrovamenti archeologici. Essi hanno l'impagabile vantaggio di metterci di fronte a manufatti e a contesti dell'età giusta e genuinamente germanici. Ma anche l'archeologia del mondo germanico, come la storiografia corrispondente, ha un passato controver-

73

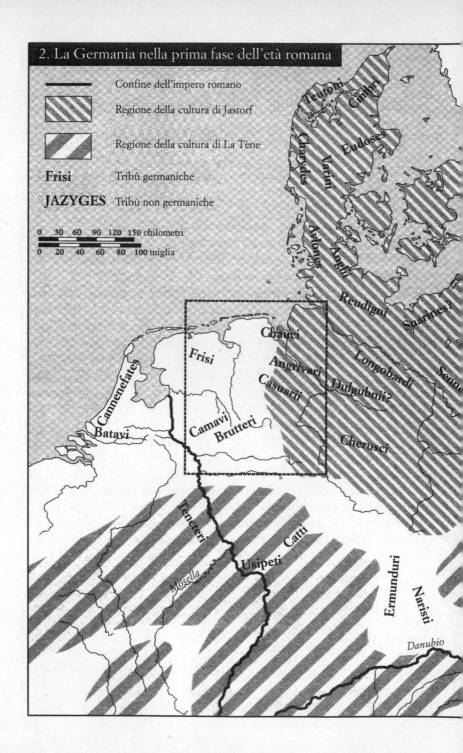

2. La Germania nella prima fase dell'età romana

— Confine dell'impero romano

Regione della cultura di Jastorf

Regione della cultura di La Tène

Frisi Tribù germaniche

JAZYGES Tribù non germaniche

0 30 60 90 120 150 chilometri
0 20 40 60 80 100 miglia

Teutoni
Cimbri
Charydes
Varini
Eudoses
AvIones
Angili
Reudigni
Spærines?
Chauci
Frisi
Angrivari
Longobardi
Senn
Cannenefates
Casuari
Dulgubnii?
Batavi
Camavi
Brutteri
Cherusci
Teneteri
Catti
Usipeti
Mosella
Ermunduri
Naristi
Danubio

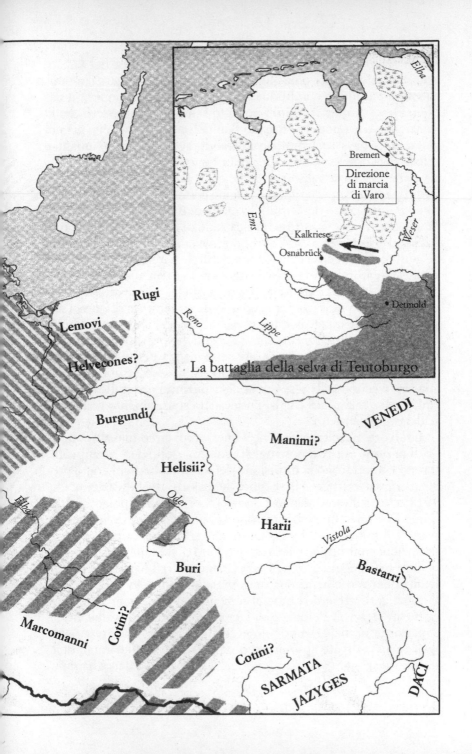

Rugi

Lemovi

Helvecones?

Burgundi

Manimi?

VENEDI

Helisii?

Oder

Harii

Vistola

Elba

Buri

Bastarri

Cotini?

Marcomanni

Cotini?

SARMATA

JAZYGES

DACI

Bremen

Direzione di marcia di Varo

Ems

Weser

Elba

Kalkriese

Osnabrück

Detmold

Reno

Lippe

La battaglia della selva di Teutoburgo

so. In quanto disciplina scientifica, essa nasce alla fine del XIX secolo, proprio mentre qualcuno si dava da fare per erigere il monumento a Hermann e in buona parte d'Europa si imponeva il nazionalismo. A quei tempi un po' tutti sembravano credere che la «nazione» o il «popolo» fossero l'unità fondamentale che già nel più remoto passato identificava i grandi raggruppamenti umani, e che la cosa dovesse valere a maggior ragione per il presente. Buona parte dei nazionalismi, inoltre, coltivava un forte senso della propria innata superiorità. La nazione germanica poteva esser stata divisa, nel corso del tempo, in molte entità politiche più piccole, ma ora, con la vittoriosa unificazione di tutta la Germania realizzata da Bismarck e dagli altri padri della patria, si poteva tornare a un ordine di cose considerato naturale e antichissimo. In tale contesto culturale l'archeologia del mondo germanico poteva avere un solo scopo: ricercare le origini storiche e individuare la patria del popolo tedesco. Il primo grande sostenitore di questa impostazione, Gustav Kossinna, aveva notato che il numero sempre maggiore di manufatti ritrovati nelle antiche necropoli poteva essere raggruppato in base sia alla somiglianza del disegno sia all'usanza di seppellire i morti. Questo studioso costruì dunque la sua reputazione sulla tesi che la distribuzione geografica di certi tipi di usi e manufatti corrispondeva allo stanziamento territoriale dei popoli antichi.[5]

Il fervore quasi religioso che a quei tempi circondava il concetto di nazione era così potente che subito i politici se ne approfittarono e adottarono la diffusione dei «popoli» antichi come prova incontrovertibile a sostegno delle loro rivendicazioni. Nel 1919, a Versailles, Kossinna e uno dei suoi discepoli polacchi, Vladimir Kostrewszki, si scontrarono sul problema di dove dovesse passare il nuovo confine tra Germania e Polonia in base a interpretazioni contrapposte dello stesso lotto di manufatti archeologici. E le cose peggiorarono ulteriormente sotto il nazismo, quando le altisonanti dichiarazioni sulla presunta estensione dell'antica Germania divennero la base argomentativa per rivendicare militarmente pezzi di Polonia e di Ucraina, mentre l'idea dell'eterna superiorità razziale del popolo germanico generava direttamente le atrocità riservate ai prigionieri di guerra slavi. Nel corso delle ultime due generazioni, comunque, l'archeologia tedesca ha saputo reinventarsi completamente, e la sua trasformazione ha fatto avanzare di molto la nostra comprensione dello sviluppo sociale ed economico dei germani nel lungo periodo. Espunta dall'interpretazione delle fonti letterarie ogni presunzione nazionalistica, la storia dell'Europa di lingua germanica nell'età romana può essere riscritta in termini nuovi e di estremo interesse.

Un primo guadagno si ottiene direttamente dalla reinterpretazione di quegli schemi di ritrovamenti simili che Kossinna era tanto sicuro di poter identificare con la patria degli antichi «popoli». Mentre il territorio dell'antica Germania era senza dubbio politicamente dominato da gruppi di lingua germanica, è emerso che la popolazione di quel vastissimo territorio non era affatto interamente germanica. Nell'epoca d'oro del nazionalismo qualsiasi zolla partorisse un manufatto presumibilmente risalente agli antichi germani veniva immediatamente rivendicata in quanto parte di un'antichissima patria tedesca, molto più estesa dei suoi confini moderni. Ma l'analisi degli antichi nomi dei fiumi ha dimostrato che un tempo, nell'Europa settentrionale, abitava anche un terzo gruppo umano che parlava un'altra lingua indoeuropea, e viveva tra i celti e i germani: si tratta di genti soggiogate dagli altri due popoli molto prima che i commentatori romani raggiungessero la regione, e delle quali non sappiamo assolutamente nulla. Buona parte dell'antica Germania, inoltre, era nata in seguito a periodiche ondate espansionistiche dei germani, che a partire da un primo nucleo di terre chiaramente identificabile sulle rive del Baltico si erano mossi verso ovest, sud e est. Alcune delle più antiche annessioni territoriali provocarono abbastanza scompiglio da essere registrate in antiche fonti greche, mentre altre avvennero dopo l'ascesa di Roma e quindi le conosciamo meglio. Ma tutti questi movimenti espansionistici non annientavano i gruppi indigeni non germanici: quindi è importante che il termine «Germania» sia inteso nel senso di Europa *a dominazione germanica*. In epoca romana, più ci si allontana dal nucleo centrale di queste terre verso est e verso sud e più è probabile che i germani costituiscano semplicemente il gruppo dominante di società molto miste.

L'altro fatto saliente della Germania d'età romana è la sua completa mancanza di unità politica. Come possiamo chiaramente osservare dalla Carta n. 2 (costruita in base all'indice dei nomi geografici delle opere di Tacito), si tratta di un mondo estremamente frammentato, che comprendeva più di cinquanta piccole unità sociopolitiche. Nei modi più svariati, ma sempre per breve tempo, alcune di queste unità potevano unirsi per certi scopi particolari. Nel 9 d.C., come abbiamo visto, Arminio riuscì a mobilitare un esercito di guerrieri appartenenti a varie tribù per sconfiggere Varo. Mezzo secolo prima Giulio Cesare si era scontrato con un altro potente capo germanico il cui dominio era durato leggermente più a lungo: Ariovisto re degli svevi, che nel 71 a.C. si era costruito una solida base di potere al confine con la Gallia e che per un certo tempo i romani avevano trattato da amico e alleato. Poi, nel 58 a.C., Cesare l'aveva attaccato guidando il suo esercito fino in Alsazia, e una sola sconfitta importante era bastata a disfare la coalizione. Sempre all'epoca di Arminio c'era anche un altro eminente capo germanico, Marobodo, alla testa di una coalizione di vari gruppi stanziati in Boemia. Tacito racconta che alcune tribù germaniche facevano parte di leghe di culto e individua il momento in cui una certa profetessa, Veleda, cominciò ad acquisire ampia influenza tra loro. Ma nessuna lega, profetessa o capo guerriero ha mai rappresentato un passo importante verso l'unificazione della Germania.[6]

Man mano che la potenza romana avanzava a est del Reno, le tribù germaniche imparavano ad alternare fasi in cui combattevano le une contro le altre a momenti in cui si coalizzavano contro l'impero: e il risultato poteva essere di efferata brutalità, come alla Selva di Teutoburgo. Le differenze di cultura tra le varie tribù erano quasi impercettibili, e a dividerle erano soprattutto le identità politiche e la lotta per il controllo delle terre più fertili e di altre risorse economiche. Verso la fine del I secolo, per esempio, una coalizione di tribù confinanti attaccò i brutteri e invitò addirittura alcuni osservatori romani ad assistere al massacro di 60.000 nemici in una volta. Anche gli *Annali* di Tacito parlano di uno scontro mortale tra ermunduri e catti e della completa distruzione degli amsivari che, rimasti senza terra, si ritrovarono in guai seri: «Nel loro lungo peregrinare gli esuli furono trattati dapprima come ospiti, poi come mendicanti e infine come nemici. Alla fine i loro guerrieri furono sterminati, mentre giovani e vecchi venivano spartiti come bottino di guerra».[7]

Da tutto ciò risulta evidente che la visione ottocentesca di un'antichissima nazione germanica era completamente fuori strada. Alleanze temporanee e qualche capo guerriero particolarmente forte potevano riuscire a tenere insieme per un certo tempo due o tre piccole tribù sparse su un certo territorio; ma gli abitanti della Germania del I secolo non erano in grado di formulare e mettere in pratica un duraturo programma di unificazione politica.

Come mai, allora, l'espansionismo romano non riuscì a inglobare questo mondo così frammentato come aveva fatto con l'Europa celtica? Alcuni hanno pensato che sia stata proprio la grande vittoria di Arminio a fermare l'avanzata delle legioni: ma eventi come la distruzione delle legioni di Sabino e Cotta nel 54 a.C. o il massacro del distaccamento di Varo nel 9 d.C. erano del tutto straordinari, e i romani se ne vendicavano puntualmente. L'azione del 15 d.C. di Germanico alla Selva di Teutoburgo era parte di un'ennesima, massiccia campagna bellica contro i cherusci di Arminio, nel corso della quale una divisione romana cadde in un tranello teso dai germani: tuttavia quella volta l'episodio ebbe tutt'altre conseguenze. Dopo alterne vicende, infatti, furono i romani ad attirare i nemici in una trappola, con il finale che possiamo immaginare: «I germani crollarono, inermi nella disfatta quanto erano stati impetuosi nella vittoria. Arminio riuscì a scappare illeso, [ma] il massacro delle sue truppe andò avanti fintanto che durarono il furore e la luce del giorno».[8] Nell'impresa i romani furono assistiti da Segesto, un altro capo dei cherusci: il quale, come molti capitribù celtici della Gallia dei tempi di Cesare, aveva chiaramente intuito i vantaggi che avrebbe potuto ottenere se il suo territorio fosse entrato nell'orbita dell'impero romano. Nemmeno i cherusci, quindi, per non parlare dei germani nel loro insieme, seppero essere uniti nella resistenza contro Roma: la Selva di Teutoburgo non fermò affatto l'avanzata delle legioni. Nel 16 d.C. ci furono altre vittorie romane, e tre anni dopo Arminio fu assassinato da una fazione avversa della sua stessa tribù; suo figlio crebbe addirittura a Ravenna. In modo del tutto casuale, Arminio aveva messo a segno un buon colpo, ma le ragioni per cui nel I secolo le legioni si fermarono alle frontiere della Germania furono d'altro tipo.

Per ragioni logistiche era molto probabile che le frontiere europee dell'impero romano arrivassero a stabilizzarsi lungo il corso di alcuni fiumi: la presenza di un corso d'acqua, infatti, facilitava il trasporto dei rifornimenti per le truppe che erano stanziate lì. Una legione dell'alto impero, costituita da circa 5000 uomini, aveva bisogno di 7500 chili di grano e di 450 chili di foraggio al giorno, ossia di 225 tonnellate di grano e di 13,5 tonnellate di foraggio al mese.[9] All'epoca, la maggior parte delle truppe romane era stanziata lungo le frontiere o negli immediati dintorni: ma le condizioni economiche delle regioni frontaliere, ancora poco sviluppate, impedivano di far fronte alle esigenze di tutti quei soldati ricorrendo solo ad approvvigionamenti locali. Porre la frontiera occidentale lungo il Reno o uno qualsiasi degli altri fiumi che scorrono lungo l'asse nord-sud dell'Europa centro-occidentale – e ce ne sono parecchi, a cominciare dall'Elba – presentava poi un ulteriore vantaggio. Servendosi del Rodano e della Mosella (con un breve tratto via terra), i rifornimenti alimentari potevano viaggiare su chiatte dal Mediterraneo fino al Reno senza incappare in acque o correnti pericolose.

La vera ragione per cui alla fine la frontiera si stabilizzò lungo il Reno è da rintracciarsi nell'interazione tra i moventi dell'espansionismo romano e i livelli di sviluppo sociale ed economico dell'Europa preromana. L'espansionismo di Roma dipendeva sia dalle lotte di potere interne tra gli oligarchi del periodo repubblicano (gente come Giulio Cesare), sia dalle velleità di gloria dei singoli imperatori. La politica espansionistica si era affermata come via maestra per la presa del potere politico in una fase storica in cui, attorno al Mediterraneo, c'erano ancora molte ricche comunità non sottomesse che sembravano aspettare solo di essere conquistate. Comunità che, una volta annesse, oltre a rendere celebre e potente il generale che ne aveva organizzato la conquista, diventavano una nuova fonte di tributi per Roma. Ma col tempo i romani si erano impossessati di tutte le prede più succulente; finché, all'inizio della fase imperiale, l'espansionismo si ridusse a pescare in territori che in realtà non producevano nemmeno un reddito sufficiente a giustificare le spese della conquista. In particolare la Britannia, secondo fonti coeve, fu presa soltanto perché l'imperatore Claudio voleva anche lui la sua fetta di gloria militare.[10] Tenendo presente questo ragionamento, i limiti raggiunti dalle conquiste romane verso nord acquistano un significato particolare in relazione ai livelli di sviluppo economico dell'Europa non romana.

L'espansionismo romano si incagliò nella zona di confine tra due importanti culture materiali: quella di La Tène e quella di Jastorf (Carta n. 2), che si differenziavano per alcuni tratti generali dello stile di vita della popolazione. Oltre a innumerevoli villaggi l'Europa di La Tène, molto prima della conquista romana, aveva visto nascere alcuni insediamenti più grandi, che a volte sono stati identificati come città (in latino gli *oppida*, da cui l'altro nome di questa civiltà, «cultura degli *oppida*»). In alcune zone di La Tène circolava la moneta e almeno una parte della popolazione sapeva leggere e scrivere. Il *De bello Gallico* di Cesare descrive le complesse istituzioni politiche e religiose prevalenti in alcuni dei gruppi da lui conquistati, segnatamente gli edui della Gallia sudoccidentale. Tutto ciò era conseguenza di un'economia in grado di produrre un surplus di cibo sufficiente a nutrire classi distinte di guerrieri, sacerdoti e artigiani, tutti esonerati dalla produzione di cibo. L'Europa di Jastorf, invece, si muoveva ancora su un piano di sussistenza basato sull'agricoltura pastorale e poteva quindi produrre un surplus di cibo molto più ridotto: non conosceva né la moneta né la scrittura, e ancora attorno all'anno zero non aveva prodotto insediamenti umani di qualche rilevanza, nemmeno a livello di villaggio. I ritrovamenti relativi a questa civiltà non hanno mostrato indizi di attività economiche specializzate.

Ai tempi in cui Kossinna e le sue teorie andavano per la maggiore e le zone delle varie culture materiali venivano facilmente assimilate al concetto di «popolo», la tradizione storiografica associava le culture di La Tène e Jastorf rispettivamente ai celti e ai germani: ma un'equazione così lineare non è corretta. Le zone che presentano somiglianze archeologiche riflettono determinati schemi di cultura materiale, e la cultura materiale si può sempre acquisire: i popoli non nascono con un certo bagaglio di armi, oggetti di ceramica e ornamenti che devono poi tenersi per tutta la vita, nella buona e nella cattiva sorte. Mentre possiamo dire che, originariamente, gli schemi culturali di La Tène si affermarono tra alcune tribù europee di lingua celtica e quelle di Jastorf in alcuni gruppi di lingua germanica, niente impediva alle tribù germaniche di adottare elementi della cultura materiale di La Tène. All'epoca in cui il potere imperiale di Roma si affacciò per la prima volta al di là delle Alpi, alcuni gruppi germanici vicini al mondo celtico, e in particolar modo quelli stanziati alla foce del Reno, avevano ormai sviluppato una cultura molto più in linea con i parametri di La Tène che con quelli di Jastorf.

L'avanzata dei romani, quindi, si incagliò non tanto su una frattura etnica, quanto in corrispondenza di un'importante faglia nell'organizzazione socioeconomica dell'Europa: la maggior parte dell'Europa di La Tène, più avanzata economicamente e socialmente, fu inglobata nell'impero, mentre la maggior parte dell'Europa di Jastorf ne fu esclusa.

Tutto ciò si inserisce in uno schema storico più vasto. Com'è stato osservato anche nel caso della Cina, le frontiere di un impero che si fondi sull'agricoltura arativa tendono a stabilizzarsi in una zona intermedia, semiagricola e semipastorale, in cui la capacità produttiva dell'economia locale diventa da sola insufficiente a mantenere gli eserciti. L'ideologia espansionistica e le ambizioni di gloria dei sovrani, di tanto in tanto, possono spingere le truppe imperiali un po' più in là di un simile confine: ma alla fine la difficoltà di inglobare la successiva porzione di territorio, unita alla relativa scarsità delle risorse che se ne possono estrarre, le fermerà di nuovo. Che già a quei tempi l'Europa marciasse a velocità diverse non ci stupisce troppo: i romani ne trassero la conclusione più logica. Fu Tiberio, il successore di Augusto, il primo a comprendere che non valeva la pena sottomettere la Germania. In quegli angoli d'Europa ancora coperti da fitte foreste la popolazione, rada e dispersa, si poteva facilmente sconfiggere in singole battaglie; ma nel lungo termine le regioni della cultura di Jastorf si rivelarono molto più difficili da controllare che non la concentrata e ordinata popolazione delle città di La Tène. La convenienza logistica dell'asse Reno-Mosella, da un lato, e il calcolo costi-benefici relativo alla limitata economia dell'Europa di Jastorf, dall'altro, costituivano ragioni sufficienti per arrestare le legioni romane. La Germania, a ogni modo, era di gran lunga troppo frammentata per minacciare seriamente i ricchi territori già annessi. I nazionalisti tedeschi dell'Ottocento fecero benissimo a mettere il monumento di Hermann nel posto sbagliato, dato che ne avevano compreso così male il significato: non fu la potenza militare dei germani a tenere a bada l'impero, fu la loro miseria.[11]

A metà del I secolo d.C., dunque, il confine fortificato dell'impero romano, il *limes*, si stabilizzò grossomodo lungo la linea formata dal corso del Reno e del Danubio. E trecento anni dopo, a parte alcuni aggiustamenti di minore entità, la frontiera era ancora lì. Il fatto ebbe ripercussioni profonde. A ovest e a sud di quei fiumi i popoli europei, sia quelli di La Tène sia quelli di Jastorf, furono risucchiati in un'orbita che portava direttamente al latino, alla toga, alle città e infine al cristianesimo. Ferma a bordo campo, invece, e costretta ad assistere alla romanizzazione dei suoi vicini, l'Europa a dominazione germanica a nord e a est del *limes* non entrò mai in quel mondo. Per i romani, la Germania rimase la terra dei barbari irredimibili: la stessa etichetta che, più a est, si applicava ai persiani. Un agglomerato «barbaro» che però giunse a minacciare l'impero in modo ben più sostanziale.

La Persia e la crisi del III secolo

A Naqs-i Rustam, 7 chilometri a nord di Persepoli, c'è la tomba dei famosi sovrani achemenidi dell'antica Persia, Dario e suo figlio Serse, le cui incalzanti avanzate furono respinte dagli ateniesi e dai loro alleati nel 490 e nel 480 a.C. con le battaglie di Maratona e Salamina. Nello stesso luogo, nel 1936, gli archeologi hanno trovato, scritte in tre lingue sulle pareti di un tempio zoroastriano dedicato al fuoco, le orgogliose millanterie di un altro re persiano più tardo:

Io sono il divino Sapore, re dei re, adoratore di Mazda, [...] di stirpe divina, figlio del divino Ardashir, re dei re, adoratore di Mazda [...]. Quando ascesi al dominio delle nazioni Cesare Gordiano [imperatore romano, 238-244] da tutto il suo impero [...] raccolse un esercito e marciò [...] contro di noi. Una grande battaglia ebbe luogo lungo le frontiere dell'Assiria, a Meshike. Cesare Gordiano fu ucciso, e l'esercito romano annientato. I romani proclamarono allora Cesare Filippo, e Filippo venne da noi a chiedere la pace, e per la vita dei suoi pagò un riscatto di 500.000 denari e divenne nostro vassallo. [...] Ma poi tradì la parola data e commise ingiustizia contro l'Armenia. Marciammo allora contro l'impero romano e annientammo un esercito di 60.000 uomini a Barbalissos. Bruciammo, devastammo e lasciammo in rovina la provincia della Siria e tutte le altre regioni e pianure sottomesse ai romani. E durante questa campagna [prendemmo] [...] trentasette città con i territori circostanti. Nel terzo scontro [...] Cesare Valeriano ci piombò addosso con una forza militare di 70.000 uomini. [...] Una grande battaglia ebbe luogo presso Carre e Edessa tra noi e Cesare Valeriano, e noi lo prendemmo prigioniero con le nostre stesse mani insieme a tutti gli altri comandanti dell'esercito. [...] Durante questa campagna conquistammo anche [...] trentasei città con i territori circostanti.

Il brano è tratto dalle *Res gestae Divi Saporis* (*Imprese del divino Sapore*), e vi possiamo leggere i tratti della vera e propria rivoluzione strategica che, iniziata nel III secolo d.C., finì col trasformare completamente l'impero romano.[12]

Fino a quel momento, la lotta di resistenza antiromana sul fronte orientale era stata portata avanti dalla dinastia partica degli Arsacidi, nata attorno al 250 a.C. in un mondo diversissimo dalla patria boscosa dei germani nell'Europa settentrionale. Questa dinastia, originaria della Partia, cominciò a espandere i suoi domini in direzione del Medio Oriente durante il III secolo a.C., e in breve tempo ridusse sotto la sua influenza un immenso territorio dall'Eufrate all'Indo, abitato da un ampio ventaglio di popoli; ma il cuore dell'impero divenne ben presto la Mesopotamia. Diversamente da quanto avvenne in Germania, la storia di questa regione è costellata dall'ascesa e caduta di grandi imperi, non ultimo quello achemenide di Ciro, Dario e Serse che regnarono non solo sul Medio Oriente ma anche sull'Egitto, sulla Turchia occidentale e sulla mezzaluna fertile arrivando a un pelo dal travolgere la Grecia.

Gli Arsacidi dunque misero a segno qualche buon colpo contro Roma sul finire dell'età repubblicana, quando le armi romane si affacciarono per la prima volta in quelle remote terre orientali: la più famosa di tali imprese è la distruzione dell'esercito di Crasso padre e figlio, avvenuta nel 53 a.C. Ma nel II secolo d.C. la dinastia non era più in grado di opporre resistenza alle truppe romane, e una serie di imperatori riportò su quel fronte grandi vittorie: l'ultima di queste battaglie avvenne tra il 197 e il 199, dopodiché Settimio Severo creò due nuove province, l'Osroene e la Mesopotamia, spostando in avanti la frontiera sia a sud sia a est. Queste sconfitte misero in crisi il regno dei parti. Vari membri della dinastia lottarono per riprendere il controllo della situazione, ma alcune regioni periferiche riuscirono a sganciarsi: nel 205-206 la ribellione divampò nella provincia di Fars, vicino all'Oceano Indiano. A capo della rivolta c'era Sasan, il più importante magnate della regione, cui succedette il padre di Sapore, Ardashir I (re dal 224 al 240 d.C.), vero fondatore della dinastia dei Sasanidi. Nel 224 e nel 225 Ardashir sconfisse due dei suoi rivali Arsacidi, sottomise tutti gli altri magnati regionali che, come lui, si erano liberati della dominazione arsacide e nel settembre del 226, a Persepoli, si fece incoronare re dei re.[13]

Come risulta chiaramente dalle *Res gestae Divi Saporis*, l'ascesa della dinastia sasanide fu un episodio rilevante non solo per la storia nazionale degli odierni Iran e Iraq. Le sconfitte che i romani avevano inflitto agli Arsacidi nel II secolo avevano provocato la fine di quella dinastia, e i Sasanidi, in breve tempo e con grande efficacia, erano riusciti a ribaltare l'equilibrio di potere. Fu Ardashir I ad avviare il processo: dopo aver invaso una prima volta la Mesopotamia tra il 237 e il 240, egli conquistò le importanti città di Carre, Nisibe e Hatra (Carta n. 3). Roma reagì alla sfida con tre massicci contrattacchi nei primi vent'anni di regno del figlio di Ardashir, Sapore I (sul trono dal 240 al 272). I risultati furono quelli che possiamo ancora leggere nell'iscrizione di Naqs-i Rustam: i romani furono sconfitti tutte e tre le volte, due imperatori romani furono uccisi e un terzo, Valeriano, catturato. Dopo l'ultima vittoria Sapore si trascinò dietro Valeriano ovunque andasse, in catene, come simbolo vivente della propria grandezza – un'immagine tramandata ai posteri dal grande bassorilievo di Bishapur – e alla sua morte lo fece scuoiare e ne conservò la pelle conciata come imperituro trofeo. Qualche anno dopo un altro imperatore romano, Numeriano, fu catturato dai persiani, ma venne subito ucciso: «Essi lo scorticarono e con la sua pelle fecero un sacco. Poi la trattarono con la mirra [per conservarla] e la tennero come oggetto di eccezionale valore».[14] Se lo stesso destino sia toccato anche alla pelle di Valeriano, se i nemici l'abbiano appesa a una parete o tenuta sul pavimento, le fonti antiche non ce lo raccontano.

Nessun altro simbolo varrebbe a riassumere meglio la nascita di un nuovo ordine mondiale. L'ascesa dei Sasanidi mise bruscamente fine all'egemonia romana nella regione, che durava ormai da quasi un secolo. All'improvviso la situazione strategica generale di Roma peggiorò drasticamente: nonostante gli sforzi dei vari

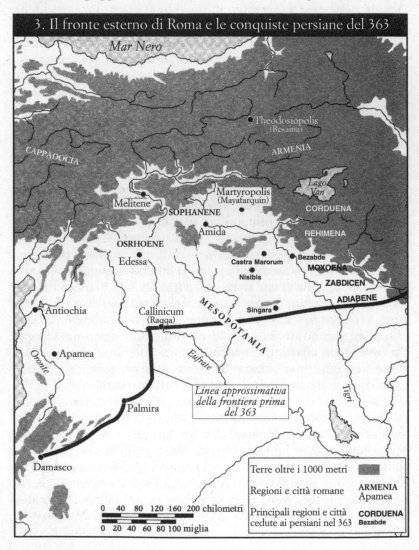

3. Il fronte esterno di Roma e le conquiste persiane del 363

Mar Nero

Theodosiopolis
(Resaina)

CAPPADOCIA

ARMENIA

Lago
Van

Melitene

Martyropolis
(Mayafarquin)

CORDUENA

SOPHANENE

REHIMENA

Amida

OSRHOENE

Edessa

Castra Marorum

Bezabde

MOXOENA

Nisibis

ZABDICEN

ADIABENE

Antiochia

Callinicum
(Raqqa)

MESOPOTAMIA

Singara

Apamea

Eufrate

Oronte

Tigri

Linea approssimativa
della frontiera prima
del 363

Palmira

Damasco

Terre oltre i 1000 metri

Regioni e città romane   ARMENIA
                           Apamea

0 40 80 120 160 200 chilometri

Principali regioni e città   CORDUENA
cedute ai persiani nel 363   Bezabde

0 20 40 60 80 100 miglia

86

imperatori del III secolo, la nuova superpotenza sasanide persisteva tenacemente. I Sasanidi rastrellarono le risorse della Mesopotamia e della pianura iraniana con molta maggior efficienza dei loro predecessori Arsacidi. I principati più importanti furono saldati in un'unica struttura politica, e i prigionieri romani furono costretti a lavorare ai giganteschi progetti d'irrigazione che di lì a poco avrebbero aumentato del 50 per cento gli insediamenti e le coltivazioni tra il Tigri e l'Eufrate. Tutto ciò ebbe inizio sotto Sapore I, se non addirittura prima, sotto suo padre: il conseguente aumento del gettito fiscale fu gestito da una florida burocrazia e speso per il mantenimento di un esercito almeno parzialmente professionale. Non per niente, nelle sue prese di posizione diplomatiche nei confronti dei romani, Sapore I rivendicava tutto l'antico impero achemenide: egli voleva per sé non solo l'Iran e l'Iraq, ma anche l'Egitto, la mezzaluna fertile e la Turchia occidentale.[15]

Fino a quel momento Roma aveva dominato incontrastata su tutte le zone di frontiera. Di tanto in tanto i suoi nemici potevano vantare qualche occasionale successo, ma ogni sconfitta veniva facilmente ribaltata mobilitando le risorse dell'impero. Ora invece l'ascesa di una superpotenza rivale oltre il confine orientale costituiva un brutto colpo strategico che avrebbe avuto ripercussioni non solo sulle regioni frontaliere orientali, saccheggiate e devastate da Sapore I, ma anche su tutto il resto dell'impero. Perché se alle frontiere orientali c'era ormai un nemico di inusitata potenza, non per questo Roma poteva abbassare la guardia sugli altri confini. Per tenere tutto sotto controllo, l'impero doveva accrescere in misura sostanziale la propria potenza militare: e infatti nel IV secolo questa situazione condusse all'accrescimento e alla riorganizzazione del complesso delle forze armate.

Come abbiamo visto nel Capitolo 1, nell'alto impero l'esercito romano era suddiviso in legioni che erano come dei piccoli eserciti a sé stanti, adatti alle spedizioni in luoghi remoti, composti da circa 5000 uomini reclutati unicamente tra coloro che avevano la cittadinanza romana e accompagnati da unità ausiliarie (*cohortes* di fanteria e *alae* di cavalleria) reclutate tra i non cittadini. Nel IV secolo invece le legioni vennero spezzettate in un ampio ventaglio di unità più piccole. In un certo senso questo cambiamento formalizzò una pratica già in uso, poiché singole coorti di 500 uomini venivano spesso utilizzate separatamente dal corpo principale della legione cui appartenevano. Ma anche i vari tipi di unità militare furono riorganizzati: invece che da legioni e truppe ausiliarie l'esercito del tardo impero era composto da truppe di guarnigione frontaliere (*limitanei*) e forze di campo mobili (*comitatenses*) raggruppate al di qua delle tre frontiere principali: il Reno, il Danubio e l'oriente. Le forze di campo avevano un equipaggiamento più pesante ed erano pagate un po' meglio; ma anche le truppe di guarnigione erano formidabili (e non formate da contadini-soldati part-time come qualcuno ha sostenuto). Per certe campagne particolari anche queste ultime venivano mobilitate accanto alle forze di campo. Inoltre c'era molta più specializzazione a livello di singole unità: c'erano reggimenti di arcieri a cavallo (*sagittarii*), fanti addetti all'artiglieria pesante (*ballistarii*) e cavalieri con corazza di piastre (*clibanarii*, letteralmente «uomini-stufa»). Nell'insieme, laddove Cesare poteva contare quasi esclusivamente sui soldati a piedi della legione, in quest'epoca l'accento cadeva molto di più sulla cavalleria. Alcune unità di cavalleria pesante erano una sorta di plagio di quelle persiane che avevano dato una così buona prova nello sconfiggere Gordiano, Filippo e Valeriano. Numericamente però l'esercito del tardo impero era ancora dominato dalla fanteria, soprattutto relativamente alle forze di campo mobili: i fanti infatti, poiché non dipendevano dalla reperibilità di foraggio e potevano percorrere grandi distanze combattendo sempre con efficacia, permettevano una maggiore mobilità strategica.

Quali fossero le dimensioni complessive dell'esercito romano del tardo impero è a tutt'oggi oggetto di un acceso dibattito. Abbiamo un'idea piuttosto precisa di quanto fosse grande all'inizio del III secolo, sotto gli imperatori della casa dei Severi, cioè immediatamente prima dell'ascesa dei Sasanidi: in quella fase l'esercito di Roma era formato da trenta legioni da 5000 uomini circa e da altrettanti ausiliari, per un totale approssimativo di 300.000 uomini. Ma ogni tentativo di calcolarne con lo stesso metodo la dimensione complessiva nel tardo impero – anche se una fonte intitolata *Notitia Dignitatum* ci dà una lista abbastanza completa delle unità che lo componevano attorno al 400 d.C. (cfr. pp. 303-304) – si arena contro il fatto che le varie unità generate dalla riorganizzazione dell'esercito avevano una composizione variabile, e non c'è modo di sapere la grandezza di ciascuna. La discussione ruota attorno a due dati complessivi, tramandati dalle fonti: il primo è di 645.000 effettivi; l'altro, relativo al regno dell'imperatore d'oriente Diocleziano (284-305 d.C.), parla di 389.704 soldati più 45.562 marinai della flotta, per un totale di 435.266 effettivi. Entrambe le stime pongono però dei problemi. Il primo numero ci è stato trasmesso dallo storico Agazia, che nel 570 circa paragonò quei 645.000 uomini ai non più di 150.000 dei suoi tempi: confronto quindi che va tutto a favore dell'esercito del IV secolo. L'intento dell'autore era quello di criticare gli imperatori della sua epoca, e quindi una sopravvalutazione degli effettivi di due secoli prima serviva perfettamente al suo gioco. Il dato di 435.266 effettivi risulta a priori molto più credibile, sia perché non è arrotondato, sia perché compare in un contesto libero da intenti polemici. Ma anche questa stima proviene da un commentatore del VI, e non del IV secolo, e si trova in un testo composto più di duecento anni dopo la morte di Diocleziano: il che non è certo l'ideale. Sappiamo che la riorganizzazione militare di cui ci stiamo occupando andò avanti anche dopo Diocleziano e che la distinzione tra *comitatenses* e *limitanei* fu pienamente formalizzata solo sotto Costantino. Anche ammettendo che la stima sia accurata e imparziale, abbiamo dunque ragione di supporre che l'esercito abbia continuato a crescere anche dopo il 305; per questo le stime degli storici si sono attestate tra i 400.000 e i 600.000 uomini. Anche a voler essere prudenti, tra l'inizio del III secolo e la metà del IV i 300.000 uomini dell'esercito romano devono essere aumentati almeno di un terzo, e con ogni probabilità molto di più.[16]

Che l'esercito debba essere cresciuto in misura così notevole, a mio parere, è indubbio. Non solo per l'evolversi della situazione strategica (per il fatto cioè che Roma si trovò a fronteggiare una superpotenza rivale oltre i confini orientali), ma anche perché tra la fine del III e l'inizio del IV secolo ebbe luogo un'ingente ristrutturazione finanziaria dell'impero. La voce più pesante delle uscite statali era sempre stata l'esercito: anche l'aumento di un terzo del numero degli effettivi, stima piuttosto prudente, richiese dunque un notevole incremento del prelievo fiscale necessario allo stato romano. Provate un po' a chiedere a uno stato moderno di aumentare del 33 per cento le spese per la voce più pesante del suo bilancio e vedrete i capelli degli alti funzionari del Tesoro sbiancare improvvisamente. Dunque ipotizzare che gli schemi materiali dell'impero siano stati radicalmente trasformati dalla reazione all'ascesa dei Sasanidi è pienamente compatibile sia con le dimensioni della nuova minaccia persiana, sia con le valutazioni più prudenti sulla crescita delle dimensioni dell'esercito. Buona parte della risposta romana alla crisi del III secolo è stata attribuita all'imperatore Diocleziano: anche se effettivamente fu sotto il suo regno che molte riforme giunsero a compimento o avanzarono in maniera sostanziale, la maggior parte di quei cambiamenti fu un processo a lungo termine e non il parto di una singola mente. Ciò vale sicuramente per la riorganizzazione e l'espansione dell'esercito; e certo anche per le riforme finanziarie che si dovettero introdurre per mantenerlo.

La prima misura fiscale adottata dagli imperatori del III secolo per affrontare la crisi fu quella di attivare tutte le fonti d'entrata già esistenti. In un momento imprecisato tra il 240 e il 270 lo stato confiscò il reddito locale che da sempre le città potevano usare per le loro esigenze: soldi ricavati dallo sfruttamento delle terre demaniali nonché da pedaggi e balzelli di vario tipo. I funzionari cittadini continuarono a prelevare le tasse e ad amministrare i fondi pubblici, ma i guadagni così ottenuti non potevano essere più spesi a livello locale. La colpa di questo provvedimento è stata spesso attribuita a Diocleziano, ma la cosa non è confermata dalle fonti che scrissero sotto il suo regno, nemmeno da quelle più ostili alle sue riforme finanziarie. Si tratta di una delle misure più facili da intraprendere per far fronte a una crisi di liquidità e di conseguenza fu probabilmente una delle prime a essere introdotte. Sicuramente non si trattava di somme irrilevanti e nel corso del IV secolo furono almeno in parte restituite alle città da imperatori che, per varie ragioni, avevano bisogno di appoggi locali.[17]

A ogni modo il gettito così racimolato non bastava a coprire i costi del nuovo esercito e verso la fine del III secolo gli imperatori dovettero ricorrere ad altre strategie. Decisero così di svalutare la moneta riducendo il contenuto in argento del *denarius*, la valuta con cui tradizionalmente erano stipendiati i soldati. I *denarii* di Galieno (che regnò tra il 253 e il 268), per esempio, erano praticamente monete di rame con meno del 5 per cento d'argento. Tale

90

strategia permise di aumentare la moneta circolante, ma generò una massiccia inflazione: con l'editto sui prezzi, nel 301 d.C. Diocleziano fissò il prezzo di una misura di farina (che nel II secolo costava circa mezzo *denarius*) in non meno di cento *denarii* del nuovo conio. Prove comparative hanno dimostrato che i mercanti ci mettevano circa un mese a rendersi conto di ogni svalutazione operata e ad alzare conseguentemente i prezzi: quindi questo tempo concedeva, tutte le volte, una breve tregua agli imperatori in difficoltà. A ogni modo, svalutazioni e successivi rincari dei prezzi non erano certo misure efficaci nel lungo periodo, dato che i mercanti tendevano a reagire ritirando le merci dagli scaffali per venderle al mercato nero. A lungo termine l'unico rimedio possibile era incamerare una fetta più ampia delle risorse dell'impero – una sorta di «prodotto imperiale lordo» – tramite l'aumento del prelievo fiscale. Questa strategia fu attuata nel momento più buio della crisi del III secolo, quando, in momenti di grande difficoltà, gli imperatori arrivarono a imporre balzelli straordinari in natura, cioè sotto forma di generi alimentari. Questo sistema permetteva di scavalcare i molti problemi connessi alle svalutazioni: ma per la sua stessa imprevedibilità tendeva a essere molto impopolare. Alla fine, sotto Diocleziano, si decise di imporre piuttosto una nuova tassa regolare sulla produzione economica, la cosiddetta *annona militaris*.[18]

Nel III secolo, dunque, l'improvvisa comparsa della superpotenza persiana ai confini orientali provocò una massiccia ristrutturazione dell'impero. Gli effetti delle misure prese contro la crisi non furono immediati, ma alla fine diedero i risultati sperati. Già alla fine del III secolo Roma aveva ampiamente ripreso il controllo della situazione e poteva stipendiare abbastanza truppe supplementari da stabilizzare il fronte orientale. Nel 298 d.C. l'imperatore Galerio, che regnava insieme a Diocleziano, riportò un'importante vittoria sui persiani: e da quel momento in poi, con maggiore o minore efficacia, i loro attacchi furono sempre respinti. Nel secolo seguente i romani subirono ancora qualche perdita, a tratti drammatica; ma vinsero anche, e in linea generale il nuovo esercito riformato diede buona prova. La guerra tra Roma e la Persia assunse il carattere di periodici assedi a fortezze e città murate, e cessarono le terribili campagne che avevano permesso a Sapore I di invadere la Siria. Di tanto in tanto i romani perdevano una fortezza, come avvenne nel 359 con quella di Amida, ma tali sconfitte non erano certo paragonabili al disastro del III secolo. L'orologio strategico non poteva più essere riportato indietro, nel frattempo però le strutture fisiche e militari dell'impero erano state adeguatamente rafforzate per tenere testa alla minaccia persiana.[19]

È importante riconoscere il gigantesco sforzo con cui i romani rimisero in sesto gli affari dell'impero. Confiscare le tasse locali e riformare completamente l'apparato tributario non era cosa da poco. Roma impiegò più di cinquant'anni, dopo la prima apparizione dell'aggressiva dinastia sasanide, a rimettere in ordine il sistema fiscale; e a tal fine dovette espandere massicciamente la macchina governativa centrale destinata a supervisionare il tutto. Come abbiamo visto nel Capitolo 1, a partire dal 250 d.C. i funzionari impiegati negli scalini più elevati della burocrazia si moltiplicarono. La ristrutturazione militare e finanziaria, inoltre, portò con sé importanti conseguenze politiche. Il trasferimento dei centri di potere fuori da Roma e dall'Italia, operato già a livello embrionale nel II secolo, accelerò bruscamente in conseguenza della reazione dell'impero all'ascesa persiana. E mentre già nel II secolo non era raro vedere più imperatori dividersi pacificamente l'onere del regno, nel III la necessità politica e amministrativa di avere più di un sovrano divenne un tratto caratteristico della vita pubblica romana del tardo impero.

A partire dal 230, quando una serie di imperatori consecutivi dovette spostarsi in oriente per periodi di tempo sempre più lunghi per affrontare i persiani, l'occidente e in particolare la frontiera del Reno rimasero spogli di ogni presenza imperiale. Soldati e ufficiali tendevano così a liberarsi del vassallaggio clientelare suscitando gravi e ripetuti disordini al vertice. In questa fase, che è stata chiamata di «anarchia militare» e che corrisponde ai cinquant'anni dopo l'assassinio dell'imperatore Alessandro Severo (235 d.C.), le redini del potere romano passarono per le mani di almeno venti imperatori legittimi e di una legione di usurpatori, che in media rimasero in carica per non più di due anni e mezzo ciascuno. Questo turbinio di imperatori tradiva la presenza di un problema strutturale: ogni volta che il sovrano doveva concentrarsi esclusivamente su una parte dell'impero, come nella fase di cui ci stiamo occupando, spuntavano altrove comandanti e burocrati scontenti, che covavano pensieri d'usurpazione. Particolarmente interessante da questo punto di vista è il cosiddetto «impero gallo»: nel 259, quando Valeriano fu catturato dai persiani, funzionari civili e comandanti militari di stanza sulla frontiera del Reno organizzarono una loro entità politica guidata da una serie di generali che resse la Gallia per quasi trent'anni. Un'entità politica non separatista, anzi, interamente romana: un modo come un altro per assicurarsi che una fetta soddisfacente della torta imperiale arrivasse anche nel proprio angolo d'Europa.[20]

*

Seppure in modi diversi, dunque, entrambi i vicini più pericolosi dell'impero romano ne influenzarono profondamente lo sviluppo. Il livello economico relativamente basso dei germani, bellicosi ma politicamente disuniti, costituì per l'espansionismo dell'impero un limite prima del quale arrestarsi, stabilizzando le frontiere europee lungo il Reno e il Danubio. Il Medio Oriente, dove viveva un popolo altrettanto bellicoso, aveva invece una storia di maggior cooperazione politica e un'economia in grado di sostenere una popolazione più numerosa e impegnata in una molteplicità di lavori. La dinastia sasanide catalizzò dunque tutte queste potenzialità, trasformando la regione in una superpotenza rivale dell'impero che fin dall'inizio costrinse lo stato romano ad aggiornarsi. Esercito, tasse, burocrazia e politica: tutto venne modificato per far fronte a quella sfida. L'unico aspetto stabile dell'impero restò la sua visione ideologica del mondo, compresa la posizione immutabile assegnata dalla supremazia romana a tutti i «barbari».

I barbari e l'ordine romano

Nell'estate del 370 d.C. un drappello di navi cariche di predoni sassoni sbucò dalla foce dell'Elba e si diresse verso ovest lungo la costa settentrionale dell'Europa continentale. Tenendosi alla larga dalla ben difesa frontiera romana, quei sassoni presero terra nella Francia settentrionale, probabilmente da qualche parte a occidente della Senna. Subito i romani raccolsero abbastanza truppe da costringerli a negoziare. Così descrive la scena Ammiano Marcellino, il miglior storico romano del IV secolo:[21]

Dopo una lunga e articolata discussione, si valutò nell'interesse dello stato di concordare una tregua: a condizione che i sassoni concedessero molti giovani abili al servizio militare, si stabilì che essi potessero tornare da dove erano venuti senza impedimento alcuno.

Ma era solo apparenza. Mentre ancora si stava negoziando i romani, senza farsene accorgere, infilarono drappelli di cavalleria pesante e qualche distaccamento di fanteria tra i sassoni e le loro navi:

Con rinnovato coraggio allora i romani uccisero con le spade sguainate i sassoni stretti da tutti i lati. Nemmeno uno di loro poté rivedere la terra natia: a nessuno fu permesso di scampare al massacro dei compagni.

Prosegue Ammiano:

E se un giudice retto può forse accusare tale azione di essere meschina e traditrice, a una più attenta riflessione anch'egli non riterrà inopportuno che una pericolosa banda di briganti sia stata annientata alla giusta occasione.

Per Ammiano, dunque, né la falsità né il tradimento costituivano un problema se il fine era quello di liberarsi dei barbari.

I massacri di barbari, inoltre, erano accolti con grande favore dall'opinione pubblica di Roma. Gli anfiteatri della capitale offrivano spettacoli violenti di varia natura, dai combattimenti tra gladiatori alle più fantasiose forme di pena capitale. È stato calcolato che furono circa 200.000 le persone che morirono di morte violenta nel solo Colosseo; e bisogna ricordare che arene simili, per quanto più piccole, sorgevano in tutte le principali città romane. Veder morire i barbari era uno degli intrattenimenti più comuni. Nel 306, per celebrare la pacificazione della frontiera del Reno, l'imperatore Costantino fece sbranare dai leoni nell'arena di Treviri due re franco-germanici prigionieri, Ascarico e Merogaiso, e il suo trionfo arrivò alle orecchie di un pubblico ben più vasto ai quattro angoli dell'impero.[22] In assenza di re barbari da far divorare vivi non mancavano le alternative. Nel 383 una nostra

94

vecchia conoscenza, Simmaco, all'epoca prefetto urbano di Roma, scrisse all'imperatore Valentiniano II riferendogli quanto il pubblico della capitale avesse gradito lo spettacolo di alcuni soldati sarmati di lingua iraniana sgozzati dai gladiatori nell'arena. Ma a colpirci è soprattutto questo suo commento:

La voce pubblica non tace lo splendido esito delle vostre imprese, ma ogni vittoria diventa più credibile quando è confermata dagli occhi. [...] Ora noi abbiamo visto con i nostri stessi occhi cose che a sentirle leggere ci avevano riempito di stupore: una colonna di prigionieri incatenati [...] condotti in processione, i volti un tempo così fieri stravolti da un pietoso pallore. Il nome che fino a ieri ci colmava di terrore oggi [è] oggetto del nostro divertimento, e le mani addestrate all'uso di armi esotiche tremano incontrando l'equipaggiamento dei gladiatori. Possiate godere spesso e con facilità dei lauri della vittoria [...], possano i nostri eroici soldati prendere tanti prigionieri [barbari] e noi assistere alla loro morte nell'arena cittadina.[23]

Per Simmaco, dunque, quelle morti dimostravano che il civilizzatissimo ordine romano avrebbe sempre prevalso sulle barbare forze del caos.

L'antipatia per i barbari che il popolo esprimeva senza alcuna inibizione nell'arena nasceva, per i romani più distinti, da un sentimento che non era semplice odio. Più o meno nello stesso momento in cui i sassoni cadevano in trappola ai confini nordoccidentali l'oratore e filosofo Temistio, una sorta di propagandista dell'impero, si alzava a parlare davanti al senato di Costantinopoli per giustificare le scelte politiche del suo datore di lavoro, l'imperatore Valente. Nel suo discorso possiamo leggere un'osservazione rivelatrice: «Dentro ciascuno di noi c'è una tribù barbara arrogante e intrattabile – mi riferisco al carattere – e quei desideri insaziabili si oppongono alla razionalità così come sciti e germani si oppongono a Roma».[24]

Nell'universo romano i barbari occupavano un posto preciso, dettato da una particolare visione del cosmo. In base alla loro concezione gli esseri umani sono fatti di due elementi distinti: uno spirito intelligente, razionale, e un corpo materiale. Al di sopra del genere umano, nel cosmo, ci sono altri esseri che, pur essendo dotati di poteri più o meno elevati, hanno innanzitutto la caratteristica di essere fatti di puro spirito. Al di sotto del genere umano, invece, ci sono gli animali, che sono pura fisicità. Soltanto gli esseri umani combinano insieme corpo e spirito: e da questa visione derivava l'idea che i romani si erano fatti della razionalità. Nelle persone pienamente razionali – come nel caso dell'élite romana, ovviamente – lo spirito esercita il suo dominio sul corpo. Ma negli esseri umani di livello inferiore – come i barbari – è il corpo a dominare lo spirito. I barbari, in breve, erano l'immagine rovesciata del romano ideale: dediti all'alcol, al sesso e alle ricchezze mondane.

L'irrazionalità dei barbari si esprimeva in molti modi. Secondo i romani, per esempio, il barbaro si riconosceva dal modo in cui reagiva alla sorte. Dagli una briciola di fortuna, e subito il barbaro penserà di aver conquistato il mondo; ma il più piccolo contrattempo basterà a gettarlo in una cupa disperazione, spingendolo a lamentarsi della crudeltà del destino. Laddove il romano calcola le probabilità, formula piani ragionevoli e poi vi si attiene qualsiasi cosa accada, il povero barbaro è sempre in balìa di eventi per lui incomprensibili. Anche la società barbara nel suo insieme era considerata inferiore a quella romana: si trattava di un mondo in cui la forza contava più del diritto e in cui trionfava sempre chi aveva i bicipiti più sviluppati. I barbari dunque erano l'«altro» per antonomasia, il rovescio dell'idea che i romani avevano di sé: una società inferiore, i cui difetti sottolineavano e legittimavano la superiorità dell'impero e il suo diritto al predominio. Ma lo stato romano non si considerava migliore solo in alcuni aspetti relativi e marginali, bensì in senso complessivo e assoluto, perché il suo sistema sociale era sancito dal cielo. Questa ideologia non solo permetteva alle classi superiori di sentirsi in pace con sé stesse, ma era parte integrante del funzionamento dell'impero. Nel IV secolo i frequenti richiami alla minacciosa presenza dei barbari al di là dei confini indussero la popolazione a pagare le tasse senza fiatare, nonostante il prelievo fiscale si fosse già abbondantemente inasprito per far fronte alla crisi del secolo precedente.[25]

Pur funzionando abbastanza bene, tale strategia, che pure permetteva ai romani di disprezzare gli stranieri e al contempo utilizzarli come puntello del sistema fiscale, non era del tutto priva di effetti collaterali. L'immagine stereotipata del barbaro faceva sì che tutti gli stranieri fossero visti come una minaccia e, per definizione, come esseri umani di seconda categoria, membri di una società inferiore. Da tale atteggiamento derivavano due pesanti conseguenze: primo, che il conflitto era considerato la norma nei rapporti tra romani e non romani; secondo, che l'impero avrebbe dovuto uscire vittorioso da ognuno di questi scontri. Cos'altro infatti poteva significare il favore divino, se non la garanzia di non dover mai soccombere al nemico, cui la sorte non arrideva? La suprema virtù degli imperatori, raffigurati sulle monete come divinità coronate non a caso dall'alloro, era la vittoria. E ogni fallimento in guerra poteva essere interpretato come un segno che l'attuale detentore della porpora non era affatto l'uomo giusto al posto giusto.[26]

Per questo i portavoce romani si davano tanto da fare per presentare gli scontri presso la frontiera in modo da preservare l'immagine dell'invincibilità imperiale. All'inizio del 363, per esempio, l'imperatore Giuliano mise a segno un grosso colpo guidando il suo esercito per 500 chilometri in territorio persiano fino a sfiorare la periferia della capitale, Ctesifonte. A quel punto il re dei re, Cosroe, che fino a quel momento l'aveva lasciato avanzare liberamente, fece scattare la trappola. I romani furono costretti a ritirarsi combattendo per tutta la strada già percorsa fino alla frontiera. Alla fine di giugno, quando Giuliano rimase ucciso in battaglia, la situazione sembrava ormai disperata: l'esercito romano aveva ancora da percorrere 250 chilometri, le scorte alimentari stavano per esaurirsi e la velocità media degli spostamenti era di soli cinque chilometri al giorno a causa delle continue aggressioni dei persiani. Gioviano, il successore di Giuliano – eletto durante la stessa campagna militare – non ebbe alternativa e dovette negoziare una pace umiliante. L'esercito romano fu lasciato partire, ma l'impero dovette cedere ai persiani due città importanti, Nisibe e Sangara, un certo numero di roccaforti e cinque province di frontiera (Carta n. 3). Soprattutto al sorgere di un nuovo regno, quando il sigillo dell'approvazione divina doveva essere particolarmente evidente, le aspettative di vittoria erano talmente pressanti che Gioviano non poteva assolutamente ammettere una sconfitta. Le nuove monete celebrarono dunque la pace con la Persia come una vittoria e Temistio fu mandato in giro a rinforzare questa versione. Il disagio del propagandista imperiale è quasi palpabile nei suoi discorsi. Il meglio che riesce a tirar fuori è quanto segue: «I persiani si sono dimostrati altrettanto entusiasti [di Gioviano imperatore] dei romani, e saputo della sua proclamazione hanno subito gettato le armi cominciando a temere quegli stessi soldati di cui prima non avevano paura». E prosegue citando un vecchio aneddoto tratto da un famoso resoconto dell'ascesa al trono di Dario (522 a.C.), secondo cui i persiani – irrazionali come al solito – sceglievano il loro re dei re interpretando il nitrito dei cavalli.

Niente male, per un argomento così evidentemente indifendibile: peccato che nessuno gli credette. Nel gennaio del 364 Gioviano dovette far fronte alle proteste delle città orientali danneggiate dalla resa e in un discorso al senato durato almeno tre quarti d'ora Temistio dedicò solo un minuto alla questione persiana prima di deviare l'attenzione del pubblico su altre, più promettenti vicende.[27] In quel caso concreto, politica e aspettative di vittoria non potevano quadrare: e qualche tempo dopo Temistio si sentì sicuramente più a suo agio quando poté ammetterlo esplicitamente. Gioviano morì nel febbraio del 364 e alla fine dell'anno, nel primo discorso pronunciato per il suo successore Valente, l'illustre retore fu libero di leggere in quella morte prematura (dopo solo otto mesi di regno) un chiaro segnale dell'inimicizia degli dei. E così anche la sconfitta subita per mano dei persiani si spiegava in maniera soddisfacente, rimuovendo una brutta macchia dall'immagine collettiva che i romani avevano di sé.[28]

Ma anche sul fronte persiano sconfitte così catastrofiche erano ormai rare, e in generale Roma si manteneva in vantaggio lungo tutta la frontiera orientale. Innocenti bugie a parte, le aspettative di vittoria del popolo si realizzavano quasi sempre, e nessuna scomoda realtà interferiva più col messaggio principale: i barbari che vivevano oltre frontiera non avevano posto nell'ordine romano, e qualcuno stava prontamente e debitamente provvedendo ad annientarli. Di fatto gli scontri violenti erano un elemento significativo della politica estera di Roma su tutte le sue frontiere: ma la realtà – tanto lungo il Reno e il Danubio quanto in oriente – era molto più complessa di quanto la semplice dicotomia «noi/loro» potesse suggerire.

Per esplorare più da vicino la situazione getteremo ora un fascio di luce su un piccolo angolo della frontiera europea di Roma:

l'ultimo tratto del Danubio, laddove il fiume separava la diocesi romana della Tracia dai goti di lingua tedesca che, nel IV secolo, dominavano le terre tra i Carpazi e il Mar Nero.

Tracia: l'ultima frontiera

Nel 369, lo stesso anno in cui l'ambasceria di Simmaco raggiunse l'imperatore Valentiniano per consegnargli l'oro della corona (cfr. pp. 40-41), in mezzo al Danubio, poco lontano dalla fortezza di Noviodunum, si tenne una conferenza al vertice. Il fratello di Valentiniano, Valente, imperatore d'oriente, si staccò dalla riva meridionale del fiume su una lussuosissima lancia imperiale; dalla riva settentrionale lo raggiunse Atanarico, capo dei tervingi, i goti germanici stanziati appena al di là del confine. Per una volta possiamo valerci di un testimone oculare: l'episodio fu raccontato al senato di Costantinopoli proprio da Temistio, il quale era lì a capo di un'ambasceria senatoriale presso l'imperatore. Dal suo resoconto pare che l'imperatore non abbia fatto altro che umiliare il sovrano barbaro:[29]

Valente era così più intelligente dell'uomo che parlava per conto dei barbari da minare la fiducia che essi avevano in lui, e da rendere la contesa verbale [sulla barca] ancor più perigliosa di quella armata [dei precedenti tre anni]. Eppure dopo aver schiacciato l'avversario egli lo risollevò, tese la mano a quell'uomo confuso e se lo fece amico davanti a molti testimoni. [...] E così [Atanarico] se ne andò in grande allegrezza, diviso fra contrastanti emozioni: fiducioso e pieno di paura a un tempo, altezzoso e timoroso con i suoi sudditi, abbattuto per quegli aspetti del trattato che lo decretavano come perdente ma esultante per quelli in cui il successo gli aveva arriso.

Anche i seguaci di Atanarico non sembravano in forma smagliante:

Erano sparpagliati in gruppetti lungo la riva, in uno stato d'animo docile e disponibile, un'orda innumerevole. [...] Osservando le due rive del fiume, [vidi] quella [romana] luccicare di soldati che, in buon ordine, osservavano con quieto orgoglio ciò che stava accadendo, l'altra gravata da una folla disordinata di supplici sdraiati scompostamente sul nudo suolo.

Atanarico e i suoi avrebbero dunque recitato alla perfezione la loro parte, seguendo alla lettera il tradizionale copione romano. I dettagli dell'accordo di pace sembravano confermare il successo di Valente: l'imperatore aveva cancellato le donazioni annuali ai goti, limitato i diritti commerciali transfrontalieri a due sole città e avviato la costruzione di nuove fortificazioni tese a prevenire ulteriori incursioni di predoni goti. Le aspettative di un pieno dominio di Roma su una popolazione barbara inferiore si erano magnificamente realizzate.

Ma a guardarla un po' più da vicino, la storia di Temistio non sta in piedi. Innanzitutto le ostilità non erano state aperte da Valente, bensì da Atanarico. Già nel 364-365 i rapporti del controspionaggio romano parlavano di una crescente inquietudine tra i goti, e Valente aveva mandato rinforzi sul fronte del Danubio. Nel 365, quando Procopio, zio del precedente imperatore Giuliano, aveva comprato il sostegno delle truppe frontaliere di rinforzo per usurpare la dignità imperiale, Atanarico gli aveva prestato un contingente di tremila guerrieri goti. E allora, se ai goti era bastato farsi pagare per mantenere la pace, come ci ha raccontato Temistio stesso, come si spiega tanta aggressività da parte di Atanarico? Poi, nonostante tre anni di campagne militari, Valente non era riuscito a sconfiggere i goti in battaglia. Certo, nel 367 e nel 369 i suoi eserciti erano dilagati sul loro territorio saccheggiando e depredando il più possibile, e nel 368 li aveva ostacolati solo il prematuro sciogliersi delle nevi delle Alpi e dei Carpazi, che avevano gonfiato il Danubio impedendo ai romani di raggiungere l'altra sponda con i consueti ponti di chiatte che servivano a trasportare il pesante equipaggiamento. Ma grazie a certe sue manovre strategiche – cioè scappando – Atanarico era sempre riuscito a non farsi intrappolare. Quando fu siglato il trattato di pace i goti erano senz'altro in difficoltà e drammaticamente a corto di cibo: ma sicuramente non soggiogati come trent'anni prima, quando l'imperatore Costantino li aveva costretti alla resa incondizionata. E dato che i romani non li avevano affatto sconfitti come Temistio avrebbe voluto farci credere, è difficile pensare che il trattato del 369 possa essere stato più duro di quello del 332.

Nel suo discorso, comunque, Temistio «dimentica» di menzionare un dettaglio importantissimo. Nel bel mezzo della campagna di Valente contro i goti, sulla frontiera con la Persia si era scatenato l'inferno. Dopo gli ingenti guadagni territoriali ottenuti in Mesopotamia grazie al trattato con Gioviano, Cosroe, il re dei re, aveva deciso di occuparsi del Caucaso e nel 367-368 aveva spodestato i sovrani dell'Armenia e della Georgia orientale, ex alleati dei romani, per sostituirli con altri re di suo gradimento. Proteggere il fronte persiano, per Valente, era molto più importante che soggiogare definitivamente i goti: quindi la nuova minaccia lo spinse a distogliere parte delle truppe dal teatro balcanico per portarle più a est. Ma ormai la mobilitazione sul Danubio era in atto e i popoli tributari si aspettavano che l'imperatore vincesse e si vendicasse anche del sostegno che i goti avevano dato a Procopio. Per questo la campagna militare andò comunque avanti fino al 369: ma quando la vittoria gli scappò di mano per l'ennesima volta, Valente fu costretto ad accettare una pace di ripiego. Sul fatto che l'incontro tra Valente e Atanarico si sia chiuso con un compromesso non possono esserci dubbi: Temistio stesso ci dice che il capo dei goti era «esultante per quegli [aspetti del trattato] in cui il successo gli aveva arriso». Questa interpretazione è confermata anche dalla bizzarra *location* acquatica del summit: di solito gli imperatori vittoriosi portavano trionfalmente in parata le loro insegne sul suolo barbaro, costringendo i re nemici a fare atto di sottomissione davanti ai loro stessi sudditi. Nelle fonti del IV secolo troviamo solo un altro esempio di summit celebrato sull'acqua, quella del Reno: quando un altro imperatore romano, Valentiniano, ebbe bisogno di pacificare rapidamente una frontiera per dedicarsi a un problema sorto altrove. E anche quella pace era stata un compromesso, non una vittoria.[30]

Adesso comprendiamo meglio le difficoltà che Temistio dovette affrontare quando presentò al senato la pace con i goti. Il retore parla della fine delle donazioni annuali come di un grande vantaggio per lo stato romano, ma in realtà si trattava di ben poca cosa. Da secoli i romani usavano queste donazioni per costituire e mantenere il ruolo dei sovrani vassalli: oggi li chiameremmo «aiuti esteri». La grossa perdita per i romani – su cui Temistio non spende nemmeno una parola – era invece la rescissione del diritto di chiedere e ottenere dai goti aiuto militare contro la Persia. Dall'insieme del discorso emerge tutta l'ingegnosità di Temistio, che a beneficio del pubblico dei contribuenti ritrae a tinte vivaci il quadretto della sottomissione dei goti dipingendo Valente in tutto lo splendore del suo potere assoluto. Il suo pezzo di bravura raggiunse evidentemente lo scopo, perché altre due fonti contemporanee descrivono quel trattato di pace come una conclusione ragionevole della guerra. E così Valente si salvò la faccia.[31]

Quanto a noi, da dietro la cortina fumogena di Temistio vediamo affacciarsi una questione ben più importante, per quanto poco chiara. Ovviamente non possiamo sapere con certezza cosa avesse in mente Atanarico, dato che i suoi obiettivi non sono analizzati da nessuna delle fonti romane giunte fino a noi, ma è chiaro che il suo personaggio non è quello del solito barbaro che incarnava alla perfezione l'«altro» dell'ideologia romana. Per trent'anni lui e i tervingi avevano beneficiato dei donativi romani: eppure preferivano rinunciarvi pur di sciogliersi dall'obbligo di combattere per loro. Lo stesso vale per i privilegi commerciali di frontiera ottenuti col precedente trattato di pace. Il fatto che tali privilegi fossero concreti e molto apprezzati dai goti risulta chiaramente dalle testimonianze archeologiche: i siti goti del IV secolo sono pieni di frammenti di anfore di terracotta di produzione romana, soprattutto contenitori per il vino (nel VI secolo l'espressione *biberunt ut Gothi*, «hanno bevuto come goti», era diventata proverbiale). Eppure, evidentemente, Atanarico aveva concepito il progetto di svincolare i tervingi dalle costrizioni della dominazione romana, aveva ottenuto il sostegno dei suoi e aveva messo in atto sofisticate strategie per raggiungere l'obiettivo. Dapprima non aveva esitato a battersi direttamente contro l'impero; poi, quando i piani di Procopio per l'usurpazione del potere gli avevano suggerito la possibilità di immischiarsi negli affari interni di Roma, ne aveva approfittato (presumibilmente nella speranza che Procopio, se fosse riuscito nel suo intento, gli avrebbe concesso di buon grado ciò che a Valente bisognava strappare con la forza).

In questo episodio vediamo dunque la realtà contraddire in maniera sostanziale l'ideologia romana. Il tentativo di usurpazione di Procopio aveva visto un romano allearsi con i barbari contro un altro romano, anche se, di fatto, Atanarico non era che un alleato di secondo piano. Né quest'ultimo era un barbaro del tutto incapace di concepire un piano strategico, capace solo di arraffare il bottino che aveva sotto gli occhi. Al contrario, Atanarico aveva utilizzato il meglio dei suoi mezzi al fine di rinegoziare l'insieme di obblighi e privilegi che Costantino aveva stabilito per i tervingi nel 332. Quest'ultimo, con una manovra diplomatica tipicamente romana, aveva anche cercato di imprimere il marchio imperiale sulla casa regnante dei tervingi: infatti, in base al trattato di pace, uno degli ostaggi inviati a Costantinopoli era proprio il figlio del sovrano allora regnante. Ostaggi che sarebbero stati uccisi (e infatti lo furono) se la controparte avesse violato i termini della pace, ma che di solito servivano a persuadere la successiva generazione di capi barbari che non c'era alcun vantaggio nell'opporsi a Roma e che era molto più utile esserle alleati. A volte tale strategia funzionava, ma nel caso in esame le cose andarono altrimenti. Il principe dei tervingi mandato a Costantinopoli era il padre di Atanarico, il quale, nonostante la statua che gli fu eretta dietro il senato, non si lasciò piegare (forse i romani avrebbero dovuto metterla *davanti* al palazzo). Al momento di trasmettere il potere al figlio, il vecchio sovrano gli proibì addirittura di mettere piede in territorio romano: e Atanarico fece quanto era in suo potere per separare i destini del suo popolo da quelli dell'impero.[32] L'ubicazione acquatica del summit estivo di Valente, quindi, implicitamente riconosceva la piena sovranità dei goti sulle terre al di là del Danubio. E infatti immediatamente dopo la firma del nuovo accordo, Atanarico si sentì libero di perseguitare i goti cristiani. Come vedremo tra poco, la cristianizzazione dei goti era stata attivamente promossa dai precedenti imperatori: anche in questa decisione possiamo dunque leggere una deliberata opposizione alle ideologie patrocinate da Roma. Tutt'altro che un barbaro di basso profilo, dunque: Atanarico era un sovrano vassallo che aveva un coerente programma di revisione dei rapporti con l'impero dominante.

Piccolo Lupo

Se il vero profilo di Atanarico può essere almeno in parte ricostruito attraverso lo specchio deformante del discorso di Temistio, due straordinari manoscritti ci permettono di accedere al mondo gotico del IV secolo in modo molto più diretto. Il primo è uno dei tesori più preziosi che l'antichità ci abbia trasmesso: il *Codex Ar-*

genteus, oggi conservato presso la biblioteca dell'Università di Uppsala in Svezia, una lussuosa traduzione dei quattro Vangeli in lingua gotica. Trascritto in Italia nel corso del VI secolo, il libro era composto in origine da 336 pagine delle quali solo 187 si possono ancora leggere a Uppsala: ma nel 1970, con grandissima eccitazione, un'altra pagina fu rinvenuta in uno sperduto nascondiglio per reliquie della cattedrale di Spira, nella Germania sudoccidentale. Il testo è scritto in inchiostro d'oro e d'argento su una pergamena color porpora di eccezionale finezza, fatta con la pelle di vitellini appena nati o addirittura non nati. Inchiostro, porpora e pergamena ne fanno un libro eccezionalmente costoso, forse commissionato da un individuo di brillantissima posizione sociale, probabilmente lo stesso Teodorico Amal che fu re ostrogoto d'Italia nel VI secolo. Il secondo manoscritto è più modesto, ma a modo suo altrettanto straordinario: è un testo del V secolo, semplice e molto danneggiato, noto col nome di *Parisinus Latinus 8907*, contenente un resoconto del concilio di Aquileia del 381 durante il quale Ambrogio vescovo di Milano, paladino di quella che stava per diventare l'ortodossia cristiana, sconfisse i suoi avversari, oltre a una trascrizione dei primi due libri del capolavoro di Ambrogio stesso, il *De fide*. I margini delle pagine del *De fide*, però, contengono la trascrizione di un'altra opera, giunta fino a noi soltanto in questa versione mutila e semicancellata: un commento sullo stesso concilio di Aquileia per opera del vescovo Palladio di Ratiara, uno dei prelati che si opposero alle tesi ambrosiane. All'interno di questo secondo testo è riportata una lettera scritta da Aussenzio di Durostorum che insieme al *Codex Argenteus* illumina le straordinarie imprese di un oscuro suddito di Atanarico: Ulfila, il Piccolo Lupo dei goti.[33]

Nato all'inizio del IV secolo, Ulfila era figlio di un prigioniero romano vissuto a lungo presso i tervingi. Nel III secolo infatti i goti, durante le campagne condotte dalla Russia attraverso il Mar Nero nei territori romani dell'Asia Minore, avevano catturato numerosi prigionieri. La famiglia di Ulfila era stata prelevata da un piccolo villaggio, Sadagolthina, vicino alla città di Parnasso in Cappadocia, sulle rive settentrionali di quello che oggi è il Lago Tatt nella Turchia centrale. Il suo nome, che significa «Piccolo Lupo», è inequivocabilmente gotico, a dimostrazione del fatto che, almeno dal punto di vista linguistico, i prigionieri si erano adattati alla nuova situazione, anche se fra loro parlavano sicuramente la lingua natia. Quindi, oltre che in gotico, Ulfila sapeva leggere e scrivere sia in latino sia in greco, probabilmente con una preferenza personale per quest'ultimo. Le sue abilità ci testimoniano le condizioni di vita dei prigionieri, che probabilmente formavano una comunità di agricoltori sostanzialmente autonomi, tenuti a cedere ai padroni buona parte della produzione agricola ma per il resto liberi. Quasi tutti erano cristiani convinti. Ulfila, a quanto ci vien detto, crebbe e maturò nella fede in questo mondo decisamente poliglotta e divenne un giovane sacerdote col rango di lettore nella chiesa dell'esilio. Nella tarda antichità, comunità di prigionieri analoghe si formarono anche in altri regni barbarici e alcune riuscirono a preservare il senso della propria identità per più generazioni. Nel caso di Ulfila, però, la vita relativamente oscura di un immigrato involontario di seconda generazione stava per subire una radicale trasformazione: casualmente, i tervingi erano la tribù gota più vicina alla frontiera di Roma proprio nel momento in cui l'impero affrontava la propria conversione al cristianesimo.

Verso il 340 l'imperatore Costanzo decise dunque di affrontare la questione degli ostaggi trattenuti dal padre di Atanarico. Un gesto esibizionista, evidentemente, reso possibile dal dominio politico che Costantino, suo predecessore, aveva imposto ai tervingi nel decennio precedente. Nell'ambito di alcune iniziative tese a far mostra di pietà cristiana, Costanzo decise dunque di promuovere le sorti dei fratelli di fede costretti a vivere tra i pagani, e ottenne che Ulfila, personaggio di spicco della comunità prigioniera, fosse ordinato vescovo «di tutti i cristiani della Gotia». A tal fine il prelato partecipò a un'ambasceria che nel 341 raggiunse Costantinopoli. Dopo di che Ulfila se ne tornò a nord del Danubio e per i successivi sette anni amministrò felicemente il suo piccolo gregge di fedeli. Ma poi qualcosa andò per il verso sbagliato: nell'inverno 347-348, al centro di una crisi diplomatica tra goti e romani, Ulfila fu espulso dalla Gotia insieme a quasi tutti i goti cristiani. Gli storici suppongono che si fosse azzardato a diffondere la Buona Novella al di là della comunità dei prigionieri; ma l'espulsione avvenne in un contesto più ampio.

Nel 348 Costanzo desiderava distogliere un altro contingente armato dalle incombenze presso i tervingi per impegnarlo nell'ultima guerra contro i persiani: forse la fine di quell'opera di cristianizzazione fu uno dei prezzi che si dovettero pagare a questo scopo. Ciò non impedì all'imperatore di recarsi personalmente sulle rive del Danubio per accogliere Ulfila «quasi fosse Mosè in persona».[34]

Avrebbe potuto essere la fine della nostra storia: e invece ne è soltanto l'inizio. Ulfila e i suoi seguaci si stabilirono nei pressi della città di Nicopolis ad Istrum, poco lontano dalla frontiera del Danubio, da dove potevano tenersi in contatto con i molti cristiani rimasti in territorio gotico. Fu qui che Ulfila realizzò la traduzione della Bibbia in gotico del *Codex Argenteus*. Il metodo di Ulfila era semplicissimo: la trasposizione parola per parola di una normalissima Bibbia greca del IV secolo. Il risultato è una traduzione che deve più alla sintassi e alla grammatica greche che non a quelle dei goti. Ma si tratta comunque di un'impresa che ha del prodigioso. Secondo la tradizione Ulfila tradusse tutta l'opera tranne il libro dei Re, perché temeva che quella parte potesse rendere i goti ancor più bellicosi di quanto già non fossero. Un suddito di modesto lignaggio del regno goto dei tervingi aveva prodotto la prima opera letteraria in lingua germanica.[35]

Ma questa è solo una parte della storia di Ulfila. L'altra parte ci è stata tramandata dalla lettera di Aussenzio preservata in modo tanto straordinario dal *Parisinus Latinus 8907*. La conversione di Costantino produsse grandi trasformazioni in seno alla cristianità: non più costretti a vivere in comunità isolate e clandestine a causa delle persecuzioni romane, i cristiani avvertirono la necessità di stabilire un proprio corpus dottrinario. Il processo iniziò nel 325 con il concilio di Nicea, dove i rapporti tra il Padre e il Figlio furono definiti con il termine *homooúsios*, che significa «della stessa sostanza/essenza». Ma questo fu solo l'inizio del dibattito. Le definizioni degli articoli di fede date a Nicea furono pienamente accettate, dopo infinite discussioni, solo con il concilio di Costantinopoli, nel 381; per buona parte dei cinquantasei anni intercorsi, la cristianità romana si attenne a una posizione molto più tradizionale, che descriveva il Cristo come «simile» (*hómoios*) o «simile nella sostanza/essenza» (*homoioúsios*) a Dio Padre.

Nel frattempo moltissime energie furono spese per costruire coalizioni tra vari uomini di chiesa, che magari fino a un momento prima avevano dato semplicemente per scontato di credere alle stesse cose. A un certo punto ognuno dovette decidere quale tra le varie posizioni teologiche possibili esprimesse meglio la sua concezione della fede. Fu in tale arena che, in un momento imprecisato dopo il 248, scese anche Ulfila. La lettera di Aussenzio contiene la dichiarazione di fede lasciata da Ulfila come testamento e ultima volontà, e ne riassume le argomentazioni. Evidentemente egli era un cristiano tradizionalista, che non poteva accettare le definizioni di Nicea in quanto sembravano contraddire le Scritture e negare la distinzione tra il Padre e il Figlio. Così Aussenzio:

In conformità con la tradizione e con l'autorità delle Sacre Scritture [Ulfila] non nega che questo Dio [il Figlio] occupi un posto secondo e che sia l'origine di tutte le cose dal Padre e dopo il Padre e per conto del Padre e per la gloria del Padre [...] «Perché il Padre è maggiore di me» [Giovanni 14,28]: questo egli ha sempre detto chiaramente, in conformità con il Santo Vangelo.

Ma la cosa più importante è che il popolo gli dava credito. Dice ancora Aussenzio:

Florido e glorioso per quarant'anni nella carica vescovile, [Ulfila] predicò incessantemente nella grazia apostolica in lingua greca, latina e gotica [...] testimoniando che c'è un solo gregge di Cristo nostro Signore e Dio [...]. E tutto ciò che egli disse e tutto ciò che ho trascritto viene dalle divine Scritture: «Chi legge, intenda» [Matteo 24,15]. Egli ci ha lasciato numerosi trattati e vari commentarii in quelle tre lingue, a beneficio di tutti coloro che desiderano accoglierli e a sua eterna memoria e ricompensa.

Sfortunatamente, nessuna parte di quei trattati e commentari è giunta fino a noi. Nel dibattito dottrinale Ulfila finì col trovarsi sul lato sbagliato della barricata e le sue opere, come quelle di molti altri del suo partito, non furono tramandate ai posteri. Ma da Aussenzio e da altre fonti apprendiamo che Ulfila fu molto corteggiato non solo da Costanzo, ma anche dall'imperatore d'oriente Valente, e che sottoscrisse le dichiarazioni dottrinali che i due resero note rispettivamente nel 359 e nel 370. Ulfila aveva raccolto attorno a sé molti influenti vescovi balcanici contrari alle tesi di Nicea, e il suo gruppo costituiva pur sempre una forza importante in seno alla chiesa. Aussenzio era tra questi, e Palladio di Ratiaria anche. L'ultima volta che lo incontriamo, Ulfila, ormai settantenne, sta per tuffarsi ancora una volta nel dibattito dottrinale al concilio di Costantinopoli del 381. Fu il suo ultimo momento di gloria: dopodiché le decisioni del concilio relegarono lui e i suoi seguaci alle note a piè di pagina della storia. Ma per tutta la sua vita terrena Ulfila non ebbe certo un ruolo defilato: pur essendo un suddito dei goti nato in un'umile famiglia di ostaggi-agricoltori, a metà del IV secolo egli fu un attore di primissimo piano nei dibattiti dottrinali.[36]

Ancora una volta la realtà ha sovvertito ogni immagine preconcetta. Visti attraverso le lenti dell'ideologia romana i barbari erano pressoché incapaci di qualsiasi pensiero o pianificazione logica: dediti alla vita dei sensi, non avevano motivazioni che andassero al di là di uno sfrenato desiderio di godimenti immediati. Ma i due barbari di cui ci siamo occupati in queste pagine non erano né stupidi né irrazionali. In cima alla piramide sociale dei goti, Atanarico e i suoi consiglieri dovettero affrontare una realtà brutale che li costrinse a ingegnarsi per resistere al potere romano, così schiacciante da non poter essere sconfitto con le armi e così pervasivo da non poter essere ignorato. Eppure riuscirono a concepire e a mettere in atto programmi intesi a sfruttare al meglio i rapporti con l'impero, limitando gli aspetti più insopportabili della dominazione romana. I re barbari potevano essere preziosi alleati in tempo di guerra e di disordini civili, e a volte erano in grado di manipolare la situazione a loro esclusivo vantaggio. Più in basso nella scala sociale c'erano poi comunità di studiosi capaci di esprimersi in greco e in latino, e di masticare sufficiente cultura cristiana da produrre un uomo del livello di Ulfila.

La realtà dei rapporti tra romani e goti, dunque, non è affatto quell'irredimibile conflitto tra superiori e inferiori che ci dipinge l'ideologia romana. I romani facevano i sussiegosi e si consideravano la parte dominante, ma in fondo i goti potevano tornare utili. I periodici conflitti che esplodevano tra le due parti erano dunque un aspetto limitato della complicata danza diplomatica in cui entrambi i ballerini facevano i passi necessari per cercare di massimizzare il proprio vantaggio. Pur inchiodati al loro ruolo di membri inferiori, i goti erano soggetti a pieno titolo del mondo romano.

Regni vassalli

Questo ragionamento non vale solo per i goti della frontiera danubiana, anche se per molte società germaniche del IV secolo non abbiamo una documentazione altrettanto ricca come quella sui tervingi. Le occasionali incursioni nel territorio dell'impero erano in qualche modo endemiche. La razzia effettuata nel 370 dai sassoni fu probabilmente più grave di altre, ma Temistio non stava facendo semplice propaganda quando, alla fine del suo resoconto della guerra gotica del 367-369, ritraeva l'imperatore Valente nell'atto di fortificare quelle parti della frontiera del basso Danubio che gli imperatori precedenti non avevano ancora raggiunto. Lui e suo fratello lavorarono effettivamente molto per costruire fortificazioni e munirle di guarnigioni. Ma nel IV secolo, lungo le frontiere europee, conflitti di una certa entità scoppiarono sempre a distanza di una generazione. Nel secondo decennio del secolo uno dei primi provvedimenti dell'imperatore Costantino fu quello di garantire la generale pacificazione della frontiera del Reno – territorio dei franchi e degli alamanni (Carta n. 4) – e fino al 360 nella regione non si verificarono disordini significativi. Quelli del 364-365 furono conseguenza di un mutamento di rotta nella politica di Roma (un taglio unilaterale negli aiuti esteri); per il resto, lassù non avvenne niente di rilevante fino all'ultimo quarto del secolo. Più a est la frontiera del medio Danubio, che separava l'impero da sarmati, quadi e marcomanni, vide sotto Costantino un imponente intervento militare romano; ma molto avanti nel suo regno, dopo il 330. Il successivo scoppio di violenza in quelle regioni avvenne nel 357, seguito da un altro nel 374-375. Nel basso Danubio, territorio dei goti, come abbiamo visto l'accordo stipulato da Costantino nel 332 garantì quasi trent'anni di pace.

Con ognuna di queste campagne i militari romani – con maggiore o minore difficoltà – riuscirono a stabilire sempre il loro dominio sulle regioni limitrofe: a volte semplicemente saccheggiandone il territorio con sufficiente ferocia da costringere gli abitanti alla sottomissione, a volte sconfiggendoli regolarmente in battaglia. Nel 357, per esempio, l'imperatore Giuliano guidò un contingente di 13.000 uomini in un'azione militare nei pressi di Strasburgo, sulla riva romana del Reno, contro una coalizione di sovrani alamanni. Riportò una sfolgorante vittoria: dei 35.000 nemici comandati dal più potente dei re barbari, Cnodomaro, circa 6000 caddero sul campo di battaglia e innumerevoli altri annegarono cercando di attraversare il fiume per mettersi in salvo; i romani invece persero in tutto 243 soldati e quattro ufficiali.[37] Questa battaglia dimostra che l'esercito riformato del tardo impero sapeva ancora essere efficace. Dal massacro dei predoni sassoni nella Francia del Nord alla sottomissione dei tervingi per mano di Costantino, il dominio romano era ancora la norma di tutte le frontiere europee.

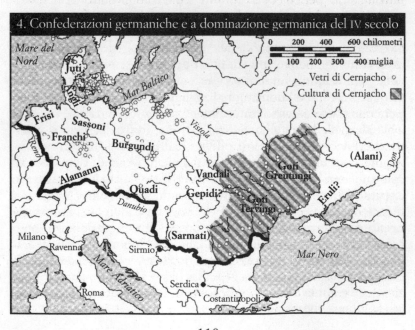

4. Confederazioni germaniche e a dominazione germanica del IV secolo

Da un certo punto di vista queste vittorie costituivano anche un fine in sé. Punivano e intimidivano. Sicuramente per Ammiano era necessario dare ogni tanto una bella lezione ai barbari per convincerli a stare buoni. Su un altro piano, invece, la vittoria militare era il primo atto della costituzione di insediamenti diplomatici di frontiera. Dopo Strasburgo, Giuliano passò due anni sull'altra sponda del Reno a siglare trattati di pace con vari re alamanni: proprio come il suo collega d'oriente Costanzo II stava facendo con altre tribù lungo il medio corso del Danubio.

Al pubblico romano, come abbiamo visto, tali trattati venivano presentati tutti secondo lo stesso modello: i barbari si arrendevano senza condizioni (come implicito nella parola latina *deditio*) e accettavano di diventare sudditi dell'impero. Ma in realtà i dettagli potevano essere di volta in volta molto diversi, sia nel grado di sottomissione dei barbari, sia negli accordi pratici. Laddove avevano il pieno controllo della situazione, come Costantino nel 357 lungo il medio Danubio, i romani potevano addirittura immischiarsi nelle strutture politiche dei nemici, smantellando confederazioni potenzialmente pericolose e promuovendo alcuni «sotto-re» a sovrani a pieno titolo, se e quando ciò sembrava favorire gli interessi di Roma. Molti trattati di pace concedevano inoltre ai romani il diritto di reclutare soldati tra i giovani delle tribù sconfitte, specificando a volte che per certe particolari campagne si sarebbero potuti prelevare contingenti più numerosi. Nel 357-358 l'imperatore Giuliano costrinse addirittura gli alamanni a pagare un indennizzo per i danni che avevano provocato all'impero. Il più delle volte ciò avveniva nella forma di una fornitura di grano, come nel caso citato: ma dove ciò non era possibile veniva richiesto lavoro coatto, legname da costruzione o carri da trasporto. Anche la cessione di ostaggi, come nel caso del padre di Atanarico, era piuttosto usuale e spesso adoperata con successo: un principe alamanno rimase talmente colpito dalle religioni mediterranee conosciute durante la prigionia in territorio romano che una volta tornato in patria cambiò il nome di suo figlio in Serapio, in onore del dio egiziano Serapis. Dove invece il controllo romano non era così assoluto a volte bisognava pagare qualcosa in cambio del lavoro, dei materiali grezzi e delle reclute, e dare l'*imprimatur* di Roma a strutture politiche che si erano evolute in modo indipendente. In entrambi i casi, al di là dei confini fortificati dell'impero si creava una fascia di regni vassalli, quasi tutti germanici, che erano parte integrante del mondo romano.[38]

Questi regni vassalli però non erano interamente sotto il controllo di Roma e non si sentivano particolarmente orgogliosi del loro ruolo di partner di serie B, come abbiamo appena visto nel caso di Atanarico. A volte qualche incidente di percorso permetteva ai barbari di prosperare, vuoi temporaneamente, vuoi più a lungo. Intorno al 350, per esempio, in seguito all'assassinio di Costante, fratello dell'imperatore d'oriente Costanzo, la metà occidentale dell'impero fu scossa da una serie di usurpazioni. Costanzo si fece un punto d'onore di sopprimere tutti gli usurpatori, e Cnodomaro ne approfittò per mettere insieme l'esercito alamanno che Giuliano si ritrovò davanti a Strasburgo. Eliminati gli usurpatori, comunque, i romani rimisero in riga e sconfissero definitivamente gli alamanni con due soli anni di campagne militari. Cnodomaro era stato troppo aggressivo (si era addirittura spinto ad annettere alcune terre sulla riva romana del Reno) perché i romani prendessero in seria considerazione l'idea di stringere accordi con lui. Circa un decennio dopo, comunque, gli alamanni ebbero un altro capo significativo, Macriano. Valentiniano, fratello di Valente, impiegò un mezzo decennio a «mettergli il morso», fallendo tra l'altro in vari tentativi di rapimento e omicidio. Ma diversamente da Cnodomaro, Macriano non aveva l'ambizione di avanzare sul territorio romano: e così, quando lungo il medio Danubio scoppiarono dei disordini, senza perdere troppo la faccia Valentiniano poté invitarlo a un summit in mezzo al Reno (simile a quello celebrato sul Danubio tra Valente e Atanarico) e concedergli il suo *imprimatur* formale. Da quel momento Macriano si comportò sempre da alleato affidabile. Questi regni vassalli avevano poi delle agende politiche proprie, che non avevano niente a che fare con Roma. La vita politica degli alamanni prevedeva regolari inviti a cena tra i vari re; sappiamo anche di guerre scoppiate tra alamanni e franchi, o tra alamanni e burgundi, ma ne ignoriamo completamente cause e conseguenze.[39]

Nell'insieme, i rapporti tra Roma e i regni barbari vassalli del IV secolo sparsi lungo la frontiera europea non rientrano nello schema ideologico romano consueto. Le due parti ormai intrattenevano relazioni su molti piani, per quanto asimmetriche. I regni vassalli commerciavano con l'impero, gli fornivano reclute per i suoi eserciti e subivano regolarmente sia le sue interferenze diplomatiche sia il suo influsso culturale. In cambio di solito ricevevano ogni anno un aiuto economico e a volte addirittura un certo rispetto: un tratto saliente di questi rapporti è che gli accordi venivano sempre formalizzati secondo le norme vigenti nel regno vassallo, oltre che secondo quelle di Roma. I germani avevano ormai eclissato quell'idea di «altro» che pervadeva l'immaginario tradizionale romano; anche se con i contribuenti della capitale e l'élite politica dell'impero dovevano fingere che non fosse così. Recentemente è diventato chiaro che il nuovo ordine che reggeva i rapporti diplomatici tra romani e germani nasceva da una serie di profonde trasformazioni all'interno della società germanica stessa.

La trasformazione dell'Europa germanica

Le testimonianze scritte contengono indizi importanti del fatto che, nei tre secoli e mezzo che separano Arminio da Atanarico, si erano verificati dei cambiamenti fondamentali. A metà del III secolo, all'improvviso, i nomi delle tribù della Germania occidentale immortalati dalle opere di Tacito scompaiono dai testi. A cherusci, catti e via dicendo si sostituiscono nuovi attori: franchi e alamanni lungo la frontiera del Reno, sassoni e burgundi più a est (Carta n. 4). Anche l'Europa sudorientale, a nord del Mar Nero, conosce grosse trasformazioni: una larga fascia di territorio tra la frontiera danubiana di Roma e il Don è ormai dominata dai goti e da altri gruppi di lingua germanica. La Germania del tardo impero era dunque molto più grande di quella del I secolo.

La situazione oltre il Mar Nero era nata dalla migrazione di gruppi germanici provenienti da nord-ovest, soprattutto da quella che oggi è la Polonia centrale e settentrionale. Con una serie di piccoli impulsi indipendenti, fra il 180 e il 320 d.C. queste tribù erano avanzate fino alle frange esterne dei Carpazi. A nord del Mar Nero i gruppi migranti avevano dovuto combattere fra loro, contro le popolazioni indigene (come i carpi di lingua dacia e i sarmati di lingua iraniana) e contro le guarnigioni romane di fron-

113

tiera. Non ci stupisce quindi che il processo sia stato piuttosto violento. Nel 275 l'impero decise di abbandonare la provincia della Dacia e attorno al 300 un certo numero di carpi venne riallocato in territorio romano. Poi la violenza dilagò anche nei territori dell'impero sotto forma di frequenti scorrerie: durante una di queste razzie caddero prigionieri anche i genitori di Ulfila. Da questa fase nacque una serie di unità politiche generalmente dominate dai goti, tra le quali quella dei tervingi di Atanarico era la più vicina al Danubio. Più in là, in direzione nord e est, ce n'erano molte altre.[40] Non conosciamo le percentuali precise, ma la popolazione di quelle entità politiche era sicuramente mista e vedeva una notevole presenza di daci e sarmati, per non parlare dei prigionieri romani costretti a vivere sotto l'ombrello politico dei goti immigrati e di altri germani. Il dominio dei nuovi venuti di lingua germanica, comunque, risulta chiaramente sia dalle fonti narrative romane che dall'esistenza stessa della Bibbia di Ulfila.[41]

Il significato del cambiamento di nome delle tribù germaniche stanziate lungo la frontiera del Reno e anche più in là è stato oggetto di accese discussioni. Ancora una volta, con ogni probabilità, c'entra qualcosa l'immigrazione. I burgundi compaiono già nei resoconti di Tacito sulla Germania del I secolo, dove però, significativamente, si dice che abitavano a nord-est della regione occupata dai loro omonimi del IV secolo. È abbastanza probabile, dunque, che dietro questo cambiamento di scenario ci sia un qualche tipo di attività migratoria, ma non credo che i nuovi arrivati avessero sostituito completamente la popolazione preesistente:[42] e lo stesso vale per le regioni più a est. Sappiamo inoltre che, sotto l'ombrello dei nuovi nomi, alcuni dei vecchi gruppi tribali esistevano ancora: brutteri, catti, amsivari e cherusci ricompaiono in una fonte che li elenca tra gli appartenenti a una confederazione di tribù franche. Fonti contemporanee particolarmente ricche di dettagli affermano che tra gli alamanni spesso c'erano simultaneamente più re, ciascuno con un suo territorio dotato di ampia autonomia. Alla battaglia di Strasburgo, per esempio, Giuliano si trovò di fronte sette re e dieci principi.

A quell'epoca, però, la società degli alamanni produceva in genere a ogni generazione anche una sorta di «super-re», un sovrano cioè che riusciva ad accumulare più potere degli altri. Cnodomaro, sconfitto nel 357 a Strasburgo da Giuliano, era uno di questi; un altro era Vadomaro, l'astro nascente che la politica romana si incaricò di spegnere; e un terzo era Macriano, che nel 374 Valentiniano dovette riconoscere ufficialmente. Non era una carica ereditaria, e le fonti antiche non ci spiegano come si facesse a diventare super-re o quali benefici comportasse il titolo. Agli storici romani, evidentemente, la cosa non interessava. A ogni modo è probabile che la cosa comportasse il diritto di chiedere e ottenere dagli altri sovrani qualche forma di sostegno militare e finanziario: un particolare non privo d'importanza, dal quale si può dedurre che il cambio di nomi del III secolo ebbe forse un vero significato politico. Nelle terre degli alamanni, per esempio, una nuova sovrastruttura si era imposta sul mondo di piccole unità politiche indipendenti del I secolo ed è perfettamente plausibile, anche se non ne abbiamo le prove, che nello stesso periodo anche franchi e sassoni avessero sviluppato ciascuno istituzioni e costumi comuni. Più a est, lungo il Danubio, la cosa era sicuramente vera per i tervingi: Atanarico guidava una confederazione formata da un numero imprecisato di re e principi.[43]

Ma non è soltanto nelle strutture politiche che la Germania del IV secolo si differenzia da quella del I. I ritrovamenti archeologici hanno gettato nuova luce sulle profonde trasformazioni socioeconomiche che modellarono il mondo di Atanarico. La storia comincia nei campi fangosi a est del settore più settentrionale della frontiera del Reno. All'inizio degli anni Sessanta del XX secolo sono venuti alla luce due piccoli siti rurali – Wijster in Olanda e Feddersen Wierde in Germania – dove gli archeologi hanno fatto sensazionali ritrovamenti. Entrambi i siti si sono rivelati insediamenti agricoli dove gli abitanti coniugavano l'agricoltura arativa e quella pastorale e sono stati datati al I secolo d.C. L'aspetto rivoluzionario consiste nel fatto che, per la maggior parte della loro storia, quei luoghi erano stati comunità di villaggio, con un gran numero di case occupate simultaneamente: più di cinquanta nel caso di Wijster, trenta a Feddersen Wierde. E che furono abitati fino al V secolo. La cosa è importante per ciò che se ne può dedurre riguardo alla pratica agricola.

Negli ultimi secoli prima della nascita di Cristo in tutta l'Europa germanica prevaleva un tipo di agricoltura arativa estensiva (invece che intensiva) che alternava a brevi periodi di coltivazione lunghe fasi a maggese e che quindi richiedeva terre piuttosto estese per sostenere una data popolazione. I popoli della prima età del ferro non conoscevano le tecniche necessarie a preservare nel tempo la fertilità degli arativi, quindi potevano sfruttare un territorio solo per pochi anni e poi dovevano spostarsi altrove. Generalmente l'aratura avveniva nella forma di sottili graffiature a reticolato, senza rivoltare la zolla per dar modo alle erbacce di restituire al suolo i principi nutritivi. Il fertilizzante più usato era la cenere.

E proprio questo è il punto su cui gli insediamenti di Feddersen Wierde e di Wijster sono diversi. Già all'inizio dell'epoca romana, infatti, i germani occidentali svilupparono tecniche innovative che utilizzavano il concime animale probabilmente abbinandolo a uno schema di rotazione più sofisticato, su due coltivazioni, sia per aumentare i raccolti sia per preservare la produttività della terra. In questo modo per la prima volta nell'Europa settentrionale gli esseri umani poterono vivere insieme in insediamenti a grappolo (o «nucleati») più o meno stabili. Più a nord e più a est, invece, il letame si diffuse più lentamente. Nell'odierna Polonia, sede delle culture Wielbark e Przeworsk, gli insediamenti germanici rimasero piccoli, effimeri e altamente dispersi ancora per i primi due secoli dopo Cristo, mentre nel IV secolo le nuove tecniche si imposero saldamente un po' dappertutto. Gli insediamenti a nord del Mar Nero, nelle aree dominate dai goti, potevano essere piuttosto ricchi: il più grande, Budesty, copriva un'area di 35 ettari. Ed effettivamente in quelle regioni è stata ritrovata una quantità di frammenti di attrezzi per l'aratura sufficiente a dimostrare che i popoli sottomessi ai goti usavano ormai coltri e vomeri di ferro per rivoltare la terra come si deve, anche se non molto in profondità. Recentemente anche in Scandinavia sono stati rinvenuti villaggi del genere. Un'agricoltura arativa più intensiva stava per imporsi ovunque e i diagrammi dei pollini confermano che, tra la nascita di Cristo e il V secolo, i pollini di cereali aumentarono notevolmente a spese di quelli di erba e alberi in ampie zone delle odierne Polonia, Repubblica Ceca e Germania. Nuovi vasti territori stavano per entrare nel ciclo produttivo per essere lavorati intensivamente dalla manodopera agricola.[44]

116

La principale conseguenza di queste trasformazioni è che durante questi secoli la popolazione dell'Europa a dominazione germanica crebbe in misura notevole. In generale le dimensioni di un qualsiasi nucleo di popolazione hanno un tetto che dipende principalmente dalla disponibilità di cibo. La rivoluzione agricola aumentò massicciamente la reperibilità di cereali commestibili e il conseguente incremento della popolazione è dimostrato dai ritrovamenti di necropoli. I cimiteri usati costantemente per tutta l'epoca romana mostrano infatti straordinari aumenti nel numero delle sepolture a partire proprio da questo periodo.

Anche altri settori dell'economia subirono grandi trasformazioni. Elaborare un quadro d'insieme è impossibile, ma certo in Germania la produzione di ferro crebbe massicciamente. In Polonia i due principali centri per la produzione del ferro (sui monti Swietokrzyskie e nella Mazovia meridionale) estrassero durante l'età romana 8-9 milioni di chili di ferro grezzo, molto più di quanto la popolazione locale di Przeworsk potesse consumare; inoltre sono stati rinvenuti molti siti di estrazione e fusione più piccoli, e una quindicina di botteghe di fabbro raccolte sulla riva di un fiume a Sinicy, nell'Ucraina dominata dai goti. Lo stesso vale per la ceramica: all'inizio dell'età romana i germani realizzavano a mano tutti i loro oggetti in ceramica, su base locale e *ad hoc*. Nel IV secolo invece questo tipo di ceramica fu gradualmente sostituito da oggetti realizzati al tornio, cotti a temperature più elevate e quindi più durevoli e fini, opera di artigiani molto più abili. Non è chiaro se i ceramisti germanici riuscissero a guadagnarsi da vivere solo vendendo anfore e vasi, ma indubbiamente siamo di fronte al nascere di una certa differenziazione economica. Il cambiamento fu ancora più marcato nelle aree produttive finalizzate al consumo d'élite. I siti tombali dimostrano che, presso i popoli germanici dei primi secoli dopo Cristo, il vetro era un materiale molto prezioso. Verso il 300 tutto il vetro ritrovato nelle aree a dominazione germanica era ancora importato dall'impero romano: probabilmente è proprio per questo che costava tanto, un po' come oggi le borse degli stilisti italiani. Ma negli anni Sessanta del XX secolo, a Komarov, località ai margini della regione carpatica, le ruspe hanno disseppellito un impianto per la fusione del vetro risalente al IV secolo. La qualità dei prodotti rinvenuti su un'area vastissima, dalla Norvegia alla Crimea, era talmente buona che in un primo momento si era pensato che fossero oggetti d'importazione: questa vetreria completa di stampi dimostrava invece che erano di fabbricazione germanica.

Qualcosa del genere avvenne anche nella lavorazione dei metalli preziosi. Nei siti tedeschi sono stati rinvenuti pochissimi oggetti d'oro o d'argento fabbricati localmente nei secoli precedenti la nascita di Cristo; e ancora nei primi due secoli d.C. la grandissima maggioranza degli oggetti decorativi erano fatti di bronzo. Nel IV secolo, invece, elaborate fibbie d'argento (*fibulae*) di vario tipo erano diventate complementi d'abbigliamento diffusissimi in tutto il mondo germanico; è stato rinvenuto anche qualche oggetto di dimensioni maggiori, in particolare un piatto d'argento appartenente al famoso tesoro dissotterrato alla fine del XIX secolo a Pietroasa, in Romania. Come fossero prodotti questi generi di lusso possiamo comprenderlo dai ritrovamenti del villaggio di Birlad-Valea Seaca (nell'odierna Romania), che probabilmente si trovava nella regione governata dai tervingi di Atanarico. Uno degli oggetti sepolcrali più caratteristici dei territori goti a nord del Mar Nero è un pettine composito in corno di cervo. Questi pettini avevano una grande importanza culturale: le varie pettinature infatti erano usate da alcune tribù germaniche per esprimere o l'affiliazione di gruppo (i famosi nodi ai capelli degli svevi) o uno status particolare (i lunghi capelli dei sovrani merovingi presso i franchi). A Birlad-Valea Seaca sono state disseppellite una ventina di capanne contenenti sia pettini interi sia parti di pettini in diverse fasi di lavorazione: chiaramente l'intero villaggio era impegnato in quella produzione.[45]

Ci piacerebbe saperne di più: i pettini erano prodotti su scala commerciale e poi barattati con altri prodotti, oppure quei villaggi erano stati sottomessi e dovevano fornire un tot di pettini all'anno come tributo in natura? Comunque sia non dobbiamo sottovalutare l'estensione e l'importanza della rivoluzione economica che nel IV secolo aveva ormai completamente trasformato l'Europa germanica. Nuove abilità si stavano sviluppando e gli oggetti venivano distribuiti su aree molto più vaste. Non tutte le nuove produzioni erano destinate al commercio: per esempio gli oggetti prodotti potevano essere inviati in dono da un sovrano a un altro.

Ma sappiamo per certo che i tervingi commerciavano attivamente con il mondo romano e così pure i popoli residenti lungo la frontiera del Reno. E benché la Germania non producesse moneta coniata, quella romana era accettata ovunque e veniva utilizzata regolarmente come mezzo di scambio (già nel I secolo, dice Tacito, i germani della regione del Reno usavano monete romane d'argento di buona qualità).

Come spesso avviene, l'espansione economica fu accompagnata dalla rivoluzione sociale. Le élite dominanti non erano sempre esistite nell'Europa germanica, o quantomeno la loro presenza non risulta dai cimiteri, fonte principale delle nostre conoscenze. Per quasi tutto il primo millennio a.C. l'Europa centrale e settentrionale fu caratterizzata da un'adesione pressoché universale alla cremazione come forma principale di sepoltura e i corredi sepolcrali furono dappertutto gli stessi: un po' di vasellame realizzato a mano, senza troppa perizia, e qualche spilla decorata. Solo nel III secolo a.C. compaiono sepolture più lussuose (le più grandi prendono il nome di *Fürstengraben*, «tombe principesche»), comunque ancora molto rare. Anche in questo caso vediamo che nell'età di Roma imperiale oggetti straordinariamente disparati cominciarono a finire nelle sepolture di alcuni membri delle comunità germaniche. A occidente le tombe più ricche tendono a raggrupparsi cronologicamente in due gruppi: il primo risale alla fine del I secolo d.C. e il secondo alla fine del II secolo. Ma è molto improbabile che siano esistite tombe principesche solo in quei determinati momenti storici, quindi non è facile stabilire un nesso preciso tra sepolture lussuose e status sociale. Analogamente, anche più a est il numero degli oggetti sepolcrali aumenta in età romana: ma inizialmente i germani del II secolo sottolineavano lo status sociale di un defunto in altri modi, per esempio con montagnole di sassi più o meno alte. Spesso la presenza di una tomba eccezionalmente grande e ricca tradisce soprattutto le pretese e le manie di grandezza della persona che vi è sepolta: qualcuno ha addirittura avanzato l'ipotesi che queste tombe sfarzose possano segnalare un momento di intensa competizione sociale più che una fase di particolare ricchezza individuale o collettiva.[46]

119

Fortunatamente ci sono anche testimonianze meno ambigue e alcune fonti scritte che ci aiutano a comprendere il significato di lungo termine di tali fenomeni. Anche se per tutto il I secolo ben pochi indizi ci portano a credere che la preminenza politica tra i germani avesse carattere ereditario, e anche se la leadership, pur all'interno di gruppi umani limitati, era più spesso collettiva che individuale, tra i tervingi del IV secolo il potere fu trasmesso per tre generazioni consecutive all'interno della stessa famiglia. In ordine inverso: Atanarico, suo padre (quello che fu preso in ostaggio dai romani) e il capo che negoziò con Costantino. Le fonti greche e latine più informate si riferiscono costantemente a questi capi col termine di «giudici», ma è difficile dire quale parola germanica esse traducessero in questo modo. Abbiamo ragione di supporre che questo secondo livello di re e principi, sottomessi al super-re, trasmettesse ereditariamente il proprio potere: uno schema simile era largamente diffuso anche tra gli alamanni. Lo status del super-re invece non era ereditario, come abbiamo detto: non da ultimo perché i romani tendevano a eliminare tutti i personaggi che riuscivano a ricoprire quel ruolo. Il titolo dei «sotto-re» alamanni invece chiaramente lo era: Mederico, il nobile ostaggio alamanno che aveva cambiato il nome di suo figlio in Serapio, era fratello di quel Cnodomaro che nel 357 aveva guidato gli alamanni alla sconfitta di Strasburgo. Più tardi anche Serapio era diventato a sua volta re e nella stessa battaglia era al comando dell'ala destra dell'esercito: segno, forse, del fatto che non era poi tanto innamorato di quel suo nome così esoticamente mediterraneo. Forse la successione non si trasmetteva necessariamente in linea retta dal padre al figlio: ma Cnodomaro, Mederico e Serapio appartenevano allo stesso clan, che evidentemente aveva il diritto di trasmettere il potere da una generazione all'altra. Con tutta probabilità lo stesso valeva anche per altri re alamanni. Quando i romani, ritenendolo troppo pericoloso per l'impero, fecero fuori il super-re Vadomaro, dovettero togliere di mezzo anche suo figlio Viticabio: ne deduciamo che il potere del padre fosse almeno potenzialmente ereditabile.[47]

I ritrovamenti archeologici hanno poi gettato nuova luce anche sull'élite germanica del IV secolo. Gli archeologi infatti sono riusciti a identificare, in vari punti della Germania, alcuni dei centri abitati e delle case da cui l'élite esercitava il suo dominio. Ai margini della valle del Reno, nel luogo d'origine degli alamanni, alcuni scavi condotti su una collina chiamata Runder Berg, vicino alla città di Urach, hanno rivelato un massiccio bastione ligneo del IV secolo che recintava un'area ovoidale di 70 metri per 50. Entro questa superficie sorgevano numerosi edifici tra cui una grande sala in legno e altre costruzioni più piccole sparse ai piedi della collina. Quella sala era forse il luogo in cui i capi alamanni si offrivano reciprocamente feste e banchetti e intrattenevano i loro vassalli. Se le case più piccole appartenessero a vassalli, artigiani o alamanni qualsiasi non è chiaro (lo scavo non è ancora finito). Più a est, nei territori dominati dai goti, sono stati identificati e in parte esplorati alcuni centri fortificati, per esempio Alexandrovka. Nella maggior parte dei siti a nord del Mar Nero i frammenti di ceramiche romane sono tra il 15 e il 40 per cento del totale dei ritrovamenti; ad Alexandrovka invece tali reperti, soprattutto anfore da vino, raggiungono il 72 per cento del totale: chiaramente vi si tenevano moltissime feste. A Kamenka-Antechrak è stato dissotterrato un edificio che potrebbe essere la villa di un capo goto: quattro corpi principali in pietra con varie dipendenze e un cortile, per un totale di 3800 metri quadrati. Gli ampi magazzini e la quantità decisamente superiore alla media di ceramiche romane (più del 50 per cento degli oggetti rinvenuti, principalmente anfore da vino e fini oggetti da tavola), suggerisce che anche in questo caso potrebbe trattarsi di un importante centro di consumi voluttuari. A Pietroasa, in Romania, analoghi ritrovamenti di ceramiche e magazzini ci dicono che un capo goto del IV secolo riutilizzò un vecchio forte romano per dare delle feste. Questo genere di abitazione d'élite, costruita un po' discosto dalle altre, costituisce un fenomeno assolutamente nuovo.[48]

È chiaro dunque che la nuova ricchezza prodotta dalla rivoluzione economica germanica non fu distribuita uniformemente tra tutta la popolazione, ma si concentrò nelle mani di alcuni gruppi. Ogni nuovo flusso di ricchezza – come quelli generati in epoca moderna dalla rivoluzione industriale o dalla globalizzazione – scatena sempre un'intensa competizione; e se il suo ammontare è cospicuo, i gruppi che riescono a prenderne il controllo si costituiscono in una struttura di potere completamente nuova. Nell'Europa occidentale, per esempio, la rivoluzione industriale finì col distruggere il predominio sociale e politico di quella classe latifondista che aveva monopolizzato il potere fin dal medioevo, e proprio perché l'ordine di grandezza delle nuove fortune industriali fece improvvisamente sembrare ridicola la quantità di denaro che si poteva ricavare dalla coltivazione della terra. Non ci sorprende, quindi, che la rivoluzione economica germanica abbia scatenato, in parallelo, una rivoluzione sociopolitica; e altri ritrovamenti archeologici ci permettono di individuare alcuni dei processi che ne derivarono.

Nell'antichità buona parte della penisola dello Jutland era ricoperta da specchi d'acqua e vaste torbiere, oggi prosciugati a causa dei moderni sistemi di utilizzo del suolo. Scavi recenti hanno dimostrato che, per la loro capacità di inghiottire oggetti anche molto voluminosi, queste e altre aree simili lungo le coste del Mare del Nord furono utilizzate a lungo dalle popolazioni che vi abitavano come luoghi in cui deporre le offerte votive. Nelle torbiere sono stati rinvenuti oggetti – dai piatti d'oro ai cocchi – risalenti a una grande varietà di periodi storici. In particolare in età romana, tra la fine del II e il IV secolo d.C., furono offerte in sacrificio agli dei moltissime armi che col tempo sono riemerse da torbiere e laghetti a Vimose, a Thorsbjerg, a Nydam vicino a Øster Sottrup e a Ejsbøl Mose. Molti di questi depositi contenevano armi ed equipaggiamenti militari di grandi cortei – a volte di interi eserciti – i cui guerrieri venivano ritualmente mutilati come parte dell'atto sacrificale. Il più straordinario ritrovamento del III secolo, quello di Ejsbøl Mose nello Jutland meridionale, ci permette di ricostruire il profilo del contingente cui quelle armi appartenevano: un piccolo esercito di 200 uomini dotati di aste, lance, scudi (almeno 60 avevano anche spade e pugnali) e un numero imprecisato di archi (675 punte di frecce); una dozzina di quegli uomini, nove dei quali andavano a cavallo, avevano invece un equipaggiamento più esclusivo. Una forza militare altamente organizzata quindi, con una precisa gerarchia e un notevole grado di specializzazione militare: un capo con il suo seguito, non un manipolo di contadini-soldati indifferenziati.[49]

È qui che possiamo cominciare a intuire come facessero i capi a distanziarsi dal gruppo dei pari fino a rendere ereditario il proprio status. Nel mondo germanico del I secolo il potere fluiva e defluiva rapidamente, ma se una generazione di una certa famiglia poteva sfruttare una ricchezza per reclutare una forza militare organizzata come quella di Ejsbøl Mose e poi lasciare in eredità ai suoi discendenti sia la ricchezza sia l'esercito, le probabilità che quella famiglia aveva di rimanere al potere aumentavano considerevolmente. I seguiti armati costituivano il rinforzo necessario affinché le pretese di grandeur che possiamo leggere sulle tombe più sontuose si concretizzassero in qualcosa di più pratico. Nel IV secolo i cortei di gente armata erano diventati un attributo cruciale del potere. Cnodomaro, il capo alamanno sconfitto da Giuliano a Strasburgo, aveva un seguito personale di duecento guerrieri,[50] paragonabile dunque a quello del ritrovamento di Ejsbøl Mose.

Altre fonti evidenziano poi che i cortei di uomini armati non servivano solo a dare battaglia. La persecuzione dei cristiani che Atanarico lanciò dopo il 369, dopo aver liberato almeno in parte i suoi tervingi dal dominio romano, produsse un documento molto interessante, la *Passione di san Saba*, ove si narra la persecuzione e morte di un martire cristiano goto. Saba era un vero tervingio, non un discendente di prigionieri romani. La *Passione* però fu composta in territorio romano, dove il corpo del santo fu rinvenuto dopo la sua morte. Tra i molti dettagli preziosi che possiamo leggervi c'è il fatto che tra i tervingi anche i capi di livello intermedio avevano un seguito armato, che utilizzavano come strumento di persuasione. Furono due sicari mandati da un certo Atarid a uccidere Saba per annegamento.[51]

I cortei armati ci aiutano a capire anche la natura dei centri di potere del IV secolo, che, come abbiamo visto, venivano costruiti e funzionavano principalmente come centri di consumo (come Runder Berg o Pietroasa in Romania). Da testi dell'alto medioevo apprendiamo che la capacità di offrire generosi intrattenimenti era la principale virtù richiesta ai capi germanici, e che quei banchetti costituivano una sorta di ricompensa per i servizi lealmente resi dai loro vassalli. Non abbiamo ragione di credere che si trattasse di un fenomeno nuovo o recente. Per dare un ricevimento ci volevano non solo sale spaziose, ma anche un flusso regolare di derrate alimentari e i mezzi per procurarsi generi di lusso come il vino di Roma, che l'economia locale non produceva. Come dimostra anche l'esistenza di artigiani specializzati, rispetto ai vecchi standard della civiltà di Jastorf l'economia germanica si era sviluppata quanto basta per mantenere un numero molto più alto di produttori non agricoli.

Ma i ritrovamenti delle torbiere dimostrano anche un altro punto importante. In quanto offerti agli dei, quegli oggetti erano probabilmente doni di ringraziamento per una vittoria: il deposito di Ejsbøl Mose celebra la *distruzione* dei duecento uomini le cui armi furono affidate ai suoi abissi. Difficile dire chi fossero i guerrieri morti: forse soldati di una tribù germanica sconfitta dall'esercito di un gruppo rivale? Tacito ci offre un commento illuminante su un gruppo di catti e su coloro che li sconfissero, una tribù di ermunduri, durante uno scontro per il possesso di certe saline: entrambe le parti, in caso di vittoria, «avevano consacrato a Marte e a Mercurio l'esercito nemico. Tale promessa implicava il sacrificio dell'intero esercito sconfitto, con tanto di cavalli e altre proprietà personali».[52] Il sacrificio rituale dei nemici sconfitti, chiaramente, non era nuovo. Uno dei piccoli raggruppamenti tribali del I secolo avrebbe potuto mettere in campo, da solo, più di un paio di centinaia di guerrieri: quindi il deposito di Ejsbøl Mose potrebbe celebrare la distruzione di un manipolo di guerrieri senza patria che vagavano qua e là in cerca di fortuna, sconfitti forse mentre saccheggiavano lo Jutland meridionale, per puro amore del bottino o per ottenere regolari tributi in oro o in natura. In entrambi i casi il ritrovamento dimostra che, mentre ogni nuovo flusso di ricchezza finisce per essere distribuito in modo diseguale, ciò non avviene mai senza violenza.

Un altro tratto che caratterizza buona parte della Germania dell'età romana è il notevole incremento delle armi sepolte insieme ai defunti. I seguiti armati non erano solo il risultato di una rivoluzione sociopolitica, ma anche lo strumento con cui essa poté realizzarsi: un alto tasso di violenza interna fu probabilmente un elemento tipico di tutto il mondo germanico tra il II e il IV secolo d.C. Le confederazioni di franchi e sassoni, probabilmente, stabilivano il proprio dominio attraverso un'aggressiva competizione. La stessa cosa, in un contesto leggermente diverso, vale per il mondo goto a est di queste formazioni. Qui il processo fu complicato da un elemento migratorio molto più spiccato; ma per creare confederazioni come quella dei tervingi di Atanarico indubbiamente fu necessario sottomettere i popoli indigeni e stabilire nuove gerarchie ereditarie. A est come a ovest, dunque, la crescente ricchezza della regione provocò una lotta feroce per il suo controllo, nel corso della quale le forze armate ad alta specializzazione emersero come principale strumento d'affermazione. Tali processi generarono le più grandi confederazioni politiche caratteristiche della Germania del IV secolo.

Inizia il feudalesimo?

Alcuni studiosi sono giunti alla conclusione che già nel IV secolo, nella società germanica, a contare fosse solo una piccola classe di aristocratici ciascuno con un suo seguito armato. Eppure, a parte le lussuose tombe di cui sopra, molte altre sepolture del III e del IV secolo contengono *qualche* oggetto: armi nel caso degli uomini, sofisticati articoli di gioielleria nel caso delle donne. Queste tombe sono assolutamente troppe per appartenere soltanto ai re e alla nobiltà feudale. Alcune testimonianze scritte più tarde ci offrono indizi significativi sui defunti ivi sepolti. Tra la fine del V e l'inizio del VI secolo gli stati germanici successori dell'impero romano d'occidente produssero una gran quantità di testi giuridici che descrivono in maniera attendibile le società germaniche (e a dominazione germanica). In quei secoli esse risultano composte essenzialmente da tre caste: uomini liberi, liberti e schiavi. Diversamente dalla società romana, in cui i figli dei liberti diventavano uomini liberi a tutti gli effetti, nel mondo germanico anche lo status di liberto era ereditario. I matrimoni misti tra le caste erano proibiti e chi voleva passare da una all'altra doveva sottoporsi a un complicato cerimoniale pubblico. Questo modello di categorizzazione sociale è ampiamente documentato (per esempio tra i goti, i longobardi, i franchi e gli anglosassoni). Fu una classe relativamente ampia di uomini liberi, e non una piccola nobiltà feudale, a contare politicamente e militarmente nel regno degli ostrogoti in Italia, mentre nella dominazione franca e longobarda chi deteneva il potere possedeva anche le terre. Uomini liberi, probabilmente, erano anche i defunti inumati insieme alle loro armi nell'Inghilterra anglosassone dei secoli V e VI: le loro tombe, eviden-

125

temente, dovevano proclamare lo status del morto e non indicare soltanto la sua condizione di guerriero.[53]

Dato che fu proprio tra il IV e il VI secolo, quando alcuni gruppi germanici arrivarono a impadronirsi di territori dell'impero romano, che una nuova ricchezza cominciò ad affluire nel mondo germanico, non credo affatto che la partecipazione politica nel IV secolo fosse inferiore a quella del VI. Semmai il contrario. Se un numero relativamente alto di uomini liberi è documentato nel VI secolo, sicuramente c'era anche duecento anni prima. In altre parole, nel tardo periodo romano non era ancora un'aristocrazia guerriera di tipo semifeudale a dominare la Germania. Le fonti romane, nonostante il loro scarso interesse per il funzionamento interno delle società germaniche, ci hanno tramandato abbastanza testimonianze da confermare l'ipotesi. I re goti del IV secolo, per esempio, non potevano semplicemente imporre il loro volere: dovevano sforzarsi di vendere le loro linee politiche a un pubblico relativamente ampio. E negli eserciti goti del 400 d.C. c'erano parecchi soldati d'élite – cioè uomini liberi – e non soltanto un pugno di guerrieri aristocratici al comando di una truppa di nullatenenti. Soldati d'élite che anche in combattimento si facevano accompagnare dal loro seguito: codici giuridici più tardi affermano infatti che anche i liberti potevano combattere (non gli schiavi), presumibilmente accanto ai liberi da cui dipendevano.[54] Con ciò non vogliamo dire che tutti gli uomini liberi fossero uguali: alcuni erano molto più ricchi di altri, specialmente se godevano del favore reale. Ma il potere sociale non era ancora privilegio esclusivo di un piccolo gruppo di nobili.

In che modo re e nobili con tanto di seguito armato interagissero con il resto della società di uomini liberi, l'archeologia non ce lo può dire, né le fonti romane ci sono del minimo aiuto per comprenderlo. Ma per essere in grado di nutrire e ricompensare i suoi seguaci, ogni figura che avesse un corteo armato – tutti i re alamanni, per esempio, e anche i «giudici» e i re dei tervingi – doveva avere il diritto di esigere una qualche forma di sostegno economico dagli uomini liberi e dai loro dipendenti. Nella Germania del IV secolo non c'è traccia dell'esistenza di una classe di burocrati alfabetizzati come quella che gestiva il prelievo fiscale a Roma, ma dobbiamo supporre che qualcuno prelevasse comunque con regolari-

126

tà una parte della produzione agricola locale. Anche da questo punto di vista, dunque, la situazione era progredita parecchio rispetto al I secolo, quando esistevano solo contributi *una tantum* elargiti ai capi più in vista su base più o meno volontaria (come ci racconta Tacito nella sua *Germania*). Ovviamente ai re restava il compito di rappresentare i sudditi nei negoziati con le potenze straniere (come il summit tra Atanarico e Valente) e di gestire la «politica estera». Essi inoltre avevano presumibilmente il diritto di imporre una sorta di servizio militare, in quanto il più delle volte la politica estera si limitava a decidere con chi fare la guerra. Il mansionario dei sovrani comprendeva poi un qualche tipo di funzione giudiziaria: almeno in ultima istanza, probabilmente, i re risolvevano di persona le dispute tra i sudditi più importanti. Se avessero anche il potere di legiferare in senso più generale, oltre a quello di risolvere in giudizio i casi specifici, non è chiaro. Nei regni germanici dell'occidente postromano la funzione propriamente legislativa è ancora piuttosto nuova, e comunque esercitata solo tramite decisioni consensuali: ogni volta che si creava un codice di leggi lo si faceva tramite un'assemblea dei personaggi più eminenti e il documento era poi pubblicato a nome di tutti.[55]

Le fonti romane del IV secolo non ci dicono molto su come i re e i loro cortei interagissero con la casta degli uomini liberi: ma la *Passione di san Saba* ci porta un po' più vicino all'obiettivo. La persecuzione dei cristiani a opera dei tervingi fu una decisione politica presa collettivamente da tutta la leadership, a partire dai «sotto-re» fino ad Atanarico stesso. Ma la sua applicazione fu lasciata sostanzialmente alle comunità di villaggio, mentre inviati speciali del tutto estranei alle circostanze locali venivano mandati in giro per controllare che tutto procedesse a dovere. Nel caso del villaggio di Saba questo *modus operandi* permise alla comunità di boicottare una politica sulla quale chiaramente non era d'accordo. Saputo che bisognava perseguitare i cristiani, infatti, gli abitanti giurarono e spergiurarono che tra di loro non ve n'era nemmeno uno. Perlomeno in questo caso, dunque, la popolazione aveva deciso di proteggere i suoi membri di fede cristiana dalle persecuzioni di Atanarico: e i dipendenti forestieri del re non poterono farci nulla, non avendo la più pallida idea di chi tra quella gente

127

potesse essere cristiano e chi no. Fu solo perché non volle più mentire che Saba andò incontro al martirio.[56]

La società germanica, dunque, era un'oligarchia allargata, con la maggior parte del potere in mano a una numerosa élite di uomini liberi, e mancava ancora parecchio perché assumesse la forma dello stato feudale dell'età carolingia.

Roma, la Persia e i germani

Dalla nostra esplorazione dei cambiamenti che trasformarono il mondo germanico tra il I e il IV secolo d.C. emerge chiaramente perché, nell'ultima fase dell'impero, l'attenzione di Roma rimanesse così saldamente concentrata sulla Persia. L'ascesa di questa compagine statale al ruolo di superpotenza aveva provocato la grande crisi del III secolo, e la Persia rimase la più ovvia e macroscopica delle minacce anche quando la frontiera orientale fu stabilizzata. La Germania, invece, nel IV secolo era ancora lontanissima dal generare tra i suoi popoli un senso d'identità comune o dall'unificare le sue strutture politiche. Certo, alleanze decisamente effimere avevano ceduto il passo a raggruppamenti o a confederazioni più forti, che rappresentavano un notevole cambio di marcia rispetto al caleidoscopico mondo del I secolo. Ma anche se nel IV secolo la sovranità era ormai divenuta ereditaria, nemmeno i leader germanici del IV secolo capaci di riportare le più strepitose vittorie potevano concepire qualcosa di simile a ciò che aveva realizzato Ardashir unendo tutto il Medio Oriente contro Roma. A giudicare dalle armi ritrovate nelle tombe e dalle fonti scritte giunte fino a noi, i germani del IV secolo preferivano ancora combattersi l'un l'altro piuttosto che unire le forze contro l'impero romano.

Detto ciò, il massiccio incremento della popolazione, lo sviluppo economico e la ristrutturazione politica dei primi tre secoli dopo Cristo non potevano non fare della nuova Germania una minaccia al dominio strategico di Roma molto più seria di quanto non fosse nel I secolo. È importante però ricordare che, nonostante tutte le trasformazioni, la società germanica non aveva ancora trovato un suo equilibrio. La fascia di regni germanici vassalli di Roma si estendeva solo per un centinaio di chilometri oltre le frontiere del Reno e del Danubio: la maggior parte della Germania restava dunque esclusa dalle regolari campagne militari con cui quelle zone venivano tenute ragionevolmente in ordine. L'equilibrio di potere lungo la frontiera stessa, dunque, era esposto a qualcosa di più pericoloso delle periodiche manie di grandezza di qualche re vassallo. Nel II secolo la Persia sasanide aveva provocato un forte shock all'impero: che anche il mondo germanico al di là della cintura di regni vassalli stesse per diventare una minaccia di analoghe dimensioni?

Per tutta l'età di Roma imperiale gli stati vassalli più solidi furono tormentati da gruppi di predatori stanziati un po' più lontano dalla frontiera. La spiegazione è semplice. Mentre l'intera Germania viveva la sua rivoluzione economica, le regioni frontaliere attraversavano un vero e proprio boom, poiché la loro economia era sovrastimolata dalla presenza, poco lontano, di migliaia di soldati romani con le tasche piene di soldi. Gli stati vassalli, cioè, tendevano a diventare più ricchi che non il resto della Germania, attirando per ciò stesso incursioni e razzie. Il primo caso di cui siamo a conoscenza si verificò alla metà del I secolo d.C., quando un esercito composito proveniente da nord invase il regno vassallo di un certo Vannio dei marcomanni per saccheggiare le immense ricchezze che il sovrano aveva accumulato nei trent'anni del suo potere.[57] E furono gruppi periferici stanziati a nord, abbagliati dalla ricchezza degli stati vassalli, a dare inizio alla convulsione del II secolo nota come guerra marcomannica: la stessa motivazione che spinse i goti verso il Mar Nero. Prima della metà del III secolo quelle terre erano dominate da gruppi sarmati di lingua iraniana che beneficiavano ampiamente degli stretti rapporti di vicinato con lo stato romano (la loro ricchezza si può osservare in una serie di tombe magnificamente arredate databili dal I al III secolo): i goti e altri gruppi germanici calarono nella regione per impadronirsi di una fetta di quella ricchezza.

Il pericolo costituito da un mondo germanico in rapido sviluppo, comunque, restò latente a causa della sua mancanza di unità. In pratica i regni e le confederazioni germaniche che ormai si estendevano dalla foce del Reno fino alla costa settentrionale del Mar Nero rimasero sempre partner minori all'interno del sistema tardoromano dominante più che una concreta minaccia per il potere imperiale. All'interno di tali rapporti di vicinato non sempre l'impero riusciva a ottenere ciò che voleva: e a ogni cambio di generazione l'esigenza stessa di perpetuare il sistema provocava gravi scontri tra partner di prima e di seconda classe. Ciononostante, la maggior parte dei barbari sapeva stare al suo posto; e nessuno meglio di Zizais, il capo che nel 357 si rivolse all'imperatore Costantino in cerca d'aiuto:

Vedendo l'imperatore egli gettò le armi e cadde lungo disteso sul petto, come senza vita. E siccome il timore gli aveva tolto l'uso della favella proprio nel momento in cui avrebbe dovuto esporre la sua supplica, egli suscitò molta compassione; poi, dopo vari tentativi interrotti da profondi sospiri, riuscì a dire solo una parte di ciò che avrebbe voluto.[58]

All'inizio l'impossibilità di proferire parola, poi un silenzioso sospirare, infine alcune suppliche balbettate, ed ecco fatto. Costantino fece di Zizais un re vassallo di Roma garantendo a lui e al suo popolo la protezione imperiale. Ma guai al barbaro che non avesse seguito alla lettera questo copione.

Il tardo impero romano riuscì perfettamente a tenere sotto controllo le tribù germaniche. Per rispondere alla sfida persiana era stato necessario raschiare il fondo del barile, ma le frontiere europee erano ancora saldamente sotto il controllo dello stato. La tradizione storiografica ha sostenuto che la necessità di prosciugare le risorse fiscali per pacificare le frontiere sottopose il sistema a insopportabili tensioni e che lo sforzo fu eccessivo per quella compagine statale. Nel IV secolo la stabilità era tornata a regnare sia sulla frontiera orientale che su quelle europee, ma tutto ciò era costato un prezzo esorbitante, e il risultato poteva essere solo il crollo dell'impero: queste le argomentazioni degli storici. Prima di occuparci dell'ultima parte del IV secolo e del V è importante esaminare un po' più da vicino l'impero così com'era alla metà del IV secolo. Si trattava davvero di una struttura predestinata al crollo?

3. I limiti dell'impero

Circa nel 373 il comandante delle forze armate romane in Nordafrica (*comes Africae*), un certo Romano, fu destituito per aver provocato la ribellione di alcune tribù berbere stanziate ai confini della provincia. Teodosio, il maresciallo di campo (*magister militum*) mandato a risolvere l'emergenza, trovò tra le carte di Romano un documento altamente compromettente: una lettera inviatagli da qualcuno che, fra le altre cose, lo salutava da parte di un certo Palladio, fino a poco prima alto ufficiale della burocrazia imperiale. Il testo recita: «Palladio ti saluta e ti manda a dire di essere stato sollevato dall'incarico soltanto perché, nel caso del popolo di Tripoli, ha osato pronunciare parole non vere alle sacre orecchie [dell'imperatore Valentiniano I]».[1] Questo Palladio fu immediatamente prelevato dalla villa di campagna in cui si stava godendo la pensione e trascinato a Treviri: mentire all'imperatore infatti era considerato alto tradimento. Ma prima di giungere alla meta, dove lo aspettavano l'interrogatorio e la tortura, si suicidò. Col tempo, poi, venne fuori tutta la storia.

Il caso era nato nel 363, subito dopo la nomina di Romano. Le campagne attorno alla città di Leptis Magna, nella provincia della Tripolitania, erano state saccheggiate da tribù berbere provenienti dal vicino deserto e gli abitanti volevano che Romano li vendicasse. Com'era suo dovere, il comandante aveva radunato le truppe a Leptis; alla popolazione locale aveva chiesto, come sostegno logistico all'intervento, la bellezza di 4000 cammelli, e i provinciali si erano rifiutati di darglieli. Allora Romano aveva sciolto i ranghi e la missione punitiva era stata annullata. Offesi, i cittadini di Leptis avevano approfittato della successiva riunione annuale del consiglio provinciale, probabilmente quella del 364, per mandare un'ambasceria all'imperatore Valentiniano lamentandosi dell'accaduto. Romano aveva cercato di precederli facendo pervenire all'imperatore la sua versione dei fatti tramite un parente, un certo Remigio, che all'epoca era *magister officiorum* (una specie di capo della cancelleria, uno dei livelli burocratici più alti dell'impero d'occidente). Valentiniano, non sapendo cosa pensarne, aveva ordinato di istituire una commissione d'inchiesta. Ma le cose andavano a rilento e nel frattempo altri attacchi berberi spinsero la cittadinanza di Leptis a mandare una seconda ambasceria poiché Romano si rifiutava ancora di intervenire. Udendo che c'erano state nuove aggressioni, Valentiniano perse la pazienza; ed è qui che entra in scena Palladio, il quale venne scelto per guidare la missione d'inchiesta imperiale. In quanto capo della delegazione, egli portò con sé anche dei doni e il denaro con cui pagare le truppe africane.[2]

Come gli era stato ordinato, Palladio si recò subito a Leptis e non ci mise molto a scoprire la verità su ciò che Romano aveva o – piuttosto – non aveva fatto. Nel frattempo però si mise d'accordo con chi avrebbe dovuto pagare le unità militari di stanza in Africa per intascare una parte dei soldi destinati alle truppe. Tutto era pronto per una soluzione di compromesso: Palladio minacciò di incriminare Romano e di farlo condannare per negligenza e Romano rispose che allora lui avrebbe svelato le appropriazioni indebite di Palladio. Affare fatto: Palladio si tenne i soldi e, tornato a Treviri, disse a Valentiniano che gli abitanti di Leptis non avevano proprio niente di cui lamentarsi. L'imperatore, convinto che quella gente gli avesse fatto solo perdere tempo, controquerelò la città di Leptis; e Palladio fu mandato di nuovo in Africa per presiedere al processo. Siccome in quella causa il giudice stesso difendeva i suoi interessi privati, i querelanti non ebbero molte possibilità. Si convocò qualche testimone e tutti giurarono che con i berberi non c'era mai stato il minimo problema; i particolari che non combaciavano furono semplicemente eliminati e probabilmente nel 368 un governatore e tre ambasciatori furono condannati a morte per aver dichiarato il falso all'imperatore. Dopodiché le bocce rimasero ferme per sei anni: finché non si scoprì la famosa lettera di Palladio a Romano. Due ambasciatori sopravvissuti, che avevano avuto il buon senso di darsi alla macchia quando la commissione d'inchiesta li aveva condannati al taglio della lingua, sbucarono dai loro nascondigli per raccontare la verità, e l'*affaire* produsse le sue ultime vittime: Palladio, ovviamente, e

132

Romano, oltre al *magister officiorum* Remigio e a tutti i testimoni spergiuri.

A un primo sguardo sembrerebbe una vicenda delle più banali: negligenza, sciatteria e un inelegante scambio di insabbiamenti. Che altro vi aspettavate da una struttura imperiale ormai nella fase discendente della sua parabola e irrimediabilmente condannata all'estinzione? Secondo Gibbon la corruzione della vita pubblica entra a pieno titolo a far parte dell'insieme di cause che portarono al collasso dell'impero. Ma pur essendo innegabile che l'impero del IV secolo pullulava di corrotti e di corruttori, è importante non trarne conclusioni affrettate. Le fonti dell'epoca sono ricche di esempi di illeciti di ogni tipo: dai comandanti militari che gonfiavano artificialmente il numero dei soldati e tenevano le unità al minimo per intascare le paghe extra, ai burocrati che sparpagliavano i soldi su vari capitoli di spesa finché non si «perdevano» negli archivi cartacei e loro potevano appropriarsene senza che nessuno se ne accorgesse.[3] Ma il fatto che tutto ciò abbia giocato un ruolo sostanziale nel crollo dell'impero d'occidente è ancora tutto da dimostrare.

Per quanto l'idea possa essere sgradevole, tra soldi e potere nella storia c'è sempre stato un nesso fortissimo: negli stati piccoli come in quelli grandi, in quelli sani come in quelli malati e pericolanti. Nella maggior parte delle società del passato (come del resto in molte di quelle attuali) il legame tra potere e profitto non ha mai costituito un problema: l'arricchimento è sempre stato visto come il premio, perfettamente legittimo, delle fatiche spese per la conquista del potere. Intorno al 350, quando una nostra vecchia conoscenza, il filosofo Temistio, aveva cominciato ad attirare l'attenzione dell'imperatore, Libanio, un suo amico che insegnava retorica e sosteneva appassionatamente il valore morale dell'educazione classica, gli scrisse: «La tua presenza alla tavola [dell'imperatore] denota la tua grande intimità con lui [...]. Chiunque tu ti degnassi di nominare diverrebbe immediatamente più ricco, e [...] il piacere che lui prova nel concedere tali favori è più grande di quello che si prova nel riceverli». Per Libanio, la nuova influenza acquisita da Temistio non costituiva certo un problema, anzi. Di fatto, l'intero sistema delle nomine alle alte cariche burocratiche dell'impero funzionava sulla base di raccomandazioni: dato che non c'erano esami basati sul merito, erano il clientelismo e le amicizie altolocate a giocare un ruolo chiave. In vari discorsi tenuti alla presenza di questo o quell'altro imperatore Temistio si dilunga sul tema degli «amici», la cerchia più intima del sovrano che sottoponeva alla sua attenzione il nome dei candidati più idonei a ricoprire certe cariche. Sicuramente Temistio ci teneva che questi amici avessero discernimento, in modo da fare buone raccomandazioni; ma non vedeva la necessità di modificare un metodo che aveva sempre funzionato benissimo. Il nepotismo era parte integrante del sistema; le cariche pubbliche erano considerate un'opportunità per foderarsi bene le tasche, e un ragionevole grado di peculato era più o meno previsto e tollerato.[4]

Anche in questo non c'è niente di nuovo. L'alto impero, anche durante la vigorosa fase della conquista, era caratterizzato quanto le epoche più tarde dall'abuso – o forse bisognerebbe dire semplicemente dall'uso – che facevano del potere i pubblici ufficiali (a loro volta amici di funzionari di grado più elevato), i quali ne approfittavano sempre per arricchire sé stessi e i loro soci. Secondo lo storico Sallustio, che scriveva a metà del I secolo a.C., la vita pubblica di Roma aveva perso il suo nerbo morale già nel 147 a.C. con la caduta di Cartagine, l'ultima sua rivale degna di questo nome. I grandi magnati della vita pubblica di Roma si sono sempre dati da fare per il proprio avanzamento personale: in questo l'alto impero non era molto differente dal basso. Buona parte di ciò che chiamiamo «corruzione» del sistema statale romano riflette semplicemente il normale nesso tra potere e profitto. Alcuni imperatori, come Valentiniano I, sfruttarono periodicamente il tema della corruzione per fini politici: ma nessuno fece mai un tentativo serio di cambiare le cose.[5] Secondo me è importante considerare in modo realistico l'uso che le persone fanno del potere politico e non dare troppa importanza ai casi di corruzione individuale. Dato che il nesso potere-profitto non aveva impedito né l'ascesa iniziale né l'affermarsi dell'impero romano, non c'è ragione di credere che ne abbia determinato il crollo. Nel caso dello scandalo di Leptis, Romano, Palladio e Remigio avevano evidentemente passato il segno. Osservato un po' più da vicino, però, il *Leptisgate* ci dice qualcosa che va al di là della semplice distrazione di fondi pubblici.

134

I *limiti di governo*

In teoria era l'imperatore l'autorità suprema che emanava le leggi generali valide per tutto lo stato, e che nei singoli casi aveva il diritto di modificarle o di infrangerle a suo piacimento. Egli poteva condannare a morte o perdonare con una sola parola. In apparenza, dunque, era un monarca assoluto. Ma spesso l'apparenza inganna.

Valentiniano veniva dall'esercito e sapeva per esperienza diretta cosa significasse controllare la frontiera del Reno: per questo si era stabilito a Treviri, perché voleva essere abbastanza vicino da intervenire direttamente ogni volta che fosse necessario. Ma i problemi della remota Africa erano un altro paio di maniche. Valentiniano venne a sapere di ciò che stava accadendo a Leptis dalle due versioni opposte che arrivarono contemporaneamente alla sua corte: quella della prima ambasceria inviata dall'assemblea provinciale e quella di Romano esposta per bocca del *magister officiorum* Remigio. Stando a Treviri, l'imperatore era a più 2000 chilometri dalla scena del delitto. E siccome non poteva certo lasciare la frontiera del Reno per indagare su un piccolo incidente avvenuto in un angolo remoto del Nordafrica, non poté far altro che mandare un suo rapprensentante a verificare come stavano le cose. Se questa persona lo avesse informato male (come avvenne nel caso in esame) e fosse riuscita a impedire che altre versioni dei fatti arrivassero alle sue orecchie, egli non avrebbe comunque potuto che agire secondo quanto gli era stato raccontato. Il punto fondamentale che emerge dal *Leptisgate* è che, per quanto riguarda i poteri dell'imperatore, sia in teoria sia in pratica il governo centrale di Roma poteva prendere decisioni efficaci solo quando le sedi locali lo informavano in modo veritiero. A Valentiniano piaceva atteggiarsi a protettore dei contribuenti contro le richieste ingiuste e/o eccessive dei militari: ma a causa del falso rapporto di Palladio, nel caso di Leptis Magna le sue decisioni sortirono l'effetto opposto.

Ci vuole un notevole sforzo d'immaginazione per capire quanto fosse difficile, nel mondo romano, avere informazioni precise. In quanto sovrano di una metà dell'impero, Valentiniano regnava su un territorio più vasto di quello dell'odierna Unione Europea.

Per un governo centrale agire in modo efficace su una scala geografica così vasta sarebbe difficile anche ai giorni nostri: ma con i problemi di comunicazione dei tempi di Valentiniano era un'impresa inconcepibilmente più ardua che non per le moderne strutture di governo di Bruxelles. Il problema aveva due facce: da una parte la lentezza delle comunicazioni, dall'altra il ridottissimo numero delle linee di contatto. Il problema di Leptis fu esacerbato non solo dall'andatura da lumaca con cui viaggiavano le informazioni, ma anche dalla scarsità dei contatti: due all'inizio (gli ambasciatori e Remigio), più un terzo quando Valentiniano mandò in Africa la sua commissione d'inchiesta nella persona di Palladio. Quando quest'ultimo confermò la versione di Romano, Valentiniano fu propenso a credergli, perché non aveva altre fonti cui ricorrere. Nel mondo del telefono, del fax e di internet, nascondere la verità è diventato molto più difficile. Al di là degli immediati dintorni di Treviri, Valentiniano aveva solo contatti sporadici col resto delle comunità cittadine del suo impero.

Un punto di vista interno rispetto a questo problema ci è offerto da un altro straordinario «superstite» del tardo impero: un insieme di documenti su papiro che sono sopravvissuti ai secoli grazie al caldo secco del deserto egiziano (il destino poi ha voluto che la maggior parte di quei testi fosse conservata presso la John Rylands Library di Manchester, città famosa per la sua piovosità). Questi particolarissimi papiri, acquistati nel 1896 dal grande collezionista vittoriano A.S. Hunt, provengono da Hermopolis, sulla riva occidentale del Nilo, al confine tra l'alto e il basso Egitto. Una lettera importantissima, che per chissà quali vicende storiche era stata separata dal resto, andò a finire a Strasburgo: quando finalmente si capì che faceva parte dello stesso insieme divenne chiaro che si trattava delle carte di un certo Teofane, proprietario terriero di Hermopolis e burocrate d'alto livello dell'impero dell'inizio del IV secolo. Intorno al 320 questo personaggio era consulente legale di Vitale, il *rationalis Aegypti* (funzionario incaricato di supervisionare la produzione di armi e molte altre operazioni di stato). La maggior parte dei testi si riferisce al viaggio che Teofane dovette compiere per ragioni ufficiali in un momento imprecisato tra il 317 e il 323, e che lo portò dall'Egitto ad Antiochia (l'odierna Antakya, nella Turchia meridionale, al confine con la

136

Siria), capoluogo di una vasta regione dell'impero d'oriente. Le carte non ci raccontano tutti i dettagli del viaggio – per esempio lo scopo della missione, che possiamo solo cercare di indovinare –, in compenso ci lasciano qualcosa di ancor più prezioso: liste di bagagli, resoconti economici e itinerari datati che, nell'insieme, dipingono a tinte vivaci la tipica trasferta di un funzionario pubblico nel mondo romano.[6]

Essendo in viaggio di lavoro, Teofane utilizzava il sistema di trasporti pubblici di cui anche Simmaco si era servito per raggiungere Treviri: il *cursus publicus*, una serie di stazioni di posta a distanza regolare dotate di stalle (dove si potevano cambiare i cavalli) e a volte addirittura di una locanda. I documenti di più immediato impatto sono quelli relativi all'itinerario seguito da Teofane, con tanto di distanze coperte giorno per giorno: partito il 6 aprile dalla città di Nikiu, nell'alto Egitto, egli arrivò a destinazione il 2 maggio, dopo tre settimane e mezzo. Ogni giorno il viaggiatore percorse una media di 40 chilometri: nella prima parte del viaggio, attraverso il deserto del Sinai, la media era di circa 24 chilometri al giorno, ma poi, una volta raggiunta la mezzaluna fertile, raggiunse circa i 65. L'ultimo giorno prima di arrivare ad Antiochia, ormai in vista del traguardo, la carovana percorse dall'alba al tramonto più di 100 chilometri. Il viaggio di ritorno fu quasi altrettanto lungo. Considerando che il ruolo ufficiale di Teofane gli consentiva di cambiare i cavalli ogni volta che fosse necessario – senza preoccuparsi di risparmiarne le energie –, possiamo considerare questo dato un punto di riferimento per valutare la velocità delle operazioni burocratiche nell'impero romano. Sappiamo che in caso d'emergenza un messaggero lanciato al galoppo, libero di cambiare frequentemente cavallo, poteva percorrere anche 250 chilometri al giorno. Ma la media tenuta da Teofane nelle tre settimane e mezzo del suo viaggio era probabilmente la norma: 40 chilometri al giorno, dunque la velocità di un carro trainato da buoi. E ciò valeva sia per le operazioni militari sia per quelle civili, dato che tutto l'equipaggiamento pesante degli eserciti si spostava appunto a dorso di bue.

L'altro tratto evidente del viaggio di Teofane è la sua complessità. Data la velocità media degli spostamenti, è ovvio che solo ai funzionari più importanti della burocrazia romana era concesso di viaggiare fuori provincia: ciò significa che gli ufficiali di rango inferiore non conoscevano personalmente nemmeno i colleghi delle regioni limitrofe. L'Egitto, in generale, si governava da sé e Teofane non aveva bisogno di conoscere gente né ad Antiochia né in qualsiasi altro punto del percorso. Vitale gli aveva dato delle lettere di presentazione per tutte le persone importanti che avrebbe incontrato nelle varie tappe del viaggio; non tutte le lettere però furono utilizzate, ed è per questo che alcune sono giunte fino a noi. Inoltre, in conformità alle regole d'etichetta vigenti, era consuetudine portare con sé un'ampia scorta di doni appropriati: la cortesia infatti imponeva che ogni nuova conoscenza si inaugurasse con uno scambio di doni, spesso preziosi. Gli elenchi relativi al viaggio registrano anche gli oggetti destinati a quest'uso: per esempio il *lungurion* (muschio di lince coagulato), ingrediente di costosi profumi.[7] Il viaggiatore inoltre doveva avere con sé parecchi contanti e probabilmente, nel caso di Teofane, anche lettere di credito con cui prelevare altri fondi dalle casse dello stato. Ne deriva che chi intraprendeva questo genere di trasferte aveva quasi sempre bisogno di protezione, e spesso di una vera e propria scorta armata: i conti di Teofane riportano le quantità di cibo e di bevande acquistate per i soldati che lo accompagnarono nell'attraversamento del deserto.

Anche la lista dei bagagli è una lettura per noi illuminante. Teofane ovviamente aveva bisogno di moltissimi indumenti: vestiti pesanti e leggeri per le varie condizioni meteorologiche e per le diverse occasioni, la sua uniforme da funzionario, un costume da bagno. Le locande del *cursus publicus* erano alquanto spartane: i viaggiatori dovevano avere con sé tutto l'occorrente per farsi il letto (non soltanto lenzuola e coperte, anche il materasso), oltre a una cucina completa per provvedere ai pasti. Ne deduciamo che Teofane non viaggiava certo da solo; non sappiamo esattamente quante persone ci fossero al suo seguito, ma sicuramente molti schiavi si occupavano per lui delle faccende domestiche: per il loro sostentamento l'illustre personaggio spendeva meno della metà di quanto spendeva per sé stesso. Il fascio consunto di documenti di papiro conservato a Manchester è una vera miniera di informazioni preziose. Durante il viaggio di ritorno, appena prima di lasciare la civiltà per addentrarsi nel deserto, la carovana acquistò 160 litri di vino, che tutti insieme costarono meno dei due litri di quello di un'annata particolarmente rara che Teofane si scolò quel giorno a pranzo. Nella lista della spesa compare anche l'acquisto di un certo quantitativo di neve per tenere in fresco il vino della cena. Ciò che in sintesi emerge da questo straordinario documento è una visione d'insieme di quanto fosse complesso e ingombrante un viaggio ufficiale.

In realtà, dunque, nel IV secolo i vari luoghi erano molto più lontani di oggi l'uno dall'altro. Mentre sono qui seduto a scrivere questo libro, tra il Vallo di Adriano e l'Eufrate ci sono circa 4000 chilometri: e ciò ovviamente vale anche per la geografia di allora. Ma alla velocità di crociera di Teofane – anche attribuendogli una media giornaliera un po' più alta del vero, diciamo di 50 chilometri, e senza contare il rallentamento dovuto alla tratta desertica – un viaggio che oggi ci porterebbe via al massimo due settimane nel IV secolo richiedeva circa tre mesi. Guardando la carta geografica con occhi moderni l'impero romano ci sembra già un'entità territoriale piuttosto impressionante; ma a guardarlo con gli occhi del IV secolo doveva essere addirittura sbalorditivo. Se lo misurassimo alla luce del tempo effettivo impiegato a coprire le distanze, potremmo dire che era almeno cinque volte più grande di quanto non risulti sulla carta. In altre parole, percorrerlo da un capo all'altro con i mezzi di allora equivarrebbe a percorrere oggi una distanza pari a cinque-dieci volte la lunghezza dell'Unione Europea. E se i posti erano così lontani, sia tra loro sia rispetto alla capitale, è ovvio che l'imperatore non potesse avere contatti molto frequenti con la maggior parte delle località che componevano il suo impero.

Ma anche se gli agenti locali avessero fatto affluire regolarmente e continuativamente le informazioni da ogni città, il sovrano non avrebbe saputo che farsene. Tutti questi ipotetici rapporti sarebbero circolati infatti su pezzi di papiro e ben presto il quartier generale di Roma o di Treviri sarebbe stato sommerso da una montagna di documenti: dopodiché, con tutta la buona volontà, nessuno avrebbe comunque potuto recuperare le informazioni necessarie (anche perché pare che gli archivisti di Roma conservassero i materiali solo per un anno).[8] L'arretratezza delle linee di comunicazione e la mancanza di mezzi adeguati di processamento delle informazioni ci fanno capire all'interno di quali limiti pratici gli imperatori romani di ogni tempo dovessero prendere e applicare le proprie decisioni.

La principale conseguenza di tutto ciò è che lo stato non aveva modo di interferire sistematicamente nella quotidianità delle comunità locali a lui soggette. Non c'è di che stupirsi se l'ambito degli affari gestiti dal governo centrale di Roma era solo una piccola parte di quello di cui riesce a occuparsi uno stato moderno. Benché le premesse ideologiche spingessero in questa direzione, il governo di Roma non aveva la burocrazia necessaria a gestire agende sociali vaste e complesse come un sistema sanitario nazionale o una qualche forma di assistenza sociale. Il coinvolgimento attivo del governo doveva necessariamente limitarsi a un ambito di operazioni molto più ristretto: mantenere in efficienza l'esercito e dirigere il sistema fiscale. Anche riguardo alle tasse il ruolo della burocrazia statale era limitato alla ripartizione delle somme complessive assegnate a ogni città e alla supervisione dei trasferimenti monetari. Il lavoro più difficile (quello di suddividere i tributi tra la popolazione e di raccogliere effettivamente il denaro) era lasciato alla burocrazia locale. Anche da questo punto di vista, quindi, fintanto che il gettito fiscale concordato fluiva regolarmente dalle città nei forzieri centrali dello stato, le singole comunità – come possiamo dedurre dalle leggi municipali di cui abbiamo parlato nel Capitolo 1 – potevano organizzarsi autonomamente e in sostanza autogovernarsi.[9] Soddisfatte le richieste del governo centrale, la vita locale era libera di svolgersi secondo i desideri dei cittadini.

Il punto è cruciale e spiega buona parte della storia interna dell'impero. Il *Leptisgate* esemplifica non tanto un problema particolare del tardo impero, quanto uno dei limiti fondamentali del governo centrale di Roma in tutte le sue fasi. Per capire appieno il funzionamento del governo romano dobbiamo considerare l'impossibilità per il centro direzionale dello stato di interferire quotidianamente nella vita locale insieme al potere assoluto che si concentrava nella figura dell'imperatore. È infatti l'interazione di questi due fenomeni a creare la particolarissima dinamica interna all'impero. Proprio perché era impossibile per il governo centrale controllare amministrativamente ogni cosa, gli avvenimenti cui esso imprimeva il sigillo della propria autorità assumevano per ciò

140

stesso una legittimità schiacciante. Individui e comunità, quindi, tendevano a ricorrere all'autorità centrale per dare più peso ai loro obiettivi. Di primo acchito potremmo pensare che l'imperatore fosse continuamente sollecitato a occuparsi di faccende locali: ma è un'impressione errata. Tasse a parte, gli imperatori interferivano nelle vicende locali solo quando i sudditi di una certa località – o perlomeno una fazione dell'opinione pubblica di quella località – pensavano di poter trarre vantaggio dallo scomodare l'autorità suprema.

Abbiamo già visto questo schema all'opera nell'alto impero. Come dimostrano le iscrizioni rinvenute in Spagna (cfr. pp. 60-61), una città «romana» nasceva non appena la comunità locale adottava le leggi municipali concepite nella capitale. I ricchi proprietari terrieri locali avevano capito subito che dotare la propria città di una costituzione di diritto latino era la via maestra per ottenere la cittadinanza romana, che li avrebbe messi in condizione di partecipare alle redditizie strutture dell'impero. Anche questa medaglia però ha il suo rovescio, com'è ovvio: lo status di «romano» era talmente prezioso che i leader delle comunità locali erano disposti a fare qualsiasi cosa per ottenerlo, anche corteggiare qualche patrono capitolino in grado di mettere una buona parola presso l'imperatore. Questo tipo di rapporti tra centro e periferia era lo zoccolo duro sul quale fu costruito l'impero.[10]

Prendiamo per esempio il sistema dei rescritti (*rescripta*), mediante il quale si poteva consultare l'imperatore – o per meglio dire i suoi esperti – su qualsiasi affare legale. Utilizzando la metà superiore di un papiro, qualsiasi cittadino poteva scrivere al sovrano in merito a un fatto su cui doveva prendere una decisione; l'imperatore rispondeva scrivendo nella metà inferiore del papiro stesso. Il sistema non poteva essere usato per sottoporre un intero caso giudiziario: serviva solo a farsi suggerire il punto di diritto grazie al quale si poteva arrivare a una soluzione. Ancora una volta, per capire quanto la pratica fosse diffusa, siamo in debito verso un unico papiro sopravvissuto. Nella primavera del 200 d.C. gli imperatori Severo e Caracalla erano ad Alessandria d'Egitto. Un papiro, oggi custodito presso la Columbia University registra il fatto che il 14 marzo i due risposero a cinque *rescripta* (le repliche imperiali furono inviate per posta), il 15 marzo a quattro e il 20 ad

141

altri quattro.[11] Quindi, anche immaginando che ci fossero moltissime festività, erano almeno un centinaio all'anno le persone che potevano avvalersi della consulenza imperiale nelle loro dispute legali private.

Cosa altrettanto importante, l'imperatore non aveva più modo di controllare il singolo rescritto una volta che questo era tornata al mittente: ciò significa che pezzi di papiro con il suo nome e il sigillo della sua autorità potevano girare incontrollati per il mondo. Non c'è di che stupirsi, quindi, se le repliche imperiali erano utilizzate in svariati modi, non sempre corrispondenti alle intenzioni del sovrano. Il *Codice Teodosiano*, del V secolo (cfr. pp. 160-161), cita un gran numero di imbrogli perpetrati con tale sistema: casi in cui la risposta dell'imperatore fu materialmente staccata dalla domanda originale per essere utilizzata in relazione a un altro quesito, casi di lettere ottenute in merito a un caso e poi applicate ad altri, casi di lettere estorte con falsi pretesti.[12] Gli avvocati romani erano creativi e fantasiosi quanto i loro colleghi odierni e certo molto meno controllati. Il sistema dei *rescripta* ci mostra un'autorità imperiale piuttosto reattiva; ma i molti abusi dimostrano che la distanza tra autorità e postulanti permetteva un uso improprio della potente arma rappresentata da un'ordinanza legale firmata dall'imperatore.

Gli imperatori ricevevano inoltre una marea di richieste, suppliche e petizioni di tipo più generale, cui potevano scegliere se rispondere o no; oppure potevano mandare una commissione d'inchiesta per verificare come stessero in realtà le cose (un sistema inevitabilmente lento), o accettare la versione del postulante (per forza di cose viziata). Ciò significa che il dispiegarsi del potere imperiale aveva effetti piuttosto casuali: l'imperatore sceglieva in piena autonomia se credere o meno al postulante e agiva di conseguenza. L'impatto sulla vita quotidiana delle persone dipendeva da quanto i cittadini delle comunità locali fossero disposti a mettersi in gioco pur di sfruttare il potere.

Ogni descrizione del sistema di governo romano, quindi, deve partire dal presupposto che, pur con tutta la loro autorità legale e ideologica, gli imperatori esercitavano solo un controllo ridotto. Ciononostante il loro monopolio dell'autorità era tale che i cittadini sollecitavano continuamente la loro approvazione per i propri affari privati. Il centro imperiale, cioè, era potente e nello stesso tempo limitato.

Verso la metà del III secolo questa macchina di governo, caratterizzata dai gravi limiti interni di cui abbiamo parlato, dovette improvvisamente affrontare un ventaglio di problemi del tutto nuovi, collegati all'ascesa della Persia sasanide. Come abbiamo visto il problema fu affrontato con la ristrutturazione militare, fiscale e politica. Per molto tempo gli storici hanno sostenuto che gli stessi provvedimenti che nell'immediato salvarono l'impero (consentendogli di far fronte alla minaccia persiana), nel lungo periodo lo condannarono al declino e ne prepararono il collasso. Dopo Diocleziano, secondo questa impostazione, l'economia agricola romana cominciò a essere tassata oltre le sue capacità: i contadini dovevano cedere al fisco una quota talmente elevata del loro prodotto che alcuni morirono letteralmente di fame. Il nuovo livello del prelievo fiscale, argomentano questi storici, rovinò anche quella classe di proprietari terrieri che aveva costruito e governato le città fin dalla nascita dell'impero. Da quel momento in poi l'intero edificio imperiale fu governato con la costrizione, non con il consenso: quella forza coercitiva si incarnava in un meccanismo burocratico repressivo mantenuto, secondo un noto punto di vista, da centinaia di «bocche inutili» che gravavano ulteriormente sui contribuenti. Per quanto riguarda il settore militare, l'ingrandimento dell'esercito ebbe forse nel breve termine effetti positivi; ma la scarsità di reclute romane costrinse gli imperatori del IV secolo ad arruolare massicciamente i barbari: con ciò, sia la lealtà sia l'efficienza dell'esercito diminuirono. Tutto considerato, sempre in base a questa versione, pur risolvendo brillantemente la crisi persiana la ristrutturazione impose allo stato romano uno sforzo talmente straordinario da prosciugarne la forza economica, politica e anche militare.[13]
Conclusioni come questa hanno ancora molti sostenitori tra gli storici. Ma l'attuale generazione di studiosi ha dimostrato al di là di ogni ragionevole dubbio che in questo modo si sottovaluta la vitalità economica, politica e ideologica del tardo impero.

L'agricoltura dell'antichità aveva due limiti fondamentali. Innanzitutto, prima dell'invenzione del trattore la produttività di ogni singolo appezzamento di terra dipendeva dalla quantità di braccia disponibili a lavorarlo. Secondo: gli agricoltori antichi, pur impiegando tecniche piuttosto sofisticate per preservare la fertilità del suolo, non potevano aumentare in misura sostanziale la produzione avvalendosi di mezzi anche solo lontanamente paragonabili all'efficacia dei moderni fertilizzanti chimici. Ciò poneva un tetto all'aumento della popolazione, da sempre proporzionalmente legato alla disponibilità di cibo. Bisogna inoltre tener conto della dispendiosità dei trasporti: l'editto sui prezzi di Diocleziano (cfr. p. 91) ci dice che il prezzo di un carro di grano raddoppiava ogni 50 miglia che doveva percorrere. L'economia romana quindi era sostanzialmente bloccata, in tutte le fasi della sua storia, a un livello di poco superiore a quello di sussistenza. Fino a tempi molto recenti gli studiosi hanno creduto che l'aumento del prelievo fiscale nel tardo impero abbia aggravato queste già precarie condizioni, fino a impedire alla popolazione contadina di mantenersi e riprodursi, perfino ai bassi livelli consentiti dalle tecnologie esistenti.

Le prove a sostegno di questa tesi si trovano principalmente nelle fonti scritte. Tanto per cominciare, verso la metà del III secolo il volume delle nuove iscrizioni su pietra realizzate annualmente cala improvvisamente a circa un quinto rispetto ai secoli precedenti. Dato che le possibilità di sopravvivenza di simili documenti sono rimaste sostanzialmente costanti, la brusca riduzione nei ritrovamenti di lapidi incise è stata interpretata come un indizio del fatto che i proprietari terrieri (il gruppo sociale che in genere le commissionava) si ritrovarono improvvisamente a corto di liquidi. Anche gli studi sulla cronologia delle lapidi hanno portato a considerare l'aumento delle tasse nel tardo impero come causa prima del fenomeno, dato che il declino di questi documenti coincise proprio con i picchi di prelievo fiscale resi necessari dalla minaccia persiana. Questa tesi trova conferma anche nelle fonti che documentano un altro fenomeno molto studiato del IV secolo, la cosiddetta «fuga dei curiali». I curiali (o decurioni) erano i proprietari terrieri abbastanza ricchi da occupare un seggio nel consiglio cittadino (*curia*): i discendenti cioè di quanti, nella prima fase dell'impero, avevano costruito le città romane, forgiato l'ideale classico di autogoverno, studiato il latino e beneficiato sotto tutti gli aspetti del diritto e della cittadinanza romana. Ebbene, nel IV secolo queste persone furono sempre meno disponibili a prestare servizio nei consigli cittadini istituiti dai loro avi. Alcune fonti ci hanno tramandato lamentele per gli oneri connessi alla carica di consigliere, o per l'eccesso di incarichi amministrativi che lo stato imponeva ai curiali; per lungo tempo la spiegazione vulgata della caduta dell'impero romano d'occidente era fondata sull'idea che la classe dei proprietari terrieri fosse schiacciata dal peso della pubblica amministrazione.[14]

Altri testi legali del IV secolo parlano poi di un fenomeno mai notato prima di allora, quello dei campi abbandonati (*agri deserti*). Si tratta di testi di carattere molto generale, che non ci dicono con esattezza la quantità di terra a cui potesse applicarsi la definizione; ma una legge varata nel 422 e relativa al Nordafrica precisa che solo in quella regione ce n'erano ben quasi 5000 chilometri quadrati. Più avanti la legislazione romana cercò addirittura di legare certe categorie di fittavoli (*coloni*) alle tenute agricole esistenti per impedire loro di trasferirsi altrove. È stato facile, anzi irresistibile, collegare questi fenomeni sparsi in un'unica catena di causa ed effetto: evidentemente il durissimo regime fiscale del tardo impero rendeva antieconomico coltivare tutte le terre che fino a poco tempo prima erano messe a frutto, e ciò avrebbe provocato sia il massiccio abbandono dei campi (gli *agri deserti*, appunto) sia l'intervento governativo teso a limitare il fenomeno. Depredati di una buona fetta del loro prodotto, inoltre, i contadini non avrebbero certo potuto mantenere i livelli di popolazione dei tempi passati.[15]

In questa felice concordia degli studiosi, alla fine degli anni Cinquanta del XX secolo un archeologo francese, Georges Tchalenko, fece scoppiare una vera e propria bomba. Come quasi sempre accade nei momenti più autenticamente rivoluzionari, ci volle un po' perché gli osservatori si rendessero conto del terremoto; ma la bomba di Tchalenko diede il via a una serie di scoppi a catena. Egli aveva trascorso buona parte degli anni Quaranta e Cin-

quanta a vagabondare per le colline calcaree di un angoletto piuttosto sconosciuto (e relativamente pacifico) del Medio Oriente,
che anticamente costituiva l'entroterra di una delle grandi capitali dell'impero, Antiochia, Antakya nell'odierna Turchia (per uno
scherzo del destino queste colline si trovano ora a cavallo del confine con la Siria). Durante tali peregrinazioni Tchalenko era in-
cappato nei ruderi di una fitta distesa di villaggi composti da solide case in pietra calcarea che la popolazione aveva abbandonato nei secoli VIII e IX, dopo la conquista della regione da parte
degli arabi.

Quei villaggi erano la dimostrazione che su quelle colline, un
tempo, abitava una florida popolazione di agricoltori che poteva
permettersi non solo di costruire case di ottima qualità, ma anche
di dotare i propri insediamenti di considerevoli edifici pubblici.
Quell'antica popolazione aveva una densità superiore a quella di
qualsiasi insediamento più tardo (compresi quelli odierni) e chiaramente ricavava di che vivere dalla coltivazione della terra; Tchalenko riteneva producesse olio d'oliva su scala commerciale. Ma
la cosa veramente rivoluzionaria è che la regione, al di là di ogni
ragionevole dubbio, aveva raggiunto quei livelli di prosperità proprio tra la fine del III e l'inizio del IV secolo, per poi mantenerli
per tutto il VI, il VII e l'VIII secolo senza mai dar segno di declino.
Proprio nel momento in cui, secondo tutti gli storici, il tardo impero succhiava il sangue ai suoi contadini, quei ritrovamenti testi-
moniavano dell'esistenza di una regione agricola in piena e durevole fioritura.[16]

Successivi studi archeologici basati sui rilevamenti aerei hanno
misurato i livelli di insediamento rurale e di attività agricola su
ampie aree geografiche e in momenti diversi dell'età romana. In
linea generale, tali rilevamenti hanno confermato che i villaggi si-
riani scoperti da Tchalenko non sono affatto un caso isolato di
prospera comunità agricola tardoimperiale. Le province centrali
del Nordafrica romano (in particolare la Numidia, la Byzacena e
la Proconsolare) videro in quello stesso periodo un'analoga in-
tensificazione sia degli insediamenti sia della produzione agricola.
Il fenomeno è stato illuminato da rilevamenti compiuti separatamente in Tunisia e nella Libia meridionale, dove la prosperità cominciò a declinare solo nel V secolo. Altri rilevamenti realizzati in

Grecia hanno dato risultati simili, e anche in altre zone del Medio Oriente il IV e il V secolo si sono dimostrati epoche di *massimo* sviluppo rurale (e non minimo, come le teorie più diffuse ci avevano indotto a credere). Ricerche svolte nel deserto del Negev, nell'odierno Israele, hanno dimostrato che anche là, nel IV secolo, le aziende agricole, pur collocate com'erano in un ambiente decisamente marginale, prosperarono. Lo schema è grossomodo lo stesso in Spagna e nella Gallia meridionale, mentre una recente rivalutazione degli insediamenti rurali nella Britannia romana ha dimostrato che anche qui la popolazione raggiunse nel IV secolo livelli che non avrebbe più toccato fino al XIV. Ancora si discute su quali dati numerici rappresentino questo punto massimo di sviluppo; ma che la Britannia del tardo impero fosse molto densamente popolata rispetto agli standard antichi e medievali è ormai un fatto assodato.[17] In realtà, le uniche zone in cui i livelli di prosperità non raggiunsero nel IV secolo il massimo o quasi dell'intera età romana sono l'Italia e alcune province nordeuropee, segnatamente la Gallia Belgica e la Germania Inferiore, sulla frontiera del Reno. Ma anche qui negli ultimi anni le stime della densità abitativa sono state sostanzialmente riviste.

La povertà delle due province settentrionali di cui sopra probabilmente si spiega con gli sconvolgimenti del III secolo. La regione frontaliera del Reno era stata devastata da pesanti incursioni barbariche proprio mentre lo stato concentrava le risorse nella soluzione del problema persiano: dunque può essere che, in alcune aree della regione, la popolazione rurale non riuscisse a risollevarsi dalle conseguenze delle scorrerie. Un problema metodologico può forse aiutarci a spiegare meglio il punto. Le stime relative all'età romana identificano e datano gli insediamenti sulla base di reperti in ceramica prodotti per il commercio databili con certezza. Se a un certo punto una popolazione smette di importare tali oggetti e comincia a servirsi di ceramiche prodotte localmente, e per ciò stesso impossibili da datare con precisione, e soprattutto se, contemporaneamente, quella popolazione comincia a costruire più in legno che in pietra, cotto e tegole (com'era nella tradizione romana: un altro cambiamento d'abitudini che non lascia traccia nei ritrovamenti), questa popolazione diventa per noi archeologicamente invisibile. Ed è proprio ciò che accadde in varie zone dell'Europa settentrionale a partire dalla metà del V secolo. Non è dunque impossibile che il presunto spopolamento verificatosi nel IV secolo in alcune zone frontaliere del Reno non indichi in realtà un vero declino, ma sia piuttosto un errore di valutazione dovuto appunto ai suddetti limiti archeologici, che non consentono di registrare le tracce delle nuove abitudini della popolazione. In merito la giuria non ha ancora raggiunto un verdetto.

Il caso dell'Italia è diverso. Come si addice al cuore di uno stato conquistatore, infatti, l'Italia aveva prosperato per tutto l'alto impero. Non solo il bottino proveniente dai territori conquistati affluiva abbondante nei suoi forzieri, ma le sue manifatture per la produzione di ceramica, vino e altri generi di consumo dominavano i mercati di tutte le province occidentali. La produzione agricola italiana, inoltre, era esentasse. Man mano che l'economia delle province conquistate si sviluppava, però, questo iniziale predominio venne minacciato dal sorgere di imprese concorrenti più vicino ai centri di consumo, che quindi dovevano affrontare costi di trasporto molto inferiori. Nel IV secolo il processo si era ormai concluso: da Diocleziano in poi anche le rendite agricole italiane furono soggette a tassazione. Era inevitabile, quindi, che nel corso del IV secolo l'economia della penisola subisse un relativo declino, e non bisogna stupirsi se le terre più marginali uscirono dal processo produttivo. Come abbiamo visto, però, il relativo declino dell'Italia e forse della Gallia nordorientale fu più che compensato dal successo economico di altre regioni. A dispetto dell'aumento delle tasse, le campagne del tardo impero erano in pieno boom economico.[18] La portata rivoluzionaria di tali scoperte è enorme.

Se si tiene a mente tutto ciò che abbiamo detto, le testimonianze letterarie sono tutt'altro che incompatibili con l'archeologia. Leggi costituite per costringere i contadini a non abbandonare un dato territorio, per esempio, sono concepibili solo laddove la densità della popolazione rurale sia relativamente elevata; altrimenti la diffusa scarsità di manodopera spingerebbe i proprietari terrieri a competere tra loro per accaparrarsi forza lavoro e qualsiasi bracciante in fuga verrebbe accolto senza bisogno di essere trattenuto con un'apposita legge. Più in generale, l'espressione *agri deserti* fu coniata nel IV secolo in riferimento a quelle terre che non producevano un gettito fiscale: il che non implica necessariamente che prima fossero coltivate. L'ampia zona di territorio nordafricano cui si allude nella legge del 422, per esempio, era sostanzialmente un entroterra desertico e semidesertico in cui ogni normale attività agricola era da sempre impossibile. Né l'esosità fiscale del tardo impero è di per sé incompatibile con una frizzante economia agricola. I fittavoli che vivono in regime di sussistenza tendono a produrre solo ciò di cui hanno bisogno: quanto basta cioè per nutrire e sostentare sé stessi e i propri dipendenti e per pagare le spese essenziali, come l'affitto dell'appezzamento. In questi casi si nota spesso un certo ristagno. Quei contadini cioè *potrebbero* produrre un certo quantitativo di generi alimentari in più, ma preferiscono non farlo: o perché non hanno dove immagazzinarlo o perché, a causa del costo dei trasporti, non riescono a venderlo. In questo caso una tassazione più pesante – se non è esagerata – può addirittura provocare un *aumento* della produzione: perché allora le tasse richieste dallo stato diventano semplicemente un'altra delle voci di spesa obbligatorie cui bisogna far fronte e i fittavoli devono lavorare di più per produrre quanto serve. L'aumento delle tasse avrà davvero un effetto dannoso sull'economia solo se il livello di prelievo fiscale è così elevato da affamare i contadini o da danneggiare seriamente la fertilità di lungo termine dei campi.

Con questo non vogliamo dire che la vita degli agricoltori del tardo impero fosse tutta rose e fiori. Lo stato pretendeva molto più di quanto non avesse chiesto ai loro antenati e la legge non consentiva di andarsene altrove in cerca di contratti d'affitto più vantaggiosi. Ma né i ritrovamenti archeologici né le testimonianze scritte contraddicono un quadro generale che vede le campagne assestate su ottimi livelli di popolazione, produzione e rendimento.[19]

L'unica cosa su cui non sembra esserci dubbio è che, almeno da un certo punto di vista, il tardo impero vide sì una forma di declino, ma non nelle campagne, bensì nelle città. Al calo delle iscrizioni in pietra rilevato a partire dalla metà del III secolo si aggiunge infatti quello del numero di edifici pubblici realizzati su commissione. Le uniche città che videro ancora un'edilizia pubblica su larga scala sono la capitale centrale dell'impero e i capoluoghi regionali;

anche qui, al posto dei benestanti locali che decidevano di donare alla città un nuovo complesso termale (o qualcosa di analogo) per tramandare ai posteri la loro magnificenza, vediamo le nuove costruzioni sorgere per volontà dei funzionari pubblici, che le facevano erigere con fondi statali.[20] Il sovvenzionamento privato degli edifici pubblici è dunque un fenomeno che appartiene alla prima fase dell'impero, quando ancora costituiva la strada maestra dell'autopromozione individuale. Far costruire il giusto tipo di palazzo pubblico era parte del lavoro necessario per ingraziarsi qualche funzionario d'alto livello affinché intercedesse presso l'imperatore per concedere a quella città una costituzione di diritto latino. Poi, raggiunto lo scopo, finanziare edifici pubblici diventava una strategia per conquistare potere e influenza a livello locale. Le città dell'impero infatti avevano una loro dotazione di terre di proprietà demaniale (spesso frutto di lasciti testamentari), nonché il diritto di imporre tasse e balzelli locali: un reddito annuo tutt'altro che insignificante. E la decisione su come si dovessero spendere quelle entrate stava al consiglio cittadino e soprattutto ai magistrati che ne erano a capo, eletti da tutti i cittadini liberi. Stando così le cose, possiamo concludere che la costruzione competitiva di edifici pubblici era finalizzata a vincere le elezioni locali e quindi in definitiva a controllare i fondi pubblici.[21]

Nel III secolo, la confisca da parte dello stato delle terre in concessione e delle tasse rese la partecipazione alle strutture di autogoverno locale molto meno interessante. A partire dal IV secolo non ebbe più molto senso spendere con larghezza per acquisire potere nella propria città, dato che a chiunque fosse ammesso alle cariche pubbliche poteva al massimo essere richiesto di svolgere banali commissioni per conto del governo centrale. In quella fase, ormai, erano coloro che avevano prestato servizio nella sempre più numerosa burocrazia imperiale (gli *honorati*) ad accaparrarsi tutte le cariche più interessanti e remunerative del governo locale, comprese quelle preposte alla ripartizione del carico fiscale tra i cittadini. E niente poteva garantire più inviti a cena e altre piccole attenzioni quanto essere in potere, a un dato momento, di distribuire le nuove cartelle esattoriali. Gli *honorati* inoltre avevano diritto a un seggio tra i giurati dei più importanti processi locali e avevano voce in capitolo sul verdetto: come dimostrano le molte lettere di *honorati* giunte fino a noi, anche quello era un compito che permetteva di spendere proficuamente la propria influenza e che tendeva a rendere gli *honorati* molto popolari a livello locale. In altre parole, nel tardo impero il potere politico locale passò sostanzialmente dalle mani dei consigli cittadini a quelle dei burocrati imperiali: il che rese del tutto inutili gli sfoggi di generosità edile testimoniati dalle iscrizioni lapidarie della prima fase dell'impero.

Anche l'immagine stereotipata della burocrazia tardoimperiale, inoltre, avrebbe bisogno di una revisione. Buona parte dell'idea che ce ne siamo fatti, ovvero di un opprimente corpo estraneo di «bocche inutili» che dissanguava le risorse delle comunità locali, deriva da ciò che un certo Libanio disse parlando delle dubbie origini sociali di alcuni dei principali burocrati e senatori che vivevano a Costantinopoli alla metà del IV secolo. Tre prefetti pretoriani (a quell'epoca alti funzionari civili) attivi attorno alla metà del IV secolo – Domiziano, Elpidio e Tauro – secondo Libanio erano figli di uomini che avevano esercitato lavori manuali; il padre di un quarto, Filippo, era un fabbricante di salsicce; e il governatore della provincia dell'Asia, Dulcizio, era figlio di un follatore.[22] L'immagine evocata da queste acide osservazioni, cioè una burocrazia dominata da «uomini nuovi» venuti da chissà dove, è sicuramente forte; ma con il suo discorso Libanio perseguiva fini di interesse personale. Il senato di Costantinopoli, infatti, aveva appena rifiutato una carica a un suo protégé, un certo Talassio, con la scusa che suo padre faceva il «commerciante» (in realtà possedeva una fabbrica di armi). Come dimostrato da un ingente corpus di ritrovamenti (fra cui innumerevoli lettere di raccomandazione scritte da Libanio stesso), la maggioranza dei nuovi burocrati e senatori del IV secolo veniva dalla classe curiale e non dai gradini più bassi della scala sociale. Dunque una burocrazia che parlava il latino e il greco «corretti», base del *curriculum studiorum* tradizionale, che aveva cioè beneficiato di una lunga e costosa formazione privata. La burocrazia della tarda età romana non era dunque composta da parvenu, da bifolchi arricchiti, bensì da consiglieri cittadini che avevano rinegoziato la propria posizione all'interno delle nuove strutture dell'impero. Solo una piccola, ostinata élite interna – i cosiddetti *principales* – mantenne il

151

proprio seggio nel consiglio cittadino, monopolizzando i pochi incarichi interessanti che ancora dipendevano dalla vecchia assemblea.

Poiché le cariche burocratiche erano così attraenti, gli imperatori erano sommersi dalle richieste: molte nomine infatti dipendevano direttamente dal sovrano. Agli imperatori piaceva far salire il proprio indice di gradimento con dimostrazioni di generosità; e la concessione di una carica pubblica, nei singoli casi, sembrava una manifestazione di favore del tutto praticabile. A dispetto delle leggi che cercavano di limitare l'espandersi della burocrazia centrale preservando il ruolo dei consiglieri cittadini, verso il 400 d.C. molti ricchi proprietari terrieri avevano ormai fatto della burocrazia imperiale l'asse portante della loro carriera. Per quella data il dipartimento finanziario dell'impero d'oriente (*largitionales*) aveva uno staff di 224 funzionari e una lista d'attesa di 610 persone pronte a subentrare quando questi avessero concluso il loro periodo di servizio. Ottenere uno di quegli ambitissimi incarichi ovviamente comportava un processo lungo e difficile: così i genitori impararono presto a iscrivere i figli alle liste d'attesa il giorno stesso della loro nascita. L'ascesa della burocrazia imperiale, lungi dal dimostrare che il potere centrale si era fatto ancor più opprimente, rivela piuttosto la continuazione di quel particolare rapporto politico tra centro e periferia che abbiamo già avuto modo di osservare. Ancora una volta, come per il sistema dei *rescripta* e per l'intero processo di romanizzazione delle province, fu lo stato a mettere in moto la rivoluzione istituendo un nuovo sistema di regole. Su questo non ci sono dubbi; poi il sistema fu implementato da chi, in periferia, reagì positivamente adattando le nuove regole al perseguimento dei propri interessi.

Questa spiegazione della crescita della burocrazia ci impedisce di considerare la «fuga dei curiali» come un fatto di natura fondamentalmente economica, cioè come una conseguenza del declino delle fortune private dei proprietari terrieri. E smonta anche il ragionamento che vedeva nella burocrazia stessa un mucchio di «bocche inutili»: è difficile pensare che gli antenati di questi burocrati, i proprietari terrieri locali titolari di un seggio nel consiglio cittadino, fossero in qualche misura meno «inutili» (se proprio si deve applicare questa categoria). Si tratta comunque di una classe che ha sempre vissuto di rendita, abituata a supervisionare il lavoro dei contadini e non certo a impegnarsi direttamente nella produzione agricola. Se in tempi più antichi quelle persone erano state «inutili» all'interno del consiglio cittadino, ora lo erano nelle cariche burocratiche dello stato centrale. Tra l'altro, gli stipendi burocratici erano molto bassi. L'espansione della burocrazia non ebbe bisogno di grandi finanziamenti:[23] ciò che rendeva attraenti quelle cariche, come abbiamo visto, era piuttosto lo status sociale che le accompagnava e il fatto di mettere una persona nella posizione di farsi pagare da quanti avessero bisogno dei suoi servigi.

Anche se un simile cambiamento negli schemi di carriera ebbe certamente qualche ricaduta economica, non v'è ragione di credere che la vita di quelle classi fosse cambiata in modo sostanziale. Sia le fonti scritte sia gli scavi archeologici confermano che l'élite dei proprietari terrieri tardoimperiali, come quella dei loro avi, faceva ancora la spola tra una casa di città e una tenuta di campagna. L'Antiochia del IV secolo, per esempio, vantava un sobborgo per famiglie facoltose come Daphne; e nella città di Sardis, nell'odierna Turchia, sono tornate alla luce numerose, lussuosissime case private del IV e del V secolo. Di conseguenza anche i commerci urbani di lusso, che dipendevano dall'abitudine dei proprietari terrieri di scendere di tanto in tanto in città per fare acquisti, probabilmente non soffrirono più di tanto. Il riorientamento delle élite dai consigli cittadini alla burocrazia centrale *potrebbe* invece aver spinto i proprietari terrieri a farsi la casa nei capoluoghi di regione o di provincia piuttosto che nella loro città d'origine: il che potrebbe aver favorito la tendenza – già rilevata negli schemi della spesa pubblica – delle capitali a prosperare a detrimento delle città più piccole.[24]

Ciò che i nuovi ritrovamenti e la conseguente reinterpretazione di quelli precedenti hanno dimostrato, dunque, è che, nonostante lo stato avesse cominciato a prelevare una percentuale maggiore della produzione agricola e avesse confiscato il gettito tributario locale per far fronte alla sfida strategica posta dalla superpotenza persiana, l'agricoltura, motore fondamentale e irrinunciabile dell'economia romana, non era affatto in crisi, né il destino delle classi latifondiste era così cupo come la tradizione avrebbe voluto farci credere. La «fuga dei curiali» fu soltanto un aggiustamento, per

153

quanto importante, nell'allocazione del potere politico. La vecchia tesi secondo cui il crollo del V secolo sarebbe il risultato della crisi economica del IV manca di fondamento.

Tutto questo materiale nuovo, inoltre, ci spinge a rimettere in discussione la tesi secondo cui, a partire dalla metà del III secolo, l'esercito sarebbe stato talmente a corto di reclute romane da compromettere la sua stessa efficienza arruolando sempre più «barbari». È indubbio che il nuovo esercito romano ristrutturato assumesse anche gli stranieri, e lo faceva attraverso due vie. In certi casi alcuni contingenti armati autosufficienti venivano mobilitati per breve tempo per combattere in particolari campagne e se ne tornavano a casa non appena i combattimenti erano finiti. Ma capitava anche che molti giovanotti non romani si arruolassero di propria iniziativa nell'esercito, diventassero militari di carriera e da quel momento in poi prestassero servizio in unità regolari per tutta la loro vita. Nessuno dei due fenomeni è una novità. Le forze ausiliarie, sia di cavalleria sia di fanteria (*alae* e *cohortes*), che affiancavano l'esercito dell'alto impero erano sempre state composte da non cittadini e ammontavano circa al 50 per cento della forza militare complessiva. Difficile sapere qualcosa di più su come avvenisse il reclutamento dei soldati semplici; ma niente di ciò che sappiamo sul corpo ufficiali del tardo impero sembra suggerire che il numero dei barbari fosse aumentato. La principale differenza tra l'esercito antico e quello riformato non sta tanto nei numeri, quanto nel fatto che nel secondo le reclute barbare potevano servire nelle stesse unità dei cittadini romani, invece di essere confinate a distaccamenti ausiliari. Anche nel IV secolo l'addestramento dei soldati rimase duro com'era sempre stato, dando origine a gruppi fortemente coesi e pronti a obbedire ciecamente agli ordini. Dal ritratto dell'esercito in azione che ci ha lasciato Ammiano Marcellino non possiamo dedurre che i livelli di disciplina fossero stati intaccati o che tra i ranghi della truppa i barbari fossero meno pronti a obbedire o più inclini a fare comunella con il nemico. Ammiano racconta di un ex soldato barbaro che si era lasciato scappare importanti informazioni di controspionaggio sulla disposizione dell'esercito romano, ma non dice mai che qualcuno di loro si fosse comportato in modo men che leale durante il combattimento. In breve, non ci sono prove del fatto che la ristrutturazione dell'impero abbia avuto importanti effetti a catena nella sfera militare.[25] Ciononostante, è perfettamente plausibile che le spese straordinarie richieste dalla conduzione dell'impero del IV secolo abbiano allentato la fedeltà della popolazione provinciale. Quella stessa popolazione che, durante l'alto impero, aveva aderito con tanto entusiasmo ai valori della *romanitas*.

Cristianesimo e consenso

Nel 312, con la conversione al cristianesimo dell'imperatore Costantino, anche le vecchie strutture ideologiche del mondo romano cominciarono a cambiare. Per Edward Gibbon si tratta di un momento chiave nella storia del crollo di Roma:

I sacerdoti predicavano con successo la dottrina della pazienza e della pusillanimità; tutte le virtù sociali attive erano disincentivate; gli ultimi rimasugli dello spirito militaresco venivano sepolti nel chiostro; una grossa fetta della ricchezza pubblica e privata era consacrata alle speciose esigenze della carità e della devozione; e la paga dei soldati veniva sperperata tra vane moltitudini di ambo i sessi che avevano solo i meriti dell'astinenza e della castità. Fede, zelo religioso, curiosità oltre alle passioni mondane della malizia e dell'ambizione personale scatenavano l'incendio delle dispute teologiche; la chiesa e perfino lo stato erano stiracchiati qua e là dalle varie fazioni religiose, i cui conflitti erano a volte sanguinari, e sempre implacabili; distratta dai campi di battaglia, l'attenzione degli imperatori si rivolgeva ai sinodi; il mondo romano era oppresso da una nuova specie di tirannia, e le sette perseguitate divennero il nemico occulto del loro stesso paese.[26]

Altri si sono espressi con meno amarezza, ma l'idea che il cristianesimo abbia infranto l'unità ideologica e ostacolato la capacità dello stato di gestire efficacemente il consenso è stata condivisa da molti studiosi; e così pure la convinzione che la chiesa abbia stornato risorse umane e finanziarie da fini materiali di vitale importanza. Il nesso temporale tra rincaro fiscale e affermazione del cristianesimo ha sollevato dunque una questione più generale: se la restaurata autorità imperiale abbia dovuto lottare per difendere la propria legittimità sullo sfondo di un malcontento generalizzato.

155

Qua e là, le fonti del IV secolo contengono occasionali lamentele sul tema delle tasse. Ad Antiochia, nel 387, ci fu addirittura una rivolta fiscale piuttosto seria: una gran folla si radunò per protestare contro l'imposizione di una nuova supertassa, lo stato d'animo delle masse si esacerbò e si arrivò al punto di abbattere le statue dell'imperatore. Le immagini dell'imperatore, come tutto ciò che aveva a che fare con la sua augusta persona, erano considerate sacre, e danneggiarle era visto come un atto di alto tradimento. La comunità locale, dunque, rabbrividì all'idea che le unità militari dei dintorni potessero piombare sulla città e saccheggiarla come forma di punizione collettiva; ma l'imperatore regnante, Teodosio I, preferì mostrarsi tollerante. E anche questo è un indicatore significativo del clima generale.[27] L'esazione fiscale può avvenire senza incidenti e i livelli del prelievo possono aumentare solo se i contribuenti capiscono e in linea generale accettano le ragioni per cui vengono tassati. Gli imperatori del IV secolo si rendevano perfettamente conto di quanto fosse importante il consenso e non perdevano occasione per ripetere che le tasse servivano principalmente a mantenere l'esercito – il che era vero – e che l'esercito era assolutamente necessario per difendere la società romana dalle minacce esterne. La maggior parte delle cerimonie civili prevedeva un discorso ufficiale della durata di un'ora almeno, il cui scopo principale era quello di celebrare i più recenti successi dello stato: e quasi nessuno dei discorsi del tardo impero giunti fino a noi si esime dal fare riferimento all'esercito e alla sua funzione di angelo custode del mondo romano.

I vari imperatori applicarono diverse strategie di comunicazione per far digerire all'opinione pubblica la loro politica di frontiera, ma sullo scopo principale dell'esazione fiscale non c'era discordanza possibile. La popolazione se lo sentiva ricordare quotidianamente, a partire dalle incisioni stesse delle monete, che spesso raffiguravano un nemico nell'atto di strisciare ai piedi dell'imperatore. Accadeva addirittura che il fallimento di un'impresa militare fosse criticato con l'accusa che i soldi dei contribuenti andassero sprecati. Poco dopo il 359, l'anno in cui i persiani avevano saccheggiato e dato alle fiamme Amida, un certo Ursulo, principale ministro finanziario dell'imperatore Costanzo II, mentre era in visita alle rovine di quella città si permise un pesante sarcasmo in pubblico sulla performance negativa dell'esercito: «Guardate un po' con quale coraggio le nostre città sono difese da quei soldati, per i cui elevati salari le ricchezze dell'impero non bastano mai!». I generali se la legarono al dito: alla morte di Costanzo il suo successore, per conquistare l'appoggio dell'esercito, dovette fra l'altro rinunciare ai servigi di Ursulo, che fu condannato e giustiziato nel corso dei processi politici che segnarono come sempre il cambio di regime. In generale, comunque, il sistema funzionava abbastanza bene: la rivolta di Antiochia non è che un caso isolato, scatenato, si badi, non dal consueto carico fiscale bensì da un'imposta addizionale. Mentre, com'è ovvio, ogni proprietario terriero faceva del suo meglio per alleggerire il proprio carico di tributi – le raccolte di leggi e gli epistolari sono pieni di richieste di esenzione e di altre macchinazioni analoghe –, gli imperatori del IV secolo non ebbero difficoltà a convincere il popolo della necessità di una congrua pressione fiscale e il più delle volte poterono racimolare i soldi di cui avevano bisogno senza provocare strappi nel tessuto sociale.[28]

Sul fronte religioso, indubbiamente, la conversione di Costantino diede inizio a una vera e propria rivoluzione culturale. I paesaggi urbani si trasformarono con l'abbandono della pratica di separare i vivi dai morti (tipica del paganesimo greco-romano) e con la diffusione dei nuovi cimiteri all'interno delle mura cittadine. Poco a poco le chiese sostituirono i templi; di conseguenza, a partire dall'ultimo decennio del IV secolo, sul mercato fu immesso talmente tanto marmo di seconda mano a prezzi stracciati che il commercio del marmo nuovo subì un tracollo. La chiesa poi, come afferma giustamente Gibbon, raccolse ingenti donazioni sia dallo stato sia dai privati cittadini. Fu Costantino stesso a inaugurare il processo: il *Libro dei papi* registra amorevolmente tutte le sue donazioni di terra alle varie chiese di Roma, e a volte erano le chiese stesse ad acquistare dallo stato terreni anche molto estesi. Il cristianesimo, inoltre, spinge verso l'uguaglianza e la democrazia in quanto sostiene che tutti gli esseri umani, indipendentemente dal loro status sociale ed economico, abbiano un'anima e occupino un posto equivalente nel dramma cosmico della salvezza. Alcuni episodi del Vangelo suggeriscono addirittura che le ricchezze mondane siano d'ostacolo alla redenzione. Tutto ciò cozzava con

157

i valori aristocratici della cultura greco-romana, secondo la quale la vera civiltà era accessibile solo a chi era abbastanza ricco da permettersi molti anni di studio privato e la partecipazione attiva agli affari pubblici. Prendiamo per esempio l'uso tradizionale del velo da parte dei grammatici. Nel mondo antico il velo segnalava sempre l'accesso ai luoghi importanti: nelle grandi sale monumentali, per esempio, la presenza dell'imperatore era spesso celata da un velo. Nelle *Confessioni* sant'Agostino liquida con disprezzo l'abitudine dei grammatici di velare l'ingresso alle loro scuole: per lui, come per gli altri cristiani del tardo impero, quella pratica era da condannarsi in quanto falsa pretesa di saggezza.

Nei loro scritti gli intellettuali cristiani del IV secolo celebrano un tipo di antieroe volutamente non classico: il santo non istruito che, pur non essendo mai passato per le mani di un grammatico e anzi avendo abbandonato la città per trascorrere lunghi periodi nel deserto, poteva raggiungere vette di saggezza e di virtù superiori a quelle di chiunque si fosse formato leggendo Omero o Virgilio o partecipando alle istituzioni di autogoverno locale. Il santo era un po' il capolavoro della vita monastica e, come giustamente segnalato da Gibbon, il monachesimo cristiano attrasse in quei secoli moltissime reclute. La cosa più strana è che lo stile di vita del monastero era elogiato anche dai cristiani istruiti, che in quel tipo di mortificazione vedevano una devozione equivalente a quella dei martiri dei primi secoli. Né bisogna cercare a lungo per trovare nelle nostre fonti esempi di cristiani appartenenti a famiglie nobili e ricche che presero le distanze dalle abitudini di vita delle classi agiate di Roma. All'inizio del V secolo e a pochi anni di distanza, in Italia, il moderatamente ricco Paolino da Nola e l'erede di una famiglia senatoriale di spaventosa ricchezza, Melania «la Giovane», si liberarono di tutto ciò che avevano per abbracciare una vita di devozione cristiana: Paolino divenne vescovo e si votò al culto del martire Felice; Melania invece andò a vivere in Terra Santa. Di fatto il cristianesimo poneva ai romani domande imbarazzanti, costringendoli a rivedere pratiche e atteggiamenti considerati scontati da tempo immemorabile.[29]

Ma mentre non ci sono dubbi che l'affermarsi del cristianesimo sia stato una vera e propria rivoluzione culturale, Gibbon e gli altri sono molto meno convincenti quando affermano che la nuova religione danneggiò gravemente il funzionamento dell'impero. È vero che le istituzioni cristiane ricevettero cospicue donazioni finanziarie, come dice Gibbon; ma è altrettanto vero che le precedenti istituzioni religiose non cristiane non erano da meno, e che le loro ricchezze furono progressivamente confiscate man mano che si affermava il cristianesimo. Ancora nessuno ha potuto dimostrare che le donazioni alle istituzioni cristiane abbiano comportato un massiccio trasferimento di risorse dalle casse secolari a quelle religiose. Analogamente, mentre è indubbio che parte delle potenziali reclute dell'esercito scelsero la via del chiostro, sappiamo che il fenomeno riguardò al massimo qualche migliaio di individui: una cifra irrisoria in un mondo che vedeva i suoi livelli di popolazione sostanzialmente inalterati, se non addirittura in crescita. Il numero dei ricchi che cedettero tutti i loro averi per seguire Cristo, inoltre, è irrilevante a fronte delle 6000 persone circa che nel solo 400 d.C. partecipavano attivamente alla vita dello stato nei gradini elevati della burocrazia imperiale. E questo nonostante una legge varata nell'ultimo decennio del IV secolo avesse loro imposto di convertirsi al cristianesimo. Per ogni Paolino da Nola, dunque, c'erano nell'impero centinaia di proprietari terrieri cristianizzati «per via amministrativa» che furono ben contenti di tenersi i loro importanti incarichi statali senza tradire alcun segno di crisi spirituale.

Né c'erano particolari ragioni per cui il cristianesimo dovesse scatenare crisi del genere, dato che religione e impero arrivarono ben presto a una conciliazione ideologica. Fin dai tempi di Augusto l'imperialismo romano sosteneva che fosse stato il cielo ad affidare a Roma il compito di conquistare e civilizzare il mondo intero. Gli dei pagani avevano aiutato l'impero a guidare l'umanità verso la miglior condizione possibile, ed erano intervenuti direttamente per scegliere e ispirare gli imperatori romani. Quando Costantino abbracciò pubblicamente la fede cristiana, questa lunga rivendicazione di un rapporto privilegiato tra stato romano e divinità pagane decadde subito, e con sorprendente facilità. Gli antichi dei dell'Olimpo furono sostituiti dal Dio dei cristiani, e la miglior condizione possibile per il genere umano divenne quella della conversione e della salvezza cristiana. Ma non v'era ragione di gettar via anche il patrimonio degli studi letterari o le istituzioni di autogoverno

159

locale: i romani scelsero semplicemente di accantonarli in un angolo, perché non dessero fastidio e potessero sempre, all'occorrenza, tornare utili. Tutto qui: non furono necessari ulteriori aggiustamenti. La tesi secondo cui l'impero romano era strumento dei disegni divini e aveva la missione di realizzarli rimase sostanzialmente in vigore: cambiò solo la nomenclatura. Analogamente gli imperatori, pur rinunciando alla divinizzazione, mantennero un legame privilegiato con il divino anche nella propaganda cristiano-romana, che dipingeva ogni singolo sovrano come scelto direttamente da Dio per reggere l'ambito terreno del Suo cosmo assieme a Lui e in Suo nome. In questo modo l'imperatore insieme a tutto ciò che lo circondava, dalla stanza da letto alle casse dello stato, poterono tranquillamente continuare a essere definiti «sacri».[30]

Questa tesi non era sostenuta soltanto da un pugno di lealisti della corte imperiale o dall'entourage più vicino al sovrano. Il giorno di Natale del 438 un nuovo compendio delle più recenti leggi romane, il *Codice Teodosiano* (*Codex Theodosianus*), fu presentato ai senatori riuniti nella vecchia capitale dell'impero. Tutte le assemblee senatoriali erano accuratamente verbalizzate e i verbali venivano sottoposti all'imperatore. Non dobbiamo stupirci se la maggior parte di simili documenti non ci è stata trasmessa: quelle scartoffie non dovevano essere morbosamente eccitanti nemmeno per i copisti medievali o del tardo impero. I verbali dell'assemblea relativa al *Codice Teodosiano*, però, dopo il 443 furono inseriti nella Prefazione alle copie ufficiali del *Codice* stesso; e un unico manoscritto dell'XI secolo fatto su una di queste copie è conservato presso la Biblioteca Ambrosiana di Milano. Ecco l'esile filo che ci permette di leggere oggi questo testo più unico che raro.[31] Il prefetto pretoriano d'Italia, Glabrio Fausto, che presiedeva all'assemblea dei senatori riunita per l'occasione proprio nel suo palazzo, aprì i lavori presentando formalmente il testo: citò l'editto con cui la nuova legge era stata commissionata e subito dopo passò a illustrare il contenuto del *Codice*. In risposta i senatori riuniti gridarono come un sol uomo:

«Augusti fra gli Augusti, i più grandi di tutti gli Augusti!»[32] (*ripetuto 8 volte*)
«Dio vi ha concessi a noi! Dio vi preservi per noi!» (*27 volte*)

«Imperatori di Roma, pii e beati, possiate voi regnare per molti anni ancora!» (*22 volte*)
«Per il bene del genere umano, per il bene del senato, per il bene dello stato, per il bene di tutti!» (*24 volte*)
«Le nostre speranze riposano in voi, voi siete la nostra salvezza!» (*26 volte*)
«Piaccia ai nostri Augusti di vivere per sempre!» (*22 volte*)
«Possiate voi pacificare il mondo e trionfarvi!» (*24 volte*)

Alla nostra sensibilità risulta incredibile che un'assemblea possa ripetere così tante volte le stesse enfatiche acclamazioni, ma vale la pena di soffermarsi un momento sul messaggio implicito di questo cerimoniale.

Il primo contenuto, e il più ovvio, riguarda l'unità: i personaggi più influenti del mondo romano riuniti nella capitale simbolica dell'impero lodano all'unisono i due imperatori d'oriente e d'occidente per la loro saggezza. Quasi altrettanto ovvio, a ben vedere, è anche il secondo messaggio, e cioè la fiducia dei senatori nella perfezione dell'ordine sociale incarnato in simbiosi perfetta dalla loro assemblea e dalle auguste persone dei sovrani. Non si dà unità completa senza un'altrettanto completa coscienza della perfezione. La condizione normale degli esseri umani è la disunione: la gente si trova completamente d'accordo solo su quelle cose che risultano autoevidenti a tutti. Le acclamazioni iniziali manifestano il fatto che l'unità e perfezione dello stato romano provengono direttamente dal Dio dei cristiani. Nel 438, ormai, il senato di Roma era interamente cristianizzato, ma al vertice della piramide sociale l'adozione della nuova fede non aveva cambiato di una virgola la secolare convinzione secondo cui l'impero era lo strumento con cui Dio agiva nel mondo.

Lo stesso messaggio veniva enunciato in analoghe occasioni cerimoniali ai vari livelli della scala sociale e anche all'interno dei circoli ecclesiastici. Le riunioni dei consigli cittadini cominciavano sempre con acclamazioni simili e così pure i raduni di massa convocati informalmente per acclamare un imperatore o un ufficiale imperiale, o anche solo plaudire a un nuovo ritratto o una nuova statua dell'imperatore (ogni volta che un nuovo sovrano saliva al trono le sue immagini venivano distribuite in tutte le città dell'impero). In tutte queste occasioni – e il calendario romano ne prevedeva moltissime

161

– si ribadiva la stessa idea-chiave.[33] Molti vescovi cristiani e molti commentatori laici non vedevano nulla di male nel riformulare le vecchie pretese dell'imperialismo romano nei termini del nuovo credo. Già durante il regno di Costantino il vescovo Eusebio di Cesarea affermava che non era un caso se Cristo si era incarnato proprio durante la vita terrena di Augusto, primo imperatore di Roma: nonostante le passate persecuzioni che i cristiani avevano dovuto subire, chiaramente cristianesimo e impero romano erano fatti l'uno per l'altro. Dio aveva reso Roma onnipotente affinché per suo tramite l'intero genere umano scoprisse la via della salvezza.

Da questa impostazione ideologica deriva che l'imperatore, in quanto rappresentante di Dio in terra, dovesse godere anche di una grandissima autorità religiosa in seno alla cristianità. Già all'inizio del IV secolo, meno di un anno dopo il giorno in cui Costantino aveva dichiarato pubblicamente la propria conversione, i vescovi del Nordafrica si rivolsero a lui per risolvere una disputa teologica di cui non riuscivano a venire a capo, stabilendo un precedente che rimase in vigore per tutto il resto del secolo. Da quel momento in poi gli imperatori furono coinvolti nella soluzione delle vertenze teologiche non meno che dei più mondani problemi amministrativi incontrati dalla nuova religione. A tal fine gli imperatori convocarono numerosi concili, e per recarvisi i vescovi poterono servirsi del *cursus publicus*. Ma soprattutto i sovrani di Roma potevano dire la loro sull'ordine del giorno di tali concili, i loro funzionari ne orchestravano i lavori, e la macchina dello stato era poi utilizzata per dare maggior forza alle decisioni che ne scaturivano. A un livello più generale gli imperatori vararono leggi specifiche per la chiesa – il Libro 16 del *Codice Teodosiano* si occupa interamente di questo – e influenzarono le nomine delle principali cariche ecclesiastiche.

La gerarchia della chiesa cristiana rispecchiava inoltre le strutture sociali e amministrative dell'impero. I confini delle diocesi episcopali coincidevano con quelli dei territori cittadini (e in certi casi vi corrispondono ancor oggi, quando hanno perso ormai da tempo qualsiasi altro significato); i vescovi dei capoluoghi delle province romane diventarono arcivescovi metropoliti ed ebbero il potere di intervenire nelle sedi subordinate. I successori cristiani di Costantino elevarono il vescovo di Costantinopoli, fino a quel momento figura insignificante, alla carica di patriarca, affinché godesse dello stesso status del vescovo di Roma (perché Costantinopoli era la «novella Roma»). In breve tempo le comunità cristiane locali persero il diritto di eleggere i propri vescovi, che a partire dal 370 furono scelti sempre più spesso tra i proprietari terrieri: questi ultimi controllavano dunque la successione episcopale secondo i propri interessi. Non appena la chiesa divenne parte integrante dello stato – e i vescovi assunsero per esempio anche incarichi amministrativi, come quello di presiedere ai tribunali locali per le cause minori – diventare vescovo non significò più abbandonare la vita pubblica: la carriera ecclesiastica era semplicemente la nuova via maestra per farsi strada nel mondo. Se quello della cristianizzazione della società romana è indubbiamente un tema di grande rilevanza, altrettanto importante, per quanto molto meno studiato, è quello della romanizzazione del cristianesimo. L'adozione della nuova religione non fu una strada a senso unico, bensì un processo di adattamento reciproco che diede maggior forza agli assunti ideologici dell'imperatore e dello stato.[34]

Con ciò non si vuol sostenere, ovviamente, che la cristianizzazione dell'impero non abbia provocato conflitti, o che cristianesimo e impero fossero perfettamente corrispondenti l'un l'altro. Come Paolino da Nola e Melania anche alcuni vescovi e intellettuali cristiani, per non parlare dei santi, esplicitamente o implicitamente rigettavano l'affermazione secondo cui l'impero rappresentava una civiltà perfetta suggellata da Dio. In ogni caso tra i pensatori cristiani del IV secolo le voci contrarie all'impero furono assolutamente marginali. Il periodo fu cruciale per i conflitti interni alla cristianità, che vide tutta una serie di imperatori tirati da una parte e dall'altra dalle varie fazioni in lotta. Ma i conflitti dottrinali riguardarono quasi sempre soltanto i vescovi: in qualche isolato momento le dispute teologiche dilagarono provocando addirittura qualche disordine, ma non furono mai abbastanza partecipate o diffuse da suggerire l'idea che il cristianesimo, con i suoi dissidi interni, potesse danneggiare seriamente il funzionamento dell'impero.[35]

L'affermarsi della religione cristiana, come la creazione di una nuova e più estesa burocrazia, dimostra in realtà che il centro dell'impero non aveva perso la sua capacità di vincolare le élite locali. Molti studi recenti sulla storia del cristianesimo hanno sottolineato che la rivoluzione religiosa avvenne più per «gocciolamento» dall'alto che non attraverso scontri nella base. Fino alla fine del IV secolo, a settant'anni dal giorno in cui Costantino aveva professato la propria conversione, fu proprio la convinzione che gli imperatori spalleggiassero la carriera dei cristiani a diffondere il nuovo credo negli strati sociali elevati. I vescovi esercitavano un'autorità morale sugli imperatori cristiani, che di tanto in tanto si sentivano in dovere di alzare la voce in materia di fede. Fin dai primi anni nel territorio dell'impero furono banditi i sacrifici di sangue, che i leader cristiani ritenevano inammissibili; altre pratiche del culto pagano invece erano tollerate e non esistevano meccanismi imperiali tesi a rafforzare il cristianesimo a livello locale. Ciò significa che, come in ogni altro ambito della vita pubblica e privata (con l'unica eccezione delle tasse), erano le preferenze dei cittadini a determinare ciò che avveniva sul proprio territorio. Quando la gran massa dell'opinione pubblica era cristiana o lo diventava, i templi pagani venivano chiusi e a volte addirittura abbattuti. Quando invece la maggioranza rimaneva fedele alle vecchie credenze, la vita religiosa della collettività andava avanti come prima e gli imperatori cristiani non ci trovavano niente da ridire. Solo alla fine del secolo, dopo tre generazioni di attiva sponsorizzazione imperiale, quando anche i membri dell'élite dominante locale furono convertiti, gli imperatori si azzardarono a varare senza timore misure di cristianizzazione più incisive.[36]

Il centro imperiale, quindi, per tre o quattro generazioni di imperatori cristiani ebbe ancora sufficiente forza ideologica e potere di sponsorizzazione da tenere l'opinione pubblica sostanzialmente allineata alle nuove direttive ideologiche (Giuliano l'Apostata regnò senza convertirsi su tutto l'impero per meno di due anni). In questa fase, credo, assistiamo a una dinamica simile a quella del primo periodo della romanizzazione: lo stato non poteva costringere le élite locali ad accettare i suoi valori e la sua ideologia, ma se si dimostrava costante nel premiare con promozioni e riconoscimenti chi si adeguava, prima o poi i proprietari terrieri si conformavano. Più ci si addentra nel IV secolo più la combinazione «cristiano e romano» – come un tempo «casa di città e villa in campagna» – sembra diventare una sorta di prerequisito per il successo. Tutti gli animatori della società romana, a livello sia locale sia centrale, gradualmente si adattarono alla nuova realtà. Come per l'espansione della burocrazia, in questo modo il centro imperiale sviluppò con pieno successo nuovi meccanismi per focalizzare le energie e l'attenzione della classe dei proprietari terrieri.

Le tasse venivano pagate regolarmente, le élite partecipavano alla vita pubblica e la nuova religione era stata assorbita nelle strutture ideologiche e materiali del tardo impero con sufficiente efficienza: lungi dall'essere presagi di disastro, il cristianesimo così come la crescita della burocrazia dimostrano che il centro dell'impero teneva ancora saldamente le redini della fedeltà e dello stile di vita delle province. Redini che, come sempre, si basavano più sulle armi della persuasione che non su quelle della coercizione. Per quanto rinegoziato, era ancora lo stesso tipo di rapporti a legare il centro e la periferia dell'impero.

Il sistema di governo romano

La prima impressione che suscitano in noi alcune cerimonie dello stato romano, per esempio la presentazione al senato del *Codice Teodosiano*, è quella di un potere ancora enorme. Una macchina statale tale da indurre l'assemblea dei proprietari terrieri a esibirsi in un simile spettacolo di acclamazione sincronizzata non è cosa da poco. Ma lo stesso cerimoniale del *Codice Teodosiano*, come pure la recezione del testo legislativo in sé, ci permette di scorgere anche qualcos'altro, e cioè i limiti politici che il sistema imperiale di Roma, nonostante la propria forza, non era ancora riuscito a superare.

Dopo l'eccitante preambolo, i padri della patria riuniti a Roma passarono alla parte concreta:

«Noi vi rendiamo grazie per questo vostro regolamento!» (*23 volte*)
«Voi avete rimosso ogni ambiguità dalle costituzioni[37] imperiali!» (*23 volte*)
«I pii imperatori così hanno saggiamente predisposto!» (*26 volte*)
«Voi provvedete saggiamente per gli atti legali! Voi avete cura della pubblica pace!» (*25 volte*)

«Che si facciano molte copie del *Codice* affinché ce ne siano in tutti gli uffici governativi!» (*10 volte*)
«Che le si conservi sotto chiave nel pubblico scrittoio!» (*20 volte*)
«Affinché le leggi stabilite non siano falsificate, se ne facciano varie copie!» (*25 volte*)
«Affinché le leggi stabilite non siano falsificate, tutte le copie siano trascritte alla lettera!»[38] (*18 volte*)
«A nessuno degli incaricati alla copia sia permesso di aggiungere annotazioni alla legge stessa!» (*12 volte*)
«Che le copie da conservarsi negli uffici pubblici siano fatte a spese dell'erario!» (*16 volte*)
«Che nessuna nuova legge sia promulgata in risposta a petizioni!» (*21 volte*)
«I diritti dei proprietari terrieri sono sovvertiti da tali azioni surrettizie!» (*17 volte*)

La cerimonia per la pubblicazione di un nuovo compendio di leggi era un momento molto significativo per lo stato romano. Abbiamo già visto quale ruolo avessero l'istruzione e l'autogoverno nell'immagine che Roma aveva di sé; per la società romana nel suo complesso anche la legge scritta aveva un significato pregnante. Era proprio la legge lo strumento più idoneo a mettere ordine nell'umanità. La legge libera gli uomini dalla paura di azioni arbitrarie da parte dei potenti (la parola latina per «libertà» – *libertas* – contiene il significato tecnico di «libertà all'interno della legge»). A Roma le vertenze legali venivano risolte nel merito; nemmeno i potenti potevano passar sopra alla legge. La cristianizzazione non fece che rafforzare l'importanza ideologica attribuita alla legge scritta: anche se gli intellettuali cristiani criticavano l'educazione morale impartita dai grammatici ritenendola troppo élitaria e innalzavano gli ignoranti santi del deserto a modelli alternativi di virtù, la legge si salvava dalle loro critiche in quanto proteggeva tutti i cittadini allo stesso modo, indipendentemente dalla posizione sociale. L'idea stessa della legge inoltre avvicinava stato e religione in quanto la legge di Dio, sia nella forma dei dieci comandamenti di Mosè sia in quella della nuova alleanza redentrice in Gesù Cristo, è un elemento centrale della tradizione giudaicocristiana. In termini ideologici, quindi, era facile che il diritto romano – che, contrariamente alla cultura letteraria delle élite, si rivolgeva indistintamente a tutti – diventasse un ingrediente fondamentale della tesi secondo cui l'impero cristianizzato rappresentava un ordine sociale voluto direttamente dal cielo.[39]

Leggendo tra le righe, dicevamo, sia il cerimoniale sia il contenuto del *Codice Teodosiano* ci portano dritti al cuore dei limiti interni al sistema del tardo impero. Il primo di questi limiti è esplicito nel testo latino delle acclamazioni. Le acclamazioni infatti sono rivolte sia all'imperatore d'oriente, Teodosio II, sia al suo giovane cugino Valentiniano III, imperatore d'occidente. Entrambi i sovrani appartenevano alla dinastia di Teodosio, e la presentazione del *Codice* nella metà orientale dell'impero, nel 437, fu fatta coincidere con le nozze tra Valentiniano ed Eudossia, figlia di Teodosio, che avrebbero legato ancor più saldamente le due metà dello stato. Nozze e *Codice* sottolineavano così ancora una volta l'unità del mondo romano, dimostrando che l'imperatore d'oriente e quello d'occidente agivano in perfetta armonia. Dal titolo, però, si evince che quasi tutto il lavoro legale che aveva portato alla pubblicazione del *Codice* era stato fatto a Costantinopoli da commissari scelti da Teodosio stesso.[40] E il fatto che anche in quell'occasione, come in tante altre, fosse Teodosio il più importante tra i due sovrani, sottolinea uno dei problemi principali della struttura di potere tardoimperiale. Per tutte le ragioni politiche e amministrative già discusse nel Capitolo 1, il ruolo di imperatore era stato diviso in due; orbene, l'armonia tra i due sovrani era possibile solo se uno dei due era talmente più forte da non temere sfide da parte dell'altro. I rapporti tra Teodosio e Valentiniano funzionavano bene proprio perché le cose stavano così; e lo stesso vale per quelli tra Costantino e i suoi figli tra il 310 e il 337. Ma per funzionare bene in tutte le sue parti l'impero avrebbe avuto bisogno di due timonieri più o meno uguali. La decisa inferiorità di uno dei due, probabilmente, si basava su una spartizione diseguale di risorse importanti (per esempio finanziarie o militari; e se un sovrano era troppo chiaramente subordinato all'altro, le principali fazioni politiche che lo circondavano potevano istigarlo a cercar di riequilibrare la bilancia) o, peggio ancora, sulla necessità di sostenere un usurpatore. Era stato questo schema di comportamento, per esempio, a mandare a monte dopo il 350 i tentativi di Costanzo II di condividere il potere con Gallo e Giuliano.

Che due imperatori alla pari riuscissero a lavorare insieme in modo armonioso era estremamente difficile e accadde solo di rado. I fratelli Valentiniano I e Valente ci riuscirono per un decennio dopo il 364, e così pure Diocleziano, dopo il 286 con un solo collega, poi con altri tre tra il 293 e il 305 (la cosiddetta tetrarchia). Ma nessuna di queste associazioni produsse una stabilità durevole e nemmeno quando erano due fratelli a condividere il potere il successo dell'operazione era scontato. Quando succedettero al padre, i figli di Costantino I si misero subito a competere fra loro al punto che Costantino II morì nel tentativo di invadere il territorio del fratello minore Costanzo. Analogamente, la tetrarchia di Diocleziano funzionò abbastanza bene fintanto che fu lui a guidarla; ma nel 305, subito dopo la sua abdicazione, il sistema crollò dando origine a quasi vent'anni di dispute e di guerre civili che finirono solo nel 324, con la sconfitta di Licinio a opera di Costantino.

Di fatto, l'organizzazione del potere centrale fu per tutto il tardo impero un problema insolubile. La suddivisione del potere era diventata una necessità politica e amministrativa, e chi pretendeva di regnare da solo provocava ben presto usurpazioni e guerre civili; ma dividerlo in modo tale da non generare conflitti era estremamente difficile. E anche ammesso che per una generazione si trovasse una soluzione efficace, era praticamente impossibile trasmettere la medesima armonia ai successori, che in genere non erano cresciuti in quel clima di fiducia e di rispetto reciproco che informava l'accordo iniziale. A ogni nuova generazione, quindi, la suddivisione del potere veniva ridiscussa, anche quando il trono passava a un erede legittimo per successione dinastica. Non c'era alcun «sistema» consolidato: e sia che il potere fosse diviso oppure no, era ineluttabile che ogni tanto scoppiasse la guerra civile. Tutto ciò, bisogna dirlo, non dipendeva dal fallimento personale dei singoli imperatori (anche se la paranoia di Costanzo II, per esempio, di certo non facilitò le cose). In sostanza il problema era insolubile perché c'erano troppe questioni politiche di cui tener conto, troppi proprietari terrieri da accontentare e l'impero stesso era diventato molto più vasto di un tempo: per questo la stabilità era tanto più difficile da ottenersi che nell'antico stato conquistatore, quando il senato regnava incontrastato sul mondo politico di Roma.

In un certo senso, dunque, i periodici conflitti al vertice erano il prezzo che bisognava pagare per il successo con cui l'impero riusciva a integrare le élite dei suoi vasti domini. Anche questo problema, però, va inteso come un limite più che come un difetto: non si può dire infatti che l'impero ne fosse seriamente indebolito. Era un elemento ineliminabile, che in un certo senso dava il ritmo alla vita politica dello stato. I periodi di stabilità si alternavano a quelli di conflitto, soprattutto ogni qual volta un nuovo regime doveva imporsi, anche se magari si dimostrava poi perfettamente in grado di ricombinare in modo efficace una grande varietà di interessi. A volte i conflitti erano brevi, altre volte più lunghi: dopo la tetrarchia, per esempio, ci vollero vent'anni per riportare la successione all'interno della linea dinastica di Costantino. Ma le guerre civili del IV secolo non resero l'impero più vulnerabile, per esempio alla conquista persiana: anzi, la propensione a suddividere l'autorità imperiale ebbe conseguenze più positive che non l'indisponibilità a farlo nella metà del III secolo, quando venti imperatori legittimi e una folta schiera di usurpatori si alternarono al vertice dello stato riuscendo a gestire il potere per non più di un paio d'anni ciascuno.

Ma osservando con maggior attenzione il cerimoniale del senato per il *Codice Teodosiano* salta agli occhi anche un altro limite importante del mondo romano. L'irregolarità nel numero delle ripetizioni potrebbe suggerire che, di tanto in tanto, l'entusiasmo dei senatori era forse un po' meno convinto; ma la specificità dei commenti indica che ogni acclamazione era stata accuratamente preparata in precedenza. In epoca contemporanea possiamo rintracciare un'analogia con questo rigido cerimoniale nei lavori del congresso annuale del Partito comunista sovietico prima del 1989, che fra l'altro prevedevano, dopo il discorso del segretario, applausi lunghi – tutt'altro che spontanei – e reciprocamente congratulatori. Il pubblico tuonava la sua approvazione, quindi l'oratore si alzava per applaudire a sua volta, congratulandosi per la prontezza con cui gli astanti avevano saputo cogliere il terribile valore delle sue parole. Con le acclamazioni per il *Codice Teodosiano* il senato di Roma lavorava su un copione più ambizioso, ma il messaggio era lo stesso: riaffermare ai massimi livelli dello stato, e a gran voce, un'unità ideologica basata sul riconoscimento dell'immodificabile perfezione di una struttura sociale e statale, che nel caso di Roma aveva al centro la legge. Mi pare che si possa comprendere meglio la vita pubblica dell'impero romano paragonandola a quella di un regime a partito unico, in cui la fedeltà al sistema è inculcata ai bambini fin dalla più tenera età e si rinforza poi attraverso regolari occasioni di celebrazione pubblica. Vale la pena comunque di sottolineare un paio di differenze importanti. Diversamente dallo stato sovietico, che durò solo una settantina d'anni e dovette affrontare potenti avversari ideologici, sia totalitari che non totalitari, quello romano durò mezzo millennio e per quasi tutta la sua esistenza non dovette fronteggiare alcuna sfida importante. La risonanza della superiorità romana caratterizzava dunque ogni aspetto del cerimoniale pubblico per tutta la durata della vita individuale.

Ma come ogni altro sistema a partito unico, anche quello romano aveva dei limiti. La libertà d'espressione, per esempio, era sottoposta a qualche restrizione. Dati i vincoli posti dall'ideologia unitaria della perfezione, era soltanto a livello personale (e non a quello politico) che poteva esistere qualche forma di dissenso.[41] Il monopolio ideologico dello stato, assoluto e al riparo da qualsiasi sfida, rendeva l'impero efficacissimo nell'indurre i sudditi al conformismo, ma raramente si può dire che questi ultimi si adeguassero senza contrasti. La diffusione della cultura latina e l'adozione della cittadinanza romana nei territori conquistati dipesero dal fatto che l'impero fosse l'unica strada possibile per realizzare le proprie ambizioni personali: se si voleva arrivare da qualche parte, bisognava stare alle regole.

L'analogia con i sistemi politici a partito unico ci porta a visualizzare altri due aspetti negativi del sistema. In primo luogo, la partecipazione politica attiva era limitata a una minoranza: per collaborare attivamente al funzionamento dell'impero bisognava essere proprietari terrieri. Impossibile dire con precisione quanti lo fossero, ma i tratti caratteristici di questa classe ci sono abbastanza chiari: nell'alto impero il requisito richiesto per diventare membro di un consiglio cittadino era il possesso, nel territorio di quella città, di una tenuta agraria abbastanza grande da finanziare, tra l'altro, un corso completo di studi per i propri figli sotto la guida di un grammatico. Cosa che già di per sé richiedeva un redditto piuttosto elevato. Sant'Agostino, prima di diventare santo, faceva parte di una famiglia di proprietari terrieri della nobiltà minore di Tagaste, nel Nordafrica: i suoi non avevano avuto problemi a pagargli il grammatico, ma a un certo punto Agostino dovette perdere un anno di scuola nell'attesa che il padre risparmiasse il denaro necessario per consentirgli di proseguire gli studi superiori a Cartagine. Lo stato sociale della sua famiglia, quindi, è per noi un buon indicatore di quale fosse la soglia.[42]

Nel tardo impero, però, la partecipazione civile e politica si esprimeva in molti più modi che non nell'alto impero. Se una manciata di proprietari terrieri monopolizzava ancora le poche cariche appetibili in seno ai consigli cittadini, erano molti di più quelli che entravano a far parte della burocrazia imperiale; e la nobiltà minore si accontentava di prestare servizio negli uffici provinciali. Quest'ultima forniva i *cohortales* che, a quanto risulta da alcune iscrizioni ritrovate nella città di Afrodisia, erano ancora abbastanza ricchi da fare i benefattori cittadini. Il tardo impero inoltre aveva un sistema legale più sviluppato: dall'inizio del III secolo la legge romana si applicava a ogni abitante dell'impero e quindi gli avvocati abilitati non rischiavano certo di restare senza lavoro. Anche i legali provenivano dalla vecchia classe curiale: giovanotti di belle speranze che nel corso della loro istruzione superiore passavano direttamente dalle mani del grammatico allo studio della legge. A partire dal terzo quarto del IV secolo poi, man mano che il cristianesimo si diffondeva fino a conquistare la protezione dell'imperatore, anche la classe dei proprietari terrieri si avvicinò alla chiesa e ben presto si impadronì di tutte le cariche vescovili. I primi vescovi a noi noti che certamente avevano studiato con un grammatico sono Ambrogio a occidente e i Padri della Cappadocia a oriente (Basilio di Cesarea, Gregorio di Nazianzo e Gregorio di Nissa), che ricevettero l'ordinazione attorno al 370.[43] L'apertura di un più ampio ventaglio di impieghi possibili non significa però che per accedervi fossero necessarie minori ricchezze: le nuove professioni richiedevano ancora un bagaglio di conoscenze di base che si potevano ottenere solo con la prestazione professionale di un grammatico.

I proprietari terrieri attivi in politica erano meno del 5 per cento della popolazione, ai quali potremmo aggiungere un 1 per cento circa di professionisti semi-istruiti, soprattutto nelle città. Nelle capitali dell'impero, inoltre, un gruppo un po' più ampio di persone, affiliandosi a una delle fazioni che frequentavano l'arena e prendendo parte alle rumorose proteste che spesso scoppiavano nei teatri (un modo molto comune di esprimere malcontento nei confronti dei funzionari pubblici) poteva ancora trovare il modo di esprimersi. Di tanto in tanto, se erano proprio infuriate, queste persone potevano addirittura esercitare una sorta di ricatto suscitando disordini, ma in genere si trattava di azioni limitate, miranti a colpire un individuo o un procedimento in particolare.[44]

*

La grande maggioranza della popolazione – che fosse libera, vincolata o schiava – lavorava la terra ed era più o meno esclusa dalla partecipazione politica. Per questi uomini comuni lo stato esisteva solo nella forma di esattori delle tasse che avanzavano fastidiose pretese sulle loro limitate risorse. Ancora una volta è impossibile arrivare a una stima precisa, ma gli agricoltori non potevano essere meno dell'85 per cento della popolazione totale: nel mondo politico romano dunque più dei quattro quinti della popolazione aveva poca o nessuna voce in capitolo. Probabilmente tra i contadini l'atteggiamento più diffuso nei confronti dell'establishment imperiale era l'indifferenza. Nella maggior parte dei territori dell'impero il livello demografico crebbe ininterrottamente, come abbiamo già segnalato; ed è difficile non vedere in questo fenomeno un effetto della *pax romana*, la lunga e stabile pace che l'impero aveva garantito in tutto il suo immenso territorio. Impossibile negare che di tanto in tanto si verificassero sporadici episodi di resistenza contadina, spesso correlati a questioni fiscali, ma quasi sempre tali tensioni assumevano la forma di un banditismo di bassa intensità, per quanto endemico. Alcune aree geografiche presentavano un tasso di disordini un po' più elevato: l'Isauria per esempio, la montagnosa regione dell'odierna Turchia sudoccidentale, era famosa per i suoi briganti e aveva prodotto addirittura una banda di grassatori i cui membri, i maratacupreni, erano noti in tutta la Siria del Nord perché si fingevano esattori delle tasse imperiali per estorcere ai contadini la loro misera produzione. Il fatto che questa millanteria funzionasse la dice lunga su come quei contadini percepissero le attività fiscali dello stato; ma alla fine i banditi passarono il segno e furono spazzati via fino all'ultimo uomo (e all'ultima donna, e all'ultimo bambino). L'esclusione dai benefici del sistema romano – o un'inclusione molto limitata – della stragrande maggioranza della popolazione era dunque uno dei limiti più evidenti dell'impero. Anche qui niente di nuovo: lo stato romano aveva sempre funzionato a esclusivo beneficio di un'élite. E se questo comportava lo sfruttamento impietoso dei contadini e un certo livello di turbolenta opposizione, non ci sono indizi che la situazione fosse peggiorata in misura sostanziale nel corso del IV secolo.[45]

Il secondo lato negativo, forse un po' meno ovvio, era più gravido di conseguenze potenziali, data l'incapacità dei contadini di organizzarsi per una resistenza di lunga durata. Per comprendere questo punto dobbiamo analizzare un po' meglio lo stile di vita del tipico possidente romano. Come abbiamo visto, i proprietari terrieri dedicavano parte della loro vita attiva alla gestione della cosa pubblica lavorando nella ripartizione locale delle tasse, nei gradini più elevati della burocrazia locale (*cohortales* o *palatini*) o come funzionari della burocrazia imperiale. Attorno al 400 la durata media del servizio nei dipartimenti centrali dello stato era scesa a non più di dieci anni: niente di particolarmente sfiancante, quindi, anche se le aspettative di vita erano molto più basse di quelle odierne. Cosa facessero questi signori nel resto della loro esistenza e quale interesse fosse centrale per loro possiamo dedurlo ancora una volta dall'epistolario di Simmaco. Il quale, come abbiamo visto, apparteneva alla categoria dei ricchissimi: l'ordine di grandezza delle sue attività può non essere considerato rappresentativo, ma la natura di quelle attività è assolutamente tipica.

Nel mondo romano c'erano numerose forme di ricchezza, accanto a quella derivante dalla proprietà terriera: si poteva guadagnare bene anche con il commercio e la manifattura, con la professione forense, vendendo la propria influenza e così via. Tuttavia era il possesso della terra l'espressione suprema della ricchezza; e un po' come avverrà nell'Inghilterra preindustriale, chiunque facesse fortuna con altri mezzi si affrettava a investire nell'acquisto di una tenuta. Al di là di tutto, per un gentiluomo la terra è sempre

173

stata l'unica forma di ricchezza davvero onorevole. Questo principio non era solo un fatto di prestigio sociale, aveva anche delle ragioni pratiche. La terra, ovviamente, era sempre una forma d'investimento sicura, che a fronte della spesa iniziale offriva una rendita agricola annua. In mancanza di un mercato di borsa, e poiché commerci e manifattura offrivano solo guadagni precari e limitati, la terra nel mondo antico (e in tutti i mondi possibili fino alla rivoluzione industriale) era la regina degli investimenti. In essa risiedeva la principale preoccupazione di ogni romano benestante.

Innanzitutto i proprietari terrieri avevano bisogno che i loro appezzamenti rendessero bene. Un pezzo di terra in sé era solo una fonte di reddito potenziale: doveva essere lavorato, e lavorato con efficienza, per garantire un buon reddito annuo. Tanto per cominciare bisognava lavorarci le colture giuste. In seconda battuta, ogni investimento di tempo, fatica e capitale doveva diventare quella che l'Inghilterra preindustriale chiamerà una «miglioria»: doveva cioè generare un sensibile incremento della produzione. I proprietari terrieri imperiali dedicavano la maggior parte del tempo a supervisionare l'andamento delle tenute, di persona o tramite agenti. Le prime cinque lettere dell'epistolario di Simmaco, per esempio, portano la data del 375 e furono scritte mentre l'autore faceva il sopralluogo dei suoi possedimenti agricoli nell'Italia centrale e meridionale per cercare di massimizzarne il rendimento. Scrive Simmaco al padre: «Le nostre tenute meno in ordine devono essere studiate fin nei minimi particolari [...]. Di fatto è ormai consuetudine provvedere a quelle campagne che un tempo provvedevano per noi». Altre lettere, a scadenze più o meno regolari, contengono riferimenti a problemi di resa. E nel caso di una persona ricca come Simmaco spesso erano le distanze a costituire un inconveniente: possedere tenute in Sicilia e in Nordafrica era sicuramente più complicato che averle vicino a casa.[46] Analogamente era più redditizio coltivare un grande appezzamento piuttosto che due piccoli: ragion per cui l'astuto proprietario terriero era sempre attento a cogliere l'occasione di comprare lotti vicini ai suoi o scambiarli in modo reciprocamente vantaggioso. Le lettere di Simmaco e molte altre fonti del tardo impero dimostrano quanto tempo e quante energie fossero dedicate alla compravendita di lotti di terreno coltivabile.[47]

C'erano poi moltissimi problemi legali di cui occuparsi. Un po'
come nell'Inghilterra di Dickens, spesso le eredità generavano li-
ti. Siccome la terra, diversamente da altre forme di ricchezza, è
difficile da dividere in parti che risultino ugualmente redditizie, i
genitori dovevano scegliere: o lasciavano a ciascun figlio una fetta
del reddito proveniente dalla tenuta indivisa, o favorivano un erede a danno degli altri lasciandogli tutta la terra. In entrambi i casi
la questione procedeva in modo assai complicato, soprattutto
quando chi aveva ereditato una quota della rendita agraria doveva a sua volta gestirne la successione. Era sempre laborioso redigere un testamento che, con i suoi codicilli, definisse esattamente
la soluzione più equa, in grado di prevenire eventuali impugnazio-
ni. Non c'è di che stupirsi se Simmaco seguiva attentamente ogni
cambiamento nel diritto di successione e se nelle sue lettere si
parla spesso di testamenti.[48] I proprietari terrieri romani conoscevano tutti i trucchi. Il padre di Simmaco, per esempio, gli aveva
intestato un terreno lungo il Tevere per sottrarlo ai creditori che
dopo la sua morte avrebbero potuto assillarlo.[49] Il matrimonio, in
questo contesto, era molto diverso dalla romantica unione di due
cuori innamorati. Con il contratto matrimoniale si fondava una
nuova famiglia che doveva poter contare su una solida base economica. Bisognava dunque trovare un partner adatto e raggiungere un accordo su come i due coniugi dovessero contribuire al
mantenimento della famiglia. Una lettera di Simmaco parla di un
certo Fulvio, «da tempo ormai in età di sposarsi», che ebbe la fortuna di aggiudicarsi la sorella di un certo Pompeiano: «Lei viene
da una famiglia non meno distinta di quella di lui, e forse ancor
più ricca».[50]
Anche con gli accordi matrimoniali, dunque, gli avvocati dovevano incassare parcelle salate. Lo stesso Simmaco incamerò grazie
al matrimonio alcune proprietà terriere appartenute al suocero, le
quali, essendo ormai passate di mano, non poterono essere confiscate dallo stato quando l'ex proprietario fu condannato per fro-
de.[51] Ulteriori problemi legali nascevano dal sistema di prelievo fiscale vigente nell'impero. Quando una persona si rivolgeva a un
protettore influente, spesso era proprio per ottenere una riduzione delle tasse. Non ci sono esempi di proprietari terrieri completamente esentati dalle imposte, nemmeno quelli che potevano

175

vantare le amicizie più altolocate; ma molti riuscivano effettivamente a godere di un trattamento di favore. Le riduzioni, comunque, erano sempre precarie, perché se il protettore cadeva in disgrazia anche i benefici da lui dispensati venivano meno. I proprietari terrieri dovevano dunque discutere con l'ufficio del prefetto pretoriano quali esenzioni fossero da applicarsi al loro caso, e per quanto tempo, e quali obblighi fossero già stati adempiuti. A dispetto di tutto il lavoro e l'intelligenza investiti nella stesura di testamenti e accordi matrimoniali, la caduta di un protettore poteva addirittura mettere in discussione la titolarità del diritto di proprietà della terra. Sia l'epistolario di Simmaco sia le lettere ufficiali da lui scritte mentre era prefetto urbano di Roma contengono moltissimi esempi di questo genere di dispute.[52]

Anche se comportava moltissime responsabilità, la condizione di proprietario terriero aveva pur sempre i suoi vantaggi. Possedere molte case poteva essere un peso dal punto di vista amministrativo; ma, ammesso che si fosse abbastanza ricchi per farlo, offriva anche infinite possibilità di divertirsi ad ammodernare, riprogettare e decorare. In una lettera al padre, Simmaco si dilunga su certi rivestimenti in marmo che aveva fatto realizzare a casa sua (in modo talmente magistrale che all'osservatore sembravano ricavati da un blocco unico), nonché su certe colonne che sembravano fatte di costosissimo marmo della Bitinia mentre lui le aveva pagate una cifra irrisoria. E così via. Di una nuova stanza da bagno annessa alla sua villa in Sicilia si parla in più di una lettera, e molte altre missive illustrano migliorie e interventi edili. A un certo punto Simmaco si lamenta del fatto che i costruttori continuavano a rimandare la data di consegna di una nuova villa sul Tevere:[53] certe cose non cambiano proprio mai.

Poi, una volta che la nuova casa (o le nuove case) era stata resa adeguatamente confortevole e abbellita con finiture all'ultima moda (per esempio nella Britannia del IV secolo i nuovi pavimenti a mosaico multicolore), ci si godeva il piacere di abitarla. Simmaco amava in particolar modo la sua villa a Baia, nel Golfo di Napoli, che le sue lettere elogiano spesso sia per il panorama sia per la buona tavola (soprattutto d'autunno). Nel 396, tra aprile e dicembre, egli trascorse qualche piacevolissimo mese tra le sue proprietà di Formia, Cuma, Pozzuoli, Baia, Napoli e Capri. Non a caso,

176

alcuni di questi posti sono tuttora luoghi di villeggiatura da vip. Simmaco e la moglie avevano inoltre una casa sul Tevere, poco più a valle di Roma, in cui risiedevano quando gli affari lo trattenevano in città. Uno dei passatempi preferiti della nobiltà terriera romana, come di ogni altra nobiltà terriera di ogni tempo e luogo, era la caccia; e l'ideale per questo aristocratico sport era un piccolo rifugio ai piedi di una collina o accanto a un bosco.[54] Le tenute che il ricco proprietario terriero possedeva erano dunque tali da permettergli di cogliere tutti i piaceri che le varie stagioni potevano offrire.[55]

Le case di campagna erano il contesto in cui i ricchi si dedicavano poi ai loro passatempi preferiti: Simmaco cita spesso il piacere di lavorare su antichi testi latini nella tranquilla reclusione di un'altra delle sue ville. In una lettera dichiara di essere stato troppo occupato con i suoi studi per scrivere; in un'altra chiede ad alcuni amici di fargli avere una copia di certe opere che non riesce a trovare, descrivendo gli studi per cui quei libri gli sono necessari.[56] A volte lo vediamo ospite di amici che hanno belle tenute poco lontano dalle sue; altre volte (meno spesso) veniamo a sapere che gli amici si sono trattenuti per qualche tempo da lui. Ognuna di queste visite dava il via a frequenti scambi di convenevoli epistolari, per non parlare degli inviti a cena e dei picnic.[57] Anche sulla salute degli amici e dei loro famigliari Simmaco ama diffondersi: ogni più lieve indisposizione implicava infatti moltissimi biglittini affettuosi per aggiornarsi sull'andamento della malattia. A un certo punto l'illustre personaggio chiede alla figlia, evidentemente un po' cagionevole, di fargli avere un bollettino quotidiano delle proprie condizioni di salute, raccomandandole anche alcune diete curative.[58]

In conclusione, lo stile di vita di Simmaco e dei suoi pari somiglia in tutto e per tutto a quello che la nobiltà più o meno prestigiosa adotterà nei sedici secoli seguenti. Quei personaggi erano latifondisti sfaccendati e colti; alcuni estremamente ricchi, altri dotati del minimo indispensabile per presentarsi in pubblico in modo conveniente, ma tutti perfettamente al corrente della posizione relativa di ciascuno. La principale occupazione di questa classe sociale era quella di eseguire correttamente i passi della danza elegante e complicata che, grazie a un matrimonio azzeccato o a un'insperata eredità, poteva condurre a una ricchezza ancora maggiore. Simmaco e i suoi amici potevano dilettarsi nella chiosa di antichi testi latini invece che nella pittura ad acquarello o nello studio dell'italiano, e sicuramente avevano idee antiquate sull'infanzia o sulle donne, ma nella fascia superiore della società romana tardoimperiale c'è qualcosa che ricorda Jane Austen.

Un ulteriore limite interno al sistema imperiale romano, dicevamo, ha origine proprio dallo stile di vita elegante, ozioso e privilegiato che nasceva da una distribuzione estremamente diseguale della proprietà terriera: abbiamo già visto che meno del 5 per cento della popolazione possedeva l'80 per cento delle terre e forse anche di più. Origine prima di tale diseguaglianza era lo stato romano stesso, che con le sue leggi definiva e proteggeva i diritti di quella classe di proprietari cui apparteneva anche Simmaco. I sistemi di registrazione della proprietà nell'impero riportavano con precisione chi possedesse la terra e chi no, e la legislazione penale difendeva sempre e comunque i proprietari contro tutti coloro che erano condannati a mala pena a sopravvivere.[59] Prisco, storico del V secolo, riporta una citatissima conversazione svoltasi tra lui stesso e un mercante romano che aveva combattuto per gli unni. Il suo discorso esamina approfonditamente gli aspetti positivi e negativi della società romana e di quella unna, per poi sferrare la stoccata finale:

Fra i romani vi sono molti modi di dare la libertà. Non solo i vivi, ma anche i morti possono generosamente concederla disponendo delle proprie tenute come meglio credono; e qualsiasi cosa un uomo disponga di fare dei suoi possedimenti dopo la propria morte è legalmente vincolante. Il mio conoscente [il romano passato agli unni] si mise a piangere e disse che quelle leggi erano giuste e che il sistema sociale romano era molto buono [...].

Alla fine Prisco e il suo interlocutore si trovano d'accordo su due punti: primo, che la legge romana ha dato origine a una società superiore; e secondo, che la sua prerogativa migliore risiede nel diritto concesso ai proprietari terrieri di disporre dei loro possedimenti come meglio credono.[60] Non si tratta di un'opinione isolata: ricordiamo le acclamazioni del senato di Roma, le quali dimostrano che anche i senatori avevano capito benissimo che l'effetto più generale del *Codice Teodosiano* era la difesa dei «diritti dei proprietari terrieri» (cfr. p. 166).

Moltissime delle leggi di Roma avevano a che fare con la proprietà: semplice possesso, modi di disporne (vendita, affitto per periodi di tempo brevi o lunghi, o concessione a mezzadria) e sua trasmissione alle generazioni future tramite accordi matrimoniali, testamenti o altri legati speciali. Anche le crudeli misure del diritto penale romano avevano come fine ultimo quello di difendere la proprietà: normalmente, tranne nel caso di furtarelli davvero minimi, il furto veniva punito con la pena capitale. Anche qui possiamo notare la somiglianza con le società nobiliari più tarde, basate su un'altrettanto diseguale distribuzione della ricchezza fondiaria all'interno di economie ancora massicciamente basate sull'agricoltura: quando Jane Austen scrive i suoi eleganti romanzi d'amore, di matrimonio e di affari fondiari il furto è ancora punito con la frusta (fino a 10 pence), con la marchiatura a fuoco (fino a 4 scellini e 10 pence) o con l'impiccagione (più di 5 scellini). Nella Londra del XVIII secolo ogni anno venivano impiccate per furto almeno una ventina di persone.[61]

Lo stato romano proteggeva con tanta cura gli interessi della classe latifondista perché era proprio quella che, in larga misura, monopolizzava le sue strutture politiche. Ciò non significa che, di tanto in tanto, non scoppiassero conflitti tra lo stato e un singolo proprietario terriero o un gruppo di latifondisti. A volte le famiglie patrizie si vedevano confiscare le terre, per esempio perché in un conflitto di potere si erano schierate dalla parte sbagliata. Ciò non significa necessariamente che fossero rovinate per sempre; come nel mondo medievale, accadeva spesso che un nuovo sovrano cercasse di assicurarsi la fedeltà delle élite restituendo terre precedentemente confiscate.[62] Ma come abbiamo visto lo stato contava sulla partecipazione dei proprietari terrieri alla vita amministrativa locale per far funzionare tutti gli ambiti di governo e in particolare per raccogliere le tasse (il cui gettito era garantito prevalentemente dalla classe latifondista).

Questo delicato equilibrio si manifestava in due modi. Il primo e il più ovvio è che le tasse sulla produzione agricola non potevano

179

crescere fino al punto di spingere i proprietari terrieri a disertare in massa il sistema fiscale e a boicottarne il funzionamento. Come si è già detto, moltissime prove dimostrano che gli imperatori erano consapevoli che la via per giungere al cuore dei latifondisti era quella di tassarli con moderazione. Nel 364 Valentiniano e Valente inaugurarono il loro regno congiunto con un grande gesto di strategia politica: le tasse non aumentarono per ben tre anni consecutivi e nel quarto furono addirittura ridotte perché, come riferisce un portavoce imperiale, «la mano leggera con le tasse è un conforto molto apprezzato da tutti coloro che vivono della terra». Con gesto plateale (e assai moderno) i due sovrani promisero addirittura di diminuirle ulteriormente nel quinto anno del loro mandato «se il reddito [dello stato] fosse stato pari alle aspettative».[63] Secondariamente, lo status e lo stile di vita dell'élite latifondista dipendevano da una distribuzione della proprietà terriera talmente diseguale che la gran massa dei diseredati era sempre in schiacciante vantaggio numerico, cosa che avrebbe sicuramente portato a una redistribuzione della ricchezza fondiaria se una qualche struttura di tipo coercitivo non l'avesse impedito. Nel IV secolo, come in quelli precedenti, questa struttura era lo stato romano. Di solito i proprietari terrieri potevano contare sulla capacità dello stato di controbilanciare la loro inferiorità numerica con un corrispondente rafforzamento delle leggi a loro favore. Ma se lo stato non avesse più potuto garantire tale servizio – se per esempio gli fosse venuta a mancare la forza necessaria a far valere le leggi a tutela della proprietà privata – i proprietari non avrebbero avuto altra alternativa che rivolgersi a un protettore più efficace.

La partecipazione dei proprietari terrieri al sistema statale romano va dunque vista come un'equazione costi-benefici: dove la voce «costi» è rappresentata dal denaro versato ogni anno nelle casse dello stato, e il beneficio è quello di veder protetta la ricchezza personale, e in definitiva lo status sociale. Per tutto il IV secolo i benefici sopravanzarono abbondantemente i costi: ma come vedremo più avanti, quando la pressione fiscale si farà insostenibile, o quando lo stato non sarà più in grado di offrire adeguata protezione, i proprietari terrieri dovranno rinegoziare la propria fedeltà con qualcun altro.

Bilancio d'esercizio

È stato un viaggio di scoperta piuttosto lungo, ma finalmente l'evoluzione dell'impero romano fino al 300 circa comincia a esserci più chiara. Da una parte sappiamo di trovarci davanti a un fenomeno storico di straordinaria portata: costruito originariamente con la forza militare, l'impero dispiegò poi la propria concezione di superiorità in tutto lo sconfinato territorio tra il Vallo di Adriano e l'Eufrate, permeando ogni aspetto della vita individuale e collettiva. Nel IV secolo ormai i popoli sottomessi avevano talmente interiorizzato lo stile di vita romano che il vecchio stato conquistatore si era evoluto in un commonwealth di comunità provinciali profondamente romanizzate.

Ma questa straordinaria compagine statale aveva anche non trascurabili lati negativi. Le grandi distanze, l'arretratezza dei mezzi di comunicazione e una limitata capacità di processare le informazioni vanificavano spesso l'operatività dei suoi sistemi: eccetto che nel campo dell'esazione fiscale, lo stato agiva sostanzialmente in modo reattivo, completamente in balia dei vari gruppi che cercavano di sfruttarlo ciascuno a proprio esclusivo vantaggio. La sua economia non si distaccava ancora molto dal mero livello di sussistenza e in termini politici il numero delle persone che beneficiavano della sua esistenza era molto ridotto (abbiamo dato solo un'occhiata superficiale agli sconcertanti privilegi di cui godeva la piccola classe dei proprietari fondiari).

Eppure, nel IV secolo non abbiamo riscontrato alcun indizio di crollo imminente. L'aggiustamento che si era reso necessario dopo i cinquant'anni di turbolenze provocati dall'ascesa della Persia sasanide non era stato né semplice né lineare: ma alla fine, in modo più o meno organico, quella trasformazione militare, finanziaria, politica e burocratica produsse una macchina statale più grande e complessa, capace di affrontare contemporaneamente il problema persiano e le conseguenze di 300 anni di evoluzione interna. Tutto ciò, ovviamente, ebbe un prezzo. Lo stato dovette confiscare i fondi che prima venivano spesi a livello locale, rompendo l'alleanza con le vecchie città-stato, e il potere supremo fu definitivamente suddiviso tra due o più persone e quindi sottoposto a tensioni ricorrenti e periodiche guerre civili.

181

Ciononostante quella del tardo impero è sostanzialmente la storia di un successo. L'economia rurale era dappertutto florida e produttiva e moltissimi proprietari terrieri si dimostravano ansiosi di riempire i ranghi della nuova burocrazia statale. Come dimostrano i tempi di reazione alla minaccia persiana, l'apparato imperiale di Roma era intrinsecamente rigido; la sua burocrazia e le sue strutture politiche ed economiche erano lente e limitate nel mobilitare le risorse necessarie a fronteggiare le nuove minacce. Ma col tempo la sfida persiana fu positivamente risolta e lo stato romano ne uscì come una potenza ancora ineguagliabile. Eppure quella potenza non sarebbe rimasta in vita ancora per molto. Mentre i romani del IV secolo guardavano alla Persia come al nemico numero uno, un'altra rivoluzione strategica di grande portata si profilava più a nord.

SECONDA PARTE
LA CRISI

4. Guerra sul Danubio

Nell'inverno 375-376 lungo la frontiera romana del Danubio corse voce che nella Germania orientale, a nord del Mar Nero, erano in corso feroci combattimenti. Scrive Ammiano Marcellino:[1] «All'inizio la notizia fu accolta con disinteresse dal popolo, perché di solito quelli che vivono lontano [dalla frontiera] non sentono nemmeno parlare delle guerre di quei distretti se non quando sono finite o almeno temporaneamente sedate». Difficile accusare le autorità imperiali di non aver preso sufficientemente sul serio la situazione. Verso la metà del III secolo le migrazioni dei goti e di altre popolazioni germaniche avevano portato a una riconfigurazione politica dell'intera regione, che a sua volta aveva generato quasi cent'anni di relativa stabilità. I disordini, inoltre, si erano verificati più a nord-ovest (odierne Polonia e Bielorussia) che a nord-est (odierna Ucraina). L'ultima volta che i problemi avevano coinvolto il Nord-Est era stato quando i sarmati avevano razziato in lungo e in largo nei cinquant'anni prima e dopo la nascita di Cristo; e ormai erano passati tre secoli. Ma ben presto i romani dovettero rendersi conto che quella zona era nuovamente divenuta pericolosa.

Nell'estate del 376, all'improvviso, una folla gigantesca – uomini, donne e bambini – si materializzò sulla riva settentrionale del Danubio e chiese di potersi mettere in salvo in territorio romano. Una fonte, peraltro non delle migliori, parla di 200.000 persone; Ammiano dice soltanto che era una quantità «innumerevole». Gente arrivata fin lì con una lunga fila di carri trainati da buoi, presumibilmente gli stessi animali con cui avevano arato i campi, e che si era snodata per le campagne in una di quelle grandi e lente processioni che la guerra ha sempre generato nel corso della storia. Probabilmente c'erano anche persone che viaggiavano da sole o in piccoli nuclei familiari, ma la stragrande maggioranza dei goti era organizzata in due masse compatte, ciascuna con una leadership

185

politica ben definita. Personalmente ritengo che i due gruppi fossero composti da 10.000 guerrieri ciascuno. Il gruppo dei greutungi aveva percorso una notevole distanza, perché veniva dalle terre a est del fiume Dnestr, nell'odierna Ucraina, a centinaia di chilometri dal Danubio. L'altro comprendeva la maggioranza dei tervingi di Atanarico, ora guidati da Alavivo e da Fritigerno, che si erano sottratti al controllo del loro ex capo per muovere verso il Danubio.[2]

Se le dimensioni del problema immediato che gravava sulla sicurezza del *limes* erano piuttosto serie, l'identità dei profughi era ancora più inquietante. Nonostante i primi rapporti parlassero di scontri avvenuti molto lontano dalla frontiera, i due gruppi più numerosi di aspiranti immigrati venivano in realtà da più vicino: i tervingi, in particolare, avevano abitato le terre immediatamente a nord del Danubio, nelle odierne Valacchia e Moldavia, almeno dal 310 in poi. Qualsiasi cosa stesse accadendo lassù al nord non poteva trattarsi di una scaramuccia locale se i suoi effetti si facevano sentire in tutta la regione a nord del Mar Nero.

Ben presto i romani scoprirono cosa c'era dietro quel sommovimento. Citiamo ancora una volta le parole di Ammiano: «Il semenzaio e l'origine di quella distruzione e delle molte calamità provocate dalla collera di Marte, che infuriava dappertutto con grande violenza, credo fosse questo: il popolo degli unni».

Ammiano scrive questa frase a quasi vent'anni dai fatti, cioè quando ormai i romani avevano compreso abbastanza bene che cosa avesse spinto i goti fin sulle rive del Danubio. Ma nell'ultimo decennio del IV secolo gli effetti della calata degli unni erano ancora tutt'altro che chiari. L'apparizione dei goti lungo il fiume nell'estate del 376 era solo il primo anello di una catena di eventi che sarebbero culminati con l'ascesa degli unni alla periferia d'Europa e, quasi un secolo dopo, con la deposizione dell'ultimo imperatore romano d'occidente, Romolo Augustolo. Niente di tutto ciò era anche solo lontanamente concepibile nel 376; e prima di arrivarci il cammino della storia avrebbe percorso ancora molte curve e giravolte. L'arrivo dei goti sul Danubio segna il punto d'inizio di un sommovimento degli equilibri di potere in tutta Europa, ed è di questo che si occuperà il resto del libro. Anche noi, come Ammiano, cominceremo dunque dagli unni.

Dall' «oceano cinto da ghiacci»

Le origini degli unni sono misteriose e controverse. L'unica cosa che sappiamo per certo è che erano nomadi e che venivano dalla grande steppa eurasiatica,[3] un'immensa estensione di terre lunga circa 5.500 chilometri che va dalle estreme frange d'Europa alla frontiera occidentale della Cina e prosegue poi per altri 3.000 chilometri a nord e a est; lungo la direttrice nord-sud la sua ampiezza va dai soli 500 chilometri della parte più occidentale ai quasi 3000 delle sconfinate pianure della Mongolia. Clima e geografia della steppa determinarono dunque il nomadismo di questo popolo. Le praterie naturali della steppa sono la conseguenza di un suolo arido e di precipitazioni così scarse da impedire la crescita degli alberi e di forme di vegetazione più lussureggianti. La mancanza di pioggia rende impossibile anche qualsiasi forma di agricoltura arativa a carattere intensivo; i nomadi della steppa ricavano quindi il loro sostentamento dalla pastorizia, grazie all'allevamento di una certa varietà di animali, a seconda dei pascoli esistenti: i bovini possono vivere su pascoli più poveri di quelli richiesti dai cavalli, le pecore su pascoli meno ricchi di quelli dei bovini e le capre su pascoli ancora più miseri. I cammelli, poi, si accontentano di ciò che rimane.

Il nomadismo, in sostanza, non è che un sistema per organizzare blocchi di pascoli diversi in una strategia di consumo che copre tutto l'anno solare. In età moderna il tipico spostamento dei pastori nomadi implica lo spostamento da pascoli estivi più elevati (dove d'inverno l'erba gela o è coperta dalla neve) e pascoli invernali a quote più basse (dove d'estate piove poco e l'erba stenta a crescere). In termini di capitale economico, in tale mondo i diritti di pascolo sono importanti quanto il gregge, e altrettanto gelosamente custoditi. La distanza tra i pascoli estivi e quelli invernali dev'essere la più breve possibile, perché gli spostamenti sono difficili e faticosi sia per gli animali sia per i membri più deboli della popolazione: prima di essere sedentarizzati a forza da Stalin, i pastori del Kazakistan percorrevano in media 75 chilometri avanti e indietro tra i loro pascoli. Le società nomadi tendono inoltre a stringere legami economici con i contadini sedentari della loro regione, dai quali comprano i cereali necessari per il pro-

187

prio sostentamento (anche se in parte li producono essi stessi: mentre una parte della popolazione porta in giro le bestie per i pascoli estivi, infatti, gli altri si occupano di ricavare del cibo da qualche altra fonte). Tutte le popolazioni nomadi storicamente osservate hanno avuto bisogno di integrare la propria produzione di cereali barattando con i vicini coltivatori sedentari il surplus generato dalle greggi (pelli, formaggio, yogurt, capi di bestiame e così via). Talvolta il baratto finiva con l'essere poco equo, dato che spesso gli agricoltori, in cambio dei cereali, ottenevano solo l'esenzione da razzie e saccheggi; a volte invece si trattava di scambi veri e propri.

Il nomadismo, o seminomadismo, non è mai stato caratteristica esclusiva di un particolare gruppo linguistico o culturale. Nelle immense distese della steppa eurasiatica molti popoli in epoche diverse hanno abbracciato questo stile di vita. Nei primi tre secoli dopo Cristo il settore più occidentale della steppa, tra il Mar Caspio e il Danubio, era dominato da sarmati di lingua iraniana e da alani nomadi. Negli ultimi due o tre secoli prima di Cristo questi popoli avevano soppiantato gli sciti, anch'essi di lingua iraniana. A partire almeno dal VI secolo d.C. saranno popolazioni nomadi di lingua turca a dominare la regione tra il Danubio e la Cina, mentre nell'alto medioevo un'orda di nomadi di lingua mongola provocherà immani devastazioni in tutta l'area. L'elenco dei gruppi umani dediti al nomadismo finisce qui: i magiari, che arriveranno nell'Europa centrale alla fine del IX secolo, parlavano – come ancor oggi i loro discendenti ungheresi – una lingua ugro-finnica che suggerisce una provenienza dalle zone boschive dell'Europa nordorientale, l'unica altra regione in cui quelle lingue fossero parlate.

Non è facile stabilire esattamente in quel mare di possibilità culturali dove fossero da collocarsi gli unni. Ammiano Marcellino sembra saperne più di tante altre fonti romane giunte fino a noi, eppure nemmeno lui era molto informato: la cosa più precisa che sa dirci è che venivano da oltre il Mar Nero, «vicino all'oceano cinto di ghiacci». Non conoscevano la scrittura, quindi non hanno potuto lasciarci documenti di prima mano; perfino la loro affiliazione linguistica è alquanto misteriosa. In mancanza d'altre informazioni, di solito gli esperti rintracciano le radici linguistiche di un popolo servendosi dei nomi propri di persona; ma nel caso degli unni nemmeno questo metodo funziona, dato che ben presto si abituarono a usare nomi germanici (a meno che le nostre fonti non abbiano tramandato la forma germanizzata di quei nomi, o un qualche soprannome germanico coniato dai vicini o da ostaggi sottomessi). Di conseguenza, la quantità di nomi propriamente unni giunti fino a noi è assolutamente troppo esigua per trarne conclusioni convincenti. Probabilmente si tratta di popolazioni estranee al gruppo linguistico iraniano: ma se siano davvero i primi nomadi di lingua turca a presentarsi sulla scena europea, come affermano alcuni studiosi, non è ancora chiaro.[4] Con delle fonti d'informazione così miserelle, le origini degli unni rimangono avvolte da un fitto mistero; ma la discussione tra gli storici si è ravvivata un po' attorno all'ipotesi che li identifica con i nomadi Hsiung-nu, sui quali sappiamo parecchio grazie ai resoconti imperiali cinesi.

Nei secoli a cavallo della nascita di Cristo i Hsiung-nu (comandati dal loro Shan-yu)[5] presero di mira le frontiere nordoccidentali della Cina di Han imponendo a quelle regioni pesanti tributi in seta, cereali e metalli preziosi e mettendo addirittura in discussione il controllo cinese su alcuni importanti territori occidentali, soprattutto il bacino del Tarim, dove la Via della Seta (attiva a partire dal I secolo a. C.) raggiungeva la Cina. Nel 48 a.C., incalzati dalle armate di Han, i Hsiung-nu si divisero in due rami, uno settentrionale e uno meridionale. A sud furono riassorbiti dall'orbita cinese, diventando una forza importante del sistema imperiale. A nord, invece, rimasero ricchi e indipendenti fino al 93 d.C. quando il governo cinese, servendosi di un altro gruppo nomade, i Hsien-pi, ne attaccò gli insediamenti. Molti Hsiung-nu settentrionali (forse 100.000 gruppi familiari) si allinearono alla vittoriosa confederazione dei Hsien-pi, mentre altri scapparono «verso occidente», scomparendo dai rapporti ufficiali dell'impero cinese.

Gli unni compaiono improvvisamente nelle fonti romane nel penultimo quarto del IV secolo. L'identificazione di questi popoli con i Hsiung-nu, pur seducente, pone però un problema: tra le fonti cinesi e quelle romane c'è un buco di quasi 300 anni (dal 93 al 370 circa) e 3.500 chilometri. Inoltre, gli unni che vennero a contatto con i romani avevano un'organizzazione politica completamente diversa da quella dei Hsiung-nu: dopo il 48 d.C., in-

189

fatti, ciascuno dei due rami di quella popolazione era governato da uno Shan-yu, mentre gli unni che arrivarono in Europa avevano molti sovrani gerarchicamente ordinati, ma nessuna figura dominante. Anche le descrizioni etnografiche coeve giunte fino a noi – pur con i loro limiti – sono tali da sollevare qualche dubbio: i Hsiung-nu portavano i capelli legati in una lunga coda di cavallo, gli unni no. In compenso i due gruppi usavano armi simili, e gli scavi archeologici hanno regolarmente riportato alla luce bricchi di bronzo dello stesso tipo. Detto ciò, nessi e similitudini non bastano ad affermare con sicurezza che nel 93 d.C. i Hsiung-nu abbiano cominciato a spostarsi verso ovest per proseguire ininterrottamente il loro cammino fino a raggiungere l'Europa in qualità di unni. La grande steppa eurasiatica è un luogo piuttosto vasto, certo; ma è pur sempre difficile immaginare che un popolo possa metterci 300 anni ad attraversarla. E poi anche i Hsiung-nu, come la maggior parte degli imperi nomadi, erano in realtà una confederazione costituita da un piccolo nocciolo di Hsiung-nu e da molti gruppi sottomessi: gli antenati degli unni, quindi, potrebbero anche aver fatto parte della confederazione senza essere dei «veri» Hsiung-nu. Anche se fosse possibile stabilire un nesso tra gli unni del IV secolo e gli Hsiung-nu del I, durante quei trecento importantissimi anni di storia perduta dev'essere passato un pazzesco quantitativo d'acqua sotto un numero smisurato di ponti sparsi per mezza Eurasia.[6]

Le nostre fonti romane ci danno solo un'idea molto vaga delle ragioni che spinsero gli unni alle porte dell'Europa. Ammiano si accontenta di dire che oltrepassavano «ogni misura di ferocia» e che «in loro ardeva una brama disumana di saccheggiare le proprietà altrui». Molte fonti riportano la leggenda secondo cui gli unni scoprirono l'Europa quasi per caso: un giorno, durante una battuta, alcuni cacciatori inseguirono una cerva al di là di una palude fino a giungere a una terra della quale fino a un momento prima non sospettavano nemmeno l'esistenza. Il racconto è stato evidentemente tramandato fino ai commentatori d'inizio Novecento, secondo i quali gli unni vagabondarono per secoli in varie zone della steppa eurasiatica finché un giorno, del tutto casualmente, non si trovarono a passare accanto alle frontiere dell'Europa.[7] Questa ipotesi fu avanzata in un'epoca in cui gli antropologi non avevano ancora compreso che i popoli nomadi non si spostano qua e là in modo casuale, bensì secondo un ciclo accuratamente predisposto che tocca a rotazione certe zone di pascolo ben precise. Dato che i diritti di pascolo sono un elemento chiave per la sopravvivenza delle popolazioni nomadi e vengono gestiti accuratamente, lo spostamento da un insieme di pascoli a un altro non può mai avvenire per caso.

Sfortunatamente possiamo solo cercare di immaginare i motivi per cui gli unni decisero di spostare più a ovest l'insieme delle loro attività. La storia della cerva si conclude con i cacciatori che raccontano ai loro compagni le meraviglie della nuova terra appena scoperta: per questo Ammiano tende a dire che gli unni si spostarono per motivi d'ordine economico. L'idea che sia stata proprio la ricchezza della sponda settentrionale del Mar Nero ad attirare la loro attenzione è perfettamente plausibile: per quanto meno estesi, i pascoli della parte più occidentale della steppa sono ricchi e nel corso dei secoli hanno attirato molti gruppi nomadi. In quel momento la regione a nord del Mar Nero era occupata da popoli vassalli dell'impero romano che risentivano positivamente dei loro rapporti con il mondo mediterraneo: non abbiamo ragione di dubitare che anche gli unni ne sentissero il richiamo. Ma nel caso di alcuni gruppi nomadi più tardi, sui quali siamo meglio informati, sappiamo che spesso le migrazioni verso i margini occidentali della steppa nascevano dal desiderio di allontanarsi da altre confederazioni nomadi più potenti stanziate accanto alle frontiere cinesi. Gli avari, per esempio, che due secoli dopo gli unni sarebbero calati in Europa provocando un impatto simile, si presentarono per la prima volta a nord del Mar Nero per mettersi fuori della portata dei turchi occidentali. Analogamente alla fine del IX secolo i magiari sarebbero calati in Ungheria perché un altro gruppo nomade, i peceneghi, aveva reso loro la vita impossibile più a est. Nel caso degli unni nessun indizio chiaro ci aiuta a scegliere tra motivazioni positive e negative, escludendone alcune a vantaggio delle altre. Più a est, verso la fine del IV secolo, i Gupta cominciarono a premere sulla Via della Seta dalle loro zone d'insediamento nell'India settentrionale, e nella prima metà del V secolo gli unni eftaliti spadroneggiarono tra il Caspio e il Mare di Aral. Già alla metà del IV secolo questa riconfigurazione degli equilibri di potere cominciò a riverberarsi nelle regioni orientali della steppa, spingendo i chioniti a spostarsi verso i confini dell'impero persiano, a est del Mar Caspio.[8] Tutti avvenimenti che potrebbero avere avuto un certo peso sulla decisione degli unni di raggiungere pascoli più occidentali.

Per quanto il mistero avvolga ancora fittamente sia le origini degli unni sia i fattori determinanti i loro primi spostamenti, non c'è il minimo dubbio che furono proprio loro a provocare la rivoluzione strategica che nell'estate del 376 portò i goti fin sulle rive del Danubio. Tutti gli studiosi sono concordi nel dire che in quel momento i profughi goti stavano scappando dagli unni, i quali stavano mettendo a ferro e a fuoco la costa settentrionale del Mar Nero. Furono gli unni a determinare lo spostamento dei goti verso il Danubio nella speranza di trovare asilo nell'impero romano. Non a caso, non appena i goti riuscirono a oltrepassare il confine, gli unni si impadronirono di tutte le terre adiacenti al fiume. Questo è ciò che afferma, più o meno esplicitamente, quasi tutta la storiografia moderna: improvvisamente gli unni si mettono in movimento (375-376); i goti, in preda al panico, scappano verso l'impero (376); gli unni si impadroniscono dell'altra sponda del Danubio (dal 376).

Questo schema si basa su Ammiano, che ha descritto in modo attendibile il panico dei goti: «Subito tra i goti si diffuse la notizia che una razza di uomini fino ad allora sconosciuta si era levata da un angolo remoto della terra come una tempesta di neve dalla vetta di una montagna, e saccheggiava e distruggeva tutto ciò che trovava sul suo cammino». Cerchiamo ora di andare al di là della retorica per capire cosa realmente vuole dirci Ammiano. Soggiogati gli alani, gli unni passarono alla popolazione successiva, i goti greutungi, la cui resistenza fu guidata da Ermanarico che alla fine si arrese e probabilmente si lasciò immolare per la salvezza del suo popolo.[9] Ammiano non è del tutto chiaro nel raccontare questo episodio, ma la consuetudine, documentata in moltissimi gruppi antichi, di ritenere il capo politico e/o militare personalmente responsabile del destino collettivo è molto interessante: quando le cose si mettevano male tutti ne deducevano che il capo, in qualche modo, doveva avere offeso gli dei e che quindi era opportuno sacrificarlo per cercare di placarli. Il successore di Ermanarico fu Vitimero, che portò avanti la sua lotta ma alla fine rimase ucciso in battaglia.

A questo punto il potere sui greutungi passò a due capi militari, Alateo e Safrax, che lo esercitavano in nome del figlio di Vitimero, Viterico. Avendo deciso di ritirarsi verso le rive del Dnestr, essi si scontrarono lì con un esercito di tervingi affidati al comando di Atanarico. Ma questi furono a loro volta attaccati da un contingente di unni che aveva passato il fiume da un guado alternativo, e dovettero tornare nella loro zona d'origine, più vicino ai Carpazi. Qui Atanarico cercò di fermare la marea unna costruendo una linea fortificata a difesa delle sue posizioni: forse le vecchie mura romane lungo il fiume Olt, il *limes transalutanus*.[10] Ma il piano fallì. I tervingi furono attaccati più volte dagli unni mentre lavoravano alle fortificazioni e persero ogni fiducia nelle capacità di Atanarico. A un certo punto la maggior parte dei tervingi non volle più saperne di lui: fu sotto i nuovi capi, Alavivo e Fritigerno, che il grosso della popolazione raggiunse il Danubio per chiedere asilo all'impero romano. Anche i greutungi di Alateo e Safrax scelsero una strategia analoga, e seguirono i tervingi fino al fiume (Carta n. 5).[11]

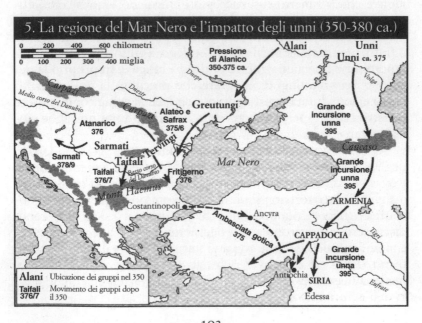

5. La regione del Mar Nero e l'impatto degli unni (350-380 ca.)

193

Indubbiamente alcuni di questi avvenimenti si succedettero molto in fretta. Dalla morte in battaglia di Vitimero fino al momento in cui tervingi e greutungi si affacciarono sulla riva del Danubio l'azione non conobbe alcuna tregua. L'intera sequenza non può aver richiesto molto tempo: se, come sembra probabile, i goti arrivarono tra la fine dell'estate e l'inizio dell'autunno del 376, la morte di Vitimero deve risalire a meno di un anno prima. La catena degli eventi potrebbe essersi svolta addirittura in pochi mesi: dunque la morte di Vitimero si collocherebbe tra la metà del 375 e l'inizio del 376. Dato che il momento migliore per far migrare un popolo di agricoltori è subito dopo il raccolto, è probabilissimo che i greutungi si siano messi in marcia tra la fine dell'estate e l'inizio dell'autunno del 275.[12]

Con questo travolgente ultimo atto, a ogni modo, si conclude un dramma dal ritmo più misurato. Impossibile fornire delle date precise, dato che anche Ammiano riporta solo indicazioni di tempo estremamente vaghe; ma quel che ci dice è ugualmente indicativo. Egli afferma, innanzitutto, che Ermanarico resistette all'uragano sollevato dagli unni «per lungo tempo» (*diu*). Apprendiamo inoltre che Vitimero, suo successore, ingaggiò «molti combattimenti» (*multas* [...] *clades*) contro gli unni prima di restare ucciso. Ovviamente non abbiamo modo di sapere quanto tutto ciò sia durato, ma chiaramente il rapido epilogo seguito alla morte di Vitimero mise fine a una guerra piuttosto lunga; e fu proprio la decisione dei greutungi di emigrare che precipitò la crisi. Quanto possa essere durata questa guerra non è chiaro: ma comprendere la natura delle operazioni messe in atto dagli unni potrebbe aiutarci a farcene un'idea.

Per farsi accogliere nell'impero, innanzitutto i goti mandarono degli ambasciatori all'imperatore Valente, che in quel momento si trovava a Antiochia: un viaggetto di mille chilometri tondi tondi, ma gli ambasciatori non si perdettero d'animo. La missione diplomatica raggiunse dunque Antiochia, le due parti si incontrarono, discussero e arrivarono a una decisione che poi fu comunicata ai comandanti delle truppe romane stanziate lungo il confine danubiano. Tutto ciò deve aver richiesto almeno un mese, durante il quale la massa dei goti rimase più o meno pazientemente in attesa dell'autorizzazione a varcare il fiume. Per tutto questo tempo, a quanto ci risulta, non ci fu nemmeno un attacco da parte degli unni. Anche quelli che attaccarono Atanarico erano piccoli gruppi di guerrieri spesso appesantiti e rallentati dal bottino:[13] dei razziatori, non dei conquistatori. A quel tempo l'organizzazione politica degli unni non prevedeva un capo unitario, bensì una serie di sovrani gerarchicamente ordinati e dotati di ampia libertà d'azione. Nel tentativo di fermare gli unni, per esempio, Vitimero poté reclutare anche altri unni che combatterono al suo fianco.[14] Nel 375-376, dunque, nessuna massiccia orda di unni tallonava i goti in fuga: c'erano piuttosto bande indipendenti di guerrieri unni che applicavano strategie diverse contro vari gruppi di nemici.

Quindi non possiamo dire che una forza militare unna abbia *conquistato* i territori dei goti nel senso consueto del termine: piuttosto, alcuni goti decisero di evacuare una zona che per loro stava diventando troppo insicura. Ancora nel 395, quasi vent'anni dopo, la gran massa degli unni si trovava molto più a est, più vicino ai confini settentrionali del Caucaso che non alla foce del Danubio.[15] E per un decennio almeno dopo il 376 furono altri gruppi di goti, non i tervingi o i greutungi, i principali avversari dell'impero romano lungo il basso corso del Danubio. Nel 386, sullo stesso fronte, i romani dovettero respingere un feroce assalto di un altro gruppo di greutungi comandati da un certo Odoteo; grossomodo nello stesso periodo altri goti ancora – forse i tervingi rimasti indietro, quelli che non avevano voluto seguire Alavivo e Fritigerno sul Danubio – operavano invece nell'area dei Carpazi.

L'arco d'oro

Con ciò non vogliamo dire che la calata degli unni non fu un evento rivoluzionario. Mentre disordini di minore entità potevano essere considerati endemici lungo la frontiera del Danubio così come in altri punti dell'impero, le rivoluzioni vere e proprie erano rare: in tutta la storia dell'impero nella regione a nord del Mar Nero ce n'erano state solo due. Una delle caratteristiche peculiari della zona è quella di presentare una grande varietà di climi e di ecosistemi. Tra i Carpazi e il Don, e soprattutto nelle valli dei fiumi, c'è abbastanza acqua per permettere lo sviluppo dell'agricol-

195

tura arativa, mentre a est del Don i cereali non crescono se non sono irrigati; la parte meridionale della zona tra i Carpazi e il Don, appena al di là della striscia costiera del Mar Nero, è invece piuttosto secca e dominata dalla steppa. In quell'angolo d'Europa, dunque, aree adiacenti sono ecologicamente adatte ai nomadi e agli agricoltori stanziali, che infatti nell'antichità si alternarono al dominio della zona. Negli ultimi secoli prima di Cristo vi prosperavano fianco a fianco sciti nomadi, agricoltori di lingua germanica, bastarni e altri. Attorno all'anno zero la dominazione di questi popoli fu interrotta dall'arrivo di gruppi di sarmati nomadi di lingua iraniana. Due secoli dopo gli agricoltori goti si spostarono a sud-est fino ai Carpazi ed estesero la loro dominazione ancora più a est, fino al Don, sottomettendo i sarmati rimasti. Cosa avevano dunque di tanto speciale, gli unni, da riuscire alla fine del IV secolo a far pendere di nuovo il piatto della bilancia a favore del mondo nomade?

I romani capirono presto in cosa risiedesse la forza militare degli unni. Ammiano non descrive nei particolari le battaglie combattute contro di loro, ma ci ha lasciato questa descrizione generale che va dritta al nocciolo della questione:

[Gli unni] ingaggiano battaglia in schiere a forma di cuneo [...]. E come sono armati alla leggera e assaltano all'improvviso per essere veloci, così, disperdendosi a bella posta in modo repentino, attaccano e corrono qua e là in disordine e provocano gravi stragi [...]. Combattono a distanza con giavellotti forniti, invece che d'una punta di ferro, di ossa aguzze che sono fissate con arte meravigliosa, e dopo aver percorso rapidamente la distanza che li separa dagli avversari lottano corpo a corpo con la spada.

Zosimo, un autore del VI secolo che scrive basandosi sul resoconto di uno storico del IV, Eunapio, ci ha lasciato quest'altra descrizione degli unni: «Erano completamente incapaci e ignoranti di come si debba condurre una battaglia a piedi, ma cambiando improvvisamente direzione, caricando e poi ritirandosi al momento giusto e sferrando colpi dai loro destrieri provocavano immani carneficine».[16] Tutti i commentatori romani non lasciano spazio al dubbio: gli unni erano una cavalleria, soprattutto arcieri a cavallo, e combattevano a distanza di sicurezza fintanto che i nemici non perdevano la coesione e si sparpagliavano; a questo punto avanzavano per ucciderli uno a uno, sia con l'arco sia con la sciabola. Ingredienti essenziali di questa strategia erano una grande abilità nel montare a cavallo e nel tirare con l'arco, la cooperazione in piccoli gruppi e un coraggio feroce. Come è stato rilevato da molti, e più volte dimostrato sia nell'antichità che nel medioevo, la vita dei pastori dell'Eurasia era molto dura, e le abilità e i magnifici destrieri che essi utilizzavano nella loro esistenza quotidiana li rendevano anche ottimi guerrieri.

Ma ciò vale per tutti i nomadi dell'Eurasia e non spiega come mai gli unni poterono riportare successi tanto strepitosi. Oltre ai goti germanici, essi sconfissero tribù nomadi in tutto e per tutto uguali a loro, per esempio gli alani. Cosa fu a dargli quella marcia in più? Entrambi i gruppi erano ottimi cavallerizzi, ma la loro tecnica di combattimento era diversa: mentre gli unni, arcieri a cavallo con un equipaggiamento relativamente leggero, curavano soprattutto la manovrabilità delle formazioni, gli alani, come tutti i sarmati, erano specializzati nella cavalleria pesante (i romani li chiamavano *cataphractes*, cioè corazzati). Sia il cavallo sia il cavaliere portavano l'armatura: in battaglia i guerrieri usavano soprattutto la lancia, affiancata da una lunga sciabola da cavalleria; e tutti i lancieri operavano in una massa compatta. Questi particolari ci aiutano a precisare ulteriormente il punto: anche gli sciti, che già nell'alto impero avevano perso il ruolo di potenza regionale a nord del Mar Nero per essere sostituiti dai sarmati, erano arcieri a cavallo come gli unni e utilizzavano tattiche di combattimento analoghe; le lance sarmate avevano prevalso sui loro archi. Perché allora, tre secoli dopo, accadde l'esatto contrario e furono gli archi ad avere la meglio sulle lance?

La risposta non ci verrà dallo schema costruttivo di base degli archi unni, perché sia questi ultimi sia gli sciti usavano il cosiddetto «superarco delle steppe». Quando diciamo «arco», in genere noi occidentali abbiamo in mente l'arco «semplice», fatto di un singolo pezzo di legno che messo in tensione assume una forma concava. Gli archi della steppa, invece, erano tutt'altra cosa. Innanzitutto erano compositi. Varie sezioni in legno costituivano la cornice delle altre parti dell'arma: una corda fatta di tendini di bue alle estremità, da mettere in tensione, e placche d'osso all'in-

197

terno che si flettevano quando l'arciere tendeva l'arco. Allentato, questo arco poteva curvarsi anche dall'altra parte, da cui gli altri nomi con cui è noto: arco «a doppia curva» o arco «riflesso». Legno, tendini e osso erano incollati insieme con il più potente adesivo che si potesse architettare mettendo insieme lische di pesce e pelli d'animale: una volta stagionato, l'arco così ottenuto aveva una potenza incredibile. Resti di archi del genere (di solito le placche d'osso) sono stati rinvenuti in tombe della regione del Lago Balkhash risalenti al terzo millennio a.C.: nel IV secolo d.C., quindi, non erano certo una novità.

La spiegazione del successo degli unni sembra dovuta a un particolare dettaglio costruttivo la cui importanza finora non è stata adeguatamente riconosciuta. Sia gli unni sia gli sciti, abbiamo detto, usavano l'arco composito; ma mentre quello degli sciti era lungo circa 80 centimetri, i pochi archi unni rinvenuti nelle sepolture di guerrieri sembrano molto più lunghi, tra i 130 e i 160 centimetri. E dimensioni maggiori, ovviamente, significavano più potenza. Come però tutti sanno, per riuscire maneggevole l'arco non dev'essere lungo più di 100 centimetri. Il cavaliere infatti lo impugna tenendolo diritto davanti a sé, e se è troppo lungo urta contro il collo del cavallo o si impiglia nelle redini. Ma gli archi degli unni – e qui finalmente troviamo risposta alla nostra domanda – erano asimmetrici: la metà sotto l'impugnatura era più corta di quella superiore, e grazie a questo particolare essi potevano usare archi molto più grandi pur stando a cavallo. Ciò richiedeva ovviamente una compensazione: l'arco più lungo era anche più impreciso e la sua asimmetria richiedeva una correzione della mira da parte dell'arciere. Dunque gli archi unni, asimmetrici e lunghi 130 centimetri, avevano una potenza di tiro considerevolmente maggiore di quelli degli sciti, simmetrici e lunghi soltanto 80 centimetri; diversamente da questi ultimi potevano trafiggere le armature dei sarmati consentendo agli arcieri di tenersi a distanza di sicurezza, e senza impaccio nei movimenti.

Un'idea di come funzionasse questo arco a doppia curva, o arco riflesso, possiamo farcela ripensando alle gare di tiro con l'arco «composito» turco dell'età moderna. Questi archi erano lunghi circa 100 centimetri, ma simmetrici, dato che erano stati concepiti per la fanteria e non per la cavalleria. Inoltre avevano ovviamente beneficiato di un ulteriore millennio di sviluppo e quindi davano delle prestazioni infinitamente migliori di quelle degli archi cinesi e asiatici realizzati in base allo stesso schema: performance che lasciavano sbalorditi gli europei, abituati ai vecchi archi «semplici». Nel 1753 il miglior arciere dell'età moderna, Hassan Aga, riuscì a scagliare una freccia a 534 metri: era un campione famoso, ma lanci sui 400 metri erano abbastanza comuni. Anche la potenza di questo tipo di arco era impressionante: da una distanza di più di 100 metri era in grado, in una tavola di legno spessa 1,25 centimetri per più di 4 centimetri, di far penetrare una freccia. A causa dell'asimmetria e dello svantaggio di un arciere a cavallo rispetto a un tiratore a piedi, saldamente appoggiato a terra, dobbiamo togliere qualcosa a queste prestazioni da record per immaginare quelle del IV secolo. Gli unni non usavano le staffe, ma avevano pesanti selle di legno che permettevano al cavaliere di aggrapparvisi saldamente con i muscoli delle gambe per avere una piattaforma di tiro stabile. Ciò significa che probabilmente gli arcieri a cavallo unni erano efficaci contro nemici privi di corazza (come i goti) già da una distanza di 150-200 metri, e contro gli alani, meglio protetti, da 75-100 metri. Distanze più che sufficienti a fornire un ampio vantaggio tattico: del quale, stando alle cronache romane, seppero approfittare appieno.[17]

L'arco non era la loro unica arma. Dopo aver disperso la formazione nemica tenendosi a distanza, la cavalleria unna si avvicinava per battersi con la spada e spesso usava anche il lazo per immobilizzare i nemici uno a uno. Da alcune testimonianze archeologiche risulta inoltre che i più ricchi indossavano cotte di maglia. Ma era proprio l'arco riflesso la loro *pièce de résistance*: accuratamente adattato alla bisogna, nel IV secolo esso era perfettamente in grado di sconfiggere i *cataphractes* sarmati. Gli unni erano consapevoli delle eccezionali virtù di quell'arma, come dimostrato da fonti leggermente più tarde risalenti al V secolo: lo storico Olimpiodoro di Tebe ci racconta che nel 410 circa i re unni si vantavano molto della loro abilità di arcieri,[18] e non v'è ragione di credere che non lo facessero anche nel 375. La notte in cui morì il più grande di loro – Attila – l'imperatore romano Marciano sognò «una figura divina che gli mostrava l'arco di Attila spezzato in due».[19] Testimonianze archeologiche confermano che presso gli

199

unni l'arco simboleggiava l'autorità suprema. In quattro necropoli sono stati rinvenuti frammenti di archi ricoperti interamente o in parte di lamine d'oro sbalzato: uno era chiaramente simbolico, essendo lungo solo 80 centimetri e coperto da uno strato d'oro talmente spesso da non poter essere teso, ma gli altri sono della lunghezza normale, quindi è possibile che fossero armi vere con cesellature d'oro.[20] Così abbellita, la causa del predominio militare degli unni divenne anche una potente immagine di potere politico e permise loro di dominare tutta la parte occidentale della grande steppa eurasiatica.

Ammiano Marcellino dunque aveva perfettamente ragione: c'erano gli unni dietro la rivoluzione militare che portò tervingi e greutungi fin sulle rive del Danubio in un momento imprecisato della tarda estate o del primo autunno del 376. Con questo evento l'ascesa della potenza unna cessa di costituire un problema soltanto per i popoli stanziati lungo le coste settentrionali del Mar Nero. La situazione venutasi a creare pone l'imperatore d'oriente davanti a un grave guaio: sulla porta di casa ci sono decine di migliaia di goti sfollati che chiedono asilo.

In cerca d'asilo

Con rara unanimità, la stragrande maggioranza delle nostre fonti dichiara che questo improvviso coagularsi di una massa di aspiranti immigrati non costituì affatto un problema. Anzi, pare che Valente, vedendo in quel flusso di umanità sfollata una grande opportunità, fosse ben felice di lasciarli entrare. Citando ancora una volta Ammiano (ma molte altre fonti si esprimono in modo sostanzialmente analogo):

La cosa suscitò più gioia che paura, e tutti gli adulatori istruiti lodarono smodatamente la buona sorte del principe che in modo così inaspettato gli procurava tante giovani reclute venute dagli estremi confini della terra, giacché unendo le sue forze a quelle degli stranieri egli avrebbe potuto mettere insieme un esercito davvero invincibile. E poi, oltre alla leva di soldati che ogni provincia doveva fornire annualmente come tributo, ciò avrebbe fatto affluire al tesoro imperiale una gran quantità d'oro.

200

Soldati e oro allo stesso tempo: in genere si poteva avere soltanto o gli uni o l'altro. Ovvio che Valente ne fosse contento.

La maggior parte delle fonti, quasi con le stesse parole, racconta poi che cosa andò storto dopo che i goti ebbero attraversato il fiume, probabilmente all'altezza del forte di Durostorum o poco lontano di lì (Carta n. 6). Praticamente tutti gli autori denunciano la disonestà degli ufficiali romani i quali, quando i migranti cominciarono a essere a corto di cibo, approfittarono della loro disperazione per imbastire un lucrosissimo mercato nero di cibo contro schiavi. Non ci stupisce che la cosa abbia suscitato risentimento; né che gli animi si siano ulteriormente riscaldati quando alcuni ufficiali romani, soprattutto un certo Lupicino comandante delle forze di campo di stanza in Tracia (*comes Thraciae*), dopo essersi arricchiti col mercato nero e aver trasferito i goti in un secondo campo, più vicino al quartier generale di Marcianopoli (Carta n. 6), organizzarono un banchetto in onore dei comandanti goti e ne approfittarono per cercare di ucciderli. Con ciò lo sdegno dei goti si trasformò in aperta rivolta.[21] Fin qui la narrazione coeva; e il più delle volte anche gli storici hanno riassunto così il precipitare degli eventi. Accusando Valente di stupidità per aver lasciato entrare i goti, gli ufficiali di avidità e i goti stessi – almeno in parte – di essersi lasciati trasportare dalla violenza, si ottiene un quadro perfettamente coerente. Ma osservando meglio i particolari storici si scopre che questa non è tutta la verità.

Prendiamo, tanto per cominciare, la normale politica di Roma nei confronti dei richiedenti asilo. Nel 376 quello degli immigrati più o meno volontari non era affatto un problema nuovo per l'impero, che spesso lasciava entrare gli stranieri: un flusso pressoché costante di individui in cerca di fortuna (non ultimo, come abbiamo visto, nei ranghi dell'esercito), e di tanto in tanto migrazioni anche più consistenti. In latino c'era anche un termine specifico per indicare l'accoglienza dei migranti: *receptio*. Un'iscrizione del I secolo d.C. registra il fatto che il governatore di Nerone trasportò in Tracia 100.000 persone provenienti «da oltre il Danubio» (*transdanuviani*). Nel 300 d.C. gli imperatori della tetrarchia riallocarono entro i confini dell'impero decine di migliaia di carpi provenienti dalla Dacia disperdendoli in varie comunità del Danubio, dall'Ungheria al Mar Nero. Tra i due episodi si erano veri-

201

ficati innumerevoli altri flussi analoghi; mentre è difficile sostenere che il trattamento riservato ai migranti fosse sempre e dovunque lo stesso, è possibile enucleare alcuni schemi ricorrenti. Se tra l'impero e i richiedenti asilo i rapporti erano buoni e se la migrazione avveniva per mutuo accordo, alcuni dei giovani maschi immigrati venivano arruolati nell'esercito (formando a volte una nuova unità omogenea) e il resto della popolazione veniva sparpagliato su tutta la superficie dell'impero e impiegato in agricoltura, e di lì in poi assoggettato alle tasse come tutti gli altri. Un accordo di questo tipo fu siglato per esempio nel 359 tra l'imperatore Costanzo II e alcuni sarmati detti limiganti.[22] Se invece i rapporti non erano idilliaci, e soprattutto se gli stranieri erano stati catturati durante un'operazione militare, le condizioni erano più dure. Qualcuno veniva arruolato ugualmente, ma a fronte di certe garanzie: un editto imperiale relativo a un contingente di sciri catturato nel 409, per esempio, stabiliva che sarebbero dovuti passare almeno venticinque anni – un'intera generazione – prima che qualcuno di loro potesse entrare nell'esercito. Tutti gli altri, anche in questi casi, diventavano contadini, ma a condizioni meno favorevoli. Degli sciri di cui sopra molti furono venduti come schiavi e gli altri divennero contadini non liberi (*coloni*), ma a patto di lasciarsi deportare oltre i Balcani, nella regione in cui erano stati catturati. Tutti gli immigrati, dunque, diventavano contadini o soldati, ma in circostanze più o meno piacevoli.[23]

C'è poi un altro denominatore comune a tutti i casi documentati di immigrati cui fu concesso di stabilirsi entro i confini dell'impero. Gli imperatori non lasciavano *mai* entrare i migranti così, sulla parola, ma si assicuravano di poterne controllare militarmente le mosse: o per il fatto di averli già sconfitti, o confidando che le forze romane in loco avrebbero potuto sedare eventuali disordini. L'accordo tra Costanzo II e i limiganti è un esempio che fa al caso nostro, perché anche in quell'occasione qualcosa non andò per il verso giusto. Ammiano ne dà come al solito tutta la colpa alla malafede dei sarmati, ma le cause potrebbero essere più complesse. Sia come sia, proprio nel momento più solenne si scatenò l'inferno:

Quando l'imperatore si mostrò nell'alto tribunale e già stava per pronunciare un amabilissimo discorso, giacché intendeva rivolgersi [ai sarmati] come a futuri sudditi obbedienti, uno di loro, preso da un raptus di selvaggia follia, tirò una scarpa contro il tribunale gridando «Marha, marha!» [che sarebbe il loro grido di guerra]; e allora tutta quella folla primitiva lo seguì, sventolò una bandiera barbara e con grida selvagge si gettò contro l'imperatore medesimo.

Ma vediamo cosa accadde subito dopo:

Nonostante l'attacco improvviso le avesse colte armate solo in parte, [le forze romane] levarono un alto grido di battaglia e si precipitarono tra le bande dei selvaggi [...] massacrando tutti quelli che gli vennero a tiro, calpestando senza pietà vivi, morti e morenti [...]. I ribelli furono schiacciati: alcuni morirono, altri, in preda al panico, scapparono in ogni direzione, e quelli che con vane suppliche speravano di salvarsi furono abbattuti.

L'accettazione dei limiganti in territorio romano, ovviamente, era stata negoziata con cura prima che Costanzo avesse l'ardire di mostrarsi in pubblico: quindi in teoria tutto avrebbe dovuto filare liscio. Ma quando fu chiaro che invece le cose non sarebbero andate così, le forze armate romane entrarono prontamente in azione e i limiganti furono spazzati via.[24]

Per tutte queste ragioni, nella versione vulgata dei fatti del 376 evidentemente c'è qualcosa che non quadra. Valente, ci vien detto, si rallegrò moltissimo dell'arrivo dei goti; ma si può facilmente dimostrare che nel 376 l'esercito romano non aveva affatto il controllo della situazione. E così, quando i profughi ebbero passato il fiume e le cose cominciarono a mettersi male, nessuno fu in grado di riportare l'ordine. Indipendentemente dalle sue responsabilità personali nella rivolta dei goti, Lupicino non aveva abbastanza truppe; quando, dopo il banchetto, cercò di sedare la rivolta con la forza si prese una bella batosta.[25] In assenza di una schiacciante superiorità militare, elemento cruciale di tutte le *receptiones* romane, è difficile credere che Valente fosse proprio felice dell'arrivo dei goti sul Danubio.

La carenza di truppe romane nei Balcani ha una ragione molto semplice. Nell'estate del 376 Valente si trovava seriamente inguaiato sul fronte orientale, dove una situazione di stallo durava ormai da tempo. Come abbiamo visto nel Capitolo 3, nel 369 l'imperatore aveva dovuto siglare una pace di compromesso con Atanarico per poter avere le mani libere per occuparsi della Persia, giunta ormai a minacciare l'Armenia e l'Iberia caucasica. Dopo il 371, grazie alle difficoltà che la Persia stessa doveva affrontare sul suo confine orientale, Valente aveva poi messo a segno qualche buon colpo riuscendo a collocare degli uomini di suo gradimento sul trono dei regni caucasici. Ma nel 375 Sapore, il re dei re dei persiani, era passato di nuovo all'attacco. Deciso a non fare nemmeno un passo indietro, nell'estate del 376 Valente gli aveva mandato tre aggressive ambascerie per intimargli di ritirarsi, oppure prepararsi alla guerra. Una posizione diplomatica che richiedeva adeguati preparativi militari: infatti l'imperatore non solo aveva messo fretta ad Antiochia, sede del quartier generale da cui dipendevano le campagne contro la Persia, ma aveva fatto affluire in oriente anche molte delle sue truppe di campo mobili. Quando i goti arrivarono sul Danubio, quindi, Valente era già impegnato in difficili manovre sul fronte orientale e ci sarebbe voluto almeno un anno per svincolare da quel teatro di guerra una parte dell'esercito e riallocarlo logisticamente.[26]

Per un po', forse, Valente continuò a sperare che la crisi danubiana si risolvesse da sola in modo da lasciarlo libero di occuparsi della situazione nel Caucaso (forse addirittura col rinforzo di nuove reclute gote, come riportano le fonti). Ma siccome in quel momento il teatro danubiano non vedeva affatto i romani nella consueta posizione di vantaggio tattico e numerico, ci aspetteremmo di vederlo muoversi con particolare prudenza, conscio dei potenziali pericoli. E infatti tutto dimostra che così fece. Come abbiamo già detto, l'unica cosa chiara di tutto questo pasticcio è che dei due gruppi di goti che si presentarono alla frontiera del Danubio soltanto uno, i tervingi, fu lasciato entrare.[27] I greutungi invece non ottennero il permesso di varcare il confine: anzi, tutte le truppe e le imbarcazioni disponibili nei Balcani furono schierate davanti a loro affinché rimanessero sulla riva settentrionale del fiume.[28] Non è vero, dunque, che Valente si sia precipitato ad accogliere a braccia aperte, indistintamente, tutti i goti che volevano entrare nell'impero con la speranza di rimpolpare i ranghi dell'esercito e le casse dello stato.

E ora vediamo di approfondire un po' di più i rapporti tra l'imperatore e i tervingi. Nessuna fonte entra nei termini del patto di pace siglato con questo gruppo, che peraltro, a causa della rivolta, non entrò mai in vigore. Quel che è certo è che al pubblico di Roma l'accordo fu presentato come una resa senza condizioni – *deditio* – da parte dei goti; ma ciò non ci dice molto, dato che quelli siglati in precedenza da Costantino e da Valente con i goti stessi erano stati descritti così perfino quando mettevano nero su bianco una situazione di tutt'altro tipo (cfr. pp. 99-103). Ma tutto sembra suggerire che l'accordo del 376 contenesse alcune clausole senza precedenti, altamente favorevoli ai goti. Tanto per cominciare essi avrebbero esercitato, sul territorio in cui andavano a stabilirsi, un livello di controllo assolutamente fuori dal comune. In circostanze normali era l'imperatore a decidere dove mettere gli immigrati, che in genere venivano dispersi su un vastissimo territorio: nel 376, invece, fu concordato che i tervingi potessero stanziarsi tutti in Tracia, luogo scelto da loro. I dettagli di come si sarebbe dovuto organizzare l'insediamento non sono chiari; in particolare non sappiamo se ai goti fu consentito di formare gruppi abbastanza numerosi da preservare la loro identità politica e culturale. Sarebbe un'informazione cruciale. Se sì, il patto fu veramente eccezionale; ma non lo escludo, visto che poterono scegliere addirittura in quale zona dell'impero insediarsi. Quanto al resto sappiamo soltanto che furono presi degli ostaggi, che un contingente di giovani uomini fu subito arruolato nell'esercito romano regolare e che i goti si impegnarono a fornire contingenti più numerosi per certe determinate campagne; un po' come era accaduto tra il 332 e il 369. C'erano poi alcune misure tese a costruire la fiducia reciproca: per esempio tutti i capi tervingi si dissero disposti a convertirsi al cristianesimo.

Il fatto che l'accordo fosse presentato al pubblico di Roma come una resa incondizionata, dunque, non deve trarci in inganno. Le sue clausole militari e diplomatiche erano lontanissime dalle pratiche più consolidate dello stato romano, e di fatto possiamo dire che i tervingi, nel 376, ottennero condizioni molto più favorevoli di quelle generalmente accordate ai più vecchi e fidati amici di Roma. Valente si vide costretto ad abbandonare le vie più sicure e sperimentate perché sul Danubio era sguarnito di soldati. Stando così le cose, ci aspetteremmo di vederlo agire con grande

205

prudenza rispetto alla decisione di lasciar entrare anche solo i tervingi; e molti indizi ci confermano che fu proprio così.[29]

Le cause principali della rivolta dei tervingi, come abbiamo visto, furono la carenza di cibo e le conseguenti speculazioni dei romani. I goti probabilmente trascorsero accampati lungo le rive del Danubio tutto l'autunno e parte dell'inverno 376-377, e si misero in viaggio per Marcianopoli solo tra la fine dell'inverno e l'inizio della primavera. Durante la fase di gestazione della rivolta i profughi ebbero sempre più difficoltà nel procurarsi qualcosa da mangiare, perché «tutti i generi di prima necessità erano stati portati dentro le città fortificate, nessuna delle quali poté essere assediata dal nemico a causa della completa ignoranza di queste e di altre analoghe operazioni militari». La frase si riferisce a un momento preciso dell'estate del 377, *prima* della maturazione dei raccolti: sembra di poterne dedurre che i romani avevano deliberatamente trasportato le messi del 376 al riparo di quelle roccaforti che i goti non potevano conquistare per mancanza di adeguate tecniche militari. In ogni caso, nutrire tutti quei tervingi affamati sarebbe stato un compito impari per lo stato romano: l'apparato infatti era già sotto pressione per le campagne militari in atto, durante le quali le truppe avevano bisogno di giganteschi rifornimenti di cibo. I goti, ovviamente, non potevano arrangiarsi coltivando qualcosa in proprio, poiché l'accordo con cui lo stato romano avrebbe assegnato loro delle terre era ancora di là da venire. Una volta che i migranti ebbero mangiato tutto ciò che si erano portati con sé, Valente, che controllava tutte le riserve di cibo disponibili, li ebbe in pugno.

Nel frattempo quest'ultimo negoziava in tutta fretta l'assistenza militare del suo collega d'occidente, l'imperatore Graziano, figlio di suo fratello Valentiniano I. Probabilmente fu proprio nel 377 che una nostra vecchia conoscenza, Temistio, oratore, filosofo, senatore di Costantinopoli e amico intimo di Valente, andò a Roma per pronunciarvi il suo tredicesimo discorso. Poco originale e poco ispirato, forse letto in occasione del decimo anniversario dell'ascesa al trono dell'imperatore che cadeva proprio nel 377, questo discorso celebra Graziano quasi fosse l'ideale platonico del sovrano. La cosa interessante, più che non il testo del discorso in sé, è che Temistio si trovasse nella metà occidentale dell'impero in

206

quel delicatissimo momento. Il retore aveva dovuto coprire la distanza dalla Siria a Roma praticamente a rotta di collo, come lui stesso ci tiene a precisare:

[...] il mio percorso ha seguito quello del sole, dal Tigri all'Oceano [Atlantico: cioè all'occidente]; è stato un viaggio urgente, un volo sulla superficie della terra, proprio come egli [Socrate] narra che una volta Eros dovette fare per molti giorni e molte notti insonni. Ho dovuto vivere sulla strada, alle intemperie, dormendo in terra e fuori dalle porte, senza un letto su cui sdraiarmi né scarpe da mettermi [...].[30]

Tanta fretta indiavolata non è giustificata dal contenuto piuttosto trito e convenzionale del discorso: il che lascia supporre che l'ambasceria di Temistio avesse anche un altro scopo, molto più urgente. L'apparente incongruenza si spiega con la presenza di truppe occidentali in oriente già nell'estate del 377: perché ciò accadesse, infatti, qualche negoziato preventivo doveva essersi svolto durante l'inverno 376-377, possibilmente prima della rivolta dei tervingi. Fu questa impellente necessità, dunque, a far correre tanto Temistio e i suoi colleghi: quella di negoziare una risposta imperiale congiunta al problema dei goti che tanto intempestivamente si erano presentati sulla soglia di Valente.

Il fatto che l'imperatore d'oriente si stava muovendo con ogni cautela è suggerito anche dal più misterioso di tutti gli avvenimenti occorsi sulle rive del Danubio. Quando la carenza di cibo divenne drammatica, accrescendo l'ostilità dei goti, Lupicino decise di spostare i tervingi più vicino al quartier generale di Marcianopoli; ma per controllare questo spostamento dovette utilizzare le stesse unità che, fino a quel momento, si erano occupate di tenere fuori dall'impero i greutungi. Così, quando i tervingi si misero in marcia, il riposizionamento delle truppe romane permise ai greutungi di attraversare il fiume e di approdare finalmente sul suolo dell'impero. In quanto comandante militare della regione, Lupicino ne fu probabilmente disperato: era chiaro infatti che la situazione si stava avvitando in una spirale che gli sfuggiva di mano. Come se ciò non bastasse Ammiano racconta che i tervingi avanzarono verso Marcianopoli con estrema lentezza, dando il tempo di raggiungerli ai greutungi che probabilmente avevano guadato il Danubio un

po' più a est, a Sacidava o ad Axiopolis (Carta n. 6). Quando i tervingi furono a circa 15 chilometri dalla meta, Lupicino invitò a cena i loro capi. Così Ammiano:

Avendo invitato a banchetto Alavivo e Fritigerno, Lupicino fece schierare i soldati a guardia del gruppo principale dei barbari per tenerli lontani dalle mura della città [...]. Grandi risse scoppiarono tra gli abitanti di
questa e coloro che erano stati chiusi fuori, al punto che lo scontro divenne inevitabile. A quel punto i barbari [...] uccisero e depredarono un
grosso contingente di soldati. Lupicino, segretamente informato di
quanto era successo [...], fece subito mettere a morte gli attendenti dei
due capi che, come un picchetto d'onore a garanzia della loro incolumi-
tà, erano rimasti ad aspettarli davanti agli alloggi del generale. Quando [i
goti] che si affollavano sotto le mura udirono la notizia si inferocirono e
si aggregarono per liberare i loro re che, evidentemente, erano trattenuti con la forza [...]. Fritigerno, che giustamente temeva di essere trattenuto come ostaggio, si mise a gridare che [i romani] avrebbero dovuto
combattere e perdere molte vite se non lo avessero lasciato andar via insieme ai suoi compagni per placare il resto del popolo [...]. Quando la
sua richiesta fu accolta tutti se ne andarono di lì.[31]

Difficile capire cosa accadde esattamente. A giudicare dalle ap-
parenze quell'aggressione abborracciata era nata dall'incompren-
sione e dal panico; ma bisogna ricordare che i banchetti-trappola
erano usati spesso dai romani nella gestione delle frontiere.

Quello di eliminare fisicamente i capi più pericolosi o potenzialmente tali era un buon mezzo per seminare la confusione tra i
nemici: Ammiano descrive altre quattro occasioni in cui, nell'arco
di ventiquattro anni, i generali romani invitarono a cena i capi nemici per poi sequestrarli. Uno di tali festini era stato iniziativa autonoma di un comandante locale, ma per gli altri tre gli ordini venivano direttamente dall'imperatore. In un caso un comandante
di stanza sul Reno aveva ricevuto una lettera sigillata da aprirsi solo qualora il capo degli alamanni si fosse fatto vedere sulla riva romana del fiume: se ciò fosse successo (ed effettivamente avvenne)
le istruzioni erano di rapirlo e deportarlo in Spagna. Probabilmente anche Lupicino aveva ricevuto ordini analoghi. Valente,
ancora ad Antiochia, non poteva essere consultato ogni volta che
accadeva qualcosa: una richiesta di ordini da parte dei coman-

danti di stanza sul Danubio non poteva ricevere risposta se non nel giro di alcune settimane. Le istruzioni date a Lupicino su come comportarsi con i tervingi probabilmente lasciavano ampio spazio alla sua iniziativa personale, eppure non credo che l'imperatore gli avesse dato proprio carta bianca: è più probabile che Lupicino avesse ricevuto delle linee guida per un certo numero di scenari prevedibili. L'arrivo di un'ingente massa di goti non sottomessi sul territorio dell'impero proprio nel momento in cui il grosso delle truppe era impegnato altrove era un evento troppo pericoloso per essere liquidato senza una seria riflessione. Probabilmente gli ordini per Lupicino erano che, se le cose avessero rischiato di sfuggirgli di mano, lui avrebbe dovuto fare di tutto per spezzare la coesione dei goti (e il rapimento dei capi nemici, come abbiamo visto, era quasi un riflesso condizionato per i generali romani). A ogni modo tutto era nelle mani di Lupicino; il quale, venuto al dunque, fece prima una cosa e poi il suo contrario, senza seguire con coerenza nessuna delle strategie possibili. Invece di ottenere una pace stabile seppur a caro prezzo o di affrontare un'orda nemica allo sbando e senza capi, egli si trovò davanti una rivolta bene organizzata e guidata da una leadership indiscussa.[32]

Sia il buonsenso – chi mai avrebbe piacere di vedere scatenarsi il caos su un secondo fronte mentre è già seriamente impegnato altrove? – sia il paragone con altri casi di migranti accolti sul suolo dell'impero dimostrano quindi al di là di ogni ragionevole dubbio che Valente non poteva essere contento di vedere i goti affollarsi sulla riva settentrionale del Danubio, come le nostre fonti all'unanimità vorrebbero farci credere. Come abbiamo visto, l'ideologia dell'impero imponeva di presentare sempre e comunque all'opinione pubblica i barbari come esseri servilmente ossequenti: e anche nel 376, nonostante dietro le quinte ci fosse il caos, la politica dell'imperatore fu venduta ai contribuenti come un'illuminata e deliberata strategia a esclusivo beneficio dell'impero. Ammiano ci offre un importante indizio di come stessero in realtà le cose quando accenna al sostegno dato da «adulatori istruiti» (*eruditis adulatoribus*) alla politica di Valente verso i goti:[33] queste parole ci fanno subito venire in mente Temistio e lo splendido lavoro che aveva fatto nel presentare la pace del 369. Nell'estate del 376 il retore si trovava in Siria con l'imperatore quando fu mandato di corsa nella metà occidentale dell'impero. Sospetto che proprio con un discorso simile a quello del 369 avesse cercato di convincere la corte romana d'oriente del fatto che, contro ogni logica, accogliere nell'impero un'orda di goti selvaggi e non sottomessi fosse proprio un'idea geniale. L'unanimità delle nostre fonti, dunque, riflette più la propaganda con cui l'imperatore era solito giustificare le sue scelte politiche che non i ragionamenti reali che le avevano motivate.

La presenza incombente degli unni, dunque, aveva costretto romani e goti a relazionarsi più strettamente di quanto fosse mai accaduto in passato. Sicuramente l'imperatore non ne fu soddisfatto e men che meno apprezzò il modo in cui quei rapporti si andavano consolidando. Ma anche i goti non dovevano esserne propriamente entusiasti. La decisione di cercare rifugio sotto le ali dell'impero, tra di loro, non era stata presa a cuor leggero. Quando la maggioranza dei tervingi non aveva più voluto saperne di Atanarico, ciò era avvenuto nel corso di una grande assemblea in cui la questione era stata ampiamente dibattuta.[34] La loro esitazione è comprensibile: l'idea di traslocare nel territorio di un vicino tanto potente non li lasciava certo indifferenti. Data l'efficienza del telegrafo senza fili della frontiera, però, probabilmente i goti sapevano che Valente era in difficoltà per via della guerra con la Persia e pensarono che le circostanze l'avrebbero indotto a fare qualche concessione immediata; d'altra parte non c'era nessuna garanzia che le condizioni ottenute in quel frangente non si sarebbero inasprite più tardi, a emergenza finita. È comprensibile, quindi, che i goti abbiano cercato di forzare i tempi mettendosi nelle condizioni di trattare col potere imperiale a lungo termine, e non solo per l'immediato futuro.

Anche se i romani utilizzarono con loro due pesi e due misure, tervingi e greutungi si tennero sempre in contatto: e quando le truppe di Lupicino li costrinsero a spostarsi verso Marcianopoli i tervingi, sapendo che i greutungi avevano già attraversato il fiume, rallentarono apposta per aspettarli.[35] Essi ormai erano nella gabbia del leone: anche se in apparenza avevano ricevuto un'accoglienza migliore di quella riservata ai greutungi, avevano tutto l'interesse a fare con loro fronte comune per controbilanciare lo schiacciante vantaggio numerico ed economico dell'impero. Così

210

facendo ovviamente essi violavano lo spirito, se non la lettera, dell'accordo siglato con Valente. Ma se l'imperatore aveva mille occasioni per riscrivere il trattato del 376 modificandone le conseguenze a lungo termine, altrettanto potevano fare i goti.[36]

Questa, perlomeno a mio parere, è la vera storia di come andarono le cose. Goti e romani, a causa della vicinanza degli unni, dovettero entrare in rapporti molto più stretti di quanto avrebbero voluto. Nessuno dei due popoli si fidava dell'altro e si sentiva del tutto vincolato dagli accordi siglati nel 376, quando entrambi si erano trovati in un momento di estrema difficoltà. Il fatto che l'accordo non abbia retto, dunque, probabilmente non sorprese nessuno. Ormai si andava incontro a una prova di forza militare dal cui esito sarebbe dipesa la natura di un patto più duraturo tra gli immigrati goti e lo stato di Roma.

La battaglia di Adrianopoli

Le ostilità si aprirono il mattino dopo il fatale banchetto di Lupicino. Il ritorno di Fritigerno e le violenze della notte sfociarono in un primo round di saccheggi e devastazioni negli immediati dintorni di Marcianopoli. Lupicino reagì chiamando a raccolta tutti gli uomini che aveva a disposizione e avanzando contro l'accampamento dei goti, a circa 15 chilometri dalla città. Le truppe romane furono rapidamente sopraffatte e ben pochi uomini, oltre a Lupicino stesso, riuscirono a salvarsi. Ebbe così inizio, in un momento imprecisato tra la fine dell'inverno e la primavera del 377, quella guerra contro i goti che si sarebbe protratta per non meno di sei stagioni militari e che si sarebbe conclusa solo il 3 ottobre 382, quando finalmente tornò a regnare la pace.[37] Possiamo seguire i primi due anni di combattimenti, fino alla battaglia di Adrianopoli, grazie alla cronaca di Ammiano Marcellino (che però non sempre ci dice tutto quello che vorremmo sapere); dopo le fonti si fanno più avare. Ciò che risulta chiarissimo, comunque, è che l'intera guerra contro i goti – tutte e sei le stagioni militari – coinvolse solo le province balcaniche dell'impero: un territorio per il quale nel corso della storia si è sempre combattuto molto e la cui particolarissima configurazione geografica determina la natura stessa delle operazioni militari.

211

La parte settentrionale della penisola balcanica ha la forma di un grossolano rettangolo, più largo a nord e a ovest e più stretto a sud e a est (Carta n. 6) ed è quasi del tutto montagnosa. Verso est gli Stara Planina (o Monti Haemus, o Balcani) raggiungono con le loro cime arrotondate un'altitudine media di 750 metri; solo la vetta più alta tocca i 2376 metri. I Monti Rodopi, invece, più aspri e accidentati, ne contano parecchie sopra i 2000 metri. Più a ovest, in direzione nord-sud si allungano le Alpi Dinariche: nel corso del tempo gli agenti atmosferici ne hanno eroso le rocce calcaree, creando balze affilate e versanti butterati spesso ricoperti di una brutta vegetazione spinosa: è il caratteristico paesaggio carsico dei Balcani occidentali. Ai piedi delle montagne si estendono tre grandi pianure: a nord quella del Danubio, a sud-est quella della Tracia e quella macedone tra i Rodopi e le Alpi Dinariche. Altro tratto caratteristico della penisola sono i molti bacini alluvionali d'alta quota, dove l'erosione provocata dalle piogge e dallo scioglimento delle nevi accumula strati di terreno fertile in tasche ubicate tra i picchi montuosi.

Questo paesaggio ha modellato la storia dell'intera regione. Innanzitutto, com'è ovvio, pianure e bacini di montagna definiscono sezioni di terre coltivabili ben distinte, dove è facile che si concentri la popolazione. Molte zone montuose sono estremamente impervie: il che, combinandosi con la rigidità del clima invernale, ha permesso alla popolazione locale di tracciare due sole vie di comunicazione per le lunghe distanze: da nord a sud la strada principale corre lungo le valli dei fiumi Morava e Vardar, che si gettano nel Danubio in corrispondenza dell'odierna Skopje (la romana Scupi) per poi raggiungere il Mar Egeo a Tessalonica. Da nord-ovest a sud-est una seconda importante via di comunicazione si stacca anch'essa dalla valle della Morava, ma per svoltare verso sinistra a Niš (la Naissus romana) e aprirsi un varco tra i fertili bacini montuosi fin oltre Sofia, la capitale dell'odierna Bulgaria (Serdica per i romani); il Passo Succi permette poi di raggiungere la ricca piana di Sredna Gora e più avanti la pianura della Tracia; in epoca romana questa era un'arteria militare di primissimo livello. Ma le caratteristiche del paesaggio modellano le comunicazioni anche a livello locale: i Rodopi, per esempio, sono difficili da valicare da nord-est a sud-ovest, mentre gli spostamenti attraverso i

212

Monti Haemus in direzione nord-sud devono incanalarsi lungo cinque valichi principali: la valle dell'Iskar a ovest, i passi Trojan e Šipka al centro, e i Passi Kotel e Riski più a est.

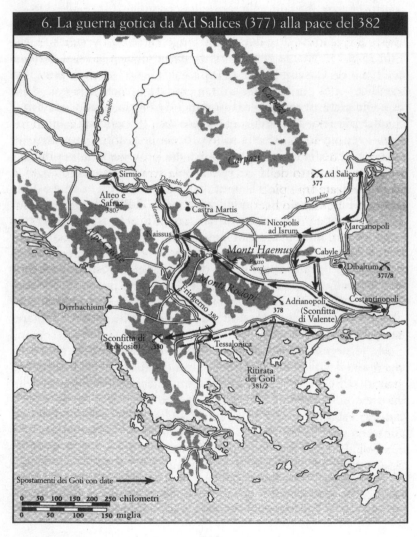

6. La guerra gotica da Ad Salices (377) alla pace del 382

213

Nel 376, varcando il Danubio, i goti penetrarono in quel mondo romano che era di casa nella parte settentrionale di questo particolarissimo contesto geografico ormai da 300 anni e nella parte meridionale da quasi 500, a partire da quando, nel 146 a.C., la Macedonia era stata conquistata e trasformata in provincia. In genere nei Balcani i romani avevano lavorato a favore del paesaggio piuttosto che contro di esso, ma con un'importante eccezione. Oltre alle due direttrici naturali per le comunicazioni di largo raggio, essi avevano aperto a viva forza altre due strade lungo l'asse est-ovest: a sud, già attorno al 130 a.C. la famosa Via Egnazia seguiva la linea costiera dell'Egeo da Costantinopoli a Tessalonica – un tracciato piuttosto semplice – per poi lanciarsi arditamente tra i picchi e le gole delle Alpi Dinariche e raggiungere l'Adriatico a Durazzo (l'antica Dyrrhachium); più a nord, alla fine del I secolo d.C. gli ingegneri militari romani avevano scavato nella solida roccia una strada attraverso le Porte di Ferro, laddove il Danubio taglia le propaggini meridionali dei Carpazi per collegare le regioni del suo basso e medio corso. I Balcani sono sempre stati la linea di congiunzione tra oriente e occidente, e l'impero non economizzava mai sulle strade. Ancora nel 376 la funzione primaria dei Balcani, secondo la prospettiva centralistica dello stato romano, era quella di fare da ponte tra le due metà dell'impero; per questo si spendeva tanto nella manutenzione delle strade e nella difesa delle città e delle stazioni di posta ubicate lungo il cammino. Così facendo Roma da una parte proteggeva i viaggiatori, e dall'altra si garantiva quella rete logistica che rendeva possibili i fulminei collegamenti di cui leggiamo nelle carte di Teofane (cfr. pp. 136-139).

Ma le necessità primarie dell'impero imponevano di spendere una quota del bilancio statale anche in altre due aree dei Balcani. La pianura del Danubio, a nord dei Monti Haemus, faceva parte della frontiera dell'impero da almeno tre secoli quando gli unni cominciarono a suscitare turbolenze a nord del Mar Nero. Qualche tempo prima importanti basi di legionari erano state create a Oescus e a Novae. Nel IV secolo il quartier generale regionale di Marcianopoli, le cui mura circondavano un'area di ben 70 ettari, sovrintendeva a tutte le operazioni militari della zona, mentre una serie di fortezze grandi e piccole controllava le rive del fiume e la campagna circostante. Per quell'epoca anche molti degli insediamenti civili più grandi si erano dotati di una cerchia di mura e svolgevano funzioni militari sussidiarie. Più a sud, invece, a gravare sulla spesa pubblica erano più gli imperativi politici che non quelli militari. Nella parte sudorientale della penisola l'imperatore Costantino aveva ribattezzato l'antica *polis* greca di Bisanzio col nome di Costantinopoli; a partire dal terzo quarto del IV secolo la città era diventata a tutti gli effetti una seconda capitale. Dotata di mura possenti e di magnifici palazzi pubblici, Costantinopoli aveva beneficiato di massicci investimenti infrastrutturali: uffici e magazzini per il porto, depositi di grano in cui immagazzinare il carico delle navi provenienti dall'Egitto, acquedotti che prosciugavano colline a 100 chilometri di distanza per rifornire d'acqua la florida popolazione di una zona di per sé piuttosto arida. La città era diventata un centro davvero importante, capace di esprimere una voluminosa domanda di generi di consumo, e a parte tutti i soldi investiti dalle casse imperiali, tra i suoi cittadini c'erano parecchi possidenti in grado di spendere. I ricchi avevano bisogno di eleganti palazzi in città e di fresche dimore nelle campagne circostanti, ed esigevano ogni genere di servizi. Nel IV secolo i Balcani sudorientali vissero dunque un boom economico mai visto prima e il flusso di denaro proveniente da Costantinopoli ricadde a cascata anche sulle comunità limitrofe della pianura della Tracia.

Ma i Balcani ospitavano anche altre comunità, la cui *romanitas* era il prodotto di uno sviluppo più organico e di lungo termine. Città romane vi erano state fondate moltissimo tempo prima; alcune comunità della costa adriatica avevano addirittura un lungo passato preromano, così come, a maggior ragione, lo avevano la Macedonia e il litorale del Mar Nero, dove città come Tessalonica, Filippopoli, Anchialo e Odessa affondavano le loro radici nella Grecia classica. Tutta la regione poteva vantare sia vere città romane con tutto il consueto patrimonio di edifici pubblici sia floride campagne allegramente sfruttate da una classe di proprietari terrieri residenti in lussuose ville. Una vera e propria vita romana, però, si poteva condurre anche in altre zone della penisola balcanica. Nel IV secolo la pianura del Danubio era ormai cosparsa di ville e città: comunità che, in un certo senso, si possono considerare un sottoprodotto di ciò che Roma spendeva per la difesa. Molti membri dei consigli cittadini infatti discendevano direttamente dai veterani delle legioni e molte tenute di campagna erano nate dall'assegnazione di terre con cui solitamente lo stato ricompensava i soldati a fine servizio. Molte fortune personali inoltre erano state costruite sulla necessità di rispondere alla domanda di consumo di soldati e ufficiali. Da un certo punto in poi lo stesso stile di vita romano aveva generato una dinamica indipendente: i monumenti della regione infatti sono troppo notevoli per spiegarsi unicamente con la spesa statale. Lo stesso vale per il corridoio centrale che da Filippopoli attraverso lo Sredna Gora e Serdica porta alla valle della Morava: anche qui, se inizialmente era stata la spesa pubblica a mettere in moto il processo di sviluppo, da un certo momento in poi la *pax romana* aveva permesso l'affermarsi di un autentico stile di vita romano, fiorito poi anche nei bacini montani limitrofi. I due ostacoli gemelli delle montagne e del clima, che rispetto ad altre zone dell'impero avevano limitato la nascita delle città e l'estensione delle terre coltivate, non avevano però impedito ai Balcani di svilupparsi fino a diventare un piccolo universo completamente romanizzato.[38]

Questo il panorama che i goti si trovarono davanti allo scoppio delle ostilità. Tutto sembra suggerire che anche i greutungi si gettarono immediatamente nella mischia.[39] Accampati nelle immediate vicinanze di Marcianopoli, i barbari si trovavano nel bel mezzo della fascia di installazioni militari erette dai romani a protezione della frontiera del Danubio. In alcune piccole fortezze riportate ultimamente alla luce sono visibili degli strati danneggiati, e proprio in corrispondenza degli anni di guerra; ma sia le prove scritte sia quelle archeologiche confermano che Ammiano ha ragione quando afferma che Fritigerno, il capo dei goti, «rimase in pace con le mura».[40] Sarebbe stato un vero e proprio suicidio per i goti aggredire queste fortezze di frontiera, molte delle quali all'inizio del IV secolo erano state rinforzate con grandi bastioni a U concepiti apposta per massimizzare l'efficacia dell'artiglieria muraria romana. Le guarnigioni, inoltre, erano abbastanza numerose: ventitré unità nella provincia della Scizia e ventisette nella Mesia Inferiore, con una particolare concentrazione a Noviodunum, Axiopolis, Troesmis, Transmarisca, Durostorum e Novae (Carta n. 6). Le truppe di guarnigione, però, erano addestrate soprattutto a svolgere compiti di pattugliamento e a controllare bande di razziatori, e non potevano trasformarsi da un giorno all'altro in forze di campo mobili da impiegarsi in vaste operazioni belliche; e come se ciò non bastasse Lupicino le aveva già rosicchiate per mettere insieme la sua raffazzonata forza d'intervento. Sconfiggendolo, quindi, i goti avevano neutralizzato l'unica forza di campo mobile degna di questo nome che Roma avesse nell'intera regione; e le rimanenti guarnigioni sicuramente avrebbero fatto una brutta fine se si fossero avventurate alla spicciolata fuori dalle loro fortezze. Che quindi non costituivano per i goti una minaccia immediata e poterono tranquillamente essere ignorate.[41]

I goti, inoltre, avevano delle preoccupazioni più pressanti e dei compiti più urgenti a cui pensare. Abbiamo già detto che l'inverno trascorso all'addiaccio nella pianura del Danubio (dove in gennaio e febbraio le temperature medie non superano gli zero gradi nemmeno di giorno), combinandosi con i loschi traffici e il mercato nero dei romani, aveva finito col farli infuriare parecchio. La priorità assoluta dunque era quella di assicurarsi delle scorte di cibo. Probabilmente i goti avevano portato con sé parte del raccolto del 376, e magari nel frattempo i romani avevano venduto loro qualcos'altro da mangiare, ma sicuramente non avevano avuto modo di piantare vegetali commestibili. Dopo aver saccheggiato alcuni facili obiettivi nei dintorni di Marcianopoli, i goti misero gli occhi sulla grande via di comunicazione che dal Danubio si spingeva attraverso lo splendore metropolitano e il boom economico dei Balcani sudorientali.

Ecco dunque i goti arrivare dalle parti di Adrianopoli, a sud dei Monti Haemus e a 200 chilometri circa da Marcianopoli. Sconfitto Lupicino, i romani non avevano più modo di difendere quella catena montuosa. Ad Adrianopoli c'era già un piccolo contingente di goti comandato da Sueridas e Colias, che da tempo era parte integrante dell'esercito romano. Non appena arrivò la notizia che più a nord era scoppiata una rivolta, subito in città ci furono dei tafferugli tra romani e goti e questi ultimi passarono dalla parte di Fritigerno. A questo punto, racconta Ammiano, Fritigerno «ordinò ai suoi di attaccare e devastare quelle campagne ricche e fruttifere che, rimaste prive di protezione, potevano essere saccheggiate impunemente». Con conseguenze terrificanti, dal punto di vista dei romani.

217

Avanzando cautamente, [i goti] si sparpagliarono ai quattro angoli della Tracia, mentre i loro prigionieri o quelli che gli si erano arresi indicavano loro i villaggi più ricchi e soprattutto quelli in cui pareva ci fossero abbondanti riserve di cibo [...]. Con simili guide, niente che non fosse inaccessibile o completamente fuori strada poté salvarsi. Senza fare distinzioni di sesso o d'età, ovunque furono appiccati incendi e realizzati grandi massacri; i bambini furono strappati al petto delle madri e sgozzati, matrone e vedove furono portate via dopo aver visto cadere i mariti, fanciulli in tenera età e persone adulte vennero trascinate via sui cadaveri dei genitori. Molti uomini anziani, che si lamentavano di essere vissuti anche troppo dopo aver visto uccise le loro belle mogli e distrutto tutto il loro patrimonio, furono mandati in esilio con le armi legate sulla schiena, mentre piangevano sulle ceneri fumanti delle loro case tramandate da generazioni.[42]

I goti avevano fame, e anche parecchio risentimento da smaltire. Così, all'improvviso, le genti della Tracia si ritrovarono in prima linea e dovettero pagare per ciò che era successo sulle rive del Danubio l'inverno precedente. Alcuni abitanti della regione decisero prontamente di collaborare con gli invasori: per paura, forse, ma è probabile che anche i contadini vessati avessero qualche conto in sospeso. Sicuramente la *pax romana* non aveva portato benefici allo stesso modo per tutti i sudditi dell'impero.

La reazione dell'impero al dilagare dei disordini fu innanzitutto un invio di truppe da parte dell'impero d'oriente. Valente mandò uno dei suoi consiglieri principali, il generale Vittore, a siglare un trattato di pace con la Persia a qualsiasi condizione; nel frattempo distaccò alcune truppe dall'Armenia, le mise al comando dei generali Traiano e Profuturo e le spedì nei Balcani, dove arrivarono nell'estate del 377. L'impatto di queste prime misure fu notevole, perché i goti si ritirarono subito a nord dei Monti Haemus. A questo punto si materializzarono anche i primi frutti della rapida diplomazia di Valente: un distaccamento militare proveniente dalla metà occidentale dell'impero e comandato da Ricimero, purtroppo abbastanza esiguo, valicò in fretta il Passo Succi e si unì a Traiano e Profuturo. Con questi rinforzi i romani avanzarono a nord degli Haemus fino a raggiungere l'accampamento dei goti, attorno al quale erano disposti in cerchio i carri dei profughi a formare una sorta di struttura difensiva: Ammiano dice che il campo sorgeva in

218

un posto chiamato Ad Salices, cioè «vicino ai salici» (Carta n. 6).[43] I romani decisero dunque di dare battaglia; e i goti, non appena l'ultima squadra di rifornimento fu tornata nel cerchio dei carri, si prepararono a respingerli. Solo in Ammiano troviamo la descrizione di questa battaglia e il racconto è tutt'altro che chiaro: almeno metà del testo ritrae morti e moribondi secondo i canoni della retorica e nemmeno una parola viene spesa sul numero e sulla disposizione degli uomini da entrambe le parti. Senz'altro la battaglia fu lunga e sanguinosa. A un certo punto l'ala sinistra dei romani cedette, ma le riserve intervennero prontamente e al calar della notte i combattimenti furono sospesi. I romani avevano subìto gravi perdite, ma nemmeno i goti erano in condizioni migliori e dopo lo scontro rimasero chiusi nei loro carri per una settimana intera. L'estate cedeva ormai il passo all'autunno, quindi probabilmente era il settembre del 377.[44]

I romani fecero buon uso della tregua. Quella battaglia era loro costata cara, ma per la prima volta dopo la sconfitta di Lupicino avevano ripreso l'iniziativa. Essendo molto inferiori di numero non avevano alcuna possibilità di sconfiggere i goti; quindi, approfittando dei punti prominenti del paesaggio balcanico, decisero piuttosto di fortificare i passi attraverso i Monti Haemus. Marcianopoli avrebbe costituito l'estremo orientale della linea difensiva, quindi possiamo supporre che vi fu lasciata una guarnigione sostanziosa; il resto delle truppe fu suddiviso in modo da bloccare le cinque strade principali verso sud. Il piano era semplice, spiega Ammiano: «Essi speravano che la pericolosa massa dei nemici, stretta tra l'Hister [Danubio] e le zone devastate e impossibilitata a uscirne, sarebbe morta di fame per mancanza di cibo». Un piano davvero ben concepito. Alcuni valichi degli Haemus sono piuttosto ampi, ma tutti si aprono a quote molto elevate. Esattamente 1500 anni dopo, nel corso della guerra russo-turca del 1877, i russi manderanno dal Danubio verso sud una colonna volante per impadronirsi del Passo Šipka, che attraversa la sezione centrale della catena portando ad Adrianopoli e alla strada principale per Costantinopoli/Istanbul. Lo conquisteranno senza ricevere ulteriori rinforzi: per cinque giorni (21-25 agosto) 4400 russi resisteranno all'assalto di 30-40.000 turchi guidati da Suleiman Pasha. Alla fine della battaglia, tra i russi si conteranno 3500 caduti, ma il passo rimarrà in mano loro, mentre più di 10.000 cadaveri turchi rivestiranno i fianchi della montagna. Dopo la battaglia di Ad Salices i romani ebbero altrettanto successo:

Siccome ormai tutto ciò che si poteva mangiare in tutte le terre della Scizia e della Mesia [le due province romane a nord degli Haemus] era stato consumato, i barbari, spinti dalla ferocia e dalla fame, si impegnarono con tutte le loro forze per uscire di lì [...]. Ma dopo molti tentativi furono sopraffatti dal vigore dei nostri, che fortemente li contrastavano tra le irte vette.

I romani stavano cercando disperatamente di guadagnare tempo nella speranza che, con l'arrivo dell'inverno, le campagne militari sarebbero state sospese dando a Valente e Graziano la possibilità di mandare dei rinforzi prima della primavera seguente.

Speranze fallaci. «Proprio mentre all'autunno succedeva l'inverno»[45] il controspionaggio romano scoprì che i goti avevano stretto nuove alleanze: un contingente di unni e di alani, probabilmente con il miraggio del bottino, si era unito alle loro fila. Non appena ne fu informato, il comandante romano decise che i passi non si potevano più tenere perché, se ne fosse caduto anche solo uno, i soldati di stanza sugli altri quattro sarebbero rimasti tagliati fuori e non avrebbero avuto speranze contro un nemico tanto superiore di forze. Si ordinò dunque la ritirata. Tutto sembrava filare liscio quando un distaccamento romano fu attaccato e sterminato nei pressi di un importante incrocio vicino a Dibaltum, a sud dei Monti Haemus.[46] I goti, cui si erano aggiunti gli alleati unni e alani (che non avevano bisogno di essere molti per far pendere la delicata bilancia numerica a favore dei goti), erano nuovamente liberi di dilagare verso sud. E così fecero per tutto l'inverno 377-378, con i prevedibili effetti: le loro bande si sparpagliarono dappertutto, «riempiendo [dice Ammiano] l'intero paese fino [alla provincia dei Monti] Rodopi e allo stretto che separa due grandi mari [l'Ellesponto] in una folle confusione di ruberie, assassini, bagni di sangue, incendi e vergognose violenze contro gli uomini liberi».

Questa volta le scorrerie interessarono una zona più vasta e durarono di più; ma nella ricca pianura della Tracia c'era di che tenere occupati i goti per parecchio tempo, e verso ovest i danni non andarono oltre le estreme propaggini orientali dei Monti Rodopi. Ammiano, invece di dirci esattamente cosa accadde, ci regala un'altra lunga descrizione delle molte sofferenze patite dai romani; da altre fonti sappiamo che i goti arrivarono fin sotto le mura di Costantinopoli, dove furono respinti dalle forze ausiliarie arabe che servivano nell'esercito romano. L'abitudine degli arabi di bere il sangue dei nemici uccisi direttamente dalle gole squarciate scoraggiò gli invasori dall'insistere ulteriormente, ma le truppe romane e quelle dei loro alleati non erano comunque sufficienti per contrattaccare in maniera efficace. Prima che cominciassero ad affluire rinforzi da est i goti ebbero tutto il tempo di darsi produttivamente al saccheggio. I danni provocati dalle razzie si possono leggere chiaramente anche ai giorni nostri nei ritrovamenti archeologici: tutte le principali ville della tarda romanità rinvenute nella regione, sia a nord che a sud degli Haemus, furono abbandonate proprio in questo periodo e presentano un ampio strato semidistrutto.[47]

In un momento imprecisato all'inizio del 378, finalmente, da est cominciò ad arrivare il grosso delle forze di campo di Valente. L'esercito si raccolse lentamente nei pressi di Costantinopoli, man mano che le varie unità arrivavano dalla Mesopotamia e dal Caucaso. Probabilmente sbagliamo a immaginare che ciò sia avvenuto proprio all'inizio dell'anno, dato che l'esercito di campo di Roma, come tutti gli eserciti del mondo fino alle soglie dell'età contemporanea, non poteva iniziare le manovre finché l'erba non era cresciuta abbastanza da nutrire gli animali da soma. Valente stesso arrivò a Costantinopoli soltanto il 30 maggio e probabilmente fu allora che cominciarono le operazioni. L'imperatore fu ricevuto dalla popolazione della capitale con pochissimo entusiasmo e scoppiarono addirittura delle sommosse: Costantinopoli aveva capeggiato la resistenza contro Valente durante un tentativo di usurpazione avvenuto poco dopo la sua ascesa al trono e covava inoltre nei suoi confronti risentimenti di carattere religioso. E poi, com'è ovvio, in quei mesi molti cittadini eminenti avevano subìto pesanti perdite economiche, e non solo a causa delle scorrerie dei goti. Quando finalmente fu tutto riunito nello stesso luogo, dopo la lunga marcia da est, l'esercito si riposò per prepararsi alla battaglia. Per l'imperatore Valente era venuto il momento di mostrare al mondo la sua forza e il suo coraggio.

I piani di Roma per l'anno 378 erano stati preparati con cura. Facendo importanti concessioni nel Caucaso, Valente aveva comprato la pace con i persiani, liberando il grosso delle sue forze di campo mobili per utilizzarle nei Balcani. Nel frattempo anche i negoziati con Graziano erano andati avanti: l'imperatore d'occidente aveva promesso di raggiungerlo personalmente in Tracia e di portare con sé il suo esercito di campo. Il meglio degli eserciti d'oriente e d'occidente si stava dunque riunendo per sconfiggere i goti con sicurezza. Le nostre fonti non definiscono con precisione lo scopo della campagna congiunta, ma non è difficile immaginarlo. I due imperatori avevano ammassato abbastanza truppe da riportare una vittoria schiacciante, dopodiché tutto sarebbe tornato a posto. Riconfermata l'invincibilità imperiale, alcuni dei goti che fossero rimasti in territorio romano sarebbero stati scannati al Colosseo, altri sarebbero stati arruolati a forza nell'esercito e la stragrande maggioranza sarebbe stata dispersa qua e là come manodopera agricola non libera.

Ma nel IV secolo come in qualsiasi altro, «nessun piano sopravvive al primo contatto col nemico». E in questo caso il nemico assunse una forma imprevista. Mentre Graziano radunava il suo esercito per la spedizione, tutti coloro che vivevano al di là della frontiera capirono che nel *limes* dell'alto Reno e dell'alto Danubio si sarebbero aperte delle falle. La cosa fu confermata da un ex soldato romano d'origine germanica tornato presso il suo popolo, i lentiensi, cugini degli alamanni che abitavano sulle pendici delle Alpi ai margini della Rezia romana (la moderna Svizzera). Nel febbraio del 378, quando ormai buona parte dell'esercito di Graziano era in viaggio verso la Pannonia, nella regione del medio Danubio, per l'imminente campagna, i lentiensi varcarono il Reno nel suo alto corso, ancora ghiacciato. Questo primo attacco fu respinto: ma il controspionaggio avvertì Graziano che era solo una mossa tattica d'apertura e che molte migliaia di alamanni si stavano preparando per un attacco molto più pericoloso. L'imperatore e i suoi consiglieri decisero allora che i goti potevano aspettare: parte dell'esercito destinato alla spedizione congiunta fu richiamato dalla Pannonia, altre truppe affluirono dalla Gallia e Graziano poté lanciare un forte attacco preventivo. Deciso ad assicurarsi la tranquillità alle spalle prima di partire verso est, l'imperatore spinse l'assalto fino a stringere d'assedio il principale gruppo di sospettati, che rimasero così bloccati in cima a una montagna. Lentamente ma con sicurezza la campagna andò avanti finché i lentiensi non si arresero e l'ex soldato romano fu punito come meritava.[48]

Tutto ciò era molto logico dal punto di vista di Graziano, ma quelle decisioni misero Valente in una situazione ingestibile. Arrivato a Costantinopoli il 30 maggio, l'imperatore d'oriente la lasciò dodici giorni dopo per avanzare fino alla villa imperiale di Melanthias, 50 chilometri dentro il territorio della Tracia, dove le sue truppe si stavano concentrando. Furono distribuite a tutti paga e scorte alimentari e si cercò di sollevare il morale delle truppe in vista della battaglia. Ancora Graziano non si faceva vedere. E mentre Valente lo aspettava, i goti non se ne stavano certo con le mani in mano: le squadre di foraggiamento erano sempre in azione, mentre il grosso delle truppe si divideva tra Nicopolis e Beroea in modo da controllare entrambi gli accessi allo strategico Passo Šipka. Evidentemente i goti volevano tenersi aperte tutte le possibilità, sia a nord che a sud. A questo punto i generali di Valente furono informati che, poco lontano da Adrianopoli, c'era una squadra di razziatori goti isolata, e subito mandarono una colonna a tenderle un'imboscata. L'attacco notturno ebbe successo, ma provocò le contromisure dei goti. Fritigerno richiamò tutte le squadre di razziatori e spostò il corpo principale del suo esercito, con carri e salmerie, a sud dei Monti Haemus, verso Cabyle, e poi ancora più a sud, fino alla pianura della Tracia, in modo da scongiurare ulteriori imboscate. Il finale di partita era ormai imminente. La gran massa dei goti si trovava a nord di Adrianopoli, sulla strada principale da Cabyle; Valente poco più a sud della città, con tutto il suo esercito riunito, fermo. Graziano invece ancora non compariva, e si era ormai nel pieno dell'estate.

Valente raggiunse dunque il suo esercito presso Costantinopoli il 12 giugno. Ma luglio arrivò e passò, e di Graziano nemmeno l'ombra. L'esercito d'oriente se ne stava in ozio da quasi due mesi durante i quali, a parte l'imboscata alla squadra di razziatori goti, non era successo assolutamente niente. Le truppe cominciavano ad agitarsi, il morale era basso. A questo punto, invece dell'esercito di Graziano, arrivò una lettera che descriveva dettagliatamente le splendide vittorie dell'imperatore d'occidente sugli alamanni.

Graziano giurava e spergiurava di voler ancora raggiungere il suo collega d'oriente: ma ormai era pieno agosto e la stagione era troppo avanzata. I successi di Graziano punsero Valente sul vivo. La sua pazienza ormai era agli sgoccioli. Improvvisamente si sparse la voce che i goti stavano marciando su Adrianopoli: le spie dissero che erano soltanto 10.000 guerrieri, molti meno dunque di quanto Valente si aspettasse. L'informazione, credo, si basava su un errore: evidentemente la spia aveva visto muoversi solo i tervingi di Fritigerno e non l'esercito congiunto di tervingi e greutungi. Geloso dei successi di Graziano, Valente fu tentato: che fosse proprio l'occasione che stava aspettando per riportare una vittoria morale di grandissimo prestigio su un numero significativo di nemici? Il parere dei generali era discorde: alcuni lo incitavano a osare, altri consigliavano di aspettare Graziano. Alla fine furono i falchi ad avere la meglio: le trombe suonarono l'avanzata e l'esercito di Valente mosse in ordine di battaglia verso Adrianopoli, dove le legioni costruirono un campo fortificato di marcia (cioè dei bastioni di terra provvisori).

Da Graziano non arrivarono altre missive. L'imperatore d'occidente era ormai in viaggio e la sua avanguardia aveva tenuto aperto l'importantissimo Passo Succi, tra i Rodopi e gli Haemus, affinché il suo esercito potesse passare direttamente sulla grande arteria militare per Adrianopoli. Alcuni dei generali di Valente insistettero che era meglio aspettare, ma come ci racconta Ammiano, «la fatale insistenza dell'imperatore alla fine prevalse, sostenuta dalle opinioni adulatorie di alcuni dei suoi cortigiani che lo esortavano ad affrettarsi per non dover condividere con Graziano una vittoria che, così come essi se la raffiguravano, aveva già in pugno».

La notte tra l'8 e il 9 agosto, con i due eserciti ormai vicinissimi, Fritigerno mandò a Valente un prete cristiano con una proposta di pace, ma l'imperatore non volle ascoltarlo. All'alba l'esercito romano si portò a nord di Adrianopoli, lasciando indietro le salmerie e una guarnigione adeguata al campo; il tesoro imperiale e altri oggetti di valore erano già al sicuro entro le mura della città. Per tutta la mattinata i romani marciarono verso nord finché, verso le due del pomeriggio, avvistarono il cerchio dei carri goti («come forgiato al tornio», dice Ammiano). Non appena l'esercito di Roma si fu schierato arrivarono altre due ambascerie di pace. Valente esitò:

stava organizzando uno scambio di ostaggi quando due reggimenti dell'ala destra, senza aspettare gli ordini, mossero all'attacco. Dopo mesi di procrastinazioni la battaglia era cominciata.[49]

I resoconti delle antiche battaglie non sono mai come li vorremmo: il pubblico di quei tempi voleva sentirsi raccontare commoventi atti di eroismo individuale, la scienza bellica interessava poco. Nel caso di Adrianopoli, però, Ammiano ci regala uno dei suoi ritratti di battaglia più riusciti. I goti avevano stretto il più possibile i carri messi in cerchio, in modo da rinforzare la loro linea difensiva; i romani schieravano su entrambe le ali un misto di fanteria e cavalleria, con il grosso della fanteria pesante al centro. Nonostante l'ala sinistra non avesse ancora completato lo schieramento da battaglia quando lo scontro ebbe inizio, fu proprio questa, a quanto pare, a riportare in un primo momento il successo respingendo i goti fin dietro il cerchio dei carri. Stava quasi per travolgere l'accampamento quando accadde il disastro. Mentre l'ala sinistra dei romani avanzava, i cavalieri goti al comando di Alateo e Safrax, rinforzati da alcuni alani (probabilmente quelli che erano passati dalla loro parte già l'autunno prima), «partirono come il fulmine dalla vetta di una montagna seminando il panico e uccidendo tutti coloro che si trovavano sul percorso del loro tempestivo attacco». Trovandosi davanti tervingi e greutungi, Valente dovette respingere un nemico molto più numeroso di quanto avesse immaginato. Aveva dato battaglia basandosi su informazioni sbagliate: i goti ebbero quindi il vantaggio tattico della più assoluta sorpresa.

Ammiano non è molto chiaro su ciò che accadde poi, ma pare che la cavalleria gota si sia scontrata con l'ala sinistra dei romani. Quel che è certo è che fu proprio a partire dall'ala sinistra che si sviluppò il disastro. Dapprima la cavalleria romana, che avrebbe dovuto reggere l'impatto, si sbandò, poi il corpo principale dell'ala sinistra fu sopraffatto dai nemici, probabilmente perché rimase chiuso tra coloro che difendevano il cerchio dei carri e la cavalleria nemica lanciata all'attacco. La distruzione dell'ala sinistra espose il centro dello schieramento romano a un massiccio attacco sul fianco. E siccome i romani, come al solito, erano schierati in ordine compatto – nel IV secolo usavano ancora la formazione a *testudo* (testuggine), con gli scudi uniti a formare un muro di protezione – l'effetto fu drammatico.

225

I soldati a piedi si ritrovarono senza protezione, e talmente stretti l'uno all'altro che quasi nessuno riuscì a estrarre la spada o a sollevare il braccio [...]. Le frecce, strumento mortale proveniente da ogni direzione, centravano quasi sempre il bersaglio con effetto letale, poiché non era possibile vederle arrivare in anticipo o proteggersi in alcun modo [...] e nella strettezza dei ranghi non c'era spazio per arretrare, mentre l'affollamento crescente tagliava ogni via alla ritirata.

I reggimenti di fanteria schierati al centro della formazione erano dunque così fitti da non riuscire a manovrare per gettare nella battaglia il peso delle loro armi. E così il vantaggio tattico che di solito l'esercito romano ricavava dalle armi, dalle armature e dall'addestramento dei soldati, in quell'occasione venne meno.

Le truppe, inoltre, erano già molto stanche. Valente le aveva gettate nella mischia senza dar loro il tempo di riposare e di mangiare qualcosa, dopo otto ore di marcia sfibrante sotto il sole di agosto: nella pianura della Tracia, in quella stagione, di giorno ci sono almeno 30 gradi. I goti poi, approfittando del vento favorevole, avevano aumentato ancora di più la temperatura accendendo dei grandi falò che soffiavano fumo e calore sulle schiere nemiche. Dopo un feroce combattimento la principale linea di battaglia dei romani cedette e gli uomini si diedero alla fuga. Il risultato, come sempre in questi casi, fu un massacro. Esercito e imperatore perirono insieme. Come sia morto Valente non si sa, perché il suo corpo non fu mai ritrovato. Qualcuno disse che, ferito, fu trasportato in una fattoria, ma che poi da una finestra erano partite alcune frecce e dunque i goti avevano appiccato il fuoco ovunque; pare che uno dei suoi attendenti fosse sopravvissuto per raccontarlo. Ammiano però non sembra esserne molto convinto, anche se la storia fu ampiamente riportata. Forse l'imperatore fu disarcionato e passato anonimamente a fil di spada in un punto qualsiasi del campo di battaglia.

Valente aveva perso la sua grande occasione e ci aveva rimesso la vita. I goti, contro ogni aspettativa, avevano riportato una straordinaria vittoria, annientando l'esercito migliore che l'impero romano d'oriente potesse mettere in campo. Quanti soldati romani siano rimasti uccisi in quell'epica giornata non è chiaro. Ammiano afferma che morirono trentacinque ufficiali di rango tribunizio (corri-

226

spondenti a comandanti di reggimento) con due terzi delle loro truppe. Da una lista degli effettivi dell'esercito d'oriente compilata nel 395 circa, cioè a vent'anni dai fatti, risulta che sedici reggimenti d'élite avevano riportato delle perdite così gravi da non essere più ricostituiti. Ma nemmeno queste informazioni ci permettono di calcolare il numero dei caduti, perché non abbiamo idea di quanti fossero i soldati prima della battaglia: alcuni dei tribuni morti, inoltre, probabilmente erano ufficiali di servizio e non comandanti di unità. Alcuni storici ritengono che Valente avesse con sé più di 30.000 uomini: i caduti ad Adrianopoli sarebbero allora circa 20.000. Ma anche tenendo conto della pace siglata con la Persia, l'imperatore non poteva sicuramente sguarnire del tutto i confini orientali; e poi si aspettava di ricevere rinforzi da parte di Graziano. La mia opinione è che nel 378 Valente fosse nei Balcani con più di 15.000 uomini e ne aspettasse altrettanti da parte di Graziano. Nell'insieme, questi due contingenti avrebbero avuto sui goti un vantaggio di 1,5 contro 1, o addirittura di 2 contro 1: il che probabilmente bastava ad assicurare loro la vittoria. Ma a causa delle informazioni fallaci del suo sistema di controspionaggio Valente, secondo i miei calcoli, diede battaglia in leggero svantaggio numerico, invece che col vantaggio di 1,5 contro 1 che avrebbe avuto se si fosse trovato davanti i soli tervingi. Le sue forze furono quindi sconfitte dalla superiorità numerica del nemico, cui si aggiunse la sorpresa tattica. Se le cose andarono come credo, le perdite romane del 9 agosto dovrebbero avvicinarsi a un totale di 10.000 uomini.[50]

In un certo senso tutta questa discussione sui numeri è puramente oziosa. Il punto centrale è che la gelosia di Valente per Graziano e la sua impazienza avevano distrutto l'impero. Secondo Ammiano i romani non avevano conosciuto una disfatta simile dai tempi della battaglia di Canne, nel 216 a.C., quando Annibale aveva annientato il loro esercito. La vittoria lasciò i goti padroni non solo del campo di battaglia, ma di tutta la regione balcanica. Il mito dell'invincibilità romana era stato spazzato via in un solo pomeriggio e Graziano, che si trovava ancora al di là del Passo Succi, a 300 chilometri dal campo di battaglia, rimase impotente e disperato a guardare i goti trionfanti scatenarsi per tutti i Balcani meridionali. Contro ogni aspettativa, e a dispetto dell'equipaggiamento e dell'addestramento d'avanguardia dei loro nemici, i goti avevano vinto; e davanti a loro, libera e sicura, si apriva la via per Costantinopoli. Ammiano racconta che «da [Adrianopoli] essi si affrettarono con una veloce marcia verso Costantinopoli, bramosi dei suoi grandi tesori, marciando in formazioni quadrate per paura delle imboscate e intenzionati a fare qualsiasi cosa pur di distruggere quella famosa città».

Valente era morto, il suo esercito distrutto; l'impero romano d'oriente era alla mercé di chi volesse impadronirsene.

«Pace al nostro tempo»

Non so bene se credere o no al quadretto con cui Ammiano, praticamente nell'ultima pagina della sua storia, prende congedo dalla guerra contro i goti. Dopo averci mostrato i goti vittoriosi nell'atto di prepararsi per l'assedio di Costantinopoli, egli ci consegna la seguente immagine:

Il coraggio [dei goti] si infranse quando videro l'oblunga cerchia delle mura, i blocchi di case che coprivano quel vasto spazio, le bellezze della città che si stendevano fuori della loro portata, la vasta popolazione che l'abitava e lo stretto lì accanto che separa il Mar Nero dall'Egeo. Quindi distrussero essi stessi le scorte militari che stavano preparando [...] e si dispersero per le province settentrionali.[51]

Sembra troppo bello per essere vero: una perfetta metafora dell'intera guerra. E bisogna ricordare che verso il 390, quando scriveva, Ammiano conosceva già il risultato finale di quella guerra, anche se il suo resoconto termina con l'anno 378. Con la vittoria di Adrianopoli i goti si erano illusi di poter mettere le mani su Costantinopoli; ma gli bastò vederla per capire che non avevano la minima possibilità di conquistarla.

I goti avevano due elementi di svantaggio che non permettevano loro di sconfiggere definitivamente l'impero romano. In primo luogo anche ammettendo, in base alla valutazione più ottimistica, che in tutto fossero 200.000 e che quindi potessero mettere in campo – volendo proprio esagerare – 40-50.000 guerrieri, ciò sarebbe ancora quasi nulla a paragone delle risorse imperiali. L'esercito di Roma, come abbiamo visto, poteva contare su 300-600.000 uomini e l'impero aveva più di 70 milioni di sudditi (secondo la valutazione più pessimistica). In uno scontro all'ultimo sangue poteva esserci un solo vincitore; e i goti ne erano perfettamente consapevoli, soprattutto i più avveduti che, per esempio tra i tervingi, avevano viaggiato per tutta l'Asia Minore romana durante le varie campagne contro i persiani. Le proposte di pace che Fritigerno aveva fatto pervenire a Valente prima di Adrianopoli dimostrano per esempio che non aveva perso il senso delle proporzioni. In base a quelle offerte i romani avrebbero dovuto allestire uno spettacolino di intimidazione marziale abbastanza convincente da permettere a Fritigerno di trattenere i suoi e convincerli ad accontentarsi di una pace di compromesso.[52] Quanto ai destini personali, Fritigerno aveva in mente un *do ut des* piuttosto interessante: Valente avrebbe dovuto riconoscerlo come re di tutte le tribù gote della confederazione, scavalcando Alateo, Safrax e tutti gli altri re tervingi. Come abbiamo visto, però, l'esercito imperiale non poté soddisfare alcun accordo, dal momento che si fece sterminare quasi fino all'ultimo uomo. Ma un po' come dopo Pearl Harbour, quando le due parti sono molto sbilanciate sia come risorse economiche sia come capacità militari, una singola vittoria all'inizio delle ostilità, per quanto strepitosa, non può cambiare il corso della guerra.

A questo primo svantaggio dei goti, peraltro determinante, se ne aggiungeva poi un altro. Per tutti i sei anni che durò la guerra non ci risulta che i goti abbiano conquistato alcun centro imperiale importante e fortificato. Le comunità romane del Danubio, ovviamente, attraversarono un periodo difficile, rimasero senza collegamenti con il centro dell'impero per lunghi periodi e non sappiamo se e quando fu possibile coltivare i campi; ma nemmeno una città romana fu presa con l'assedio.[53] Ciò significa che i goti non riuscirono né a impadronirsi di scorte alimentari romane né a stabilirsi essi stessi in una roccaforte ben difesa. Ciò fece nascere un secondo problema. I contingenti goti che tra il 377 e il 382 vagavano per le campagne a sud del Danubio non erano soltanto un esercito, bensì un'intera popolazione: uomini, donne e bambini che si spostavano con tutto ciò che possedevano a bordo di una lunga carovana di carri. Non potendo dedicarsi in sicurezza alla produzione di viveri e non essendo in grado di conquistare i magazzini fortificati del nemico, per mangiare erano costretti a ricorrere al saccheggio; e siccome avevano bisogno di enormi quantità di cibo, ben difficilmente potevano fermarsi a lungo in uno stesso posto. Già nell'autunno del 377 a nord dei Monti Haemus non c'era più niente da saccheggiare e così i successivi anni di guerra, fin dove siamo in grado di ricostruirli, vedono i goti spostarsi continuamente da un punto all'altro dei Balcani. A volte era l'esercito romano a costringerli a levare le tende; ma quel vagabondare continuo dipende in buona misura dalla necessità di procurarsi il cibo.

La vittoria di Adrianopoli permise ai goti di devastare la Tracia per tutto il resto del 378. Ma l'anno seguente, nonostante l'impero non avesse nei Balcani orientali che qualche piccolo drappello di soldati con cui ingaggiare occasionali scaramucce, essi dovettero spostare il centro delle loro operazioni più a ovest, nell'Illirico: l'esercito congiunto dei goti avanzò dunque verso nord-ovest, valicò il Passo Succi e dilagò nella Mesia Superiore. Nel 380 poi tervingi e greutungi si separarono, forse proprio per la difficoltà di nutrire un gruppo così numeroso. Alateo e Safrax si spinsero ancora più a nord, fino alla Pannonia, dove a quanto pare furono sconfitti dall'esercito di Graziano. I tervingi, al comando di Fritigerno, andarono invece a sud e poi a est, seguendo la strada principale che porta a Tessalonica e alle province della Macedonia e della Tessaglia lungo il corso della Morava e del Vardar. L'esperienza aveva loro insegnato che era meglio imporre alle città tributi ragionevoli – per esempio chiedendo ripetutamente soldi in cambio di protezione – piuttosto che mettere tutto a ferro e fuoco per poi essere costretti a spostarsi altrove. Non sappiamo fino a quando avrebbero potuto andare avanti a questo modo, perché nel 381 l'esercito dell'impero d'occidente li respinse fino in Tracia. Stavolta i due eserciti percorsero la Via Egnazia, senza attraversare il cuore dei Balcani. E fu in Tracia che finalmente, nel 382, si firmò un nuovo trattato di pace.[54]

Ma nemmeno dopo sei anni di guerra, quando tutto fu finito, l'impero romano poté vantarsi di aver riportato una vittoria completa. Ciononostante, la cerimonia formale con cui il 3 ottobre 382 fu presentato il trattato di pace finse come al solito di celebrare la resa incondizionata dei goti. Anche stavolta Temistio era sul posto e non ci lascia dubbi al riguardo:

Abbiamo visto i loro generali e capi non semplicemente consegnarci uno stendardo cencioso, bensì darci tutte le armi e le spade con cui fino a un momento prima gestivano il potere, e stringersi alle ginocchia del re [l'imperatore Teodosio] più strettamente di Teti quando, secondo Omero, abbracciò le ginocchia di Giove supplicandolo per la vita del figlio. Così rimasero finché non ottennero un gentile cenno del capo e una parola che non incitava più alla battaglia, ma che era piena di gentilezza, piena di pace, piena di benevolenza e del perdono di tutti i peccati.[55]

Eppure le parole stesse usate da Temistio ci dicono che non si trattava del solito accordo di pace con cui Roma chiudeva una campagna militare vittoriosa contro migranti ostili. Le parole «gentilezza», «benevolenza» e «perdono» costituiscono una nota nuova, e non è un semplice effetto retorico. Alla presunta «resa» dei goti, infatti, non seguì alcun bagno di sangue negli anfiteatri; non ci furono massicce vendite di schiavi goti, né i vinti furono mandati qua e là a coltivare la terra come contadini non liberi. Nel 383, quando l'imperatore volle far sapere all'opinione pubblica di Roma che l'impero non correva più alcun pericolo, furono i sarmati a finire massacrati al Colosseo, non i goti, che pure avevano ucciso l'imperatore, distrutto un intero esercito e devastato col fuoco e con il saccheggio ampie regioni dell'impero. In un mondo in cui l'imperatore romano si sentiva in diritto di scatenare un putiferio se un ambasciatore «barbaro» non strisciava a terra in modo più che persuasivo, l'assenza nel trattato di pace del 382 di qualsiasi volontà di vendetta, punizione e intento pedagogico è semplicemente sbalorditiva.

Ancora una volta non sappiamo tutto ciò che vorremmo sui termini dell'accordo, al di là del fatto che erano palesemente inediti su molti punti importanti. Eppure, nonostante la generosità con cui furono trattati, i goti non ottennero tutto ciò che avrebbero potuto chiedere. Prima di Adrianopoli, infatti, le loro offerte di pace miravano a costituire in Tracia un regno gotico indipendente; e come abbiamo visto Fritigerno avrebbe voluto che Valente lo riconoscesse come comandante in capo di tutti gli immigrati goti. Eppure questi due punti non compaiono affatto nell'accordo di pace

231

siglato dopo quella strepitosa vittoria. D'altronde né Fritigerno, né Alateo o Safrax sopravvissero per partecipare alle trattative di pace: forse caddero sul campo in qualche punto dei Balcani, ma è altrettanto probabile che siano stati sacrificati come parte del prezzo pagato dai goti per la pace. L'impero aveva bisogno di concreti simboli di vittoria da mostrare ai contribuenti: era assolutamente impensabile che i vincitori di Adrianopoli potessero sopravvivere e addirittura prosperare. Nel decennio successivo, di fatto, riproponendo all'interno delle frontiere la linea politica applicata al di là del Reno con gli alamanni (cfr. Capitolo 3), i romani si rifiutarono di riconoscere ai goti alcun capo supremo, nella speranza di vederli restare disuniti per sempre. Né i goti riuscirono a farsi assegnare la Tracia come feudo indipendente: anzi, l'integrità di quella diocesi come unità dell'impero romano alle dipendenze dirette del suo centro politico e amministrativo fu riaffermata con energia. Le fortificazioni lungo il confine furono ricostruite e ove necessario dotate di nuove guarnigioni; la legge e il fisco romano imperarono come sempre in tutta la regione. In questo senso possiamo dire che le ambizioni dei goti rimasero più che frustrate.

D'altra parte i goti ottennero la terra in proprietà, e non per coltivarla sotto padrone come coloni non liberi. Non sappiamo esattamente dove fossero ubicati questi campi: alcuni probabilmente a nord dei Monti Haemus, nella Mesia e Scizia Inferiori, vicino al Danubio, dove alla svolta del IV secolo abitavano i carpi; ma qualche insediamento potrebbe essere stato ammesso anche in Macedonia.[56] La cosa importante è che, ovunque fossero, i goti poterono costituire entità abbastanza numerose da vivere secondo le loro tradizioni politiche e culturali. Questo punto è esplicitamente riconosciuto dalle fonti romane della fine del IV secolo, ed emerge implicitamente anche dalla narrazione degli eventi successivi. Una delle cose che l'impero ottenne con questo accordo fu un'alleanza militare: non il solito contingente di reclute per l'esercito regolare, ma l'impegno da parte dei goti a fornire distaccamenti più numerosi per combattere in certe campagne specifiche, agli ordini di comandanti goti. Questi periodi di servizio militare speciale avrebbero dovuto essere negoziati volta per volta dall'imperatore con un gruppo di capi goti. In una di queste occasioni, sulla quale abbiamo numerosi particolari, apprendiamo che l'imperatore Teodosio offrì ai comandanti goti un lauto banchetto.[57] Se nel 382 i tre capi della rivolta furono sacrificati come parte degli accordi di pace, evidentemente c'erano altri leader di pari livello in grado di dare continuità alla comunità. Con quel trattato i goti, pur rinunciando a operare in maniera indipendente sotto un capo di loro scelta, mantenevano la libertà di negoziare le loro prestazioni e di agire come un insieme unitario, pro o contro lo stato romano: ma di questo parleremo nel prossimo capitolo.[58] La frattura con il modo consueto di trattare gli immigrati non potrebbe essere più netta.

Secondo Temistio, che nel gennaio del 383 ne parlò al senato di Costantinopoli, quella svolta politica era stata ispirata direttamente da Dio a Teodosio, successore di Valente:[59]

Egli fu il primo a concepire l'idea che il potere dei romani non sta nelle armi, né nelle corazze, nelle aste o nelle schiere innumerevoli di soldati, ma che c'è bisogno di un altro potere e di una provvidenza che, per quanti governano secondo la volontà di Dio, emana silenziosamente da una fonte capace di sottomettere tutte le nazioni e di trasformare ogni ferocia in dolcezza, l'unica alla quale cedono le armi, gli archi, la cavalleria, l'intransigenza degli sciti, il coraggio degli alani, la follia dei massageti.

Traendo ispirazione da Dio – dal quale dipendeva la sua stessa nomina a imperatore d'oriente – Teodosio aveva dunque capito che con il perdono si poteva ottenere una vittoria migliore e più completa che non con le armi. Coerentemente con tale assunto, il suo principale negoziatore «[gli] portò i goti docili e disponibili che si torcevano le mani dietro la schiena, di modo che era da dubitarsi se egli li avesse battuti in guerra o non si fosse piuttosto conquistato la loro amicizia». La vicenda dunque si concluse nel migliore dei modi sia per i romani sia per i goti:

Se i goti non sono stati completamente spazzati via non bisogna quindi lamentarsene [...]. Di cosa è meglio riempire la Tracia, di cadaveri o di contadini? Cospargerla di tombe o di uomini vivi? [...] Sento dire da quanti sono tornati di là che i goti stanno riforgiando il metallo delle loro spade e corazze per farne zappe e roncole, e che mentre si dimostrano tiepidamente rispettosi verso Ares [dio della guerra] offrono le loro preghiere a Demetra [dea dei raccolti] e a Dioniso [dio del vino].

I goti avevano lasciato la guerra per l'agricoltura e tutti ne avevano tratto beneficio. Teodosio (il nuovo datore di lavoro di Temistio) aveva dunque concepito una brillante soluzione: il perdono e una pace di compromesso che avrebbe sottomesso i goti in modo più profondo e duraturo che non la guerra, con considerevole vantaggio per l'impero. Ancora una volta non dobbiamo dimenticare quanto fosse tirannica l'ideologia imperiale, e che Temistio era un esperto propagandista (per più di trent'anni infatti era riuscito a ricavarsi una nicchia presso ben quattro imperatori successivi). Come al solito, il suo discorso fu piuttosto parco di verità: non dobbiamo infatti dimenticare che Teodosio, prima di venirsene fuori col suo trattato di pace, aveva preparato il terreno sconfiggendo i goti alla maniera convenzionale.

Con la morte di Valente si era creato un vuoto di potere che finì soltanto nel gennaio del 379, quando Graziano nominò Teodosio come sua controparte orientale. Il nuovo imperatore fu chiaramente scelto per vendicare Adrianopoli: nato in una distinta famiglia militare – suo padre era stato generale a cinque stelle sotto Valentiniano I –, aveva già al suo attivo notevoli imprese belliche. Subito gli fu affidato il comando temporaneo di una parte della prefettura dell'Illirico – le diocesi di Dacia e di Macedonia – che pure apparteneva all'impero d'occidente, affinché potesse esercitare un controllo unificato sull'intera area minacciata dai goti. Nei primi cinque anni del suo regno Teodosio ricostruì l'esercito di campo dell'impero orientale richiamando in servizio i veterani, reclutando nuove unità e ricorrendo a parte delle truppe di stanza in Egitto e in altre zone della sua metà dell'impero. Il primo discorso che Temistio pronunciò per lui nella primavera del 379 conferma la portata di tutte queste attività. Fin dall'inizio il nuovo sovrano si presenta come «l'uomo che vincerà la guerra contro i goti»:

È grazie a [...] voi [Teodosio] che abbiamo potuto mettervi argine [...], e crediamo che voi saprete frenare l'impeto degli sciti [i goti] ed estinguere la conflagrazione che divora ogni cosa [...]. Lo spirito bellico torna a soffiare nella cavalleria e nella fanteria. Già state trasformando un branco di contadini in terrore dei barbari [...]. Se voi, pur non essendo ancora sceso in campo contro i colpevoli [goti], col solo accamparvi vicino a loro avete potuto sconfiggere la loro testardaggine e rimetterli al loro posto, cosa proveranno quei dannati manigoldi quando vi vedranno preparare la lancia e cingere lo scudo, con il bagliore fiammeggiante dell'elmo che riluce lì vicino?[60]

Sfortunatamente, però, le cose non andarono secondo i piani. Il nuovo esercito di Teodosio si disintegrò già nell'estate del 380, quando provò a sfidare i goti in campo aperto in Macedonia e in Tessaglia. Le circostanze concrete della sconfitta sono avvolte dal mistero: le fonti accennano come al solito a tradimenti e inaffidabilità. Certo non fu una carneficina paragonabile a quella di Adrianopoli, ma indubbiamente Teodosio fallì e i goti sconfissero un secondo esercito romano. In autunno l'imperatore d'oriente dovette rimettere la conduzione della guerra ai generali di Graziano, i quali, nell'estate del 381, finalmente riuscirono a cacciare i goti dalla Tessaglia mentre l'imperatore correva a Costantinopoli per salvare almeno la faccia.[61]

Teodosio poteva dunque aver concepito una strategia del tutto nuova, ma non prima di aver cercato la vittoria con mezzi tradizionali. Se nel 382 si risolse a ricorrere alla diplomazia è solo perché la sconfitta di ben due eserciti romani non gli lasciava alternative; e lo fece soltanto quell'unica volta. Se avesse vinto la guerra non ho il minimo dubbio che avrebbe imposto le solite condizioni a ogni singolo goto sconfitto rimasto entro i confini dell'impero: quattro anni dopo infatti, quando un altro gruppo di goti cercò di penetrare con la forza al di là del Danubio, i suoi membri furono massacrati senza pietà, alcuni dei sopravvissuti furono arruolati nell'esercito e gli altri vennero sparsi come contadini non liberi molto, molto lontano, in Asia Minore.[62]

I goti dunque furono cacciati dalle zone più ricche (come la Tessaglia), tormentati con uno stillicidio di attacchi alle loro squadre di razziatori, costretti alla sottomissione con la fame; ma dopo l'estate del 380 i romani non si azzardarono mai più a sfidarli in campo aperto.

Se teniamo conto del fatto che l'imperatore eletto da Dio non poteva assolutamente ammettere di essere stato costretto a un determinato corso d'azione dalle circostanze o, men che meno, dai barbari stessi, dobbiamo riconoscere che nel gennaio del 383 Temistio arrivò piuttosto vicino a raccontare al senato di Costantinopoli tutta la verità, camuffando di poco il caos che regnava nell'impero al momento dell'ascesa al trono di Teodosio:

[...] dopo l'indescrivibile Iliade di disgrazie sull'Ister [il Danubio] e il divampare della mostruosa fiamma [della guerra], quando ancora non c'era un re a vegliare sugli affari dei romani, con la Tracia e l'Illirico devastati e interi eserciti svaniti come neve al sole; quando ormai né montagne invalicabili, né fiumi inguadabili, né distese desolate prive di sentieri ci difendevano più, e quasi tutta la terra e il mare sembravano essersi schierati con i barbari [...].

Né il retore intendeva far finta che tra le opzioni di Teodosio ci fosse anche quella di combattere fino alla vittoria:

[...] supponiamo per un attimo che tutta questa distruzione sia un problema semplice e che sia in nostro potere porvi fine senza riportarne alcuna conseguenza negativa: ebbene, anche se dalle passate esperienze non risulta affatto che tale conclusione sia scontata o probabile, ciononostante io suppongo, come ho già detto, che possiamo ancora farcela [...].

Per un uomo che nel 364 aveva avuto la faccia tosta di dipingere la cessione alla Persia di province, città e fortezze come una vittoria dei romani, questo discorso non è poi molto lontano dall'ammettere che Teodosio non poteva far altro che firmare una pace di compromesso con i goti.

«E non è ancora finita»

La sacra integrità territoriale dello stato romano era stata infranta, ma non dobbiamo trarne conclusioni affrettate: il crollo dell'impero è ancora lontanissimo. La guerra sul Danubio aveva coinvolto solo le province balcaniche, una zona di frontiera relativamente povera e isolata; e nemmeno laggiù la *romanitas* era scomparsa del tutto. Nella città romana di Nicopolis ad Istrum, tornata alla luce grazie a scavi recenti, gli strati risalenti alla fine del IV e all'inizio del V secolo ci colpiscono per la quantità di ricche case erette improvvisamente tra le mura cittadine proprio in questo periodo, che coprono il 45 per cento circa dell'area urbana totale.[63] Quasi che,

236

essendo ormai le ville suburbane un po' troppo pericolose, i ricchi avessero deciso che era meglio continuare a dirigere le loro tenute standosene al sicuro dentro le città fortificate. Alla fine della guerra inoltre, sia l'imperatore d'oriente sia quello d'occidente rimasero saldamente al potere, perché le regioni da cui proveniva il maggior gettito fiscale, l'Asia Minore, la Siria, l'Egitto e il Nordafrica, non avevano subìto alcun danno. In realtà la maggior parte dell'impero non aveva mai visto in faccia nemmeno un solo goto.

Nella parte finale del suo discorso sull'accordo di pace Temistio assicura ai contribuenti romani che, a tempo debito, i goti avrebbero perso anche la loro parziale autonomia di governo. E cita l'esempio di alcuni gruppi barbari di lingua celtica (i galati) che, nel 278 a.C., avevano attraversato l'Ellesponto conquistando faticosamente il territorio della Galazia (che prese il nome da loro), ma che nei secoli successivi erano stati felicemente assimilati dalla cultura greco-romana.[64] Data la grande disparità di risorse tra loro e l'impero, sembrava fuor di dubbio che col tempo la semindipendenza strappata dai goti sarebbe venuta meno: o in forza di una lenta assimilazione delle popolazioni barbare, come furbescamente suggerito da Temistio, o in seguito alla ripresa delle ostilità non appena l'esercito romano fosse stato debitamente ricostituito, come sembrava più probabile. Purtroppo però gli eventi successivi dimostrarono che l'ottimismo di Temistio era malriposto: non solo i discendenti di tervingi e greutungi sarebbero sopravvissuti in quanto goti, ma alla fine si sarebbero ritagliati, in pieno territorio romano, il regno indipendente che avevano sempre sognato. Scrivendo poco dopo la battaglia di Adrianopoli, Ambrogio, vescovo di Milano, riassume la crisi ormai imminente con ammirevole concisione: «Gli unni hanno attaccato gli alani, gli alani hanno attaccato i goti e i taifali, i goti e i taifali hanno attaccato i romani. E non è ancora finita».[65] Il vescovo aveva in mente solo la guerra in corso contro i goti, ma in qualche misura le sue parole erano cariche di foschi presagi. L'impero non avrebbe più avuto l'occasione di riaprire la questione dei goti nei termini che gli sarebbero piaciuti, ma in effetti Adrianopoli non era ancora la fine: molte altre sfide dovevano essere affrontate prima di vedere dispiegarsi completamente gli effetti della rivoluzione unna.

5. La Città di Dio

In una calda giornata d'agosto del 410 accadde l'impensabile. Un grosso contingente di goti entrò a Roma dalla Porta Salaria e per tre giorni fece man bassa delle ricchezze della città. Le nostre fonti, senza entrare nei dettagli, parlano chiaramente di stupri e saccheggi. Il bottino, ovviamente, era immenso: i goti stavano vivendo la loro grande occasione. Quando se ne andarono molte ricche case di senatori e tutti i templi erano stati ripuliti, ed erano stati asportati anche antichi tesori ebraici provenienti dalla distruzione del tempio di Salomone a Gerusalemme avvenuta più di trecento anni prima. I goti poi si portarono via anche un tesoro d'altra natura: Galla Placidia, la sorella dell'imperatore d'occidente Onorio. Incendi erano divampati un po' ovunque: tutta la zona attorno alla Porta Salaria e il vecchio palazzo del senato erano andati distrutti.

Il mondo romano fu scosso dalle fondamenta. Dopo essere stata per secoli la capitale del mondo conosciuto, la grande metropoli imperiale aveva subìto un affronto di dimensioni epiche. Un romano emigrato in Terra Santa, san Gerolamo, riassunse così l'accaduto: «In una sola città tutto il mondo era perito». Le reazioni di parte pagana furono più argute: «Se Roma non è stata salvata dai suoi numi tutelari, è perché essi non vi risiedono più: essi hanno protetto l'Urbe fintanto che sono stati là».[1] In altre parole, per questi commentatori era stata la conversione al cristianesimo a provocare il disastro. Ma la prima reazione emotiva a un grande avvenimento è raramente un buon indicatore del suo significato. Ricostruire le cause del sacco di Roma, e soprattutto valutarne la reale importanza, è una *detective story* molto complicata che ci porterà indietro nel tempo di vent'anni, poi ancora avanti di un altro decennio, e dai monti del Caucaso a est alla penisola iberica a ovest. Scopriremo così che, pur vissuto dai contemporanei come un evento altamente simbolico e carico di foschi presagi, in realtà

239

il sacco di Roma non danneggiò in misura sostanziale la capacità di reazione dell'impero.

Tutto male sul fronte occidentale

Nessuna fonte espone in una sequenza chiara ciò che avvenne o ne esplora le cause profonde. Anche questa è una conferma della complessità dell'evento stesso: il sacco di Roma fu l'esito finale delle interazioni tra molteplici attori, e nessuno storico dell'antichità – perlomeno tra coloro i cui scritti sono giunti fino a noi – aveva gli strumenti per capire una dinamica così complessa nel tempo e nello spazio. Ma c'è anche una ragione più specifica per cui è tanto difficile ricostruire la sequenza esatta degli avvenimenti. Buona parte di ciò che avvenne tra il 407 e il 425 d.C. è stato prolissamente narrato da un autore piuttosto informato, Olimpiodoro di Tebe, le cui opere abbiamo citato di sfuggita nei capitoli precedenti. Originario dell'Egitto, con un'impeccabile formazione classica, egli aveva trovato lavoro presso il «Dipartimento degli Esteri» della metà orientale dell'impero, per il quale aveva guidato varie missioni diplomatiche, soprattutto presso gli unni. Per più di vent'anni, in tutte le sue vicissitudini, fu accompagnato da un amatissimo pappagallo che sapeva «ballare, cantare, dire il nome del suo padrone e fare molti altri giochetti». Olimpiodoro scriveva in greco, non in latino, e il suo stile era meno retorico e drammatico di quanto non fosse tradizionalmente richiesto dal gusto dell'epoca; di questo si scusa con i lettori, ma per noi è piuttosto un vantaggio: le sue opere sono meno cariche di ornamenti ed esagerazioni e mirano di più alla pura e semplice informazione diversamente, per esempio, dal testo di Ammiano Marcellino sulla guerra gotica. Sfortunatamente però i testi di Olimpiodoro non sono sopravvissuti intatti al passare dei secoli. Circa quattrocento anni dopo la loro stesura un certo Fozio, bibliofilo bizantino che per breve tempo fu anche patriarca di Costantinopoli, compose una lunga opera – la *Bibliotheca* – per riassumere appunto il contenuto della sua biblioteca; la quale, per nostra fortuna, comprendeva anche i libri di Olimpiodoro. Dal breve riassunto di Fozio possiamo dedurre che, in un'epoca molto più vicina ai fatti, da

240

Olimpiodoro avevano attinto altri due scrittori: Sozomeno, uno storico della chiesa del V secolo, e Zosimo, uno storico pagano dell'inizio del VI. Entrambi questi autori, molto interessati al sacco di Roma, avevano copiato lunghi brani più o meno intatti della prima parte della storia di Olimpiodoro, che arriva fino all'anno 410. Per noi, chiaramente, è un'ottima cosa: purtroppo però i due storici, per ragioni loro, avevano abbreviato e rielaborato il testo commettendo vari errori. In particolare Zosimo, cercando di cucire in modo invisibile i testi delle sue due fonti principali, Olimpiodoro ed Eunapio, che si sovrappongono per un breve periodo all'inizio del V secolo, aveva omesso alcuni eventi cruciali e ne aveva ingarbugliati altri.[2]

Dopo l'apparizione dei profughi goti sulle rive del Danubio, lungo le frontiere dell'impero tornò a regnare una relativa calma per quasi una generazione. La pace fu di nuovo interrotta tra il 405 e il 408, quando quattro massicce incursioni violarono il confine romano tra il Reno e i Carpazi, estremo orientale della catena di rilievi centroeuropei di cui fanno parte anche le Alpi. I Carpazi iniziano e finiscono sul Danubio, allungandosi per 1300 chilometri da Bratislava, capitale della Slovacchia, a Orsova, in un ampio arco con la convessità rivolta a est (Carta n. 7). Le loro vette principali non sono elevate come quelle delle Alpi (solo alcuni picchi superano i 2500 metri) e non presentano ghiacciai o nevai perenni. L'ampiezza della catena varia da un minimo di 10 a un massimo di 350 chilometri. Nella parte occidentale, più stretta, si aprono molti più valichi che non in quella orientale, affacciata sulla grande steppa eurasiatica. I Carpazi sono sempre stati uno degli elementi più significativi della geografia europea: non solo essi separano l'Europa centro-orientale da quella settentrionale e meridionale, ma hanno anche un importante significato storico, evidenziato dall'organizzazione del tardo impero. La regione danubiana a est di Orsova, il basso Danubio, apparteneva alla Tracia e dipendeva dall'imperatore d'oriente, mentre il medio corso del Danubio, a ovest e a sud delle montagne, proteggendo i passi verso l'Italia faceva parte dell'occidente. Per capire meglio le varie invasioni dell'inizio del V secolo dobbiamo collocare l'azione sullo scenario carpatico.

Nel 405-406 un re goto pagano di nome Radagaiso guidò un grosso esercito al di là delle Alpi, in Italia. A causa dei pasticci combinati da Zosimo l'episodio non ci è del tutto chiaro; sappiamo però che Radagaiso, oltrepassata la frontiera, fu sconfitto, cadde prigioniero a Fiesole e fu giustiziato poco lontano da Firenze. Zosimo ci dice anche – senza precisare la data – che il re goto aveva riunito sotto di sé anche molti celti e germani venuti da oltre il Reno e il Danubio; il che fa pensare che il suo fosse un esercito multietnico proveniente dalle odierne Germania meridionale, Austria e Boemia.[3] Tutte le altre fonti, invece, dicono che Radagaiso era innanzitutto il capo dei goti. Siccome la rielaborazione di Zosimo non cita nemmeno l'invasione del Reno del 406, che come vedremo tra poco fu effettivamente un'impresa multietnica, è facile che nel realizzare il suo collage tra Eunapio e Olimpiodoro

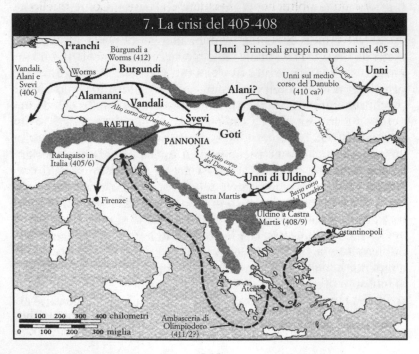

7. La crisi del 405-408

Franchi
Burgundi a Worms (412)
Vandali, Alani e Svevi (406)
Reno
Worms
Burgundi
Alamanni
Vandali
Alto corso del Danubio
RAETIA
Svevi
PANNONIA
Goti
Radagaiso in Italia (405/6)
Medio corso del Danubio
Firenze
Castra Martis
Unni di Uldino
Alani?
Unni sul medio corso del Danubio (410 ca?)
Dniepr
Unni
Dniestr
Basso corso del Danubio
Uldino a Castra Martis (408/9)
Costantinopoli
Atene
0 100 200 300 400 chilometri
0 100 200 300 miglia
Ambasceria di Olimpiodoro (411/2?)

Unni Principali gruppi non romani nel 405 ca

Zosimo abbia scambiato l'invasione dell'Italia del 405-406 con l'attraversamento del Reno del 406.[4] E qui notiamo subito una cosa importante. Nel 376 tervingi e greutungi avevano attraversato il basso Danubio passando a est dei Carpazi, dalla Tracia; trent'anni dopo invece l'azione partì da una zona molto più a ovest. Il fatto che l'invasione di Radagaiso si sia abbattuta direttamente sull'Italia senza passare dai Balcani ci dice che questi barbari, con ogni probabilità, venivano da un punto imprecisato della grande pianura ungherese, a ovest dei Carpazi (Carta n. 7). A giudicare dai ritrovamenti di tesori in monete effettuati nell'area, l'orda passò tra la parte sudorientale del Norico e la Pannonia orientale, generando un'ondata di profughi terrorizzati che la precedette al di là delle Alpi.[5]

Radagaiso fu ucciso il 23 agosto 406. Quattro mesi dopo, il 31 dicembre, un esercito misto attraversò il Danubio e penetrò in Gallia. Questo contingente era formato da tre raggruppamenti principali: vandali, alani e svevi (con i vandali a loro volta suddivisi in due unità politiche, gli Hasding e i Siling). Come quello di Radagaiso, anche questo secondo attacco veniva da un'area a ovest dei Carpazi. Nell'inverno del 401-402 i vandali avevano saccheggiato la Rezia: il che, immediatamente prima dell'attraversamento del Reno, li colloca in un punto imprecisato della regione dell'alto o medio Danubio (Carta n. 7). Per buona parte del IV secolo essi erano rimasti molto più lontano dalla frontiera romana in direzione nord-est; ma pur sempre a ovest dei Carpazi, nelle odierne Slovacchia e Polonia.[6] L'identità degli svevi è più problematica. Il termine era stato usato per indicare un'antica confederazione germanica dell'alto impero; ma tra il 150 d.C. e l'attraversamento del Reno del 406 non compare più in nessuna fonte romana. Probabilmente la sua ricomparsa ci dice che all'attacco parteciparono anche i marcomanni e i quadi (e forse qualche alamanno) che avevano fatto parte di quell'antica confederazione e che da allora in poi erano rimasti nella regione del medio Danubio. I quadi, perlomeno, sono esplicitamente menzionati da una fonte in relazione all'invasione del 406; e nel V secolo il termine «svevi» era ancora usato per indicare le genti germaniche che vivevano attorno all'ansa del Danubio e ai margini della grande piana ungherese, e che presumibilmente discendevano da quei marcomanni e quadi che non si erano uniti al gruppo del 406.[7] Vandali e svevi, quindi, venivano da una regione a ovest dei Carpazi, come altri gruppi più piccoli menzionati solo da san Gerolamo, soprattutto sarmati e «pannoni ostili» (hostes Pannonii).[8] Come già nel 377-382, probabilmente qualche romano che aveva dei conti in sospeso aiutò il precipitare degli eventi (cfr. p. 218).

La storia degli alani, nomadi di lingua iraniana che vivevano sfruttando la steppa arida a est del Don, è ancora più complicata da ricostruire. Ancora attorno al 370 questa popolazione viveva a più di 3500 chilometri dal Reno. Primo gruppo a risentire del crescente potere degli unni, alcuni alani caddero ben presto sotto il loro dominio; ma la loro organizzazione sociale prevedeva vari sottogruppi autonomi, molti dei quali rimasero indipendenti dagli unni anche dopo il 376. Una generazione dopo l'attraversamento del Danubio a opera di tervingi e greutungi, alcuni alani, da soli o al seguito degli unni, si spostarono assai più a ovest. Già nel 377 una forza militare mista di unni e alani aveva raggiunto i goti a sud del Danubio, costringendo i romani ad abbandonare la difesa dei Monti Haemus. Nel 378 l'imperatore Graziano aveva «inaspettatamente» trovato un gruppo di alani a Castra Martis, nella Dacia Ripense, a ovest dei Carpazi: quella presenza ostile aveva ritardato ulteriormente la sua marcia per andare in aiuto del collega Valente. Qualche anno dopo, scrive Zosimo, l'imperatore stesso reclutò un folto contingente di alani per l'esercito dell'impero romano d'occidente.[9] Così, mentre è certo che gli alani venivano dalla regione a est del Don, molti di loro sotto l'impatto della calata degli unni si erano rapidamente spostati a ovest dei Carpazi. Pur muovendo da direzioni diverse, quindi, gli attacchi di Radagaiso del 405-406 e l'attraversamento del Reno del 406 avevano origine dalla stessa ampia regione dell'Europa germanica.

La terza grande invasione del decennio vide il coinvolgimento di un capo unno di nome Uldino e si verificò più a est. Già alleato dei romani, nel 408 Uldino passò dall'altra parte della barricata, varcò il Danubio con un esercito misto di unni e sciri, attaccò Castra Martis e, parlando con alcuni ambasciatori romani decisamente in difficoltà, fece le seguenti, bizzarre affermazioni: «[Indicò] il sole e [dichiarò] che gli sarebbe stato facile, se avesse voluto, soggiogare ogni regione della terra illuminata da quella fonte di luce». Dove precisamente si debba collocare Uldino prima di questo momento non è chiaro. Nel 400 aveva sconfitto un romano ribelle che se n'era poi andato a nord del Danubio attraverso la Tracia: il che potrebbe significare che vivesse a nord del basso corso del Danubio (Carta n. 7). Nel 406 aveva aiutato militarmente i romani in Italia, e poi, due anni dopo, lo vediamo attaccare un'importante base romana della Dacia Ripense a ovest di Orsova: tutto ciò suggerisce di collocarlo appena più a ovest dei Carpazi, forse nel Banato o in Oltenia. L'arroganza delle sue spacconerie ha spinto alcuni studiosi a pensare che fosse a capo di un grande esercito: ma il seguito della storia non conferma questa tesi. La diplomazia dell'impero d'oriente infatti convinse molti dei suoi alleati a lasciarlo; poi l'esercito di Roma uccise o catturò buona parte del suo seguito mentre fuggiva al di là del Danubio, e di lui non sentiamo più parlare. Quindi le sue parole somigliano più a un bluff che all'arroganza ben motivata di un vero signore della guerra. Il colpo fortunato che gli aveva permesso di spingersi fin sotto le mura di Castra Martis, evidentemente, si era rivelato un'arma a doppio taglio, portando direttamente alla distruzione della sua base di potere.[10]

I burgundi, quarto oggetto del nostro interesse in questa fase, sono passati alla storia per le loro dimensioni fisiche, per la passione che avevano per il cibo e per la foggia dei capelli. Questo anche grazie a Sidonio, poeta e proprietario terriero gallo-romano del V secolo, il quale a un certo punto fu costretto a ospitarli in casa sua:

Perché [...] mi invitate [si rivolge a Catullino, un ignoto senatore romano] a comporre un carme in onore di Venere [...], stretto come sono tra orde di individui dai capelli lunghi, costretto a sopportare la parlata germanica e a lodare a denti stretti il canto di un ghiottone burgundo che si spalma le chiome di burro rancido? [...] Voi non siete inondato dal puzzo d'aglio e di ripugnante cipolla che fin dal mattino presto si leva da dieci tavoli della colazione, e non siete invaso da prima dell'alba [...] da un'orda di giganti.[11]

Nel IV secolo i domini dei burgundi erano a est di quelli degli alamanni, cioè decisamente fuori dal territorio imperiale, tra l'alto corso del Reno e del Danubio, oltre un vecchio confine romano abbandonato nel III secolo (Carta n. 7). Verso il 411 li vediamo spostarsi di circa 250 chilometri verso nord-ovest e stanziarsi a cavallo del Reno nella regione di Magonza e Coblenza, in parte dentro e in parte fuori dalla provincia romana della Germania Inferiore. Questo spostamento del teatro d'operazioni dei burgundi non è un fenomeno paragonabile alle massicce incursioni in territorio romano descritte più sopra; eppure bisogna tenerne conto per capire meglio le imprese dei loro colleghi più avventurosi. Qualcosa stava accadendo in quegli anni nella Germania a ovest dei Carpazi:[12] dopo un ventennio quasi privo di avvenimenti particolari, i barbari erano di nuovo in fermento.

Per cogliere il significato di tutto ciò dobbiamo farci un'idea delle entità numeriche di cui si sta parlando. Dovendo fare i conti con le fonti dell'epoca, non abbiamo a disposizione dati affidabili, e per alcuni studiosi ciò rende addirittura inutile porsi la questione. Secondo me, invece, alcuni indicatori diretti e indiretti possono almeno suggerirci l'ordine di grandezza. Un importante punto di partenza è la considerazione che sia l'aggressione di Radagaiso sia l'invasione del Reno ebbero a protagonisti gruppi di popolazione mista: donne, bambini e altri non combattenti oltre agli uomini in armi. Gli elementi di queste compagini umane non sono un argomento su cui le fonti romane tendano più di tanto a concentrarsi: il loro interesse è tutto per i guerrieri, attori principali delle minacce politiche o militari che un contingente di migranti poteva porre allo stato romano. Eppure donne e bambini sono menzionati abbastanza spesso da confermare la loro presenza in entrambi i gruppi. Le mogli e i figli di quei seguaci di Radagaiso che alla fine furono reclutati dall'esercito di Roma, dice Zosimo, vennero sistemati in alcune città italiane dove rimasero come ostaggi.[13] Per vandali, alani e svevi non abbiamo testimonianze contemporanee al primo attraversamento del Reno; ma un altro gruppo di alani che verso il 410 operava in Gallia insieme ad alcuni goti aveva certamente con sé le famiglie;[14] e quando il grosso delle forze vandalo-alane passò in Nordafrica (dopo il 422, cfr. Capitolo 6), non vi sono dubbi che fosse composto da grandi gruppi misti di uomini, donne e bambini. Si potrebbe ipotizzare che le donne siano state raccolte durante il viaggio, ma non vedo ragione di dubitare che ci fossero già nel 406. Come per il 376, stiamo dunque parlando di intere comunità in movimento.

246

Tornando ai numeri il contingente guidato da Uldino – a giudicare dal fatto che strinse d'assedio una sola città e poi fu subito disperso – non era probabilmente molto grande. Ciononostante la necessità di occuparsi, dopo la vittoria, di tutti quegli sciri procurò alle autorità di Costantinopoli un gran grattacapo amministrativo: doveva quindi trattarsi di varie migliaia di persone.[15] Sia Radagaiso che vandali, alani e svevi, comunque, erano in grado di mettere in campo una forza militare più consistente di quella di Uldino, anche separatamente presi. Nel 406, per combattere Radagaiso, l'impero d'occidente dovette mobilitare trenta *numeri* (reggimenti: almeno in teoria più di 150.000 uomini –[16] e chiamare alleati come gli ausiliari alani comandati da Saro e gli unni di Uldino (che fanno qui la loro ultima apparizione sotto i colori romani prima di stringere d'assedio Castra Martis nel 408). Dopo la sconfitta, 12.000 seguaci di Radagaiso entrarono nell'esercito di Roma; eppure ne rimasero pur sempre abbastanza da far sì che i meno appetibili fossero scartati dal mercato degli schiavi. Tutto ciò suggerisce che il contingente di Radagaiso fosse composto da almeno 20.000 uomini in armi. La proporzione tra combattenti e non combattenti, in genere, si aggira attorno all'1 contro 4 o 1 contro 5; quindi il totale doveva essere di circa 100.000 persone.[17]

Per i vandali, gli alani e gli svevi che varcarono il Reno l'indicazione più credibile risale a circa vent'anni dopo, quando pare che vandali e alani insieme fossero circa 80.000 (vale a dire che avrebbero potuto mettere in campo 15-20.000 uomini armati).[18] Questo conteggio però fu eseguito soltanto *dopo* le pesanti perdite subite da alani e vandali Siling e non comprende gli svevi: quindi l'esercito che inizialmente attraversò il Reno doveva avere almeno 30.000 guerrieri, in tutto circa 100.000 persone. Per quanto riguarda i burgundi, due fonti dicono che erano 80.000: ma mentre Gerolamo riteneva che il dato si riferisse all'intero gruppo umano (in questo caso i guerrieri sarebbero stati 15.000 circa), Orosio, cronachista spagnolo, pensava che riguardasse il solo esercito.[19] Come per molte altre valutazioni numeriche dei gruppi coinvolti nell'invasione, nessuno di questi calcoli separatamente preso risulta davvero convincente, ma nell'insieme la stima si attesta su una forza militare di almeno 20.000 uomini e una popolazione totale di circa 100.000 persone. Un ordine di grandezza più che sufficiente a spiegare come mai gli immigrati riuscirono a violare il confine imperiale. L'esercito romano riorganizzato del tardo impero operava tramite distaccamenti di truppe stanziate presso la frontiera in una lunga teoria di torri di guardia e installazioni più grandi, nel caso del confine del Danubio e del Reno, proprio sul fiume o poco lontano dalle sue rive. Ma quelle truppe erano concepite per tenere a bada incursioni di piccole dimensioni, endemiche su qualsiasi frontiera; per gli attacchi più massicci, sferrati anche solo da qualche migliaio di guerrieri, si mobilitavano invece le truppe «comitatensi» (cfr. Glossario) stanziate nell'interno. Decine di migliaia di barbari, anche se in buona parte non combattenti, erano un problema che andava ben oltre le competenze delle truppe frontaliere.

Questi massicci spostamenti di popolazione sono confermati dai ritrovamenti archeologici. Nel III e IV secolo d.C. due sistemi di cultura materiale geograficamente molto estesi dominavano le regioni meridionali dell'Europa centro-orientale: quello di Černjachov e quello di Przeworsk (Carta n. 7). Quella di Przeworsk era una delle più antiche culture germaniche o a dominazione germanica dell'Europa centrale, con una storia ininterrotta di sviluppo che, nel 400 d.C., durava ormai da più di mezzo millennio. Nel IV secolo essa comprendeva le odierne Polonia centromeridionale e repubbliche Slovacca e Ceca.

Il sistema di Černjachov, risalendo solo al III secolo d.C., era molto più recente; alla fine del IV secolo si era diffuso nelle odierne Valacchia, Moldavia e Ucraina meridionale, dai Carpazi fino al Don. La vecchia scuola archeologica, come abbiamo visto, equiparava questo tipo di culture ai «popoli»; ma possiamo comprenderle meglio se le consideriamo sistemi incorporanti vari gruppi di popolazione e varie entità politiche. A definirne i confini non erano tanto le frontiere politiche di un certo popolo, quanto il perimetro geografico all'interno del quale i vari gruppi interagivano fra loro in modo abbastanza intenso da rendere molto simili, in parte o in tutto, gli oggetti di cultura materiale che ci sono pervenuti (ceramiche, manufatti in metallo, corredi funebri, stili costruttivi e via dicendo). Il sistema di Černjachov era dominato militarmente dai goti, ma comprendeva anche altri immigrati germanici nella regione del Mar Nero settentrionale: daci provenienti dalla regione dei Carpazi e sarmati di lingua iraniana. La sua area di diffusione era suddivisa in un'infinità di regni distinti e separati (cfr. Capitolo 3).

Essendo la sua storia molto più lunga, la cultura di Przeworsk può forse essere stata più unitaria dal punto di vista etnico e aver avuto una percentuale più alta di popolazioni di lingua germanica, ma non per questo era un'entità politica più compatta di quella di Černjachov. Nelle aree di Przeworsk c'erano sicuramente dei vandali e molti altri gruppi che interagivano anche con quelli del sistema di Černjachov per vari aspetti della cultura materiale: per esempio la lavorazione del vetro, che risulta molto simile. La principale differenza che siamo in grado di individuare con certezza riguarda il fatto che i gruppi umani della cultura di Černjachov, a differenza di quelli di Przeworsk, di solito non seppellivano armi insieme ai loro morti.

Entrambi i sistemi culturali svanirono durante le ultime fasi dell'impero romano. Sulla data di fine di Černjachov gli studiosi non hanno ancora raggiunto un consenso, ma tutti i lavori pubblicati concordano nel dire che attorno al 450 praticamente non ve n'era più traccia;[20] analogamente, anche se a nord ebbe vita più lunga, nella Polonia meridionale la cultura di Przeworsk era ormai finita attorno al 420. Dall'Ucraina all'Ungheria gli schemi tradizionali degli oggetti della cultura materiale – che nel caso di Przeworsk erano rimasti immutati per lunghissimo tempo – scompaiono tra il 375 e il 430 d.C.

Finché questi sistemi venivano equiparati ai popoli era naturale pensare che la «fine di una cultura», come viene comunemente definito il fenomeno, fosse determinata da una migrazione di massa: una certa cultura spariva da una zona geografica insieme al popolo che l'aveva generata. E dato che vandali e goti, tradizionalmente equiparati ai sistemi di Przeworsk e Černjachov, apparvero ai confini del mondo romano pressoché contemporaneamente all'uscita di scena di quelle due culture, una simile interpretazione sembrava più che logica. Ma siccome in realtà le culture riflettono l'interazione tra popolazioni miste, spiegarne la fine non è così facile. Le culture germaniche dell'età del ferro, come quelle di Przeworsk e di Černjachov, vengono identificate sulla base dello svi-

249

luppo continuativo nel tempo di certi oggetti particolari, soprattutto alcuni tipi di ceramica – segnatamente gli articoli più fini – e oggetti di metallo come le armi e gli ornamenti personali. Quando diciamo che una cultura è finita in realtà intendiamo dire che da un certo momento in poi i ritrovamenti archeologici non permettono più di identificare una continuità nello sviluppo di questi oggetti caratteristici. Ma che la scomparsa di tali oggetti significhi che l'intera popolazione di quell'area sia dileguata nel nulla è perlomeno discutibile. Recentemente alcuni studiosi hanno affermato che gli oggetti caratteristici fin qui usati per identificare i sistemi di Przeworsk e Černjachov erano tutti piuttosto costosi e dunque erano prodotti solo per una ristretta élite militare: la loro scomparsa, quindi, potrebbe significare semplicemente che quella classe se ne andò altrove lasciandosi alle spalle una popolazione composta sostanzialmente da poveri contadini. E siccome questa presunta massa di contadini usava un tipo di ceramica grossolana (impossibile da datare) e non portava ornamenti di metallo, la sua persistenza sul territorio, per noi, è archeologicamente invisibile. Questa argomentazione corrobora quelle di chi, indipendentemente dall'esistenza o meno di prove scritte o archeologiche, ha sostenuto che le migrazioni verso l'impero romano della fine del IV secolo e dell'inizio del V furono un fenomeno di scala relativamente ridotta.

Ma anche ammettendo che la fine di una cultura non significhi la totale scomparsa di una popolazione, questa conclusione non mi sembra molto convincente. Se collochiamo Radagaiso, l'attraversamento del Reno, Uldino e i burgundi nei loro corretti rapporti cronologici e geografici, risulta subito chiaro che gli anni tra il 405 e il 410 videro un massiccio spostamento di popolazione dalla Germania a ovest dei Carpazi. Non siamo in grado, e forse non lo saremo mai, di valutare con certezza l'entità numerica di tali movimenti, o di calcolare la percentuale di migranti sulla popolazione totale delle aree coinvolte; ma in ultima analisi la fine delle culture materiali di cui sopra mi pare dimostri che quelle migrazioni di popoli furono pur sempre abbastanza significative da trasformare il volto dell'Europa centrale. Anche le fonti scritte, pur tutt'altro che esaurienti, confermano che a spostarsi non fu soltanto una piccola élite sociale (diversamente, per esempio, da quanto avvenne dopo il 1066 con la conquista normanna, quando circa 2000 famiglie traslocarono per prendere possesso di tutte le terre coltivabili del regno anglosassone). L'esercito di Radagaiso, per esempio, era composto da due categorie di combattenti e non soltanto da guerrieri d'élite. Questo importante elemento è coerente con indicatori più generali del fatto che i gruppi goti del IV e del V secolo erano sempre composti da due livelli di uomini in armi: i «migliori» (uomini liberi) e gli altri (liberti).[21] Inoltre, come abbiamo visto nel Capitolo 3, la società germanica del IV secolo, pur avendo sicuramente al suo interno delle gerarchie, non era ancora dominata da quella minuscola élite feudale che si sarebbe imposta in età postcarolingia.

Trent'anni circa dopo che tervingi e greutungi ebbero attraversato il basso Danubio, dunque, scoppiò una seconda crisi. La sicurezza della frontiera romana, stavolta a ovest e non a est dei Carpazi, fu violata non meno di tre volte in un breve arco di tempo. Quattro invasioni principali – quella di Radagaiso, l'attraversamento del Reno, quella di Uldino e quella dei burgundi – si abbatterono sul confine dell'impero in punti diversi: Radagaiso mosse verso sud-ovest, in Italia; vandali, alani e svevi, come anche i burgundi, colpirono a occidente, lungo e attraverso la frontiera del Reno; Uldino puntò verso sud. Tutti questi movimenti, originatisi grossomodo nella stessa regione, si sommarono tra loro provocando una massiccia convulsione lungo tutta la frontiera europea dell'impero. Decine di migliaia di guerrieri e con loro una massa totale di almeno 100.000 persone – se non 200-300.000 – si erano messi in movimento.

Arrivano gli unni!

Se le dimensioni e la concentrazione geografica della crisi del 405-408 non possono essere dedotte dalle fonti antiche in maniera chiara e lineare, le sue cause sono ancora più difficili da individuare. Già frammentarie, su questo punto le testimonianze scritte si prosciugano del tutto. Una, che risale a più di un secolo dopo i fatti, afferma che sarebbe stata la carenza di cibo a spingere i vandali a lasciare l'Europa centrale, ma personalmente non sono del tutto d'accordo. I vandali avevano vissuto in quelle regioni per centinaia d'anni, e attorno al 400 d.C. il clima europeo era come sempre ottimale, con estati calde e soleggiate. Le spacconate di Uldino (cfr. pp. 244-245) potrebbero avere come motivazione la pura e semplice sete di conquista; ma la facilità con cui fu sconfitto dimostra che di certo non si trattava di un conquistatore di mestiere.

A mio parere, la crisi del 405-408 dev'essere considerata una replica di quella del 376, con ulteriori movimenti dei nomadi unni come innesco. L'ipotesi è già stata avanzata più volte, ma in assenza di conferme esplicite da parte delle fonti non ha mai raccolto il consenso unanime degli studiosi.[22] Ed è qui che diventa fondamentale comprendere che, per l'azione del 376, non si erano mobilitati grossi contingenti di unni.[23] Ancora nel 395, a vent'anni dall'attraversamento del Danubio, la maggior parte degli unni si trovava molto più a est: in quell'anno infatti essi fecero una massiccia scorreria in territorio romano, non lungo il Danubio, ma attraverso il Caucaso (Carta n. 7). Il fatto è stato interpretato come un astuto piano dei gruppi di unni stanziati lungo il Danubio per aggirare le difese dei romani; ma se così fosse stato, al momento di lanciarsi all'assalto, dopo 2000 chilometri di marcia lungo la costa settentrionale del Mar Nero, uomini e cavalli sarebbero stati sfiniti. La direzione da cui venne il colpo dimostra invece chiaramente che, ancora nel 395, gli unni erano stanziati molto a est, forse nella steppa del Volga; e infatti, a parziale conferma di ciò, per un decennio o più dopo il 376 i goti furono ancora per i romani la principale fonte di preoccupazione a nord del basso corso del Danubio (come abbiamo visto nel Capitolo 4).[24]

Più tardi, nel terzo decennio del V secolo grandi masse di unni si erano ormai stabilite nell'Europa centrale, occupando la grande pianura ungherese a ovest dei Carpazi. La cosa è ben documentata. Nel 427, per esempio, i romani li espulsero dalla Pannonia, la più ricca delle province romane a sud del medio corso del Danubio (Carta n. 7).[25] Nel 432 un generale romano che aveva bisogno del loro aiuto dovette «attraversare la Pannonia» per raggiungerli; il suo tragitto dimostra che, anche dopo l'espulsione, gli unni erano rimasti a ovest dei Carpazi.[26] Analogamente, tombe regali unne datate circa al 440 sono state ritrovate sulla riva del fiume opposta alla città di Margus: ancora una volta, decisamente a ovest dei Carpazi, dove verso il 440 si trovava anche la principale base operativa di Attila.[27] In un momento imprecisato tra il 395 e il 425, dunque, il corpo principale degli unni percorse 1700 chilometri verso ovest, spostandosi dalle regioni a nord del Caucaso alla grande pianura ungherese.

Se sia stato proprio tra il 405 e il 408 che gli unni realizzarono questo spostamento è meno chiaro, ma alcuni stimolanti indizi lo suggerirebbero. Nel 412-413, per esempio, Olimpiodoro e il suo pappagallo parteciparono a un'ambasceria presso gli unni; il viaggio comprese uno scomodissimo tratto via mare, durante il quale la nave fece scalo ad Atene. Dato che Olimpiodoro lavorava per la metà orientale dell'impero, probabilmente era partito da Costantinopoli; se il suo viaggio toccò Atene, possiamo immaginare che abbia attraversato l'Egeo e risalito l'Adriatico probabilmente fino ad Aquileia, ultima meta marittima dell'itinerario. Possiamo dedurne che, all'inizio del secondo decennio del V secolo, gli unni di Olimpiodoro erano stanziati lungo il medio corso del Danubio, dato che il porto di Aquileia esisteva proprio per servire quella regione (Carta n. 7).[28]

Una conferma del fatto che, attorno al 410, nell'Europa centrale si stava preparando qualcosa di molto serio ci viene anche da un'altra prova indiretta. Le autorità dell'impero orientale devono aver percepito un aggravarsi della minaccia che incombeva sui loro territori balcanici, se nel gennaio 412 vararono un programma di rafforzamento delle flotte di stanza sul Danubio.[29] Un anno dopo Costantinopoli, vulnerabile a un eventuale attacco che fosse venuto da nord attraverso i Balcani, fu dotata di nuove strutture difensive: si tratta dei suoi famosi bastioni di terra, una formidabile tripla cerchia di fortificazioni che in parte possiamo ammirare ancor oggi nella moderna Istanbul.[30] Mura possenti, che avrebbero garantito la sicurezza della città per più di mille anni: nessun aggressore infatti poté mai conquistarla da terra fino al 1453, 1040 anni dopo la loro costruzione, quando i cannoni turchi aprirono una breccia vicino all'attuale stazione degli autobus di Topkapi. Entrambe queste misure difensive sono state interpretate da alcuni come una reazione agli attacchi di Uldino del 408-409. In tal caso sarebbero curiosamente postdatate, e comunque Uldino aveva subìto una sconfitta schiacciante. Trovo molto accattivante, quindi, l'ipotesi di associarle all'incombente presenza degli unni.

Come spesso avviene, le prove non sono inequivocabili quanto noi vorremmo, ma è pressoché certo che nel 420, e probabilmente già nel 410, gli unni si spostarono dal Caucaso – dove ancora erano stanziati attorno al 395 – nella grande pianura ungherese. E poiché col semplice affacciarsi ai margini dell'Europa nel 376 avevano provocato lo spostamento dei goti sulle rive del Danubio, era inevitabile che una seconda avanzata nel cuore stesso del continente generasse effetti a catena ancor più drammatici.[31] In ogni caso, non abbiamo molte serie alternative cui appigliarci. La politica generale dei romani verso gli immigranti non era cambiata: tutti i gruppi che si presentarono alle frontiere tra il 405 e il 408 furono respinti e a nessuno fu concesso di entrare nel territorio dell'impero (infatti molti, come vedremo, non sopravviveranno). La sicurezza delle frontiere era stata ristabilita con successo già nel 376. Quando, nel dicembre del 406, i goti attraversarono il Danubio, era passato abbastanza tempo dalla catastrofica sconfitta di Radagaiso – giustiziato nell'agosto di quell'anno – da supporre che la notizia fosse pervenuta oltre frontiera; eppure la successiva ondata di migranti non si arrestò. Tutto ciò suggerisce che i fatti del 405-408 siano stati provocati da qualcosa che era accaduto sul lato barbaro della frontiera, e non da una mutata percezione della politica dell'impero o della sua capacità di reazione.

La storia dev'essere ricostruita pezzo a pezzo, ma alla fine tutti i tasselli combaciano. Cerco di elencarne i punti fondamentali. L'intrusione degli unni in Europa avvenne in due fasi: la prima (l'occupazione di terre a nord del Mar Nero) provocò la crisi del 376, e la seconda (l'occupazione della grande pianura ungherese) causò lo spostamento fin dentro al mondo romano di Radagaiso, dei vandali, degli alani, degli svevi, di Uldino e dei burgundi, spostamento che in parte era già cominciato. Tutti quei gruppi venivano infatti dalla regione che nei successivi cinquant'anni sarebbe stata il cuore della potenza unna e si mossero appena prima che una massiccia presenza unna vi sia documentata. Non può trattarsi di una mera coincidenza. Come già i goti nel 376, tra il 405 e il 408 molti abitanti della Germania a ovest dei Carpazi espressero

254

con il trasferimento la loro preferenza: evidentemente era meglio per loro rischiare di addentrarsi in territorio romano piuttosto che correre il pericolo dell'egemonia unna. Laddove la crisi del 376 riflette l'apparizione degli unni ai confini orientali d'Europa, al di là dei Carpazi, quella del 405-408 nasce dal loro spostamento nel cuore stesso del continente.

Il primo, remoto passo che avrebbe condotto al sacco di Roma del 410 fu fatto dunque lontanissimo dall'Italia, sulle rive settentrionali del Mar Nero. L'ulteriore avanzata degli unni mise in crisi tutta la Germania a ovest dei Carpazi, e il più imponente effetto a catena che i romani poterono osservare fu una massiccia immigrazione di genti armate all'interno dei loro confini. Nella metà orientale dell'impero la nuova prossimità degli unni accrebbe i livelli d'ansia, provocando la costruzione di nuove, imponenti opere difensive; ma fu la metà occidentale a subirne l'impatto, sia nell'immediato sia nel lungo periodo. La collisione tra gli invasori, le autorità centrali di Roma e le élite provinciali era destinata ad avere ampie ripercussioni.

Saccheggio e usurpazione

Gli effetti immediati di questi movimenti di popolazione furono esattamente quelli che ci aspetteremmo. Non uno dei profughi riuscì a entrare legalmente nell'impero; tutti si comportarono da nemici e come tali furono trattati. All'inizio i goti di Radagaiso incontrarono solo una debole resistenza; ma quando arrivarono a Firenze capirono di essere al capolinea. Avevano bloccato completamente la città riducendola quasi alla capitolazione quando, improvvisamente, arrivarono massicci rinforzi romani al comando di Stilicone, il generalissimo dell'impero d'occidente, che in quel momento governava con pieni poteri la metà occidentale dell'impero in nome dell'imperatore Onorio, il figlio ancora bambino di Teodosio I. Il contingente mobilitato per il contrattacco fu gigantesco: trenta reggimenti dell'esercito di campo d'Italia più un contingente richiamato probabilmente dalla frontiera del Reno[32] e truppe ausiliarie di unni e alani.[33] Il tempo necessario a muovere così tanti soldati spiega come mai Radagaiso avesse potuto infierire sull'Italia settentrionale per più di sei mesi. Ma quando Roma reagì, ottenne subito un brillante successo. Radagaiso e il suo esercito dovettero ritirarsi sulle colline di Fiesole, dove rimasero bloccati. Alla fine il re dei goti abbandonò il campo di battaglia per darsi alla fuga, ma fu catturato e giustiziato; alcuni dei suoi seguaci si dispersero, molti furono venduti come schiavi[34] e i guerrieri di più alto rango furono integrati nell'esercito romano. Quest'ultimo particolare risulta solo da un breve frammento di Olimpiodoro citato da Fozio, e non è del tutto chiaro quando avvenne l'integrazione: forse durante le operazioni di rastrellamento, ma più probabilmente si trattò di un magistrale colpo diplomatico. Radagaiso fu privato di qualunque sostegno e perdette ogni possibilità di resistere con successo all'esercito romano. Grazie a Stilicone, l'impero era riuscito a superare brillantemente la prima delle sfide poste dalla crisi del 405-408.

Nell'affrontare vandali, alani e svevi, invece, l'opera di Stilicone fu molto meno efficace. Se effettivamente parte dell'esercito di stanza in Gallia era passato in Italia per battere Radagaiso, ciò spiegherebbe almeno in parte come mai, in un altro punto del confine, l'esercito romano poté essere sconfitto. Già prima del dicembre del 406, nell'insieme di terre comprese tra l'alto corso del Reno e del Danubio, si erano verificati dei disordini. Frammenti di una cronaca scritta da un contemporaneo, un certo Renato Profuturo Frigerido, tramandati insieme ad altri testi del IV secolo all'interno della *Storia* di Gregorio di Tours, indicano che già nell'inverno 401-402 i vandali avevano cominciato ad agitarsi lungo le frontiere della Rezia; ma se a un certo momento la loro inquietudine prese la forma di un tentativo di varcare il confine, esso fu certamente respinto. Incontriamo di nuovo i vandali nell'estate o nell'autunno del 406, quando gli Hasding si spostarono di altri 250 chilometri verso nord per aggredire i franchi stanziati lungo il medio corso del Reno. Secondo i frammenti di Frigerido le presero di santa ragione, finché i rinforzi guidati da Attila non andarono a soccorrerli. Quest'ultima battaglia non è datata, ma probabilmente ebbe luogo appena prima che la coalizione tra vandali Hasding e Siling, alani e svevi facesse irruzione sull'altra sponda del Reno, il 31 dicembre del 406. Il fatto che l'attraversamento abbia avuto luogo nei pressi di Magonza (Carta n. 8) conferma che, dopo un primo tentativo, gli stessi gruppi cercarono di penetrare nell'impero più a nord girando attorno al territorio principale degli alamanni e di conseguenza entrando in conflitto con i franchi.

L'invasione del Reno non può essere ricostruita nei particolari: tutto ciò che abbiamo è una vaga scia di morte e distruzione (Carta n. 8) che comincia quando gli invasori attraversano il fiume e prosegue con il sacco di Magonza; a questo punto i barbari dila-

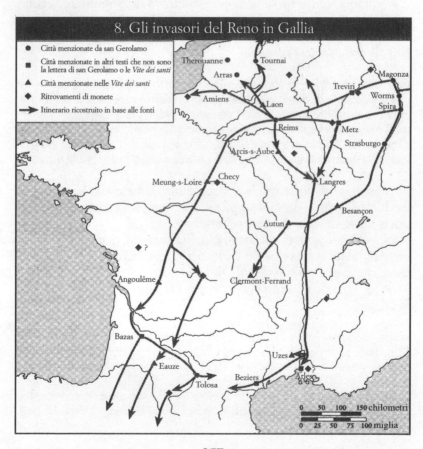

8. Gli invasori del Reno in Gallia

- ● Città menzionate da san Gerolamo
- ■ Città menzionate in altri testi che non sono la lettera di san Gerolamo o le *Vite dei santi*
- ▲ Città menzionate nelle *Vite dei santi*
- ◆ Ritrovamenti di monete
- → Itinerario ricostruito in base alle fonti

Therouanne • Tournai
Arras ●
Amiens ◆ Laon
Treviri Magonza
Worms
Spira
Reims Metz
Strasburgo
Arcis-s-Aube Langres
Meung-s-Loire Checy
Besançon
Autun
Angoulême ?
Clermont-Ferrand
Bazas
Uzes
Eauze Beziers Arles
Tolosa

0 50 100 150 chilometri
0 25 50 75 100 miglia

garono verso nord-ovest in direzione dei grossi centri abitati al di
là della frontiera del Reno – Treviri e Rheims – per poi avanzare
ulteriormente verso Tournai, Arras e Amiens. Dopodiché l'orda
girò verso sud-est, dilagò tutt'attorno a Parigi, Orléans e Tours e
si spinse fino a Bordeaux e alla Gallia Narbonense. Tutto ciò durò quasi due anni: la testimonianza più vivida che ne abbiamo è
opera di alcuni poeti galli cristiani che, volendo ricavarne una morale, raccontarono gli avvenimenti, e in modo abbastanza credibile. Il più famoso di questi autori, Oriento, scrisse un motto terri-
ficante citato da tutti i libri di storia: «Tutta la Gallia fu invasa dal
fumo di una sola pira funebre».[35] Un altro poeta, Prospero
d'Aquitania, scrivendo alla moglie rifletteva sull'imminente crollo
«della cornice di questo fragile mondo». Per quanto elaborato, il
brano segue le regole del genere nell'elencare le categorie conven-
zionali della società romana:

Colui che un tempo rivoltava la zolla con cento aratri ora fatica ad avere
una sola coppia di buoi; colui che spesso guidava i suoi carri in splendide
città ora è malato, e viaggia stancamente, a piedi, per le campagne deserte. Il mercante che solcava i mari con dieci navi cariche di mercanzie ora
s'imbarca su un piccolo scafo ed è il nocchiero di sé stesso. Né la campagna né la città sono quali erano; tutto rotola a capofitto verso la fine.

E ancora: «Con la spada, le epidemie, la carestia, le catene, il
freddo e il caldo – in mille e più modi – una sola e unica morte si
porta via le miserie del genere umano».[36]

Nel 409, dopo aver razziato la Gallia romana, questo gruppo di
vandali, alani e svevi passò i Pirenei e fece irruzione in Spagna,
dove causò ancora più danni. Nel 411 tutta la penisola era ormai
nelle loro mani, al punto che, come ci racconta il cronista spagnolo Idazio,

si spartirono tra loro i vari lotti delle province per insediarvisi: i vandali
[Hasding] si impadronirono della Galizia, gli svevi di quella parte della
Galizia situata lungo la costa occidentale dell'Oceano. Gli alani ebbero
la Lusitania e la Cartaginense, mentre i vandali Siling si presero la Betica [Carta n. 9]. Gli spagnoli delle città e delle roccaforti che erano sopravvissuti al disastro si arresero in schiavitù ai barbari che spadroneg-
giavano in tutte le province.[37]

La scia di devastazione finì dunque con la conquista e la spartizione di una delle aree più prospere dell'impero romano d'occidente. In base a quanto ci racconta lo storico Procopio, un bizantino della metà del IV secolo, qualcuno pensò persino che quegli insediamenti fossero stati autorizzati dalle autorità centrali romane d'Italia.[38] Ma Procopio era lontano dagli eventi sia nel tempo che nello spazio; mentre il cronista spagnolo Orosio, che ne scrive a soli cinque anni di distanza, afferma esplicitamente che furono del tutto illegali.[39] Credo che quest'ultima versione sia la più attendibile. Nel 411, dopo quattro anni di vita alla giornata, sicuramente gli invasori del Reno erano stanchi di quell'esistenza da sradicati. Invece di continuare a saccheggiare e depredare l'Europa romana, volevano colonizzare dei territori potenzialmente redditizi, in grado di sostenerli nel lungo termine. Idazio (vescovo di una cittadina appena al di là dei confini dell'odierna

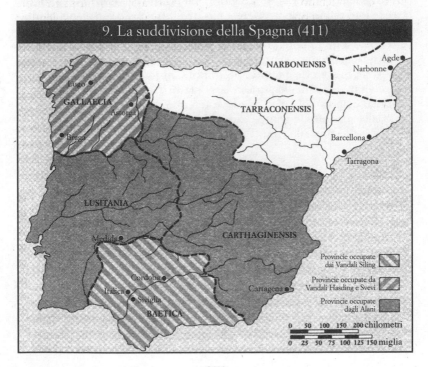

9. La suddivisione della Spagna (411)

NARBONENSIS

Agde
Narbonne

Lugo
GALLAECIA
Astorga
Braga

TARRACONENSIS

Barcellona
Tarragona

LUSITANIA
Merida

CARTHAGINENSIS

Cordoba
Italica
Siviglia
BAETICA

Cartagena

Provincie occupate
dai Vandali Siling

Provincie occupate da
Vandali Hasding e Svevi

Provincie occupate
dagli Alani

0   50   100   150   200 chilometri

0   25   50   75   100 125 150 miglia

259

Galizia, nella Spagna nordoccidentale) non è molto chiaro su ciò che accadde, ma possiamo facilmente immaginare che vandali, alani e svevi dirottarono nelle proprie tasche il gettito fiscale delle province ispaniche, che di solito prendeva la via di Roma.[40] La lunga lista di incendi, stupri e saccheggi che aveva devastato la Gallia fu dunque seguita dall'annessione forzata della Spagna. E siamo ancora solo all'inizio della lista delle catastrofi che nacquero dalla violazione della frontiera occidentale dell'impero.

Mentre vandali, alani e svevi mettevano a ferro e fuoco Gallia e Spagna, l'instabilità della metà occidentale dell'impero fu ulteriormente aggravata dall'insorgere di un nuovo problema. Nel 407, appena prima che avesse inizio il settimo consolato dell'imperatore Onorio,

le truppe della Britannia si ammutinarono e misero sul trono Marco, obbedendogli come a un imperatore; ma poiché egli non voleva soddisfare le loro richieste lo uccisero e misero al suo posto Graziano, al quale diedero una veste di porpora, una corona e una guardia del corpo proprio come a un imperatore. Ma poiché anche Graziano fece qualcosa che dispiacque, dopo quattro mesi lo deposero e lo uccisero e nominarono suo successore Costantino. Scelti poi Giustiniano e Nebiogastes come generali per la Gallia, questi lasciò la Britannia e attraversò tutto il continente fino a Bologna [...], dove si fermò qualche giorno; avendo tirato dalla sua tutte le truppe di Gallia e Aquitania, divenne signore di tutta la Gallia fino alle Alpi.[41]

Di tutte le province romane, come abbiamo visto nel Capitolo 3, la Britannia era stata la più incline alla rivolta per tutto il tardo impero. Non che i suoi abitanti avessero particolari inclinazioni indipendentiste, ma il personale romano sia civile che militare aveva spesso la sensazione di essere tagliato fuori dalla distribuzione di favori e protezione, e di tanto in tanto si ribellava per ottenere di più. Perciò non abbiamo bisogno di cercare alcuna motivazione particolare per la sequenza di ribellioni scoppiate nell'autunno del 406, appena *prima* che vandali, alani e svevi attraversassero il Danubio. D'altra parte, però, i due fenomeni si verificarono in una prossimità cronologica quantomeno sospetta: personalmente tendo a credere che ci fosse un nesso, anzi due.

Innanzitutto, il tipo di ribellioni cui la Britannia ci ha abituati non durava a lungo e assai di rado si diffondeva sull'altra sponda della Manica contagiando il personale politico e militare, molto più numeroso, stanziato lungo la frontiera del Reno. Nel 406-407 la sorte che attendeva i primi due usurpatori britannici era scontata: come condottieri valevano davvero poco e le loro ambizioni di potere crollarono al primo urto. Il terzo invece – che divenne famoso col nome di Costantino III – era di tutt'altra tempra. E infatti non solo riuscì a evitare di essere linciato venti minuti dopo l'ascesa al trono, ma allargò rapidamente la sua sfera d'influenza su tutta la Gallia fino alle Alpi sconfiggendo anche l'esercito romano del Reno. All'epoca in cui Costantino III trasferì la sua base d'operazioni a Bologna vandali, alani e svevi avevano già varcato il confine e le autorità centrali d'Italia – vale a dire Stilicone, che governava per conto di Onorio – non riuscivano ancora a contrattaccare.

Assistiamo qui a un altro esempio dello schema di comportamento tipico dei romani del tardo impero. Italocentrico com'era, il regime di Stilicone non seppe accorrere prontamente in aiuto della Gallia quando questa ne ebbe bisogno; così quando nella primavera del 407 Costantino III vi portò in parata il suo vittorioso stendardo, ai proprietari terrieri galli sembrò una risposta efficace al disastro imminente. Consolidato il suo potere a sud della Manica, Costantino guidò le sue truppe in un certo numero di aspre battaglie contro vandali e soci:[42] ciò probabilmente spiega anche l'itinerario seguito dagli invasori. Quando la risposta dei romani alle incursioni più a settentrione, nella regione del Reno, cominciò a essere efficace, essi rivolsero la loro attenzione più a sud, all'Aquitania e ai Pirenei. Orosio dice che Costantino III firmò un trattato di pace con alcuni dei regni germanici vassalli più stabili – alamanni, franchi e burgundi – sia per rinforzare le proprie posizioni, sia per assicurarsi che le province galliche non subissero ulteriori invasioni.[43] Fu così che si conquistò il sostegno dei proprietari terrieri della Gallia, presentandosi come l'asse principale della resistenza romana contro le invasioni barbariche: proprio ciò che le autorità centrali d'Italia non riuscivano a fare. Tale meccanismo potrebbe anche essere all'origine delle usurpazioni britanniche. Certo, la prima avvenne un po' troppo a ridosso dell'attraversamento del Reno da parte dei barbari, ma è probabile che nelle province del Nord l'inquietudine

261

serpeggiasse già da tempo, come abbiamo visto; e anche se l'invasione vera e propria avvenne solo il 31 dicembre del 406, tra i circoli militari romani lungo il Reno era opinione diffusa che una crisi di grandi dimensioni fosse ormai imminente. Sospetto che sia stato proprio questo senso d'insicurezza a provocare i primi disordini contro il regime di Stilicone, e Costantino III ne approfittò.

I goti di Alarico

Due terzi del nostro cast sono ormai entrati in scena, ma a questa miscela già di per sé esplosiva dobbiamo aggiungere un terzo elemento: i goti di Alarico, nelle cui mani finirà per cadere Roma. Per comprenderli e per capire il loro ruolo negli avvenimenti dobbiamo innanzitutto dare un'occhiata ai vent'anni trascorsi da quando, quattro anni dopo la battaglia di Adrianopoli, l'imperatore Teodosio I era finalmente riuscito a riportare la pace nei Balcani.

I goti di Alarico erano i discendenti diretti dei tervingi e dei greutungi con cui Teodosio aveva negoziato la pace di compromesso del 382.[44] I rapporti con lo stato romano, come spesso avviene dopo questi matrimoni riparatori (cfr. Capitolo 4), erano tesi e difficili. Le frequenti rivolte su scala locale o regionale tradivano la mancanza di fiducia tra le parti. Le autorità imperiali, per quanto le riguardava, fecero il possibile – fino a un certo punto – per ridurre la reciproca diffidenza: quando, a Costantinopoli, un soldato goto fu linciato dalla folla inferocita, come forma di punizione collettiva la città intera dovette pagare un gravoso indennizzo. Analogamente quando una guarnigione imperiale di stanza a Tomi, sul basso Danubio, venne alle mani con un contingente goto acquartierato poco lontano, l'ufficiale romano responsabile dell'azione fu destituito. Chiaramente Teodosio desiderava evitare che le occasionali frizioni crescessero fino a diventare una vera e propria rivolta; sappiamo inoltre che di tanto in tanto omaggiava i capi goti invitandoli a lussuosi banchetti.

Ciononostante i goti, perlomeno alcuni, sospettavano che lo stato romano avesse in mente di smantellare al più presto la semiautonomia che si erano conquistati con le armi tra il 376 e il 382. Come abbiamo visto, la pace del 382 prevedeva che i goti fornissero massicci contingenti armati ogni qualvolta l'impero ne facesse richiesta. Teodosio li sollecitò due volte, e sempre per affrontare degli usurpatori nella metà occidentale dell'impero: prima Magno Massimo, nel 387-388, e poi Eugenio, nel 392-393. In entrambe le occasioni alcuni dei goti preferirono ribellarsi o disertare piuttosto che impegnarsi in una guerra civile interna al mondo romano. La ragione è evidente: lo stato romano aveva tollerato la semiautonomia politica gota solo perché l'equilibrio dei rapporti militari in quel momento non permetteva di fare altrimenti. La politica estera che da secoli veniva applicata ai richiedenti asilo era sì stata sospesa, ma solo eccezionalmente a causa delle vittorie che questi particolari migranti avevano riportato contro Valente e Teodosio. Se avessero accettato di combattere nella guerra civile, i goti avrebbero sicuramente riportato delle perdite; e se gli effettivi del loro esercito fossero diminuiti in misura rilevante, niente avrebbe impedito allo stato romano di ripristinare le sue tradizionali linee politiche. Già nel gennaio del 383, presentando il trattato di pace al senato di Costantinopoli, Temistio aveva garantito che prima o poi sarebbe giunto il momento favorevole per rimettere i goti al loro posto.

I sospetti dei goti crebbero a dismisura durante la campagna romana contro l'usurpatore Eugenio. Teodosio aveva cercato di regnare da solo su tutto l'impero rimanendo a Costantinopoli e, com'era prevedibile, gli insoddisfatti della metà occidentale avevano espresso un proprio candidato al trono. Durante la cruciale battaglia del fiume Frigido, ai confini dell'Italia, nella prima, inconcludente giornata di scontri, i goti si ritrovarono sulla linea del fuoco e subirono gravi perdite. Un resoconto, chiaramente esagerato, afferma che ci furono ben 10.000 morti: l'autore, il cristiano Orosio, arriva a dire esplicitamente che con una sola battaglia si erano riportate due vittorie: la prima su Eugenio e la seconda sui goti stessi, che perdendo così tanti uomini si erano sensibilmente indeboliti.[45] All'inizio del 395, dunque, quando Teodosio morì, i goti erano pronti a ribellarsi per riscrivere i termini dell'accordo del 382 e garantirsi una maggior sicurezza. Al momento di sciogliere il vessillo della sommossa, per la prima volta dopo la soppressione di Fritigerno, Alateo e Safrax, i goti vollero darsi un nuovo capo supremo – in aperta violazione delle clausole della pace stessa – e la loro scelta cadde su Alarico, che si era già fatto un nome capeggiando una piccola rivolta in seguito alla campagna militare contro Massimo. Le fonti romane, ostili come sempre, non ci dicono cosa esattamente i barbari volessero ottenere siglando un nuovo accordo, ma possiamo essere sicuri che la richiesta più importante fosse quella di ottenere il riconoscimento di un proprio capo, cui affidare il ruolo di generale di primo grado dell'impero (*magister militum*). Se a questa poi fossero collegate altre condizioni – per esempio se la nomina a generale comportasse anche lo stipendio militare per i suoi seguaci – non è dato sapere, ma è perfettamente possibile.[46] I goti ne avevano abbastanza di quella limitata autonomia in seno allo stato romano che pure a suo tempo, un quarto di secolo prima, era stata una novità assoluta.

Ma c'è un'altra cosa importante che dobbiamo dire sui seguaci di Alarico. Nel 376 i goti erano arrivati sul Danubio divisi in due gruppi distinti, i tervingi e i greutungi, che avevano ciascuno un proprio capo. Questi due gruppi cooperarono abbastanza bene durante la guerra, ma sempre litigando fra loro per questioni di gerarchia. Alla vigilia di Adrianopoli, Fritigerno aveva cercato di farsi riconoscere da Valente capo unico di tutti i goti. Due anni dopo i due gruppi si erano nuovamente separati, andandosene ciascuno per la sua strada. Cosa accadde dopo non è del tutto chiaro. Alcuni sostengono che tervingi e greutungi firmarono con i romani due trattati separati; io invece credo che la pace del 382 li riguardasse entrambi. Comunque la si pensi, il punto non cambia: sotto il regno di Alarico tutte le antiche distinzioni tra tervingi e greutungi scompaiono definitivamente, e i due contingenti umani e militari diventano un corpo solo.[47] Il processo che abbiamo visto svolgersi tra il I e il IV secolo in Germania, oltre le frontiere di Roma (la crescita cioè di raggruppamenti politici più grandi e più coesi) aveva ormai preso piede anche entro i confini dell'impero e stava creando gruppi di potere interni con cui bisognava fare i conti. Le ragioni sottostanti all'unificazione dei goti sono semplicissime e spiegano anche perché essi stessero già collaborando durante la guerra del 376-382. Agendo come un solo grande gruppo essi potevano negoziare da una posizione di forza, aumentando le probabilità di conquistarsi un futuro migliore dentro quel mondo romano che non si era affatto riconciliato con la loro presenza.

La rivolta dei goti di Alarico all'inizio del 395 fu dunque un evento di grande portata. Si era scatenata una nuova forza che intendeva vendicare le perdite subite sul Frigido e riscrivere il trattato di pace di tredici anni prima. I romani avevano davanti a sé due problemi tutt'altro che facili da risolvere. Innanzitutto i goti uniti erano troppo forti per essere liquidati facilmente: nel 395 e poi di nuovo nel 397 essi si scontrarono con un massiccio esercito romano, ma le battaglie vere e proprie non furono molte, probabilmente perché le forze dalle due parti erano troppo equilibrate e nessuna delle due si decideva a giocare il tutto per tutto in campo aperto.[48] E poi le vecchie abitudini sono dure a morire, e nessun esponente politico romano aveva particolarmente fretta di concedere ai barbari un nuovo trattato di pace. Frustrato nei suoi tentativi di raggiungere un accordo politico, a un certo punto Alarico tolse il guinzaglio ai suoi guerrieri, e ancora una volta fu la popolazione delle province balcaniche a pagare il prezzo più alto. La rivolta scoppiò dapprima in Tracia, a nord-est, ma tra il 395 e il 397 i goti si spinsero a sud fino ad Atene, quindi risalirono la costa dell'Adriatico fino all'Epiro saccheggiando allegramente lungo il cammino. Ma sempre con le antenne tese per capire se le condizioni generali maturavano in direzione di un nuovo accordo di pace.

Erano anni di grande instabilità alla corte imperiale di Costantinopoli. Il figlio maggiore di Teodosio, Arcadio, imperatore d'oriente, pur compiendo vent'anni nel 397 non governò mai sul serio, circondato com'era da uno stuolo di ambiziosi politicanti che sfruttavano il suo favore a proprio vantaggio. Nel 397 il più potente di tutti i cortigiani, il ciambellano eunuco Eutropio, finalmente si sentì pronto a trattare. Nominò Alarico generale di Roma e assicurò ai goti tutte le garanzie da loro richieste: ai barbari fu concesso di stabilirsi in Dacia e in Macedonia, e probabilmente le cose furono sistemate in modo che la produzione locale, pignorata come tributo in natura, potesse essere usata per la loro sussistenza. È molto istruttivo apprendere cosa accadde a Eutropio. Nel mondo romano gli eunuchi erano considerati figure ridicole e venivano ritratti come personaggi avidi e immorali: buoni per cedere subito davanti alle richieste di un popolo barbaro che aveva l'ardire di alzare la cresta e pretendere più soldi. Sia in quanto eunuco sia in quanto paciere dei goti, Eutropio si trovò dunque in una posizione molto vulnerabile e i suoi avversari ne approfittarono: nell'estate del 399 egli fu puntualmente rovesciato,[49] i suoi successori fecero carta straccia dell'accordo appena siglato con Alarico e nessuno volle più riprendere le trattative.

Nei due anni seguenti Costantinopoli vide frequenti cambi di regime, ma nessun uomo politico d'oriente dimostrò più alcun particolare interesse nei confronti di Alarico: accondiscendere alle richieste dei goti equivaleva ormai a un vero e proprio suicidio politico. Nel 400 a Costantinopoli ci fu un colpo di stato per abbattere Gaina, il generale romano d'origine gota che dopo la caduta di Eutropio aveva cercato di impadronirsi delle massime cariche dello stato. La posizione di rilievo in cui troviamo questo Gaina – come altri generali d'origine non romana – si spiega con la riorganizzazione dell'esercito tardoimperiale. Diversamente che nell'alto impero, quando solo i cittadini romani potevano prestare servizio nelle legioni, dopo la riforma chiunque poteva arruolarsi anche negli eserciti di campo (*comitatenses*) più strategici. Niente dunque impediva a individui particolarmente abili, benché non romani, di salire la scala gerarchica comitatense fino a posizioni di grande potere. Tra l'inizio e la metà del IV secolo vediamo dunque una serie di generali di origini barbare fare il loro ingresso nelle manovre politiche di corte e occasionalmente mirare più o meno apertamente alla porpora. Silvano, di origini franche, è un caso del genere: uno storico col quale abbiamo già fatto conoscenza, Ammiano Marcellino, partecipò in prima persona a una missione segreta per eliminarlo. Molto più spesso, comunque, i generali «barbari» si limitavano a sgomitare insieme ai politicanti del settore civile per acquisire potere all'ombra del trono. Ma al di là di ciò che ne dicono le fonti storiche (prevenute e ostili) non ci sono prove per affermare che quei generali, in quanto stranieri, mancassero di fedeltà all'impero: alcuni dei personaggi etichettati come «barbari» erano in realtà gli immigrati colti di seconda generazione, ovvero cittadini romani come tutti gli altri.

Figura di primo piano nell'autunno del 399, l'anno seguente Gaina fu abbattuto proprio da coloro che si erano schierati con lui nelle manovre di corte. Essendo un immigrato goto di prima generazione, era diventato subito un facile bersaglio per la propaganda antibarbara, a maggior ragione in una fase in cui i goti di

Alarico stavano mettendo i Balcani a ferro e fuoco. Ma non ci sono prove che avesse la benché minima intenzione di cospirare con loro. Dopo il violento colpo di stato con cui fu destituito, Gaina poté andarsene vivo da Costantinopoli; ma migliaia di altri goti arruolati nell'esercito d'oriente che vivevano in città, furono brutalmente massacrati con tutte le loro famiglie. Nella fase successiva i goti di Alarico non furono più attaccati militarmente, ma rimasero tagliati fuori dai maneggi politici della capitale: ben presto persero ogni speranza di ottenere un nuovo trattato di pace. Per cercare di uscire dallo stallo, nell'autunno del 401 Alarico portò i suoi seguaci in Italia e per dodici mesi cercò di ottenere ciò che voleva da Stilicone, reggente dell'impero romano d'occidente. Anche stavolta Alarico giocò la carta dell'intimidazione, ma Stilicone non era Eutropio. Perso il contatto con le fonti di sostentamento nei Balcani, i goti non potevano prolungare all'infinito la loro avventura italiana:[50] nell'autunno-inverno del 402-403, dopo due battaglie finite in pareggio, si ritirarono dunque al di là delle Alpi Dinariche e tornarono nelle loro tane di Dacia e Macedonia.

Alarico non aveva avuto scelta, ma a quel punto dovette ricominciare ad arrovellarsi su come convincere una delle due metà dell'impero a tornare al tavolo delle trattative. I goti si fermarono di nuovo nelle stesse zone dei Balcani che avevano occupato tra il 397 e il 401, riattivando, suppongo, le fonti di sostentamento cui attingevano allora. E lì rimasero per più di tre anni. Bloccati in una sorta di deserto politico, erano schiacciati, in senso sia letterale che metaforico, tra la metà occidentale e quella orientale dell'impero, in attesa che qualcuno gli facesse un cenno. Verso la fine del 406, finalmente, ci fu una piccola apertura, con grande stupore di Alarico, proprio da parte di Stilicone. Solo quattro anni prima il reggente dell'impero occidentale aveva mosso mari e monti per liberarsi di lui e dei suoi goti ed ecco che, all'improvviso, riprendeva a corteggiarlo per proporgli un'alleanza. Ma la cosa più strana è che Stilicone si fece avanti proprio dopo la sconfitta di Radagaiso, quando già sulla frontiera del Reno si potevano cogliere i primi indizi dello sconvolgimento che di lì a poco avrebbe tracimato nel territorio dell'impero: lo fece proponendo ai goti di attaccare insieme Costantinopoli, non altri barbari provenienti da oltre il Reno. Per capire questo suo comportamento in apparenza tanto bizzarro e spiegare in che modo le imprevedibili conseguenze di tale mossa portarono al sacco di Roma, dobbiamo interrogarci su chi fosse il generalissimo dell'impero d'occidente e quale fosse la sua posizione nello schema più generale delle cose.

Stilicone e Alarico

Attorno alla figura di Flavio Stilicone le opinioni antiche e moderne sono sempre state divise. È infatti un prodotto particolarmente riuscito di quei percorsi di carriera tardoimperiali che videro non romani come Gaina emergere dai ranghi dell'esercito fino a posizioni di grande rilievo politico. Nato da un ufficiale di cavalleria romana di origini vandale e da madre romana, Stilicone aveva fatto una brillante carriera militare a Costantinopoli, alla corte di Teodosio I, dove tra il 380 e i primi anni successivi al 390 aveva ricoperto una serie di prestigiose posizioni. Nel 393 aveva accompagnato l'imperatore in occidente per la campagna militare contro l'usurpatore Eugenio e subito dopo era stato promosso generale di primo grado (*comes et magister utriusque militiae praesentalis*) al comando delle forze armate dell'impero romano d'occidente. All'inizio del 395, inaspettatamente, Teodosio morì a Milano all'età di quarantanove anni; ma non prima di aver nominato Stilicone custode di Onorio, suo figlio minore, che l'aveva accompagnato in quella campagna. O perlomeno così Stilicone riferì della conversazione che avrebbe avuto con lui in letto di morte, e nessuno osò contraddirlo. Il figlio maggiore di Teodosio, Arcadio, ereditò dunque la metà orientale dell'impero e continuò a governarla da Costantinopoli. Nato nel settembre del 384, Onorio invece alla morte del padre aveva solo dieci anni: quindi le redini del potere rimasero naturalmente nelle mani di Stilicone.

Fino a quel momento la carriera del generale si era sviluppata interamente nella metà orientale dell'impero; ma all'improvviso egli si ritrovò a governare praticamente senza rivali la parte occidentale. Un chiaro segno del suo bisogno di gettare ponti verso chiunque detenesse un qualche potere o una qualche influenza a Roma è il cauto corteggiamento che intraprese nei confronti del senato. Nel maggio del 395 infatti fece votare una legge per la riabilitazione di tutti coloro che avevano ricoperto cariche pubbliche sotto l'usurpatore Eugenio: un chiaro gesto d'amicizia verso quella classe senatoria che si era mostrata un po' troppo pronta a riconoscerlo.[51] In un momento imprecisato dopo il 395 anche una nostra vecchia conoscenza, Simmaco – che a quanto risulta dalla corrispondenza si stava godendo una sorta di estate indiana –, fu tra le personalità corteggiate dal reggente:[52] quasi due terzi delle lettere che ci sono pervenute furono scritte tra il 395 e il 402, anno della sua morte, e ce lo mostrano ancora al culmine dell'autorevolezza. Per citare soltanto un episodio, Simmaco poté salvare suo genero Nicomaco Flaviano dalle conseguenze di essere stato prefetto urbano sotto Eugenio, assicurandogli la piena riabilitazione politica. Flaviano fu di nuovo prefetto urbano nel 399-400, sotto Onorio e Stilicone, e non perse nemmeno una delle sue proprietà terriere.[53] Pur non avendo cariche ufficiali, Simmaco poteva agire anche nella sfera pubblica: nel 397, come vedremo, ebbe un ruolo concreto nel convincere il senato a dichiarare nemico pubblico Gildone, il comandante delle truppe nordafricane che si era rivoltato contro Stilicone in difesa di Costantinopoli.

In seguito a queste abili manovre di corteggiamento politico Stilicone riuscì a mantenersi al potere per più di dieci anni: impresa non da poco, date le vicissitudini che il destino volle riservargli e che in parte sono imputabili proprio alle sue scelte. Ciò che Teodosio disse prima di morire, ovviamente, non lo sapremo mai: ma poco dopo Stilicone affermò che l'imperatore morente gli aveva ordinato di vegliare su *entrambi* i suoi figli. Il poeta Claudiano, suo propagandista ufficiale, così commenta la cosa davanti al senato di Roma: «Quindi il potere di Roma è stato affidato a te, Stilicone; nelle tue mani è stato messo il governo del mondo. La maestà gemella dei due fratelli e gli eserciti di entrambe le corti imperiali dipendono dalle tue cure».[54] Almeno per quanto riguarda Arcadio tutto sembra indicare che fosse una menzogna bella e buona, architettata per permettere a Stilicone di gestire il potere sia in oriente, dove era nato e cresciuto, sia in occidente dove, benché giunto da poco, già reggeva saldamente le redini della cosa pubblica. Il generale cominciò subito a mettere in atto il suo piano. Lo scopo immanente ai due interventi militari del 395 e del 397 contro i goti di Alarico era quello di apparire come il salvatore dell'oriente e quindi candidarsi come suo governatore naturale. Tali ambizioni incontrarono però fiera resistenza alla corte di Costantinopoli, dove altri generali intenzionati ad assumere il controllo di Arcadio non vedevano di buon occhio l'intromissione di Stilicone. Non c'è di che stupirsi quindi se cercarono di tenerlo a bada con ogni mezzo.

Il colpo più pericoloso fu messo a segno nell'autunno del 397, quando Gildone, il comandante del Nordafrica, fu indotto a trasferire la sua obbedienza a Costantinopoli. La minaccia per Stilicone era serissima, perché il grano africano era assolutamente indispensabile per nutrire la popolazione di Roma e perché ogni problema nei rifornimenti avrebbe rapidamente minato la sua posizione politica. In quel caso egli seppe risolvere brillantemente la crisi mandando in Nordafrica Mascezel, fratello di Gildone, i cui figli erano morti per colpa di Gildone stesso e che quindi aveva qualche conto in sospeso con lui. Nel luglio del 398 la rivolta era finita e prima della mietitura l'Africa era tornata alla sua tradizionale alleanza con l'occidente. Stilicone sopravvisse anche all'invasione dell'Italia a opera di Alarico nel 401-402; invasione che, se pure non fu esplicitamente autorizzata dalle autorità di Costantinopoli come ha detto qualcuno, certamente non ne fu impedita o osteggiata. Poi, a soli tre anni da questi avvenimenti, arrivarono Radagaiso e la sua orda di goti. Ancora una volta Stilicone se la cavò, e senza nemmeno sforzarsi troppo. Per tutto il tempo in cui rimase al potere, il suo prestigio poté avvalersi di vari elementi: il sostegno del personale militare centrale e regionale, del senato di Roma e della burocrazia imperiale, per nominarne solo alcuni. Ma una cosa fu assolutamente cruciale: il suo rapporto personale con Onorio. Per mantenere saldamente la presa su di lui, nel 398 Stilicone lo indusse a sposare appena adolescente sua figlia Maria. La sua posizione politica ne fu sicuramente rafforzata; ma man mano che il giovane imperatore cresceva il generale avrebbe dovuto mettere in atto astuzie sempre maggiori per non perderlo.

Ancora nell'agosto del 406 Stilicone seppe camminare sul filo del rasoio con molta abilità. Il tentativo di unificare le due metà dell'impero sotto il suo comando era fallito, ma Onorio era ancora saldamente sotto la sua tutela; l'Africa era stata indotta a riallinearsi e due aggressioni gote contro l'Italia erano state respinte con successo. Fu allora, appena dopo la sconfitta di Radagaiso, che si verificò l'episodio più misterioso di tutta la carriera di Stilicone. Su al nord le cose si stavano mettendo male: il primo degli usurpatori britannici era già entrato in azione, a est del Reno si combatteva e tutto sembrava indicare che presto i disordini avrebbero debordato in territorio romano (anche se nessuno poteva immaginare le dimensioni che avrebbe assunto l'invasione del Reno o la piega che avrebbero preso gli eventi). Eppure, come abbiamo visto, invece di muovere verso nord con il maggior numero di soldati possibile, Stilicone decise di prendersela con Costantinopoli. Nell'ultimo scorcio del 406, aprendo le ostilità con l'impero d'oriente, egli si poneva un obiettivo molto più limitato che non nel 395-396: chiedeva semplicemente la restituzione delle diocesi di Dacia e di Macedonia (la metà orientale della prefettura dell'Illirico, trasferita sotto il controllo amministrativo di Costantinopoli durante il regno di Teodosio). Minacciando guerra se l'impero d'oriente non gli avesse dato ciò che voleva, Stilicone cercò quindi l'alleanza militare dei goti di Alarico.

Ovviamente è possibile che Stilicone abbia semplicemente sbagliato a valutare la situazione: in parte perché ossessionato dalla voglia di comandare anche in oriente, in parte perché incapace di comprendere la crisi che si stava dispiegando più a nord. Ma anche se probabilmente non intuì subito che quella crisi si sarebbe trasformata in un vero e proprio disastro, è difficile credere che Stilicone avesse perso completamente il senso dell'orientamento. E non sono il solo a pensarla così. Il punto cruciale è che, in quel momento, Stilicone non agì per prendere il potere a Costantinopoli: l'obiettivo di riottenere la Dacia e la Macedonia, nell'Illirico orientale, suggerisce che avesse in mente un piano preciso e che a guidarlo non fosse esclusivamente la sua megalomania di generale. I monti e i bacini montuosi dell'Illirico orientale erano sempre stati un buon terreno di reclutamento per l'esercito di Roma (un po' come le Highlands scozzesi per quello inglese): per questo motivo qualche studioso ha suggerito che la volontà apparentemente bizzarra di riprendere il controllo di quelle zone proprio alla fine del 406 fosse in qualche modo collegata alla crisi in corso sulla frontiera del Reno. Stilicone aveva disperatamente bisogno di manodopera militare e l'Illirico poteva garantirgliene in abbondanza. Ma per trasformare una recluta in un buon soldato ci vuole tempo, tempo che Stilicone proprio non aveva. Nell'Illirico orientale, invece, c'era un contingente militare perfettamente addestrato e sperimentato, rotto a mille battaglie e già pronto per l'uso: i goti di Alarico.

Per capire come lo scontro con Costantinopoli per l'Illirico orientale potesse avere come scopo ultimo la conquista del sostegno di Alarico per far fronte alla grave minaccia che si stava concretizzando a nord dell'impero d'occidente, dobbiamo ragionare un po' sull'agenda politica dei goti. Come risulta da molte delle sue mosse successive al 395, Alarico era più che disposto a stringere un'alleanza militare con Roma, purché il prezzo fosse giusto e comprendesse alcune importanti rettifiche all'accordo del 382. Ciò significava il pieno riconoscimento del capo unico di tutti i goti e l'assegnazione legale di un distretto redditizio da cui ricavare il sostentamento (tutte cose già concesse da Eutropio nel 397 e che i goti avrebbero continuato a chiedere fino alla fine del primo decennio del secolo successivo). L'unico problema, per Stilicone e Alarico, era quello di decidere dove i goti avrebbero potuto stabilirsi. A parte la breve puntata in Italia, essi avevano vissuto in Dacia e in Macedonia fin dal 397; ma nel 406, diversamente da prima, l'Illirico orientale apparteneva all'impero d'oriente. Stilicone doveva dunque risolvere un dilemma. Poteva spostare i goti dalla zona che avevano occupato per quasi un decennio in uno dei territori sotto il suo controllo: questa soluzione gli avrebbe permesso di conceder loro l'insediamento pienamente legale che desideravano, ma avrebbe comportato grandi sconvolgimenti sia per i goti sia – cosa assai più importante dal punto di vista di Stilicone – per i proprietari terrieri dell'impero occidentale sulle cui terre i goti si sarebbero stanziati. Oppure poteva legalizzare il controllo dei goti sul territorio che già occupavano; ma per far questo era necessario mettere alle strette Costantinopoli e farsi restituire l'Illirico orientale. Alla fine Stilicone optò per questa seconda soluzione: a ben vedere, infatti, era il modo più semplice per avere i goti dalla sua parte. Tutto considerato, dunque, una politica tutt'altro che illogica.

L'alleanza del supergruppo di Alarico poteva dare a Stilicone le milizie di cui aveva bisogno per affrontare l'uragano che si stava addensando a nord, e con il minimo disturbo per l'impero d'occidente. Se tutto ciò comportava un piccolo attrito con Costantinopoli, amen.[55]

La caduta di Stilicone e ciò che accadde dopo

Nell'accordo siglato tra Stilicone e Alarico c'era scritto che, per l'attacco contro l'impero d'oriente, i goti sarebbero stati affiancati da un valido contingente dell'esercito romano d'Italia. Probabilmente Stilicone pensò che un semplice sfoggio di muscoli militari sarebbe bastato a indurre Costantinopoli a restituire le diocesi contese, allontanando lo spettro di uno scontro vero e proprio. A tal fine Alarico si spostò con le sue forze in Epiro (odierna Albania), cioè in quell'Illirico occidentale che formalmente era ancora parte dell'impero d'occidente, e aspettò di essere raggiunto dalle truppe di Stilicone attraverso l'Adriatico. Dato che d'inverno nei Balcani non era assolutamente possibile organizzare una campagna militare su vasta scala, possiamo immaginare che l'attacco fosse stato pianificato per l'estate seguente, quella del 407. Comunque tutti i piani furono mandati a monte dalla rapidità con cui precipitarono gli eventi in Britannia e in Gallia. Nel maggio-giugno del 407, infatti, proprio mentre stava per iniziare la campagna balcanica, vandali, alani e svevi varcarono il Reno e dilagarono in tutta la Gallia. E non è tutto: Costantino III aveva scavalcato la Manica e raccolto sotto le sue bandiere quasi tutti gli insediamenti militari della Gallia stessa. Quelle circostanze resero assolutamente impossibile per Stilicone mandare una parte consistente dell'esercito al di là dell'Adriatico: quindi, invece di raggiungere Alarico in Epiro, nel 407 Stilicone mandò in Gallia uno dei suoi generali, un goto di nome Saro, affinché tenesse d'occhio l'usurpatore per impedire che la sua azione acquisisse un moto eccessivo e inarrestabile. Ma anche questo tentativo fallì.

All'inizio del 408, dunque, Stilicone si trovava in una posizione difficilissima. Costantino III e i barbari facevano grandi manovre in Gallia, dunque l'intera provincia, insieme alla Britannia, era fuori controllo; il Nordafrica e la Spagna erano ancora con lui, ma Alarico, in Epiro, cominciava a spazientirsi. I goti aspettavano ormai da più di un anno l'arrivo delle legioni, ma la situazione in Gallia era troppo critica per pensare di toglierne dei contingenti armati. C'è poi un altro fattore che ancora non abbiamo considerato. L'autorità di Alarico sui suoi era tutt'altro che inattaccabile, e ogni tanto bisognava pur dare qualcosa alle truppe per tenerle tranquille. Quanto a Stilicone, aveva ancora intenzione di mantenere le sue promesse?

Nella primavera del 408 Alarico, inquieto, fece giustamente notare a Stilicone che fino a quel momento le sue truppe non avevano ricevuto alcun pagamento, per non parlare dei rinforzi militari: chiese dunque quattromila libbre d'oro. Minacciando guerra se le richieste non fossero state esaudite, i goti avanzarono in direzione nord-ovest fino al Norico (odierna Austria), nelle Prealpi, e andarono a mettersi nella posizione migliore per scendere, se necessario, in Italia. Così facendo Alarico dimostrava di non avere molta comprensione per i problemi di Stilicone, che pure in teoria era suo alleato; tuttavia non poteva non tener conto delle esigenze della sua base (e non dimentichiamoci che Stilicone, nel 401-402, non aveva versato una lacrima quando aveva costretto i goti ad andarsene dall'Italia). L'imperatore e la maggior parte del senato erano seriamente intenzionati a far guerra ai goti, ma così facendo un terzo, formidabile nemico si sarebbe aggiunto agli invasori del Reno e all'usurpatore Costantino III. E comunque Stilicone non era dello stesso parere. Il senato si riunì dunque per una seduta particolarmente tormentata nel corso della quale Stilicone difese abilmente la sua posizione. Come al solito riuscì a spuntarla, e il senato approvò il pagamento ai goti. Tuttavia ciò non fu sufficiente a zittire l'opposizione. Un certo Lampadio è passato alla storia per aver detto in quell'occasione: «Questa non è la pace, ma un patto d'asservimento» (*Non est ista pax sed pactio servitutis*). Stilicone aveva ormai speso fino all'ultimo centesimo il capitale del suo prestigio politico, eppure il destino non aveva ancora finito con lui.

Il 1° maggio 408 Arcadio, imperatore d'oriente e fratello maggiore di quello d'occidente, Onorio, morì lasciando un figlio di soli sette anni, Teodosio II. Onorio e Stilicone non si trovarono d'accordo sul da farsi: il generale avrebbe voluto andare subito a Costantinopoli per poter mettere il naso negli affari d'oriente; l'imperatore invece voleva andarci di persona. Come per il pagamento

274

dei goti, anche questa volta Stilicone ottenne di fare di testa sua: e suggerì di mandare nel frattempo in Gallia Alarico col suo esercito. Ma la frattura che si era consumata tra l'imperatore e il suo generale in capo non era passata inosservata e un alto burocrate di corte, Olimpio, ex protégé di Stilicone, lavorò attivamente per renderla definitiva. Fino a quel momento la volontà del generale era sempre riuscita a imporsi, ma l'impero d'occidente versava ormai in uno stato pietoso. Costantino III si era stabilito ad Arles, nella Gallia meridionale, e ronzava attorno ai passi alpini per l'Italia. La Gallia era piena di barbari e Alarico, ora che aveva ottenuto i suoi soldi, se ne stava accampato nel Norico, appena al di là dei valichi orientali delle Alpi. Non ci stupisce dunque apprendere dalle fonti che Stilicone passò l'estate del 408 a formulare piani su piani, senza riuscire a metterne in atto alcuno: sembrava che l'edificio imperiale gli stesse crollando addosso. A questo punto, scrive Zosimo, Olimpio calò il suo asso di briscola:[56] «Stilicone – disse – voleva andare in oriente per rovesciare il giovane Teodosio e mettere sul trono suo figlio Eucherio».

Il messaggio fu ripetuto infinite volte e accuratamente diffuso tra le fila dell'esercito italiano accampato presso il quartier generale di Pavia (Ticinum). Quando Onorio vi andò per passare in rassegna le truppe prima di inviarle, il 13 agosto, a scontrarsi con Costantino III, soldati e ufficiali si ammutinarono e uccisero molti dei principali sostenitori del generale tra i burocrati d'alto livello. Informato dell'accaduto,

[Stilicone] riunì i capi delle truppe barbare alleate che aveva con sé per tenere consiglio sul da farsi. Tutti dissero che se l'imperatore era stato ucciso, cosa ancora incerta, tutti gli alleati barbari avrebbero dovuto piombare come un sol uomo sui soldati romani e fargliela pagare; se invece l'imperatore era sano e salvo, e solo i funzionari superiori della burocrazia erano stati uccisi, allora soltanto gli istigatori della ribellione avrebbero dovuto essere puniti [...]. Comunque, quando scoprirono che nessuno aveva fatto oltraggio all'imperatore, Stilicone decise di non procedere con la punizione dei soldati e di tornarsene a Ravenna.

Le truppe barbare di cui parla il brano erano in sostanza i circa 12.000 seguaci del re goto Radagaiso che Stilicone aveva arruolato dopo averlo sconfitto e che formavano un distaccamento a parte all'interno dell'esercito d'Italia. Niente suggerisce che nei reggimenti regolari dell'esercito ci fossero altri casi di separazione tra romani e barbari, e anche dopo la caduta di Stilicone molti non romani reclutati nel corso degli anni continuarono a prestare servizio nei ranghi ordinari. Giunto a Ravenna, dapprima Stilicone trovò rifugio e protezione in una chiesa, ma infine si arrese e andò volontariamente incontro alla morte senza permettere al suo seguito di intervenire per difenderlo. Fu decapitato il 22 agosto.

Così periva, dopo tredici anni al potere, il generalissimo dell'impero romano d'occidente. Molti dei principali funzionari civili e ufficiali militari da lui nominati erano morti durante l'ammutinamento di Pavia e altri ancora furono perseguitati e uccisi. Suo figlio Eucherio fu arrestato e giustiziato e Onorio divorziò da Maria, l'altra figlia di Stilicone. I cambiamenti di regime nell'antica Roma – e non solo – erano brutali, sanguinari e radicali. L'ultima pietra scagliata da Olimpio contro il suo vecchio mentore assunse la forma di una serie di leggi emanate tra il settembre e il novembre del 408 con cui si confiscavano tutte le proprietà della sua famiglia e si stabilivano pene severe per chi avesse osato trattenere presso di sé oggetti appartenuti a quel «pubblico brigante».[57] A me pare che, come il Thane di Cawdor, Stilicone sia tutto nel modo della sua morte: preferì infatti morire in silenzio piuttosto che sconvolgere ciò che restava dello stato romano con un'ennesima guerra civile. L'idea che mi sono fatto di lui è quella di un fedele servitore dello stato di notevole statura politica e morale: la più attendibile delle nostre fonti, per esempio, Olimpiodoro, lo aveva in grande simpatia. Anche se uno storico greco ferocemente anti-barbaro come Eunapio arrivò ad accusarlo di collusione con Alarico, nemmeno il più lieve indizio ci permette di concludere che, per il fatto di essere figlio di un vandalo, egli si sia comportato in modo diverso da qualsiasi altro ufficiale dell'esercito romano. Stilicone ebbe solo la sfortuna di trovarsi a capo della cosa pubblica proprio nel momento in cui gli unni rovesciarono un equilibrio di potere che per secoli era stato favorevole allo stato romano. Nella storia non ci sono molti altri esempi di personaggi in grado di trattare con successo, e contemporaneamente, con imperatori recalcitranti, vandali, alani e svevi, usurpazioni in grande stile e orde di guerrieri goti.[58]

La saggezza delle decisioni politiche di Stilicone balza ancora più agli occhi se passiamo a esaminare ciò che avvenne dopo la sua morte. Il nuovo regime guidato da Olimpio, autonominatosi *magister officiorum* (una posizione burocratica d'alto livello con enormi responsabilità, quasi un direttore generale della pubblica amministrazione), ribaltò completamente la sua linea: all'ordine del giorno fu messa la guerra con i goti, non la pace, e quando Alarico propose di restituire alcuni prigionieri e di ritirarsi dalle frontiere italiane in cambio di denaro, l'offerta fu sdegnosamente respinta.

E così i goti furono ricacciati un'altra volta nella terra di nessuno della politica, ritrovandosi in una posizione ancora più scomoda di quella anteriore al 406, quando perlomeno potevano contare su una loro consolidata base d'operazioni, mentre ora si trovavano in un territorio che conoscevano poco e senza legami con la popolazione che avrebbe potuto rifornirli di cibo. Ben presto, però, per loro le cose sarebbero cambiate in meglio. Poco dopo la morte di Stilicone gli elementi d'origine romana nelle file dell'esercito italiano lanciarono una serie di persecuzioni contro le famiglie e le proprietà dei soldati barbari, molti dei quali erano ex seguaci di Radagaiso. Nonostante si fossero stabilite legalmente in alcune città italiane, quelle famiglie vennero massacrate senza pietà. Furibondi, i parenti maschi sopravvissuti si unirono ad Alarico portando il suo esercito a circa 30.000 effettivi. L'afflusso di combattenti non si arrestò: nel 409, quando i goti si accamparono attorno a Roma, un contingente di schiavi fuggiaschi portò il totale delle loro truppe a 40.000 uomini. Anche in quel caso sospetto che molti di quegli schiavi fossero i seguaci meno fortunati di Radagaiso, più che non ex pasticceri romani. A soli tre anni dalla loro vendita in schiavitù Alarico offriva a quelle persone lo slancio per riconquistare la libertà.[59]

Nell'autunno del 408, ormai al comando del più grosso esercito di goti che si fosse mai visto, Alarico fece una mossa coraggiosa: dopo aver radunato tutti i suoi, compresi quelli rimasti in Pannonia con suo cognato Ataulfo, attraversò le Alpi e scese in Italia lasciandosi dietro una scia di morte e distruzione lunga fino a Roma. I goti arrivarono sotto le mura della capitale in novembre e subito la strinsero d'assedio impedendo l'ingresso dei rifornimenti alimentari. Ben presto però fu chiaro che Alarico non aveva la minima intenzione di conquistarla. Ciò che aveva in mente – e che ottenne entro la fine dell'anno – era ovviamente il bottino. Il senato di Roma accettò di pagare un riscatto di 5000 libbre d'oro, 30.000 libbre d'argento e un quantitativo immenso di seta, pelli conciate e spezie: tutte cose utilissime per Alarico, che aveva da ingraziarsi un gigantesco esercito fresco di reclutamento. Ma coerentemente con tutto ciò che aveva fatto dal 395 in poi, ancora una volta il capo dei goti cercò di trovare un accomodamento con lo stato romano: per raggiungere lo scopo, obiettivo primario di tutta la sua carriera politica, chiese aiuto al senato. A tempo debito, dunque, un'ambasciata senatoriale andò dall'imperatore Onorio per offrirsi di gestire la mediazione, sottolineando l'urgenza di concordare uno scambio di prigionieri e di stringere un'alleanza militare. L'imperatore emise alcuni vaghi suoni che potevano essere interpretati come un assenso: e così i goti sospesero l'assedio e si ritirarono un po' più a nord, in Toscana.

Onorio però stava semplicemente cercando di guadagnare tempo, o forse non sapeva bene nemmeno lui cosa fare. Olimpio era ancora abbastanza forte da impedire la ratifica di un accordo: quindi Alarico, particolarmente esasperato dall'imboscata in cui parte del suo esercito fu fatta cadere presso Pisa, tornò a Roma per spiegare meglio a quei testardi come stavano effettivamente le cose. Sotto la rinnovata pressione dei goti una nuova ambasceria, stavolta accompagnata da una scorta di «barbari», partì per Ravenna – cuore politico dell'impero – e si presentò a Onorio. Era venuto il momento di fare sul serio, suggerivano gli ambasciatori: e ciò fu sufficiente ad azzerare la credibilità di Olimpio presso il suo sovrano. Attaccare i goti con l'esercito romano di stanza in Italia era semplicemente impossibile: le due forze erano troppo equivalenti perché la vittoria fosse certa, e uno scontro frontale avrebbe permesso a Costantino III di avanzare oltre le Alpi. L'unica alternativa dunque era il negoziato. Nell'aprile del 409 chi aveva più influenza sull'imperatore era un ex sostenitore di Stilicone, Giovio, prefetto pretoriano d'Italia: qualche tempo prima era stato mandato a tenere tranquilli i goti accampati in Epiro in attesa delle legioni di Stilicone per la progettata campagna contro l'impero d'oriente. I negoziati tra Alarico e Giovio si svolsero a Rimini; in un primo momento le prospettive di una soluzione pacifica sembrarono abbastanza buone, proprio perché l'impero non aveva molti assi da giocare.

278

Costantino III, ancora ad Arles, stava cercando di legittimare suo figlio come erede al trono: una esplicita minaccia alla continuità dinastica dell'impero, ammesso che una cosa del genere esistesse ancora. Questi suoi maneggi preoccupavano talmente Onorio che, in un momento imprecisato all'inizio del 409, come gesto di riconoscimento formale questi mandò in dono al suo rivale un abito color porpora. Alcuni funzionari cercarono di far entrare clandestinamente a Roma una guarnigione di 6000 uomini, ma anche questo tentativo fallì perché solo un centinaio di soldati riuscì a raggiungere l'obiettivo. Nel frattempo anche le truppe di stanza a Ravenna cominciavano ad agitarsi. Per Onorio, dunque, combattere non era una scelta possibile. Alarico lo sapeva, come risulta evidente dalle sue prime richieste così sintetizzate da Zosimo:[60] «Alarico chiese che gli fosse assegnato ogni anno un certo quantitativo d'oro e di grano, e che a lui e ai suoi seguaci fosse permesso di stabilirsi nelle due Venezie, nella provincia del Norico e in Dalmazia». Giovio le accettò tutte e chiese a Onorio di nominare ufficialmente Alarico generale dell'esercito romano (*magister utriusque militiae*). Questo accordo avrebbe arricchito enormemente i goti e avrebbe fatto del loro comandante una figura di grande influenza presso la corte italiana; inoltre un esercito di goti a cavallo si sarebbe accampato sul lato italiano delle Alpi orientali, vicinissimo a Ravenna.

Ma le trattative arrivarono a un punto morto. Onorio era disposto ad andare incontro ai goti per quanto riguardava l'oro e il grano, ma non intendeva concedere a un barbaro il generalato: a quest'ultima richiesta rispose con una lettera insultante, che fu letta nel corso dei negoziati. Alarico inizialmente andò su tutte le furie, ma poi, con mossa affascinante, cambiò idea e chiese ad alcuni vescovi romani di fargli da ambasciatori. Il messaggio che mandò all'imperatore fu di gran lunga più accomodante:

Alarico non voleva più cariche né onori, né voleva saperne di stabilirsi nei luoghi che aveva nominato in precedenza: ora voleva per sé le due province del Norico, sulle più remote anse del Danubio, che sono esposte a continue incursioni barbariche e che pagano all'erario pochissime tasse. Oltre a ciò si sarebbe accontentato del quantitativo annuo di grano che l'imperatore avrebbe ritenuto di concedergli, rinunciando all'oro [...]. Quando Alarico avanzò queste giuste e prudenti proposte, tutti si meravigliarono della sua moderazione.

279

La nuova proposta non menzionava nemmeno il presunto protettorato goto, né i pagamenti in oro; i goti si dicevano pronti a stabilirsi, buoni buoni, in una provincia di frontiera lontanissima da Ravenna. Una moderazione che può risultare sbalorditiva, ma che dimostra chiaramente fino a che punto Alarico si rendesse conto della situazione generale. In quel momento egli aveva la forza militare per prendersi tutto ciò che voleva: eppure era disposto a fare un passo indietro pur di raggiungere un accomodamento definitivo con lo stato romano. Alarico misurava con precisione la forza latente dell'impero, che poteva risorgere in qualsiasi momento: per questo mise al primo posto la sicurezza.

Alla corte di Onorio, però, regnava ancora il caos. Lo storico Olimpiodoro dice che i termini proposti da Alarico erano assai ragionevoli: eppure per l'ennesima volta le sue proposte furono respinte. Allora Alarico tornò per la terza volta sotto le mura di Roma, organizzò un secondo assedio e alzò la posta. Alla fine del 409 convinse il senato a eleggere un nuovo imperatore, Prisco Attalo: per un po' l'occidente ebbe un terzo Augusto oltre a Onorio e a Costantino III. Proveniente da una illustre famiglia senatoriale, Attalo aveva primeggiato nella vita pubblica di Roma per più di un decennio. A quel punto il senato mandò a Onorio delle ambascerie per minacciarlo di mutilazioni fisiche ed esilio; Alarico stesso – subito nominato generale di primo grado – procedette a sottomettere la maggior parte delle città dell'Italia settentrionale e ad assediare Ravenna; nel frattempo altri distaccamenti militari venivano inviati in Nordafrica, dove le province si mantenevano fedeli a Onorio. L'imperatore stesso stava ormai per darsi alla fuga; ma all'ultimo momento dall'impero d'oriente arrivarono 4000 uomini armati per garantire la sicurezza di Ravenna e il Nordafrica inviò abbastanza denaro da assicurare al sovrano legittimo la fedeltà dell'esercito italiano. Per ben due volte, pur senza crederci troppo, Attalo cercò di ottenere l'appoggio del Nordafrica, ma sempre rifiutandosi di impiegare a tal fine gli uomini di Alarico. A questo punto il capo dei goti ne ebbe abbastanza. Forse all'inizio aveva pensato di risolvere i suoi problemi mettendo sul trono un re fantoccio, o forse l'elevazione alla porpora di Attalo non era che una mossa in un disegno più grande. Comunque sia nel luglio del 410 Alarico rovesciò Attalo e riaprì i negoziati con Onorio, il quale – grazie alle truppe d'oriente e ai soldi nordafricani – aveva ritrovato la fiducia in sé stesso. Si organizzò un incontro e Alarico arrivò a 60 *stadia* da Ravenna (circa 12 chilometri). Ma gli elementi più rozzi dell'esercito di Onorio si dichiaravano come al solito contrari a ogni accordo. Mentre aspettava l'imperatore, Alarico fu attaccato da un piccolo contingente romano guidato da Saro. Più tardi, intorno al 415, Sigerico, fratello di Saro, acquisirà tra i goti di Alarico abbastanza influenza da cercare di prenderne lui stesso la guida; il che, vista la documentata ostilità che aveva sempre dimostrato nei confronti di Alarico e Ataulfo, sembra suggerire che fosse proprio lui il rivale che Alarico aveva sconfitto nel lontano 390, quando si era impadronito del potere.[61]

Alarico si sentì offeso, sia per l'attacco sia – se le cose andarono effettivamente così – per l'identità dell'attaccante. Abbandonando definitivamente l'idea di negoziare con Ravenna, i goti fecero marcia indietro e tornarono per la quarta volta a Roma, sottoponendola a un terzo assedio. Probabilmente le mogli dei proprietari terrieri delle zone suburbane di Roma non avevano nemeno cambiato le lenzuola nelle stanze degli ospiti. I barbari furono brevemente fermati sotto le mura della città, ma poi la Porta Salaria si aprì davanti a loro.[62]

Il sacco di Roma

A quanto risulta da tutti i resoconti, fu uno dei saccheggi più civili della storia. I goti di Alarico erano cristiani e trattarono con grande rispetto i luoghi sacri di Roma. Le due principali basiliche della città, San Pietro e San Paolo, furono dichiarate luoghi d'asilo inviolabili e tutte le persone che vi si rifugiarono furono lasciate in pace; coloro che più tardi scapperanno in Nordafrica racconteranno che furono anzi i goti stessi a condurre in salvo alcune signore molto rispettate (in particolare una certa Marcella, posta al riparo prima che la sua casa fosse metodicamente saccheggiata). Non che tutti i goti si siano comportati in modo impeccabile, in fondo non erano monaci; ma in generale i goti cristiani non si dimenticarono della loro fede religiosa. Un grosso ciborio d'argento da 2025 libbre, dono dell'imperatore Costantino, fu rubato dal Laterano, ma i paramenti liturgici di San Pietro rimasero al loro posto. Anche i danni strutturali furono sostanzialmente limitati alla zona di Porta Salaria e al vecchio edificio del senato. Tutto sommato, dopo ben tre giornate di razzia, la stragrande maggioranza dei monumenti e degli edifici della città rimase intatta, per quanto spogliata di tutti gli oggetti preziosi.

Il contrasto con il precedente saccheggio (avvenuto nel 390 a.C. a opera di tribù celtiche) non potrebbe essere più marcato. Allora, come ci racconta Livio, il corpo principale delle forze armate romane era rimasto bloccato nella città etrusca di Veio (l'attuale Isola Farnese), mentre uno squadrone di celti raggiungeva indisturbato Roma. I pochi uomini in età di combattere rimasti di guardia alla capitale avevano difeso il Campidoglio con la collaborazione di un branco di oche, che avevano dato l'allarme segnalando per tempo un'incursione a sorpresa; ma il resto della città era stato lasciato in balia dei barbari. I patrizi più anziani, rifiutandosi di scappare, erano rimasti seduti sulla soglia di casa con addosso i vestiti della festa. In un primo momento i celti si erano avvicinati con timore reverenziale a quegli «uomini seduti che parevano altrettante divinità non solo per l'abbigliamento e per l'aspetto, ma anche per la maestà che spirava dai loro volti severi». Poi però

un gallo si fece coraggio ad accarezzare la barba [che allora tutti portavano lunga] di uno di essi, Marco Papirio. Questi lo colpì sul capo con lo scettro d'avorio: di qui l'ira del gallo e l'inizio della strage, estesa poi a tutti gli altri seduti sui loro seggi. Massacrati i capi, non venne risparmiato più nessuno; le case furono saccheggiate e, dopo esser state spogliate di tutto, incendiate.

Nel 390 a.C. solo la fortezza del Campidoglio era sopravvissuta all'incendio della città; nel 410 d.C. bruciò solo il senato.[63]

Che il sacco di Roma fosse condotto con tanta civiltà e moderazione da parte di goti cristiani capaci di rispettare la santità di San Pietro può sembrare un curioso anticlimax a chi si aspettava di vedere i barbari assetati di sangue radere al suolo la grande capitale dell'impero nemico. È molto più eccitante pensare al sacco di Roma come alla realizzazione dei selvaggi sogni di vendetta germanici contro l'imperialismo romano; una sorta di remake del massacro subìto dalle legioni di Varo nel 9 d.C. A ogni modo, dall'accurata ricostruzione di ciò che accadde tra il 408 e il 410 risulta che Alarico non volesse realmente quel saccheggio. I goti non avevano fatto altro che andare e venire dalla capitale fin dall'autunno del 408: se fosse stato quello il loro programma, avrebbero potuto conquistarla e distruggerla in qualsiasi momento. Probabilmente Alarico non aveva particolare interesse ad acquisire una fama presso la posterità andandosene con qualche dozzina di carri carichi di bottino. Le sue preoccupazioni erano di tutt'altro genere. Fin dal 395 ogni sua scelta era stata finalizzata a costringere lo stato romano a rivedere il trattato del 382, quello che definiva i rapporti con i goti. L'obiettivo che si proponeva, come abbiamo visto, era quello di farsi riconoscere ufficialmente dal governo legittimo di Roma. Questo significava, rotti nel 400-401 i ponti con Costantinopoli, rivolgersi al regime ravennate di Onorio. Stringere d'assedio Roma era soltanto un mezzo per fare pressione sull'imperatore d'occidente e sui suoi consiglieri, nel tentativo di strappare un accordo. Ma nemmeno quell'espediente estremo aveva funzionato: evidentemente Alarico sopravvalutava il significato simbolico dell'antica capitale per un'autorità imperiale che già si era trasferita a Ravenna. Roma era un simbolo potente per tutto l'impero, ma non era più il centro politico del mondo romano: in fin dei conti Onorio poteva lasciarla al suo triste destino senza che l'impero nel suo insieme ne risentisse troppo. Quando lasciò alle sue truppe tre giorni per infierire sulla città e saccheggiarla, implicitamente Alarico stava ammettendo che la linea politica da lui seguita fin da quando era sceso in Italia, nell'autunno del 408, era sbagliata e che niente e nessuno avrebbe più potuto strappare all'impero romano il tipo di accordo che lui aveva in mente. Il sacco di Roma non fu tanto un colpo simbolico inferto all'impero, quanto un'ammissione d'impotenza da parte dei goti.

Ma anche se l'importanza concreta della città non era più quella di una volta, Onorio e i suoi consiglieri non intendevano certo abbandonare definitivamente Roma ai goti; e comunque il sacco della capitale faceva parte di una sequenza di eventi di grandissima portata storica. In ultima analisi gli eventi della fine di agosto del 410 derivavano dall'ulteriore avanzata degli unni nel cuore dell'Europa e dalla combinazione altamente esplosiva di invasioni e usurpazioni che aveva gettato nel caos l'impero d'occidente. Perché se il sacco di Roma fu poco significativo dal punto di vista storico, la catena di eventi di cui era parte ebbe invece un notevole impatto sulla stabilità dell'Europa romana e generò delle onde d'urto che si riverberarono in tutto il mondo conosciuto. Dalla Terra Santa, come abbiamo visto, Gerolamo lamentò la caduta di una città che per lui rappresentava ancora tutto ciò che di buono e di degno esistesse al mondo. Altrove la reazione fu meno misurata. I non cristiani colti, per esempio, dissero subito che il disastro tradiva la falsità della nuova religione dell'impero: Roma era stata saccheggiata perché i suoi numi tutelari, abbandonati dai fedeli, avevano smesso di proteggerla. In Nordafrica i campioni di questa linea di pensiero erano soprattutto alcuni nobili rifugiati scappati dall'Italia: fu a questa sfida che sant'Agostino rispose con tutta la forza della sua intelligenza.

Molti dei suoi sermoni sono databili con una certa precisione e quelli degli ultimi mesi del 410 trattano una serie di questioni correlate agli eventi d'attualità. Più tardi il filosofo prese alcune delle idee più importanti esposte in quei testi, vi aggiunse molto altro e ne fece il suo capolavoro: il *De Civitate Dei* (*La Città di Dio*), che gli crebbe tra le mani fino a diventare un'opera in ventidue libri completata soltanto nel 425. Usciti già nel 413, i primi tre libri contengono le risposte date a caldo da Agostino alle domande poste dal sacco di Roma, rese ancor più dolorose dall'affronto dei pagani alla cristianità.

La prima reazione di Agostino fu semplicemente insultante: quel branco di pagani vociferanti non aveva studiato la storia. Anche prima dell'avvento di Cristo, infatti, l'impero romano aveva conosciuto molti disastri, senza che la colpa fosse attribuita alle potenze divine:[64]

Dove erano dunque [quegli dei] quando il console Valerio fu ucciso mentre difendeva con successo il Campidoglio, al quale esiliati e schiavi avevano appiccato il fuoco? [...] Quando Spurio Melio, per avere offerto grano alla massa affamata, fu incolpato di aspirare al regno e [...] giustiziato? [...] Dov'erano quando [scoppiò] una terribile epidemia? [...] Dov'erano quando l'esercito romano, poiché combatteva male, per dieci anni continui aveva ricevuto presso Veio frequenti e pesanti sconfitte [...]? Dov'erano quando i galli presero, saccheggiarono, incendiarono e riempirono di stragi Roma?

Una veloce rilettura della storia di Roma narrata da Livio fornisce dunque ad Agostino abbastanza munizioni per replicare dignitosamente alle accuse dei pagani. Ma avendo uno dei cervelli più fini dell'antichità, egli non si accontenta di rispondere colpo su colpo. Nei quindici anni di gestazione della *Città di Dio* il filosofo affronta moltissimi temi e argomenti; ma già nei primi tre libri è contenuto il nocciolo di un'idea della storia romana completamente diversa da quella propagandata dall'ideologia da partito unico dello stato romano.

Già da tempo i cristiani avevano familiarità con l'idea delle «due città», rielaborata a partire da una visione contenuta nel libro dell'Apocalisse: dopo il giudizio finale e la fine del mondo comparirà una nuova Gerusalemme celeste, che sarà la dimora eterna dei giusti. A questa Gerusalemme celeste appartengono in realtà tutti i cristiani, indipendentemente dalle città concrete che pretendono di esserne il riflesso in questo mondo. Nei primi libri della *Città di Dio* Agostino prende questo concetto cristiano ormai consolidato e, con impietoso rigore intellettuale, lo porta fino alle estreme, scomode conclusioni: in fin dei conti anche Roma, nonostante i molti benefici che può offrire ai suoi abitanti e nonostante la sua conversione al cristianesimo, non è che una città terrena come tutte le altre. Solo perché il suo dominio è stato geograficamente tanto esteso ed è durato per tanti secoli non c'è ragione di crederla la Gerusalemme celeste. Per ribadire il concetto Agostino ricorre ancora una volta ai mostri sacri della storiografia romana e centra di nuovo il bersaglio: la storia di Roma, se studiata a fondo, non conferma affatto la tesi secondo cui l'ineguagliato successo dell'impero sarebbe dovuto alla sua particolare eticità e quindi legittimità. Attingendo a piene mani da Sallustio, uno degli autori principali del *curriculum studiorum* latino, il filosofo dimostra che la moralità dell'antico stato romano semmai era dovuta alle particolari condizioni imposte dalla guerra contro Cartagine; non appena la vittoria definitiva aveva alterato questo equilibrio di forze, infatti, si era sviluppata la corruzione.[65] L'impero era stato costruito sulla brama di potere: «La "passione del dominio"[66] scuote e abbatte il genere umano con grandi sciagure. Vinta da questa passione Roma credeva un trionfo l'avere sconfitto Alba [la prima vittoria di Roma], e denominava gloria l'esaltazione del proprio delitto».

Agostino non arriva a sostenere che l'intero edificio imperiale sia un male o che la pace sulla terra sia qualcosa di negativo; cerca piuttosto di far comprendere ai suoi lettori che la *pax romana*, per i cristiani, non è che un modo per avvicinarsi a Dio, ma nella consapevolezza che si deve lealtà solo al regno dei cieli: «Senza confronto più illustre è la città dell'alto perché in essa la vittoria è verità, la dignità è santità, la pace è felicità, la vita è eternità». In questo mondo gli abitanti della città celeste si dividono in vari partiti: è per questo che anche tra i goti responsabili del saccheggio di Roma c'erano dei veri amici, mentre alcuni concittadini romani potevano comportarsi da crudeli nemici.[67] I cittadini della città celeste non possono offrire che una lealtà passeggera a qualsivoglia entità terrena, perché solo nel mondo a venire saranno veramente uniti:

Cristo [...] denunziando e condannando con divina autorità le dannose e criminose passioni umane, gradualmente in ogni dove riscatta da questi mali la propria famiglia e la sottrae al mondo che rovina nel malcostume. Da essa fonderà una città veramente gloriosa non per lo strepito della vanagloria ma per il giudizio della verità.

Nel sacco di Roma dunque Agostino trova conferma alla fondamentale illegittimità di tutte le città terrene, e lancia un appello ai cittadini della Gerusalemme celeste affinché concentrino lo sguardo sulla vita a venire.[68]

A sedici secoli di distanza è difficile cogliere il contenuto rivoluzionario di questa visione. Da moltissimo tempo ormai nessuno crede più che l'impero romano fosse destinato a durare per sempre, alla leggenda cioè di *Roma aeterna*; l'idea stessa che il suo successo avesse origine da un particolare monopolio del favore divino ci sembra ridicola. Ma quando leggiamo *La Città di Dio* dobbiamo sforzarci di dimenticare tutto ciò che abbiamo imparato col senno del poi. Mentre Agostino scriveva l'impero durava da secoli e non era mai stato sfidato in modo serio. A memoria d'uomo la propaganda lo aveva sempre ritratto come il modo scelto dagli dei, o da Dio – la transizione al cristianesimo era stata sorprendentemente dolce – per civilizzare il mondo. I vescovi cristiani avevano sostenuto che non era affatto un caso se Cristo e Augusto si erano trovati a camminare su questa terra nello stesso periodo: quale indizio migliore del fatto che l'impero romano era predestinato a conquistare il mondo e a condurlo verso il cristianesimo? Nell'impero tutto, dalla camera da letto dell'imperatore al suo tesoro, era sacro; e la vita cerimoniale, accuratamente orchestrata, serviva a coltivare l'idea che Dio guidava l'umanità attraverso un imperatore mosso direttamente dalla Sua mano.

La replica di Agostino al sacco di Roma ribalta dunque tutte queste comode certezze. L'impero non è che uno stato fra i molti che si sono susseguiti nel corso della storia mondiale; né particolarmente virtuoso, né particolarmente predestinato a durare in eterno.

La sequenza degli avvenimenti che portarono al sacco di Roma ci offre dunque due interpretazioni possibili, tra loro contrastanti. Da una parte Gerolamo e Agostino, ciascuno a modo suo, testimoniano eloquentemente di un mondo che sembrava andare a gambe all'aria. Dall'altra abbiamo visto che la città fu saccheggiata per la prosaicissima ragione che Alarico doveva in qualche modo ricompensare i suoi seguaci dopo la forzata rinuncia ad ambiziosi piani di pace e prosperità. Agostino è troppo intelligente per dedurre, nella *Città di Dio*, che dopo la breve vacanza romana dei goti il sacco della capitale avrebbe portato alla fine dell'impero. La sua saggezza dovrebbe dissuadere anche noi dal trarre conclusioni affrettate: studiamo quindi un po' più a fondo la nuova posizione strategica in cui venne a trovarsi l'impero.

Il ritorno

Nell'ottobre-novembre del 417 Rutilio Claudio Namaziano se ne stava tornando lentamente verso la natia Gallia. Originario di Tolosa, aveva trascorso vari anni in Italia: nel 412 era stato *magister officiorum* presso la corte di Onorio (la stessa carica che aveva permesso a Olimpio di silurare Stilicone) e poi, per un breve periodo nell'estate del 414, prefetto urbano di Roma. Tornato in

Gallia, Namaziano scrisse un poema epico intitolato *De reditu suo* (*Il ritorno*) in cui descrive il suo viaggio verso casa. Il primo libro comprende 644 versi, mentre il manoscritto del secondo si interrompe dopo soli 68 versi, quando il poeta è ancora al largo della costa nordoccidentale d'Italia. Anche se alla fine degli anni Sessanta del Novecento, fortunosamente, ne è stata ritrovata un'altra pagina (che nel XVI secolo era stata usata per rattoppare un volume del monastero di Bobbio), a tutt'oggi non siamo sicuri del punto esatto in cui si concluse il viaggio.[69] Che si svolse per mare:

Perché da quando i campi di Tuscia e la via Aurelia
hanno subìto le razzie dei goti a spada e fuoco,
da che le selve non han più case, né ponti le correnti,
è meglio affidare le vele al mare, sebbene incerto.

Il sistema di locande e stazioni di posta dell'Aurelia, la principale via di comunicazione lungo la costa occidentale d'Italia che tanto bene aveva servito viaggiatori ufficiali come Teofane (cfr. Capitolo 2), non esisteva più dal 408-410, da quando cioè i goti avevano occupato la regione. Ma non per questo Rutilio si perse d'animo. Il poema si apre con un'evocazione delle molte attrattive della vita romana che erano sopravvissute al sacco della capitale:

Che tedio ci sarebbe, se gli uomini dedicassero
gli anni della loro vita mortale a Roma?
Non c'è tedio in ciò che piace senza fine.
Oh dieci volte felici – al di là di ogni calcolo –
coloro il cui destino fu di nascere
su quel propizio suolo; i nobili figli
dei comandanti romani, che incoronano i loro alti natali
col fiero nome di cittadini di Roma.

Nella mente di Rutilio Namaziano nemmeno il sacco di Roma ha potuto suscitare il benché minimo dubbio sul destino dell'impero e sulla sua missione di civilizzare il mondo:

I tuoi doni spargi come i suoi raggi il sole,
lontano come le onde dell'Oceano che cingono la terra.
Febo,[70] che abbraccia ogni cosa, corre per te;

i suoi destrieri si levano e tramontano sui tuoi domini. [...]
Lontano fin dove si estendono i climi abitabili
verso entrambi i poli la tua virtù trova il cammino.
Hai fatto di genti diverse una sola patria;
la tua conquista ha giovato a chi viveva senza leggi;
offrendo ai vinti l'unione nel tuo diritto
hai reso l'orbe diviso un'unica Urbe.

Ritroviamo qui tutte le idee che abbiamo già incontrato all'apice della grandezza imperiale.

Il ritorno è un poema straordinario. Rutilio torna in Gallia dieci anni dopo che vandali, alani e svevi ne hanno fatto «un'unica pira funebre» e canta diffusamente le glorie di Roma a soli sette anni dal suo saccheggio. Ma avendo ricoperto cariche elevate alla corte dell'imperatore Onorio, sempre circondato di nemici, il poeta ha ben chiaro quanto il compito futuro sia immane. E torna nella sua natia Gallia pronto a rimboccarsi le maniche:

[...] mi richiamano i campi di Gallia,
dove nacqui. Quei campi troppo tristemente guastati
da noiose guerre; ma meno son sereni
più essi son da compatire. Più lieve fallo
è trascurare i propri contadini nelle ore prospere;
ma il pubblico disastro impone a ciascuno fedeltà.

La sua fede nell'ideale di Roma riposa sulla determinazione di ricostruire ciò che i barbari hanno distrutto, e il poeta non si lascia abbattere dalla delusione per gli avvenimenti degli ultimi dieci anni:

Che la tua terribile sventura sia riassorbita e dimenticata;
che il tuo disprezzo per le sofferenze subite sani le tue ferite. [...]
Le cose che si rifiutano di affondare, riemergono ancor più forti
e più in alto dalle più ime profondità rimbalzano;
e mentre la fiaccola rovesciata riprende nuova forza
tu, più luminosa dopo la caduta, aspiri al cielo!

In fondo Roma aveva ricevuto colpi ancora più duri per mano di Cartagine e dei celti. Come la fenice sarebbe rinata ancora una volta, più forte e rinnovata dalla sofferenza.

Né Rutilio era il solo gallo-romano che nel 417 si sentisse pieno di fiducia nel futuro. Il suo approccio alla storia e al destino era ancora pagano, ma la sua era una visione che andava al di là della frattura religiosa. Nello stesso anno in cui uscì *Il ritorno*, il poeta gallo cristiano autore del *Carmen de Providentia Dei* riflette sui disastri che si sono abbattuti sulla Gallia. L'anonimo autore appartiene allo stesso filone di altri poeti galli che abbiamo già conosciuto, e ne riecheggia ampiamente i temi. Ma i pochi anni intercorsi fra lui e loro gli regalano una prospettiva leggermente diversa:

Tu che piangi sui campi inselvatichiti, sulle aie deserte e sulle terrazze in rovina della villa data alle fiamme, dovresti piuttosto risparmiare le lacrime per le tue proprie perdite quando guardi ai desolati recessi del tuo cuore, alla bellezza interiore ricoperta da strati di sudiciume, al nemico che infuria nella cittadella della tua mente prigioniera. Se quella cittadella non si fosse arresa [...], le bellezze create dalla mano dell'uomo sarebbero ancora qui a testimoniare della virtù di un popolo santo.

Un messaggio che sembra tratto direttamente dal Vecchio Testamento: il popolo di Dio è stato colpito perché si è allontanato dalla retta via. Ma il suo senso nascosto è duplice: «Se ci è rimasta ancora qualche energia mentale, scrolliamoci di dosso il giogo servile del peccato, rompiamo le nostre catene e torniamo alla libertà e alla gloria della nostra terra natale!». Il poeta chiude facendo appello alle armi: «Non dobbiamo aver paura: siamo caduti in volo durante la prima battaglia, ma solo per riprendere lo slancio e gettarci di nuovo nella mischia».

Queste parole vanno intese in senso spirituale: ma sicuramente il poeta ne avvertiva anche la dimensione politica. Il rinnovamento spirituale avrebbe portato con sé vittoria e prosperità, così in terra come in cielo. Il disastro che aveva colpito tutto il mondo conosciuto non doveva soltanto ricordare agli uomini il baratro incolmabile che esiste tra la città celeste e ogni regno mondano, ma anche incitarli alla riforma morale. In questo testo non troviamo alcun rifiuto o superamento dell'impero e della sua missione civilizzatrice. I barbari avevano fatto del loro peggio, ma si era ancora soltanto al primo round; e il secondo sicuramente si sarebbe concluso con un nuovo trionfo dell'impero.[71] Su questo i gallo-romani pagani e cristiani erano perfettamente d'accordo. Agostino probabilmente no.

Flavio Costanzo

La sorgente di questa rinnovata fiducia era l'incredibile trasformazione che aveva completamente cambiato la faccia dell'impero d'occidente nei dieci anni successivi al sacco di Roma. Quando abbiamo interrotto la nostra storia, alla fine d'agosto del 410, difficilmente le prospettive avrebbero potuto essere più nere. In Italia l'esercito romano non poteva muovere contro i goti di Alarico perché, se si fosse spostato, avrebbe lasciato via libera a Costantino III che ancora tramava per rovesciare Onorio. Vandali, alani e svevi si erano impossessati della Spagna e stavano per dividerla tra loro. Costantino controllava non solo le province britanniche ma anche l'esercito della Gallia, e già allungava le mani verso la Spagna e l'Italia. L'impero d'occidente era dunque diviso tra due orde di barbari e un usurpatore particolarmente fortunato. E poi, solo sette anni più tardi, il puzzle dell'impero era stato sostanzialmente ricomposto e il futuro sorrideva di nuovo.

Il principale artefice di questo miracolo era un comandante militare di grande esperienza, Flavio Costanzo:[72] nato nei Balcani, e per la precisione a Naissus (l'odierna Niš), nell'Illirico, cuore di uno dei principali bacini di reclutamento dell'esercito romano, egli si era arruolato nell'esercito d'oriente e aveva prestato servizio in molte delle campagne militari di Teodosio I. Poi, come già Stilicone prima di lui, si era trasferito in occidente per combattere contro l'usurpatore Eugenio – aveva circa trentacinque anni – e come Stilicone vi si era fermato. Come vedremo vi sono buone ragioni per credere che fosse un sostenitore del generalissimo, anche se troppo giovane per essere menzionato dalle fonti storiche mentre Stilicone era ancora in vita.

Nelle processioni pubbliche Costanzo teneva gli occhi bassi e se ne stava cupo e imbronciato. Aveva gli occhi sporgenti, un lungo collo e una grossa testa che penzolava verso la criniera del cavallo su cui avanzava guardando a destra e a sinistra con la coda dell'occhio [...]. Ma alle feste e ai banchetti era così allegro e amabile da tener testa ai buffoni che spesso scherzavano alla sua tavola.[73]

Tutt'altro che un eroe carismatico, dunque; ma questa sua affabilità privata, secondo Olimpiodoro, era anch'essa un importante elemento di successo. Quanto all'energia con cui mise mano alla ricostruzione dell'impero d'occidente, è impossibile dubitarne.

Nel 410-411 Flavio Costanzo ereditò la posizione di Stilicone, divenne cioè generale di primo grado dell'esercito d'occidente (*magister militum*). Che fosse stato vicino a Stilicone si capisce dal fatto che fu proprio lui a stabilire le pene per i principali congiurati che l'avevano tradito. Olimpio, per esempio, fece una fine orribile (fu bastonato a morte) grossomodo mentre lui diventava *magister militum*. Dopo aver sistemato gli affari di corte in un modo che gli sembrò soddisfacente, Flavio Costanzo si volse a questioni più importanti. E non appena ebbe mobilitato l'esercito italiano per la guerra, il suo primo obiettivo fu l'eliminazione di Costantino III.

In quel momento le cose di Gallia avevano preso una piega interessante, favorevole ai suoi progetti. Costantino infatti aveva litigato con uno dei suoi generali, Geronzio, che aveva avuto la sfacciataggine di sostenere le pretese di un altro usurpatore, Massimo,[74] e di marciare accanto a lui contro il quartier generale di Arles. Quando l'esercito italiano di Flavio Costanzo arrivò in quella città, dunque, innanzitutto dovette sconfiggere le truppe di questo Geronzio. La cosa fu presto fatta: bastò incitare i pochi soldati passati dalla sua parte a ribellarsi e Geronzio si suicidò. Poi venne il turno delle truppe di rinforzo mandate da un altro generale di Costantino, Edobicio, che aveva reclutato ausiliari franchi e alamanni per rimpolpare le fila dell'esercito di Gallia rimasto al suo comando. Costanzo vinse ancora e a questo punto indusse Costantino alla resa promettendogli che avrebbe avuto salva la vita: promessa che poi non mantenne. Durante il viaggio verso Ravenna, infatti, l'usurpatore venne assassinato e la sua testa, infilzata su una lancia, fu mandata in dono a Onorio (18 settembre 411). Una sola stagione di campagne militari era bastata a cancellare dalla faccia della terra un usurpatore che, solo due anni prima, aveva minacciato la vita stessa dell'imperatore legittimo.

Ma la questione degli usurpatori non era ancora chiusa. Nella vita politica di Roma spesso un'usurpazione tendeva a generarne un'altra, soprattutto quando la prima cominciava a vacillare. Un miscuglio di ambizione e paura del castigo spingeva infatti le persone che avevano preso parte alla prima congiura a giocarsi il tutto per tutto per la seconda volta. Nel 411 Geronzio non fu l'unico a intuire l'imminente caduta di Costantino III: lo stesso vale per un aristocratico gallo di nome Giovino, che aveva il suo centro operativo un po' più a nord. Proclamato imperatore probabilmente a Magonza, nella provincia della Germania Superiore, questo Giovino aveva una base di potere composta da elementi scontenti dell'esercito gallo-romano e da alleati burgundi e alani,[75] ma i suoi sostenitori più importanti erano i goti di Alarico, che in quel momento si trovavano in Gallia al comando di Ataulfo. Una combinazione potente, anche se artificiale; e Costanzo si prese tutto il tempo necessario per rifletterci a fondo. Invece di buttarsi a capofitto nella battaglia, egli sfruttò le sue doti diplomatiche per spezzare le fragili alleanze di Giovino e nel 413 ottenne quel che voleva. I goti infatti passarono dalla sua parte e – a riprova di quanto fosse potente il supergruppo di Alarico – questa sola defezione bastò a spingere l'usurpatore alla resa. Giustiziato sulla via di Ravenna, Giovino finì come Costantino III: il 30 agosto di quell'anno anche la sua testa arrivò nella capitale infilzata su una lancia.

Quella di voler sgominare a tutti costi gli usurpatori prima di occuparsi dei barbari può sembrare una scelta di priorità quantomeno discutibile: non a caso gli storici hanno spesso criticato Costanzo su questo punto. Ma per affrontare le gravi minacce che incombevano sull'impero, un comandante doveva poter contare su tutte le risorse disponibili: soprattutto quelle militari, ovviamente. Nell'estate del 413, con la sconfitta degli usurpatori, per la prima volta dall'autunno del 406 fu finalmente possibile riunire tutti i principali contingenti militari dell'impero d'occidente, i cui elementi britannici, galli e spagnoli avevano servito Costantino III, Geronzio o Giovino. Dopo aver riportato l'ordine in casa e aver riunito sotto il suo comando tutte le sparse membra dell'esercito, Costanzo era pronto ad affrontare un altro ordine di problemi. Con fine intuizione, prima di scagliarsi contro i vari gruppi barbari che scorrazzavano per l'impero d'occidente, il generale promise un aumento di stipendio a quelle truppe che soltanto il giorno prima avevano combattuto per il nemico.[76] Nei vari reggimenti del suo esercito c'erano molti barbari reclutati a livello individuale che erano ben contenti di combattere per le insegne di Roma: una cosa erano i singoli barbari, un'altra le grandi masse indipendenti di goti, vandali, alani e svevi. E così il primo compito del nuovo esercito riunito fu quello di sconfiggere i goti.

I goti di Ataulfo

Subito dopo il sacco di Roma, i goti si erano diretti verso sud. Fallito il tentativo di stabilizzare la posizione del suo popolo all'interno dell'impero, Alarico aveva concepito una strategia completamente diversa: quella di trasferirsi armi e bagagli in Nordafrica. Ma una burrasca aveva puntualmente inabissato la sua flotta e qualche tempo dopo lui stesso era morto. Poi, nel 411, Ataulfo aveva riportato i goti in Gallia, dove li abbiamo visti dapprima sostenere e poi abbandonare l'usurpatore Giovino.

Un progetto per i rapporti tra goti e romani tale da accontentare entrambe le parti non si era ancora trovato. Verso la fine del 413 i goti ebbero qualche scontro con l'esercito di Costanzo e qualche tempo dopo si stabilirono a Narbonne. Qui, come in vari punti della nostra storia, il fatto di non poter leggere le opere di Olimpiodoro costituisce per noi un grave handicap; ma tutto sembra indicare che, per stipulare un trattato di pace definitivo, Ataulfo chiedesse ancora un prezzo molto più alto di quello che Costanzo era disposto a pagare. Lo storico Orosio scrive di aver sentito raccontare da qualcuno che san Gerolamo

era stato amico intimo di Ataulfo a Narbonne e [...] spesso aveva sentito cosa l'altro era solito rispondere quando era di buon umore, in salute e allegro [cioè dopo qualche bicchierino]. Pare innanzitutto che egli desiderasse ardentemente cancellare il nome stesso di Roma e fare di tutto il territorio romano un impero gotico di nome e di fatto; cosicché, per usare un'espressione popolare, la Gotia avrebbe preso il posto della Romània e lui, Ataulfo, sarebbe stato Cesare Augusto. Avendo capito con la sua lunga esperienza personale che i goti, barbari sfrenati, non sapevano obbedire alle leggi, ed essendo ciononostante convinto che l'impero non dovesse mai privarsi di quelle leggi che lo costituivano in quanto stato,

[Ataulfo] scelse dunque di cercare per sé stesso almeno la gloria di restaurare e incrementare la fama dei romani grazie alla potenza dei goti, in modo da apparire agli occhi della posterità come il salvatore dell'impero romano.[77]

Che cosa esattamente intendesse Ataulfo con questo suo programma possiamo dedurlo chiaramente dalle sue azioni. Nel bottino che i goti avevano portato via da Roma c'erano anche due gioielli umani: Prisco Attalo, quello che nel 409-411 il senato, dietro pressione di Alarico, aveva innalzato alla porpora e poi deposto, e Galla Placidia, sorella di Onorio. Nel 414, dopo aver detronizzato Giovino, Ataulfo inserì dunque nella sua strategia questi ostaggi. Scaricato senza troppe cerimonie da Alarico come parte di un presunto accordo con Onorio, Attalo tornò a indossare la porpora; e Galla Placidia fu utilizzata per un nuovo tentativo di estorsione. Nel gennaio del 414, narra Olimpiodoro, si celebrarono le nozze:

Dietro consiglio e incoraggiamento di Candidiano [...] [le nozze furono celebrate] a casa di Ingenio, uno dei cittadini più eminenti di [Narbonne]. Là Placidia, regalmente abbigliata, sedette in una sala decorata alla romana, e accanto a lei c'era Ataulfo con un mantello da generale romano e altri indumenti romani [...]. Insieme ad altri doni di nozze Ataulfo diede a Placidia cinquanta bei giovani vestiti di seta, ciascuno con un gran piatto colmo il primo d'oro, gli altri di pietre [...] preziose che i goti avevano saccheggiato a Roma. Poi furono cantati degli inni nuziali, prima da Attalo, poi da Rusticio e Febadio.[78]

Evidentemente Ataulfo stava cercando di realizzare il più ambizioso dei piani di Alarico: una brillante carriera presso la corte imperiale. Rimasta puntualmente incinta, Placidia diede alla luce un figlio maschio che gli orgogliosi genitori chiamarono Teodosio. Un battesimo indubbiamente denso di significato: il piccolo Teodosio era nipote di un imperatore romano che si chiamava come lui, Teodosio I, e primo cugino di un altro imperatore, Teodosio II d'oriente, figlio di Arcadio, il defunto fratello di Onorio. Dato che all'epoca Onorio stesso non aveva figli (né mai ne avrebbe avuti), su quella culla volteggiavano molte rosee possibilità. Un re dei goti aveva generato un bambino che poteva avanzare pretese sul trono dell'impero d'occidente.

Ma Ataulfo aveva fatto il passo più lungo della gamba. Costanzo e Onorio rivolevano Placidia, ma senza il marito goto; e si rifiutarono di siglare un accordo nei termini da lui proposti. Comunque i goti avevano una grave debolezza strategica: a partire dal 408, anno della loro calata in Italia, avevano sempre operato senza poter contare su sicuri rifornimenti alimentari, anche se negli anni gloriosi culminati con il sacco di Roma si erano messi in tasca un ricco bottino. Con ammirevole precisione, Costanzo individuò il loro tallone d'Achille. Invece di arrischiare il suo esercito in battaglia, il generale bloccò loro tutte le vie di comunicazione isolando Narbonne per terra e per mare. Già all'inizio del 415 in città non era rimasto niente da mangiare e i barbari dovettero ritirarsi verso la Spagna. La strategia di Costanzo fu aiutata anche materialmente da uno di quegli strani incidenti che a volte capitano nella storia: il piccolo Teodosio morì poco dopo la nascita e fu seppellito dai genitori addolorati in una bara d'argento in una chiesa di Barcellona. Col che Ataulfo aveva perso uno dei suoi assi nella manica. Nel frattempo Costanzo continuava a tenerlo sotto pressione e a tempo debito i goti – perlomeno alcuni – cedettero. Di fatto ciò che aveva impedito il raggiungimento di un accordo – che era nell'aria fin da quando Ataulfo aveva abbandonato Giovino, nel 413 – era la determinazione con cui il re dei goti ambiva a diventare un pezzo grosso dell'impero.

Nell'estate del 415 questa linea politica aveva suscitato presso i goti abbastanza risentimento da generare un colpo di stato, durante il quale Ataulfo fu ferito gravemente. Dopo la sua morte (annunciata a Costantinopoli il 24 settembre), anche suo fratello e i figli che aveva avuto da un primo matrimonio furono scannati da Sigerico, un nobile goto che aveva partecipato alla lotta per la supremazia sui goti riuniti da Alarico. Dopo soli sette giorni di regno, però, anche Sigerico fu deposto e il potere passò a un certo Vallia. Nessuno di costoro era imparentato con Alarico e Ataulfo. Cedendo alle pressioni di Roma Vallia restituì Galla Placidia, ormai vedova e senza figli; in cambio Costanzo diede ai goti 600.000 *modii* di farina. Erano i primi due passi verso una nuova pace: tutto sembrava indicare che i goti, all'interno dell'impero, avrebbero ormai avuto solo un ruolo di secondo piano.[79]

Rinasce la fenice?

Il terzo passo, oltre a cementare la pace con i goti, avrebbe dovuto affrontare la spinosa questione della Spagna, dove ormai da mezzo decennio vandali, alani e svevi incameravano la produzione economica delle province che si erano spartiti nel 411. Ora la coalizione goto-romana stava per piombare su di loro. Nel 416 cominciarono le operazioni. Idazio, nella sua *Cronaca*, ci racconta cosa avvenne:

I vandali Siling della Betica furono spazzati via attraverso il re Vallia. Gli alani, che regnavano su vandali e svevi, furono sterminati dai goti al punto che, morto il loro re Addace, i sopravvissuti scordarono perfino il nome del loro regno e si misero sotto la protezione di Gunderico, il re dei vandali [Hasding] che si era stabilito in Galizia.[80]

Un riassunto un po' sbrigativo per combattimenti durati tre anni (dal 416 al 418) e della massima importanza. Dopo aver eliminato gli usurpatori e sottomesso i goti, Costanzo aveva utilizzato questo stesso popolo per risolvere l'altro suo problema. E che campagna efficace! I Siling furono cancellati dalla faccia della terra e gli alani – i quali, stando a quanto ci dice Idazio, erano stati fino ad allora la forza predominante tra gli invasori del Reno (versione confermata nel 406 dal fatto che avevano salvato i vandali dai franchi) – subirono così tante perdite da dover chiedere protezione alla monarchia concorrente degli Hasding.

A questo punto Costanzo richiamò i goti dalla Spagna e nel 418 li stanziò in Aquitania, assegnando loro alcune delle terre nella valle della Garonna (Gallia sudoccidentale) tra Tolosa e Bordeaux. Fiumi d'inchiostro sono stati versati sulla natura e sullo scopo di questa decisione. L'unico frammento d'informazione credibile che sia giunto fino a noi, uscito come sempre dalla penna di Olimpiodoro,[81] è che i goti ricevettero «terre da coltivare». Mi sembra una versione attendibile. Quel che è certo è che negli anni seguenti non troviamo traccia del fatto che l'impero romano finanziasse direttamente i goti con il suo gettito fiscale; e il decennio precedente aveva dimostrato che essi erano estremamente vulnerabili se non potevano contare su stabili fonti di sostentamento.

Le fulgide ambizioni di Ataulfo erano crollate proprio perché Costanzo era riuscito ad affamare i goti fino a farli insorgere contro il loro re. La concessione di terre produttive – com'era già accaduto in seguito all'accordo di pace del 382 – poteva essere un'opzione attraente per entrambe le parti.

Quanto a ciò che accadde su quelle terre possiamo solo tirare a indovinare. Molto si è voluto dedurre, per esempio, dal fatto che non abbiamo notizia di lamentele e proteste da parte di latifondisti romani espropriati. Forse ai goti erano state concesse terre pubbliche (dell'impero o di qualche corporazione pubblica, come le tenute demaniali gestite dalle amministrazioni cittadine): il che spiegherebbe come mai non ci fu bisogno di confiscarle. Come vedremo nel prossimo capitolo, è proprio così che lo stato romano risolverà un analogo problema in Nordafrica. È probabile inoltre che nella maggior parte dei casi ai contadini sia stato permesso di restare, mentre i goti si sostituivano ai latifondisti precedenti nel riscuotere le rendite agrarie. Se con queste concessioni i goti abbiano assunto pienamente la proprietà delle terre (compreso il diritto di venderle o di lasciarle in eredità) o se le abbiano avute semplicemente in usufrutto (col diritto di prelevarne una rendita vitalizia) è una questione che non possiamo risolvere.[82]

Quanto alla scelta dell'Aquitania, sono state addotte molte ragioni plausibili: i goti avrebbero potuto risultare utili come barriera contro i separatisti della Gallia nordoccidentale, oppure avrebbero potuto contrastare le razzie dei predoni sassoni.[83] A mio modo di vedere l'Aquitania era l'intersezione più logica tra due diversi imperativi: innanzitutto, i goti dovevano pur essere messi da qualche parte; poi, la questione centrale era quanto questo loro insediamento dovesse risultare lontano dal centro politico dell'impero d'occidente. Come abbiamo visto, al culmine del suo potere Alarico aveva concepito l'idea di stabilirsi nei dintorni di Ravenna e a cavallo di alcuni passi alpini, da dove i goti avrebbero potuto intromettersi costantemente negli affari interni dell'impero. In questa più realistica fase delle trattative Ataulfo era pronto a rinunciare a quel vecchio sogno – inaccettabile per i romani – in cambio di terre «vicine alla frontiera». La valle della Garonna, accanto all'Oceano Atlantico e a 1000 chilometri da Ravenna, era l'ideale; e aveva l'ulteriore vantaggio di essere vicina alle strade che, attraverso i Pirenei, portavano in Spagna. Infatti il lavoro che c'era da fare laggiù, pur ben cominciato, era ancora a metà. Non tutti i sopravvissuti all'invasione del Reno erano stati sottomessi, e dopo il 420 i goti erano tornati nella penisola iberica per combattere a fianco dell'esercito romano contro i vandali Hasding. Mi pare dunque che i romani considerassero l'assegnazione di quelle terre ai goti soltanto una fase del processo che li avrebbe riportati in Spagna per far fuori vandali, alani e svevi.

L'impresa realizzata da Costanzo è davvero impressionante. Nonostante i goti imperversassero in tutta l'Italia, Costantino da Arles minacciasse di impadronirsi di tutto l'impero d'occidente e gli invasori del Reno si fossero spartiti la Spagna, evidentemente nel 410 le leve del potere erano ancora intatte e aspettavano solo di essere impugnate da un capo della levatura di Costanzo. Gli eserciti della Gallia e soprattutto dell'Italia – gli stessi con cui Stilicone aveva sconfitto Radagaiso – erano ancora una formidabile macchina da guerra e le province produttrici di grano del Nordafrica non avevano subìto danni. Tra il 408 e il 410 i vari generali che si erano succeduti al potere non avevano saputo utilizzare l'esercito italiano né contro i goti né contro Costantino III: non era certo possibile combatterli entrambi contemporaneamente, e iniziare a combatterne uno significava aprire la strada all'altro. A ogni modo, quando Ataulfo decise di portar via i suoi goti dall'Italia, lo stallo poteva dirsi superato. Le autorità centrali di Ravenna erano riuscite a tener duro abbastanza a lungo da affamare i goti fino a convincerli ad andarsene; a quel punto Costanzo fu libero di agire. Erano intervenuti anche degli appoggi esterni: nel 410 l'impero d'oriente aveva mandato a Onorio sostanziosi rinforzi per cacciare Alarico dall'Italia; e probabilmente l'impero d'occidente aveva ricevuto anche altri aiuti sia morali sia finanziari, benché le nostre fonti siano troppo avare per parlarcene.[84]

Paradossalmente, dato che erano stati proprio loro a innescare il pandemonio, anche gli unni potrebbero aver dato una mano a Costanzo. Già nel 409 Onorio aveva chiamato in aiuto 10.000 ausiliari unni, ma siccome non erano arrivati in tempo per impedire il sacco di Roma, alcuni storici moderni ne hanno dedotto che non avessero risposto all'appello.[85] Indipendentemente da questo nella stagione militare del 411, come abbiamo visto, Costanzo im-

299

provvisamente si ridestò dalla paralisi militare e marciò fiduciosamente in Gallia per fare piazza pulita degli usurpatori. La sua decisione riflette la ritrovata libertà di manovra del potente esercito italiano e l'arrivo degli unni potrebbe aver contribuito a sbloccare la situazione. La cacciata dei goti dall'Italia, aggiungendosi a un piccolo aiuto offerto da amici vecchi e nuovi, potrebbe esser stata sufficiente a far pendere il delicato equilibrio del potere dalla parte di Costanzo. Non c'è di che stupirsi, dunque, se nel 417 Rutilio e il suo anonimo collega cristiano guardavano al futuro con serena fiducia.

Analizzeremo ora il lavoro di ricostruzione portato a termine da Costanzo. L'impero romano d'occidente, infatti, nonostante le sue molte gloriose imprese non tornò esattamente come prima.

La resa dei conti

Nel 418, ovviamente, quest'opera di ricostruzione non era affatto completa, né Costanzo si sarebbe azzardato a sostenere che lo fosse. Siling e alani erano stati decimati, ma sia i vandali Hasding, le cui fila si erano ingrossate, sia gli svevi erano ancora in circolazione. A parte il fatto che questi due gruppi, dal punto di vista militare, erano ancora potenzialmente molto pericolosi, la loro presenza significava che le regioni occupate della Spagna non erano controllate dall'impero e il loro flusso fiscale non arrivava nelle casse del tesoro. Di fatto tra il 405 e il 418 il gettito fiscale dello stato era diminuito e Costanzo non vi aveva ancora posto rimedio. È difficile credere, per esempio, che la valle della Garonna abbia pagato molte tasse dopo il 418, anno in cui vi si insediarono i goti.[86]

Non è facile ricostruire gli avvenimenti che si succedettero nella Britannia romana dopo il 410, o anche solo le condizioni generali in cui versava l'isola: l'unica cosa chiara è che ormai era uscita dall'orbita del sistema imperiale. Come abbiamo visto, le usurpazioni del 406-407 erano partite proprio di là: le province britanniche erano state la prima base di potere di Costantino III. Poi, dal momento in cui egli era passato sul continente con il grosso delle truppe romane dell'isola – così almeno si pensava fino a poco tempo fa –, la Britannia era scomparsa dalle nostre fonti, con l'unica eccezione di due brevi notizie riportate da Zosimo. La prima è che i britannici si scrollarono di dosso il dominio romano, in un momento imprecisato fra l'usurpazione di Costantino e il sacco di Roma, «espellendo i magistrati romani e stabilendo la forma di governo che più gli aggradava».[87] La seconda è che Onorio, prima dell'agosto del 410, scrisse alle città della Britannia per «sollecitarle a provvedere per sé stesse». Questa espressione, un po' sibillina, ha fatto molto discutere gli storici. Nell'ennesima rivolta dei britanni Zosimo vede un allontanamento definitivo dalla *romanitas* e un ritorno ai costumi nativi; io invece sospetto che questa interpretazione sia, ancora una volta, un fraintendimento da parte di uno scrittore del VI secolo e che in realtà i romani della Britannia, delusi da Costantino che ormai si occupava solo della Gallia trascurando la loro difesa, avessero semplicemente deciso di fare da sé. Altrimenti non si spiega perché nel 410 Onorio abbia dovuto scrivere ammettendo che lo stato non poteva fare più nulla per loro. Il punto dunque non è tanto se i britanni stessero tirando giù dalla soffitta il guado [pianta tipica dell'isola da cui gli antichi britanni ricavavano un pigmento blu, *n.d.t.*] e reimparando le antiche lingue celtiche, quanto che avevano bisogno di difendersi dagli attacchi via mare da parte soprattutto dei pirati sassoni. I pirati costituivano un problema serio ormai da più di cent'anni, tant'è vero che lo stato romano aveva eretto in Britannia una linea di fortificazioni in parte sopravvissuta fino a noi. Sulle dimensioni e sull'intensità delle incursioni sassoni si è molto discusso: tutto sembra suggerire che il vero cataclisma si sia verificato un po' più tardi, ma per i nostri scopi la data precisa non è molto importante. Vuoi per colpa dei sassoni, vuoi per iniziativa delle forze armate preposte all'autodifesa, fatto sta che attorno al 410 i britanni scompaiono dagli schermi radar dei romani e smettono di inviare a Ravenna tasse e balzelli.[88]

La stessa cosa, e pressappoco nello stesso periodo, stava accadendo anche in Armorica (Gallia nordoccidentale). Qui la catena degli eventi è ancora più difficile da leggere: Rutilio ci dice che nel 417, mentre lui era ancora in viaggio verso casa, un suo parente di nome Exuperanzio si stava arrabattando per restaurare l'ordine.[89] Probabilmente dunque il regime di Costanzo cercò di ripristinare

301

il prelievo fiscale e l'ordine imperiale perlomeno in Armorica, se non in Britannia. Tutto invece era tornato alla normalità nella Gallia centrale e meridionale, i cui territori, in genere, avevano pagato i tributi a Costantino III per tutto il tempo della sua usurpazione. Sulla regione frontaliera del Reno non abbiamo informazioni certe: tuttavia è proprio in questa fase che Treviri perse il suo ruolo di centro amministrativo della Gallia, poiché l'usurpatore trasferì le strutture di governo ad Arles. Ma il controllo di Roma sulla regione non si interruppe mai, quindi dobbiamo supporre che almeno una parte dei tributi continuasse ad affluire a Ravenna.[90]

Oltre che nei territori ormai definitivamente persi per il sistema romano, il gettito fiscale si era ridotto in misura sostanziale anche in quelle vastissime regioni dell'impero occidentale che nel corso del decennio erano state danneggiate dalla guerra o dalle invasioni barbariche. Buona parte dell'Italia era stata saccheggiata dai goti, la Spagna dai sopravvissuti dell'invasione del Reno e la Gallia da entrambi. Difficile dire in che misura questi territori si fossero impoveriti, e certamente l'agricoltura poteva essersi ripresa; abbiamo tuttavia le prove che la guerra aveva provocato seri problemi anche a medio termine. Con una legge del 412 l'imperatore Onorio ordinò al prefetto pretoriano d'Italia di ridurre le tasse a un quinto del prelievo normale, e per ben cinque anni, alle province di Campania, Toscana, Piceno, Sannio, Puglia, Calabria, Abruzzo e Lucania. Se lo stato romano riconosceva che quelle province meritavano una riduzione delle tasse, evidentemente era perché proprio in quei luoghi, tra il 408 e il 410, i goti avevano razziato ciò che gli occorreva per vivere durante l'assedio di Roma. Nel 418, con una seconda legge, la Campania si vide ridurre il carico fiscale a un nono dei livelli precedenti e le altre province a un settimo. A ogni modo non erano molti i territori dell'impero che avessero riportato danni così ingenti, conseguenza di quasi due anni di occupazione. Con gli ispano-romani invece, come abbiamo visto, pare che vandali, alani e svevi fossero giunti a un accordo più ragionevole: ciononostante le perdite di base imponibile e i danni riportati dal territorio devono aver ridotto in misura sostanziale il gettito annuo dell'impero d'occidente almeno dal 405 al 418.[91]

Ma anche altri due pilastri fondamentali dello stato uscivano malconci dalla guerra. Le prove, nel primo caso, emergono da un'altra straordinaria fonte antica sopravvissuta fino a noi (e già citata): la *Notitia Dignitatum*, in cui sono elencati tutti gli ufficiali civili e militari del tardo impero divisi tra oriente e occidente. Questo prezioso documento fu compilato da uno dei principali burocrati dello stato, il *primicerius notariorum* (capo del collegio notarile), che aveva anche il compito di redigere le lettere di nomina; e venne più volte aggiornato man mano che la struttura burocratica o militare dell'impero cambiava. La parte relativa all'impero d'oriente fotografa la situazione nel 395 circa, attorno all'anno della morte di Teodosio I; la parte riguardante l'impero d'occidente, invece, fu scrupolosamente aggiornata senza interruzioni fino al 408, poi in modo più discontinuo fino a poco dopo il 420 circa. In particolare – ed è ciò che ci interessa ora – la *Notitia* contiene due elenchi delle unità di campo mobili (*comitatenses*) dell'esercito d'occidente: il primo riporta tutti i reggimenti (*numeri*) con i loro comandanti in capo e i capitani della fanteria e della cavalleria; il secondo (*distributio numerorum*) ne fotografa la distribuzione regione per regione.[92] Analisi dettagliate hanno dimostrato che questo secondo elenco ci permette di capire esattamente dov'erano le truppe di campo dell'impero d'occidente attorno al 420.[93]

A un esame più attento, e soprattutto a un'analisi comparativa con gli elenchi stilati per le truppe d'oriente nel 395, il documento si rivela illuminante. Innanzitutto, e non è certo una sorpresa, ne emerge chiaramente che l'esercito occidentale aveva subìto gravi perdite nelle guerre d'inizio V secolo. Nel 395 l'esercito orientale aveva in tutto 157 reggimenti di campo; verso il 420 l'esercito occidentale ne aveva 181, ma almeno 97 erano stati arruolati dopo il 395 e solo 84 erano sopravvissuti dalla fase precedente. Durante il IV secolo le unità di campo dell'esercito erano state spesso divise tra i vari imperatori, ma tutto sembra suggerire che le due metà dell'impero ne avessero un numero grossomodo uguale, o almeno dello stesso ordine di grandezza. Ipotizzando quindi che nel 395 anche le truppe di campo occidentali contassero circa 160 reggimenti come quelle orientali, ciò significa che nei venticinque anni trascorsi tra l'incoronazione di Onorio e il 420 almeno 76 di quei reggimenti (il 47,5 per cento) dovevano esser stati annientati. Un livello di usura piuttosto impressionante, che rappresenta la perdita di più di 30.000 uomini.[94] L'esercito del Reno era quello che aveva subìto le perdite più drammatiche: nel 420 era formato da 58 reggimenti, ma solo 21 risalivano a prima del 395, mentre gli altri 37 (il 64 per cento) erano stati creati sotto il regno di Onorio. Tutto corrisponde: l'esercito della Gallia aveva subìto l'impatto del primo attraversamento del Reno; poi, sotto Costantino III, aveva combattuto contro i barbari sui Pirenei e anche più in là. Poi era rimasto intrappolato dalla parte sbagliata della barricata quando Costanzo aveva sferrato il suo contrattacco. Non ci stupisce che ne fosse uscito a brandelli, con molte delle sue unità primitive sfilacciate e allo sbando.[95]

Dalla *Notitia* ricaviamo anche utili informazioni su *come* quelle perdite erano avvenute. Verso il 420 il numero delle unità comitatensi dell'occidente era tornato grossomodo alla normalità grazie ai 97 nuovi reggimenti creati dopo il 395. Anzi, se è vero che nel 395 gli eserciti di campo d'oriente e d'occidente dovevano essere circa equivalenti, probabilmente il personale occidentale era addirittura cresciuto (di circa 20 unità, il 12,5 per cento). Di queste 97 nuove unità, però, ben 62 (il 64 per cento) erano vecchi reggimenti di guarnigione frontalieri spostati nell'interno per riempire i vuoti che si erano creati nelle fila dell'esercito di campo: molti di questi soldati infatti compaiono ancora attivi alle guarnigioni frontaliere in quelle parti della *Notitia* che non sono state aggiornate, dove è facile identificarli. Tutte e 28 le *legiones pseudocomitatenses* erano composte da truppe di guarnigione spostate nell'entroterra e lo stesso vale per 14 *legiones comitatenses* (che pure avrebbero dovuto essere più d'élite) e 20 unità di cavalleria del Nordafrica e della Tingitana. A parte l'esercito nordafricano, fu ancora una volta la Gallia a trovarsi nella situazione peggiore: nel 420 ben 21 dei 58 reggimenti del suo esercito di campo erano composti da ex truppe di guarnigione. La maggior parte dei buchi che si erano aperti nell'esercito di campo d'occidente durante l'intenso periodo di guerra seguito al 405 non fu dunque riempita reclutando nuove leve di soldati di prima classe, bensì riclassificando vecchie truppe di livello inferiore. E delle 35 nuove unità di prima classe circa un terzo era costituito da reggimenti i cui nomi (attecotti, marcomanni, brisigavi e così via) derivano da quelli di raggruppamenti tribali non romani: ne deduciamo che almeno in origine fossero composti appunto da soldati non romani.[96]

Dalla *Notitia Dignitatum* dunque, che pure a prima vista sembra un documento molto tecnico e asciutto, emerge un quadro affascinante. Apparentemente l'esercito di campo dell'occidente era addirittura cresciuto rispetto a 25 anni prima; ma questo aumento dell'organico maschera alcuni problemi di fondo, per esempio che metà dei suoi reggimenti era stata spazzata via nelle guerre che avevano sconvolto il teatro europeo. Di conseguenza, anche se l'esercito di campo nel suo insieme risultava più grande di prima, in realtà il numero totale degli addetti alla difesa era calato, dato che non abbiamo ragione di supporre che tutte le truppe di guarnigione spostate dalla frontiera nell'entroterra fossero state sostituite da nuovi distaccamenti. Tra il 411 e il 420, con le forze armate che aveva a disposizione, Costanzo riuscì a realizzare grandi imprese; eppure l'unica conclusione che si può trarre da tutti questi calcoli è che, a paragone di ciò che era stato prima del 395, il suo era un esercito tristemente minuscolo. Tutti gli eserciti prosperano con la continuità: perdite tanto ingenti non potevano non ridurre l'efficienza complessiva della macchina da guerra dell'impero d'occidente, e soprattutto dei suoi distaccamenti stanziati in Gallia. Togliendo dal totale le truppe di guarnigione promosse, tra il 395 e il 420 il numero dei «veri» *comitatenses* era calato di circa il 25 per cento (da 160 a 120 unità). Proprio qui, mi sentirei di suggerire, è possibile vedere fino a che punto le perdite finanziarie dello stato avevano inciso sulla situazione generale dell'impero. Nel 420 Costanzo dovette far fronte a problemi più frequenti e più gravi di quelli che si erano posti a Stilicone nel 395. Per farlo, in teoria, avrebbe avuto bisogno di un esercito più grande. Ma le restrizioni finanziarie conseguenti al calo del gettito fiscale gliene concessero uno più piccolo.

Dietro la facciata dei successi di Costanzo, pur assolutamente reali, possiamo dunque leggere gli effetti di lungo periodo della crisi che aveva portato alla caduta di Stilicone. E come se non fosse già abbastanza grave doversi difendere con un esercito più piccolo, c'era anche un altro serio problema che cominciava a profilarsi. Ne avevamo colto i primi segni durante l'assedio di Roma, quando Alarico, capo dei goti, era riuscito a ottenere che il senato in qualche misura cooperasse ai suoi progetti – il generalato per sé, l'oro per i suoi seguaci e una maggiore influenza politica per l'elemento goto nel suo insieme – pur contro la volontà espressa di Onorio e delle autorità centrali dell'impero. Attalo era stato ben contento di farsi nominare imperatore dai goti, ma aveva poi tracciato una linea invalicabile con l'impedire alle truppe gote di portare dalla sua parte l'Africa; col che all'impero romano d'occidente sarebbe venuto a mancare anche l'ultimo pezzetto di terra sotto i piedi. Lo stesso fenomeno si ripresenta in Gallia dopo il 414: quanto Ataulfo mise per la seconda volta la porpora sulle spalle di Attalo, una parte dei proprietari terrieri di quelle province si schierò con lui. Il racconto delle nozze di Ataulfo è significativo non solo per il luogo in cui furono celebrate, ma anche per i molti aristocratici galli che cantarono per lui gli inni nuziali e che vollero affiliarsi al regime imposto dai goti. Paolino di Pella, che accettò da Attalo la carica di *comes sacrarum largitionum* (una specie di plenipotenziario delle finanze), più tardi metterà nero su bianco di averlo fatto non perché realmente convinto della legittimità o della vitalità del nuovo regime, ma perché gli sembrava la via più sicura per raggiungere la pace.[97] Probabilmente molti dei senatori che collaborarono con Alarico erano spinti dalla stessa motivazione: non per questo però la cosa era meno gravida di pericoli.

Sono tutti esempi precoci di come forze militari esterne potessero incunearsi nelle preesistenti faglie del sistema politico romano. Già durante la campagna di Adrianopoli (cfr. Capitolo 4) e poi di nuovo alla fine del 406, dopo l'attraversamento del Reno, le classi sociali inferiori dell'impero avevano mostrato una certa tendenza ad aiutare gli invasori barbari o addirittura a unirsi a loro. La cosa non ci stupisce dato che quei gruppi non avevano investito molto in un sistema governato dai proprietari terrieri a loro esclusivo beneficio, come abbiamo visto nel Capitolo 3. Quando invece proprio l'élite dei proprietari terrieri si mostra disponibile verso i barbari, evidentemente siamo di fronte a un fenomeno del tutto nuovo – molto più pericoloso per l'impero – che tuttavia ha origine dalla natura stessa del sistema. Date le sue immense dimensioni e i limiti della sua tecnica burocratica, l'impero romano era sostanzialmente un mosaico di comunità locali che in buona misura si autogovernavano, tenute insieme da una combinazione di forza militare e baratto politico: in cambio dei tributi il centro amministrativo si occupava di proteggere le élite locali. La comparsa di forze armate esterne nel cuore stesso del mondo romano mise in crisi quel baratto. La rapidità con cui alcuni proprietari terrieri trasferirono la loro lealtà ai regimi sponsorizzati dai barbari non è, come ha detto qualcuno, il segno della mancanza di fibra morale dei romani del tardo impero, bensì la conseguenza diretta e inevitabile delle caratteristiche della ricchezza fondiaria. Nelle analisi storiche, oltre che nei testamenti dell'antichità, la ricchezza terriera viene di solito contrapposta a quella basata sul possesso di beni mobili: è questo il nocciolo del problema. Quando le condizioni di vita in una certa regione mutano in peggio, i proprietari terrieri della zona non possono semplicemente far fagotto e andarsene, come farebbe il proprietario di un sacco d'oro o di diamanti. Se partono abbandonano la fonte stessa della loro ricchezza, l'elemento che definisce la loro appartenenza all'élite sociale. I proprietari terrieri quindi non hanno alternative e devono scendere a patti con la nuova situazione: è proprio ciò che accadde nelle campagne romane nel 408-410 e in Gallia meridionale nel 414-415. In questa fase le cose non andarono oltre perché Costanzo riuscì abbastanza in fretta a ristabilire la forza dell'autorità centrale sulle regioni a rischio: evidentemente era consapevole delle implicazioni politiche del problema e agì prontamente per contenerlo.

Nel 418, per coronare i suoi sforzi di restaurazione, Costanzo ripristinò la seduta annuale del consiglio delle province della Gallia con sede ad Arles: non soltanto le province, ma anche le singole città della regione avrebbero dovuto mandarvi dei delegati scelti all'interno delle loro élite per discutere importanti affari pubblici e privati, primi fra tutti quelli relativi agli interessi dei proprietari terrieri (*possessores*). La scelta dei tempi coincide suggestivamente con l'insediamento dei goti nella valle della Garonna, ed è facile immaginare che l'assemblea del primo anno abbia discusso proprio di ciò. Chiaramente questo consiglio era concepito – e di fatto funzionò così – come un summit nel quale i proprietari terrieri locali, con la fiducia e l'appoggio dei possidenti, potessero conferire regolarmente con i funzionari imperiali: un chiaro tentativo di ricucire gli strappi, o perlomeno le scuciture, che nel de-

307

cennio 405-415 si erano aperti nei rapporti tra aristocrazia gallica e centro imperiale. La comparsa degli stranieri aveva creato una scissione tra gli interessi dei proprietari terrieri e quelli dell'amministrazione centrale: il nuovo consiglio avrebbe avuto il compito di cancellare quella distanza. C'è poi un'altra coincidenza, e cioè l'arrivo ad Arles di Rutilio Namaziano (cfr. p. 287), il cui lento viaggio verso casa nell'autunno-inverno del 417-418 sembra concepito apposta per consentirgli di arrivare in Gallia giusto in tempo per la riunione inaugurale del consiglio. Abbastanza ben inserito alla corte di Onorio per sapere cosa bolliva in pentola, Namaziano era proprio l'ex funzionario pubblico di cui la Gallia aveva bisogno. Forse, davanti a una mensa imbandita, il fedele lealista imperiale offrì ai suoi ricchi commensali una prima, commovente lettura di quel poema in cui vaticinava che Roma e la Gallia, come l'araba fenice, sarebbero risorte dalle loro ceneri. Sentimenti più che appropriati: con l'impero d'occidente ormai libero dagli usurpatori, i goti pacificati, i proprietari terrieri della Gallia ricondotti nell'alveo dello stato e la morte di una buona metà degli invasori del Reno, anche il resto si sarebbe sistemato al più presto.

6. Via dall'Africa

Al vincitore il bottino. Le imprese di Costanzo non rimasero senza premio: dopo il 411 egli divenne il comandante supremo dell'esercito occidentale, e più mieteva successi più lo coprivano di onori. Il 1° gennaio 414 fu insignito della massima onorificenza prevista dal cerimoniale romano, l'ambita carica di primo console. Nella vecchia repubblica i due consoli, eletti con mandato annuale, avevano poteri concreti; ma nel V secolo la funzione del consolato si era ridotta. Eppure, poiché tutti i documenti ufficiali venivano datati in base al nome dei consoli in carica, il titolo conteneva ancora una certa promessa d'eternità; inoltre, siccome uno dei due consoli era spesso l'imperatore, vi erano connesse ricche prebende. L'anno seguente, al lungo elenco dei titoli di Costanzo si aggiunse anche quello di *patricius*: che in pratica non aveva alcun significato, ma nessun titolo onorifico sembrava bastare a esprimere appieno la sua preminenza.

Il 1° gennaio 417 Costanzo diventò console per la seconda volta, e – cosa ancor più significativa – ottenne la mano di quella Galla Placidia, sorella dell'imperatore Onorio, che lui stesso si era fatta restituire dai visigoti. L'anno dopo nasceva la loro primogenita, la risoluta principessa Giusta Grata Onoria. Qualche tempo dopo Galla Placidia rimase ancora incinta e nel luglio del 419 diede alla luce un maschio, Valentiniano. L'imperatore Onorio era ancora senza figli e ormai nessuno pensava più che ne avrebbe avuti: Costanzo, Placidia e i loro figli erano dunque la prima famiglia dell'impero d'occidente. Eppure l'ascesa di Costanzo non era ancora finita. Il 1° gennaio 420 diventò console per la terza volta; dopodiché, l'8 febbraio 421, l'inesorabile logica della politica giunse alla svolta finale. Sposato con la sorella dell'imperatore, padre del probabile erede al trono e sovrano di fatto dell'impero da ormai dieci anni, Costanzo fu proclamato Augusto a pari merito con Onorio. Sembrava spuntata l'alba di una nuova età del-

309

l'oro, ma il destino non seguì il copione previsto: il 2 settembre, a meno di sette mesi dall'incoronazione, Costanzo morì.

Vita – e morte – al vertice del potere

Per comprendere a fondo gli effetti catastrofici che si svilupparono dall'improvvisa scomparsa di Costanzo dobbiamo esaminare le modalità di funzionamento della politica di corte nel tardo impero. La facciata pubblica era la pompa cerimoniale che spettava al sovrano, scelto da Dio per guidare l'impero da Lui stesso concepito per condurre il mondo intero nelle braccia della vera fede. Tutte le cerimonie pubbliche erano accuratamente orchestrate per sottolineare l'unanime convinzione con cui i partecipanti sentivano di far parte di un ordine sociale sancito nei cieli e imperfettibile.

Dagli imperatori ci si aspettava che si comportassero di conseguenza. Ammiano Marcellino, pagano, criticò l'imperatore Giuliano (che pure era pagano e godeva della sua massima stima) perché una volta aveva infranto le norme del contegno regale:

Un giorno, mentre [Giuliano] sedeva in giudizio [...] fu annunciato che era giunto dall'Asia il filosofo Massimo, ed egli scattò su in modo assolutamente indegno di lui, dimentico di sé al punto da correre velocemente [...] a [...] baciarlo [...]. Questa indecente ostentazione lo fece sembrare uno che corre dietro alla vuota fama, dimentico delle splendide parole di Cicerone il quale, nel criticare questo genere di persone, disse: «Questi filosofi siglano col proprio nome i libri stessi che scrivono sulla necessità di tenere in spregio la fama; di modo che, anche quando esprimono disprezzo per gli onori e la gloria, essi in realtà cercano la lode».[1]

Quella di trascurare le formalità, per Ammiano, non era dunque che una deliberata affettazione. Ma Giuliano non era il solo a trovare opprimenti le costrizioni della dignità imperiale, come ci racconta Olimpiodoro: «Costanzo [...] fu dispiaciuto di quella nomina perché non sarebbe più stato libero di andare e venire quando e come gli pareva, né avrebbe potuto, da imperatore, godere dei passatempi cui era abituato».[2] Tra questi, indubbiamente, il divertimento di scherzare dopo cena con i buffoni. Quella carica eccelsa non comportava infatti solamente il diritto di comandare: c'erano anche altre aspettative da soddisfare.

Ma se la facciata pubblica della vita di corte era paragonabile a un cigno che scivolava senza sforzo sulle lisce acque degli affari mondani, al suo interno essa era un nido di serpi. Dato che l'impero era di gran lunga troppo grande per essere gestito da una sola persona, dovevano pur esserci dei subordinati a sorvegliarne il funzionamento concreto. Fintanto che esercitarono la loro influenza su Onorio, Stilicone e Costanzo controllarono tutte le nomine al vertice, civili e militari. Al momento di elargire promozioni bisognava mantenere un certo equilibrio tra politica e praticità, perché una giudiziosa distribuzione di favori poteva conferire all'uomo di potere una solida base di affezionati clienti e isolarlo dai potenziali rivali. Rivali che tra l'altro non erano sempre facilissimi da identificare: come abbiamo visto era stato proprio Stilicone a suggerire la promozione dell'uomo che sarebbe stato la sua nemesi, Olimpio.

L'arena in cui andava in scena questa continua lotta per le cariche e l'influenza politica era il consiglio centrale dello stato, ovvero il concistoro imperiale. Qui il sovrano e i suoi principali funzionari civili e militari tenevano regolari assemblee, dove a volte si faceva anche del vero attivismo politico. Ammiano racconta di un generale di nome Marcello che vi denunciò pubblicamente Cesare Giuliano il quale, a suo dire, nutriva l'ambizione di accedere alla porpora e alla corona di Augusto; e di un coraggiosissimo prefetto pretoriano d'Italia, Euprassio, che quando Valentiniano I si rifiutò di legalizzare l'uso della tortura nei processi contro i senatori accusati di pratiche magiche, ammise apertamente di averla invece applicata.[3] Di solito, però, il concistoro si teneva su un piano più formale: i dignitari di corte, allineati in ordine di anzianità e prestigio e in alta uniforme da cerimonia, ricevevano gli ambasciatori delle potenze straniere; vi si eseguiva la cerimonia dell'*adoratio* (il bacio della toga imperiale); e più in generale quell'assemblea era il luogo in cui le decisioni venivano pubblicamente annunciate, non quello in cui le si prendeva.[4]

Quasi tutti i veri negoziati politici e i processi decisionali che influivano sulla cosa pubblica avvenivano lontano da occhi indiscreti, in sedute di gabinetto cui partecipavano pochi fedelissimi o nelle stanze private di qualcuno, dove gli estranei erano esclusi. Nel 376, per esempio, la decisione di lasciar entrare i goti fu presa dopo un'accesa discussione tra Valente e i suoi consiglieri più intimi; ma quando la cosa fu annunciata al concistoro tutti fecero finta che ai vertici dello stato regnasse la più assoluta e gioiosa unanimità. Analogamente Prisco racconta di un alto funzionario dell'impero d'oriente che, volendo corrompere un ambasciatore unno affinché uccidesse il suo re, lo invitò nei suoi appartamenti privati quando le cerimonie ufficiali nel concistoro furono finite.[5] In pubblico la corte imperiale si mostrava sempre unanimemente concorde, ma dietro le quinte ciascuno affilava il coltello per favorire l'avanzamento degli amici e provocare la rovina dei nemici. La grande partita della politica si è sempre giocata conquistando ed esercitando influenza nei corridoi.

Il premio spettante al vincitore poteva essere immenso: grandissime ricchezze personali e uno stile di vita di gran lusso, potere politico e sociale, la possibilità di influire sui temi più importanti del momento e di avere una folla di corteggiatori. Ma il prezzo del fallimento era altrettanto elevato: la politica, nell'antica Roma come oggi, è un gioco «a somma zero». Chi faceva una carriera politica di primo piano aveva davvero troppi nemici per potersi distrarre anche solo per un attimo. Non abbiamo notizia di molti pensionamenti per anzianità nei gradini superiori dello stato romano, perlomeno non nella fase tardoimperiale. Per Stilicone, come abbiamo visto, l'unica via d'uscita fu quella di un sarcofago di marmo; e lo stesso vale per molte altre figure di spicco. I cambi di regime, soprattutto quelli successivi alla morte di un imperatore, erano il classico momento in cui venivano fuori i coltelli. Così era avvenuto per il *comes* Teodosio (padre dell'imperatore Teodosio I) dopo l'improvvisa morte di Valentiniano I; e più tardi era stata spazzata via tutta la fazione che ne aveva provocato la morte. Se era fortunato, l'uomo politico era il solo a rimetterci la pelle; ma a volte era tutta la sua famiglia a essere condannata e le sue sostanze venivano confiscate (la moglie e il figlio di Stilicone, per esempio, furono ammazzati poco dopo di lui). Anche quando, dopo esser caduto in disgrazia, l'uomo politico riusciva a ritirarsi a vita privata, non per questo poteva sentirsi al sicuro. Come nel caso di Palladio durante lo scandalo di Leptis (cfr. pp. 131-132), l'improvvisa esclusione di un potente dalla politica centrale permetteva agli avversari di raccogliere prove contro di lui, al punto che, da un momento all'altro, avrebbe potuto presentarsi al suo cospetto un ufficiale giudiziario munito di mandato. Nella tarda antichità i vertici del mondo politico erano riservati ai concorrenti più spericolati: chi non riusciva a mantenersi in cima al palo insaponato, molto probabilmente finiva per stringerne uno insanguinato. Nel 414 erano almeno sei le teste di usurpatori che adornavano le mura di Cartagine: due ormai vecchie (quelle di Massimo e di Eugenio, dei tempi di Teodosio I), e quattro più recenti (quelle di Costantino III e di suo figlio, di Giovino e di suo figlio).[6]

[Probo era] generoso e pronto a concedere avanzamenti ai suoi amici, ma a volte era un crudele intrigante che faceva il male per colpa della sua mortale gelosia. E pur avendo sempre avuto un gran potere, per via delle somme che distribuiva ai suoi clienti e della costante assunzione di nuove cariche, sapeva sempre essere, all'occorrenza, timido con chi lo affrontava con coraggio e arrogante con coloro che lo temevano. [...] Come un pesce tolto dal suo elemento non può respirare a lungo sulla terra asciutta, così lui languiva senza una prefettura; ed era costretto a ricercarla anche per la sfrenatezza di certe famiglie che, nella loro avidità senza limiti, avevano sempre qualche colpa da nascondere e così per realizzare impunemente i loro malvagi disegni dovevano infilare uno dei loro protettori negli affari di stato. [...] Ma egli era anche sospettoso [...] e a volte ricorreva all'adulazione per fare il male [...]. Anche al massimo della ricchezza e degli onori era sempre ansioso e preoccupato, e di conseguenza afflitto da qualche malanno.[7]

Arrogante e servile, potente ma ansioso e ipocondriaco: un credibilissimo ritratto dell'uomo politico tardoimperiale alle prese con una carriera densa di sfide e di problemi. Un'altra cosa che Ammiano descrive benissimo sono le molte pressioni dal basso che l'uomo influente subiva. In fondo si trattava di una casta di faccendieri che acquisivano potere facendosi vedere nell'atto di elargire favori personali da coloro che li sapevano nella posizione di farlo: gli uomini politici erano continuamente tormentati da gente che chiedeva favori e che, se il favore richiesto non arrivava, era pronta a rivolgersi altrove.[8] Una volta saliti in cima alla scala del potere, scenderne era difficilissimo.

Questo lo scenario in cui, nel settembre del 421, si verificò la repentina morte di Flavio Costanzo, coimperatore di diritto e unico sovrano di fatto dell'impero romano d'occidente. Comprensibilmente molti hanno pensato che la sua brillante carriera fosse dovuta alla rapidità e all'efficienza con cui, a partire dal 410 circa, era riuscito a rimettere in carreggiata l'impero d'occidente: cosa non del tutto errata. Ma i successi militari non possono spiegare tutto: Costanzo aveva saputo approfittarne abilmente per cementare la sua posizione a corte e poi, man mano che le sue azioni salivano, si era ritrovato libero di fare dei suoi rivali ciò che voleva. Finché la sua posizione importante, ma simile a tante altre, si era trasformata in un predominio assoluto.

Costanzo era solo un anonimo sostenitore di Stilicone quando questi morì. Lui stesso si salvò per un pelo dal bagno di sangue. I primi passi della sua carriera non furono certo esenti dalla violenza: la caduta di Stilicone infatti fu seguita da rapidissimi cambi di personale politico, che videro vari uomini salire e scendere nel favore di Onorio. La stella nascente di Olimpio, autore del colpo di stato contro Stilicone, tramontò non appena la sua politica contro Alarico si dimostrò inefficace. Il suo successore, Giovio, passò dalla parte di Attalo e di Alarico quando Onorio ebbe respinto le sue manovre diplomatiche. Dopo Giovio venne il turno di un funzionario eunuco dello staff domestico dell'imperatore, Eusebio, *praepositus sacri cubiculi*; il quale fu deposto dal generale Allobicio che lo fece uccidere a bastonate (insieme a due comandanti militari anziani) sotto gli occhi dell'imperatore.[9]

A questo punto entra in scena Costanzo: la carneficina infatti aveva creato ai vertici dello stato un vuoto di potere che aspettava solo qualcuno abbastanza coraggioso da imporsi. Sulla base di una presunta collusione con Costantino III, Costanzo riuscì a screditare Allobicio e a farlo uccidere. Secondo alcuni studiosi Allobicio era davvero al soldo dell'usurpatore; forse invece, al contrario di Costanzo che era fautore della lotta senza quartiere, era semplicemente favorevole a una pace negoziata. A questo punto Costanzo investì il capitale politico accumulato con i primi successi ottenuti contro Costantino e Geronzio per consegnare alla «giustizia» il grande nemico di Stilicone, Olimpio; il quale si ritrovò con le orecchie mozzate e, come Eusebio, bastonato a morte sotto gli occhi dell'imperatore.

314

All'origine dell'ascesa di Costanzo, dunque, ci furono tanto i suoi successi militari quanto le sue abili manovre politiche. Alla fine del 411, grazie all'eliminazione di Allobicio e alla sconfitta degli usurpatori, egli era riuscito a stabilizzare l'intera situazione politica attorno alla sua persona. Ma c'era ancora un rivale importante di cui occuparsi: Eracliano, comandante militare del Nordafrica, la cui fedeltà aveva sostenuto Onorio nelle ore più buie del 409-410 quando, nonostante tutto ciò che stava accadendo, dall'Africa era sempre affluita abbastanza ricchezza da garantire la lealtà dell'esercito italiano. Nel 412 Eracliano fu puntualmente ricompensato con la promessa di diventare console l'anno seguente: il massimo riconoscimento dell'impero, secondo solo alla porpora imperiale. Eracliano però era un vecchio amico di Olimpio e di lui si diceva che fosse l'autore materiale dell'assassinio di Stilicone. Probabilmente era questa l'origine della rivalità tra le uniche due stelle rimaste nel firmamento dell'esercito d'occidente; e alla fine fu Costanzo a uscirne vincitore. Promettendo il consolato a Eracliano prima che a Costanzo, che pure aveva fatto molto di più per l'impero, probabilmente Onorio voleva assicurargli una posizione inattaccabile; ma il comandante africano non si sentì rassicurato affatto e nella primavera del 413, mentre Costanzo era lontano per risolvere l'usurpazione di Giovino, passò in Italia col suo esercito. Le fonti dicono che si era montato la testa e che ormai voleva la porpora per sé; più probabilmente la mossa era intesa a cercare di minare l'influenza di Costanzo su Onorio. Comunque sia, Eracliano fallì: il suo esercito fu sconfitto da uno dei luogotenenti di Costanzo e lui stesso fu assassinato da due agenti mentre cercava di tornare a Cartagine.[10]

Il predominio di Costanzo, dunque, nasceva da un cocktail di vittorie militari all'estero, pugnalate alle spalle nei palazzi del potere e bastonate letali. Sconfitto Eracliano, non c'erano altri rivali a intralciargli il passo. Eppure nemmeno le tappe seguenti della sua carriera furono particolarmente facili. Fozio ha salvato per noi questo resoconto delle nozze tra Costanzo e Galla Placidia:

Mentre Onorio inaugurava il suo undicesimo consolato e Costanzo il secondo [417 d.C.], furono celebrate le nozze di Placidia. I frequenti rifiuti da lei opposti a Costanzo avevano fatto sì che quest'ultimo si arrabbiasse molto con i suoi consiglieri, ma alla fine l'imperatore Onorio, fratello di Placidia, nel giorno stesso in cui si inaugurava il suo consolato [1° gennaio], la prese per mano e, a dispetto delle sue proteste, la diede a Costanzo; il matrimonio fu celebrato con grande fasto.[11]

Da questo brano alcuni hanno dedotto che Galla Placidia fosse ancora innamorata di Ataulfo, il marito goto deceduto; ma più probabilmente non le piaceva l'idea di fare da pegno in una strategia molto simile a quella applicata da Stilicone, che aveva dato in moglie a Onorio una dopo l'altra le sue due figlie. L'imperatore invece, a quanto pare, desiderava dare a Costanzo proprio una posizione di potere analoga a quella già occupata da Stilicone e sua sorella dovette farne le spese.[12]

Per questo diciamo che non ci fu niente di facile nell'ascesa di Costanzo ai vertici dell'impero. Anzi, egli dovette conquistare uno a uno gli scalini del potere. Perfino quando fu elevato alla porpora, Costantinopoli la prese malissimo, né il personale politico dell'impero d'occidente fu certo felice di gettarsi ai suoi piedi. Forse, sposando Galla Placidia, egli riuscì a mettersi fuori della portata di qualsiasi rivale; resta il fatto che aveva raggiunto il potere scalando una montagna di cadaveri. Nel 421, alla sua morte, in tutti i posti chiave dello stato c'era un uomo scelto personalmente da lui, che ragionava mettendo la sua persona al centro di ogni calcolo politico (compresi coloro che nutrivano la speranza di rovesciarlo). Come quasi sempre avviene nei regimi a partito unico, quando Costanzo morì non lasciò alcun delfino pronto a sostituirlo (lui stesso aveva fatto in modo che non ve ne fossero). E siccome Onorio era del tutto incapace di fare politica, toccò ai più eminenti tra i subordinati di Costanzo ristabilire l'ordine gerarchico all'interno dei propri ranghi. Il risultato furono dieci anni abbondanti di caos politico; finché verso il 433 non fu ripristinata un'apparenza di stabilità.

Dopo Costanzo: la lotta per il potere

Il primo round dello scontro politico fu abbastanza breve: dalla morte di Costanzo a quella di Onorio, avvenuta meno di due anni dopo, il 15 agosto del 423. Obiettivo del gioco, come sempre, era conquistare e poi mantenere la fiducia dell'imperatore. La prima a staccarsi dai blocchi di partenza fu sua sorella, che aveva una posizione di vantaggio essendo stata elevata anch'essa alla porpora, con l'appellativo di Augusta, insieme al marito. Oltre agli interessi personali Galla Placidia aveva da difendere anche quelli del figlio avuto da Costanzo, Valentiniano, potenziale erede al trono. Ma in quella successione alla porpora non c'era niente di scontato. In genere, come abbiamo visto nel Capitolo 3, la successione avveniva su base dinastica; ma solo se c'era un erede plausibile, attorno al quale potesse catalizzarsi il consenso generale. Varroniano per esempio, il figlio ancora piccolo dell'imperatore Gioviano, subito dopo la morte del padre scomparve senza lasciar traccia perché nessuno aveva il benché minimo interesse a sostenerlo. Placidia riuscì a ingraziarsi il fratello al punto che, secondo Olimpiodoro, si sfiorò addirittura lo scandalo:

L'affetto che Onorio nutriva per la sorella dopo la morte del marito di lei, Costanzo, crebbe così tanto che lo smodato piacere che avevano l'uno dell'altro e il loro continuo baciarsi sulla bocca fece nascere in molte persone vergognosi sospetti sul loro conto. Ma in seguito agli sforzi di Spadusa e della nutrice di Placidia, Elpidia, e grazie anche alla collaborazione di Leonzio suo intendente, quell'affetto si mutò presto in un odio così feroce che Ravenna divenne teatro di frequenti litigi, con aspri colpi sferrati da entrambe le parti. Placidia infatti, a causa del suo precedente matrimonio con Ataulfo e con Costanzo, era circondata da una folla di barbari. Alla fine, in conseguenza del divampare di questa inimicizia e di un odio forte quanto l'amore che l'aveva preceduto, Onorio si dimostrò più potente e Placidia fu esiliata a Bisanzio insieme ai suoi figli.[13]

Purtroppo qui dipendiamo interamente dal breve riassunto che Fozio ci ha trasmesso del racconto di Olimpiodoro, quindi non è molto chiaro chi stesse dalla parte di chi. «Spadusa» è probabilmente una trascrizione sbagliata di «Padusia», moglie di un ufficiale di nome Felice.[14] E sappiamo che nell'intrigo era coinvolto anche un altro comandante militare d'alto livello, Castino. Il frammento prosegue dicendo che un terzo ufficiale, Bonifacio, successore di Eracliano in Africa, rimase fedele a Placidia durante tutte le sue travagliate vicende. Le linee generali della storia, comunque, sono chiare: dapprima Placidia cercò di difendere la posizione della sua famiglia monopolizzando l'affetto del fratello e riuscì anche a procurarsi qualche appoggio tra i generali dell'esercito; ma poi prevalsero gli interessi di altri gruppi che seminarono zizzania tra fratello e sorella. Conclusione: verso la fine del 422 Placidia fu esiliata a Costantinopoli.

Le manovre di palazzo andarono avanti fino alla morte di Onorio, avvenuta pochi giorni dopo il suo trentanovesimo compleanno. Il primo giro di scommesse si chiuse dando inizio al secondo round della lotta per il potere.

Quando Placidia se ne fu andata in oriente col piccolo Valentiniano non ci fu più nessun candidato ovvio al trono d'occidente. I molti subordinati svegli e capaci che avevano fatto carriera sotto Costanzo sgomitavano freneticamente per guadagnare posizioni. Dopo qualche mese, finalmente, il capo del collegio notarile Giovanni, conquistato il necessario sostegno da parte dei vertici burocratici e militari dello stato, riuscì a farsi incoronare Augusto: era il 20 novembre. Nel frattempo, in Africa, Bonifacio osservava la scena senza immischiarsi. Il sostenitore più influente di Giovanni era il generale Castino (che abbiamo già visto coinvolto in una congiura di palazzo prima della morte di Onorio). Il nuovo regime aveva poi un altro importante pilastro nella persona di Ezio, che a corte aveva l'importante incarico di *cura palatii* (curatore del palazzo). Giovanissimo, a cavallo dell'anno 410 Ezio si era fatto notare per due periodi trascorsi come ostaggio presso i barbari: tre anni con i goti di Alarico (dal 405 al 408) e un breve periodo con gli unni (forse tra il 411 e il 414). La seconda di queste prigionie, come vedremo, avrà delle ripercussioni importanti.

Siccome i vertici dell'esercito d'occidente erano divisi su come procedere, l'atteggiamento che avrebbe adottato la corte di Teodosio II era di fondamentale importanza. Giovanni inviò prontamente un'ambasceria a Costantinopoli per averne il riconoscimento ufficiale, ma i legati furono accolti malissimo e mandati in esilio da qualche parte attorno al Mar Nero. Non sappiamo fino a che punto la questione sia stata discussa, ma Teodosio e i suoi consiglieri, forse galvanizzati dal fatto che Bonifacio non aveva ancora gettato il peso del Nordafrica dalla parte di Giovanni, decisero di mandare a Ravenna un corpo di spedizione per difendere il principio dinastico e i diritti del giovane Valentiniano, cugino primo dell'imperatore. Placidia e suo figlio furono quindi spediti a Tessalonica dove, il 23 ottobre 424, Valentiniano fu proclamato Cesare da un rappresentante di Teodosio, il *magister officiorum* Elio. Il corpo di spedizione era guidato da due generali, padre e figlio: Ardaburio, reduce da una bella vittoria sui persiani, e Aspar. C'era inoltre un terzo generale, un certo Candidiano. All'inizio tutto sembrò andare secondo i piani. Le truppe di Teodosio risalirono la costa dalmata conquistando Salona e Aquileia, ma poi ci fu un incidente piuttosto serio. Una tempesta mandò fuori rotta le navi di Ardaburio, il generale stesso cadde prigioniero e fu condotto a Ravenna, dove Giovanni cercò di usarlo come ostaggio. Questa strategia però fu controproducente per Giovanni perché Ardaburio seminò zizzania tra i suoi sostenitori, forse vantandosi dell'immenso esercito che stava per piombare lì da Costantinopoli. Così Olimpiodoro:

Aspar arrivò rapidamente con la cavalleria e dopo una breve battaglia, grazie al tradimento dei suoi stessi ufficiali, Giovanni fu catturato e mandato da Placidia e Valentiniano ad Aquileia. Qui dapprima fu punito col taglio di una mano e poi decapitato per aver usurpato per un anno e mezzo il potere.[15]

A questo punto Teodosio mandò Valentiniano a Roma dove, il 23 ottobre 425, Elione lo proclamò Augusto col nome di Valentiniano III e lo incoronò sovrano dell'impero d'occidente.

La vicenda si chiuse dunque con la trionfale riaffermazione dell'unità politica tra le due metà dell'impero. Un corpo di spedizione dell'impero d'oriente aveva messo sul trono d'occidente un rampollo legittimo della casata di Teodosio, e l'alleanza fu rinforzata dal fidanzamento del giovane Valentiniano III con Licinia Eudossia, figlia di Teodosio II. Olimpiodoro conclude così la sua opera: la lunga storia dei disastri e delle ricostruzioni dell'impero d'occidente sembra raggiungere il vertice con questo ultimo trionfo.[16] Ma i problemi non erano ancora finiti. Lungi dal porre fine all'instabilità politica, l'ascesa al trono di Valentiniano III non fece altro che ribadirla. Un bambino di sei anni, ovviamente, non poteva gestire un impero, nemmeno con l'aiuto di una madre abile e di grande esperienza come Galla Placidia. I dignitari della corte d'occidente e soprattutto i militari ricominciarono subito a sgomitare per vedere chi di loro sarebbe riuscito a manovrare l'imperatore bambino.

Nei conflitti che ne nacquero l'imperatrice madre fu protagonista assoluta. Dalle frammentarie cronache giunte fino a noi sembra di capire che Galla Placidia cercò di mantenere un sostanziale *status quo*, impedendo ai vari personaggi dell'élite militare e burocratica di acquisire troppo potere. Dopo il 425 i principali contendenti di palazzo furono i capi dei tre grandi raggruppamenti dell'esercito d'occidente: Felice, Ezio e Bonifacio. In Italia l'uomo di punta era Felice (la cui moglie, Padusia, giocò probabilmente un ruolo importante nel mettere uno contro l'altro Onorio e Placidia): il suo grado era quello di generale di primo grado dell'esercito di campo centrale (*magister militum praesentalis*). In Gallia Ezio aveva sostituito Castino, che era stato comandante generale sotto Giovanni. Il modo in cui Ezio gestì la nuova situazione è piuttosto significativo. Davanti alla forza soverchiante del corpo di spedizione mandato da Teodosio, Giovanni l'aveva inviato presso gli unni col compito di comprare il loro aiuto mercenario: Ezio infatti li conosceva bene, avendo vissuto a lungo presso di loro come ostaggio. Egli non riuscì a compiere la missione in tempo per salvare il suo capo, ma si presentò comunque ai confini d'Italia con un grande esercito unno, secondo una fonte composto da 60.000 guerrieri.[17] Si giunse a un accordo: in cambio di un ragionevole compenso Ezio convinse gli unni a tornarsene a casa, e come ricompensa il nuovo regime non lo licenziò e lo mandò in Gallia col grado di comandante. Bonifacio, terzo contendente nella gara per il potere e fedelissimo di Galla Placidia, rimase comandante generale del Nordafrica.

Per un po' la strategia di Placidia sembrò funzionare e tenne in scacco i personaggi più influenti della corte evitando che uno si imponesse su tutti gli altri. Ma poi la situazione le sfuggì di mano. Felice fece la prima mossa accusando Bonifacio di tradimento e ordinandogli, nel 427, di rientrare immediatamente in Italia. Bonifacio si rifiutò: allora Felice mandò in Nordafrica un esercito, che fu sconfitto. Venne così il turno di Ezio, il quale, forte dei suc-

320

1. Ricostruzione moderna della città di Roma nel momento del suo massimo
splendore imperiale. Si notino i grandi edifici monumentali, come il Circo e il
Colosseo, in cui tramite solenni cerimonie l'impero dichiarava che il suo ordine
sociale era il vertice di ogni umana ambizione e derivava direttamente dal cielo,
sacrificando allegramente a dimostrazione di ciò centinaia di barbari. (Ancient Art
& Architecture Collection)

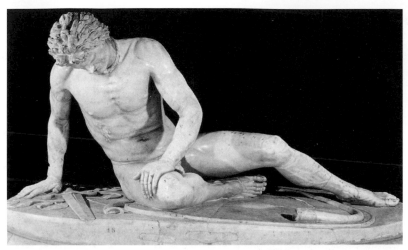

2. Sia in forma idealizzata, come in questa famosa statua di gallo morente, sia più prosaicamente, i barbari morti, moribondi o nell'atto di sottomettersi avevano un ruolo chiave in tutte le rappresentazioni visive, spesso anche troppo realistiche, della missione che il cielo aveva affidato all'impero romano di sottomettere le forze del caos. (The Art Archive)

3. La Britannia fu l'unica zona dell'impero che nella tarda antichità ebbe di tanto in tanto delle velleità separatiste, ma fu sempre ricondotta all'ordine senza eccessive difficoltà. Questa moneta fu emessa nel 296 per commemorare il ritorno della Britannia nei ranghi: raffigura il trionfale ingresso a Londra dell'imperatore Costanzo Cloro, padre di Costantino, dopo la sconfitta dell'usurpatore Allecto. (Ancient Art & Architecture Collection)

4. Interno della sala delle udienze imperiali di Treviri, dove nel 369 Simmaco consegnò a Valentiniano I l'oro della corona. L'imperatore sedeva in fondo, nell'abside, con tutti i dignitari di corte allineati davanti a lui in ordine di anzianità e d'importanza. La sala era riccamente decorata con marmi, statue e tessuti preziosi. (Bridgeman Art Library)

5. L'imperatore Valeriano, in catene, si inginocchia davanti a Sapore I. Questo grande bassorilievo sasanide riassume bene il colpo strategico e ideologico inferto dalla Persia, a partire dal III secolo d.C. nuova superpotenza regionale, all'immagine che i romani avevano di sé come detentori del favore divino. (Ancient Art & Architecture Collection)

6. Il teatro romano di Leptis Magna, in Nordafrica. La dotazione standard di edifici pubblici, destinati a proclamare l'adesione di una città alla *romanitas*, fu eretta dai provinciali un po' dappertutto tra il Vallo di Adriano e l'Eufrate. Sotto il regno di Valentiniano I, quando il generale Romano si rifiutò di difendere gli oliveti da cui provenivano i fondi necessari a erigere questi edifici, nacque uno scandalo che durò dieci anni. (Ancient Art & Architecture Collection)

7. L'Arco di Costantino, a Roma, celebra la vittoria riportata dall'imperatore su Massenzio nel 312 con la battaglia del Ponte Milvio. Più tardi Costantino attribuirà il merito della vittoria alla sua conversione al cristianesimo, ma l'arco è famoso soprattutto perché comprende moltissime immagini ancora pagane e simboleggia bene l'accomodamento, stranamente poco problematico, con cui il cristianesimo fu semplicemente sovrapposto alle preesistenti ideologie dell'impero romano. (AKG Images)

8. Statua di porfido raffigurante i quattro imperatori della tetrarchia di Diocleziano (284-305). Il loro abbraccio simboleggia la concordia tra i sovrani, garanzia di una pacifica condivisione del potere. Ma anche la tetrarchia, come i molti altri modi di suddividere il potere supremo tra gli imperatori del tardo impero, fu più un esperimento momentaneo che non un sistema stabile e duraturo. (Ancient Art & Architecture Collection)

9. Gli imperatori protagonisti della guerra contro i goti: Valente (sopra – The Art
Archive), il cui corpo andò disperso nella battaglia di Adrianopoli del 378; Teodosio I (a sinistra – Bridgeman Art Library), che fu nominato imperatore proprio perché
vincesse la guerra contro i goti, ma fallì miseramente nel 380; e Graziano (a destra – Bridgeman Art Library), le cui truppe infine riuscirono a costringere i goti al negoziato.

10. Le mura di Tessalonica, erette nel periodo del tardo impero: la città era il capoluogo dei Balcani occidentali e l'imperatore Teodosio vi stabilì la sua corte nel 379-380, mentre cercava inutilmente di sconfiggere i goti. Queste mura, comunque, come quelle di altre città balcaniche, furono sufficienti a difendere i proprietari terrieri locali dalle disastrose conseguenze delle razzie dei goti, che per due volte passarono accanto a Tessalonica senza conquistarla perché non padroneggiavano la tecnica dell'assedio.
(Ancient Art & Architecture Collection)

11. Dittico d'avorio raffigurante l'imperatore d'occidente Onorio (395-423), figlio minore di Teodosio I, che regnò solo nominalmente ma sopravvisse al caos provocato dopo il 405 da usurpatori e invasori, riuscendo a morire tranquillamente di morte naturale nel suo letto. Il suo unico contributo positivo all'evoluzione storica fu il drastico rifiuto di concedere ad Alarico, capo dei goti, una posizione di prestigio nella corte imperiale.

12. L'usurpatore Costantino III, che guidò l'esercito romano della regione del Reno e della Britannia contro i goti che nel 406 avevano violato la frontiera dell'impero. Nel 409-410 pareva ormai che il suo regime avesse completamente sostituito quello di Onorio, ma egli non riuscì mai né a sconfiggere i barbari in campo aperto né a raggiungere l'Italia. Il che aprì la strada a Flavio Costanzo. (Bridgeman Art Library)

13. Il patrizio Stilicone con la moglie Serena e il figlio Eucherio. Etichettato come barbaro dai suoi avversari, Stilicone era un immigrato di seconda generazione profondamente romanizzato, che per più di dieci anni seppe manovrare abilmente ai vertici dell'impero romano d'occidente. Venne poi schiacciato dall'azione congiunta dell'invasione del Reno, degli usurpatori e dei goti di Alarico, che a partire dal 405 minarono la stabilità della metà occidentale dell'impero. (Bridgeman Art Library)

14. Il sacco di Roma fece sì che alcuni colti romani si domandassero se davvero l'impero era una compagine statale assolutamente unica e voluta da Dio. La maggior parte invece lo considerò semplicemente l'ennesima sfida da superare e non smise di credere che il destino dell'impero – qui reso figurativamente e per simboli in un mosaico che rappresenta Gerusalemme con le chiese di Costantino al centro – fosse quello di cristianizzare il mondo intero. (AKG Images)

15. Flavio Costanzo, patrizio, generale e nel 421, per breve tempo, imperatore d'occidente. Tra il 411 e il 418 seppe sconfiggere, nell'ordine (assai razionale), rivali politici, usurpatori, goti e invasori del Reno, restaurando l'impero d'occidente ormai sull'orlo del collasso e ispirando rinnovata fiducia ai proprietari terrieri sia cristiani che pagani. (Ancient Art & Architecture Collection)

16. L'imperatore d'oriente Teodosio II (sovrano unico dal 408 al 450). Fu sostanzialmente un sovrano da parata, ma il suo lungo regno vide, tra gli altri avvenimenti importanti, l'intervento della parte orientale dell'impero in quella occidentale per mettere sul trono Valentiniano III (425), la nascita del *Codice Teodosiano* (438) e la disperata lotta per la sopravvivenza dell'impero d'oriente attaccato da Attila (nel decennio dal 440 al 450). (Ancient Art & Architecture Collection)

17. Il Mausoleo di Galla Placidia, sorella dell'imperatore Onorio. Catturata dai visigoti durante il sacco di Roma, sposò il cognato di Alarico e gli diede un figlio che poteva legittimamente ambire al trono imperiale d'occidente. Dopo la morte del marito e del figlio, pur controvoglia, sposò in seconde nozze Flavio Costanzo e impiegò il resto della sua vita avventurosa a cercar di salvaguardare gli interessi politici di suo figlio Valentiniano III. (Bridgeman Art Library)

18. Alcune rovine della Cartagine romana. Nell'ultima fase dell'impero la città, già nemico pubblico numero uno di Roma, divenne un grande centro di cultura romana e un attivissimo porto da cui partiva il grano nordafricano necessario alla capitale. (Ancient Art & Architecture Collection)

19. Le rovine di Bulla Regia, sullo sfondo di un tipico paesaggio nordafricano. Si tratta di una delle molte cittadine agricole che costellavano la provincia e che con la loro produzione di olio d'oliva, vino e grano, grazie anche all'assenza di pericoli seri ai confini, facevano del Nordafrica il gioiello della corona imperiale di Roma. (Ancient Art & Architecture Collection)

20. I grandi terrapieni murati di Costantinopoli. Funzionali quanto belle, queste fortificazioni furono erette dopo il 410 per difendere la capitale dell'impero d'oriente dalla nuova grande minaccia degli unni. Nonostante il terremoto del 447, tali fortificazioni riuscirono comunque a fermarli, e poi resistettero ancora fino al 1453, quando un cannone ottomano vi aprì una breccia. (Ancient Art & Architecture Collection)

21. La diffusione di questi tipici calderoni unni e di altri ritrovamenti correlati sempre più a ovest, dalla steppa fino a tutta la grande pianura ungherese (dove furono ritrovati quelli dell'illustrazione), è per noi la manifestazione tangibile di quella rivoluzione unna che ruppe completamente l'equilibrio di potere lungo le frontiere europee di Roma. (AKG Images)

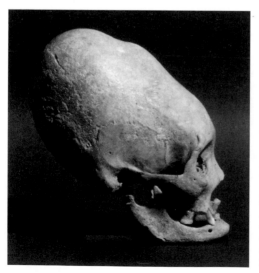

22. Gli unni fasciavano strettamente la testa ai neonati per dare alle ossa del cranio, non ancora saldate, la caratteristica forma allungata che possiamo osservare in questo esemplare. Per un breve periodo corrispondente all'apice del potere unno, alla metà del V secolo, l'abitudine si diffuse anche tra le popolazioni confinanti. (AKG Images)

23. L'imperatore Valentiniano III salì al trono da bambino e rimase per tutta la vita un sovrano meramente formale, anche dopo aver assassinato personalmente (con un piccolo aiuto) il generale Ezio. Fu infatti Ezio, per quasi tutta la vita adulta di Valentiniano, a dominare la politica dell'impero d'occidente. (Ancient Art & Architecture Collection)

24. L'interno di Santa Sofia, la basilica fatta costruire dopo il 530 a Costantinopoli dall'imperatore d'oriente Giustiniano I. Molto tempo dopo la fine dell'impero romano d'occidente la sua controparte orientale continuò a fiorire come grande potenza imperiale e a costruire monumenti di livello corrispondente. La sua prolungata prosperità impedisce di credere che l'impero d'occidente fosse destinato al crollo per ragioni interne al sistema in quanto tale. (AKG Images)

25. Ritratto medievale del grande imperatore Carlo Magno. Il suo «rifondato» impero durò per meno di cent'anni, mentre quello romano era esistito per mezzo millennio. Lo studio dell'impero carolingio ci fornisce un interessante esempio di stato che andò effettivamente in pezzi per ragioni interne. (AKG Images)

cessi militari ottenuti in Gallia contro i visigoti (426) e i franchi (428) – ci torneremo tra un attimo –, osò muovere contro Felice. Forse quelle vittorie gli avevano conquistato il favore di Galla Placidia, o forse Felice era destinato a pagare comunque con la vita il fallimento della spedizione contro Bonifacio: fatto sta che nel 429 Ezio tornò in Italia con il grado di generale di secondo grado dell'esercito di campo centrale. Le nostre fonti non ci permettono di ricostruire con esattezza ciò che accadde dopo, ma nel maggio del 430 Ezio fece arrestare Felice e sua moglie con l'accusa di aver complottato contro di lui: i due furono giustiziati a Ravenna. Il trio impegnato nella conquista del potere era dunque diventato un duo e anche per Bonifacio stava per scoccare l'ora X.

Dopo l'eliminazione di Felice, Ezio sembra perdere in parte il favore imperiale; ma forse Placidia temeva semplicemente l'avvento di un nuovo generalissimo. Bonifacio fu quindi richiamato in Italia, pare mentre Ezio si trovava in Gallia, e promosso generale dell'esercito di campo centrale come il suo rivale. Ezio tornò subito in Italia col suo esercito e presso Rimini si scontrò con Bonifacio; questi vinse la battaglia, ma fu mortalmente ferito e qualche tempo dopo spirò. La conduzione della lotta di potere contro Ezio passò a suo genero, Sebastiano. Dopo la sconfitta Ezio si ritirò nella sua tenuta di campagna, ma quando qualcuno attentò alla sua vita, chiese aiuto agli unni come già aveva fatto nel 425. Nel 433 tornò dunque in Italia con un esercito di unni sufficiente a minare la posizione di Sebastiano, il quale infatti scappò a Costantinopoli e vi rimase per più di dieci anni. Ezio si assicurò così il posto di generale di primo grado dell'esercito di campo centrale e non ebbe più rivali. Il 5 settembre 435 fu insignito del titolo di *patricius* per esprimere quella preminenza che, finalmente e dopo tante difficoltà, era riuscito a conquistare.[18]

La via per il Marocco

Dodici anni di conflitti politici culminati in tre guerre, di cui due importanti e una di minore entità, avevano finalmente prodotto un vincitore. Grazie a una combinazione di assassini, leali battaglie e colpi di fortuna, alla fine del 433 Ezio si ritrovò sovrano *de facto* dell'impero romano d'occidente. Un dramma di corte dal copione tutt'altro che inedito: come abbiamo visto, uno dei limiti strutturali del mondo romano era che al cadere di un uomo forte, imperatore o eminenza grigia che fosse, il suo successore poteva impadronirsi delle redini del potere solo a prezzo di una lunga lotta. A volte con conseguenze anche più tragiche di quelle verificatesi tra il 421 e il 433. La tetrarchia di Diocleziano aveva regalato all'impero una lunga pace interna, dal 285 al 305, ma il prezzo era stato terribile: molte sanguinosissime guerre civili si erano susseguite per diciannove anni, fino a quando Costantino non era riuscito a liberarsi dell'ultimo dei suoi rivali. Un caos molto più lungo e cruento di quello che si scatenò in Italia e dintorni tra la morte di Costanzo e la presa del potere da parte di Ezio.

Non c'è niente di particolarmente insolito, dunque, in ciò che avvenne dopo il 420. Decisamente anomali furono invece gli effetti a catena che ne derivarono. Mentre al centro dell'impero, con fatica e a caro prezzo, si affermava un nuovo ordine, il resto del mondo romano avrebbe dovuto semplicemente continuare a essere romano: i proprietari terrieri seguitando ad amministrare le loro tenute e a scriversi vicendevolmente lettere e poesie, i loro figli a imparare l'uso del congiuntivo latino e i contadini ad arare i campi e mietere il frumento. Ma nel secondo e nel terzo decennio del V secolo eserciti stranieri non sottomessi continuarono a scorrazzare impunemente sul suolo romano, e nei dodici anni successivi alla morte di Costanzo le élite ebbero altro di cui occuparsi, oltre che di essere romane. Di conseguenza, se gli avvenimenti del 421-433 furono semplicemente il remake di un copione vecchio di secoli, lo stesso non si può dire delle loro conseguenze. La paralisi politica di Ravenna lasciò le forze armate straniere libere di perseguire i loro scopi, che nell'insieme andarono a tutto discapito dello stato romano. Per esempio il supergruppo dei visigoti, che solo qualche tempo prima si era stabilito in Aquitania, alzò di nuovo la cresta e ricominciò a brigare per intromettersi nella conduzione dell'impero con un ruolo più significativo di quello ottenuto con la pace del 418. Anche i soliti sospetti della frontiera del Reno, soprattutto franchi e alamanni, davano segni d'agitazione.[19] E si rimisero in movimento anche gli invasori del Reno del 406: vandali, alani e svevi.

In origine, come abbiamo visto nel Capitolo 5, si trattava di un gruppo piuttosto eterogeneo. Non molto tempo prima, attorno al 370 d.C., gli alani, nomadi di lingua iraniana, battevano ancora la steppa a est del Don e a nord del Mar Caspio. Solo l'impatto delle aggressioni unne ne aveva spinto una parte a spostarsi verso ovest, in più gruppi distinti e separati, mentre altri si lasciavano sottomettere. I due gruppi principali in cui erano divisi i vandali invece, gli Hasding e i Siling – ognuno con il proprio capo, come tervingi e greutungi nel 376 –, erano agricoltori di lingua germanica che, nel IV secolo, avevano occupato la Polonia centromeridionale e le frange più settentrionali della regione carpatica. Gli svevi infine erano divisi in molti piccoli gruppi e venivano dagli altopiani ai margini della grande pianura ungherese. Un bizzarro assortimento di popoli, che può aver fatto causa comune nel 406, ma che non era affatto composto di alleati naturali. Innanzitutto Hasding, Siling e svevi, pur parlando dialetti germanici leggermente diversi, probabilmente almeno si capivano tra loro, mentre gli alani parlavano una lingua del tutto diversa. In secondo luogo, per quanto ne possiamo sapere vandali e svevi avevano una struttura sociale oligarchica tripartita molto diffusa nell'Europa germanica del IV secolo, formata da una minoranza dominante di uomini liberi piuttosto numerosa che spadroneggiava su liberti e schiavi. Legata a un'economia pastorale nomade, invece, la struttura sociale degli alani era molto diversa: l'unico commento rilevante in merito ci viene da Ammiano, il quale nota che non conoscevano la schiavitù e condividevano tutti lo status di «nobile».[20] Qualunque termine si scelga per descriverla, è normale che una struttura sociale più egualitaria caratterizzi economie nomadi nelle quali la ricchezza, misurata in base al possesso di capi di bestiame, ha una base meno stabile di quella fondata sul possesso della terra.[21]

Questi soci così male assortiti, a quanto pare, erano stati costretti a collaborare dalla pressione degli eventi; e la cosa avvenne progressivamente, col tempo. Già prima dell'attraversamento del Reno, narra Gregorio di Tours nelle sue *Storie*, gli alani di re Respendial avevano salvato gli Hasding che stavano per soccombere ai franchi.[22] Non sappiamo fino a che punto questi gruppi avessero cooperato subito dopo l'attraversamento del Reno; ma nel 409, di fronte al contrattacco organizzato da Costantino III, li vediamo muovere compatti verso la Spagna. Poi, nel 411, quando la minaccia di un'efficace reazione dei romani si era ormai dissolta, i vari gruppi si divisero ancora e si spartirono le province spagnole: Hasding e svevi condivisero la Galizia, gli alani si presero la Lusitania e la Cartaginense e i vandali Siling la Betica (Carta n. 8). Il fatto che gli alani ottenessero ben due province indica che, almeno in quel momento, erano la forza dominante della coalizione, come suggerisce anche il ruolo cruciale da loro svolto negli eventi del 406 e come conferma il cronachista spagnolo Idazio.[23] Questa sistemazione resse fino al 415, fintanto cioè che i membri della coalizione furono lasciati in pace: fortunati migranti scappati dal gelo del Nord che si lasciavano impregnare dal sole e dal vino della Spagna.

Questa fase idillica, comunque, durò abbastanza poco. Costanzo intendeva affrontare e risolvere uno dopo l'altro tutti i problemi dell'impero d'occidente, e i sopravvissuti dell'invasione del Reno venivano subito dopo la questione degli usurpatori e dei visigoti in Gallia. Tra il 416 e il 418 i Siling della Betica (parte dell'odierna Andalusia) furono annientati come esercito indipendente e il loro re Fredibaldo fu spedito a Ravenna; quanto agli alani, subirono perdite talmente gravi che, come riporta Idazio, «dopo la morte del loro re Addace i pochi sopravvissuti non pensarono nemmeno più al loro regno perduto e si misero sotto la protezione di Gunderico, re dei vandali [Hasding]».[24] Il contrattacco romano non solo riportò sotto il controllo dell'impero tre province ispaniche (la Lusitania, la Cartaginense e la Betica), ma rovesciò anche l'equilibrio di potere interno alla coalizione vandalo-alano-sveva: gli alani, già predominanti, furono ridotti a soci di minoranza, e tre su quattro dei gruppi originari si fusero in un rapporto politico molto più stretto. I vandali Hasding, i Siling sopravvissuti e gli alani opereranno da questo momento in poi sotto l'ombrello della monarchia Hasding. Nel 418, davanti al grande pericolo e alle grandi opportunità derivanti dal vivere in territorio romano, com'era già accaduto col vecchio supergruppo goto di Alarico, la rilassata alleanza del 406 divenne un'unione politica a tutti gli effetti. Era nato un nuovo supergruppo barbaro.

Come fossero riusciti a superare le difficoltà poste dall'integrazione dei vandali di lingua germanica con gli alani di lingua iraniana è qualcosa che possiamo solo cercare di immaginare; e probabilmente anche le diverse strutture sociali dei due popoli costituirono un problema non da poco. Personalmente sospetto che il titolo ufficiale che i monarchi Hasding adottarono da un certo momento in poi – *reges vandalorum et alanorum* – fosse molto più di un educato contentino offerto all'opinione pubblica: probabilmente si trattava di una sorta di slogan che tradiva un'integrazione soltanto parziale. Il panico che Costanzo seminò in questi gruppi barbari fece dunque nascere una coalizione di 70-80.000 persone in grado di mettere in campo 15-20.000 guerrieri.[25]

Dopo gli iniziali successi riportati in Spagna contro Siling e alani, Costanzo interruppe momentaneamente le operazioni per installare i visigoti in Aquitania.[26] Ciò diede agli ex invasori del Reno un attimo di tregua. Gunderico, capo del nuovo supergruppo vandalo-alano, nel 419 ne approfittò per cercare di estendere il suo controllo anche sugli svevi e sul loro re Ermerico. Il territorio difficile e montagnoso della Galizia settentrionale favorì la resistenza, anche se gli svevi dovettero battersi praticamente sotto assedio. Nel 420 ripartì il contrattacco imperiale: un ufficiale romano, un certo Asterio, stanco di vedere il seguito di Gunderico ingrossarsi ogni giorno di più, ruppe l'assedio. A questo punto Costanzo morì. Nel 422 ebbe inizio un'altra campagna congiunta romano-visigota contro vandali e alani, che a quel punto ormai si erano ritirati nella Betica. Siccome l'impero romano ci metteva un tempo quasi infinito a organizzare qualsiasi cosa, possiamo immaginare che gli accordi preventivi dell'operazione fossero stati siglati ancora da Costanzo.

Due forti contingenti militari romani – uno al comando di Castino, probabilmente tratto dall'esercito di campo della Gallia, e l'altro guidato da Bonifacio e proveniente forse dal Nordafrica – si unirono quindi a un grosso distaccamento di visigoti per attaccare i vandali. Ma se il caos politico che stava nuovamente travolgendo la corte di Ravenna non impedì alla campagna di prendere il via, certamente non la aiutò a fare progressi sostanziali. Bonifacio infatti litigò subito con Castino, probabilmente in merito all'esilio di Placidia, e se ne tornò in Africa. La campagna comunque andò avanti e in un primo momento Castino sembrò in procinto di aggiudicarsi una sfolgorante vittoria: infatti i nemici, narra Idazio, da tempo sotto assedio, erano in procinto di arrendersi. Ma sempre secondo Idazio a questo punto, «incautamente», Castino si gettò a capofitto in una battaglia campale dalla quale, grazie al «tradimento» dei visigoti, uscì sconfitto. Di questo presunto tradimento Idazio non ci dice altro; e dobbiamo ricordare che lo storico spagnolo, per ragioni sue, odiava cordialmente i visigoti, il che rende la sua testimonianza in merito poco credibile.[27] La defezione di Bonifacio certamente non migliorò le cose, ma probabilmente nella sconfitta di Castino si possono leggere gli effetti più generali dell'unificazione tra vandali e alani. Mentre quattro anni prima una forza combinata romano-visigota era riuscita a sconfiggere i due gruppi separatamente, la nuova confederazione fu in grado di opporre una resistenza molto più efficace. Sconfitto, Castino si ritirò verso nord, a Tarragona, per riflettere sul da farsi. Ma prima che potesse lanciare una nuova offensiva o formulare una strategia alternativa, Onorio morì; e come abbiamo già accennato Castino tornò indietro per diventare generale di primo grado dell'esercito d'Italia sotto l'usurpatore Giovanni. A questo punto il caos politico scatenatosi al centro dell'impero mandò a monte il piano di sterminare i sopravvissuti dell'invasione del Reno.

Dopo il 422, mentre in Italia generali e cortigiani si scontravano fra loro, vandali e alani furono lasciati in pace. Non c'è di che stupirsi se i cronachisti di allora, tutti presi dal vortice delle celebrità che si avvicendavano rapidamente a corte, trascurarono alquanto i fatti di Spagna. Tra il 422 e il 425 non sentiamo più parlare né di vandali né di alani, mentre dopo quest'ultima data li ritroviamo attivi per tre anni in alcuni ricchi distretti della Spagna meridionale: la conquista di Cartagena e Siviglia è il punto saliente di questa fase, succintamente raccontata da Idazio. Ma da ciò che era loro capitato tra il 416 e il 418 durante l'ascesa di Costanzo, questi popoli avevano imparato che, non appena a corte si fosse imposto un nuovo capo, sarebbero ridiventati il nemico pubblico numero uno. Si erano presi la Spagna con la forza, senza negoziare alcun trattato con le autorità centrali dell'impero: quindi, pur traendo tutti i vantaggi possibili da questo lungo interregno, sapevano di dover fare prima o poi i conti con un progetto più a lungo termine.

Nel 428, alla morte di Gunderico, la leadership dei vandali e degli alani passò al fratellastro Genserico. Lo storico del VI secolo Giordane, nella sua storia dei goti intitolata *Getica* ci consegna un ritratto del nuovo re che presso i romani sarebbe circolato come la personificazione stessa dell'astuzia barbarica:[28] «Genserico [...] era di statura modesta e zoppicava per una vecchia caduta da cavallo. Era uomo di profondo pensiero e di poche parole, che disdegnava la lussuria, furioso nell'ira, avido di ricchezze, accorto nel conquistarsi i barbari e abile nel seminare la discordia tra i nemici». Se la nuova linea politica sia stata tutta farina del suo sacco o se si sia evoluta lentamente dal 428 in poi non è chiaro; fatto sta che a un certo punto Genserico mise gli occhi sull'Africa. Quella mossa era la soluzione più logica a tutti i problemi di vandali e alani, che avevano bisogno di installarsi in un'area strategicamente sicura, che fosse innanzitutto il più lontana possibile da ogni eventuale campagna congiunta tra goti e romani. L'Africa era perfetta: a un passo dalla Spagna meridionale, ma infinitamente meno rischiosa. Gli spostamenti via mare, però, comportano sempre qualche difficoltà in più che non quelli via terra; e Genserico non era nemmeno il primo ad averci pensato. Dopo il 410, all'indomani del sacco di Roma, Alarico aveva portato il suo esercito fino a Messina proprio per trasferirsi armi e bagagli in Nordafrica; Vallia, il suo successore, aveva preso in considerazione di farlo nel 415 partendo da Barcellona. In entrambi i casi però una burrasca aveva affondato la flotta dei visigoti prima che riuscisse a prendere il largo e l'idea era stata abbandonata. I vandali, invece, ebbero tutto il tempo di organizzarsi per bene. Da quando si erano trasferiti nella Spagna meridionale avevano stretto rapporti con gli armatori locali: il che, tra l'altro, aveva loro permesso di razziare sistematicamente le Baleari. Quei raid erano stati le manovre di riscaldamento per il grande salto: i vandali ne avevano approfittato per orientarsi, formulare un piano e procurarsi le imbarcazioni necessarie. Nel maggio del 429 Genserico concentrò dunque i suoi nel porto di Tarifa, vicino all'odierna Gibilterra, e diede il via alla spedizione in Africa.

Esiste parecchio materiale scritto a caldo nel corso dei combattimenti che ne seguirono, ma sfortunatamente le attività del supergruppo vandalo-alano vi sono più denunciate che descritte. Fra l'altro abbiamo alcune delle lettere di sant'Agostino, che rimase bloccato in Africa dall'inizio delle manovre militari e infine morì mentre i vandali assediavano la sede episcopale di Ippona; e ci restano anche alcuni dei sermoni che il santo-filosofo rivolse in quel frangente al gregge di Cartagine. Qualche tempo prima Genserico si era professato fedele del cristianesimo «ariano» cui apparteneva anche Ulfila (cfr. Capitolo 3), che probabilmente si era diffuso dai visigoti ai vandali dopo il 410. I vandali dunque non solo fecero tutti i disastri tipici di un esercito invasore, ma presero particolarmente di mira le istituzioni cristiano-ortodosse ed espulsero dalle loro sedi alcuni vescovi. Ciò che le fonti vogliono trasmetterci, dunque, non è tanto un resoconto preciso dell'accaduto, quanto il senso di oltraggio con cui i cattolici assistettero alle sistematiche persecuzioni scatenate dagli eretici contro di loro.

Una delle principali domande a restare senza risposta è la seguente: come fece esattamente Genserico a trasportare il suo esercito di là dal mare? Qualcuno ha detto che vandali e alani, partiti da Tarifa, navigarono a lungo verso est per prendere terra non lontano da Cartagine. Ma se le cose andarono così, dov'era nel frattempo l'esercito romano del Nordafrica? Secondo gli elenchi della *Notitia Dignitatum*, che registra lo stato delle forze di campo romane nel 420 circa, Bonifacio, *comes* d'Africa, comandava 31 reggimenti di truppe di campo (almeno 15.000 uomini) più 22 unità di truppe di guarnigione (almeno 10.000 uomini) distribuite fra la Tripolitania e la Mauretania.[29] Normalmente si calcola che per sbarcare sano e salvo un esercito che viaggi per mare debba avere un numero di soldati di cinque-sei volte superiore a quello che difenderà la costa da terra. Se vandali e alani potevano schierare al massimo 20.000 guerrieri, dunque, in teoria non avevano la minima possibilità di farcela, anche perché la moltitudine di persone inermi e incapaci di combattere con cui viaggiavano li intralciava nelle manovre e rallentava i loro spostamenti.

Procopio, storico costantinopolitano della metà del VI secolo, ha cercato di spiegare l'enigma supponendo che sia stato proprio il comandante delle forze nordafricane, Bonifacio, a invitare vandali e alani nelle sue province per timore di non riuscire a prendere il controllo del giovane Valentiniano III; anche se Procopio stesso dice che presto se ne sarebbe pentito.[30] Ma le altre fonti contemporanee dell'impero d'occidente non accennano minimamente a questo tradimento (nemmeno dopo che Ezio lo ebbe sconfitto). E a pensarci bene la cosa non avrebbe avuto alcun senso: nel 429 Bonifacio aveva fatto pace con la corte imperiale e non aveva alcuna ragione di invitare i barbari nelle sue province.[31]

La vera spiegazione del successo di Genserico è duplice. Innanzitutto, logisticamente è del tutto impensabile che abbia potuto mettere insieme un numero di imbarcazioni sufficiente a trasportare al di là del mare tutti i suoi seguaci in una volta. Le navi romane non erano molto capienti. Sappiamo per esempio che per un'invasione del Nordafrica molto più tarda l'impero d'oriente trasportò via mare in media 70 uomini per nave (più i cavalli e le salmerie): se aveva con sé circa 80.000 persone, dunque, Genserico avrebbe avuto bisogno di più di 1000 navi per trasportarle tutte con un solo viaggio. Ma ancora attorno al 460 in tutto l'impero romano d'occidente ci saranno state non più di 300 navi, e quindi ci sarebbero volute le flotte congiunte delle due metà dell'impero per arrivare a 1000. Nel 429 Genserico non poteva certo requisire gli scafi di cui aveva bisogno su un'area così vasta: anzi, dalla sua aveva soltanto la provincia costiera della Betica. È assai probabile, quindi, che le sue navi non fossero affatto sufficienti a trasportare tutti i barbari in Nordafrica in una volta sola.

D'altra parte trasferire un po' alla volta una forza ostile nel cuore del Nordafrica difeso dai romani sarebbe stato un vero e proprio suicidio: il primo contingente di sbarco sarebbe finito in bocca ai romani mentre le navi tornavano indietro a prendere il secondo. Quindi, invece di intraprendere una lunga traversata dall'esito prevedibilmente disastroso, immagino che Genserico abbia scelto di attraversare il braccio di mare più minuscolo di tutto il Mediterraneo, dall'odierna Tarifa attraverso lo stretto di Gibilterra fino a Tangeri (Carta n. 10): un percorso di soli 62 chilometri, che perfino una nave romana poteva percorrere avanti e indietro nel giro di ventiquattr'ore. A partire dal maggio del 429 dunque, per un mese circa, lo Stretto di Gibilterra deve aver visto un bizzarro assortimento di vascelli smistare vandali e alani tra le due sponde del Mediterraneo. Questo itinerario è confermato dalla cronologia della successiva campagna militare: solo nel giugno del 430, infatti, ben dodici mesi dopo, i barbari sarebbero arrivati sotto le mura di Ippona, la città di Agostino, a 2000

329

chilometri da Tangeri, dopo aver percorso le principali strade romane del Nordafrica (Carta n. 10). Come gli Alleati avrebbero scoperto tra la fine del 1942 e i primi mesi del 1943, buona parte della regione è troppo aspra e irregolare perché si possa attraversarla fuori dalle vie battute. E ricordiamoci che i vandali erano seguiti da una carovana di carri per il bottino. Dopo lunghe ricerche gli storici francesi hanno calcolato che quella gran massa di gente, dopo essersi finalmente riunita tutta insieme sul continente africano nell'estate del 429, deve essersi spostata in direzione est, verso Ippona, alla confortevole media di 5,75 chilometri al giorno.[32]

Ciò spiega anche come mai lo sbarco abbia potuto verificarsi senza incidenti. Scegliendo Tangeri come meta della traversata, Genserico aveva preferito non portare i suoi uomini proprio al cuore del Nordafrica romano. Quella città infatti era la capitale del possedimento più remoto e occidentale che i romani avessero nel

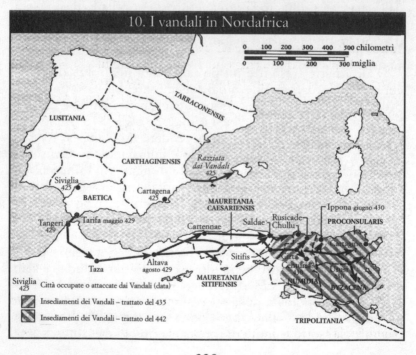

10. I vandali in Nordafrica

continente, la provincia della Mauretania Tingitana (corrispondente all'odierno Marocco). Una regione 2000 chilometri più a ovest di
tutto il resto, al di là della barriera montuosa del Rif, talmente lontana dal nucleo del Nordafrica romano da dipendere amministrativamente dalla Spagna (Carta n. 1). Alla sua difesa quindi provvedeva non il *comes* d'Africa, ma quello della Tingitana: il quale aveva al
suo comando cinque reggimenti di truppe di campo cui eventual-
mente potevano aggiungersi otto unità di truppe di guarnigione per
un totale di tredici unità, cioè circa 5-7000 uomini. A ogni modo il
lavoro principale delle truppe di guarnigione era sempre stato quello di controllare gli andirivieni dei nomadi, ed è difficile pensare
che fossero in grado di affrontare in campo aperto l'esercito di
Genserico, rotto a mille battaglie, che armi alla mano era stato capace d'aprirsi un varco dal Reno fino in Spagna e che a partire almeno dall'unificazione del 418 aveva dimostrato di poter tenere testa ai più importanti eserciti di campo dell'impero romano. Ma la
disparità tra le due formazioni era ancora più marcata di quanto
possa apparire a prima vista. Come abbiamo detto nel Capitolo 5,
Costanzo aveva rimediato alle pesanti perdite che gli eserciti di
campo dell'impero d'occidente avevano subìto dopo il 405 promuovendo truppe di guarnigione. Di tutti gli uomini agli ordini del
comes della Tingitana solo due reggimenti erano composti da vere
unità di campo; gli altri tre erano semplicemente truppe di guarnigione promosse.[33] Quindi c'erano forse 1000, al massimo 1500 soldati accettabilmente addestrati con cui cercar di frenare Genserico.
Ciò metteva fuori discussione qualsiasi idea di scontro in campo
aperto e con essa ogni residuo mistero su come abbiano fatto vandali e alani a prendere terra in Africa.

Una volta sbarcata la coalizione mosse lentamente verso est.
L'unico controllo incrociato che possiamo fare sulla loro avanzata
riguarda un'iscrizione ritrovata ad Altava e datata agosto 429 in
cui è registrato il ferimento di un membro di spicco della comunità per mano di un «barbaro»; ma non possiamo sapere se il barbaro fosse un berbero o un vandalo-alano. Dopo Altava, distante
700 chilometri da Tangeri, bisognava percorrerne ancora soltanto
un migliaio per arrivare alle province più ricche del Nordafrica: la
Numidia, la Proconsolare e la Byzacena. Ancora una volta le fon-

ti non ci hanno tramandato i dettagli del viaggio, ma solo retorica e insulti a non finire:

Trovando una provincia che era in pace e si godeva la sua quiete, una terra bella e florida in ogni sua parte, essi misero all'opera su di essa le loro forze malvage saccheggiandola e devastandola e portando ogni cosa alla rovina col fuoco e con la strage. Non risparmiarono nemmeno i frutteti in fiore, affinché quelli che si erano nascosti nelle grotte delle montagne [...] non potessero mangiare il cibo che avevano prodotto quando essi se ne fossero andati. Nessun luogo si salvò dalla contaminazione ed essi infuriarono ovunque con grandissima crudeltà, invariabilmente e inarrestabilmente.

Abbastanza commovente, a modo suo, e probabilmente del giusto colore storico, ma non certo di grande aiuto per la ricostruire l'ordine degli eventi. Ai confini della Numidia, infine, l'orda si scontrò con Bonifacio e con il suo esercito. Sconfitto, il generale romano si ritirò a Ippona dove nel giugno del 430 cominciò un assedio destinato a durare quattordici mesi. Mentre il grosso dell'esercito di Genserico bloccava la città alcuni suoi distaccamenti, in mancanza di qualsiasi opposizione credibile, si sparpagliarono nei dintorni lasciandosi dietro una scia di distruzione, svuotando le case dei ricchi e torturando perfino l'anziano vescovo cattolico; e continuarono ad avanzare sempre più a est, verso Cartagine e la sua provincia, la Proconsolare.[34]

Il fatto che Bonifacio non fosse riuscito a tenere la posizione dipende da quelle stesse ristrettezze finanziarie che avevano ostacolato Costanzo quando aveva cercato di restaurare l'impero in qualunque altro luogo che non fosse l'Italia. Nel IV secolo in Nordafrica non c'era un esercito di campo, ma solo truppe di guarnigione al comando di un *dux* che, in casi estremi, poteva chiedere in rinforzo alcuni corpi di spedizione dall'Italia. A partire dal 420, e probabilmente già da prima, l'Africa ebbe invece un comandante dell'esercito di campo (un *comes*, non un *dux*) e truppe di campo abbastanza numerose (cfr. p. 328). Ma dei trentuno reggimenti che componevano questo esercito solo quattro – forse 2000 uomini – erano unità di prima classe dell'esercito di campo imperiale. In una lettera del 417 Agostino racconta dell'ottimo lavoro svolto da Bonifacio, all'epoca comandante di reggimento, che pur potendo contare solo su un piccolo distaccamento di alleati barbari era riuscito a difendere le province del Nordafrica dalle nuove minacce che si stavano addensando all'orizzonte.[35] Da questo commento mi pare si possa dedurre che tali alleati facessero tutti o quasi parte di quelle quattro unità di prima classe. Ma le misure di sicurezza adottate da Bonifacio non potevano essere particolarmente significative: a parte quelle quattro unità, Cartagine doveva ancora cavarsela con le forze armate che l'impero aveva stanziato in Africa da quando se n'era impadronito.

Quando Genserico arrivò in Numidia, quindi, si ripeté quanto era già accaduto nella Tingitana, solo più in grande. Bonifacio fece il possibile, ma la coalizione vandalo-alana faceva più paura dei nomadi berberi con cui le sue truppe erano abituate a trattare. Ormai le principali province africane erano minacciate direttamente: era in gioco il futuro stesso dell'impero romano d'occidente. Mentre all'estremo occidentale del continente, infatti, la remota provincia della Mauretania Tingitana non poteva certo essere considerata un possedimento importante, la Numidia e le sue vicine di casa più orientali, la Proconsolare e la Byzacena, strette attorno alla loro capitale amministrativa Cartagine, erano tutta un'altra cosa: nell'economia politica complessiva dell'impero queste regioni giocavano un ruolo talmente cruciale che, assediando Ippona, possiamo dire che Genserico aveva puntato il coltello direttamente alla giugulare dell'impero romano d'occidente.

Il gioiello più prezioso della corona

Due vivide rappresentazioni del Nordafrica romano sono sopravvissute fino a noi in copie medievali di originali romani del tardo impero, che nell'insieme ci portano a comprendere che ruolo svolgesse la regione nella vita dell'impero d'occidente. La prima è la *Tavola Peutingeriana*, copia di una carta geografica del mondo romano del IV secolo realizzata nel 1200 circa a Colmar, nell'alto Reno: vi è raffigurato tutto il mondo conosciuto dalla Spagna e dalla Britannia (di cui non manca che qualche frammento) attraverso il Mediterraneo e fino alla lontana India. Il disegno è tracciato su un rotolo lungo 6,82 metri, ma alto solo 34 centimetri: il mondo come non l'avete mai visto. I profili delle varie terre sono molto allungati e le proporzioni tradiscono il luogo in cui la rappresentazione è stata concepita: i cinque sesti del totale sono occupati dal Mediterraneo e circa un terzo dalla sola Italia. Il Nordafrica vi compare come una strisccetta lungo il margine inferiore del rotolo, sotto la costa italiana. Immediatamente sotto un'elaborata rappresentazione della città di Roma e, quasi altrettanto impressionante, c'è Ostia, il porto della capitale che faceva affluire i tributi dell'impero al centro amministrativo: si vedono chiaramente il faro, gli argini, le banchine e i magazzini. Poco più sotto, e in modo più modesto, è raffigurata Cartagine, la capitale del Nordafrica romano, onorata soltanto da un paio di torri. Ma pur con queste bizzarrie geografiche la nostra attenzione viene subito attratta da un triangolo di rapporti assolutamente fondamentale per l'impero d'occidente: Roma-Ostia-Cartagine.

La natura di tali rapporti emerge chiaramente dall'altra immagine tardoimperiale del Nordafrica: la *Notitia Dignitatum*, che oltre a contenere le liste degli effettivi dell'esercito riporta anche un elenco illustrato dei principali detentori di cariche pubbliche dell'impero e dei membri del loro staff. La metà superiore del disegno, che illustra la carica di governatore proconsolare dell'Africa, mostra, tra un calamaio e una scrivania (su cui si vede la lettera ufficiale di nomina), la personificazione della provincia stessa come una donna con le braccia cariche di spighe.[36] Nella parte inferiore, navi cariche di sacchi di grano si accingono a solcare il mare. Nel IV secolo Cartagine era il porto da cui i tributi in grano affluivano a Ostia, dove venivano scaricati, passati su carri o imbarcazioni più piccole e trasportati fino a Roma, meta ultima del viaggio. A Cartagine e ai suoi campi era affidata la responsabilità di nutrire la tronfia capitale dell'impero. Ma riempire la pancia ai romani della capitale non era che la declinazione specifica di una funzione più generale: nel IV secolo il Nordafrica era il motore economico di tutto l'occidente romano.

Se diamo un'occhiata alla storia pregressa della regione non possiamo non cogliervi una certa ironia. Cartagine era sorta nell'814 a.C. circa come colonia fenicia, poi, diventata capitale dell'intera regione, per quasi sette secoli non aveva fatto altro che competere con Roma, spesso violentemente, per la signoria sul

Mediterraneo occidentale. Nel 146 a.C., sconfitta dopo i tre anni d'assedio con cui si era conclusa la terza guerra punica, la città era stata rasa al suolo e simbolicamente cosparsa di sale per impedirne ogni futura resurrezione. Oggi, in una contemporaneità che vede il Nordafrica decisamente periferico per l'economia dell'Europa occidentale, facciamo fatica a comprendere che allora fosse un motore economico tanto potente. Nel XIX secolo, quando lo conquistarono, le potenze colonialiste europee rimasero sbalordite davanti alla ricchezza delle rovine romane. I turisti lo sono ancora oggi, soprattutto dal contrasto tra quelle rovine e il resto del paesaggio, arido e desertificato.[37]

La maggior parte del continente africano a nord del quindicesimo parallelo è occupata da 10,25 milioni di chilometri quadrati di deserto, sotto il quale c'è una falda freatica sotterranea che riceve solo cento millimetri di pioggia l'anno e alimenta una rete di oasi piuttosto rada. Nel remoto passato la regione era molto più umida e la falda freatica più alta, e così in un primo momento i colonialisti europei dell'Ottocento pensarono che l'incredibile prosperità del Nordafrica romano si spiegasse almeno in parte con condizioni meteorologiche più favorevoli all'agricoltura. Ma la regione si era prosciugata molto tempo prima dell'ascesa di Roma, attorno al 2000 a.C.: di quell'epoca ecologicamente così diversa, in età romana restavano solo, a poca distanza dal Mediterraneo, leoni, elefanti, giraffe e altre specie animali che oggi si sono ritirate nell'Africa subsahariana.[38] Forse le alture del Nordafrica erano ancora coperte di vegetazione, ma per il resto la regione non doveva essere molto diversa da come la vediamo oggi.

Ci sono però delle eccezioni alla generale aridità dell'Africa a nord del quindicesimo parallelo: l'Egitto è bagnato dal Nilo, per esempio, e il Maghreb, cuore del Nordafrica romano, è reso abbastanza piovoso dai rilievi montuosi circostanti.[39] L'odierno Maghreb è composto da Tunisia, Algeria e Marocco: un ampio paesaggio compreso tra i monti dell'Atlante e il Mediterraneo, le cui dimensioni vanno dai 300-500 chilometri dell'asse nord-sud ai più di 2200 che ci sono dall'Atlantico al Golfo di Gabès. Collinosa e costellata da chiazze desertiche, la regione è caratterizzata da un'agricoltura le cui possibilità dipendono dalla precisa distribuzione delle piogge. Laddove ne cadono in media 400 millimetri o più all'anno il frumento cresce senza problemi: sono le ampie valli fluviali della Tunisia, le grandi pianure dell'Algeria settentrionale e alcune parti del Marocco occidentale. Dove ne cadono tra 200 e 400 millimetri i campi hanno bisogno di irrigazione, ma si può praticare la tradizionale agricoltura non irrigua del Mediterraneo. Dove le precipitazioni sono sui 100-200 millimetri l'anno cresce l'olivo che richiede ancor meno acqua della palma. Dai tempi dei romani il clima del Nordafrica non è molto cambiato e il ventaglio delle sue produzioni agricole è rimasto lo stesso.

La prima Africa romana, governata direttamente dal centro dell'impero dopo la distruzione di Cartagine (146 a.C.), comprendeva solo una piccola parte del Maghreb: circa 13.000 chilometri quadrati della Tunisia settentrionale e centrale circondati dalla *fossa regia*, che andava da Thabraca ad Hadrumetum (l'odierna Sousse). Il suo territorio era stato suddiviso in 700 appezzamenti da un metro quadrato ciascuno. A parte le terre appartenenti a sei cittadine che nella guerra contro Cartagine si erano schierate con Roma, molti di tali appezzamenti erano di proprietà pubblica e venivano dati in affitto con contratti a lungo termine. Altri invece furono acquistati da magnati romani che avevano soldi da investire. A questa grande vendita di terreni si deve il fatto che ancora nel IV secolo d.C. molte antiche famiglie senatoriali di Roma (come quella di Simmaco) possedessero molte tenute in Nordafrica, in terre che nel corso dei secoli erano state trasmesse e rimescolate più volte per via d'eredità o di matrimonio. Il resto del Maghreb era rimasto nelle mani delle dinastie locali, che però col tempo erano state gradualmente risucchiate nell'orbita di Roma mentre i coloni romani, percorrendo la strada inversa, tracimavano oltre il confine del regio fossato. Questi sviluppi, come in altre zone del Mediterraneo, avevano aperto la strada a un'ulteriore espansione dei domini romani, che già al tempo di Giulio Cesare (46 a.C.) avevano inglobato la Numidia (Algeria orientale), col pretesto che l'ultimo re locale si era schierato dalla parte di Pompeo, e poi, sotto Claudio, anche le due Mauretanie (Algeria occidentale e Marocco). E così tutto il Maghreb era diventato romano, anche se per ragioni geografiche fu diviso amministrativamente in due parti: a occidente la Mauretania Tingitana era retta dalla Spagna, mentre la Mauretania Sitifense, la Numidia, la Proconsolare e la Byzacena dipendevano da Cartagine.

Ben presto le autorità romane compresero che le zone costiere, ricche d'acqua, potevano diventare importanti produttrici di cereali. La nuova provincia africana istituita da Cesare – detta *Africa Nova* – spediva già verso la capitale 50.000 tonnellate di grano all'anno. Cent'anni dopo, con l'espansione dei domini di Roma, si arrivò a 500.000: il Maghreb sostituì l'Egitto nel ruolo di granaio dell'impero producendo due terzi del fabbisogno complessivo di frumento. Per garantire e facilitare l'afflusso di questa preziosa risorsa ci voleva ora un massiccio sviluppo infrastrutturale.[40]

La priorità assoluta, ovviamente, era la sicurezza. In una visione delle cose fortemente segnata dall'esperienza dei secoli XIX e XX gli archeologi francesi, alcuni dei quali ex militari, pensavano che la «civilizzata» esistenza dei romani in Africa fosse costantemente minacciata dalla presenza dei berberi, che si ostinavano a vivere di pastorizia. Alcuni rilevamenti aerei realizzati negli anni Trenta del Novecento hanno messo in evidenza le tracce di due linee di fortificazioni e di una serie di case e magazzini fortificati nella fascia predesertica; tale scoperta è stata interpretata come una dimostrazione del fatto che nell'area si combatteva molto. Indubbiamente, come lungo tutte le frontiere dell'impero, anche qui incursioni e razzie dovevano essere una fastidiosa costante che di tanto in tanto evolveva in qualche problema più serio. L'*affaire* Leptis (cfr. pp. 131-132), di cui abbiamo già parlato, cominciò con un leader tribale che fu bruciato vivo per crimini non meglio identificati e degenerò subito in qualcosa di più grave. Chiaramente non era questa la norma e anche i conflitti più intensi non erano mai molto minacciosi. Per i primi tre secoli della sua esistenza l'Africa romana se la cavò benissimo con una sola legione e le sue truppe ausiliarie: in tutto 25.000 uomini al massimo, più che sufficienti a garantire la pace e la stabilità in tutta quella vasta estensione. La sola Britannia, per contro, richiedeva la presenza di quattro legioni.

Una recente rivalutazione delle fortificazioni romane del Nordafrica ha dimostrato che, a giudicare dalla distribuzione degli uomini e delle installazioni, la loro funzione principale consisteva nel trattare con i nomadi e non nel combatterli. I nomadi della regione migrano verso sud, nella fascia predesertica, all'inizio dell'inverno, quando le precipitazioni aumentano e c'è erba a sufficienza per gli animali, e tornano a nord, nelle regioni a vocazione agricola, d'estate, quando la striscia predesertica diventa troppo arida. Soldati e forti romani erano posizionati per garantire che le greggi, passando, non si mangiassero le coltivazioni dei coloni. Di fatto pare che romani e nativi andassero abbastanza d'accordo: i primi compravano le merci dei secondi e quasi sempre alternavano in modo a loro favorevole acquisti e riscossione dei tributi. Il che non combacia con la versione che li vedrebbe perpetuamente in lotta.[41] Ancora nel IV secolo il principale distaccamento militare di stanza in Africa era costituito dalla cavalleria di guarnigione, molto più adatta al pattugliamento e all'inseguimento di bande di briganti che non al combattimento in campo aperto.[42]

Risolta la questione della sicurezza bisognava sviluppare una rete di infrastrutture regionali. Nel Maghreb i legionari romani costruirono più di 19.000 chilometri di strade sia per scopi bellici sia per facilitare il movimento delle merci, soprattutto il grano che arrivava via terra a Cartagine e negli altri porti. Cartagine stessa era una sintesi di bellezza e funzionalità, con il suo porto doppio che i romani avevano ereditato dai fenici: uno stretto braccio di mare conduceva al porto esterno, originariamente di forma rettangolare, da dove un secondo canale portava al porto interno, rotondo e con in mezzo l'«isola dell'ammiragliato», dove le navi potevano attraccare sia alle sponde della baia sia tutt'attorno all'isola. Quando la scelsero come capoluogo, i romani allargarono il porto esterno, quello rettangolare, mentre Traiano o Adriano, all'inizio del II secolo d.C., ne modificarono la forma facendone un esagono. Significativamente, l'unico altro porto esagonale dell'antichità era quello di Ostia (costruito sotto Traiano). Tra la fine del II e l'inizio del III secolo fu rimesso in funzione anche il porto circolare interno, sull'isola sorse un tempietto classico e la città fu collegata alla riva del mare con un lungo viale colonnato. Verso il 200 d.C. la città fu dotata di tutte le strutture necessarie a gestire un imponente traffico navale. E Cartagine era solo uno dei molti porti che si allineavano lungo la costa nordafricana: Utica, per esempio, poteva gestire un traffico di 600 navi.[43] Anche il porto di Leptis Magna, in Tripolitania, all'inizio del III secolo assunse un ruolo importante.

Come abbiamo visto nel Capitolo 3, la capacità dello stato romano di governare in maniera efficace era limitata dall'arretratezza della sua tecnica burocratica. Esso tendeva a subappaltare anche le funzioni più importanti a compagnie private che se ne occupavano in suo nome. Invece di cercare e poi controllare direttamente le migliaia di lavoratori necessari a rendere produttive le immense tenute pubbliche che si erano andate accumulando in Nordafrica, per esempio, lo stato le subaffittava ai privati in cambio di una quota del prodotto. E siccome aveva tutto l'interesse ad affittarne quante più possibile, le condizioni del fitto erano molto favorevoli. Grazie ai contratti di enfiteusi, gli affittuari potevano trasmettere le terre ai loro eredi praticamente in eterno, fatta salva la possibilità di cedere il contratto a terzi.

Anche il problema del trasporto via nave era risolto allo stesso modo. Nel IV secolo l'impero aveva una potente gilda di armatori, i *navicularii*, che doveva ottemperare a certi obblighi nei confronti dello stato (anche se non tutti gli armatori ne facevano necessariamente parte). La normativa enunciava chiaramente i princìpi del rapporto tra stato e armatori: la priorità era quella di allestire le navi, che dovevano operare non soltanto da e per l'Africa, ma anche in altre zone dell'impero, soprattutto da e per l'Egitto. Astute come sempre, le autorità imperiali resero ereditaria l'appartenenza alla gilda, legiferarono contro qualsiasi possibile esenzione e imposero che qualsiasi appezzamento di terra registrato a nome di un armatore potesse essere venduto solo a un altro armatore, affinché la base finanziaria della gilda stessa non potesse essere erosa in alcun modo. In cambio lo stato concesse ai suoi armatori moltissimi privilegi finanziari e non solo, esentandoli da ogni altro tributo e dall'obbligo del pubblico servizio, e proteggendoli dalle pretese che i parenti avrebbero potuto avanzare sulle loro proprietà. A fine carriera i membri della gilda venivano premiati con la dignità equestre (corrispondente al grado di un funzionario civile di medio livello); essi godevano inoltre di sgravi fiscali per le loro transazioni private e avevano fino a due anni di tempo per svolgere le commissioni che l'impero affidava loro. A volte lo stato li aiutava addirittura quando dovevano riparare le navi.[44] Così facendo fu creata una potente massoneria di magnati della navigazione dotata di amplissimi privilegi legali e fiscali.

Ovviamente lo stato aveva provveduto così a motivo degli utili che gliene derivavano; ma la prosperità dei commerci favoriva anche le economie locali. Se nel I secolo e in una metà dell'Africa romana (fino al 100 d.C. circa) l'attenzione si concentrò innanzitutto sulla produzione di grano, nel secolo seguente il primato passò all'olio d'oliva e al vino. Siccome sia la vite sia l'olivo richiedono meno acqua del frumento, i contadini poterono così sfruttare al meglio il ventaglio delle condizioni climatiche mediterranee offerte dalla regione. Dal 150 al 400 circa, grazie ai trasporti sussidiati dallo stato e alle ottime condizioni d'affitto delle terre, il Nordafrica visse un vero e proprio boom economico.

Le testimonianze ce ne mostrano sia i lati buoni sia quelli meno buoni. Già da tempo si è capito che gli edifici e le iscrizioni romane sparse in tutto il Nordafrica testimoniano del fiorire della cultura politica tipica della fase di massimo splendore imperiale, quando i personaggi più influenti della comunità lottavano per il potere all'interno dei consigli cittadini: proprio quella fase che in altre zone dell'impero cominciava ormai a declinare.[45] Nuovi rilevamenti effettuati nelle aree rurali hanno dimostrato che questa prosperità locale si basava sullo sviluppo dell'agricoltura: il numero e la ricchezza degli insediamenti rurali, infatti, crescono in maniera esponenziale man mano che i contadini si spingono verso sud, in quelle fasce aride in cui solo l'olivo cresce rigoglioso. Nel IV secolo c'erano oliveti anche a 150 chilometri dalla fascia costiera della Tripolitania, laddove oggi non ne crescono più. Tutto ciò conferma prove più aneddotiche, ma non per questo meno interessanti: per esempio un'iscrizione in memoria di un ottuagenario che col lavoro di tutta una vita aveva piantato 400 alberi d'olivo.[46]

Altrettanto impressionante è l'abbondanza di prove che testimoniano dell'ampia diffusione dei prodotti nordafricani in tutto il mondo mediterraneo: la nostra conoscenza del fenomeno si basa sulla recente capacità degli archeologi di riconoscere le anfore da vino e da olio fabbricate in Nordafrica. Molto ben distribuiti erano anche certi prodotti nordafricani particolarmente fini, come i servizi da tavola, soprattutto quelli a bande rosse. Dato che i costi di trasporto, generalmente proibitivi, rendevano remunerativo portare lontano dai luoghi di produzione solo le merci più preziose, viene da chiedersi come potesse essere redditizio esportare

340

dall'Africa merci comuni come il vino e l'olio d'oliva, che si producono altrettanto bene in tutto il Mediterraneo, o prodotti relativamente economici come i servizi da tavola. La risposta sta proprio nei sussidi con cui lo stato favoriva il sistema dei trasporti, che permettevano di ridurre le spese del transito via mare: i beni destinati al mercato infatti potevano viaggiare insieme ai carichi statali, cosa che favoriva la competitività dei prodotti africani in tutte le regioni del Mediterraneo. Lo stato aveva dunque organizzato una complessa infrastruttura economica finalizzata ai propri scopi e i produttori locali ne approfittavano a loro vantaggio: potremmo dire che le imprese private operavano all'interno di una politica economica di tipo dirigistico.

E comunque a prosperare non erano solo i coloni immigrati in Nordafrica dall'Italia. Il tipo di regime irriguo vigente in quelle province in epoca tardoimperiale in realtà era antico e assolutamente autoctono in tutti i suoi elementi, dai terrazzamenti – che trattengono l'acqua e prevengono l'erosione del suolo – alle cisterne, dai pozzi alle dighe, a schemi di condivisione dell'acqua pienamente sviluppati e accuratamente negoziati, come quello ricordato da un'iscrizione ritrovata a Lamasba (Ain Merwana, nell'odierna Algeria).[47] Tutti i metodi tradizionali per conservare e utilizzare l'acqua furono semplicemente applicati con più energia. La possibilità di vendere all'estero il surplus agricolo rendeva conveniente ottimizzare l'uso dell'acqua e incrementare la produzione. Tutto ciò non avvenne solo nelle comunità immigrate, ma in ogni luogo, anche in vecchi centri tribali come Volubilis, Iol Caesarea e Utica. La domanda di mercato trasformò completamente le campagne nordafricane. Nemmeno i nomadi rimasero esclusi dal processo. Non solo costituivano un fondamentale esercito di manodopera stagionale per il momento della mietitura, quando scendevano a lavorare nelle fattorie in squadre braccantili, ma i loro prodotti godevano di particolari sgravi fiscali. I risultati di tutto questo fermento potevano essere spettacolari: un'iscrizione commemora il successo imprenditoriale di un lavoratore agricolo senza terra che divenne capo di una squadra di braccianti e fece abbastanza soldi da comprare appezzamenti e un posto d'onore nel consiglio municipale di Mactar, la sua città.[48]

Col tempo le floride province del Nordafrica romano accumularono un capitale impressionante. Per quanto mal rappresentata dalla *Tavola Peutingeriana*, la Cartagine del IV secolo – il cui nome romano per intero era Colonia Iulia Concordia Carthago – era una metropoli romana brulicante di vita e di attività, che conosciamo bene sia dai testi (non ultimi quelli di sant'Agostino), sia dagli scavi recentemente effettuati in loco. Abbandonata poco dopo la conquista islamica, alla fine del VII secolo, la città rimarrà poi imbalsamata come un fossile per secoli e secoli, come in attesa degli archeologi; e oggi possiamo completare con straordinari particolari la descrizione che ne leggiamo in un'opera del IV secolo, la *Expositio Totius Mundi* (*Descrizione di tutto il mondo*):

Il suo piano [urbano] è in tutto e per tutto degno di lode: la regolarità delle sue strade infatti è precisa come quella di una piantagione. Ha una sala da musica [...] e un porto dall'aspetto piuttosto curioso, che a quanto si può vedere concede alle navi un mare calmo e senza nulla da temere. Vi si può trovare anche un'eccezionale amenità pubblica, il vicolo degli argentieri [*vicus argentariorum*]. Quanto ai divertimenti, gli abitanti si entusiasmano per un unico spettacolo: i giochi nell'anfiteatro.[49]

Non esattamente ciò che potremmo leggere in una moderna guida turistica, ma nell'antichità il senso della vita urbana stava soprattutto nell'imposizione di un ordine razionale, civile, alla selvaggia esistenza dei barbari (cfr. Capitolo 1). Niente poteva simboleggiare il raggiungimento di tale obiettivo meglio di un reticolo di strade regolari e pulite. Il testo della *Expositio* implica poi che la città aveva qualcosa in più del solito set di edifici pubblici di base: oltre alla sala da concerti e all'anfiteatro c'era infatti anche un teatro e, a partire dall'inizio del III secolo, una pista per la corsa delle bighe con 70.000 posti a sedere. In riva al mare sorgeva poi il grande complesso termale antonino eretto nel II secolo, mentre in centro, attorno alla collina di Byrsa, c'erano il tribunale, gli edifici municipali e il palazzo del governatore. Resta da menzionare la grande Sala della Memoria dalla volta a cupola in cui fu assassinato Bonifacio.

Tutt'attorno agli edifici pubblici c'erano poi moltissime case private. Alcune delle più grandi sono state disseppellite e possiamo osservarne le grandi planimetrie e gli splendidi mosaici a colori: da segnalare soprattutto la cosiddetta «casa del conducente di bighe greco» e quella poeticamente chiamata «villa con bagno privato». Ma la maggior parte dell'area urbana, quella in cui viveva la gente comune, non è stata riportata alla luce e quindi ne sappiamo ancora relativamente poco. Tutto comunque sembra suggerire che a Cartagine vivessero circa centomila persone: nel IV secolo, dunque, la città africana era seconda per popolazione solo a Roma e a Costantinopoli, artificialmente gonfiate però dalla distribuzione gratuita di cibo.

Gli edifici pubblici ospitavano un ampio ventaglio di attività culturali.[50] Si praticavano molte religioni, dal cristianesimo nelle sue varie denominazioni ai culti pagani tradizionali passando per ogni tipo di setta misteriosofica orientale. E in mezzo a tutto ciò fioriva la cultura classica: Agostino, per esempio, che era un eccellente latinista, aveva completato i suoi studi a Cartagine e per un certo tempo vi aveva praticato l'insegnamento, vincendo anche una gara di poesia in latino. In quell'occasione il premio era stato offerto da Vindiciano, proconsole d'Africa, egli stesso uomo di considerevole cultura e membro di quella schiera di cortigiani romani che trascorrevano nella città africana brevi periodi di tempo, in genere un anno, con la carica di governatore (una nostra vecchia conoscenza, Simmaco, lo fece nel 373). Eventi culturali come le gare di poesia erano per gli ambiziosi giovani romani d'Africa l'occasione di farsi notare dal governatore e di sfruttare la propria formazione culturale per farsi strada in società. Lasciata Cartagine, Agostino stesso si trasferì a Roma e quindi a Milano, alla corte di Valentiniano II, volando sulle ali delle lettere di raccomandazione che gli avevano scritto personaggi come Simmaco e Vindiciano.[51]

La Cartagine del IV secolo, dunque, era un pilastro culturale ed economico fondamentale per l'impero d'occidente. Grande e brulicante d'attività, era una vera metropoli, con le piccole case di decine di migliaia di persone qualsiasi che si affiancavano agli alti edifici pubblici e alle splendide dimore dei ricchi. In generale, con la sua alta produttività e i bassi costi di manutenzione, il Nordafrica era un'importante fonte di entrate nette per le casse dell'impero d'occidente.

Il reddito proveniente dal Nordafrica era essenziale per il Tesoro imperiale. Senza quella fonte d'entrate l'occidente non avrebbe potuto permettersi i giganteschi eserciti che servivano a difenderne i territori più esposti. Dopo il 421, anno della morte di Costanzo, non solo in Africa, ma in tutto l'occidente romano le bande di predoni immigrati furono sostanzialmente libere di muoversi indisturbate. Lungo la frontiera del Reno franchi, burgundi e alamanni, e soprattutto gli iutungi più a sud, alle pendici delle Alpi, razziavano zone interne al confine e minacciavano di creare ulteriori problemi. Nella Francia meridionale i visigoti, in piena rivolta, ringhiavano minacciosamente in direzione del capoluogo amministrativo della regione, Arles. In Spagna gli svevi scorrazzavano liberamente in tutto il Nord-Ovest e depredavano anche nelle altre regioni della penisola. Nel 430, con l'arrivo dei vandali di Genserico alle frontiere della Numidia, sulla testa dell'impero d'occidente si materializzò una sorta di spada di Damocle.

Nella breccia apertasi ormai nella sicurezza dell'impero si introdusse l'ultima grande figura di eroe romano del V secolo, Flavio Ezio, che nel 433 risultò vincitore finale e unico degli scontri di palazzo scoppiati in seguito alla salita al trono di Valentiniano III. Sappiamo che da giovane, nel periodo precedente il sacco di Roma, era stato a lungo ostaggio di Alarico e poi, nel secondo decennio del V secolo, prigioniero degli unni. In quest'ultima cattività aveva stretto dei rapporti che, dopo il crollo dell'usurpatore Giovanni, gli avevano permesso di farsi aiutare contro il suo rivale Sebastiano e di sconfiggerlo. Ovviamente, non sarebbe mai stato scelto come ostaggio se non avesse avuto amicizie altolocate. Suo padre Gaudenzio veniva, come Flavio Costanzo, da una famiglia militare d'origini balcaniche, per l'esattezza della Scizia Minore, la Dobrugia (odierna Romania). All'inizio della carriera, quando ancora lavorava per l'impero d'oriente, Gaudenzio aveva ricoperto tutta una serie di posizioni di prestigio; ma nel 399, durante il governo di Stilicone, lo ritroviamo a comandare truppe di stanza in Africa. Come Costanzo, dunque, era un militare di carriera dell'impero d'oriente che, dopo la morte di Teodosio I, aveva deciso di giocarsi il tutto per tutto in occidente sostenendo Stilicone. Gaudenzio aveva poi sposato l'ereditiera di una nobile e ricchissima famiglia senatoriale romana, e al culmine della carriera, dopo il 415, era stato nominato comandante dell'esercito di campo di Gallia (*magister militum per Gallias*). Dopo il 420, infine, era rimasto ucciso durante una rivolta forse correlata all'usurpazione di Giovanni.

Anche Ezio fece carriera nella gerarchia militare, ma per raggiungere vette molto più elevate. Senza diventare imperatore, egli fu l'Ottaviano del suo tempo e dopo la presa del potere seppe essere l'uomo forte di cui Roma aveva bisogno per risollevarsi. La penna di un contemporaneo, un certo Renato Frigidero, in un brano tramandatoci da Gregorio di Tours alla fine del VI secolo, ci dà un ritratto dell'uomo:

Ezio era di altezza media, virile nell'atteggiamento e ben proporzionato. Non aveva alcun difetto fisico ed era di corporatura snella. La sua intelligenza era pronta; era pieno d'energia, superbo cavaliere, abile con l'arco e instancabile con la lancia. Era un soldato di grandi capacità e versato nelle arti della pace. Non c'era avidità in lui, e men che meno cupidigia. Si comportava sempre con magnanimità e il suo giudizio non vacillava all'udire il parere di consiglieri indegni di fiducia. Sopportava con grande pazienza le avversità ed era pronto a ogni difficile impresa; sprezzava il pericolo ed era capace di resistere alla fame, alla sete e al sonno.[52]

Forse era diventato bravo cavaliere e infallibile arciere stando con gli unni, e indubbiamente seppe sfruttare al meglio tutte quelle sue qualità per realizzare il grande progetto della sua vita: cercare di tenere insieme per un'altra generazione l'impero di Ottaviano.

Nel 433, quando finalmente assunse il controllo dell'impero d'occidente, le conseguenze di quasi dieci anni di paralisi statale erano visibili un po' dappertutto. Ciascuno dei gruppi di immigrati non sottomessi che si erano installati all'interno delle frontiere ne aveva approfittato per rafforzare la propria posizione e lo stesso vale per quelli rimasti al di là del confine. Inoltre, come nella fase immediatamente successiva all'attraversamento del Reno, la confusione aveva portato all'usurpazione del potere imperiale da parte di leader locali. Nella Gallia settentrionale, e soprattutto in Bretagna, i danni maggiori erano provocati dai cosiddetti bagaudi. Zosimo cita la presenza di gruppi etichettati con questo no-

345

me ai piedi delle Alpi occidentali nel 407-408 e Idazio nella sua *Cronaca* dice che fecero la loro comparsa in Spagna attorno al 440.[53] Chi diavolo fossero è stato oggetto di lunga discussione tra gli storici. Il nome è diffuso dal III secolo, assieme alla fama di «contadini briganti». Gli storici di scuola marxista non hanno resistito alla tentazione di interpretarli come rivoluzionari sociali alla testa della rivolta contro le diseguaglianze del mondo romano, pronti a uscire allo scoperto ogni volta che il controllo centrale si allentava. Indubbiamente i bagaudi si mettevano in fermento ovunque il normale funzionamento del potere imperiale era turbato dalle attività dei barbari; ma quel che sappiamo della loro composizione sociale non ci permette di caratterizzarli come rivoluzionari. Gli studiosi più attenti ritengono che il loro stesso nome fosse una sorta di etichetta, applicata a tutti coloro che mettevano in atto attività dissidenti di qualsiasi tipo. A volte erano semplici banditi: quelli che troviamo ai piedi delle Alpi nel 407-408, per esempio, riuscirono addirittura a estorcere dei soldi al generale romano di turno. Ma il termine si applicava anche ad alcuni gruppi autonomi locali che cercavano di mantenere l'ordine nelle loro zone di residenza quando la *longa manus* dello stato non sembrava più in grado di farlo. Nel secondo decennio del V secolo, per cercare di porre fine al caos, l'Armorica si dichiarò indipendente; e qualcosa di simile accadde anche in Spagna.[54]

Comunque sia, il cocktail di bagaudi più barbari era sinonimo di guai seri. Nell'estate del 432 il pericolo era ormai esteso e imminente: nella Gallia nordoccidentale c'erano i bagaudi; nella Gallia sudoccidentale i visigoti; sulla frontiera del Reno e ai piedi delle Alpi franchi, burgundi e alamanni; nella Spagna nordoccidentale gli svevi; e in Nordafrica vandali e alani. Di fatto la maggior parte della Spagna non conosceva più un vero controllo centrale dal lontano 410. E siccome anche la Britannia era ormai sfuggita all'orbita dell'impero d'occidente, le uniche zone che dal punto di vista imperiale si comportavano ancora abbastanza bene erano l'Italia, la Sicilia e la Gallia sudorientale.

Per gettare un po' di luce sulle magnifiche imprese di Ezio nel decennio a partire dal 430 possiamo contare solo su qualche paragrafo sparso in varie cronache: un genere storiografico caratterizzato dal fatto di non dedicare più di due o tre righe agli avvenimenti di un intero anno. Fortunatamente però abbiamo anche uno straordinario manoscritto, il *Codex Sangallensis 908*: un volume piuttosto malconcio proveniente dall'antico monastero di San Gallo in Svizzera, sulla sponda meridionale del lago di Costanza, risalente all'800 circa, che contiene un lungo elenco di vocaboli latini. Proprio ciò che ci aspetteremmo di trovare in un buon monastero carolingio i cui monaci studiavano il latino classico. Ma l'elenco fu vergato, almeno in parte, su pagine già usate; nel 1823 un attento esame permise di scoprire che uno dei testi sottostanti erano otto pagine di un manoscritto del V o del VI secolo, opera di un retore latino di nome Merobaude. Nato nella Spagna meridionale, questo autore discendeva da un omonimo generale imperiale di origini franche vissuto alla fine del IV secolo. A parte un poemetto d'argomento religioso, non ci è pervenuto nient'altro delle sue opere. Possiamo quindi ringraziare l'antico monaco carolingio che con tanta trascuratezza sovrascrisse quelle pagine, permettendo che almeno una parte della produzione di Merobaude giungesse fino a noi. Sfortunatamente però per adattare quei fogli al nuovo libro i monaci dovettero ritagliarli dal formato originario, 260 millimetri per 160, in rettangoli di 200 millimetri per 135. Tutto ciò che gli studiosi sono riusciti a ricavarne, dunque, sono quattro brevi poesie e i frammenti mutili di due panegirici più lunghi, un centinaio di righe del primo e circa duecento del secondo (composizioni analoghe e coeve si aggirano sulle seicento righe).

Come si può constatare dal virtuosismo dello stile,[55] Merobaude doveva aver ricevuto una seria formazione latina prima di entrare alla corte imperiale di Ravenna. Un altro testo sopravvissuto ci permette di seguire le sue orme: Merobaude non era soltanto un erudito ma, come il suo antico omonimo, un soldato, un fedele seguace di Ezio che seppe sia arruolarsi per lui, sia elogiarlo pubblicamente. Il 30 luglio del 435, in riconoscimento dei preziosi servigi resi alla patria, gli fu addirittura dedicata una statua di bronzo a Roma, e per di più nel foro di Traiano.[56] Lo stesso anno, come ricompensa per un vecchio panegirico dedicato a Ezio (che non è giunto fino a noi), Merobaude fu fatto senatore, quindi si distinse in combattimento sulle Alpi. A questo punto ottenne il titolo di patrizio, e alla fine diventò generale di primo grado (*magister militum*) e fu insignito del comando delle forze di campo stanziate in

Spagna. Tutta la sua storia conferma il fatto che la *romanitas* poteva ancora sconfiggere i barbari, a onore e gloria della letteratura latina; ma la sua vicinanza a Ezio ci consente anche di osservare da un punto di vista privilegiato come quest'ultimo voleva che le sue imprese fossero interpretate.[57]

La più antica delle opere di Merobaude che possiamo leggere, il centinaio di righe del primo panegirico, risale probabilmente all'estate del 439. Non abbiamo abbastanza materiale per azzardarci a ricostruirne il tema generale, ma la presentazione della figura di Ezio è illuminante:[58]

Per letto hai la nuda roccia o una sottile coperta stesa a terra; passi le notti in veglia, le giornate al lavoro; ti sottoponi spontaneamente a ogni genere di privazioni; il pettorale della tua corazza non è per te un mezzo di difesa ma un ornamento, [...] non tanto uno sfoggio di magnificenza quanto un modo di vivere [...]. Quando la guerra ti lascia un attimo di requie tu studi le città e i passi di montagna, la grande estensione dei campi, i guadi dei fiumi e le strade più remote, cercando di scoprire quale luogo sia più adatto per la fanteria e quale per la cavalleria, quale sia più propizio all'attacco, più sicuro per la ritirata o più ricco di risorse per il bivacco. Di modo che perfino l'interruzione della guerra giova alla guerra stessa.

L'immagine del pettorale come modo di vivere è un ottimo lavoro di *public relations*, come anche quella di Ezio che impiega ogni pausa dalla guerra per ampliare la sua conoscenza tattica e strategica dei possibili campi di battaglia. Ma non si tratta di mera propaganda: è tutto vero. A partire dal 430 Ezio condusse una campagna dopo l'altra, molte vittoriose e tutte miranti a rimettere in piedi l'impero d'occidente. Un po' come Costanzo vent'anni prima.

Molte di tali campagne sono brevemente citate nelle cronache e il secondo panegirico di Merobaude, scritto nel 443 per celebrare il secondo consolato di Ezio, le elenca in ordine cronologico. Dall'ascesa al potere, nel 432, alla fine del decennio la lista è impressionante, anche se in realtà la serie delle sue vittorie era cominciata ancor prima dell'eliminazione di Felice e Bonifacio ed era uno dei fattori che l'avevano portato al successo. Tra il 425 e il 429, in Gallia, era stato comandante generale delle forze di campo romane; nel 425 o nel 426 aveva combattuto contro i visigoti riuscendo

348

a scacciarli da Arles e riconquistando, nel 427, alcune terre occupate dai franchi nelle vicinanze del Reno. Nel 430 e nel 431, nominato comandante dell'esercito italiano al posto di Felice, aveva sconfitto gli alamanni iutungi e represso un qualche tipo di ribellione nel Norico,[59] quindi aveva spazzato via una banda di predoni visigoti dai dintorni di Arles e nel 432 aveva sconfitto ancora una volta i franchi.

Dopo il 433, ormai saldamente al potere, Ezio poté dunque intraprendere un'azione di più vasta portata per stabilizzare l'impero. La fredda ragione gli diceva che gli eserciti dell'occidente romano, pur essendo ancora potenti, non erano in grado di affrontare e risolvere contemporaneamente tutti i problemi in campo. I conflitti aperti riguardavano due differenti teatri: quello della Gallia e delle sue frontiere, dove c'erano vari nemici, e quello del Nordafrica, dove c'era Genserico con la coalizione vandalo-alana. Invece di dividere le sue forze – mossa sempre pericolosa e che raramente porta al successo – Ezio chiese dunque aiuto a Costantinopoli. E l'aiuto si concretizzò nell'invio di un grosso contingente da parte del generale Aspar, uno dei comandanti che nel 425 avevano messo Valentiniano sul trono d'occidente. Ezio aveva imparato dall'unico errore commesso da Costanzo: invece di allungare le mani sulla porpora suscitando il malcontento dell'imperatore d'oriente Teodosio (che ci teneva alla continuità dinastica), si accontentò di esercitare il potere di fatto, anche se non in nome proprio, garantendosi l'aiuto e la benevolenza di Costantinopoli. Su ciò che avvenne dopo abbiamo pochissime informazioni. Sappiamo che Aspar andò a Cartagine, promosse un'azione di contenimento contro vandali e alani ed ebbe abbastanza successo da costringere Genserico a negoziare. L'11 febbraio 435 fu firmato l'accordo: i vandalo-alani si sarebbero tenuti parte della Mauretania e della Numidia, comprese le città di Calama e Sitifis (Carta n. 9); ma sarebbero rimaste all'impero la maggior parte della Numidia e le due province più ricche del Nordafrica, la Proconsolare e la Byzacena.[60]

Con un fianco coperto da Aspar, Ezio era libero di occuparsi della Gallia, che però era talmente malridotta da esigere ulteriore aiuto. Costanzo aveva già usato i visigoti per arginare altri invasori, ma le loro ambizioni si erano fatte smodate ed essi erano dunque divenuti parte del problema. Sul suolo dell'impero c'erano troppi gruppi armati stranieri. Ezio aveva dunque bisogno di un altro aiuto militare esterno, almeno finché non fosse riuscito a rimettere in riga i visigoti. E questo aiuto non poteva venirgli da Costantinopoli, già impegnata in Nordafrica. Gli unici cui poteva rivolgersi erano dunque gli unni, una forza cui anche Costanzo avrebbe potuto attingere e che per ben due volte aveva avuto un ruolo cruciale nella sua carriera: nel 425 quando, costringendolo ad allontanarsi dall'Italia, l'avevano salvato dalla condanna a morte per aver sostenuto l'usurpatore Giovanni; e nel 432, quando un esercito unno l'aveva aiutato a riconquistare il potere dopo la sconfitta subita per mano di Bonifacio. La sua prima mossa quindi, come ci dicono le primissime righe della parte sopravvissuta del secondo panegirico di Merobaude, fu quella di siglare un nuovo trattato con gli unni: «[Ezio] ha riportato la pace sul Danubio e ha liberato il Tanai [il Don] dalla follia; e ordina che quelle terre, che ancora bruciano nell'aria nera di fuliggine, siano ora libere dalla guerra. Il Caucaso giura di riporre la spada e i suoi selvaggi re rinunciano a battersi».

I poteri di Ezio, però, non erano straordinari come la scelta dei termini effettuata da Merobaude sembra implicare. Ciò che il poeta vuole suscitare con questo passo è l'idea che Ezio aveva riportato l'ordine nella Scizia, a nord del Danubio e a est della Germania: una regione che, come abbiamo visto nel Capitolo 5, era sotto il dominio degli unni fin dal 420 circa. Ciò che invece non ci dice è che Ezio dovette pagare un prezzo molto alto per il sostegno unno. Già altre volte gli unni avevano prestato servizio nell'esercito romano in cambio di un salario, ma ormai l'impero d'occidente era praticamente al verde, sia perché aveva dovuto combattere moltissime guerre, sia perché buona parte delle province, per una ragione o per l'altra, non pagava più tasse. O forse in quel momento gli unni volevano qualcos'altro. Fatto sta che Ezio fu costretto a cedere loro alcuni territori romani lungo il fiume Sava, nella Pannonia. Merobaude non ne parla, anche se probabilmente la maggior parte del suo pubblico ne era al corrente: la miglior strategia per affrontare un punto imbarazzante è quasi sempre non menzionarlo affatto. In cambio di quei territori, comunque, Ezio ottenne da parte degli unni un consistente appoggio militare che gli permise di riportare grandi vittorie in Gallia.[61]

Come racconta Merobaude, le minacce che incombevano sulle regioni frontaliere della Gallia furono pressoché annientate: «Il Reno firmò dei patti che asservivano quel freddo mondo a Roma e, contento di essere guidato da redini occidentali, si rallegrò che il dominio del Tevere si fosse esteso su entrambe le sue sponde».

In un caso almeno, però, sappiamo che Ezio scelse una linea d'azione particolarmente dura. Nel 436, stanco delle continue incursioni dei burgundi in Belgio, negoziò ancora una volta l'aiuto degli unni e l'anno dopo il regno burgundo subì una serie di devastanti attacchi (una fonte, Idazio, parla di 20.000 morti): i sopravvissuti, ridotti alla condizione di servili alleati dei romani, furono ricollocati dalle parti del lago di Ginevra. Resa sicura la frontiera, il generale rivolse quindi la sua attenzione all'interno della Gallia. Le forze armate romane, sempre appoggiate dagli unni, fecero poi qualcosa di simile anche con i bagaudi dell'Armorica, che nel 435 si erano ribellati sotto la guida di un certo Tibatto. Nel 437 ormai l'integrità del dominio romano era stata ripristinata in tutto il Nord-Ovest. Commenta Merobaude: «Un nativo più ingentilito percorre ora le selvagge regioni dell'Armorica. La terra, usa a nascondere con le sue foreste i saccheggi perpetrati con crimini selvaggi, abbandona gli usati costumi e apprende ad affidare il grano a campi mai lavorati prima». Ezio fece qualcosa anche per assicurare all'area una stabilità di lungo termine, sparpagliando gli alani lungo una linea che andava da Orléans al bacino della Senna.

Era venuto il momento di riportare all'ordine anche i visigoti che nel 436, mentre Ezio affrontava i burgundi, si erano ribellati per la seconda volta, dimostrandosi ancor più pericolosi di quando intorno al 425 si erano installati nella regione di Arles. Dopo aver mosso verso sud, essi stavano stringendo d'assedio Narbonne. Ma Ezio era pronto a raccogliere la sfida. Reclutati altri ausiliari unni, il generale lanciò un massiccio contrattacco che costrinse i visigoti a indietreggiare fino a Bordeaux. La guerra finì nel 439 – non senza perdite significative anche da parte romana: ma Ezio poté riconfermare i termini del trattato del 418. La sezione più importante del secondo panegirico, quello del 443, purtroppo è andata persa, ma quando Merobaude pronunciò il primo, nel 439, la sconfitta dei visigoti era ancora fresca nella memoria di tutti. I frammenti sopravvissuti raccontano di come Ezio li avesse battuti al Monte del Serpente (così gli antichi lo chiamarono «come per premonizione [...] perché i veleni che ammorbano lo stato vi sono stati annientati») e del «repentino orrore» del re visigoto al vedere «i corpi calpestati» dei suoi seguaci.[62] I visigoti non erano certo stati annientati, ma fermati sì; e con un piccolo aiuto da parte degli unni Ezio aveva finalmente stabilizzato la regione dopo un decennio abbondante di guerre.

Nel frattempo qualcosa di simile stava accadendo anche in Spagna, dove la situazione era notevolmente migliorata dopo che vandali e alani se n'erano andati in Nordafrica, lasciando solo gli svevi nelle regioni nordoccidentali. Dove prima, dice Merobaude, «più niente era ormai sotto il nostro controllo, [...] il guerriero vendicatore [Ezio] ha riaperto la strada un tempo prigioniera e ha scacciato il predatore» – che in realtà se n'era andato di propria iniziativa – «riconquistando le vie di comunicazione interrotte; e la popolazione è potuta tornare nelle città abbandonate». Alcuni abitanti della regione, e in particolare il vescovo-cronachista Idazio, avrebbero voluto che Ezio passasse i Pirenei alla testa di un esercito, a quanto pare invece il suo intervento prese piuttosto la forma della pressione diplomatica. Ben presto tra gli svevi e i nativi della Galizia si giunse a un accomodamento e le province lasciate da Genserico tornarono in qualche modo all'ordine.

Tutto considerato, le imprese compiute da Ezio dopo il 433 hanno del miracoloso. Franchi e alamanni erano stati ricacciati nei loro covi, al di là del Reno; burgundi e bagaudi erano stati sottomessi; si era messo un freno alle pretese dei visigoti e buona parte della Spagna era tornata sotto il dominio imperiale. Non per niente Costantinopoli riconobbe in Ezio l'ultimo vero romano d'occidente.[63]

Ma proprio mentre Merobaude metteva il punto finale all'ultimo panegirico del grande condottiero, ed Ezio prendeva in considerazione l'idea di mandare in tintoria il suo arrugginito pettorale, all'orizzonte cominciò ad addensarsi una nuova burrasca. Nell'ottobre del 439, dopo quattro anni e mezzo di pace, l'esercito di Genserico uscì dalla sua riserva in Mauretania e piombò come un uragano sulle province più ricche del Nordafrica. Non si trattò certo di una passeggiata. I barbari dovettero aprirsi la strada con le armi fino a Cartagine, come narrato da un sermone composto poco dopo i fatti:

Dov'è l'Africa, che per il mondo intero era come un giardino di delizie? [...] Non è forse stata crudelmente punita, la nostra città [Cartagine], per non aver voluto imparare dal castigo toccato ad altre province? [...] Non c'è più nessuno per seppellire i cadaveri, la morte orrenda ha insozzato strade e palazzi, la città intera. Riflettete sui mali di cui stiamo parlando! Madri di famiglia trascinate in schiavitù; donne incinte massacrate [...], neonati strappati alle braccia delle nutrici e lasciati morire per la strada [...]. L'empio potere dei barbari ha costretto matrone abituate a signoreggiare su molti servitori a trasformarsi in vili schiave di barbari padroni [...]. Ogni giorno giungono alle nostre orecchie le grida di quelle che hanno perso nell'aggressione il marito o il padre.[64]

Retorica moralistica e non certo resoconto preciso e credibile dei fatti. Ciononostante questo brano rende giustizia al quadro generale di distruzione e morte che emerge anche da altre fonti romane. Nessun altro attacco isolato avrebbe potuto arrecare all'impero un danno più grave. D'un sol colpo Genserico aveva sottratto al controllo di Ezio le province più ricche dell'occidente romano: e fu subito crisi. Com'era potuto accadere? Chi l'aveva permesso? Probabilmente, dopo quattro anni e mezzo di relativa pace e nella convinzione che Genserico avrebbe tenuto fede al trattato del febbraio 435, un po' tutti avevano tolto gli occhi dalla palla. Forse l'instabilità che travagliava altre zone dell'impero non aveva permesso allo stato di lasciare a Cartagine truppe inoperose sulla base di un semplice «nel caso che». E poi la guerra contro i visigoti, terminata appena prima della nuova mossa di Genserico, aveva richiesto tutti gli uomini disponibili. Con la guarnigione di Cartagine ridotta al minimo indispensabile, quindi, l'astuto vandalo poté agire col massimo vantaggio strategico.

A ogni modo nell'autunno del 439 non c'era tempo per le recriminazioni, e men che meno per allestire una commissione d'inchiesta. Bisognava agire in modo rapido ed efficace, riportando immediatamente Cartagine e le altre province africane sotto il controllo di Roma. Circa in questo stesso periodo, in un poemetto composto per il compleanno di Gaudenzio, figlio di Ezio, Merobaude afferma che «il fiero generale di Roma [...] si è ben meritato la pensione» e pronostica che un giorno non lontano il bastone del comando potrà passare al suo rampollo ed erede.[65] Ma non era certo quello il momento di ritirarsi a vita privata. Infatti Ezio fece ancora una volta il suo dovere. I limiti logistici che da sempre caratterizzavano l'impero rendevano impossibile un contrattacco immediato; quindi inizialmente Genserico rimase in vantaggio. Nella primavera del 440 una serie di leggi emanate in nome di Valentiniano III tradisce la percezione di una crisi imminente. Il 3 marzo i mercanti dell'impero d'oriente ottennero una licenza speciale per garantire i rifornimenti alimentari alla città di Roma. Evidentemente il calo dell'afflusso di pane dall'Africa preoccupava molto Ezio. Con la stessa legge si provvedeva poi a riempire alcuni buchi nel sistema difensivo di Roma e ci si assicurava che tutti sapessero quale fosse il loro posto nella difesa della città. Il 20 marzo un'altra legge chiamava le reclute ad arruolarsi minacciando le più severe punizioni per chi avesse osato nascondere un disertore.[66] Una terza legge, datata 24 giugno, autorizzava la popolazione a portare le armi: «Non è del tutto certo, date le opportunità offerte dall'estate alla navigazione, su quali coste potrebbero approdare le navi nemiche».

Provvedimenti che, in realtà, erano semplici palliativi tesi a prepararsi alle incursioni dei vandali, che si verificarono puntualmente non appena cominciò la stagione propizia alla navigazione. In particolare Genserico lanciò una serie di attacchi contro la Sicilia e per quasi tutta l'estate assediò la più importante base navale dell'isola, Panormus (l'odierna Palermo). Ezio invece stava già pensando a come risolvere il problema più generale dei barbari in Nordafrica e nella legge del 24 giugno troviamo un accenno ai suoi piani per riprendere il controllo della situazione: nonostante le circostanze critiche, infatti, il legislatore si dice fiducioso che «l'esercito dell'invincibilissimo imperatore [d'oriente] Teodosio, nostro Padre, arriverà presto, e [...] l'eccellentissimo patrizio Ezio sarà qui ad attenderlo con un grande esercito».[67] In quel momento infatti Ezio era fuori dall'Italia per riunire tutte le truppe disponibili; ma la chiave del successo, poiché l'impero d'occidente non si era ancora ripreso dalle conseguenze economiche della crisi del 406, stava ancora una volta nell'aiuto di Costantinopoli. Per l'ennesima volta spicca la saggezza di Ezio, che non aveva voluto indossare la porpora inimicandosi l'imperatore d'oriente.

Più avanti nel corso del 440, quando l'arrivo del maltempo costrinse i vandali a tornarsene a Cartagine, in Sicilia cominciò a raccogliersi un esercito imperiale congiunto: 1100 navi cariche di uomini, cavalli e salmerie. Il «grande esercito» di Ezio sbarcò effettivamente sull'isola e fu raggiunto da un nutrito corpo di spedizione orientale. Nessuna fonte ci dice quanti fossero in tutto i soldati, ma quelle 1100 navi avrebbero potuto trasportare decine di migliaia di uomini. Le dimensioni dell'esercito inviato da Costantinopoli si possono poi dedurre dal fatto che a comandarlo c'erano ben cinque generali: Areobindo, Ansilas, Inobindo, Arinteo e Germano. Pentadio, il fortunato burocrate costantinopolitano che si occupò della logistica, più tardi ebbe una bella promozione per essere riuscito nell'immane compito di allestire e far partire la spedizione.[68] Tutto dunque era pronto per sferrare il contrattacco che avrebbe riportato Cartagine sotto il dominio di Roma. Alla fine di marzo, dopo la consueta pausa invernale, quando poté riprendere la navigazione da e per il Nordafrica, il più grande trionfo di Ezio sembrava ormai a portata di mano. Ma l'armata congiunta non prese mai il largo: sia le truppe d'oriente sia quelle d'occidente tornarono alle loro basi senza aver combattuto e tutto quell'immane sforzo organizzativo si risolse in un nulla di fatto.

Cause e conseguenze

Perché mai il corpo di spedizione congiunto dell'impero romano alla fine non poté partire? Ce lo spiegano alcuni altri frammenti del panegirico di Merobaude del 443, dedicato al secondo consolato di Ezio. Dopo aver enumerato le grandi vittorie riportate dal generale nel decennio a partire dal 430 e analizzato le sue virtù di capo anche in tempo di pace, il poeta cambia infatti improvvisamente registro per descrivere Bellona, dea della guerra, nell'atto di lamentarsi di quell'era di pace e di prosperità:

Io sono ormai disprezzata. Ogni rispetto per la mia sovranità è stato cancellato da una serie di molteplici disastri [le vittorie di Ezio e la pace con i vandali]. Dalle acque sono bandita e sulla terra non posso regnare.[69]

Essendo appunto una dea, Bellona non intende rassegnarsi e si rivolge a Enio, sua alleata di sempre:

Quivi sedendo sotto un elevato colle la crudele Enio celava una follia, che pure era pronta a spiccare il volo in una pace durata ormai troppo. Ed ella si angustiava perché il mondo non si angustiava più e gemeva di tristezza vedendo che esso invece si rallegrava. La sua brutta faccia era incrostata di orribile sudiciume, sangue secco era sui suoi abiti. Ma il suo cocchio era inclinato all'indietro e i finimenti pendevano rigidi. Il pennacchio del suo elmo era afflosciato.

Bellona ordina dunque a Enio di scatenare la «follia» della guerra e il panegirico si chiude con un incitamento a Ezio perché riprenda il comando degli eserciti di Roma:

Che egli [Ezio] non deleghi ad altri, ma intraprenda personalmente la guerra e rinnovi il suo destino con i trionfi di un tempo; che non sia il bottino il suo mentore, né la folle brama dell'oro a spronarlo a logorarsi lo spirito con cure incessanti, bensì il lodevole amore degli eserciti e la spada ignara del sangue latino, ma grondante di quello che esce dalle gole nemiche, che sanno mostrarlo invincibile eppur gentile.

Il messaggio è chiarissimo: una nuova minaccia incombeva sul mondo romano, molto più grave di quella dei vandali, ed Ezio doveva tornare in servizio per salvarlo ancora una volta. Una minaccia così seria da far tornare indietro le truppe dalla Sicilia a costo di lasciare Cartagine ai vandali. L'impero d'occidente avrebbe dovuto affrontare da solo le conseguenze della vittoria di Genserico.

Nel 442 si firmò dunque un nuovo trattato con i vandali. Genserico ebbe la Proconsolare, la Byzacena e parte della Numidia, mentre l'impero d'occidente si riappropriava dei territori che possedeva nel 435: testimonianze legali confermano infatti che Roma riprese subito ad amministrare le due Mauretanie (la Sitifense e la Cesariense) e il resto della Numidia.[70]

In cambio della pace, ora che aveva ottenuto ciò che desiderava, Genserico volle mostrarsi generoso: continuò a mandare a Roma dalle sue province una qualche forma di tributo in grano (per quanto inferiore rispetto ai livelli precedenti), mentre il suo primogenito Unerico raggiungeva la corte imperiale per rimanervi come ostaggio. Ma non ci possono essere dubbi sulla portata del suo successo. Dichiarato «nemico dell'impero» dalla legge del 24 giugno 440, dopo il 442 il capo dei vandali fu riconosciuto ufficialmente re vassallo dell'impero con il titolo di *rex socius et amicus*. Rompendo con il tradizionale trattamento riservato agli ostaggi, inoltre, Unerico si fidanzò con Eudossia, figlia dell'imperatore Valentiniano III. Circa trent'anni prima il cognato di Alarico, Ataulfo re dei visigoti, aveva sposato Placidia, madre di Valentiniano e sorella dell'imperatore regnante Onorio: era stata un'unione al di fuori delle leggi dell'impero. Ora invece, per la prima volta in assoluto, si prendeva in considerazione l'idea di legare in un matrimonio legittimo un sovrano barbaro e una figlia del casato imperiale. Evidentemente il foraggiamento di Roma da parte delle province nordafricane valeva una simile umiliazione.[71]

Tra i frammenti di Merobaude ci sono anche due brani scritti dopo la conclusione della pace con i vandali. Così il panegirico del 443:

L'occupante della Libia [Genserico] ha osato rovesciare con le braccia cariche di un destino eccessivo la sede del regno di Didone [Cartagine], riempiendo la cittadella cartaginese di nordiche orde. Ma da allora egli ha smesso il manto di nemico e ha bramato vincolare saldamente la fede di Roma con un accordo più personale, imparentandosi con i romani tramite l'unione di un rampollo suo e di una dei loro nel vincolo matrimoniale. Così, mentre il comandante [Ezio] riporta tutti al pacifico riconoscimento della toga e ordina al seggio consolare, ormai in pace, di deporre le trombe di guerra, ogni conflitto vien meno nell'ammirazione per i suoi ornamenti trionfali.[72]

Merobaude sta dicendo che per il Nordafrica non c'era più niente da fare e sottolinea che Ezio è riuscito comunque a ricavare il massimo da una situazione difficilissima, concedendo al supplice Genserico di stringere un'alleanza di pace con l'impero. Perfino un poemetto che descrive un mosaico può servire agli scopi della propaganda politica:

L'imperatore stesso nel suo pieno splendore occupa con la moglie il centro del soffitto [di una sala da pranzo imperiale], quasi fossero stelle luminose nell'alto dei cieli; egli infatti è la salvezza della terra e degno di

357

venerazione. Alla presenza del nostro protettore l'esule scoppia improvvisamente in pianto per il suo perduto potere. La vittoria ha restituito il mondo a colui che l'ha ricevuto dalla natura stessa e un'illustre corte conduce da lontano una sposa.[73]

L'«esule» è Unerico. La sua presenza a corte è segno della sottomissione dei vandali a Roma, ma con la bella alleanza matrimoniale inserita nel trattato di pace egli stava per riscattarne la dignità. Proprio come nel 363, quando Gioviano aveva dovuto cedere alla Persia città e province, anche nel 442 la perdita di Cartagine per mano di vandali e alani fu presentata come una vittoria romana. E per le stesse ragioni: un imperatore che godesse della protezione di Dio semplicemente non poteva ammettere la sconfitta. L'immagine del controllo assoluto andava mantenuta a ogni costo.

Ciononostante, il nuovo trattato di pace può essere descritto solo come disastroso. In Africa Genserico poté distribuire tutte le sovvenzioni e gli indennizzi che i suoi seguaci si aspettavano da lui e che erano essenziali per la sua stessa sopravvivenza politica. Per avere di che pagarli confiscò nella Proconsolare delle tenute senatoriali (come quelle appartenenti agli eredi di Simmaco) e le diede ai suoi sudditi più eminenti. Da allora in poi quelle tenute furono dette *sortes vandalorum* (lotti dei vandali).[74] Un'influente linea argomentativa sostiene che in realtà i vandali ebbero soltanto una parte della rendita proveniente dalle terre statali e non la piena proprietà di lotti privati. Ma Vittorio di Vita racconta di una persecuzione contro i cattolici lanciata nel 484 da Unerico proprio in quei «lotti»:[75] il che dimostra che i vandali li possedevano a tutti gli effetti. Da fonti molto più vicine al 440 ci giungono altre testimonianze a favore di questa seconda tesi: alcuni testi legali confermano che subito dopo la ratifica del trattato molti membri della classe senatoria dovettero andare in esilio, e casi singoli sono commentati in varie altre fonti. Il carteggio di un vescovo siriano contiene almeno otto lettere di raccomandazione per un proprietario terriero nordafricano, un certo Celestiaco, e l'esposizione delle vicende di una certa Maria che, trascorso un po' di tempo nell'impero d'oriente, poté finalmente ricongiungersi al padre in quello d'occidente.[76] Furono dunque le terre confiscate a questi esuli a finanziare l'insediamento dei vandali in Nordafrica.

È importante che esaminiamo queste politiche d'insediamento anche dal punto di vista dei vandali. Quello di cui ci stiamo occupando è un gruppo di migranti che, per più di trentatré anni, ha seguito i propri capi in un lungo spostamento dall'Europa centrale attraverso la Francia e la Spagna fino in Nordafrica. Gente che si è trascinata per migliaia di chilometri, sempre combattendo innumerevoli battaglie contro l'esercito di Roma. In molte di quelle campagne militari i vandali avevano vinto, ma con gravissime perdite umane (soprattutto tra il 416 e il 418, in Spagna, per mano delle forze congiunte romano-visigote comandate da Costanzo). Ora, almeno a partire dal trattato di pace del 442, vandali e alani si erano impadroniti di alcune delle province più ricche di tutto l'occidente romano. Non ci stupisce, quindi, che non vedessero l'ora di intascare un compenso commisurato alle dolorose traversie vissute e all'inossidabile fedeltà dimostrata alla loro leadership fin dal lontano 406. Se Genserico non avesse soddisfatto le loro aspettative, molto probabilmente la sua testa si sarebbe aggiunta a quelle degli usurpatori romani che ancora si decomponevano in cima a una picca fuori dalle mura di Cartagine. Stando così le cose, mi sembra impossibile che vandali e alani potessero accontentarsi della rendita della terra rinunciando al suo pieno possesso. Ma non penso nemmeno che intendessero darsi tutti all'agricoltura. Dopotutto furono i proprietari terrieri romani ad andare in esilio e non gli agricoltori affittuari: possiamo immaginare dunque che fossero ancora i soliti contadini di sempre a coltivare i soliti vecchi campi, pagando il fitto in natura ai nuovi padroni.[77]

Questo almeno è ciò che avvenne nella Proconsolare. Nel resto del Nordafrica di Genserico, cioè la Byzacena e parte della Numidia, non ci furono confische di terre. La Proconsolare infatti era il posto migliore in cui vandali e alani potessero insediarsi, e questo per due ragioni. Innanzitutto, molti dei suoi proprietari terrieri, a causa del particolarissimo passato della regione, erano senatori romani assenteisti come Simmaco: dunque la confisca delle terre vi avrebbe suscitato meno disordini che altrove. Secondariamente, quella zona aveva il vantaggio strategico di affacciarsi proprio sulla Sicilia e sull'Italia, da dove probabilmente sarebbero partiti i futuri tentativi di riscossa militare dell'impero.

Per molti proprietari terrieri romani dell'Africa, chiaramente, l'arrivo dei vandali e il successivo trattato di pace del 442 furono una vera catastrofe, umana e finanziaria. Lo stato fece quel che poteva per alleviare la situazione: nel quarto anniversario del giorno in cui Genserico si era impadronito di Cartagine, il 19 ottobre 443, Valentiniano sospese la regolare applicazione delle leggi finanziarie per quei romano-africani «espropriati, in condizioni di bisogno ed esiliati dal loro paese». Costoro non potevano essere citati in giudizio dai creditori per i prestiti ottenuti dopo l'esilio fintanto che non avessero riottenuto le loro proprietà, a meno che non fossero «ricchi in qualche altro modo e finanziariamente solvibili»; non potevano subire pressioni per vicende finanziarie originatesi nel periodo precedente il loro esilio e non erano tenuti a pagare interessi sulle somme ottenute in prestito. Nel 439-440 infatti, subito dopo il loro arrivo in Italia, probabilmente gli esuli chiesero e ottennero prestiti ingenti, elargiti nella fiducia della pronta liberazione di Cartagine. Ma con il trattato del 442 ogni speranza andò in fumo e Valentiniano dovette prendere provvedimenti per salvare gli esuli dalle conseguenze più drammatiche dell'indebitamento. Sette anni dopo, presumibilmente in seguito a forti pressioni in tal senso, lo stato si dimostrò ancor più magnanimo con la legge del 13 luglio:

Io stabilisco che [...] si provveda con saggezza per i dignitari e i proprietari terrieri africani spossessati dalle devastazioni del nemico, e precisamente che, nella misura delle sue possibilità, l'augusta generosità imperiale li compensi per ciò che la violenza del destino ha loro tolto.

Per la Numidia, rimasta in parte nelle mani dei vandali nei sette anni intercorsi tra i due trattati di pace, l'imperatore stabilì cinque anni di esenzione fiscale per 13.000 unità di terreno coltivabile, sperando che ciò servisse a reinserirle nel circuito produttivo. Furono concessi anche dei finanziamenti in denaro. Nelle due province della Mauretania Sitifense e Cesariense, coloro che erano stati spodestati nella Proconsolare o nella Byzacena ebbero la priorità nella concessione in affitto di terre pubbliche, mentre ai proprietari che non erano stati danneggiati dagli espropri non furono rinnovati i contratti.[78] A dodici anni dalla conquista di Cartagine da parte dei vandali, alcuni dei proprietari terrieri spodestati della Proconsolare potevano così sperare di risollevarsi acquisendo nuove terre in Mauretania: per l'ennesima volta lo stato romano si dava da fare per i suoi proprietari terrieri.

Ma al danno riportato dallo stato in quanto tale non si poteva rimediare con altrettanta facilità. Con il trattato del 442 buona parte del reddito proveniente dal Nordafrica, uno dei principali contribuenti del Tesoro imperiale d'occidente, andò definitivamente perduta; e anche il gettito fiscale delle altre province si ridusse di sette ottavi. Con il nuovo trattato di pace, come abbiamo visto, la Byzacena e la Proconsolare uscivano dall'orbita dell'impero e, a parte qualche bastimento di grano, non pagavano più tributi; per contro, le altre province del Nordafrica rimanevano sotto il controllo di Roma o vi tornavano dopo una breve interruzione. Il 21 giugno del 445 Valentiniano emise un editto fiscale dal quale apprendiamo che la Numidia e la Mauretania Sitifense producevano ormai solo un ottavo del reddito che un tempo si ricavava dalla tassazione delle terre.[79] In epoche normali la regione forniva poi un ulteriore gettito fiscale sotto forma di indennità di sussistenza per i soldati: anche per quanto riguarda queste voci, agli africani si dovettero concedere sostanziali riduzioni. Si trattava di pagamenti in natura, soprattutto derrate alimentari e foraggio, che però spesso venivano saldati in oro sulla base di un tasso di conversione speciale riservato agli africani: quattro *solidi* (monete d'oro) per unità tassata, al posto dei soliti cinque. Nei fatti, una riduzione del 20 per cento.

La perdita delle ricche province nordafricane, che andò ad aggiungersi a una riduzione di quasi sette ottavi del gettito fiscale proveniente dalle altre zone dell'impero, fu un vero disastro per il bilancio dello stato romano d'occidente. Una serie di disposizioni adottate dopo il 440 dimostrano in modo chiaro quanto la situazione finanziaria fosse grave. Nel 440 e nel 441 le autorità cercarono in tutti i modi di massimizzare i proventi fiscali che ancora si potevano trarre dalle rimanenti fonti di reddito: con la legge del 24 gennaio 440, per esempio, si annullarono tutti i precedenti decreti di esenzione o riduzione fiscale emessi dall'imperatore.[80] Con la legge del 4 giugno dello stesso anno si abolì la pratica per cui i funzionari imperiali – *palatines* – erano autorizzati a prelevare per sé stessi una percentuale extra nella riscossione dei tributi.[81] Il 14 marzo 441 ci fu un ulteriore giro di vite: le terre date in affitto annuale dallo stato, che godevano di particolari privilegi fiscali, da quel momento in poi avrebbero pagato le tasse ordinarie, e lo stesso valeva per quelle appartenenti alla chiesa. La legge cancellò poi per gli alti dignitari dell'impero l'esenzione da tutta una serie di piccoli oneri fiscali: «la costruzione e la manutenzione delle strade militari, la manifattura delle armi, la riparazione delle mura, la fornitura dell'*annona* e il resto delle opere pubbliche attraverso cui si consegue lo splendore della pubblica difesa». In avvenire, e per la prima volta nella storia dell'impero, non ci sarebbero più state esenzioni per nessuno e così recita la giustificazione espressa per il provvedimento:

Gli imperatori delle età precedenti [...] hanno concesso tali privilegi a persone di illustre rango nell'opulenza di un'era d'abbondanza, senza che ciò comportasse il disastro per altri possidenti [...]. Nelle presenti difficoltà, invece, tale pratica diventa non solo ingiusta ma anche [...] impossibile.[82]

E così lo stato romano d'occidente, governato da e per i suoi proprietari terrieri, a partire dal 440 fu costretto a ridurre in misura significativa lo splendido ventaglio di benefici fiscali che da tempo immemorabile favoriva la classe possidente. Non appena il calo del gettito cominciò a farsi sentire, i dignitari dell'impero dovettero tagliare quei privilegi e quelle prerogative che si erano sempre concessi: niente potrebbe illustrare meglio la gravità della crisi.

Gli storici dell'età romana hanno calcolato che nel tardo impero circa due terzi del budget statale servivano a mantenere l'esercito: una valutazione che non può essere molto lontana dal vero. Fu proprio l'esercito, dunque, a risentire maggiormente del crollo delle entrate statali, dato che non c'erano altre voci di spesa altrettanto consistenti da tagliare. Come avevamo previsto, però, le frammentarie misure adottate tra il 440 e il 441 furono del tutto insufficienti a compensare il calo del gettito fiscale proveniente dall'Africa. Nell'ultimo quarto del 444 fu dunque emesso un nuovo decreto imperiale:

Non dubitiamo affatto che tutti abbiano ben presente la necessità assoluta di predisporre la forza di un numeroso esercito per [...] ovviare alla triste situazione in cui versa lo stato. Ma a causa delle molte voci di spesa non è stato possibile provvedere adeguatamente a una questione [...] sulla quale si fonda la piena sicurezza di tutti; [...] né per coloro che con nuovi giuramenti si vincolano al servizio militare o per i veterani dell'esercito possono bastare quelle provvigioni che pure i contribuenti, sfiniti, versano solo con la più grande difficoltà; e sembra proprio che da quella fonte non si potranno avere i soldi necessari per acquistare cibo e indumenti.

Definire i contribuenti «sfiniti» non è che un trucco per cercare di conquistarne la simpatia e indorare un po' la pillola: il provvedimento centrale del decreto infatti è l'introduzione di una nuova tassa sulle compravendite del 4 per cento circa, da dividersi equamente tra compratore e venditore. In termini abbastanza espliciti, inoltre, la legge ammette che l'impero, dato il gettito fiscale esistente, non poteva più permettersi un esercito come quello che la gravità della situazione avrebbe richiesto. E non abbiamo ragione di dubitarne.

Difficile valutare con esattezza le dimensioni del buco fiscale provocato dalla perdita del Nordafrica: possiamo però calcolare quanti posti di lavoro nell'esercito furono tagliati a causa del calo del gettito delle sole Numidia e Mauretania Sitifense. Dai dati numerici contenuti nella legge del 445 ricaviamo infatti che il totale delle imposte *perdute* da queste due province ammontava a 106.200 *solidi* l'anno.[83] Un soldato comitatense di fanteria costava allo stato grossomodo sei *solidi* l'anno e uno di cavalleria circa dieci e mezzo:[84] ciò significa che la sola perdita della contribuzione di Numidia e Mauretania comportò il licenziamento di circa 18.000 fanti o 10.000 cavalieri. Questo, ovviamente, senza calcolare la perdita integrale di tutte le tasse che prima venivano pagate dalla Proconsolare e dalla Byzacena, di gran lunga più ricche: con ciò la diminuzione del gettito tributario di tutto il Nordafrica deve aver comportato per l'esercito almeno 40.000 fanti o 20.000 cavalieri in meno. Una riduzione che ovviamente andò ad aggiungersi a quella già avvenuta dopo il 405: nel 420, come abbiamo visto nel Capitolo 5, le gravi perdite subite dall'esercito di campo erano state rattoppate, anziché con la recluta di nuovi soldati, promuovendo le truppe di guarnigione. Purtroppo gli elenchi della *Notitia Dignitatum* (la cosiddetta *distributio numerorum*) non vennero più aggiornati dopo il

440, o forse tali aggiornamenti non ci sono stati tramandati: altrimenti con ogni probabilità avremmo potuto leggervi un ulteriore, sostanziale deterioramento della situazione rispetto al 420. Solo la comparsa di una nuova, spaventosa minaccia quindi può avere indotto Ezio a richiamare dalla Sicilia il corpo di spedizione congiunto delle due metà dell'impero, con tutte le disastrose conseguenze che senz'altro ne sarebbero derivate.

Ma da dove era sbucata questa nuova minaccia? Merobaude, perlomeno nei frammenti sopravvissuti del panegirico del 443, vi allude solo in modo vago, senza dirci niente di preciso. Queste le parole che mette in bocca a Bellona, dea della guerra:[85] «Io solleverò le nazioni che vivono nell'estremo nord, e lo straniero delle rive del Fasi nuoterà nel tremebondo Tevere. Mescolerò i popoli tra loro, infrangerò i trattati di pace siglati tra i regni, e la nobile corte sarà gettata nel caos dalle mie tempeste». Poi, rivolgendosi a Enio: «Spingi alla guerra le orde selvagge e lascia che il Tanaïs, che ruggisce nelle sue regioni incognite, porti fin qui le faretre della Scizia».

Orde di arcieri provenienti dalla Scizia? A metà del V secolo ciò poteva significare una cosa sola: gli unni. E in effetti erano proprio gli unni il nuovo problema che incombeva sull'impero, la ragione per cui la missione diretta in Nordafrica non salpò mai dalle coste sicule. Proprio mentre il corpo di spedizione faceva gli ultimi preparativi, infatti, gli unni si lanciarono all'attacco oltre il Danubio, nei Balcani orientali; e il contingente di Costantinopoli, tolto interamente dal fronte del Danubio, fu richiamato in tutta fretta, staccando la spina a qualsiasi ulteriore tentativo di sconfiggere Genserico e riconquistare Cartagine. Per quasi due decenni, tra il 420 e il 440, gli unni erano stati per Roma un alleato prezioso, che aveva permesso a Ezio di restare in sella, di sconfiggere i burgundi e di controllare i visigoti. Dietro questo cambio di linea politica c'era un altro personaggio centrale nella storia del crollo dell'impero romano, ed è giunto il momento di fare la sua conoscenza: Attila re degli unni.

7. Attila re degli unni

Per più di dieci anni, dal 441 al 453, la storia d'Europa fu dominata da campagne militari di un ordine di grandezza mai visto prima. Opera di Attila, il «flagello di Dio». Su di lui l'opinione degli storici è sempre andata da un estremo all'altro del ventaglio delle possibilità. Dopo Gibbon, molti l'hanno considerato un genio militare e diplomatico; Edward Thompson invece, negli anni Quaranta del Novecento, pensava di essere nel vero ritraendolo come un volgare attaccabrighe. Per i cristiani del tempo, Attila e i suoi eserciti furono come una frusta manovrata direttamente dall'Onnipotente. Le sue orde pagane infuriarono su tutta l'Europa, spazzando via come fuscelli gli imperatori romani – voluti da Dio – che ebbero l'ardire di pararglisi davanti. L'ideologia dell'impero andava bene per spiegare la vittoria; molto meno per giustificare la sconfitta, soprattutto se inferta da mani non cristiane. Perché Dio permetteva ai miscredenti di annientare il Suo popolo? Nel decennio successivo al 440, spargendo a piene mani morte e devastazione da Costantinopoli fino alle porte di Parigi, Attila re degli unni pose quella domanda come mai prima d'allora. Come disse un contemporaneo: «Attila polverizzò l'Europa intera».[1]

La perdita dell'Africa

Attila compare alla ribalta della storia come re degli unni a pari merito con suo fratello Bleda: i due avevano ereditato il potere da uno zio di nome Rua (o Ruga, ancora vivo nel novembre del 435).[2] A quanto ci risulta la prima volta che i romani inviarono un'ambasceria ad Attila e Bleda fu in un momento imprecisato dopo il 15 febbraio 438; probabilmente dunque i due fratelli erano saliti al trono alla fine di quel decennio, forse addirittura all'inizio di quello successivo, dopo il 440. Il loro debutto, come spesso avviene all'inizio di un nuovo regime, provocò un cambio di linea politica e i primi contatti con Costantinopoli li convinsero che era venuto il momento di rinegoziare i rapporti con l'impero. I delegati si incontrarono poco lontano da Margus, sul Danubio, nella Mesia Superiore (Carta n. 11). Prisco, storico del V secolo, ha salvato per noi questo particolare:[3] «Siccome [gli unni] ritengono poco appropriato conferire con altri smontati da cavallo, anche i romani, che ci tenevano alla dignità, decisero di fare altrettanto per tema che una delle due parti dovesse parlare stando in sella mentre l'altra era a piedi».

Il punto saliente del nuovo accordo fu un aumento del sussidio annuo che i romani dovevano pagare agli unni da 350 a 700 libbre d'oro. Il trattato conteneva anche clausole sulla restituzione dei prigionieri romani e indicazioni sul luogo e sul momento in cui fra i due popoli si poteva tenere mercato; stabiliva inoltre che i romani non avrebbero accolto profughi unni. Nonostante l'aumento dei pagamenti, però, i nuovi sovrani non furono soddisfatti di quel risultato: e qualche tempo dopo, probabilmente nell'inverno 440-441, al mercato, improvvisamente i «commercianti» unni tirarono fuori le armi e conquistarono il forte romano sede degli scambi commerciali, uccidendo sia le guardie sia alcuni mercanti romani. Prisco racconta che un ambasciatore romano fu mandato a lamentarsi dell'accaduto, e che gli unni ribatterono che «il vescovo di Margus aveva varcato la frontiera, si era addentrato nelle loro terre e aveva frugato nelle tombe reali rubandone alcuni oggetti preziosi». Le presunte attività illecite di questo Indiana Jones diocesano, ovviamente, erano solo un pretesto. Approfittando dell'occasione per tornare sulla questione dei fuggiaschi, Attila e Bleda minacciarono guerra se i romani non avessero immediatamente riconsegnato tanti unni quanti erano i romani da loro detenuti (vescovo compreso). Per un motivo o per un altro lo scambio non avvenne; gli unni attesero la stagione propizia alle campagne militari, attraversarono in forze il Danubio e conquistarono lungo la frontiera forti e città fra cui l'importante base militare di Viminacium.

A questo punto il vescovo di Margus fu preso dal panico e si mise d'accordo con gli unni per consegnar loro la città in cambio dell'archiviazione del suo caso personale. Attila e Bleda non se lo fecero dire due volte: quella ulteriore roccaforte romana sarebbe stata per loro preziosissima. Margus infatti era l'accesso principale alla grande strada militare attraverso i Balcani, e così gli unni poterono stringere d'assedio il nodo successivo, la città di Naissus (oggi Niš). Qui la strada si divideva in due: il ramo verso sud porta a Tessalonica, quello verso sud-est a Costantinopoli via Serdica (Sofia). Valeva dunque la pena conquistare il crocicchio e, per una volta, grazie a Prisco abbiamo un lungo resoconto dell'assedio:

Quando [...] un gran numero di macchine [da assedio unne] furono portate sotto le mura [...] i difensori dei bastioni furono costretti ad arrendersi dai nugoli di proiettili ed evacuarono le posizioni. Furono portati anche i cosiddetti arieti. Si tratta di una macchina imponente: una grossa trave viene appesa con catene non tese a un'armatura di assi inclinate l'una verso l'altra, e provvista di un'affilata punta metallica e di schermi [...] a protezione di quelli che vi lavorano. Con le brevi funi attaccate sul retro gli uomini allontanano vigorosamente la trave dall'obiettivo del colpo e poi la lasciano andare. [...] Dalle mura i difensori gettavano giù massi grossi come carri. [...] Alcuni [arieti] ne rimasero schiacciati insieme agli uomini che li azionavano, ma non era possibile resistere contro quella moltitudine di macchine. Poi i nemici portarono delle lunghe scale. [...] I barbari fecero dunque irruzione dai punti in cui le mura perimetrali erano state rotte dai colpi degli arieti e anche grazie alle scale [...]: la città fu presa.

In passato questo brano ha fatto nascere molti sospetti in quanto ricalca un po' troppo da vicino il più famoso resoconto d'assedio di tutta l'antichità: quello subìto da Platea nel 431 a.C., all'inizio della guerra del Peloponneso, descritto da Tucidide. Di solito, se un brano contiene troppi riferimenti classici, se ne deduce che sia inventato di sana pianta; ma dagli scrittori antichi ci si aspettava che facessero mostra di erudizione e al pubblico piaceva giocare a coglierne le citazioni implicite. Non è giusto liquidare come inattendibile l'intera storia dell'assedio di Naissus solo perché Prisco prende in prestito alcuni giri di frase da uno storico famoso.[4] Anche perché sappiamo per certo che nel 442 la città fu conquistata dagli unni.

Nella loro prima campagna contro l'impero d'oriente, dunque, Attila e Bleda avevano dimostrato di saper conquistare fortezze romane di prima linea perfettamente equipaggiate e difese. Margus fu forse presa con uno stratagemma; ma Viminacium e Naissus erano presidi grandi e ben fortificati, eppure caddero. Ciò rappresenta un notevole spostamento degli equilibri militari tra mondo romano e non romano nel teatro di guerra europeo. L'ultimo serio attacco ai Balcani, come abbiamo visto, era stato sferrato dai goti tra il 376 e il 382; allora, se pure erano riusciti a conquistare qualche piccola postazione fortificata o a costringerne gli occupanti a evacuare, i barbari non avevano potuto far niente contro le grandi città cinte di mura. Di conseguenza, pur ritrovandosi a volte drammaticamente a corto di cibo, le città romane dei Balcani erano uscite dalla guerra praticamente illese (cfr. Capitolo 4). Lo stesso discorso vale per la Germania occidentale. Quando l'esercito romano era distratto da una qualche guerra civile interna, poteva capitare che i gruppi stanziati lungo la frontiera del Reno invadessero e razziassero ampi tratti di territorio imperiale: gli alamanni lo avevano fatto alla metà del IV secolo, per esempio, subito dopo la guerra civile tra Magnenzio e Costanzo II. Ma allora i barbari sapevano solo occupare i sobborghi delle città e distruggere qualche piccola torre di guardia, e non provavano nemmeno a conquistare grandi centri fortificati come Colonia, Strasburgo, Spira, Worms o Magonza, che quindi non avevano mai riportato danni seri.[5] Ora invece gli unni si dimostravano capaci di organizzare vittoriose campagne d'assedio ai danni di roccaforti di primissimo livello.

Nessuna delle nostre fonti ci racconta come avessero fatto ad acquisire quella capacità: l'avevano portata con sé dalla steppa o l'avevano imparata da poco? Difficile credere che avessero avuto bisogno di collaudate tecniche d'assedio per combattere i goti o gli altri gruppi stanziati a nord del Mar Nero: tutti i resoconti delle loro imprese belliche successive al 370 circa dicono solo quanto fossero bravi nel combattimento in campo aperto, ad andare a cavallo e a tirare con l'arco. Ma se immaginiamo che avessero fatto parte dell'antica confederazione dei Hsiung-nu (cfr. pp. 189-190), allora sì avevano dovuto ricorrere all'assedio nelle guerre contro l'impero cinese. Verso la fine dell'età antica, inoltre, anche i più oscuri gruppi della steppa si erano misurati con le ricche città fortificate della Via della Seta: anche in quel contesto la capacità di organizzare un assedio credibile poteva essere diventata rilevante.[6] D'altra parte dobbiamo ricordare che già a partire dal 440 gli unni avevano combattuto anche per Ezio, e probabilmente ancor prima per Costanzo; anche osservando l'esercito romano al lavoro, quindi, potrebbero aver appreso qualcosa su come si conduce un assedio (così come, per contro, in molte fasi storiche armi e tecniche belliche di Roma sono state copiate dai non romani). Ancora nel 439 c'erano degli ausiliari unni nelle fila dell'esercito romano d'occidente impegnato ad assediare i goti a Tolosa. Tutto sommato ritengo leggermente più probabile che la conquista di Viminacium e Naissus da parte degli unni fosse il frutto di un'abilità acquisita non molto tempo prima. Altrettanto importante per la buona riuscita di un assedio, inoltre, era l'abbondanza di manodopera: ci volevano molti soldati per spostare e utilizzare le pesanti macchine da guerra, scavare trincee e dare l'assalto finale. Come vedremo in questo stesso capitolo, anche nell'ipotesi in cui il design delle macchine da assedio degli unni derivasse da conoscenze incamerate da tempo, è innegabile che una massa di guerrieri così immensa era una conquista recente.

A ogni modo, comunque i barbari si fossero procurati queste nuove abilità, i romani ne rimasero scioccati. Il possesso di una catena di imprendibili città fortificate era un elemento centrale nel controllo dell'immenso territorio imperiale. Eppure, per quanto la caduta di Viminacium e Naissus fosse senza dubbio un fatto grave, il punto fondamentale è che per attaccare Costantinopoli gli unni scelsero proprio il momento in cui il corpo di spedizione congiunto delle due metà dell'impero stava per salpare per riprendersi Cartagine. Come abbiamo già detto, buona parte dei contingenti orientali era stata presa dall'esercito di campo dei Balcani e indubbiamente gli unni lo sapevano. Le informazioni da una parte all'altra della frontiera correvano in fretta e il ritiro di ingenti quantitativi di truppe dalle loro normali basi operative non poteva passare inosservato.[7] Sospetto anzi che le autorità di Costantinopoli, accettando con tanta prontezza di aumentare i versamenti annui agli unni proprio all'inizio del regno di Attila e Bleda, stessero in realtà cercando di guadagnare tempo per far partire la spedizione nordafricana. Se le cose andarono effettivamente in questo modo, bisogna dire che i loro calcoli fallirono miseramente. Lungi dal lasciarsi comprare, gli unni decisero di sfruttare al massimo quel momento di debolezza dei romani e si lanciarono subito oltre il Danubio per seminare morte e distruzione. Le autorità di Costantinopoli non ebbero scelta e dovettero richiamare le truppe dalla Sicilia. Sapendo che avevano perso ben tre basi importanti – Viminacium, Margus e Naissus (anche se probabilmente gli ordini furono emanati quando quest'ultima città non era ancora caduta) – non possiamo accusarle di nulla. L'esercito unno era ormai posizionato lungo l'arteria militare che attraversava i Balcani, pronto a balzare su Costantinopoli. Senza nemmeno sfiorare il Nordafrica, quindi, già con la sua prima campagna militare Attila aveva costretto le due metà dell'impero a rinunciare a un progetto di vitale importanza. Con ciò il mondo romano aveva subìto un colpo strategico paragonabile a quello che, due secoli prima, gli aveva inferto la Persia sasanide. La storia di Attila re degli unni non finisce qui. Il sovrano barbaro aveva ancora una lunga agenda di cose da fare e nel decennio successivo entrambe le metà dell'impero avrebbero visto di cosa fosse capace.

Porfirogenito

Possiamo facilmente immaginare quale fu l'effetto della crescente aggressività unna sull'impero d'occidente a partire dal 440. Altri aspetti del regno di Attila sono meno chiaramente leggibili. Ignari della scrittura quando attorno al 370 d.C. si affacciarono per la prima volta ai margini estremi dell'Europa, gli unni lo erano ancora settant'anni dopo: non ci hanno quindi lasciato una loro versione delle imprese del più grande dei loro capi. Le fonti romane, come al solito, si occupano molto più dell'impatto politico e militare che i gruppi stranieri ebbero sull'impero che non di riportarne le gesta: molti punti di estremo interesse, soprattutto quelli riguardanti la storia interna di questi popoli, sono stati poco o per nulla trattati. Come già per Olimpiodoro, per i primi due decenni del V secolo non possiamo che lamentare la perdita delle cronache di Prisco (già citate), storico romano proveniente dalla città di Panium, in Tracia. Anche stavolta, però, dobbiamo ritenerci fortunati perché alcuni sostanziosi estratti della sua opera ci sono stati trasmessi grazie al lavoro di un imperatore bizantino del X secolo evidentemente sottoccupato: Costantino VII Porfirogenito.

370

Il termine Porfirogenito, che in greco significa «nato nella porpora», dice molto sulla situazione di partenza di questo sovrano medievale, nato nel 905 e figlio dell'imperatore Leone VI «il Saggio» che morì quando lui aveva solo sette anni. Il X secolo fu una fase di espansione per l'impero, dato che il mondo islamico, spaccandosi, lasciò ai propri confini, in Asia Minore come in Medio Oriente, alcune facili prede per gli eserciti bizantini. I successi militari portarono a regolari distribuzioni di bottino e di terre, che giustificarono la creazione di una classe di ufficiali ambiziosi, arroganti e rissosi. Costantino aveva l'utile caratteristica che, essendo letteralmente nato nella porpora, poteva concedere un'inattaccabile patente di legittimità al vittorioso generale di turno, il quale poteva poi rafforzare il proprio potere stringendo con lui un'alleanza matrimoniale o facendosi nominare coimperatore. Proprio da questa prassi, però, nascevano ulteriori problemi. Presto infatti i suoi protégé divennero così potenti che solo negli ultimi quattordici anni della sua vita, tra il 945 e il 959, Costantino poté dirsi, almeno nominalmente, al vertice dell'impero; e anche allora rimase poco più di un prestanome.[8] Con lunghi periodi di scarsa rilevanza politica punteggiati qua e là da qualche momento memorabile, il suo regno è piuttosto simile a quello dell'imperatore Onorio, di cui ci siamo occupati nei Capitoli 5 e 6. Ma laddove Onorio, per quanto ci risulta, non ebbe mai altri pensieri fuorché preoccuparsi del prossimo usurpatore, Costantino VII si dedicò alla cultura con la C maiuscola e si impegnò a fondo perché la sua Bisanzio non perdesse il contatto con l'eredità classica.

A tal fine il sovrano concepì il maniacale progetto di preservare l'insegnamento classico antologizzando brani scelti da tutte le grandi opere dell'antichità: «Dato che l'immensità di tali opere ci stanca al solo pensiero, tanto esse sono in genere pesanti e opprimenti, ho pensato fosse una buona idea spezzettarle e riorganizzarle in un ordine tale da rendere più ampiamente disponibile tutto ciò che di utile può esservi contenuto», ci dice nella prefazione a uno dei suoi libri. Il progetto originario comprendeva ben cinquantatré raccolte così concepite, con titoli bizzarri come *Brani sulle vittorie militari* e *Brani sulle nazioni*. Conosciamo i titoli di ventitré volumi, ma solo quattro sono arrivati in tutto o in parte fino a noi[9] e bastano a riempire sei grossi tomi delle nostre edizioni moderne: qualcuno ha calcolato che sarebbe solo un trentacinquesimo del progetto originale. L'unico volume sopravvissuto integralmente grazie alle trascrizioni medievali è il numero 27, *Brani sulle ambascerie*, diviso in *Ambascerie dei romani presso gli stranieri* e *Ambascerie degli stranieri presso i romani*. È sopravvissuto a stento: l'originale infatti andò distrutto nel 1671 nell'incendio della biblioteca dell'Escorial a Madrid, ma fortunatamente qualcuno l'aveva ricopiato.[10] Entrambe le sezioni del volume 27 contengono lunghi estratti dalle cronache di Prisco, il che basterebbe a farci sentire per sempre in debito con Costantino: senza di lui la nostra conoscenza di Attila sarebbe praticamente nulla.

C'è poi un'altra cosa da segnalare. I titoli dei libri di Costantino, anche se poco fantasiosi, erano precisi, e *Brani sulle ambascerie* contiene appunto testi sulle ambascerie: informazioni di carattere militare o altro possono esservi contenute in modo incidentale, ma il tema centrale è sempre l'attività diplomatica. Di conseguenza, mentre siamo piuttosto bene informati sui negoziati tra Attila e Costantinopoli (nei quali, come vedremo, Prisco stesso ebbe un ruolo di primo piano), sappiamo pochissimo sia delle mosse dell'esercito unno sia degli avvenimenti politici interni alla loro società. Molte di tali informazioni, presumibilmente (e in parte anche dimostrabilmente), erano state affidate da Prisco ad altre opere che sono andate perse. Per esempio sarebbe interessantissimo leggere *Brani sulle grandi battaglie tra romani e stranieri*, ammesso che Costantino VII l'abbia composto. Uno dei suoi libri s'intitolava sicuramente *Brani sulle vittorie*. Ma siccome in questa fase vinsero quasi sempre gli unni, probabilmente il tomo conteneva ben pochi testi di Prisco. E così, mentre possiamo leggere buona parte del meraviglioso resoconto delle attività diplomatiche tra unni e romani, se vogliamo sapere qualcosa delle campagne militari di Attila o di altri aspetti del suo regno dobbiamo rivolgerci ad altre fonti, di qualità meno eccelsa.

Come caddero i potenti

Dato che la logistica dell'antichità aveva grossi limiti, il contingente orientale del corpo di spedizione che nel 441 avrebbe dovuto giungere in Africa, pur ripartendo dalla Sicilia quello stesso anno, non arrivò nei Balcani in tempo per risparmiare a Costantinopoli l'umiliazione di dover siglare, nel 442, dopo la caduta di Naissus, la pace con gli unni. Non conosciamo i termini esatti del trattato, forse perché gli assistenti di Costantino VII non trovarono nelle cronache di Prisco il brano corrispondente; ma le linee generali si possono ricavare in modo abbastanza preciso dai riferimenti contenuti in altri documenti analoghi e posteriori. Com'era da prevedersi, l'ammontare del sussidio annuo crebbe ulteriormente: tirando a indovinare, direi che raggiunse probabilmente le 1400 libbre d'oro (nel 447 sarà di 2100 libbre: quindi, se prima degli attacchi del 441-442 era di 700 libbre, 1400 potrebbe essere stato il livello intermedio). L'aumento dev'essere stato abbastanza consistente da produrre, tra il 442 e il 447, 6000 libbre di arretrati. Gli unni inoltre ribadivano la propria posizione sul tema dei fuggiaschi e dei prigionieri romani, questioni che sicuramente furono risolte a loro vantaggio.[11]

Con il metodo di lavoro seguito da Costantino VII, purtroppo, la linea narrativa di Prisco relativa agli anni successivi al 440 andò perduta e non abbiamo modo di ricostruirla. I frammenti relativi alle attività diplomatiche unno-romane devono quindi essere sistemati in ordine cronologico utilizzando informazioni provenienti da altre fonti. L'attendibilità della ricostruzione dipenderà nel nostro caso dalla fiducia che ci sentiremo di accordare al cronista bizantino Teofane del IX secolo. Se pensiamo di poter sostanzialmente accettare la sua narrazione e la usiamo per collocare i frammenti tratti da Prisco uno dopo l'altro, arriviamo alla conclusione che dopo gli scontri del 441-442 Attila lanciò altri due attacchi vittoriosi contro le forze armate romano-orientali dei Balcani. Il primo nel 443, quando un contingente romano fu sconfitto nel Chersoneso, e l'altro nel 447, quando gli unni arrivarono fin sotto le mura di Costantinopoli. Purtroppo l'attendibilità di Teofane è stata messa seriamente in dubbio da Otto J. Maenchen-Helfen.[12] Questo straordinario storico del mondo unno trascorse nel 1929 vari mesi con i nomadi di lingua turca della Mongolia nordoccidentale; non solo: conosceva altrettanto bene il greco, il latino, il russo, il persiano e il cinese, aveva il dono del dettaglio storico e in

373

più un cervello estremamente logico. Maenchen-Helfen non è stato certo il primo a contestare Teofane, ma ha dato un contributo decisivo in questo senso. Egli giunse infatti a dimostrare che, per quanto riguarda gli unni dell'età di Attila, Teofane aveva composto un riassunto nel quale tutti gli avvenimenti più rilevanti sembravano accaduti nel 449-450, mentre in realtà il materiale raccolto riguardava l'intero decennio a partire dal 440. Analizzando questa testimonianza con gli occhi di Maenchen-Helfen e confrontandola con ciò che sappiamo da altre fonti risulta fra l'altro evidente che dopo il 442 tra Attila e l'impero romano d'oriente non ci furono due guerre bensì una soltanto, quella del 447 (Carta n. 11).[13]

In compenso i passi che portarono al nuovo scontro possono essere facilmente ricostruiti. Le autorità di Costantinopoli avevano firmato la pace del 442-443 (quella che conteneva il primo aumento del sussidio annuo), solo perché, avendo quasi tutta l'armata dei Balcani dislocata in Sicilia, si trovavano in un momento di particolare debolezza; ma non appena i soldati furono rientrati il loro atteggiamento si fece più duro. E così, a un certo punto del 443 o poco dopo, l'impero romano d'oriente decise di non pagare più il tributo pattuito. Di qui gli arretrati di 6000 libbre d'oro che si andarono accumulando fino al 447: se i pagamenti erano iniziati nel 442, con la firma del trattato di pace, e se il loro ammontare era effettivamente di 1400 libbre d'oro l'anno, risulta che prima di interrompere i pagamenti i romani d'oriente avevano versato agli unni solo due annualità, e nemmeno complete.[14] Ci furono poi anche altre contromisure. Il 12 settembre del 443 fu varata una legge tesa a preparare l'esercito: «Noi ordiniamo che ogni *dux* [comandante delle guarnigioni *limitaneae*] [...] riporti il numero dei suoi soldati ai livelli precedenti [...] e si occupi del loro addestramento quotidiano. Affidiamo inoltre a tali *duces* la cura e la riparazione degli accampamenti fortificati e delle imbarcazioni di pattuglia sui fiumi».[15] Le forze armate dell'impero orientale vennero rinforzate anche con il reclutamento di molti isauri – tradizionalmente banditi – prelevati dalle colline della Cilicia, nell'Asia Minore sudoccidentale.[16] Quando tutto fu pronto, l'impero d'oriente si sentì nuovamente fiducioso contro la minaccia unna.

L'ottimismo dei romani potrebbe esser stato incoraggiato anche dal pandemonio che nel frattempo si era scatenato ai vertici del regno unno. Nel 444 o nel 445 infatti Attila fece assassinare suo fratello Bleda e da quel momento in poi regnò da solo. Del resoconto di Prisco su tale delitto non ci è giunto nemmeno un rigo; quindi, a parte la data, non sappiamo né il come né il perché di questo episodio. Cronologicamente, però, l'avvenimento coincise con le contromisure adottate dall'impero d'oriente per annullare i patti del 442-443. Sicuramente Costantinopoli approfittò della confusione per interrompere i pagamenti annuali senza timore di ritorsioni immediate, giacché il nuovo, unico sovrano degli unni era troppo impegnato a consolidare la propria posizione interna per organizzare una spedizione punitiva. E così i due contendenti affilarono i coltelli per uno scontro all'ultimo sangue, che puntualmente si verificò nel 447.

Fu Attila a fare la prima mossa, mandando a Costantinopoli un'ambasceria per lamentarsi della sospensione dei pagamenti e del fatto che alcuni fuggiaschi non erano stati restituiti come invece imponeva l'accordo. I romani risposero che erano pronti a parlamentare e nient'altro. Allora Attila sguinzagliò i suoi, che dilagarono oltre il Danubio distruggendo tutti i forti militari sul loro cammino, difesi soltanto dalle vecchie truppe di guarnigione già ridotte di numero in seguito alla legge del 443. La prima grossa fortezza su cui si scatenò l'ira di Attila fu Ratiaria, un'importante base militare lungo il fiume nella provincia della Dacia, che cadde subito. L'orda degli unni avanzò poi seguendo il corso del Danubio verso occidente fino a nord dei Monti Haemus, dove si scontrò una prima volta con l'esercito romano. Arnegisclo, comandante delle forze di campo imperiali nei Balcani orientali (*magister militum per Thraciam*), avanzato verso nord-est dal quartier generale di Marcianopoli con tutti gli uomini disponibili, diede battaglia sulle rive del fiume Utus. I romani, a quanto pare, si batterono con coraggio, ma furono sconfitti; e lo stesso Arnegisclo, che pure aveva continuato a combattere anche quando il cavallo era stramazzato sotto di lui, fu ucciso. La vittoria aprì agli unni la via per i passi di montagna: di qui l'orda avanzò verso sud e scese nella pianura della Tracia. La fermata successiva poteva essere solo la capitale dell'impero d'oriente.

Il 27 gennaio 447, due ore dopo la mezzanotte, a Costantinopoli c'era stata una forte scossa sismica. Tutto il quartiere attorno alla Porta d'Oro era ridotto a un ammasso di rovine, ma la cosa più grave era che una parte dei grandi terrapieni che circondavano la città era crollata. Attila avrebbe attaccato comunque, ma probabilmente la notizia del terremoto lo spinse ad accelerare i tempi. Quando gli unni arrivarono sotto le mura, però, la crisi era superata: il prefetto pretoriano d'oriente, Costantino, aveva mobilitato gli ultras del circo per sgomberare le macerie e ricostruire in tutta fretta torri e porte. Entro la fine di marzo i danni erano stati riparati: come recita un'iscrizione commemorativa, «nemmeno Atena avrebbe potuto fare meglio e più in fretta».[17] Molto tempo prima che Attila arrivasse a distanza di tiro dalla capitale, dunque, l'opportunità di conquistarla era svanita; così l'avanzata degli unni non terminò con un assedio bensì con la seconda grande battaglia di quell'anno. Nonostante l'esercito di campo della Tracia fosse stato sgominato, il grosso delle forze armate dell'impero d'oriente era ancora lì, accampato attorno alla capitale sulle due sponde del Bosforo. La battaglia si svolse nel Chersoneso e si chiuse puntualmente con la seconda, disastrosa sconfitta dei romani.

Attila non era riuscito a entrare a Costantinopoli, è vero, ma avendo raggiunto sia le coste del Mar Nero sia i Dardanelli, rispettivamente a Sesto e a Callipoli (l'odierna Gallipoli, cfr. Carta n. 11), aveva ormai in suo potere tutti i Balcani. E subito ne approfittò per i suoi scopi, a tutto danno delle comunità provinciali romane. Dopo la vittoria l'esercito unno si sparpagliò per razziare le campagne circostanti, spingendosi a sud fino a quel passo delle Termopili che mille anni prima aveva visto la Grecia capitanata da Leonida far fronte comune contro i persiani. Molte fonti hanno descritto la devastazione che ne seguì. Ecco per esempio ciò che se ne dice nella vita di un santo della Tracia grossomodo contemporaneo agli eventi, sant'Ipazio:

Il barbaro popolo degli unni [...] divenne così forte da conquistare cento città e da mettere quasi in pericolo la stessa Costantinopoli, e tutti quelli che poterono scapparono davanti a lui. Perfino i monaci vollero fuggire a Gerusalemme [...]. I barbari devastarono la Tracia al punto che la regione non potrà mai più risorgere e tornare come prima.[18]

Cento è un numero un po' troppo tondo per essere credibile, ma furono indubbiamente molte le roccaforti conquistate e distrutte. Teofane dice che tranne Adrianopoli ed Eraclea tutto il resto della regione cadde in mano agli unni, e altre fonti ci hanno tramandato i nomi di alcune città catturate: Ratiaria, dove tutto aveva avuto inizio, Marcianopoli, Filippopoli (l'odierna Plovdiv), Arcadiopoli e Costanza. L'elenco comprende alcune delle principali città romane dei Balcani, anche se probabilmente la maggior parte delle località distrutte erano piuttosto piccole. Qualche testimonianza archeolo-

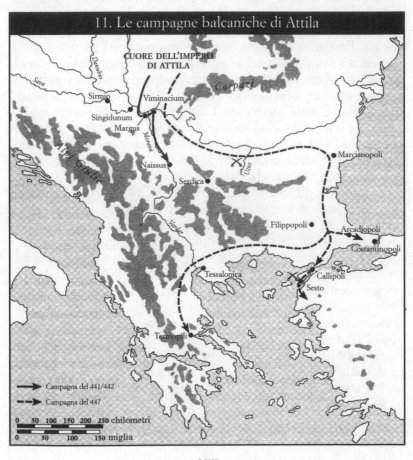

11. Le campagne balcaniche di Attila

gica ci rivela cosa significasse per una città cadere in mano agli unni. Come abbiamo ricordato più sopra, l'unica città importante dei Balcani settentrionali a essere stata quasi interamente disseppellita è Nicopolis ad Istrum, sulle pendici settentrionali dei Monti Haemus. Nicopolis, come Cartagine, fu abbandonata nel medioevo e mai più ricostruita come città moderna: così, grazie a una lunghissima opera di scavo, oggi è possibile osservarne una grossa porzione. Tra il 376 e il 382, durante la guerra contro i goti, tutte le ricche ville delle campagne circostanti erano state saccheggiate e distrutte, presumibilmente dai predoni goti, e non furono più ricostruite; ma a partire dalla fine del decennio successivo al 380 il centro urbano si arricchì nuovamente di molte belle dimore, che nella prima metà del V secolo arrivarono a occupare più del 49 per cento dell'area abitata. Possiamo ragionevolmente supporre che i proprietari terrieri della zona, di fronte alla crescente insicurezza della fase successiva al 376, avessero traslocato in nuove case costruite al riparo della cerchia delle mura, da dove continuarono a dirigere a distanza i lavori agricoli delle loro tenute. Gli scavi hanno rivelato che queste case e tutto il centro città sono coronati da un massiccio strato distrutto che l'interruzione di una sequenza di monete pressoché continua permette di far risalire al 435-440.

È indubbio, quindi, che nella distruzione di Nicopolis si possono riconoscere gli effetti del saccheggio del 447 a opera degli unni di Attila. Qualche tempo dopo il sito fu in parte ricostruito, ma su un'area molto più piccola, e comunque la città era diventata pressoché irriconoscibile. Sparite le opulente case signorili, gli archeologi vi hanno rinvenuto solo un complesso episcopale, alcune misere casette e qualche edificio amministrativo. Gli insediamenti romani a nord dei Monti Haemus, fondati 300 anni prima all'inizio della romanizzazione dei Balcani, nel I e nel II secolo d.C., furono dunque spazzati via e non si risollevarono mai più. Evidentemente non si trattò di un piccolo saccheggio rispettoso come quello di Roma del 410, quando i goti si erano limitati a prelevare la loro paga di soldati per tornarsene a casa subito dopo. A Nicopolis sono visibili ancora oggi gli effetti di una distruzione davvero radicale.[19]

Se le cose siano andate così male in tutti i luoghi toccati dalla calata degli unni è impossibile a dirsi. Delle città che riuscirono a sopravvivere la più famosa è Asemus, abbarbicata in cima a un'altura imprendibile. Bene armati e ancor meglio organizzati, i suoi cittadini non solo riuscirono a resistere all'uragano Attila, ma alla fine della guerra avevano addirittura in loro potere dei prigionieri unni. Nei secoli a venire la città sarebbe sopravvissuta ad altre burrasche analoghe.[20] Ma sul fatto che le campagne del 447 siano state un disastro senza precedenti per la vita romana nei Balcani non possono sussistere dubbi: due importanti eserciti di campo erano stati sconfitti, una lunga teoria di roccaforti conquistate di cui alcune addirittura rase al suolo. Non ci stupisce quindi che subito dopo la seconda disfatta, quella del Chersoneso, i romani d'oriente abbiano dovuto umiliarsi a chiedere la pace. Ne leggiamo i termini in un estratto dalla cronaca di Prisco:

[Tutti] i fuggiaschi dovettero essere riconsegnati agli unni, e bisognò versare 6000 libbre d'oro per le rate arretrate del tributo; di lì in avanti il tributo stesso sarebbe stato di 2100 libbre d'oro all'anno; per ogni prigioniero di guerra romano [preso dagli unni] che fosse scappato e riuscito a tornare in patria senza [che per lui fosse pagato alcun] riscatto, si sarebbero versati dodici *solidi* [un sesto di libbra d'oro] [...] e [...] i romani non avrebbero dovuto accogliere gli unni fuggiaschi.

Prisco aggiunge poi un commento acido:

I romani finsero di aver sottoscritto tali accordi volontariamente, ma fu per la spaventosa paura che attanagliava i loro comandanti che dovettero accettare con un sorriso qualsiasi ingiunzione, per quanto dura, pur di avere la pace.

Come al solito, infatti, la macchina della propaganda lavorò a pieno ritmo per spiegare all'opinione pubblica il come e il perché di quell'ultima «vittoria» romana; ma non appena da dietro le quinte spuntò fuori l'esattore delle tasse tutti capirono com'erano andate in realtà le cose. Prisco racconta infatti di come fu difficile racimolare il contante per saldare gli arretrati del tributo: «Perfino i membri del senato contribuirono con una quantità d'oro fissata secondo il loro rango». Come già nella metà occidentale dell'impero dopo la perdita di Cartagine, le clausole della pace del 447 costrinsero l'erario dell'impero d'oriente a una revoca sia pur parziale dei privilegi fiscali. Il fatto che il regime si fosse risolto a colpire la sua principale assemblea politica nel punto dolente, cioè nel portafogli, è un chiaro segno della disperazione in cui le autorità di Costantinopoli erano state gettate dalle vittoriose campagne di Attila.

Le vere dimensioni del successo riportato da Attila a partire dal 440 emergono dunque chiaramente anche dalle fonti mutile in nostro possesso. Ciò che invece non siamo nemmeno vicini a comprendere è *come* avesse potuto ottenere quei successi, o *perché*, dopo essersi accontentato fino a un momento prima di un sussidio annuo relativamente modesto, avesse deciso di rivoluzionare completamente la dinamica dei rapporti con l'impero romano. Cominceremo dunque da Attila stesso, l'uomo che capitanava il regno del terrore.

Sulle tracce di Attila

Se possiamo conoscere Attila un po' meglio che non gli altri capi «barbari» della fine del IV e di tutto il V secolo è perché Prisco, seguendo l'esempio dato quarant'anni prima da Olimpiodoro e dal suo pappagallo, scrisse un resoconto completo dell'ambasceria che lo aveva portato prima in territorio unno e poi alla presenza del grand'uomo in persona. Nel 449 infatti uno dei suoi amici, un distinto funzionario di nome Massimino, aveva estratto la paglia corta diventando l'ultimo di una lunga serie di ambasciatori mandati verso nord per cercare di ammansire l'unno. Gli ordini erano di affrontare e possibilmente risolvere due questioni: l'eterno problema dei fuggiaschi unni e quello della striscia di territorio a sud del Danubio «larga cinque giorni di viaggio», che Attila pretendeva gli fosse ceduta dopo le vittorie del 447. Gli unni avevano ordinato di evacuarla (forse perché desideravano farne una sorta di zona cuscinetto tra loro e i romani) e si lamentavano che una parte dei contadini non volesse andarsene. La strategia di Roma era di cercare di coinvolgere nelle trattative il braccio destro di Attila, Onegesio, nella speranza che avesse abbastanza influenza sul suo signore da convincerlo a scendere a patti. Gli ambasciatori però sapevano perfettamente che, se quel giorno Attila fosse stato di cattivo umore, la discussione avrebbe potuto rapidamente degenerare in una nuova guerra.

Prima che l'ambasceria potesse partire, comunque, c'erano molti preparativi da fare. Nel Capitolo 3, parlando di Teofane, abbiamo visto quanto fosse scomodo per i funzionari romani muoversi anche solo all'interno dell'impero, nonostante il sostegno logistico offerto dal sistema dei trasporti pubblici, il *cursus publicus*. Viaggiare oltre confine, poi, era ancora più complicato. Teofane aveva dovuto portare con sé non solo tutto il necessario per il viaggio e una mezza legione di schiavi addetti alle sue necessità personali, ma anche lettere di raccomandazione e doni per tutti i personaggi influenti che avrebbe incontrato lungo il cammino. Partecipare a un'ambasceria diplomatica, soprattutto per una missione così delicata presso un potenziale nemico della cui ostilità Massimino e Prisco non potevano dubitare, richiedeva un assortimento completo di doni ricchi ed eleganti. Ho contato almeno cinque occasioni in cui Prisco parla di un'offerta di doni, e probabilmente ve ne furono molte altre: seta e perle vennero offerte agli ambasciatori unni che accompagnarono i nostri eroi nel loro lungo viaggio; la moglie di Bleda, che li ospitò a casa sua, ricevette non meglio identificati «doni»; e così pure Attila, ovviamente, quando gli ambasciatori furono introdotti alla sua presenza; per sollecitare i buoni uffici di Onegesio gli fu dato dell'oro; e altri doni furono offerti alla moglie di Attila, Ereka. Oro, seta, perle e forse anche argento e pietre preziose facevano chiaramente parte del normale bagaglio di un ambasciatore: quindi, anche se Prisco non ne parla mai esplicitamente, della spedizione dovettero far parte anche un certo numero di schiavi e una scorta armata.

Gli ambasciatori inoltre erano stati istruiti su alcune sottigliezze diplomatiche e su alcune potenziali bucce di banana. Se si viaggiava sulla stessa strada di Attila bisognava tenersi dietro di lui, mai davanti. Se ci si accampava non si doveva piantare la tenda più in alto della sua (informazione essenziale, visto che gli ambasciatori si stavano dirigendo proprio verso l'accampamento di Attila). A un certo punto Massimino e Prisco ricevettero la loro ultima lezione di buone maniere e dovettero partire.[21] Siccome per un ambasciatore romano era importante anche non perdere la dignità, Massimino, capo della delegazione, non avrebbe dovuto farsi vedere a gironzolare attorno al quartier generale di Attila mendicando l'attenzione dei pezzi grossi. Quel compito sarebbe spettato a Prisco, ed è proprio per questo che fu aggregato alla missione. La differenza di ruolo tra i due amici si evince da una frase che Prisco scrisse dopo il primo scambio con Onegesio: «Quando gli dissi che sarei stato io a conferire con lui riguardo alle domande che intendevamo porre – perché incontri troppo frequenti con un uomo nella posizione di Massimino non sarebbero stati appropriati – [Onegesio] se ne andò».[22] Prisco, in altre parole, sarebbe stato l'intermediario di Massimino e la sua funzione specifica doveva essere quella di conferire dignità e *grandeur* alla presenza dell'ambasciatore di Roma; ma sarebbe stato comunque anche lui una pedina importante e fu quindi istruito con la massima cura. Tutto ciò lo mise nella posizione migliore per prendere appunti per il suo nuovo bestseller.

Non sappiamo esattamente quanti romani si misero in viaggio. La narrazione di Prisco si occupa di tre sole persone: Massimino, l'autore stesso e Vigilas, l'interprete, che aveva già partecipato alla delegazione di pace seguita alla disfatta del 447.[23] Con loro viaggiavano poi due ambasciatori unni, Edeco e Oreste (quest'ultimo era un romano della Pannonia passato al servizio di Attila quando Ezio aveva ceduto la provincia agli unni). I due, accompagnati da un largo seguito, erano arrivati a Costantinopoli nel 449 per sollevare le questioni cui ora Massimino avrebbe dovuto rispondere a nome dell'imperatore. A questo ritmo si svolgevano solitamente gli scambi diplomatici dell'antichità.

Partiti da Costantinopoli in direzione nord-ovest, i due cortei seguirono la principale strada militare attraverso i Balcani e dopo aver viaggiato a rotta di collo per tredici giorni raggiunsero la città di Serdica, a 550 chilometri dal punto di partenza. Qui i romani decisero che era venuto il momento di rompere il ghiaccio con un bel banchetto e fecero incetta di pecore e manzi dagli allevatori locali. Tutto andò a meraviglia fino al momento del brindisi: «Prima di bere, gli unni brindarono ad Attila e noi a Teodosio [imperatore d'oriente]. Ma Vigilas disse che non stava bene accostare un uomo a un dio, intendendo dire che Attila era un uomo e Teodosio un dio. Questo irritò gli unni, che cominciarono a scaldarsi e si arrabbiarono sempre di più».

Un pizzico di elasticità salvò la serata: «Allora spostammo la conversazione su altri temi e con le nostre amichevoli maniere calmammo la loro collera; al momento di alzarci da tavola, finita la cena, Massimino conquistò definitivamente Edeco e Oreste donando loro indumenti di seta e perle».

Tutto tornò dunque tranquillo. Ma poi ci fu un altro incidente bizzarro, o perlomeno così dovette sembrare ai suoi protagonisti. Mentre gli unni stavano per tornare alle loro tende per la notte, Oreste disse di essere molto contento che Massimino e Prisco non gli avessero fatto lo stesso sgarbo delle autorità di Costantinopoli, che avevano invitato a cena Edeco e non lui. Prisco e Massimino non ne sapevano niente, ma il significato di quella precisazione sarebbe emerso con chiarezza qualche tempo dopo.[24]

Nei giorni successivi la carovana avanzò lentamente verso nord-ovest attraverso i Balcani, scavalcò il Passo Succi e scese verso Naissus. Le conseguenze del saccheggio del 441-442 saltavano subito agli occhi: i due cortei dovettero cercare a lungo sulle rive del fiume, fuori dalle mura della città, un terreno su cui accamparsi che non fosse cosparso delle ossa dei morti ammazzati. Il giorno dopo furono raggiunti da cinque dei diciassette fuggiaschi unni – oggetto delle lamentele di Attila – consegnati a Massimino da Aginteo, comandante generale delle forze di campo romane dell'Illirico. Tutti si rendevano conto che quei poveretti sarebbero tornati in patria solo per ricevervi una morte orrenda, quindi l'incontro fu probabilmente carico di compassione; Prisco annota che Aginteo trattava i prigionieri con grande gentilezza. A Naissus la strada svoltava verso nord e la carovana attraversò boschi e zone incolte fino a raggiungere le rive del Danubio, dove però non c'era traccia delle orgogliose lance della marina romana che lo stato, con la legge del settembre 443, aveva ordinato di allestire, ma solo «traghetti barbari». Il corteo attraversò il fiume su canoe ricavate da un singolo tronco d'albero scavato. Cominciò quindi l'ultima tappa del viaggio: altri 70 *stadia* (14 chilometri circa), più un'ultima mezza giornata di cammino e sarebbero arrivati all'accampamento di Attila.

A questo punto accadde un'altra cosa strana, ancora più inquietante dell'episodio di Oreste. Avvicinandosi ormai alla meta dopo quasi un mese di viaggio, gli ambasciatori erano impazienti di mettersi all'opera. Finito di montare il campo arrivò una delegazione unna di cui facevano parte anche Edeco, Oreste e Scotta, un altro fedelissimo di Attila. Onegesio invece, il potenziale facilitatore dei colloqui diplomatici, non aveva potuto unirsi al gruppo perché era dovuto andare chissà dove con i figli di Attila. Un fastidioso contrattempo; ma poi le cose andarono ancora peggio. I messaggeri domandarono agli ambasciatori cosa volessero; i romani risposero che ne avrebbero parlato solo con Attila; allora gli altri tornarono indietro per consultare il loro capo e quando si ripresentarono all'accampamento romano, narra Prisco, «sapevano già tutto ciò di cui la nostra ambasceria avrebbe dovuto discutere e ci dissero che se non avevamo nient'altro da dire potevamo andarcene subito».

I romani rimasero sbalorditi. Primo, perché non si aspettavano un'accoglienza tanto ostile; secondo, perché gli unni conoscevano già gli obiettivi segreti della loro missione. Gli ambasciatori rimasero letteralmente senza parole. Più tardi Vigilas, l'interprete, rimprovererà Massimino di non essersi inventato qualcosa per portare avanti i negoziati. Il che sarebbe stato senz'altro meglio che girare mestamente sui tacchi e tornarsene a casa; anche se, con tutta la propaganda con cui si cercò di abbellire la missione, la notizia del fallimento fu data solamente molto tempo dopo. Mesi di preparativi e di viaggio sembravano dunque destinati a concludersi con un nulla di fatto. Quando già gli schiavi ebbero caricato le salmerie sugli animali e la carovana stava per mettersi in marcia, nonostante fosse ormai buio, un altro messaggero arrivò da parte di Attila e consegnò agli ambasciatori un bue e del pesce dicendo che il suo sovrano, vista l'ora tarda, li invitava a fermarsi per la notte. I romani smontarono tutto quanto, sedettero a mensa e andarono a dormire con l'animo un po' più sollevato, sicuri di trovare il giorno dopo un Attila più conciliante.

Al risveglio, però, quel poco di ottimismo si dileguò. Il nuovo messaggio di Attila infatti era inequivocabile: a meno che non avessero qualcosa di nuovo da dire, dovevano andarsene. Scoraggiati, gli ambasciatori prepararono di nuovo i bagagli. Massimino era veramente disperato.

È qui che vediamo Prisco dare il suo primo contributo significativo alla missione. Egli infatti andò personalmente a cercare Scotta, uno dei messaggeri unni conosciuti la notte prima, per fare un ultimo, disperato tentativo di far procedere l'ambasceria. Molto abilmente, gli offrì un premio se fosse riuscito a fargli avere un colloquio con Attila. Gliela pose come sfida personale: se davvero Scotta era una persona importante come diceva, certamente poteva indurre il suo signore a concedere ai romani questo piccolo favore. L'altro abboccò e gli ambasciatori ottennero udienza. Ma dopo aver presentato le loro credenziali e offerto i doni rituali, si trovarono davanti un nuovo ostacolo: Attila si rifiutava di entrare nel merito delle questioni. Anzi, non li degnava nemmeno di una parola e preferiva rivolgersi all'interprete: come Vigilas sapeva benissimo, ribadì Attila, nessun'altra ambasceria imperiale sarebbe stata ricevuta fintanto che i romani non avessero restituito tutti i fuggiaschi. Quando Vigilas rispose che *lo avevano* fatto, Attila «si arrabbiò ancora di più e lo insultò violentemente, gridandogli che l'avrebbe fatto impalare e divorare dagli uccelli se il fatto di punirlo [...] per [...] le sue parole sfrontate e senza vergogna non avesse costituito una violazione dei diritti degli ambasciatori».

A questo punto Attila ordinò a Massimino di aspettare mentre lui rispondeva per iscritto alle lettere dell'imperatore; mentre a Vigilas intimò di tornare subito a Costantinopoli per trasmettere la richiesta di restituzione dei fuggiaschi. E dichiarò conclusa l'udienza.

Innervositi, i romani tornarono alle loro tende domandandosi che cosa l'avesse tanto irritato. Vigilas poi era particolarmente in imbarazzo perché, durante le precedenti ambascerie cui aveva partecipato, Attila era sempre stato molto gentile con lui. Poi Edeco chiese di poter parlare da solo con Vigilas: il messaggio, stando all'interprete, era che Attila avrebbe veramente scatenato un'altra guerra se i fuggiaschi non fossero stati restituiti al più presto. Massimino e Prisco non erano molto sicuri di potergli credere, ma prima che avessero il tempo di torchiarlo ulteriormente giunsero altri messaggeri. Questi riferirono che Attila proibiva ai romani di comprare oggetti costosi e di pagare il riscatto per i loro prigionieri: fintanto che le dispute tra le due parti non si fossero risolte avrebbero potuto acquistare solo generi alimentari. Come andavano interpretati questi ordini bizzarri? Mentre ci pensavano sopra, Vigilas partì.

Nella settimana seguente gli ambasciatori romani dovettero correr dietro ad Attila lungo le vie che portavano alle regioni più settentrionali del suo regno. Un viaggio tutt'altro che confortevole. A un certo punto la carovana fu sorpresa da un acquazzone e i romani si rifugiarono in casa di una delle mogli di Bleda, che regnava ancora su un suo feudo personale. L'ospitalità offerta dalla nobile unna fu delle più sfarzose, e completa di belle donne con cui passare la notte: i romani però, pur trattando le fanciulle con la massima cortesia, le rimandarono a casa.

Finalmente giunsero a destinazione, cioè a un insediamento che ospitava una delle residenze di Attila. I contatti diplomatici ricominciarono, stavolta su un tono più amichevole, e Prisco poté osservare con tutta calma il sovrano unno e il suo mondo. Dai suoi commenti, pur filtrati attraverso lo specchio deformante dei pregiudizi culturali romani, emerge un ritratto impressionante di Attila, della sua corte e dei mezzi con cui esercitava il potere.

Agli occhi di Prisco l'insediamento, composto da vari gruppi di edifici circondati da mura, sembrò poco più di un «grosso villaggio». La casa di Attila era la più grande e più elaborata di tutte, abbellita da torri che nessun altro palazzo poteva sfoggiare. Anche altri personaggi importanti del suo entourage, come Onegesio, vi avevano una casa, e tutte erano circondate da mura «di tronchi» costruite avendo in mente l'«eleganza» e non la «sicurezza», come sottolinea Prisco:[25]

Dietro le mura c'era un vasto gruppo di edifici, alcuni di assi scolpite e unite insieme per ottenere un effetto ornamentale, altri di tronchi scortecciati e piallati. Essi sorgevano su mucchi circolari di sassi che partivano dal suolo e si ergevano fino a una modesta altezza.

Una sera in cui gli ambasciatori furono invitati a cena, Prisco riuscì a spingersi fin negli appartamenti privati di Attila:

Tutti i sedili erano sistemati lungo le pareti [...]. Nel centro esatto della stanza c'era Attila, seduto su un divano. Dietro di lui c'era un secondo divano e poi alcuni scalini che conducevano al suo letto, schermato da lini sottili e da paramenti ornamentali colorati come quelli che greci e romani allestiscono per le nozze.

Ereka, moglie di Attila e madre del suo primogenito, aveva una casa tutta per sé che pare fosse arredata in modo simile, anche se non vi si organizzavano intrattenimenti pubblici:

La trovai adagiata su un morbido divano. Il pavimento era coperto di tappeti di lana intrecciati per camminarvi sopra. Un gruppo di servi stava in piedi attorno a lei e la serviva, mentre le schiave sedute davanti a lei realizzavano dei ricami colorati su fini tessuti che poi si potevano indossare come ornamento sugli abiti barbari.

Il tutto somigliava molto a un comune accampamento nomade, pur essendo fatto di materiali resistenti e non di tende. Prisco allude al fatto che Attila aveva parecchi altri palazzi sparsi per tutto il suo regno, ma non ci dice quanti fossero né dove.

Lo storico ci dà poi un'idea della vita pubblica che animava quei locali. Al loro arrivo infatti assistette personalmente ai festeggiamenti per il ritorno di Attila:

Mentre Attila entrava in città una folla di giovinette gli andò incontro: le ragazze si misero in fila davanti a lui sotto dei teli sottili di lino bianco che alcune di loro reggevano con le mani da ambo i lati. Questi tessuti erano tenuti tesi, ed erano così lunghi che sotto potevano camminarvi sette giovinette o più. E c'erano molte file di donne sotto i teli bianchi, e tutte cantavano dei canti della Scizia.

A cena, racconta Prisco, i posti furono assegnati con grande cura. Attila sedeva al centro di una serie di divani messi a ferro di cavallo e i posti d'onore erano quelli alla sua destra. A un certo punto cominciarono i brindisi: un servitore porse ad Attila una coppa ed egli la levò in onore della prima persona seduta alla sua destra. L'omaggiato si alzò in piedi e vuotò la coppa rispondendo al saluto, poi si rimise a sedere; quindi tutti gli altri bevvero alla sua salute. Attila fece lo stesso con tutti i commensali seduti alla sua destra lungo il ferro di cavallo, poi passò a quelli di sinistra. Niente avrebbe potuto esprimere meglio il tipo di legame che univa i commensali del re e il preciso ordine di beccata vigente fra loro.[26]

Prisco ci presenta poi Attila in persona. Questa descrizione non è giunta fino a noi di prima mano, nei frammenti raccolti da Costantino VII Porfirogenito, bensì tramite un intermediario, lo storico del VI secolo Giordane (già citato):[27]

Il [suo] portamento era altezzoso, egli girava gli occhi da una parte e dall'altra e la forza del suo orgoglio si rifletteva in tutti i movimenti del corpo. Pur amando la guerra, non era incline alla violenza. Era un consigliere molto saggio, misericordioso con quelli che chiedevano misericordia e leale con quelli che aveva scelto come amici. Era basso, col petto ampio e la testa grossa; gli occhi erano piccoli, la barba rada e sparsa di fili grigi, il naso schiacciato e la carnagione scura.

Non è chiaro se questo brano sia una trascrizione precisa delle parole di Prisco (che scriveva in greco, mentre la lingua di Giordane era il latino) o una parafrasi: a ogni modo ne viene fuori un ritratto del grande conquistatore abbastanza stupefacente. Che Attila non si tirasse indietro davanti all'uso della violenza è comprensibile, ma chi avrebbe mai detto che fosse anche «saggio» e «misericordioso»? Eppure l'ambivalenza della sua personalità emerge anche da altri punti della narrazione di Prisco. Da una parte, dice lo storico, attorno alla sua presunta predestinazione alla conquista del mondo egli aveva costruito una sorta di culto della personalità, mentre per altri aspetti era assai modesto. Prisco riporta la leggenda di un mandriano che, seguendo la scia di sangue lasciata da una giovenca ferita, aveva trovato, semisepolta, la spada su cui l'animale si era ferito:

La dissotterrò e la portò subito ad Attila. Lui fu contento del dono, ed essendo d'animo intrepido ne dedusse di essere stato scelto per dominare il mondo e che con quella spada Marte gli avesse garantito l'invincibilità in guerra.

Il ritrovamento della spada, ammesso che sia vero, probabilmente non fece che coronare un'ideologia di conquista che Attila elaborava ormai da tempo. Le sue abitudini e l'idea che voleva dare di sé stesso, invece, non sono quelle che potremmo aspettarci da tali premesse. Prisco racconta di una cena a casa del re:

Mentre per gli altri barbari e per noi c'erano cibi lussuosamente preparati e serviti su piatti d'argento, per Attila c'era della semplice carne in un piatto di legno [...]. Calici d'oro e d'argento passavano tra gli invitati al banchetto, mentre la sua coppa era di legno. I suoi abiti erano semplici, e non differivano in niente da quelli degli altri tranne per il fatto che erano puliti. Né la spada che pendeva al suo fianco né i lacci dei suoi barbari stivali né le briglie del suo cavallo recavano ornamenti d'oro o di pietre preziose come quelli degli altri sciti.

I ritrovamenti archeologici, come vedremo in questo stesso capitolo, dimostrano che Prisco non esagerava affatto nel descrivere la ricchezza degli utensili di cui si serviva l'élite dell'impero unno: ma a quanto pare il conquistatore scelto dal cielo preferiva la semplicità.

Quale significato possano avere questi dettagli per la comprensione del «vero» Attila è a tutt'oggi oggetto di dibattito. Su di lui abbiamo solo un punto di vista esterno, mentre dei suoi affari interni non sappiamo niente. Eppure questi pochi elementi bastano a suggerire che fosse un uomo intelligente, di una certa complessità, capace di coltivare con cura la propria immagine pubblica. Assolutamente convinto dell'eccezionalità del proprio destino, Attila non aveva bisogno delle lussuose bardature del potere. Rifiutando i bei vestiti e i cibi raffinati comunicava all'osservatore l'idea che le cure mondane non sono degne di un uomo predestinato alla grandezza. È uno degli ingredienti segreti della sua leadership. La cronaca di Prisco, confermata da un paio di altre fonti minori, ci permette di andare ancora oltre. Com'è logico aspettarsi, il re degli unni era impietoso con i nemici: Prisco non ci dice che fine fecero i cinque fuggiaschi unni che l'ambasceria aveva preso con sé a Naissus, ma altri due che erano stati restituiti ad Attila qualche tempo prima, Mama e Atakam, descritti come «fanciulli appartenenti alla casa reale», furono impalati.[28] Pare che nel mondo unno l'impalamento fosse la via maestra per risolvere una gran quantità di problemi. Più tardi Prisco assistette personalmente al supplizio di una spia e all'impiccagione di due schiavi che durante una battaglia avevano ucciso i loro padroni.[29] E pur non raccontandoci ulteriori dettagli, tutte le fonti sono concordi nel dire che Attila era in qualche modo responsabile della morte di suo fratello Bleda.

Al tempo stesso, però, se necessario il sovrano sapeva anche controllarsi. Nonostante Bleda fosse stato assassinato, una delle sue mogli aveva potuto mantenere il suo feudo e accogliere con grande ospitalità Massimino e Prisco quando, lungo il tragitto, li aveva colti il temporale. Il fatto che Attila avesse risparmiato la famiglia di suo fratello getta una luce favorevole su di lui, soprattutto se si pensa a ciò che era capitato alle mogli di Stilicone e di Felice quando i loro mariti erano caduti in disgrazia (cfr. Capitolo 5).

389

Il perché di questo comportamento risiede forse nella politica matrimoniale di Attila, il quale aveva molte mogli e sicuramente ne aveva sposate alcune per ragioni politiche, al fine di imparentarsi con importanti capi di secondo livello che desiderava vincolare più strettamente a sé. Bleda, probabilmente, aveva fatto altrettanto: quindi è facile che anche le sue mogli provenissero da famiglie influenti che non era conveniente inimicarsi. Dalla cronaca di Prisco risulta poi che Attila era molto attento a onorare nella forma dovuta i suoi sostenitori: il cerimoniale del brindisi con cui dava inizio ai banchetti ufficiali non serviva soltanto a stabilire e a confermare le gerarchie interne, ma dava a ciascuno ciò che gli spettava. Una volta che era arrivato al palazzo imperiale con un messaggio, Prisco stesso fu testimone di una scena rivelatrice: la moglie di Onegesio, braccio destro di Attila, uscì di casa per andare incontro al re e lo accolse «recando cibo e [...] vino (questo è un grande onore tra gli sciti), gli diede il benvenuto e gli chiese di accettare ciò che lei gli offriva in segno d'amicizia. Per far piacere alla moglie di un buon amico il re mangiò senza nemmeno scendere da cavallo [...]». Mantenere buone relazioni con gli alleati più importanti richiedeva dunque molte finezze d'etichetta (Attila poteva anche comportarsi in modo apparentemente irragionevole, ma il più delle volte lo faceva quando aveva deciso a priori di litigare). Su un piano più pratico, il mantenimento di quei rapporti d'amicizia richiedeva sicuramente la regolare condivisione del bottino di guerra.[30]

Niente di tutto ciò ci permette di penetrare a fondo nella mente di Attila, ma nell'insieme possiamo ricavare qualcosa della sua ricetta per il successo: un'assoluta fiducia in sé stesso, unita al carisma che spesso ne deriva; spietatezza quando era il caso, ma anche una notevole capacità di moderarsi e una buona dose d'astuzia; rispetto verso i subordinati di cui voleva assicurarsi la lealtà. Fino a che punto Attila tenesse in pugno la cerchia dei suoi fedelissimi è bene illustrato dall'epilogo dell'ambasceria di Prisco, che pure da un certo punto di vista si risolse in un fiasco completo. Il cronista ci ha lasciato una bella descrizione degli ambasciatori trotterellanti dietro ad Attila per tutta la pianura del medio Danubio, molti preziosi dettagli sul mondo degli unni e il resoconto delle lunghe schermaglie diplomatiche che si conclusero con l'ammissione alla corte del re. A questo punto l'equilibrio del racconto avrebbe richiesto uno scontro verbale tra Attila e gli ambasciatori risolto a favore di questi ultimi, che così avrebbero potuto tornare in patria coperti di gloria. La realtà invece fu più prosaica. Dopo aver tanto faticato per ottenere udienza, gli ambasciatori non poterono far altro che starsene con le mani in mano mentre Attila scriveva all'imperatore; e il loro solo trionfo fu quello di riscattare una nobile matrona romana, Silla, a fronte di un pagamento di 500 *solidi* inviati dai suoi figli ad Attila come gesto di buona volontà. Dopodiché gli ambasciatori furono mandati a fare i bagagli con un altro amico intimo di Attila, Berico; il quale, se in un primo momento si era dimostrato abbastanza ben disposto, da un certo punto in poi divenne inspiegabilmente ostile, chiese la restituzione di un cavallo che aveva loro prestato e non volle più né cavalcare né mangiare con loro. Dall'ambasceria, dunque, non derivò né la pace né la guerra: qualsiasi contributo Massimino e Prisco avessero in mente di dare alla causa dei rapporti tra romani e unni si dissolse in un tacito fiasco.

Eppure quell'ambasceria ebbe anche un altro e più drammatico epilogo, che non vide il coinvolgimento diretto di Prisco. Mentre riattraversavano i Balcani in compagnia dell'unno scontroso i due ambasciatori incrociarono Vigilas, l'interprete, che tornava verso nord con la risposta dell'imperatore sulla questione dei fuggiaschi. Non appena ebbe raggiunto la corte di Attila, Vigilas fu aggredito dagli uomini del re, che gli trovarono addosso la grossa somma di cinquanta libbre d'oro. Vigilas alzò la voce, disse che il denaro serviva a pagare il riscatto per alcuni prigionieri e a comprare animali da carico di buona qualità; ma come ricorderete Attila aveva stabilito che prima della firma dei nuovi accordi gli ambasciatori non potessero comprare altro che generi alimentari (e con cinquanta libbre d'oro si poteva comprare abbastanza pane da saziare un piccolo esercito). Quando gli unni minacciarono di uccidergli il figlio che viaggiava con lui, Vigilas confessò. Ecco cos'era successo. Qualche tempo prima, a Costantinopoli, mentre si allestiva l'ambasceria di Massimino e Prisco, l'*éminence grise* in carica, l'eunuco Crisafio, aveva complottato con l'ambasciatore Edeco per assassinare Attila: quei soldi erano proprio il prezzo del tradimento. Il vero compito di Prisco e Massimino, che pure ne erano del tutto all'oscuro, era dunque quello di fare da paravento per coprire la congiura.

Come se tutto ciò non fosse abbastanza pericoloso, la situazione era ancora più complicata. Tornato a nord del Danubio dopo quel suo primo viaggio, Edeco aveva raccontato tutto ad Attila. Scrivendone a cose fatte, Prisco si rendeva perfettamente conto che molti degli strani incidenti occorsi durante il viaggio, e che lui e Massimino sul momento non erano riusciti a spiegarsi, in realtà avevano a che fare con quella congiura. È per questo che Oreste, l'altro ambasciatore unno, non era stato invitato a cena insieme a Edeco mentre i due si trovavano a Costantinopoli: perché durante quella cena si era parlato dei dettagli del tradimento. Ciò spiega anche come mai gli unni sapessero già tutto degli scopi ufficiali dell'ambasceria: Edeco infatti ne aveva parlato con Attila raccontandogli del complotto. Di qui anche il colloquio privato tra Vigilas e Edeco, che poi l'interprete aveva cercato di giustificare in un modo così poco convincente; di qui anche l'ostilità di Attila nei confronti di Vigilas, e soprattutto lo strano ordine di non comprare altro che cibo. Faceva tutto parte della trappola preparata per Vigilas, che quando fu preso con l'oro non poté avanzare scuse. La congiura di Crisafio era stata preparata con cura, ma era condannata a fallire fin dal principio; la lealtà di Edeco nei confronti di Attila, frutto di un misto di paura e ammirazione, era di gran lunga troppo forte perché il primo venuto potesse corromperlo e spingerlo ad agire contro il suo re.

Con una simile congiura alle spalle, è sorprendente che la cronaca di Prisco risulti tanto piana e concreta. Attila avrebbe potuto farli impalare tutti, poiché essi per primi avevano infranto ogni regola sulla protezione dei diplomatici in viaggio. Buon per loro che il re degli unni fosse un tipo tanto calcolatore. Invece di farli impiccare all'istante, egli vide nella congiura l'occasione per riportare una nuova vittoria psicologica sull'impero romano d'oriente. A Vigilas, dietro pagamento di altre cinquanta libbre d'oro, fu permesso di riscattare il figlio, e due ambasciatori unni, Oreste ed Eslas, furono inviati a Costantinopoli:

[Attila] ordinò a Oreste di presentarsi all'imperatore [Teodosio II] con appesa al collo la borsa in cui Vigilas aveva messo l'oro destinato a Edeco. Egli doveva mostrarla al sovrano e all'eunuco [Crisafio] e domandar loro se la riconoscevano. Eslas doveva anche dire chiaramente che Teodosio era figlio di padre nobile e che pure Attila lo era [...]: ma mentre Attila aveva preservato intatto il suo nobile lignaggio, Teodosio era decaduto dal proprio e ormai non era altro che un servo di Attila, tenuto a pagargli un tributo. Cercando di aggredirlo di nascosto come il più infimo degli schiavi, quindi, egli aveva commesso ingiustizia contro un superiore che la sorte gli aveva dato come mentore.[31]

Che momento dev'essere stato! Davanti a tutta la corte riunita con addosso gli abiti più sfarzosi e in rigoroso ordine di precedenza – rappresentazione vivente del favore divino che aveva assegnato all'impero romano il suo indiscutibile primato – i due ambasciatori barbari entrarono nella grande sala cerimoniale e si esibirono nella loro pantomima. Dal racconto di Prisco non sappiamo come reagirono i dignitari dell'impero, ma niente come questa pubblica umiliazione dell'imperatore d'oriente potrebbe illustrare meglio l'illimitata arroganza con cui Attila schiacciava sotto il tallone il suo angoletto di mondo.

Un impero dai mille colori

Comunque, nel regno del terrore che Attila instaurò in Europa c'era molto di più del suo carisma personale e delle sue prepotenze. I suoi tour de force furono causa ed effetto dei due cambiamenti che, nel giro di una generazione, trasformarono gli unni da utili alleati di Costanzo ed Ezio in conquistatori del mondo. La cronaca di Prisco ci porta dritti al nocciolo delle cause che stavano alla base di quelle trasformazioni e senza le quali la carriera di conquistatore di Attila non avrebbe potuto nemmeno cominciare.

Come abbiamo visto, Prisco non fu il primo storico-diplomatico romano a far visita agli unni. Già nel lontano 411-412 Olimpiodoro aveva preso il mare col suo pappagallo, affrontato violente burrasche al largo di Costantinopoli, costeggiato Atene e risalito l'Adriatico fino ad Aquileia, suo ultimo approdo settentrionale, per conferire con loro. Sfortunatamente di tale ambasceria possediamo solo un breve riassunto, che tuttavia contiene un'informazione d'importanza cruciale:

Olimpiodoro parla di Donato e degli unni e del talento naturale che i loro re avevano con l'arco. Descrive l'ambasceria che lo portò presso di loro e presso Donato e [...] narra di come Donato fu tradito da un falso giuramento e malvagiamente messo a morte, e di come Charaton, il primo fra i re, si infiammò di collera udendo dell'assassinio e di come dovette essere calmato e blandito con doni e regali.[32]

Il brano è fitto di misteri: innanzitutto chi era questo Donato – non è chiaro nemmeno se fosse un unno – e chi fu a ucciderlo? Qualcuno ha avanzato l'ipotesi che tra l'arrivo dell'ambasceria di Olimpiodoro e la morte di Donato non ci fosse semplicemente una casuale coincidenza di tempi: forse l'episodio è un esempio più fortunato di quel tipo di congiura camuffata da diplomazia in cui più tardi sarebbe stato coinvolto anche Prisco.[33] Ma il punto che qui ci interessa è che nel 411-412 gli unni erano governati da più re (il brano non specifica quanti) gerarchicamente ordinati, al cui vertice spiccava Charaton. Ciò ricorda molto il sistema regale vigente presso un altro gruppo nomade, gli akatziri, che attirò l'attenzione di Prisco durante la sua missione diplomatica: quando i romani arrivarono all'accampamento degli unni non ci trovarono Onegesio, che aveva dovuto allontanarsi con il primogenito di Attila proprio per sottomettere gli akatziri. L'opportunità di farlo si era presentata in un modo piuttosto interessante, come ci racconta lo stesso Prisco:

Gli [akatziri] avevano molti re, tanti quanti erano i loro clan e tribù, e l'imperatore Teodosio aveva mandato a tutti dei doni affinché rinunciassero unanimemente alla loro alleanza con Attila e facessero pace con i romani. Il messo che portava i doni però non li aveva consegnati a ciascun sovrano in ordine di rango, con il risultato che Kouridachus, il più alto in grado, aveva ricevuto il suo dono solo per secondo e, sentendosi scavalcato e spogliato dell'onore dovutogli, aveva chiesto aiuto ad Attila contro gli altri re.

A parte il divertimento di immaginare cosa mai possa aver raccontato, al suo ritorno, l'ambasciatore romano responsabile di quel pasticcio,[34] il brano ci dà un'idea del sistema politico vigente tra gli unni intorno al 410.[35]

Il contrasto con i tempi di Attila, a una sola generazione di distanza, non potrebbe essere maggiore. Prisco passò molto tempo alla còrte degli unni e parla diffusamente della loro struttura interna e del loro *modus operandi*. Come abbiamo visto esisteva un nocciolo di uomini influenti – innanzitutto Onegesio, poi Edeco, Scotta, Berico e altri – che Attila trattava con grande rispetto; ma nessuno di questi personaggi aveva nemmeno lontanamente la dignità di un re. Dalle informazioni in nostro possesso non possiamo assolutamente dedurre che gli unni avessero altri sovrani oltre ad Attila stesso. Tutti quei re che ancora nel 411 condividevano il potere avevano ceduto il passo a una monarchia nel senso letterale della parola. Del processo che aveva portato il potere supremo a concentrarsi nelle mani di un solo uomo, però, non ci è giunto alcun resoconto. È facile immaginare, e molti indizi lo confermano, che non sia stata un'evoluzione pacifica: l'ultimo atto del dramma vide Attila assassinare suo fratello Bleda in una fase in cui già il potere era evidentemente monopolizzato da due sole persone, per giunta appartenenti alla stessa famiglia. Il che suggerisce che Rua (o Ruga), lo zio a cui i due fratelli erano succeduti, avesse giocato un ruolo fondamentale nello sfoltimento dei casati reali.

La nuda violenza dell'assassinio di Bleda probabilmente tradisce il modo in cui erano stati eliminati anche gli altri re che erano di troppo. I primi negoziati tra Costantinopoli da una parte e Attila e Bleda dall'altra, prima che questi ultimi attaccassero Viminacium (441), come abbiamo visto avevano portato alla restituzione di due ex re fuggiaschi, Mama e Atakam, che furono prontamente impalati. Probabilmente si trattava di due cugini di Attila e Bleda, dato che Rua doveva avere perlomeno due fratelli, ma potevano anche essere i discendenti di altre stirpi reali che già quest'ultimo aveva soppresso. Tutta la questione dei fuggiaschi, che dominò l'attività diplomatica tra unni e romani negli anni 440-450, aveva dunque chiaramente a che fare con sovrani ed ex sovrani unni. Massimino e Prisco sentirono leggere un elenco di diciassette fuggiaschi: non certo una moltitudine di persone, ma individui singoli che probabilmente costituivano una potenziale minaccia per la monarchia unna. È anche possibile che alcuni re di secondo livello avessero accettato di rinunciare al trono pur di avere salva la vita (nel decennio successivo alla morte di Attila, quando qualcosa di simile accadde anche tra i goti, la maggior parte dei re fu uccisa in combattimento o scappò, ma di almeno uno si sa che accettò di essere degradato a semplice nobile).[36]

L'antropologia delle popolazioni nomadi ci dice poi che la centralizzazione politica – la prima delle trasformazioni di cui ci stiamo occupando – deve essere stata accompagnata da altri, più estesi cambiamenti. Le strutture di potere decentrate sono piuttosto frequenti tra i gruppi nomadi: le greggi non possono essere concentrate in raggruppamenti troppo grandi, pena l'impoverimento dei pascoli. Nel mondo nomade lo scopo primario per cui si costituiscono strutture politiche di più ampia portata è quello di avere un forum in cui rinegoziare i diritti di pascolo: tale struttura può anche essere dotata di forze armate, ma solo al fine di proteggere quei diritti da pretese esterne. Stando così le cose, la centralizzazione definitiva del potere politico tra gli unni deve essere connessa al fatto che essi non dipendevano ormai più in maniera predominante dalla produttività delle mandrie. Prisco cita molti elementi importanti sulla natura di questi aggiustamenti economici. Come abbiamo visto nel Capitolo 4, i nomadi hanno sempre bisogno di stringere rapporti economici con i produttori agricoli stanziali: ciò vale anche nel caso degli unni, che ancora nel decennio successivo al 440 avevano intensi scambi commerciali con i contadini.[37] Ai tempi di Attila, però, la principale forma di baratto tra gli unni, nomadi, e i romani, agricoltori stanziali, non era più cereali contro prodotti d'origine animale bensì denaro contante in cambio di qualche forma di aiuto militare. Questo tipo di scambio era cominciato una generazione prima, quando gli unni prestavano servizio nell'esercito romano come mercenari. Uldino e i suoi seguaci sono i primi che senz'altro lo fecero, all'inizio del 400: poi, verso il 410, folti contingenti di unni potrebbero aver aiutato Costanzo; e certamente sostennero Ezio nei decenni del 420 e del 430.

Qualche tempo dopo, il servizio militare retribuito degenerò nella forma di estorsioni di denaro. Quando esattamente sia stata varcata questa linea di confine è impossibile a dirsi: lo zio di Attila, Rua, attaccò sicuramente l'impero romano d'oriente per ottenere dei soldi mentre ancora i suoi unni facevano i mercenari per quello d'occidente. Sotto il regno di Attila, ormai, gli aiuti esteri provenienti dall'impero erano diventati un tributo vero e proprio; e dai resoconti di Prisco sulle attività diplomatiche tra unni e romani emerge chiaramente che l'obiettivo principale delle periodiche incursioni unne era di far scucire sempre più soldi all'impero. Come abbiamo visto, il primo trattato tra Attila e Bleda e l'impero d'oriente fissava l'ammontare del tributo annuo in 700 libbre d'oro; di lì in poi le richieste dei barbari non fecero che aumentare. Le guerre degli unni contro i romani si conclusero sempre con scambi economici unidirezionali di bottino, di schiavi e di ostaggi, come quello la cui liberazione fu negoziata da Prisco e Massimino.[38]

Nel decennio successivo al 440, dunque, le attività predatorie ai danni dell'impero avevano generato un flusso crescente di ricchezza dal mondo romano a quello unno. Per cambiare un sistema politico basato su una serie di sovrani ordinati gerarchicamente ma nella sostanza tutti uguali fra loro, un aspirante re dei re doveva innanzitutto convincere i sudditi degli altri sovrani a passare dalla sua parte. Ridurre il mercato a un flusso di ricchezza proveniente da un solo partner, l'impero, era l'ideale per concentrare nelle mani di un solo uomo abbastanza *patronage* da rendere obsolete le vecchie strutture di potere. Solo il re che avesse controllato quel flusso di risorse poteva mettere fuori gioco tutti gli altri e conquistare stabilmente il favore dei sudditi. Probabilmente già nella seconda metà del IV secolo gli unni avevano cominciato a razziare e terrorizzare sia gli altri popoli nomadi sia gli agricoltori stanziali germanici che vivevano a nord del Mar Nero; ma una vera centralizzazione divenne possibile solo quando il teatro d'operazioni del corpo principale degli unni entrò in contatto con il mondo romano. Dal depredare e terrorizzare i goti si potevano ricavare un certo numero di schiavi, qualche oncia d'argento e un po' di roba da mangiare, ma niente di più: troppo poco per finanziare una consistente rivoluzione politica. Ma se le stesse attività erano messe in atto *vis-à-vis* con l'impero romano e l'oro cominciava ad affluire con una certa abbondanza, dapprima a centinaia di libbre l'anno, poi addirittura nell'ordine delle migliaia di libbre, questo sì che bastava a rivoluzionare il sistema economico-politico.

Pur non avendo prove con cui sostanziare la tesi, possiamo spiegare queste trasformazioni più come una forma di adattamento finalizzata alla liberazione graduale dal nomadismo che non come una rottura drastica col passato. Come abbiamo visto, di solito i nomadi allevano animali diversi per sfruttare appieno le varie qualità di pascoli disponibili. Il cavallo per esempio è un animale costoso, quasi di lusso, che viene utilizzato per le razzie, per la guerra, per i trasporti e il commercio; la sua carne, in termini di proteine utilizzabili, rende troppo poco in rapporto alla quantità e qualità dei pascoli richiesti. È per questo che di solito i nomadi allevano relativamente pochi cavalli. Ma se la guerra diventa un affare economicamente redditizio (come avvenne quando gli unni entrarono in contatto con l'impero romano), allora diviene possibile allevare sempre più cavalli per le attività belliche e nasce un tipo particolare di gruppo nomade, militarmente predatorio. Una strategia di sopravvivenza che non avrebbe potuto funzionare nella steppa sconfinata, dove gli utili potenziali della guerra erano infinitamente minori.

È impossibile dimostrare che le cose andarono effettivamente così, ma un rilevante fattore di conferma è costituito dalle dimensioni stesse della regione occupata dagli unni nel V secolo: la pianura ungherese, pur offrendo pascoli di buona qualità, era molto più piccola della grande steppa eurasiatica da cui essi provenivano. Con i suoi 42.400 chilometri quadrati di pascoli, quella pianura rappresenta infatti meno del 4 per cento delle aree a pascolo della sola Mongolia. E proprio in considerazione del fatto che i pascoli della nuova zona d'operazioni erano così limitati, alcuni storici si sono domandati se gli unni nel V secolo non stessero evolvendo verso un'esistenza del tutto sedentarizzata. In teoria la pianura ungherese aveva pascoli sufficienti per allevare 320.000 cavalli, ma il dato dev'essere ridotto per far posto ad altri animali, alle zone ricoperte di boschi e foreste ecc.; quindi è ragionevole supporre che vi pascolassero, diciamo, 150.000 cavalli. Dato che ogni guerriero nomade ha bisogno di una decina di cavalli per poterli usare a rotazione senza sfinirli, la pianura ungherese aveva spazio sufficiente per nutrire i destrieri di 15.000 guerrieri. Personalmente non credo che gli unni fossero molti di più; quindi niente dimostra in modo inconfutabile che, ancora sotto il regno di Attila, gli unni non avessero mantenuto almeno in parte il loro carattere nomade.[39] Comunque stiano le cose il punto fondamentale è che, una volta arrivati vicino all'impero romano, gli unni intuirono la possibilità di guadagnarsi la vita in un modo nuovo e meno faticoso, basato sulla predazione militarizzata della ricca economia del mondo mediterraneo.

I testi di Prisco, implicitamente, contengono anche le prove documentarie dell'altro cambiamento fondamentale che rese possibile l'impero di Attila. Nel tempo che trascorsero alla sua corte, Prisco e Massimino interagirono più con una cerchia ristretta di notabili che non con Attila stesso. Identificare il gruppo linguistico cui appartengono gli antichi nomi propri di persona è un'attività irta di pericoli, ma quelli dei dignitari di Attila sono per noi di grandissimo interesse. Onegesio e Edeco sono senza dubbio nomi germanici o germanizzati, mentre Berico e Scotta è solo *probabile* che lo siano. Sia Attila («Piccolo Padre») che Bleda sono nomi germanici, ma ciò non significa necessariamente che chi li portava fosse d'origine germanica e non unna (per quanto non sia da escludersi), perché sappiamo che alla metà del V secolo il «gotico» – probabilmente nome collettivo per un certo numero di dialetti germanici reciprocamente comprensibili e diffusi in tutta l'Europa centro-orientale – era una delle lingue principali dell'impero unno, parlato anche alla corte di Attila. Oltre ai loro originari nomi unni (e si continua a discutere su che tipo di lingua fosse l'unno), pare che alcune importanti figure storiche di quel popolo avessero anche nomi germanici o germanizzati.[40] Ma come mai le lingue germaniche avevano un ruolo così importante nell'impero unno?

La risposta sta nelle linee evolutive generali dell'impero di Attila. Già a partire dal 370, quando aggredirono i goti al di là del Mar Nero, gli unni costringevano i popoli sottomessi a combattere con loro. La prima volta che attaccarono i greutungi, innescando la valanga che avrebbe portato alla battaglia di Adrianopoli (cfr. pp. 211ss.), essi operavano insieme agli alani, nomadi di lingua iraniana. Da allora in poi, ogni volta che incontriamo gli eserciti unni, essi stanno combattendo insieme a non unni. Anche se Uldino non fu certo un conquistatore del livello di Attila, quando l'impero romano d'oriente lo sconfisse (cfr. Capitolo 5) la maggior parte dei soldati che rimasero con lui erano probabilmente sciri di lingua germanica.[41] Analogamente, l'esercito romano d'oriente che dopo il 420 intervenne per fermare gli unni a ovest dei Carpazi si trovò in realtà di fronte a una massa di goti germanici.[42]

Negli anni che precedettero l'ascesa di Attila, questo processo di incorporazione andò avanti a ritmo sostenuto. Dopo il 440, ormai, l'orbita del formidabile potere di Attila re degli unni aveva risucchiato un numero incredibile di gruppi germanici. Del suo impero per esempio facevano parte tre gruppi di goti: il primo, dominato dalla famiglia Amal e dai suoi rivali, che più tardi avrebbe avuto un ruolo centrale nella nascita di un secondo supergruppo di goti, gli ostrogoti; il secondo, che attorno al 465 sarà guidato da un certo Bigelis; e un terzo che invece rimarrà sotto lo stretto controllo dei figli di Attila fino al 470 circa. Molti altri gruppi di lingua germanica come i gepidi, i rugi, gli svevi (che abbiamo lasciato nel 406), gli sciri e gli eruli col tempo erano caduti sotto il diretto controllo degli unni, mentre una forma di dominazione probabilmente più blanda riguardava longobardi, turingi e almeno alcuni sottogruppi di alamanni e di franchi.[43] Difficile valutare numericamente questo vasto universo di lingua germanica, ma il gruppo di goti governato dalla famiglia Amal poteva mettere in campo da solo più di 10.000 uomini armati, per una popolazione totale di 50.000 persone. E non abbiamo ragione di supporre che gli altri gruppi fossero più piccoli; anzi, alcuni potevano essere anche più grandi. Dunque potremmo dire che, ai tempi di Attila, molte decine di migliaia di persone di lingua germanica, forse addirittura centinaia di migliaia, erano rimaste intrappolate nell'impero unno. In realtà credo che intorno al 440 in quella regione vivessero molti più germani che unni: il che spiega come mai il «gotico» fosse diventato una sorta di lingua franca dell'impero. Né le popolazioni germaniche esauriscono l'elenco dei sudditi non unni di Attila: come abbiamo visto, gruppi di alani e sarmati di lingua iraniana erano alleati degli unni già da lungo tempo, e Attila non perdeva occasione di conquistare nuove alleanze.

Tutto ciò dimostra che l'impero unno era interessato all'annessione di popolazioni, non di territori: Attila stesso non si dimostrò mai particolarmente ansioso di conquistare pezzi consistenti di impero romano. Infatti si prese due province del medio corso del Danubio come ricompensa per i servigi prestati a Ezio (cfr. Capitolo 6), ma per il resto cercò semplicemente di creare una sorta di cordone sanitario tra i suoi possedimenti e quelli dell'impero d'oriente. Anche se le cronache spesso definiscono «unni» o «sciri» (termine più arcaico, ma equivalente) gli eserciti di Attila, tutte le fonti un po' dettagliate dicono chiaramente che, come quelle dei suoi meno potenti predecessori, anche le truppe del «flagello di Dio» erano composite, formate cioè sia da unni sia da contingenti forniti dai popoli incorporati nell'impero.[44]

Le prove archeologiche confermano la cosa (Carta n. 12). A partire dal 1945 molto materiale è venuto alla luce da scavi effettuati nella grande pianura ungherese e nelle regioni circostanti, dove sono state rinvenute delle necropoli risalenti al periodo della dominazione unna (sono stati trovati anche preziosi tesori, nessuno dei quali però proviene da uno degli accampamenti di Attila: è probabile infatti che di quelli non rimangano altro che i buchi in cui erano conficcati i pali). Tra gli oggetti rinvenuti è stato estremamente difficile identificare quelli «davvero» unni. In tutto (il dato riguarda sia la steppa del Volga, a nord del Mar Nero, sia la pianura ungherese), gli archeologi hanno identificato non più di duecento sepolture plausibilmente unne, caratterizzate dalla presenza degli archi, di elementi di vestiario poco diffusi in Europa,[45] di crani deformati (spesso gli unni fasciavano la testa ai neonati per allungarne le ossa) e dei cosiddetti calderoni unni. Quin-

di, o gli unni disponevano dei propri morti in modi che non hanno lasciato traccia, o questa scarsità di materiale unno deve avere un'altra spiegazione.[46] Le necropoli del V secolo sparse lungo il medio corso del Danubio hanno prodotto per contro grandi quantità di resti appartenenti ai sudditi germanici degli unni (o perlomeno così sembra: sfortunatamente è impossibile distinguerli da quelli appartenuti agli unni sulla base dei soli ritrovamenti archeologici):[47] resti che presentano legami evidenti con quelli del IV secolo rinvenuti in aree dominate dai goti o da altri gruppi germanici a est e a nord dei Carpazi. Quelli che qui ci interessano – i ritrovamenti relativi al V secolo – segnano l'emergere della cosiddetta sepoltura germanica «in stile danubiano».[48]

Lo stile danubiano è caratterizzato dall'inumazione invece che dalla cremazione[49] e dall'accumulo di grandi quantità di oggetti in un numero relativamente piccolo di ricche sepolture (molti altri defunti venivano seppelliti con un corredo minimo o addirittura senza niente). Tra questi oggetti caratteristici ci sono anche ornamenti personali come grandi collane semicircolari, spille, fermagli piatti, orecchini con pendenti poliedrici e collane d'oro. Abbastanza spesso ci sono anche accessori dell'equipaggiamento militare: selle con finiture di metallo, lunghe spade diritte adatte alla cavalleria, archi. Alcuni oggetti testimoniano di bizzarre pratiche rituali: era abbastanza comune, per esempio, seppellire insieme al morto uno specchio metallico rotto. Il tipo di oggetti ritrovati nelle tombe, il metodo di sepoltura e, forse ancora più importante, la foggia delle vesti femminili – con l'abito raccolto su ciascuna spalla da una spilla di sicurezza (*fibula*) e un'altra spilla a fissare il lembo di tessuto sul davanti – riflettono schemi osservabili in tutti gli scavi decisamente germanici del IV secolo. Abitudini e oggetti che furono ulteriormente condivisi e sviluppati nel V secolo tra i numerosissimi sudditi di Attila sparsi per la grande pianura ungherese.

Una possibile spiegazione alla domanda sulla mancanza di tombe unne, quindi, potrebbe essere semplicemente che, nel V secolo, gli unni avevano imparato a vestirsi come i germani sottomessi proprio come a servirsi della lingua gotica. In questo caso sarebbe assolutamente impossibile capire se un'antica sepoltura appartenga a un unno o a un goto (o a chiunque altro). Ma anche se i «veri unni» riposano là dentro camuffati da goti, questo non cancella

402

il fatto che, nel periodo della dominazione unna, moltissimi germani furono seppelliti nella grande pianura ungherese e nei suoi immediati dintorni. Quando osserviamo le ricche sepolture dello stile danubiano, probabilmente ci troviamo davanti ai resti di molti germani di classe elevata che seguirono Attila. Datazione e ubicazione geografica confermano la cosa.[50]

Ogni volta che un nuovo gruppo barbaro veniva risucchiato dall'impero di Attila, i suoi uomini idonei al combattimento erano reclutati per le campagne militari degli unni. E così la macchina da guerra unna crebbe rapidamente, assimilando contingenti di germani che venivano dall'Europa centro-orientale. Nel breve termine questo fatto si tradusse in un beneficio per l'impero romano d'occidente, ancora invitto: molti storici hanno evidenziato come, dopo il 405-408 (cfr. Capitolo 5), l'affluenza di immigrati germanici nell'impero sia quasi completamente cessata perché tutti coloro che verso il 410 non avevano ancora varcato il *limes* furono incorporati dagli unni; si osserva cioè una proporzionalità inversa tra il ritmo di immigrazione nell'impero romano e l'ascesa della potenza unna.[51]

A lungo termine, però, quella tregua fu soltanto un'illusione. In realtà, una serie di capi unni riuscì a fare qualcosa di analogo a ciò che i sasanidi avevano realizzato in Medio Oriente: per la prima volta nella storia imperiale di Roma i suoi vicini europei si coalizzavano in qualcosa che somigliava sempre di più a una superpotenza rivale.

«Tutto il Nord in Gallia»

La ferocia di questa nuova, straordinaria macchina da guerra si abbatté dapprima sull'impero romano d'oriente, devastando le comunità balcaniche sia nel 441-442 sia nel 447. Dopo le due disfatte del 447 i romani orientali non avevano più niente con cui contrattaccare: ed è proprio per questo che nel 449 decisero di tentare il tutto per tutto con la congiura cui presero involontariamente parte Prisco e Massimino. Ma nemmeno allora Attila li lasciò in pace. Dopo aver tanto insistito sulla questione dei fuggiaschi e sulla necessità di creare un cordone sanitario lungo la frontiera del Reno, il re degli unni avanzò infatti una nuova richiesta: i romani orientali avrebbero dovuto mandargli una sposa di nobili natali (con una dote appropriata) per il suo segretario, che aveva origini romane. Ciascuna di tali pretese, se ignorata, avrebbe scatenato una nuova guerra: il fatto che Attila insistesse ad avanzarle dimostra appunto che non escludeva affatto la possibilità di sferrare un nuovo attacco contro i Balcani.

Nel 450, però, il tono dei rapporti diplomatici tra Attila e i romani cambiò bruscamente. Una nuova ambasceria romana prese la via percorsa l'anno prima da Prisco e Massimino: alla sua testa c'erano Anatolio, uno dei due massimi comandanti militari della corte orientale (*magister militum praesentalis*), e Nomo, il *magister officiorum*. Attila conosceva il primo piuttosto bene, avendo negoziato con lui un trattato di pace provvisorio dopo le vittorie del 447. È difficile immaginare due ambasciatori di più alto livello: uno dei diktat di Attila era infatti che le trattative fossero portate avanti dal meglio della nobiltà romana. Il punto di vista dei romani su ciò che accadde è espresso come al solito da Prisco: «Attila aprì i negoziati in tono arrogante, ma poi fu sommerso dalla quantità dei doni e ammorbidito dalle parole di pace [...]». E così

giurò di rispettare la pace in quegli stessi termini, di ritirarsi dal territorio romano lungo il Danubio e di non insistere più sulla questione dei fuggiaschi [...] a patto che i romani non ne accogliessero altri. E lasciò libero Vigilas [...] e molti altri prigionieri senza alcun riscatto, gratificando Anatolio e Nomo [...] con un dono di cavalli e pelli di animali selvatici.[52]

Difficile trovare nella storia un esempio di summit internazionale altrettanto riuscito. I due ambasciatori tornarono a Costantinopoli entusiasti, portando con sé il famoso segretario di Attila che voleva sposare una nobile romana.

Ben presto però ci si accorse che Attila era sceso a patti con Costantinopoli non perché – secondo lo stereotipo del comportamento barbaro – fosse rimasto folgorato dalla saggezza dei suoi interlocutori romano-orientali, quanto perché aveva bisogno di pacificare il fronte orientale per scagliarsi sull'impero romano d'occidente.

Prisco dice che Attila voleva sferrare questo nuovo attacco per la brama di nuove e più grandi conquiste con cui realizzare il destino impostogli dagli dèi, quello che si era rivelato col ritrovamento della spada di Marte: la conquista del mondo intero. In un momento imprecisato dell'estate del 449, mentre era in missione presso di lui, Prisco l'aveva visto trattare malissimo, a suo parere senza alcuna ragione, alcuni ambasciatori dell'impero romano d'occidente. La cosa, naturalmente, era stata messa in conto al cattivo carattere dell'unno, e Prisco cita con approvazione le parole di uno degli ambasciatori in merito:

La straordinaria fortuna [di Attila] e il grande potere che gliene era derivato l'avevano reso così arrogante da non accettare nemmeno le proposte più eque, a meno che non ritenesse di poterne ricavare un utile personale. Nessuno dei precedenti sovrani della Scizia [...] aveva saputo realizzare tanto in così poco tempo. Egli governava le isole dell'Oceano [l'Atlantico, cioè l'occidente] oltre all'intera Scizia, e aveva costretto perfino i romani a pagargli un tributo: [...] ora, al fine di accrescere ulteriormente il suo impero, voleva attaccare i persiani.[53]

Qualcuno si è chiesto come Attila pensasse di raggiungere la Persia dall'Europa centrale. Questa la risposta: gli unni non avevano dimenticato che, percorrendo tutta la costa settentrionale del Mar Nero, si poteva arrivare laggiù senza bisogno di attraversare il territorio dell'impero romano. Il che è ovviamente vero, ma il tragitto via Caucaso era terribilmente lungo e l'ultima volta che avevano provato a percorrerlo – nel 395-396, per quanto ne sappiamo – gli unni vivevano ancora a nord del Mar Nero e non nella grande pianura ungherese, situata molto più a ovest. Dunque Attila avrebbe concepito quegli ambiziosi piani di conquista sulla base di reminescenze geografiche piuttosto vaghe, e a guidarlo sarebbe stata una cieca brama di potere, nel desiderio di fare un sol boccone di tutto il mondo conosciuto.

Noi invece sappiamo che Attila aveva già in mente di prendersi l'occidente. Le fonti ci hanno trasmesso parecchie ragioni per questa scelta. Secondo un succulento pettegolezzo di corte, il re degli unni aveva deciso di portare i suoi eserciti fin dentro all'impero romano d'occidente perché la sorella dell'imperatore Valentiniano III, una vivace e imperiosa matrona di nome Giusta Grata

Onoria, gli aveva offerto la propria mano promettendogli in dote metà del regno. Pare addirittura che Onoria gli avesse mandato in dono una spilla con il proprio ritratto accompagnata da una lettera e che tanto fosse bastato per infiammare Attila. Onoria era figlia di quella formidabile Galla Placidia che pure, come abbiamo visto nel Capitolo 6, aveva dimostrato di apprezzare i capi barbari sposando nel 414 Ataulfo, cognato di Alarico; quella stessa Placidia che, appoggiata da un suo seguito personale di goti, era stata un personaggio di primissimo piano della politica interna dell'impero almeno fino alla presa del potere da parte di Ezio.

Ma torniamo a sua figlia Onoria. Qualche tempo prima il palesarsi di una gravidanza extramatrimoniale aveva reso pubblica la sua tresca con un affarista di nome Eugenio, che per tale colpa fu giustiziato. Esclusa dalla vita pubblica, Onoria fu data in moglie a un senatore un po' tonto, un certo Ercoliano. La rabbia e la frustrazione la spinsero quindi a scrivere al re degli unni per chiedergli di salvarla da quella situazione incresciosa. Qui però bisogna fermarsi un momento. Quando si scoprì che aveva scritto ad Attila, Onoria non fu messa a morte per alto tradimento bensì affidata alla custodia della madre. Il brano di Prisco relativo a questo episodio, prima di interrompersi a metà frase in modo assai irritante, dice però che ci furono comunque altre scappatelle. I capricci di Onoria sono troppo ben documentati perché non celino almeno un granello di verità;[54] eppure non credo sia stato per amor suo che Attila abbia preferito attaccare l'impero romano d'occidente invece della Persia. Non lo credo innanzitutto per ragioni geografiche. Come vedremo tra breve, dopo aver deciso di muovere verso ovest, Attila non si precipitò verso l'Italia, dove Onoria languiva prigioniera, ma attaccò la Gallia; anche se la sua conoscenza della geografia era sicuramente approssimativa, dobbiamo ritenerlo capace di orientarsi quanto basta per sapere da quale parte delle Alpi si trovasse la sua bella. Non sappiamo che cosa è stato di Onoria alla fine di questa vicenda; fatto sta che gli unni, dopo aver lasciato l'Ungheria puntando dritti verso ovest, svoltarono a destra per la Gallia invece che a sinistra per l'Italia. Tanto basta a relegare la povera Onoria in una nota a piè di pagina nel grande libro della storia.

Secondo le nostre fonti, come dicevamo, il desiderio di riscattare Onoria è solo una delle molte ragioni per cui Attila avrebbe invaso l'impero d'occidente. Un'altra ragione è ciò che già l'aveva fatto tanto arrabbiare nell'estate del 449, prima della conversazione in cui furono palesate per la prima volta le ambizioni nei confronti della Persia. Gli ambasciatori dell'impero d'occidente che furono trattati in modo così poco amichevole, infatti, avrebbero dovuto rispondere all'accusa secondo cui un banchiere romano di nome Silvano era in possesso di alcuni piatti d'oro che per diritto di conquista appartenevano al re degli unni. Per quanto la cosa possa sembrare banale, come al solito Attila minacciò guerra se i piatti non fossero stati subito restituiti. Indizi abbastanza convincenti, per quanto vaghi, segnalerebbero anche che attorno a questa data ci fu un qualche tipo di contatto tra Attila e Genserico re dei vandali, il quale forse convinse il collega unno a marciare insieme a lui contro l'occidente. Alla fine del 450, siccome il trono dei franchi ripuari era vacante, Attila sostenne un candidato alternativo a quello supportato da Ezio; e contemporaneamente diede rifugio a uno dei capi della ribellione scoppiata nella Gallia nordoccidentale e repressa dal generalissimo nel 448, forse al fine di suscitare altri disordini e facilitare l'avanzata di un eventuale esercito unno. Messi in moto i suoi eserciti, col suo solito stile il re degli unni spedì a vari destinatari alcune lettere dal contenuto discordante: in talune si affermava che lo scopo della campagna era di attaccare non l'impero d'occidente bensì i visigoti della Gallia sudoccidentale, mentre altre sollecitavano i visigoti stessi a unirsi a lui per balzare insieme sull'impero.[55]

Pare dunque che Attila, tra il 449 e il 450, mentre rifletteva sulla sua prossima mossa, si divertisse a trovare vari pretesti possibili per attaccare l'impero romano d'occidente. Personalmente dubito che avesse mai preso in seria considerazione l'idea di aggredire la Persia, ma forse nel 449 non aveva ancora deciso se far guerra alla metà occidentale o quella orientale dell'impero; quindi, mentre cercava con continui pretesti di litigare con l'occidente, Attila procrastinava il momento di concludere le trattative di pace con l'oriente. La generosità con cui alla fine saldò i conti con Costantinopoli va dunque interpretata come una prova del fatto che si era ormai risolto ad attaccare l'occidente.

Nella primavera del 451, dunque, l'immenso esercito di Attila mosse verso ovest e come una grande ondata di piena straripò fuori dalla regione del medio Danubio ripercorrendo probabilmente le orme degli invasori del 406. «Dicono» che quell'esercito fosse composto dalla bellezza di 500.000 guerrieri: almeno secondo Giordane,[56] che però, adottando l'espressione «Dicono», dimostra per primo di non esserne convinto. Si trattava comunque di una massa di uomini armati davvero straordinaria: per quella campagna Attila aveva mobilitato tutte le risorse della sua macchina da guerra. Citiamo al riguardo le parole di Sidonio Apollinare, poeta gallo più o meno contemporaneo:

Improvvisamente il mondo barbaro, squarciato da un potente sollevamento, rovesciò tutto il Nord in Gallia. Dopo il bellicoso rugio ecco arrivare il feroce gepido, e il gelonio li segue da presso; il burgundo preme sullo sciro; si scagliano in avanti l'unno, il bellonozio, il neuriano, il bastarno, il turingio, il bruttero e il franco.[57]

Sidonio scriveva versi in metrica, quindi aveva bisogno di nomi della lunghezza giusta e con i giusti accenti: ne vien fuori un interessante miscuglio di nomi di antichi gruppi che niente hanno a che vedere con l'impero degli unni (geloni, neuriani, bastarni, brutteri) e di veri sudditi di Attila (rugi, gepidi, burgundi, sciri, turingi e franchi), oltre ovviamente agli unni stessi. Ma in sostanza Sidonio è abbastanza accurato e da altre fonti apprendiamo che anche moltissimi goti furono della partita.[58]

Nessuna delle nostre fonti descrive la campagna militare nei particolari, ma sappiamo grossomodo cosa avvenne. Dopo aver seguito l'alto corso del Danubio in direzione nord-ovest ed essersi lasciati alle spalle la grande pianura ungherese, l'orda varcò il Reno nella regione di Coblenza e procedette sempre più a ovest (Carta n. 13). Secondo alcune fonti, francamente non molto attendibili, Metz cadde il 7 aprile e fu seguita qualche tempo dopo da Treviri, ex capitale dell'impero. A questo punto l'esercito di Attila dilagò nel cuore della Gallia romana e a giugno era sotto le mura di Orléans, dove un numeroso contingente di alani al servizio di Roma aveva il suo quartier generale. La città fu cinta d'assedio; da alcuni indizi sembra di capire che Attila cercò di convincere Sangibano, re di uno dei gruppi alani di guardia alla città, a passare dalla sua parte.[59] Nel frattempo, secondo un'altra fonte piuttosto discutibile, altri contingenti unni giungevano alle porte di Parigi e venivano respinti grazie al miracoloso intervento di santa Genoveffa, patrona della città. Pare dunque che l'esercito unno sciamasse in lungo e in largo per tutta la Gallia romana, saccheggiando e depredando tutto ciò su cui riusciva a mettere le mani.

All'epoca Ezio era ancora generalissimo dell'impero d'occidente, e il secondo panegirico di Merobaude ci dice che già dal 443 si aspettava una massiccia aggressione da parte degli unni. Quando, a quasi un decennio da quella prima intuizione, la catastrofe si materializzò, l'«ultimo vero romano» passò subito all'azione e per far fronte a quel pericolo estremo cercò di mettere insieme una coalizione militare che avesse almeno una remota possibilità di successo. All'inizio dell'estate del 451 Ezio attraversò la Gallia verso nord alla testa di contingenti degli eserciti romani d'Italia e di Gallia rinforzati dagli effettivi di molti gruppi alleati di Roma, per esempio i burgundi e i visigoti dell'Aquitania capeggiati da re Teodorico. Il 14 giugno l'avvicinarsi di questo variegato esercito spinse Attila a ritirarsi da Orléans; alla fine dello stesso mese gli

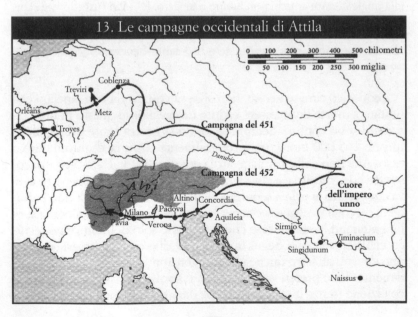

13. Le campagne occidentali di Attila

uomini di Ezio si scontrarono con l'orda in ritirata nei pressi di Troyes, 150 chilometri più a est.

In una pianura chiamata, a seconda delle fonti, Campi Catalauni o Campus Mauriacus, e che non è mai stata identificata con certezza, si svolse una grande battaglia:

Il campo di battaglia era una pianura orlata dal ripido versante di un rilievo che entrambi gli eserciti cercavano di guadagnare. [...] Gli unni col loro esercito lo attaccavano sul lato destro, i romani, i visigoti e i loro alleati sulla sinistra [...]. Lo schieramento di battaglia degli unni era fatto in modo che Attila e i suoi coraggiosi seguaci si trovassero al centro. [...] Gli innumerevoli popoli delle varie tribù che egli aveva soggiogato formavano le due ali.

Romani e visigoti raggiunsero per primi la vetta del colle e di lassù respinsero ogni attacco. Così almeno ci racconta la nostra fonte, che però subito dopo ricade nella retorica (anche se in una retorica di buon livello):

La battaglia divenne feroce, confusa, mostruosa, implacabile: una battaglia quale i tempi antichi non hanno mai visto. [...] Un ruscello che scorreva tra due basse sponde [...] si gonfiò di una strana corrente e divenne come un torrente impetuoso per lo scorrere del sangue. Quelli che le ferite spingevano a spegnervi la sete bruciante bevevano acqua mista a sangue.

Teodorico rimase ucciso, non si sa se colpito da una lancia o calpestato a morte dopo essere caduto da cavallo: su questo punto i resoconti sono confusi. Sempre secondo la nostra fonte principale ci furono 165.000 morti, ma probabilmente si tratta di un numero a caso. Alla fine della giornata Attila era disperato: il suo esercito, costretto ad arretrare e a chiudersi nel cerchio difensivo dei carri, aveva conosciuto la prima sconfitta in assoluto. Il re diede dunque ordine di raccogliere legna secca per la sua pira funebre;[60] poi però i suoi luogotenenti lo convinsero che si trattasse solo di un intoppo tecnico e Attila si calmò. Seguì uno stallo: i due eserciti rimasero fermi uno davanti all'altro finché gli unni non cominciarono a ritirarsi lentamente. Ezio preferì non inseguirli e sciolse frettolosamente la sua coalizione (senza incontrare troppe difficoltà, anche perché i visigoti erano ansiosi di tornare a Tolosa per occuparsi della successione al trono). Quanto ad Attila, lasciò che il suo esercito si ritirasse. E gli unni se ne tornarono in Ungheria con la coda tra le gambe. Nonostante il prezzo altissimo che le comunità romane travolte dal passaggio degli unni avrebbero dovuto pagare, il primo assalto di Attila all'impero d'occidente era stato respinto. Ezio era riuscito a rimandare ancora una volta la crisi finale. A dispetto delle limitate risorse cui poteva attingere, la sua coalizione aveva salvato la Gallia.

Furibondo, il re degli unni impiegò l'inverno 451-452 a scaldare i muscoli per uno scoppio di violenza ancor più tremendo. E stavolta il colpo si abbatté sull'Italia. Nella primavera del 452 l'esercito unno valicò le Alpi. Il primo ostacolo che gli si parò davanti fu Aquileia, dove le massicce difese cittadine ressero all'urto. Pare che Attila, per un momento, pensasse addirittura di abbandonare l'impresa; ma proprio quando stava per interrompere quell'assedio lungo e infruttuoso, vide una cicogna portar via i suoi piccoli dal nido in cima a una delle torri della città, trasportando uno a uno i pulcini che ancora non sapevano volare. Osservata la scena, narra Prisco, Attila «ordinò ai suoi di restare dov'erano, perché l'uccello non se ne sarebbe mai andato [...] se non avesse presagito il disastro imminente».[61] La cicogna, ovviamente, aveva ragione (e così Attila). Alla fine la precoce abilità degli unni di conquistare città fortificate ebbe la meglio e Aquileia cadde. La via principale per l'Italia nordorientale era aperta.

L'orda si riversò dunque lungo le antiche strade romane e dilagò nella Pianura Padana, una delle zone politicamente più importanti dell'impero d'occidente, con un'agricoltura ricca e fiorente e numerose, prospere città. Come già nei Balcani, le città caddero una dopo l'altra: Padova, Mantova, Vicenza, Verona, Brescia, Bergamo (Carta n. 13). Attila ormai era alle porte di Milano, ex capitale dell'impero. L'assedio fu lungo, ma gli unni ne vennero a capo e un altro importante centro dell'impero fu depredato e saccheggiato. Un frammento della cronaca di Prisco ci ha tramandato questa scenetta:

Quando [Attila] vide [a Milano] in un dipinto gli imperatori romani assisi su troni d'oro e gli sciti, morti, distesi ai loro piedi, subito mandò a chiamare un pittore e gli ordinò di dipingere Attila in trono e gli imperatori romani con pesanti sacchi sulle spalle intenti a rovesciare oro ai suoi piedi.

Ma come già l'anno prima in Gallia, anche questa campagna d'Italia non andò secondo i piani. Le fonti papali (e gli sceneggiatori di Hollywood) amano particolarmente il momento in cui, dopo la caduta di Milano, papa Leone, a capo di un'ambasceria di pace cui partecipavano anche il prefetto Trigezio e l'ex console Avieno, incontrò Attila per cercare di persuaderlo a risparmiare Roma; dopodiché gli unni fecero dietrofront e se ne tornarono in Ungheria.

In alcuni circoli l'episodio fu interpretato come un grande trionfo personale del pontefice nella diplomazia *vis-à-vis*. Ma ancora una volta la realtà è più prosaica. Oltre a Leone I, che pure si suppone fosse guidato direttamente dalla mano di Dio, c'erano in campo anche altre forze. La campagna italiana di Attila, che nel concreto si era tradotta in una lunga serie di assedi, mancava del necessario supporto logistico; e l'esercito unno, costretto a vivere nel perenne sovraffollamento di un assedio, era vulnerabile in più punti. Il cronista Idazio lo spiega in poche parole: «Gli unni, che avevano depredato l'Italia infuriando su moltissime città, furono colpiti dalla punizione divina e subirono un disastro mandato dal cielo: la carestia e un qualche tipo di infermità». Al momento della conquista di Milano questa non meglio precisata «infermità» già mieteva vittime tra le file degli unni, mentre le scorte di cibo si assottigliavano pericolosamente. Costantinopoli inoltre aveva un nuovo imperatore, Marciano, e il suo esercito, che aveva raggiunto quello di Ezio, non sarebbe certo rimasto a lungo con le mani in mano: «[Gli unni] poi furono massacrati dagli ausiliari inviati dall'imperatore Marciano e guidati da Ezio, e nei loro acquartieramenti furono bersagliati sia dalle calamità mandate dal cielo sia dall'esercito di Marciano».[62] Mentre in Italia l'esercito unno veniva ripetutamente attaccato da Ezio al comando di una forza congiunta delle due metà dell'impero, altri contingenti dell'esercito d'oriente attaccarono le retrovie di Attila a nord del Danubio. Una combinazione mortale: così, come l'anno prima, ancora una volta gli unni furono costretti a ritirarsi. Siglata in tutta fretta una qualche pace o almeno un tregua, gli uomini di Attila defluirono dunque verso l'Europa centrale.[63]

412

Se quello del 451 poteva ancora essere considerato un intoppo tecnico, due importanti sconfitte in due anni consecutivi non potevano non intaccare gravemente la reputazione d'invincibilità del grande condottiero. Le due campagne d'occidente erano state molto più difficili da organizzare che non le avventure balcaniche del decennio precedente. L'impero unno non aveva l'impalcatura burocratica del suo avversario, per quanto lenta e pesante essa fosse: a quanto pare la burocrazia unna era composta in tutto da un solo segretario, fornito da Roma, e da un prigioniero di nome Rusticio che era stato trattenuto perché sapeva scrivere in greco e in latino. Niente suggerisce dunque che gli unni fossero in grado, come i romani, di pianificare e mettere in atto il sostegno logistico in termini di cibo e di foraggio richiesto dalle grandi campagne militari. Indubbiamente, non appena era circolata la voce che bisognava organizzarsi per la guerra, ogni soldato aveva preparato un certo quantitativo di scorte alimentari da portare con sé; ma quando la campagna militare si rivelò più lunga del previsto, l'esercito unno dovette mantenersi principalmente con i saccheggi. Quando una campagna militare prevede lunghi spostamenti è difficile mantenere in efficienza una grande forza da combattimento e le difficoltà crescono in misura esponenziale col crescere delle distanze. Affaticamento, scarsità di rifornimenti e malattie aumentano man mano che ci si allontana da casa. Probabilmente l'esercito unno, in cerca di cibo, si disperse talmente tanto in quel paesaggio sconosciuto da non riuscire quasi più a riunirsi per dare battaglia. Nel 447, durante la più ampia delle campagne balcaniche, per combattere la prima battaglia importante gli eserciti di Attila avevano marciato verso ovest lungo i contrafforti settentrionali dei Monti Haemus; poi, per la seconda battaglia, li avevano valicati, avanzando verso sud in direzione di Costantinopoli e quindi verso sud-ovest per il Chersoneso. In totale 500 chilometri circa. Nel 451 invece dovettero andare dall'Ungheria a Orléans: 1200 chilometri circa; e nel 452 dall'Ungheria a Milano: 800 chilometri. Non dimentichiamo poi che in quest'ultimo caso dovettero anche assediare una lunga serie di città, esponendosi sempre di più alla fame e alle malattie.[64] Come molti storici hanno rilevato, durante campagne militari che richiedevano spostamenti così lunghi era praticamente inevitabile che Attila e i suoi conoscessero delle serie battute d'arresto.

413

Attila però non volle saperne di imparare la lezione e all'inizio del 453 si preparò ancora una volta ad azzannare l'Europa; ma per il «flagello di Dio» era venuto il momento di incontrare il suo presunto... datore di lavoro. Attila si era appena preso una nuova moglie (non sappiamo quante ne avesse in totale): durante la prima notte di nozze bevve troppo, gli scoppiò un vaso sanguigno e morì. La sposa, troppo terrorizzata per dare l'allarme, fu trovata il mattino dopo ancora distesa accanto al cadavere. Il funerale, descritto da Giordane, fu una vera e propria orgia di lamenti e di glorificazioni:

Il suo corpo fu solennemente esposto [...] in una tenda di seta. [...] I migliori cavalieri della tribù degli unni cavalcavano attorno in ampi cerchi [...] ricordando le sue gesta [:] «Il capo degli unni, re Attila, nato da suo padre Mundiuch, signore delle tribù più valorose, solo padrone dei reami di Scizia e di Germania – un potere mai visto prima – ha conquistato città e terrorizzato i due imperi del mondo romano, poi blandito dalle loro suppliche, ha accettato un tributo annuo per risparmiare al resto il saccheggio. E una volta compiute tutte queste imprese [...] è caduto non sotto la spada del nemico, non per il tradimento dell'amico, ma nella sua nazione in pace, felice, in un momento di gioia e senza alcun dolore».

E quando la veglia finì:

Nella segretezza della notte essi seppellirono il suo corpo nella terra. Avevano rifinito le sue bare la prima in oro, la seconda in argento e la terza con la forza del ferro: [...] il ferro perché aveva sottomesso le nazioni, l'oro e l'argento perché aveva ricevuto onori da entrambi gli imperi. Poi vi aggiunsero le armi dei nemici vinti in combattimento, indumenti di grande valore che splendevano di gemme preziose e ornamenti di ogni tipo, [...] e infine [...] sgozzarono quelli che avevano fatto il lavoro.[65]

Gli unni e Roma

Gli effetti generali dell'ascesa dell'impero unno sul mondo romano possono essere divisi in tre fasi. La prima, come abbiamo visto nei Capitoli 4 e 5, generò negli anni 376-380 e 405-408 due grandi momenti di crisi lungo la frontiera, costringendo lo stato ad accettare sul suo territorio delle enclave di barbari non sotto-

messi che produssero, come abbiamo visto nel Capitolo 6, danno-
sissime forze centrifughe nel corpo politico dell'impero. Nella seconda fase, corrispondente alla generazione precedente quella di
Attila, gli unni, da semplici invasori che erano, divennero costruttori di un grande impero nell'Europa centrale; e il flusso dei profughi che cercavano rifugio in territorio romano si arrestò bruscamente. Gli unni volevano dei sudditi da sfruttare e fecero di tutto
affinché i potenziali candidati non potessero più uscire dalla loro
sfera di dominio. In questa fase Costanzo ed Ezio sfruttarono la
potenza degli unni per esercitare un maggior controllo sui gruppi
di immigrati che qualche tempo prima avevano varcato il Reno
proprio per sottrarsi a loro. Ma siccome nessuno di quei gruppi fu
annientato, gli effetti palliativi di questa seconda fase non pareg-
giarono affatto gli effetti negativi di quella precedente.

Le massicce campagne militari condotte da Attila nei decenni
del 440 e del 450 costituiscono la terza fase dei rapporti tra unni e
romani. I loro effetti, com'è logico, furono imponenti. Le province balcaniche dell'impero romano d'oriente furono devastate e
migliaia di persone furono uccise man mano che le città fortificate cadevano in mano ai barbari. Come plasticamente dimostrato
dalle rovine di Nicopolis ad Istrum, anche laddove l'amministrazione romana poté essere riattivata, la classe dei proprietari terrieri di lingua greca e latina che si era andata formando nei quattro
secoli precedenti non si risollevò mai più. La campagna di Gallia
del 451 e soprattutto l'aggressione all'Italia del 452 causarono
danni gravissimi a tutti coloro che ebbero la sfortuna di trovarsi
sul cammino degli unni.

Ma se ci allontaniamo di un passo dal quadro delle devastazioni
per analizzare le condizioni generali in cui versava lo stato romano,
dobbiamo arrivare alla conclusione che nemmeno le campagne di
Attila, per quanto drammatiche, costituirono una minaccia mortale per l'impero. La metà orientale dello stato romano viveva delle
tasse raccolte in un arco di ricche province che andava dall'Asia
Minore all'Egitto: territori decisamente fuori della portata di Attila. Nonostante le stupefacenti innovazioni tecnologiche utilizzate
negli assedi, la tripla cerchia di terrapieni di Costantinopoli costituiva una roccaforte imprendibile; e gli unni non avevano una flotta con cui varcare i bracci di mare che separano i Balcani dall'Asia

Minore. Lo stesso ragionamento vale sostanzialmente per l'occidente. Al tempo di Attila, indubbiamente, quella metà dell'impero stava attraversando una difficile crisi finanziaria, ma i limiti logistici della macchina da guerra unna rendevano impossibile impadronirsene stabilmente. Le strutture dell'impero erano state danneggiate in modo molto più serio, per quanto indiretto, dal flusso dei migranti armati che ne avevano varcato le frontiere tra il 376 e il 408. Al di là di tutto, dunque, furono ancora una volta gli effetti *indiretti* dell'azione di Attila a minacciare l'integrità dello stato romano d'occidente. Ezio, che dopo il 440 fu costretto a concentrare le forze contro gli unni, non ebbe né il tempo né le risorse per occuparsi delle altre minacce che gravavano sul futuro dello stato. Minacce che gli costarono molto più care che non le invasioni unne del 451 e del 452, a cominciare dalla forzata rinuncia a riconquistare il Nordafrica occupato dai vandali.

Stando così le cose, purtroppo, Ezio poté porgere ben poco aiuto alla penisola iberica dove pure nel 429, con la partenza dei vandali, l'ordine era stato in qualche misura ripristinato e il flusso delle tasse, interrotto dal 410, era in parte ripreso. Le province ispaniche erano ricche e ben sviluppate e, anche se in misura nettamente inferiore rispetto al Nordafrica, erano pur sempre un prezioso contribuente per le casse dell'impero d'occidente. Negli anni successivi al 410, con l'unica eccezione della Tarraconense, nel nord-est del paese, la maggior parte della penisola era stata fuori controllo: vandali, alani e svevi infatti, come ricorderete, se l'erano spartita tra loro. Dopo il 429, però, vi erano rimasti in misura consistente solo gli svevi, confinati sulle alture nordoccidentali in una zona assai poco prospera della Galizia. Ezio, imitando in questo i suoi predecessori, non vide ragione di mettere a repentaglio le sue preziose legioni per riscattare quelle terre,[66] e concentrò gli sforzi sulla restaurazione dell'ordine e sul mantenimento del gettito fiscale delle più ricche province abbandonate da vandali e alani (almeno finché non dovette mollare tutto perché Genserico stava assediando Cartagine).

Gli svevi però, sotto il loro nuovo re Rechila che era succeduto al padre nel 438, approfittarono delle grane che impegnavano Ezio in Nordafrica per espandere ulteriormente il loro dominio: nel 439 uscirono dalla Galizia per conquistare Merida, capoluogo

416

della Lusitania, che confinava con la loro zona di stanziamento. Nel 440 catturarono il comandante militare romano e principale rappresentante dell'impero nella penisola, il *comes* Censorio. Nel 441 presero Siviglia ed estesero il loro dominio a tutta la Betica e la Cartaginense. La mancanza di qualsiasi reazione concertata da parte di Ezio, impegnato a radunare freneticamente le truppe in Sicilia, permise inoltre ai bagaudi di minare l'autorità imperiale in alcune parti della Tarraconense, l'unica provincia ancora in mani romane. Come già in Gallia, queste insurrezioni erano probabilmente opera di poteri locali che alzavano la cresta non appena la presa di Roma si allentava. Almeno una di queste rivolte, capeggiata nel 449 da un certo Basilio a Turiasso (Tarazona), pare abbia favorito la scalata al potere degli svevi: forse perché, ancora una volta, i locali videro in questa soluzione la via più breve per la pace, come i proprietari terrieri della Gallia che nel 414-415 avevano sostenuto Ataulfo e i visigoti.

Tra il 439 e il 441 la situazione della Spagna non fece che peggiorare, e il gettito fiscale si esaurì del tutto. Anche dopo aver siglato la pace con i vandali, Ezio non poteva fare molto. Un intervento massiccio era fuori discussione. In Spagna fu mandata tutta una serie di comandanti: Asturio nel 442, Merobaude nel 443 e Vito nel 446. I primi due si occuparono dei bagaudi, presumibilmente per cercare di riconquistare almeno la Tarraconense; Vito invece aveva dei piani più ambiziosi e, riprendendo la strategia del 416-418, guidò un esercito congiunto romano-visigoto nella Cartaginense e nella Betica. Il nostro principale informatore, il vescovo-cronista Idazio, si lamenta che i suoi soldati perpetrarono dei «saccheggi»: ma probabilmente quei crimini furono provocati proprio dall'esito negativo della spedizione. Quando si scontrò con gli svevi, infatti, l'esercito di Vito fu annientato. Grattando il fondo del barile, Ezio era riuscito a dargli quello che Idazio definisce un esercito «non trascurabile»: cosa che, date le circostanze, testimonia quanto ci tenesse a riscattare il gettito fiscale della Spagna. Ciò che invece chiaramente non poteva fare era piombare sugli svevi con tutto il peso degli eserciti di campo d'occidente, impegnati a difendere l'Europa da Attila. La vittoria lasciò la maggior parte della penisola iberica in mano agli svevi; e ancora una volta il grosso delle tasse che un tempo affluivano dalle province spagnole andò perduto.[67]

Nel frattempo anche la Britannia romana era in piena tribolazione. A dispetto della lettera di Onorio del 410, in cui si invitavano i britannici «a fare da sé» (cfr. p. 301), l'impero non aveva mai preteso di esercitarvi un controllo diretto; eppure in alcune zone la vita romana era andata avanti e si mantenevano contatti informali con i romani del continente. Tanto è vero che nel 429 e poi ancora dopo il 440 Germano, vescovo di Auxerre, si era recato sull'isola per aiutare i cristiani locali a combattere l'influenza degli eretici pelagiani.[68] Ma l'eresia non era certo l'unico problema che questa generazione di romano-britannici doveva affrontare: predoni provenienti dall'Irlanda (scozzesi) e dalla Scozia (picti) attaccavano il confine settentrionale e occidentale della provincia, mentre attraverso il Mare del Nord i sassoni approfittavano della latitanza dell'impero per impadronirsi delle sue ricchezze. Questi ultimi costituivano un serio motivo di preoccupazione almeno dal III secolo e le loro incursioni avevano spinto la popolazione locale a erigere massicce fortificazioni lungo le coste orientali e meridionali dell'isola: alcune di tali opere hanno resistito fino a oggi, in particolare i forti di Portchester e Caerleon. Difficile dire chi esercitasse in questa fase l'autorità sul tormentato mondo della Britannia subromana; ma per una generazione circa le città continuarono a funzionare normalmente e a produrre almeno un piccolo flusso di tasse in natura.[69]

Una fonte britannica del VI secolo, il monaco Gildas, in un suo libro appropriatamente intitolato *Sulla rovina della Britannia* racconta che a un certo punto salì al potere un tiranno di cui non ci dice il nome, ma che secondo Beda si chiamava Vortigern. Per porre fine a tutte le minacce e le razzie da cui erano vessati i romano-britannici, questo personaggio e il suo «consiglio» (forse erede dei defunti consigli cittadini) decisero di assumere dei mercenari sassoni. Il seguito della storia è brevemente schizzato da Gildas, che però intendeva farne un racconto morale a edificazione dei contemporanei. Per quel che vale, comunque, il suo resoconto è abbastanza credibile:[70]

I [sassoni] [...] chiesero degli approvvigionamenti, rappresentando falsamente sé stessi come soldati pronti a esporsi al più estremo pericolo in difesa dei loro eccellenti ospiti. I rifornimenti furono concessi e per un certo tempo «tennero occupata la bocca al cane». Ma poi i sassoni si la-

mentarono di nuovo che la loro indennità mensile non era sufficiente
[...] e giurarono che avrebbero rotto l'accordo e saccheggiato l'intera
isola se non fosse stata loro assegnata una paga più elevata. E senza indugiare misero in atto la minaccia.

Il risultato fu che

tutte le principali città furono rase al suolo dai ripetuti colpi d'ariete del
nemico e gli abitanti ammazzati (capi religiosi, preti e gente comune),
mentre le spade scintillavano tutto attorno e le fiamme crepitavano. [...]

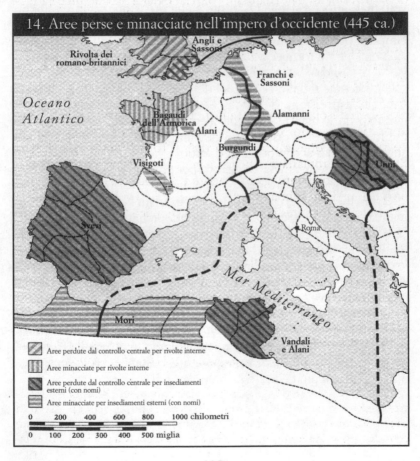

14. Aree perse e minacciate nell'impero d'occidente (445 ca.)

Angli e Sassoni

Rivolta dei
romano-britannici

Franchi e
Sassoni

Oceano
Atlantico

Bagaudi
dell'Armorica

Alani

Alamanni

Burgundi

Visigoti

Unni

Svevi

Roma

Mar Mediterraneo

Mori

Vandali
e Alani

Aree perdute dal controllo centrale per rivolte interne

Aree minacciate per rivolte interne

Aree perdute dal controllo centrale per insediamenti
esterni (con nomi)

Aree minacciate per insediamenti esterni (con nomi)

0   200   400   600   800   1000 chilometri

0   100   200   300   400   500 miglia

419

In mezzo alle piazze le pietre strappate alle fondamenta delle alte mura e alle torri divelte dalla base, santi altari e membra umane ricoperte da una crosta purpurea di sangue coagulato sembravano come mescolati da una terribile pressa da vino.

Gildas non ci dice quando esattamente avvenne la rivolta – in realtà non data mai in modo esplicito gli avvenimenti di cui parla –, ma due cronache stilate in Gallia, dove la perfetta conoscenza degli eventi britannici conferma quei contatti attraverso la Manica che risultano anche dalla *Vita di san Germano*, precisano che in quel che restava della Britannia romana le cose cominciarono a mettersi davvero male attorno al 440. Di fronte a una situazione sempre più grave, i romano-britanni fecero ancora una volta appello al centro dell'impero perché li ricoverasse sotto le sue ali protettrici: scrissero cioè una lettera formale a Ezio. La data di questa missiva è controversa, ma Gildas dice che in quel momento Ezio era «tre volte console»: siccome il terzo consolato del generale corrisponde all'anno 446, se l'espressione di Gildas è accurata l'appello deve essergli giunto proprio mentre sorvegliava ansiosamente la frontiera del Danubio per cogliere i primi segni dell'imminente tempesta unna. Ma anche se Gildas si confonde, la questione non cambia: Ezio doveva fronteggiare troppe minacce altrove per poter rispondere all'ultimo, disperato appello della Britannia romana.[71]

Il quadro generale era dunque dei più tristi. Nel 452 l'impero romano d'occidente aveva ormai perso buona parte delle sue province (Carta n. 14): l'intera Britannia, la maggior parte della Spagna, le migliori province del Nordafrica, le parti della Gallia sudoccidentale cedute ai visigoti, la Gallia sudorientale passata ai burgundi. Il resto dei territori era stato teatro di intensi combattimenti nel corso del decennio precedente e quindi non produceva più un gettito fiscale paragonabile a quello di prima.[72] Il problema delle entrate si era fatto drammatico. Il ruolo indiretto che gli unni avevano giocato in questo processo di erosione, spingendo al di là della frontiera masse di migranti armati, aveva dunque danneggiato l'impero romano molto di più delle stesse incursioni di Attila.

TERZA PARTE

LA CADUTA DEGLI IMPERI

8. Il crollo dell'impero unno

Quella dell'ascesa e del crollo dell'impero unno è una vicenda che ha dello straordinario. Prima del 350 gli unni non compaiono affatto nella storia d'Europa; tra il 350 e il 410 la maggior parte dei romani li incontra solo sotto forma di squadre di predoni vaganti; dieci anni dopo molti di loro vivono già a ovest dei Carpazi, nella grande pianura ungherese, ma per lo più si comportano da utili alleati di Roma; nel 441, quando Attila e Bleda attaccano per la prima volta la frontiera romana, l'ex alleato si batte finalmente per i propri colori. In quarant'anni gli unni sono balzati dal nulla al ruolo di superpotenza europea: un'ascesa piuttosto spettacolare, checché si pensi di loro. Ma il crollo di quell'impero è ancor più impressionante. Nel 469, sedici anni dopo la morte del loro più grande condottiero, gli unni tornano sul confine dell'impero romano d'oriente, questa volta per chiedere asilo. La loro estinzione come potenza indipendente avrà profonde ripercussioni sull'occidente romano.

Dall'impero all'estinzione

Ricostruire le fasi del collasso del dominio unno sull'Europa centrale è un compito ricco di trabocchetti. Il nostro vecchio amico Prisco deve averne raccontato la storia in modo abbastanza particolareggiato, ma siccome in questa fase gli episodi di diplomazia non furono molto frequenti, ben difficilmente qualcosa del suo resoconto ha potuto conquistarsi un posticino nei *Brani sulle ambascerie* di Costantino VII (cfr. p. 372). Per la nostra ricostruzione, quindi, dovremo basarci su uno dei libri di storia più intriganti che l'antichità ci abbia trasmesso: la *Historia gotica* (o *Getica*) di Giordane, già citata nei capitoli precedenti. Nell'edizione standard dieci pagine circa di testo (metà delle quali di note) contengono l'unico resoconto coerente della caduta dell'impero di Attila.[1]

Giordane era d'origine gota e visse a Costantinopoli attorno all'anno 550: scrisse cioè quasi un secolo dopo gli avvenimenti di cui ci stiamo occupando. In quella fase della sua vita faceva il monaco, ma precedentemente aveva lavorato come segretario di un comandante militare di stanza sul Danubio; non era dunque del tutto digiuno in materia di guerre. Nella prefazione alla *Getica* afferma che la sua storia dei goti è in buona misura la riduzione di un libro più antico e perduto, scritto da un italo-romano di nome Cassiodoro che era stato consigliere di Teodorico Amal, re ostrogoto d'Italia a cavallo tra il V e il VI secolo. Giordane racconta di aver potuto consultare il libro di Cassiodoro soltanto per tre giorni, mentre scriveva il suo: «Le parole esatte non le ricordo, ma il senso e le imprese narrate penso di averli serbati intatti». A qualcuno questa introduzione è parsa sospetta: forse Giordane ebbe modo di consultare il suo modello più a lungo di quanto non dica, o forse non lo lesse affatto e sfrutta semplicemente il nome di Cassiodoro per i suoi scopi. A ogni modo questa tesi si incaglia sul fatto che finora nessuno è riuscito a spiegare in modo convincente perché mai Giordane dovrebbe aver mentito.[2] Personalmente sono convinto che, quando afferma di aver seguito da presso lo schema di Cassiodoro, egli stia dicendo grossomodo la verità. La *Getica* infatti corrisponde abbastanza bene alle poche cose che sappiamo da altre fonti sull'opera di Cassiodoro.[3]

Ma anche ammesso che la prefazione di Giordane non celi un deliberato tradimento, non per questo possiamo fidarcene ciecamente. Cassiodoro infatti aveva composto la sua storia dei goti per la corte del re ostrogoto Teodorico Amal: cosa che influisce non poco sulla sua narrazione del crollo dell'impero unno che nell'insieme, com'è logico, risulta assolutamente gotocentrica. In ciò che possiamo leggere della sua opera solo la parte in cui i goti si sottraggono alla sovranità unna è raccontata in modo abbastanza particolareggiato e gli unni stessi vi compaiono solo incidentalmente. Di certo Cassiodoro aveva raccontato la storia dei goti così come quel particolare re goto voleva sentirla raccontare. Il risultato è un'opera che presenta due distorsioni storiche non irrilevanti.

424

Innanzitutto, essa afferma che tutti i goti che nel 376 non scapparono davanti agli unni per varcare il Reno e rifugiarsi nell'impero romano caddero immediatamente sotto il controllo degli unni stessi. La cosa non ha alcun senso. Oltre ai tervingi e ai greutungi, oggi conosciamo altri sette gruppi di goti che nel 376 chiesero asilo all'imperatore Valente (e non abbiamo ragione di supporre che l'elenco sia completo).

1. I goti governati dagli Amal, che all'epoca di Attila erano sottomessi agli unni e che poi ebbero Teodorico come loro re.
2. I goti di Radagaiso, che invasero l'Italia nel 405-406 e alla fine diventarono parte integrante del nuovo gruppo visigoto di Alarico (cfr. Capitolo 5).
3. I goti della Pannonia che l'intervento militare dei romani sottrasse all'egemonia degli unni nel 427 e che i romani stessi stanziarono in Tracia; potrebbero essere gli antenati del gruppo n. 6.
4. I goti di un re di nome Bigelis che tentò invano di invadere l'impero romano d'oriente in un momento imprecisato tra il 466 e il 471.
5. I goti che seguirono Dengizich, figlio di Attila, quando nel 467-468 invase il territorio dell'impero d'oriente.
6. Un numeroso gruppo di goti che già nel 470 vivevano in Tracia come alleati dei romani.
7. Due gruppi più piccoli stanziati in enclave attorno al Mar Nero: i tetraxiti nel Bosforo cimmerio e i goti di Dory nella Crimea sudoccidentale.[4]

Occupandosi solo del primo gruppo, dunque, la *Getica* semplifica un po' troppo la storia dei goti.

Secondariamente – ma in stretta relazione con il primo punto – la *Getica* sopravvaluta l'importanza storica della dinastia Amal da cui discendeva Teodorico, il datore di lavoro di Cassiodoro. Dividendo i goti tra quelli che nel 376 si sottomisero agli unni e quelli che invece scapparono, la *Getica* afferma che il casato degli Amal dominò a lungo *tutti* i goti che non si rifugiarono in territorio romano sotto il regno di Valente. Più tardi, come abbiamo detto, dagli Amal avranno origine gli ostrogoti: ma ciò avverrà solo tra il 460 e il 490. Niente sembra suggerire che la dinastia degli Amal sia stata altrettanto influente prima di conquistare questa nuova base di potere. Le dinastie di parvenu spesso ci tengono a fingere di non essere affatto parvenu: Teodorico non fa

425

eccezione. Le lettere di Cassiodoro parlano spesso della famiglia di Teodorico come di una «dinastia di porpora»; e tale prospettiva permea tutta la sua produzione storiografica, *Getica* compresa. Oltretutto non c'è ragione di supporre che la nostra lista di sette gruppi sia completa: probabilmente dunque esistevano molte famiglie «reali» gotiche in competizione fra loro, ciascuna delle quali regnava su un diverso gruppo di guerrieri.[5] In realtà la caduta dell'impero unno fu molto più complicata di come la presenta Giordane.

Per tornare alla *Getica*, la fine dell'impero unno cominciò con la disputa per la successione che si scatenò tra i figli di Attila dopo l'improvvisa morte del padre. Almeno tre fratelli vengono presentati da fonti diverse come leader che si erano già conquistati ciascuno una solida posizione politica: Dengizich, Ellac e Ernac. Purtroppo però non abbiamo idea di quanti figli avesse avuto Attila e se tutti o soltanto alcuni potessero candidarsi alla successione. La disputa degenerò rapidamente in guerra civile e questa a sua volta permise a un gruppo germanico sottomesso, i gepidi di re Arderico, di svincolarsi dagli unni: il che probabilmente significa che si rifiutarono di pagare ulteriori tributi o di rispondere a nuove chiamate alle armi. Gli unni non la presero certo bene, continua la *Getica*, e il risultato fu una battaglia su un fiume della Pannonia che non sappiamo dove fosse, ma che si chiamava Nedao:[6]

Qui ebbe luogo uno scontro tra le varie nazioni che Attila aveva tenuto in pugno. I regni e le popolazioni si divisero e da un solo corpo nacquero varie membra che non rispondevano più a un impulso comune. Privati del capo, i popoli si scagliarono pazzamente l'uno contro l'altro. [...] E così le nazioni più valorose si sbranarono fra loro. [...] Si vedevano i goti combattere con le picche, i gepidi infuriare con le spade, i rugi spezzare le aste infilzate nelle ferite, gli svevi battersi a piedi, gli unni con gli archi, gli alani schierare file di guerrieri dalle pesanti armature e gli eruli i loro soldati dall'equipaggiamento leggero. Alla fine, dopo molti amari scontri, inaspettatamente la vittoria toccò ai gepidi.

Un buon brano sul cozzar di spade e lo squarciarsi di armature, anche se non particolarmente ricco di informazioni precise, ma i tratti generali della vicenda sono abbastanza plausibili. Il conflit-

426

to dinastico era certamente la norma all'interno della famiglia reale unna da quando, nel corso del V secolo, il potere si era concentrato nelle mani di un solo re. Nel Capitolo 7, per esempio, abbiamo visto come dopo il 440 i sovrani sconfitti nelle precedenti lotte per la successione e costretti alla fuga si fossero rifugiati nell'impero romano, che poi aveva dovuto restituirne alcuni ad Attila il quale li aveva prontamente messi a morte. Sicuramente Giordane, se avesse potuto evitarlo, non avrebbe dato ai gepidi un ruolo così importante, anche perché nel VI secolo tra gepidi e goti non correva affatto buon sangue.[7]

Ciò che non è affatto chiaro, invece, è chi stesse dalla parte di chi, o se ci sia stata una sola grande battaglia o una serie di scontri più piccoli. Giordane è un po' vago anche sul risultato finale di quel bagno di sangue: ci dice soltanto che «con la sua rivolta [Arderico] liberò non solo la sua tribù, ma anche tutti gli altri popoli oppressi». Come esattamente sia avvenuta tale liberazione è ancora oggetto di discussione. Giordane racconta che quando Ellac, figlio di Attila, rimase ucciso in battaglia (o in una delle varie battaglie), subito gli altri fratelli lasciarono le loro case lungo il medio corso del Danubio e andarono a cercare altre terre in cui stabilirsi a est dei Carpazi e a nord del Mar Nero, lasciando liberi tutti i popoli sottomessi indipendentemente dalla parte per cui avevano combattuto.[8] Verso l'anno 460, la posizione delle principali popolazioni stanziate nella pianura del medio Danubio e dintorni, fin dove possiamo ricostruirla, era più o meno quella che si può osservare nella Carta n. 15: i goti di Amal occupavano un arco di territori a sud del Danubio, nella ex Pannonia romana, dal Lago Balaton fin verso la città di Sirmium; i gepidi controllavano la fascia nordorientale, compresa buona parte della ex provincia della Dacia che i romani avevano abbandonato nel III secolo; in mezzo c'erano gli svevi, a nord della curva del Danubio, oltre agli sciri, gli eruli, i rugi e i sarmati-alani. Stando alla lettera del testo di Giordane, fu grazie alla rivolta dei gepidi che tutti questi gruppi, da un giorno all'altro, si ritrovarono a non essere più sudditi degli unni e poterono costituire dei regni indipendenti. Da molti indizi contenuti in frammenti di altri autori, però, così come da altri dettagli sparsi nell'opera di Giordane, possiamo dedurre che in questo modo si semplifica parecchio il quadro generale.

Tanto per cominciare l'idea che nel 453-454, all'improvviso, gli unni siano scomparsi dalla regione dei Carpazi è profondamente fuorviante. Intorno al 460, infatti, essi intervennero per ben due volte a ovest dei Carpazi contro i goti Amal della Pannonia, come ci racconta Giordane stesso;[9] nel 467-468 i figli di Attila ancora in vita attaccarono per l'ennesima volta l'impero romano attraverso il Danubio. Se, come ci racconta Giordane, gli unni se n'erano andati dal medio corso del Danubio subito dopo la battaglia del Nedao, evidentemente non si erano allontanati di molto. E se è possibile che con quella battaglia i gepidi se li siano scrollati di dosso, lo stesso non si può dire per tutti gli altri gruppi: nel 467-468, quando gli unni guidati da uno dei figli di Attila, Dengizich, attaccarono per l'ultima volta l'impero romano d'oriente, assieme a loro, stando a quanto riferisce Prisco, c'erano ancora moltissimi goti.[10] Giordane racconta anche che per il secondo attacco contro i goti Amal Dengizich mobilitò vari gruppi: ultzinzuri, angisciri, bitturguri e bardori.[11] Con ciò non si vuol negare che la battaglia del Nedao sia stata un significativo punto di svolta: semplicemen-

15. Gli unni e i loro ex sudditi (465 ca.)

428

te, il predominio degli unni sulle altre popolazioni della regione dei Carpazi non si estinse dalla sera alla mattina.

Il percorso che avrebbe portato alla liberazione dei goti Amal e della maggior parte degli altri popoli sottomessi dagli unni non fu dunque quello suggerito da Giordane. Nessun avvenimento improvviso diede la libertà contemporaneamente a tutti quei popoli. Come abbiamo visto, alla morte di Attila c'erano almeno tre gruppi di goti tra i sudditi degli unni, e fino a qualche tempo prima ce n'era anche un quarto (gruppo 3/6, p. 425), che sfuggì al loro controllo grazie all'intervento di Roma e si trasferì in Tracia dopo il 427. Il gruppo 1 riuscì a liberarsi prima del 460, il gruppo 4 tra il 466 e il 471, mentre il gruppo 5 non ci riuscì mai e ancora nel 467-468 partecipò all'attacco contro l'impero romano d'oriente. Sugli altri popoli sottomessi dagli unni non abbiamo altrettante informazioni, ma dietro tutti i nomi collettivi che ci sono familiari – svevi, rugi, eruli, gepidi, alani e così via – probabilmente si nascondono varie unità politiche indipendenti che si scrollarono di dosso la dominazione degli unni in momenti diversi fra il 453 e il 468.

Né dobbiamo immaginare che ciascuna delle entità politiche che emersero dal naufragio dell'impero unno avesse necessariamente una leadership pronta a prendere il comando subito dopo la morte di Attila. La *Getica* afferma che i goti Amal l'avevano, poiché Valamer Amal, zio di Teodorico, era stato un valido braccio destro di Attila e dunque la preminenza della dinastia Amal sui goti del gruppo 1 era assolutamente indiscutibile. Ci sono valide ragioni per mettere in dubbio queste ultime due affermazioni. Giordane stesso dice che nei quarant'anni di egemonia degli unni, prima di Valamer, quella dinastia tanto indiscutibile non regnava affatto su alcun gruppo di goti. E ci racconta anche alcune interessanti storielle su un re presumibilmente unno, Balamber, che sconfisse vari sovrani goti, in particolare Vinitario e Unimund. Varie incongruenze cronologiche si dissolvono nel momento in cui si identifica il racconto delle imprese di Balamber con la vicenda di Valamer che cominciò a consolidare la sua presa sui goti Amal. Il nome Balamber non compare in nessun'altra fonte, e in greco Valamer si scrive «Balamer». Queste storie narrano di come egli sconfisse due casati goti distinti e rivali nelle persone di Vinitario e di Unimund, e poi anche il figlio di quest'ultimo, Torismund. Gesimund, fratello di Torismund, preferì accettare la signoria di Valamer piuttosto che continuare a scontrarsi con lui; mentre il figlio di Torismund, Beremund, scappò a ovest rifugiandosi nell'impero romano.

Invece di una dinastia Amal già antica e prestigiosa al tempo della morte di Attila, quindi, dobbiamo immaginare vari piccoli signori della guerra in competizione tra loro, ciascuno col proprio seguito di guerrieri. Fu Valamer, a quanto pare, il primo che seppe unificare tutte quelle genti: alcune con l'intervento militare diretto (nel caso di Unimund, per esempio, che fu ucciso); altre (come nel caso di Gesimund, che si arrese) con la conciliazione; altre ancora con un misto dei due sistemi (Valamer uccise Vinitario e poi sposò sua nipote).[12] Ma personalmente scommetterei che tutte queste ristrutturazioni politiche si verificarono soltanto *dopo* la morte di Attila. Da tale processo uscì un esercito goto molto più grande, capace di opporre una resistenza molto più valida alla dominazione unna; ed è difficile immaginare che Attila, con tutta la sua prosopopea, l'avrebbe tollerato.[13]

È abbastanza chiaro, dunque, che non tutti i sudditi degli unni salirono alla ribalta della storia in formazioni politiche già nette e precise e con una leadership consacrata che aspettava solo di emergere non appena il grande unno si fosse tolto dai piedi. Forse ciò era vero per i gepidi, che proprio per questo riuscirono a rendersi indipendenti così presto. Altri gruppi che dopo la morte di Attila rivendicarono l'autonomia erano nati solo poco tempo prima, materializzandosi attorno alla leadership di uomini nuovi. L'affermazione del regno degli sciri, per esempio, fu tutt'altro che semplice e lineare. Negli anni successivi al 460 il gruppo era guidato da quello stesso Edeco che abbiamo incontrato nel capitolo precedente come fedelissimo di Attila e che i romani avevano cercato di corrompere affinché assassinasse il suo re. Accanto a lui c'erano i suoi due figli, Odoacre e Onulfo. Dopo il crollo dell'impero unno, evidentemente, Edeco riuscì ad affrancarsi dal ruolo di lacchè di fiducia degli unni reinventandosi come re degli sciri. La cosa più buffa è che probabilmente non era nemmeno sciro di nascita: dei suoi figli si dice che fossero sciri per parte di madre, ma lui stesso viene definito ora unno ora turingio (probabilmente è quest'ultima versione – essendo più specifica – quella corretta). A qualificare Edeco come aspirante capo degli sciri, dunque, non furono tanto le sue origini, quanto un'alleanza matrimoniale stretta forse con la figlia di un pezzo grosso sciro, il cui prestigio andò a sommarsi a quello conquistato alla corte di Attila. Per gli altri gruppi non abbiamo sufficienti informazioni, ma sospetto che negli anni dal 455 al 460, prima della nascita vera e propria dei regni successori dell'impero unno, si fossero verificati moltissimi di questi episodi di riordino politico.[14]

Mettendo insieme tutti i frammenti arriviamo a un resoconto del crollo dell'impero unno piuttosto diverso da quello che abbiamo letto in Giordane. Se la riconquista dell'indipendenza da parte di alcuni popoli sottomessi fu preceduta da ampi rivolgimenti politici, dobbiamo dedurne che l'impero unno stava già scivolando verso il disfacimento e che perse il dominio su quei gruppi umani solo gradualmente.

L'emergere dei nuovi regni indipendenti diede dunque il via all'ultima fase del processo di estinzione degli unni. Come abbiamo visto, la maggior parte di quei gruppi si era concentrata nella grande pianura ungherese, dove la presenza di tanti uomini armati – quanti non se n'erano mai visti prima – aveva creato una potente macchina da guerra.[15] Quando era ancora sotto il controllo di Roma, l'area ospitava solo sarmati, svevi e vandali; i romani infatti evitavano con cura il sovraffollamento delle aree contigue alle frontiere nel timore che ne potessero nascere violenze e disordini. Orbene, la scomparsa del dominio unno creò proprio la situazione che questa politica estera aveva cercato di prevenire: una concentrazione di molti gruppi armati in competizione tra loro su un'area relativamente piccola. A partire dal 460, quindi, non appena i vari regni cominciarono a competere per la signoria sul Danubio, le battaglie per l'indipendenza si trasformarono naturalmente in scontri per l'egemonia regionale.

Ancora una volta l'unica narrazione coerente dei fatti è quella della *Getica*, che ovviamente li presenta come un trionfo dei goti Amal.[16] Giordane racconta infatti che presto essi vennero alle mani con gli svevi, sui quali riportarono una splendida vittoria. Gli svevi allora sobillarono contro di loro altre potenze regionali, in primo luogo gli sciri, che nel corso di una prima battaglia riuscirono a uccidere Valamer. I goti se ne vendicarono ferocemente, sopprimendo per sempre gli sciri come potenza indipendente. Ciò spinse tutti gli altri – gli svevi, gli ultimi sciri rimasti, i rugi, i gepidi, i sarmati «e altri» – a coalizzarsi contro di loro. Il risultato fu una seconda grande battaglia presso un altro fiume non meglio identificato della Pannonia, il Bolia, dove, secondo quanto narrato da Giordane,

la parte dei goti risultò talmente più forte che tutta la pianura s'inzuppò del sangue dei nemici uccisi fino a sembrare un mare color cremisi. Armi e cadaveri, ammonticchiati come colline, coprivano la pianura per più di dieci miglia. Vedendo ciò i goti si rallegrarono indicibilmente, perché con questo grande massacro avevano vendicato il sangue del loro re Valamer.[17]

Altre fonti ci hanno trasmesso informazioni sufficienti a confermare questa versione. Da un frammento della cronaca di Prisco risulta che, prima della resa dei conti, sia gli sciri sia i goti Amal avevano mandato ambascerie a Costantinopoli per chiedere aiuto all'impero romano d'oriente.[18] La distruzione degli sciri è citata anche da altre fonti, ma se e fino a che punto i goti siano stati sempre vittoriosi non è dato sapere.

Nella regione violenza e instabilità calarono solo quando alcuni dei gruppi in competizione furono eliminati: il regno degli sciri perse l'indipendenza intorno al 467 e nel 473 i goti Amal lasciarono la zona per tentare la sorte nell'impero romano d'oriente. Ma era ormai troppo tardi per salvare i figli di Attila. Man mano che si svilupparono gli avvenimenti dei decenni del 450 e del 460, infatti, essi vennero a trovarsi in una posizione sempre più incerta. Ogni dichiarazione d'indipendenza significava che il nuovo popolo non avrebbe più pagato tributi agli unni, il che era già di per sé abbastanza grave; poi i nuovi regni passarono all'attacco cercando di massimizzare le potenzialità della propria posizione, ciascuno a discapito degli altri e tutti insieme a discapito degli unni. La trasformazione di questi ultimi da vincitori a vittime è bene illustrata dalle due guerre che i figli di Attila, secondo Giordane, combatterono contro i goti Amal. Nella prima gli unni attaccarono quegli «schiavi fuggiaschi» per ripristinare la propria egemonia e far ripartire i tributi; con la seconda cercarono semplicemente di evitare che altri gruppi più piccoli della Pannonia cadessero definitivamente sotto l'influenza gotica.[19] Nel frattempo tutti gli altri gruppi di una qualche importanza di cui abbiamo notizia stavano cercando di fare qualcosa di simile: è evidente quindi che la base di potere degli unni si stava erodendo rapidamente. Intorno al 465 i due figli sopravvissuti di Attila, Dengizich e Ernac, erano ormai alla frutta. La perdita di così tanti popoli vassalli e l'emergere sempre più minaccioso di gruppi come i goti Amal rendevano insostenibile la loro posizione a nord del Danubio. L'unica cosa che potevano ancora fare era cercare un accomodamento con l'impero romano. Ma Dengizich rovinò tutto (forse perché chiese troppo): nel 469 fu sconfitto dal generale romano Anagaste e la sua testa finì esposta su una picca sotto le mura di Costantinopoli. Ernac e i suoi seguaci, forse meno avidi di lui, alla fine ottennero il permesso di stabilirsi vicino al Danubio, nella Dobrugia settentrionale (odierna Romania), mentre altri gruppetti residui di unni si fermavano nelle fortezze di Oescus, Utus e Almus o nei loro dintorni. L'egemonia degli unni a nord del Danubio e la loro indipendenza erano finite. La caduta dell'impero di Attila era stata rapida e definitiva.

Cavalcare la tigre

Nonostante i suoi molti limiti, dunque, la *Getica* ci permette di ricostruire alcuni passaggi cruciali del processo che portò al crollo dell'impero unno. Col tempo sono state avanzate numerose spiegazioni di questo straordinario fenomeno. Gli storici del passato ritenevano che tutto ciò confermasse semplicemente le straordinarie doti individuali di Attila: l'impero unno poteva esistere solo fintanto che al timone c'era lui. Edward Thompson, invece, pensava che il crollo fosse dovuto alla divisione sociale prodotta dalle molte ricchezze accumulate a spese dell'impero romano.[20] In entrambe queste teorie c'è qualcosa di vero. Attila, come abbiamo visto, era indubbiamente uno straordinario uomo d'azione, e senz'altro l'oro sottratto a Roma non fu distribuito tutto e con equità tra i suoi seguaci. Ma la piena comprensione dell'impero unno non può prescindere dall'analisi dei rapporti che aveva con i suoi sudditi, in maggioranza germanici. Come abbiamo visto fu proprio la capacità di risucchiare tanti gruppi di uomini armati a permettere, negli anni 420-460, l'improvvisa esplosione della potenza unna: analogamente, dopo la morte di Attila la crescente incapacità dei suoi seguaci di mantenere il controllo su quegli stessi gruppi innescò la fase discendente della parabola.

Il punto fondamentale è che l'impero unno, in genere, non era un'entità cui si appartenesse per libera scelta: da tutte le testimonianze risulta che i gruppi non unni vi erano rimasti intrappolati a causa di una combinazione di conquista e intimidazione. Ai tempi di Attila erano stati gli akatziri gli ultimi a cadere nell'orbita dell'impero. Abbiamo raccontato la prima metà di questa storia nel Capitolo 7, parlando di quell'ambasciatore dell'impero romano d'oriente che offrì i doni più ricchi al re sbagliato. Prisco ci narra cosa accadde poi:

Kouridachus, il più importante [re degli akatziri], [...] chiese l'intervento di Attila contro gli altri re. Ed egli senza indugiare mandò un forte contingente di uomini armati che ne sconfissero alcuni e costrinsero gli altri alla sottomissione. Poi convocò Kouridachus per dividere con lui il premio della vittoria. Ma questi, sospettando il tradimento, dichiarò che era arduo per un semplice mortale ritrovarsi alla presenza di un dio. [...] In questo modo Kouridachus poté rimanere tra i suoi e salvare il proprio regno, mentre tutto il resto del popolo akatziro si sottomise ad Attila.[21]

Dopodiché Attila mandò il suo primogenito a regnare sui popoli assoggettati. Il brano rivela che, nonostante Attila fosse perfettamente in grado di realizzare all'occorrenza abili manovre politiche, lo strumento principale dell'espansionismo unno era pur sempre la conquista militare. Infatti era stato per sottrarsi al loro dominio che, nell'estate del 376, tervingi e greutungi erano arrivati per la prima volta sulle sponde del Danubio; ed era stato dopo averle prese dagli unni che, nel 436-437, i burgundi avevano cercato rifugio entro i confini dell'impero romano. Tutto ciò conferma che c'era solo un modo per separarsi dall'impero di Attila: la guerra.[22]

Non abbiamo certo tutte le informazioni che vorremmo sui rapporti tra i conquistatori unni e i loro sudditi. Tra gli episodi giunti fino a noi, il posto d'onore spetta a una storia riferita da Prisco, che spesso è stata considerata la riprova della mobilità etnica e sociale cui gli individui potevano accedere nel mondo unno. Mentre si aggirava per l'accampamento di Attila senza sapere che fare, Prisco si era imbattuto in un unno molto elegante, che gli aveva rivolto la parola in greco. I due si erano messi a parlare ed era venuto fuori che l'«unno» era in realtà un ex prigioniero romano ed ex mercante catturato nel 442, dopo la caduta di Viminacium. In base alla spartizione del bottino era stato assegnato a Onegesio, sotto il quale egli aveva combattuto nelle campagne successive sia contro i romani sia contro gli akatziri. Battendosi sempre con valore, conquistando ricchi bottini e consegnandoli lealmente a Onegesio, il quale a un certo punto aveva deciso di premiarlo con la libertà. A questo punto l'ex prigioniero si era preso una moglie unna ed era diventato amico del suo ex padrone, alla cui mensa pranzava ogni giorno. Evidentemente uno schiavo capace di dar buona prova di sé in battaglia poteva non solo riconquistare la libertà, ma anche farsi accettare dall'élite unna. Non altrettanto citata è un'altra storia che illustra invece l'altra faccia della medaglia delle relazioni schiavo-padrone sotto gli unni. Sempre durante la sua permanenza presso la corte di Attila, Prisco aveva assistito all'impiccagione di due schiavi che, approfittando della confusione del campo di battaglia, avevano sgozzato il loro padrone. Di fatto, la stragrande maggioranza dei sudditi degli unni era sfruttata senza pietà e tenuta a bada con mano d'acciaio.[23]

Un frammento illuminante della cronaca di Prisco narra di un incidente avvenuto nel 467-468 durante l'ultimo attacco di Dengizich all'impero romano d'oriente, quando i romani riuscirono a isolare dal resto di un contingente misto goto-unno i guerrieri goti e li apostrofarono per ricordare loro quale trattamento ricevessero dai loro padroni unni: «Essi non hanno alcun rispetto per l'agricoltura e come lupi attaccano e rubano le scorte alimentari dei goti, con il risultato che questi ultimi rimangono nella posizione di schiavi e devono soffrire per la carenza di cibo».[24] I ripetuti furti delle scorte, ovviamente, erano solo una parte della storia: come abbiamo visto i popoli sottomessi erano utilizzati dagli unni anche per combattere nelle loro guerre. Tra i prigionieri dunque poteva certamente esserci qualcuno capace di battersi con coraggio, ma le campagne militari degli unni provocavano sempre grandissime perdite nelle loro fila. L'ex mercante di Prisco era diventato ricco e aveva stretto amicizie influenti, ma la sua non era certo una storia comune.

L'impero unno era dunque un'entità politica piuttosto instabile e attraversata da mille tensioni: non solo tra dominanti e dominati, ma anche tra gli stessi popoli sottomessi, i quali, già prima dell'apparizione di quel potente nemico, avevano alle spalle una lunga storia di aggressioni reciproche. Questo particolare fattore di instabilità di solito è trascurato dagli storici perché la maggior parte del nostro materiale di studio viene da un romano, Prisco, e risale a un'epoca in cui la potenza di Attila era assolutamente inattaccabile. Ma se si getta la rete un po' più in là si pescano subito prove d'altro genere. Il maggior punto di forza dell'impero unno – l'abilità di accrescere il proprio potere dissanguando i popoli soggiogati – era anche la sua più grande debolezza. I romani, per esempio, non perdevano occasione di ricordare ai popoli sottomessi che non si trovavano certo in quella scomoda posizione per loro libera scelta. Intorno al 427 la contromisura adottata dall'impero d'oriente per frenare l'ascesa della potenza unna in Pannonia fu proprio quella di sottrarle un gran numero di goti, cui fu consentito di stabilirsi in Tracia.[25] In un antico frammento di Prisco leggiamo che:[26] «Quando Rua era re degli unni gli amilzuri, gli itimari, i tunsuri, i boisci e altre tribù stanziate lungo il Danubio scapparono per combattere dalla parte dei romani». Il brano si riferisce a dopo il 435, quando Rua aveva già riportato notevoli successi: ne deduciamo che nemmeno la vittoria militare bastava a garantire la quiescenza dei gruppi sottomessi. In questo senso, l'inizio di un nuovo regno era sempre un momento ricco di particolari tensioni. La prima campagna dei successori di Rua, Attila e Bleda (saliti al trono nel 440), non fu contro i romani: «Quando [all'inizio del loro regno] ebbero fatto la pace con i romani, Attila, Bleda e i loro eserciti avanzarono nella Scizia per sottomettere le tribù che vi dimoravano e mossero guerra ai sorogsi». Riaffermare la signoria sui gruppi vassalli subito dopo la presa del potere era probabilmente la priorità di ogni nuovo re unno.

Conflitti come quelli scoppiati dopo la morte di Attila, dunque, non erano affatto un'eccezione, bensì una condizione inerente ai rapporti tra gli unni e i loro sottoposti. Tant'è vero che i capi unni facevano di tutto per impedire ai romani di creare loro problemi in questa sfera. Nel primo trattato con l'impero romano d'oriente, quando quest'ultimo ebbe bisogno della pace sul Danubio per la spedizione in Nordafrica, Attila e Bleda inserirono la clausola che «i romani non avrebbero stretto alleanza con un popolo barbaro contro gli unni, se qualcuno avesse preparato una guerra contro di loro». Diversamente dall'impero romano, che impiegava secoli a dissipare le tensioni generate dalla conquista trasformando i sottoposti in romani a pieno titolo – perlomeno i proprietari terrieri –, gli unni non avevano né la stabilità né la burocrazia che servono a governare direttamente i popoli soggiogati.[27] Invece di rivoluzionare le strutture sociopolitiche dei popoli conquistati o di imporre le proprie, essi delegavano interamente alla leadership locale la gestione ordinaria. Gli unni potevano dominare i loro sottoposti e intervenire nelle loro vicende interne solo in misura relativa e anche con sensibili differenze tra un popolo sottomesso e un altro. I gepidi, come abbiamo visto, avevano un loro capo già all'epoca della morte di Attila e anche per questo riconquistarono subito l'indipendenza. Altri gruppi, come i goti Amal, prima dovettero produrre un capo stabile e soltanto dopo poterono sfidare l'egemonia degli unni. Alcuni addirittura, come i goti che seguirono Dengizich nella guerra all'impero romano d'oriente nel 467-468, non ci riuscirono mai; ma anche quelli che nel 468 vivevano ancora sotto il dominio di Dengizich avevano i loro sottocapi locali.

Se le nostre fonti fossero più numerose e più ricche di informazioni, sospetto che dopo il 453 vedremmo l'impero degli unni sfogliarsi strato dopo strato come una cipolla, e i vari popoli soggiogati rivendicare la propria indipendenza in ordine inverso rispetto al grado di dominio che gli unni avevano esercitato su di loro. Le due variabili cruciali sono: primo, fino a che punto la struttura politica del popolo vassallo era rimasta inalterata; secondo – ne sono convinto, anche se non posso provarlo –, quanto il popolo distasse dal cuore dell'impero, cioè dal luogo in cui si trovavano gli accampamenti di Attila. I gruppi stanziati più vicino ai territori occupati direttamente dagli unni erano maggiormente controllati e spesso la loro leadership era stata eliminata con la violenza. I gruppi più lontani, invece, spesso avevano conservato in qualche misura la loro struttura politica ed erano meno controllati. Al tempo di Attila franchi e akatziri costituivano il limite geografico della sua influenza marginale, mentre gruppi di mezzo come turingi, goti, gepidi, svevi, sciri, eruli, sarmati e alani subivano vari gradi di controllo.[28]

437

Le testimonianze archeologiche provenienti dall'impero di Attila offrono lo spunto per un'ulteriore riflessione sui rapporti tra popoli sottomessi e popolo dominante. Come abbiamo visto nel Capitolo 7, si tratta di cimiteri almeno esteriormente germanici; uno dei tratti più appariscenti del materiale venuto alla luce è il contrasto tra il gran numero di sepolture senza alcun corredo e il piccolo numero di quelle più ricche. Che tra l'altro non sono semplicemente ricche: sono incommensurabilmente ricche, con un vastissimo assortimento di suppellettili e ornamenti d'oro che comprende gioielli cloisonné in oro e granati con le pietre montate su un letto d'oro in modo da creare un effetto mosaico. Oggetti che più tardi, nell'ultima fase dell'impero romano e in quella seguente, sarebbero diventati il segno distintivo delle élite in tutto il mondo conosciuto. Lo stile dei gioielli cloisonné trovati nella nave-sepolcro di Sutton Hoo (inizio del VII secolo), nell'Anglia orientale, per esempio, sicuramente fece innamorare tutta la classe dirigente dell'Europa unna.[29] In una sepoltura di Apahida (odierna Transilvania) sono stati ritrovati più di sessanta oggetti d'oro, tra cui un'aquila d'oro massiccio che si poteva applicare alla sella; anche tutto il resto dell'equipaggiamento da cavallo del defunto era d'oro e il defunto stesso era coperto di gioielli d'oro dalla testa ai piedi. Ma ci sono anche altre sepolture altrettanto ricche, e alcune che contengono un quantitativo d'oggetti in oro leggermente inferiore.[30]

La presenza di così tanto oro nell'Europa germanica centro-orientale è molto significativa. Fino alla nascita di Cristo, nei corredi funebri del mondo germanico la stratificazione sociale si manifestava, quando si manifestava, solo per la presenza di un quantitativo leggermente superiore alla media di vasellame di ceramica fatto a mano, o di spille e fibbie in ferro e in bronzo un po' più decorate. Nel III e IV secolo d.C. alcune famiglie cominciarono a seppellire i loro morti con spille d'argento, mucchietti di perline e forse anche ceramiche lavorate al tornio; ma ancora l'oro non differenziava nemmeno le sepolture delle classi dirigenti: il massimo del lusso era qualche oggetto d'argento.[31] L'impero unno trasformò radicalmente le cose, e con sorprendente rapidità. Le ricche sepolture dello «stile danubiano» testimoniano l'improvvisa diffusione degli oggetti funebri in oro in quella parte d'Europa. Non è difficile capire da dove venisse tutto quell'oro: ciò che oggi vediamo nei corredi funerari dell'Ungheria del V secolo è la prova materiale del trasferimento di ricchezza dall'impero romano verso i popoli nordici di cui parlano Prisco e le altre fonti scritte. Come abbiamo visto nel capitolo precedente, gli unni si erano dati l'obiettivo di spremere dall'impero romano oro e altri beni di ricchezza mobile (sotto forma di pagamenti mercenari, di bottino o, soprattutto, di tributi annui): parte dell'oro così ottenuto fu riciclata nei gioielli e nelle decorazioni funebri. Il fatto che molte delle tombe più splendide appartenessero a ricchi germani significa che gli unni non tennero per sé tutto il bottino, ma in parte lo distribuirono tra i capi germanici vassalli. I quali diventarono veramente molto ricchi.

Il ragionamento che sta dietro questa strategia è che, se i capi germanici avessero potuto intascare una fetta del guadagno derivante dai successi degli unni, le manifestazioni di dissenso sarebbero state minori e tutto sarebbe andato relativamente liscio. Le donazioni in oro ai principi sottomessi avrebbero lubrificato il meccanismo politico dell'impero e dissolto i pensieri di rivolta. Dato l'esiguo numero delle sepolture contenenti oggetti d'oro, è probabile che questi principi abbiano a loro volta distribuito qualcosa di quelle donazioni, ma solo ai seguaci cui tenevano di più.[32] La presenza dell'oro riflette quindi la politica seguita dalla corte di Attila (ci piace pensare che il principe sepolto ad Apahida sia uno di quelli incontrati da Prisco). Altrettanto importante è il ruolo giocato da queste distribuzioni d'oro nel contrastare l'endemica instabilità interna. Siccome sappiamo dove gli unni prendevano il loro oro, possiamo dire che la guerra predatoria tenne a galla la nave dello stato unno, che pure faceva acqua da tutte le parti.

Innanzitutto, il successo bellico dava al sovrano in carica una fama d'illimitata potenza: così nel caso di Attila (vedi la leggenda della spada di Marte), ma c'è ragione di supporre che il successo militare fosse stato altrettanto importante per i suoi predecessori. Dalla fama di imbattibilità derivava il potere di tenere sottomessi gli altri popoli con l'intimidazione; e ovviamente il successo militare forniva anche l'oro e il bottino con cui tenere in riga i capi di secondo livello (anche se la rapidità con cui i gruppi soggiogati scelsero di sottrarsi alle grinfie dell'impero subito dopo la morte di Attila sembra suggerire che queste forme di pagamento non compensassero del tutto i livelli di sfruttamento). Contrariamente all'impero romano, che come abbiamo visto cercava di evitare il sovraffollamento delle zone limitrofe alla frontiera per limitare il rischio di disordini, l'impero unno risucchiava al suo interno massicci quantitativi di popolazione dalle tribù sottomesse.[33] Questa concentrazione di manodopera generava una splendida macchina da guerra, che però doveva per forza essere usata: al suo interno fermentavano infatti troppe tensioni perché il re potesse arrischiarsi a lasciarla inoperosa. In seno all'impero unno il numero di sudditi di altre tribù era sicuramente molto maggiore di quello degli unni propriamente detti, probabilmente nella misura di 7 a 1. Era dunque essenziale che i popoli soggiogati avessero qualcosa da fare, altrimenti i più indisciplinati fra loro avrebbero sfogato le energie in eccesso mettendo certamente in pericolo la già traballante struttura dell'impero.

*

A questo punto abbiamo costruito una prospettiva storica un po' diversa su Attila re degli unni. Come spesso avviene, il fattore che l'aveva reso tanto potente fu al tempo stesso il suo maggior inconveniente. L'esercito che a partire dal 440 aveva spazzato via le truppe dell'impero romano d'oriente era un insieme altamente instabile. Le vittorie conseguite cementarono il controllo unno sui popoli sottoposti nel breve termine, ma non cancellarono le tensioni interne: Attila aveva bisogno di vittorie sempre nuove per mantenersi al potere. Se la sua reputazione avesse cominciato a scricchiolare, i popoli sottomessi l'avrebbero subito abbandonato per gettarsi nelle braccia dei romani, pronti ad accoglierli a braccia aperte. Attila è stato il più grande conquistatore barbaro della storia europea, ma quella che cavalcava era una tigre di inaudita ferocia. E se appena le avesse allentato le redini, l'avrebbe sbranato.

A mio parere tutto ciò spiega anche perché, intorno al 450, in modo abbastanza misterioso Attila avesse deciso di volgersi contro l'occidente. Tra il 441 e il 447 i suoi eserciti avevano saccheggiato tutti i Balcani tranne due piccole aree protette da ostacoli insormontabili: il Peloponneso, difeso dal suo stesso isolamento geografico, e Costantinopoli, che aveva fortificazioni immense. L'impero romano d'oriente era ormai in ginocchio: il tributo annuo che doveva sborsare agli unni era dieci volte superiore a qualsiasi altro avesse mai pagato. Gli unni erano riusciti a spremere da Costantinopoli praticamente tutto ciò che volevano; e ulteriori campagne militari contro quell'obiettivo avrebbero rischiato soltanto di fare calare i profitti. Ed ecco Attila assiso sul suo trono al centro della grande pianura ungherese, circondato da un'immensa macchina militare che non poteva assolutamente restare inoperosa. Non essendoci più niente da attaccare nei Balcani, bisognava trovare un altro bersaglio. In altre parole, Attila mosse contro l'occidente perché a oriente aveva esaurito tutti gli obiettivi importanti.

Tutto ciò ci permette di giungere a un verdetto finale sul conto dell'impero unno. Politicamente dipendente da una catena ininterrotta di vittorie militari e dal flusso d'oro proveniente dall'impero romano, esso non poté fare a meno di dare battaglia fino alla sconfitta e questa sconfitta bastò a precipitare la sua crisi interna. Le battute d'arresto del 451 e del 452 in Gallia e in Italia, per quanto non gravi, probabilmente cominciarono a corrodere l'aura d'invincibilità di Attila e rallentarono il flusso d'oro. Alcuni dei popoli sottomessi più periferici cominciarono subito ad agitarsi. Probabilmente la morte di Attila e poi la guerra civile tra i suoi figli furono soltanto l'occasione che i più irrequieti tra quei popoli stavano aspettando. Ma al di là di tutto la prova migliore del perdurare di gravi tensioni tra gli unni dominanti e tutti i popoli sottomessi e sfruttati è proprio lo sbalorditivo crollo dell'impero. Resta da vedere come la strana fine dell'Europa unna abbia portato con sé il collasso dell'impero romano d'occidente.

Un nuovo equilibrio di potere

Al posto di una sola, grande potenza con la base sulla grande pianura ungherese e lunghi tentacoli protesi da una parte verso il Reno e dall'altra verso il Mar Nero, a questo punto gli imperi romani d'oriente e d'occidente avevano davanti un insieme di stati successori che, pur dedicando buona parte del tempo e delle energie a combattersi l'un l'altro, ne avevano pur sempre abbastanza

441

per prendersela di tanto in tanto anche con loro. Man mano che l'impero veniva coinvolto nelle ricadute del crollo della potenza unna, la natura della sua politica estera lungo la frontiera del Danubio cambiava. Nella nuova situazione che era venuta a crearsi le autorità romane avevano due priorità: da una parte dovevano assolutamente impedire che il parapiglia scatenatosi a nord del Danubio tracimasse nel loro territorio, con nuove invasioni di una certa consistenza o con uno stillicidio di piccole incursioni; dall'altra dovevano far sì che, una volta finito il caos, non si affermasse oltre frontiera un nuovo impero ostile e monolitico.

La perdita del testo completo della cronaca di Prisco ci impedisce di raccontare una storia senza soluzione di continuità vista con occhi romani, ma non è difficile capire a grandi linee cosa avvenne. Le fonti sopravvissute narrano dei vari straripamenti in territorio romano derivanti dalla feroce lotta per il *Lebensraum* in corso oltre il Danubio. Grandi masse di profughi oltrepassavano la frontiera e dilagavano nell'impero romano d'occidente, singoli e gruppi che avevano deciso che la vita a sud del grande fiume era più allettante dei continui massacri a nord dello stesso. Il più famoso di tali profughi è Odoacre, figlio di Edeco e principe degli sciri. Quando i goti Amal ebbero distrutto il suo regno, Odoacre si trasferì in territorio romano insieme a un gruppetto di seguaci, dapprima in Gallia e poi in Italia, dove si arruolò nell'esercito. Un esempio seguito da molti altri meno nobili personaggi. Intorno al 470 l'esercito romano d'Italia era ormai pieno di fuggiaschi provenienti dall'Europa centrale: le fonti citano in particolare sciri, eruli, alani e turcilingi,[34] ma non ci dicono quanti fossero o quando si verificarono i movimenti di popolazione che li portarono in Italia. Ciò suggerisce forse che dovremmo pensare a un continuo flusso di immigrazione e reclutamento più che non a un singolo episodio su grande scala, anche se fenomeni come la fine dell'indipendenza degli sciri potrebbero aver accelerato il processo.

Se alcuni gruppi che si mossero alla spicciolata cercavano semplicemente di sottrarsi alle carneficine in atto a nord del Danubio, altri miravano invece con più chiarezza a creare delle proprie enclave separate in territorio romano, evidentemente perché pensavano fosse più facile che competere con gli altri gruppi nella grande pianura ungherese. Dopo il 465, infatti, per alcune tribù quel tipo di competizione era diventato troppo duro e in un breve arco di tempo ci furono tre distinte incursioni nel territorio dell'impero d'oriente: nel 466 o poco dopo, il re goto Bigelis (gruppo 4, p. 425) condusse i suoi seguaci a sud del Danubio, dove Giordane ci racconta che fu sconfitto;[35] grossomodo nello stesso periodo una banda di unni guidata da un certo Hormidac razziò la Dacia arrivando fino a Serdica, dove fu sconfitta dal generale romano Antemio;[36] quasi contemporaneamente Dengizich, figlio di Attila, cercò di impadronirsi di un pezzo di territorio romano e, come abbiamo visto, fallì. L'arrivo di queste bande armate coincise più o meno con le guerre scoppiate tra i goti Amal e i loro rivali della pianura del medio corso del Danubio; e anche questo afflusso, così come quello dei rivoli di profughi che si rifugiarono nell'impero d'occidente, fu probabilmente causato proprio dal crescere della violenza.[37]

Ma al tempo stesso, in una certa misura, i nuovi regni stavano anche portando a compimento ciò che gli unni avevano lasciato a metà. Da uno dei due frammenti sopravvissuti dell'opera di Prisco, quello riguardante la fase seguente al crollo dell'impero di Attila, apprendiamo che Valamer invase con i suoi goti l'impero romano d'oriente per farsi assegnare un sussidio annuo. Intorno al 460, dice Prisco, tale sussidio ammontava a 300 libbre d'oro:[38] era cioè molto più piccolo di quello ottenuto da Attila al momento della sua massima potenza (2100 libbre), e meno della metà di quello che i romani gli pagavano all'inizio del suo regno. Non si trattava comunque di una cifra insignificante; se fosse riuscito a espandere ulteriormente la sua base di potere, probabilmente Valamer avrebbe poi chiesto di più, proprio come avevano fatto gli unni. E siccome è probabile che le autorità di Costantinopoli stessero pagando sussidi anche a qualche altro regno successore dell'impero di Attila, bisognava andarci con i piedi di piombo: potenzialmente quei regni avrebbero sempre potuto rapprendersi in qualcosa di altrettanto brutto e pericoloso quanto l'impero di Attila. Un buon punto di vista sull'atteggiamento di Roma nei confronti di questo nuovo problema ce lo dà l'altro frammento sopravvissuto della cronaca di Prisco.[39] Tra la prima e la seconda fase degli scontri tra goti e sciri, entrambe le parti mandarono ambascerie a Costantinopoli per chiedere aiuto. Nell'impero, ovviamente, nessuno anelava a correre in soccorso dei goti, ma c'erano opinioni contrastanti in merito alla strategia da seguire; secondo alcuni, infatti, i romani avrebbero semplicemente dovuto tenersi fuori dalla mischia. Alla fine fu deciso di dare un limitato sostegno agli sciri. Giordane ignora questa dimensione dei conflitti post Attila, ma è chiaro che tutte le parti in causa si davano da fare non solo per danneggiarsi reciprocamente, ma anche per conquistare l'appoggio dell'impero romano. Il fatto che a Costantinopoli nessuno volesse impelagarsi nel conflitto conferma che ormai i goti Amal erano diventati qualcosa di simile a una nuova superpotenza regionale.

I romani salutarono la morte di Attila come l'alba di una nuova era. Quella notte l'imperatore d'oriente Marciano fece un sogno bellissimo, in cui l'arco di Attila gli apparve spezzato in due.[40] Ma la repentina scomparsa della superpotenza rivale non significò affatto la fine di tutti i problemi, quanto l'aprirsi di uno scenario nuovo e imprevisto che generò tutta una serie di nuove difficoltà. La prospettiva di un ulteriore scontro tra imperi era svanita, ma solo per essere sostituita da molti, complicati conflitti regionali che potevano avere serie implicazioni per le due metà del mondo romano; e sospetto fortemente che gli scontri di cui sentiamo parlare nella nostra eterogenea collezione di fonti non siano che la punta dell'iceberg. Inoltre i molti e diversi problemi causati da profughi e invasori non erano niente a paragone delle conseguenze più generali del crollo dell'impero unno, che mandò a gambe all'aria il delicato equilibrio di potere dal quale, alla metà del V secolo, dipendevano ormai le sorti dell'impero romano d'occidente.

La caduta di Ezio

Come abbiamo visto nel Capitolo 6 l'imperatore Valentiniano III, figlio di Flavio Costanzo e di Galla Placidia, salì al trono nel 425 all'età di sei anni. Elevato alla porpora grazie all'intervento diretto dell'esercito d'oriente, egli non aveva mai tenuto davvero le redini del potere. Da un certo momento in poi, dopo aver fatto il buono e il cattivo tempo alla corte d'occidente per otto anni, sua madre non era più riuscita a mantenere l'equilibrio tra i comandanti dei vari settori dell'esercito e aveva dovuto passare la mano a Ezio. Uomo di straordinaria intelligenza militare, egli aveva impiegato il decennio successivo al 430 a tenere a galla l'impero e contemporaneamente a cementare il proprio potere. A quattordici anni un romano diventava legalmente adulto e poteva disporre validamente dei propri beni; tuttavia Valentiniano, raggiunta quell'età nel 433, non poteva assolutamente competere con un generale violento e di grande esperienza come Ezio, soprattutto in una fase in cui l'impero doveva affrontare gravissimi problemi d'ordine militare. Cinque o sei anni più tardi, quando forse l'imperatore sarebbe stato in grado di governare, la posizione di Ezio era ormai consolidata e praticamente inattaccabile. Nel 440 era il generale, e non l'imperatore, a prendere tutte le decisioni importanti riguardo alla linea politica e alle nomine dei funzionari pubblici. Proprio ciò che Galla Placidia aveva cercato di evitare.

Così, intrappolato in schemi di potere sui quali non poteva incidere, il ragazzo che nominalmente occupava il trono d'occidente in realtà era soltanto un prestanome. Forse noi stentiamo a comprendere fino in fondo quanto la sua vita fosse difficile e faticosa. Senza uscire mai dai confini d'Italia, Valentiniano passava il tempo tra Roma e Ravenna in una routine che alternava momenti di vita privata carichi di tutti gli orpelli di una ricchezza praticamente illimitata e vacue apparizioni ufficiali. All'imperatore, come abbiamo visto, spettava il compito di personificare l'ideologia fondante dello stato romano: da lui ci si aspettava che incarnasse la natura sovrumana, voluta da Dio, dell'ordine vigente nel mondo romano e che con il suo Io cerimoniale rendesse universalmente visibile il sostegno divino che faceva esistere l'impero. In quanto protagonista assoluto di innumerevoli cerimonie, processioni, messe cristiane e udienze, egli non poteva permettere che la sua aura si offuscasse. Ma tutto ciò che doveva officiare giorno dopo giorno era di una tediosa ripetitività. Essendo l'impero sostanzialmente uno stato a partito unico, al suo interno non era permessa alcuna forma di pubblico dissenso. L'unità era tutto e ogni cerimonia era abilmente orchestrata per ribadire questo concetto nella mente dell'opinione pubblica. Fu sotto Valentiniano, giova ripeterlo, che il *Codice Teodosiano* venne presentato al senato di Roma (cfr. pp. 160-161). All'imperatore, quella volta, la cerimonia fu risparmiata, ma si tratta pur sempre di un buon esempio di ciò che doveva sopportare pressoché quotidianamente: le acclamazioni che davano inizio a tutti i principali riti imperiali prevedevano ben 245 grida d'approvazione da parte dei senatori riuniti. Con un breve esperimento realizzato insieme a mio figlio di undici anni ho calcolato che è possibile ripetere tali acclamazioni circa diciotto volte al minuto: quindi la cerimonia del *Codice* dev'essere durata almeno quaranta minuti (senza tener conto del fatto che, probabilmente, a un certo punto i senatori si stancavano e rallentavano).

Anche i predecessori di Valentiniano avevano vissuto questa defatigante routine giornaliera, ma almeno avevano la soddisfazione – a porte chiuse, finiti gli spettacoli destinati all'opinione pubblica – di prendere decisioni politiche rilevanti e di nominare i loro preferiti ai posti di prestigio. Abbiamo già visto come in Onoria, sorella di Valentiniano, lo stile di vita imperiale aveva prodotto una frustrazione tale da giustificare una storia d'amore con il conduttore della sua tenuta, una gravidanza indesiderata e una pericolosa tresca con il re degli unni (cfr. Capitolo 7). Valentiniano non poteva fare nulla per migliorare la propria situazione: non dev'essere facile per un sovrano minorenne raggiungere l'età adulta e scoprire di essere ancora del tutto marginale nell'esercizio del potere. In una condizione simile, un regnante potrebbe addirittura decidere di gettare al vento ogni precauzione: è ciò che per esempio fece il diciassettenne Edoardo III quando, a mezzanotte del 19 ottobre 1330, irruppe nel castello di Nottingham per spodestare sua madre Isabella, arrestare il suo amante Mortimer e impadronirsi finalmente delle redini del potere. La maggior parte dei rampolli reali, però, non ha tanto fegato. E soprattutto, negli anni successivi al 440, Ezio era il solo baluardo che il giovane imperatore avesse contro gli unni.

Se nei decenni del 430 e del 440 Valentiniano non poté fare assolutamente nulla per cambiare quella incresciosa situazione, con il collasso dell'impero unno un vento di rinnovamento prese a soffiare nei circoli di corte dell'impero d'occidente. Verso il 450 Ezio e il suo imperatore si scontrarono due volte. Il 28 luglio di quell'anno l'imperatore d'oriente Teodosio II morì in seguito a una caduta da cavallo: Valentiniano apparteneva alla stessa dinastia, aveva sposato una delle sue sorelle, Eudossia, ed era stato proprio il suo esercito a metterlo sul trono ribadendo con forza l'unità del

446

casato (cfr. Capitolo 6). Teodosio era l'ultimo rappresentante maschio del ramo orientale della famiglia, dato che il suo unico figlio, Arcadio, era morto prima di lui. Venuto a sapere della scomparsa del cugino Valentiniano ebbe dunque l'idea, a quanto si dice, di andare a Costantinopoli per rivendicare il suo diritto di regnare su tutto l'impero come sovrano unico. Ma Ezio si disse contrario. Indubbiamente non era una grande pensata: Valentiniano non aveva alcun appoggio a Costantinopoli e sicuramente i circoli politici della capitale d'oriente non avrebbero approvato. In quel momento tutto era in mano a Pulcheria, sorella di Teodosio, che per tutta la durata del regno di suo fratello era stata molto ascoltata a corte. Pulcheria aveva sposato un funzionario, un certo Marciano, che il 25 agosto fu proclamato imperatore d'oriente. Valentiniano aveva perso la sua grande occasione: e il fatto che fin dal principio Ezio si fosse opposto al suo progetto glielo rese inviso.

La seconda ragione di disaccordo riguardò le alleanze matrimoniali. Valentiniano e Eudossia avevano due figlie femmine, Eudossia (nata nel 438 o nel 439) e Placidia (nata tra il 439 e il 443); e intorno al 450, dopo quindici anni di matrimonio, era assai improbabile che la famiglia si allargasse ancora. Ciò significa che prima o poi la successione al trono d'occidente si sarebbe aperta a qualcuno di esterno alla dinastia, e che la via maestra per arrivare in cima alla piramide era il matrimonio con una delle principesse. Eudossia, come abbiamo visto nel Capitolo 6, era stata promessa a Unerico, figlio di Genserico re dei vandali, nell'ambito dell'accordo di pace del 442: e costui non era certo un candidato appetibile. Era dunque la giovane Placidia la chiave del futuro dell'occidente romano: dopo il 450, dunque, Ezio si diede molto da fare per convincere Valentiniano a fidanzarla con suo figlio Gaudenzio. Con quel matrimonio il suo potere personale si sarebbe ulteriormente rafforzato e suo figlio sarebbe diventato il più probabile candidato alla porpora. Siccome Teodosio non aveva eredi maschi, il matrimonio con un qualsiasi membro della sua famiglia bastava a conferire legittimità a un aspirante al trono, e a tanto maggior ragione in quanto la stessa procedura era appena stata adottata da Costantinopoli. Se, premendo per questo matrimonio, Ezio stesse già reagendo alla sensazione che la sua influenza su Valentiniano si fosse indebolita dopo il litigio precedente non possiamo dirlo con certezza: ma sicuramente quella proposta aumentò il già bruciante risentimento dell'imperatore, che non sopportava più di essere emarginato dai processi decisionali del suo stesso impero.[41]

Con la morte di Attila e il collasso della sua compagine imperiale, inoltre, Ezio divenne improvvisamente una figura molto meno cruciale per la sopravvivenza di Valentiniano, almeno in apparenza: e dopotutto era l'imperatore, non il generale a incarnare la continuità dello stato. Per la prima volta da quando aveva raggiunto la maturità Valentiniano sentiva di poter affrontare la vita senza il suo generalissimo. Forse Ezio avvertì il pericolo e proprio per questo fece il passo falso di aggiungere la questione del fidanzamento al *cahier de doléances* dell'imperatore. Nonostante tutta l'enfasi con cui la macchina imperiale sottolineava il tema del consenso, c'erano sempre degli squali a infestare le torbide acque della politica imperiale romana; e alcuni notabili dell'entourage di Valentiniano sentirono subito l'odore del sangue. Sulla congiura che finì col provocare la caduta di Ezio siamo abbastanza bene informati grazie alle fatiche di Costantino VII Porfirogenito, che ce ne ha trasmesso un resoconto in *Brani sulle congiure*. La caduta di Ezio è narrata in un frammento uscito dalla penna di un certo Giovanni di Antiochia, che però forse era un compilatore più tardo debitore a sua volta della cronaca di Prisco. Quindi è di nuovo l'asse Prisco-Costantino a dirci ciò che vogliamo sapere.

I cospiratori principali furono due: il primo era un senatore romano di alti natali, Petronio Massimo. La sua carriera aveva avuto inizio prima dell'ascesa di Ezio, ma chiaramente era tra i suoi fedelissimi: tra il 439 e il 441 aveva ricoperto l'importante carica di prefetto pretoriano d'Italia e nel 443 era stato nominato console per la seconda volta, incarichi che gli erano stati affidati mentre era Ezio a gestire il potere.[42] Il secondo sarebbe automaticamente comparso nell'elenco dei principali e più probabili sospetti di qualsiasi congiura di palazzo: l'eunuco capo dello staff domestico dell'imperatore, Eraclio, il cosiddetto *primicerius sacri cubiculi* (direttore della sacra stanza da letto). Armati dei due argomenti che già avevano provocato l'irritazione di Valentiniano e forti anche della scomparsa del pericolo unno, i due congiurati partirono dunque all'attacco:[43]

Mentre Ezio stava spiegando le finanze dello stato e calcolando il gettito fiscale, all'improvviso Valentiniano saltò su dal trono strillando che non avrebbe più permesso che si abusasse di lui con simili tradimenti. [...] Sbalordito da quella collera inattesa, Ezio cercò di calmare l'irragionevole esplosione; ma allora Valentiniano estrasse dal fodero la spada e, insieme a Eraclio che teneva pronto il pugnale sotto la toga, [...] si gettò su di lui.

Era il 21 o il 22 settembre 454: aggredito simultaneamente dall'imperatore e dall'eunuco, Ezio cadde morto sul pavimento del palazzo imperiale. E la sua fine fu seguita dal solito bagno di sangue: la vittima più illustre fu il prefetto pretoriano d'Italia in carica, un senatore di nome Boezio, nonno del famoso filosofo.

Valentiniano aveva ormai quasi trent'anni, ma alla fine si era liberato di quell'ingombrante paladino. Sfortunatamente, però, quando dovette conquistare gli appoggi necessari non ebbe lo stesso successo che, novecento anni dopo, arriderà al giovane Edoardo. Innanzitutto i congiurati si misero subito a litigare fra loro:

Dopo l'assassinio di Ezio, Massimo cominciò a corteggiare Valentiniano nella speranza di essere nominato console; quando vide che non ci riusciva, volle diventare almeno patrizio. Ma Eraclio, [...] che agiva spinto dalla medesima ambizione e non voleva rivali al suo potere personale, mandò a monte i suoi piani convincendo Valentiniano che, ora che si era scrollato di dosso l'oppressione di Ezio, non doveva permettere a nessun altro di accumulare altrettanto potere.

Le vecchie abitudini sono dure a morire: nemmeno dopo l'eliminazione di Ezio Valentiniano gestì davvero il comando. Il tempo stringeva, perché lui non aveva figli maschi e quindi prima o poi si sarebbe aperta la gara per la successione. Non appena ebbe chiaro che, con la persuasione, non sarebbe arrivato da nessuna parte, Massimo decise di passare a maniere più forti e corruppe due ufficiali della guardia, Optila e Traustila, già vicini a Ezio, affinché uccidessero l'imperatore. Prisco racconta che era il 16 marzo del 455:

Valentiniano decise di recarsi a cavallo al Campo Marzio [di Roma]. [...] Qui giunto smontò e fece qualche passo per andare a esercitarsi nel tiro con l'arco, ma subito Optila e i suoi accoliti [...] lo aggredirono. Optila lo colpì su un lato della testa e, quando l'imperatore si voltò per vedere chi era stato, lo abbatté con un secondo colpo in faccia. Traustila ferì Eraclio, poi i due presero il diadema dell'imperatore e il suo cavallo e corsero da Massimo.

Così, a meno di sei mesi dall'assassinio di Ezio, moriva Valentiniano, vittima della solita anarchia politica che si scatenava ogni volta che l'impero cambiava regime. Dopo anni di dominio autocratico, anche se Ezio era stato formalmente solo un reggente, non c'era un establishment di delfini pronto a prendere in mano la situazione. Come al solito, per porre fine a un certo stato di cose si era frettolosamente messa insieme una coalizione fatta di persone che non avevano la minima intenzione di condividere pacificamente il potere. Ma se lo schema della caduta di Ezio è tutt'altro che nuovo, e nemmeno ci sorprende il fatto che non gli si trovasse subito un sostituto, gli altri elementi della situazione che venne a crearsi sono invece molto particolari. Affascinante, da questo punto di vista, il necrologio di Ezio, originariamente inserito nella cronaca di Prisco subito dopo la narrazione del suo assassinio:

Grazie alla sua alleanza con i barbari egli aveva protetto Placidia, la madre di Valentiniano, e l'imperatore bambino. Quando dal Nordafrica Bonifacio aveva attraversato il mare per attaccarlo con un grande esercito, egli l'aveva superato in capacità tattica. [...] Aveva ucciso con l'astuzia Felice, un suo collega generale, dopo aver scoperto che, su suggerimento di Placidia, si preparava ad aggredirlo. Aveva spezzato [i visigoti] che stavano invadendo il territorio romano e tenuto sotto il suo tallone [i bagaudi]. [...] In breve aveva avuto un enorme potere, al punto che non solo i re, ma anche i popoli confinanti obbedivano ai suoi ordini.

Un necrologio piuttosto stringato, ma che rende l'idea del miscuglio di congiure di palazzo e campagne militari che avevano fatto l'età di Ezio. Particolarmente interessante è laddove si dice che Ezio dipendeva dall'alleanza con i «barbari»: non con dei barbari qualsiasi, proprio con gli unni. Il passaggio sembra suggerire che tutta la sua carriera politica si fondasse proprio su tale alleanza, dato che gli unni erano corsi in suo aiuto quando stava per perdere la guerra civile: la prima volta nel 425, ai tempi dell'usurpazione di Giovanni, e poi ancora nel 433, quando già Bonifacio l'aveva sconfitto in una prima battaglia. Come abbiamo visto nel

450

Capitolo 6, inoltre, le truppe unne avevano giocato un ruolo cruciale anche nella sconfitta di burgundi e visigoti. La morte di Ezio è dunque molto di più della tragedia individuale di un uomo: segna anche la fine di un'epoca. La morte di Attila e la scomparsa dell'impero unno non solo avevano fatto sì che Valentiniano concepisse il progetto di vivere e regnare senza Ezio, ma avevano anche alterato il delicato equilibrio di potere con cui il generale aveva tenuto in piedi l'impero romano d'occidente. Senza gli unni, Ezio non era più indispensabile. Ora stava ai suoi successori trovare un nuovo meccanismo per far vivere l'occidente.

Un mondo nuovo

Per comprendere il nuovo ordine politico che si instaurò dopo la caduta dell'impero unno troviamo la chiave nel primo atto ufficiale dell'effimero regime di Petronio Massimo.

Ucciso Valentiniano III il 16 marzo 455, il giorno seguente egli fu proclamato imperatore. La sua mano aveva appena impugnato lo scettro quando Massimo mandò un ambasciatore a chiedere aiuto ai visigoti che, dopo il 418, si erano stabiliti nella Francia sudoccidentale. L'uomo scelto per la missione era un comandante militare fresco di nomina che forse aveva il grado di comandante generale della Gallia (*magister militum per Gallias*): Eparchio Avito, un aristocratico gallo d'impeccabile patrimonio ed erudizione, discendente di alti funzionari dell'amministrazione imperiale, imparentato con una serie di famiglie importanti e proprietario di tenute nei dintorni di Clermont-Ferrand, in Alvernia. Nel decennio successivo al 430 Avito si era messo positivamente in luce combattendo con Ezio nelle campagne contro norici e burgundi, poi l'aveva seguito nell'ascesa fino a ricoprire, tra il 439 e il 441, la massima carica amministrativa per la Gallia, quella di prefetto pretoriano. A questo punto si era ritirato dagli affari pubblici (vuoi per normale turn over, vuoi perché caduto in disgrazia insieme a Ezio), ma per ricomparire in posizioni di primissimo piano un decennio dopo. Poi aveva giocato un ruolo importante in quella negoziazione con i visigoti che, nel 451, aveva aiutato Ezio a respingere l'attacco di Attila contro la Gallia.[44] Un'ottima scelta dunque, da tutti i punti di vista:

vicino a Ezio ma non troppo, con un perfetto stato di servizio e buoni rapporti sia con l'aristocrazia gallica sia con i goti.

A noi non è arrivato niente di ciò che Avito può aver scritto nel corso della sua vita; in compenso abbiamo una raccolta di versi e di lettere scritti da suo genero, Gaio Sollio Modesto Sidonio Apollinare (già citato in questo libro), il cui nome, per non impazzire, viene generalmente abbreviato in Sidonio. Come suggerisce l'alleanza matrimoniale da lui stipulata con Avito, Sidonio veniva da una famiglia di proprietari terrieri galli di analogo lignaggio, solo che le sue tenute principali erano attorno a Lione, nella valle del Rodano. Suo padre era stato prefetto pretoriano della Gallia un decennio prima di Avito, nel 448-449.[45] In passato le sue opere non hanno suscitato molto entusiasmo: quando ogni ragazzo bene educato teneva nella massima considerazione gli standard del latino classico (quelli del I secolo a.C. o d.C.), le circonvoluzioni e l'allusività di questo autore potevano portare all'esasperazione, se non addirittura sconvolgere. Paragonata alla chiarezza e alla concretezza dello stile di Cesare, tanto per fare un nome, la sua tendenza all'esibizionismo sfacciato sembrava il massimo del decadentismo. Scrivendone verso la fine dell'età vittoriana, sir Samuel Dill ci ha trasmesso questo giudizio:

[Sidonio] è essenzialmente un letterato e del tipo che quell'età di decadenza [il V secolo] ammirava di più. È uno stilista, non un pensatore o un indagatore. Non v'è dubbio che egli stesso apprezzasse i suoi componimenti non tanto per la loro sostanza, quanto proprio per quelle caratteristiche dello stile che oggi troviamo meno degne d'attenzione se non addirittura repellenti: il concettismo infantile, le antitesi insignificanti, la tortura applicata alla lingua per conferire un'aura d'interesse e di distinzione alle triviali banalità di un'esistenza monotona e priva di colore [...].[46]

Perfino in traduzione Sidonio può far impazzire il lettore per la sua incapacità di dire pane al pane: indubbiamente è vero che dev'essersi impegnato molto per dire ogni cosa nel modo più complicato possibile. Una delle sue ultime lettere contiene un commento simpaticamente illuminante, buttato giù in un momento in cui egli stesso si accorgeva che quel pubblico colto cui era stato educato a rivolgersi era perso per sempre: «Cercherò di stilare il resto delle mie lettere in un linguaggio più quotidiano; non vale la pena di abbellire tanto frasi che comunque non saranno mai pubblicate».[47] Ma è ingeneroso giudicare lo stile del V secolo secondo i parametri del I; e in tempi più vicini a noi commentatori della prosa latina tardoimperiale (e di quella greca dello stesso periodo) sono stati meno inclini a condannare quelle complicazioni stilistiche che nel IV e nel V secolo erano considerate il massimo dell'eleganza.[48] Del resto, un'età capace di guardare a una mucca tagliata con la sega elettrica e messa in salamoia come a un'opera d'arte non può giudicare le imprese artistiche altrui secondo standard rigidamente universali.

A ogni modo, la questione se Sidonio scrivesse o meno in «buon latino» non ci interessa più di tanto, poiché il valore storico della sua opera è invece assoluto e indiscutibile. Il primo dei suoi scritti sopravvissuto fino a noi risale al 455 circa (ed è il nucleo più consistente), l'ultimo al 480 circa. L'autore conosceva tutte le persone importanti della Gallia meridionale e soprattutto di quella sudorientale: molti di questi ricchissimi personaggi hanno un ruolo di primo piano nel suo epistolario che, diversamente da quello di Simmaco, non esita a diffondersi sui temi dell'alta politica quando l'occasione lo richiede. Anche i suoi versi, o perlomeno alcuni, sono molto importanti. Sidonio era un personaggio abbastanza significativo da avere un suo ruolo in politica e da essere corteggiato dagli imperatori che volevano ottenerne l'appoggio, ma non lo era abbastanza da rischiare la testa a ogni cambio di regime. Riconosciuto e ammirato come maestro di stile, prestò servizio sotto una serie di imperatori che avevano bisogno di lui come compositore di panegirici – cioè di discorsi elogiativi – in cui si cantassero le loro lodi. Abbiamo già avuto modo di analizzare vari testi di questo tipo e sappiamo che, pur non dicendo la verità nel senso che noi oggi daremmo alla parola, hanno il grande pregio di illuminarci su come un certo regime aveva interesse a presentare le cose. Sidonio, come Temistio e Merobaude prima di lui, era un propagandista di mestiere.

Dai suoi scritti emerge dunque senz'ombra di dubbio che Petronio Massimo mandò Avito dai visigoti per sollecitarne l'appoggio. Il nudo fatto, ovviamente, esce dalla penna di Sidonio con qualche infiorettatura: a suo dire i visigoti, non appena vennero a sapere dell'assassinio di Valentiniano III, subito si prepararono a un intervento ostile con cui impadronirsi, approfittando del vuoto di potere, di tutto l'occidente romano. Ma poi la notizia dell'arrivo di Avito li gettò nel panico:[49]

Uno dei goti, che già aveva fuso la sua roncola per farsi una spada battendo sull'incudine e affilandola con una cote, e che si preparava a levarsi come una furia al suono della tromba e pensava da un momento all'altro di poter seminare con multiforme massacro il terreno dei cadaveri di nemici insepolti, non appena il nome del sopravveniente Avito fu pronunciato con chiarezza, gridò: «Niente più guerra! A me di nuovo l'aratro!».

Già da questo primo esempio possiamo capire perché le persone allevate nel dogma del latino classico trovino irritante la verbosità; eppure, nonostante lo sfoggio di retorica, il brano non ci porta fuori strada rispetto al punto in questione. Anzi, questi versi ci dicono che il suocero di Sidonio era un abile diplomatico, capace di dissuadere i goti dallo scatenare una nuova guerra quasi con la sua sola presenza. Lo stesso goto immaginario prosegue infatti dichiarando che il suo popolo, lungi dal tenersi ai margini della scena come semplice spettatore, da quel momento in poi avrebbe fornito al nuovo sovrano tutta l'assistenza militare di cui avesse avuto bisogno. Tutto questo proprio perché era stato Avito a patrocinarne la causa: «No, se sono giunto ad avere una retta conoscenza di te [Avito] dalle azioni che hai intrapreso finora, sarò il tuo soldato ausiliario; così perlomeno potrò combattere al tuo fianco». A colpirci naturalmente è questa iperbolica presentazione del ruolo di Avito. In altri versi precedenti, in cui prende a paragone i successi militari riportati da Ezio a partire dal 430, Sidonio supera addirittura sé stesso: «Egli [Ezio], pur glorioso nei fatti d'arme, non poteva far niente senza di te [Avito], mentre tu hai fatto molto anche senza di lui». Indubbiamente Avito doveva aver reso dei preziosi servigi a Ezio, che però dopo il 440 aveva fatto perfettamente a meno di lui quando aveva scelto il prepensionamento. Che tra i due il più importante fosse Ezio è assolutamente fuori discussione.

Ma l'irritazione per le fastidiose iperboli di Sidonio non deve distrarci dal significato storico della prima mossa di Petronio Massimo come imperatore. Flavio Costanzo ed Ezio avevano fat-

454

to di tutto per impedire ai visigoti di immischiarsi nella vita politica dell'impero d'occidente. Alarico e suo cognato Ataulfo, per qualche tempo, avevano pensato di poter fare dei goti una sorta di angeli custodi dell'occidente romano: Alarico aveva proposto a Onorio di nominarlo generale di primo grado e di installare i suoi goti non lontano da Ravenna; Ataulfo aveva sposato la sorella di Onorio e chiamato Teodosio il figlio avuto da lei. Costanzo ed Ezio, i due grandi guardiani dell'impero d'occidente, si erano sempre opposti a quelle pretese; pur essendo disposti a utilizzare i goti come alleati di secondo piano contro vandali, alani e svevi, non intendevano spingersi oltre. Ezio in particolare aveva preferito pagare gli unni e servirsene per tenere a bada i goti piuttosto che concedere a questi ultimi un ruolo più ampio negli affari dell'impero. L'ambasceria di Avito, che, come dice Sidonio, doveva proporre ai visigoti non una semplice acquiescenza pacifica ma una vera e propria alleanza militare, rovesciò quindi dalla sera alla mattina una linea politica che aveva tenuto a galla l'impero per più di quarant'anni.

Gli eventi successivi non fecero che rendere più evidente la svolta. Mentre Avito era ancora presso i visigoti, i vandali di Genserico lanciarono dal Nordafrica una spedizione navale che li portò nelle immediate vicinanze di Roma. In parte quella mossa era finalizzata a sgranchirsi un po' le gambe e a riempirsi le tasche, ma c'erano anche motivi più sostanziali. Nell'ambito delle contrattazioni seguite ai falliti tentativi di Ezio di riprendersi il Nordafrica, come ricorderete, Unerico, primogenito di Genserico, era stato fidanzato a Eudossia, figlia di Valentiniano III. Non appena si fu impadronito del potere, Petronio Massimo, per dare un po' di legittimità al suo regime usurpatorio, fece sposare la principessa con suo figlio Palladio. L'attacco sferrato dai vandali contro Roma, dunque, esprimeva anche il loro risentimento per essere stati privati della possibilità di avere un ruolo da protagonisti nella politica imperiale. Informato dell'arrivo dei vandali, Massimo

fu preso dal panico, montò a cavallo e scappò. La guardia imperiale e tutti gli uomini liberi che lo circondavano e nei quali riponeva fiducia lo abbandonarono, e quelli che lo videro partire lo insultarono per la sua codardia. Mentre stava per lasciare la città però qualcuno gli tirò un sasso e lo colpì alla tempia, uccidendolo. La folla si scagliò poi sul suo corpo, lo fece a pezzi e con grida di trionfo ne portò in processione le membra issate su picche.[50]

Finì così l'effimero regno di Petronio Massimo: era il 31 maggio 455, ed egli era stato imperatore per meno di due mesi e mezzo.

Saccheggiata per la seconda volta, la capitale dell'impero riportò danni molto più seri che non nel 410. I vandali di Genserico uccisero e depredarono, prelevando molti tesori e molti prigionieri tra cui la vedova di Valentiniano III, le sue due figlie e Gaudenzio, l'unico figlio di Ezio ancora in vita.[51] Udite tali notizie, Avito si fece subito avanti per occupare il trono vacante e si autoproclamò imperatore mentre era ancora a Bordeaux, alla corte dei visigoti. Solo più tardi, il 9 luglio di quello stesso anno, la sua nomina fu ratificata da un gruppo di aristocratici galli ad Arles, capoluogo della regione. Dalla Gallia Avito avanzò trionfalmente verso Roma, dove diede subito inizio ai negoziati per ottenere il riconoscimento di Costantinopoli. I massimi comandanti dell'esercito romano d'Italia – Maggioriano e Ricimero –, spaventati dalla potenza militare che i visigoti avevano messo a disposizione di Avito, erano pronti ad accettarlo come sovrano.[52]

Era nato un nuovo ordine politico. Mentre i passati regimi si erano impegnati a tenere a debita distanza i visigoti (e gli altri immigrati), ora questi si erano installati nell'impero d'occidente come parte del suo corpo politico. Per la prima volta nella storia un re visigoto aveva svolto un ruolo di primaria importanza nella successione al trono imperiale.

Il pieno significato di questa rivoluzione dev'essere adeguatamente sottolineato. Senza gli unni a tenere in scacco i goti e gli altri migranti che volevano vivere nell'occidente romano, l'unica alternativa era di accoglierli a pieno titolo. Le riserve militari dell'impero d'occidente non permettevano più di escluderli dalla politica centrale. L'ambizione di Alarico e di Ataulfo, espressa da Genserico con il fidanzamento tra suo figlio e una principessa romana, era finalmente arrivata a maturazione. I contemporanei erano consapevoli che l'ascesa al trono di Avito rappresentava un punto di non ritorno. Il percorso degli studi classici aveva sempre dipinto i barbari – visigoti compresi – come l'«altro», il soggetto irrazionale, non istruito: una forza distruttiva che per l'impero romano rappresentava una minaccia costante. Ma in un certo senso, dopo che i visigoti erano stati alleati minori di Roma e suoi vicini di casa nella Francia sudoccidentale per più di una generazione, possiamo dire che il terreno era adeguatamente preparato. Ciononostante Avito sapeva bene che l'alleanza con loro avrebbe suscitato aspre polemiche. Ancora una volta il punto è ottimamente illustrato da Sidonio, soprattutto in una lettera che egli scrisse di suo pugno nei primi mesi del regno di Avito dalla corte di Teodorico II, re dei visigoti. Le lettere di Sidonio non sono mai semplici documenti privati: lui le scriveva sapendo che sarebbero passate di mano in mano e che il loro contenuto sarebbe stato divulgato e commentato. Erano, in breve, un eccellente strumento per diffondere il suo punto di vista fra i proprietari terrieri della Gallia.[53]

Indirizzata al figlio di Avito, Agricola, per descrivergli la vita alla corte del re visigoto, questa lettera si apre con un ritratto di Teodorico: «Nella sua conformazione fisica la volontà di Dio e il piano della natura si sono uniti per dotarlo della suprema perfezione; e il suo carattere è tale che nemmeno la gelosia che sempre circonda un sovrano ha il potere di derubarlo delle sue glorie». A questo punto Sidonio descrive sommariamente la giornata del re: dopo aver recitato un paio di preghiere egli trascorreva la mattinata a ricevere ambascerie e a risolvere casi specifici; poi, nel pomeriggio, si dedicava alla caccia, attività in cui eccelleva come in qualsiasi altra cosa. Verso sera tutti si riunivano per il pasto principale:

Quando ci si unisce a lui per cena [...] non si vedono mucchi di vecchie sbiadite argenterie mal lucidate, posati da servi ansimanti su tavoli sbilenchi; la cosa di maggior peso in tali occasioni è sicuramente la conversazione. Le vivande attraggono i commensali per l'abilità della preparazione e non per la sontuosità. I calici vengono riempiti a intervalli talmente lunghi che chi ha davvero sete ha più ragione di lamentarsi di quanta gli intossicati ne abbiano di trattenersi. Insomma: possiamo trovarvi l'eleganza greca, l'abbondanza gallica, il brio italico; la dignità dello stato, la sollecitudine di una casa privata, l'ordinata disciplina della regalità.[54]

La lettera si chiude con una piccola battuta di spirito a spese del monarca. Dopo cena Teodorico amava giocare ai dadi e spesso giustamente protestava se si accorgeva che l'avversario lo lasciava vincere. D'altra parte, dice Sidonio, se si voleva ottenere un favore da lui il modo più sicuro era appunto quello di lasciarlo vincere, ma senza che lui se ne accorgesse. A parte questo dettaglio, venato di una certa condiscendenza, il messaggio di Sidonio è chiarissimo: Teodorico II non è il solito barbaro dominato dalla lussuria, intossicato dall'alcol e con frequenti picchi di adrenalina. È un «romano» fatto e finito, che sa servirsi della ragione e governarsi con l'autodisciplina, capace di dirigere la sua corte e la sua vita – tutto sé stesso – secondo lo stile romano dei suoi tempi. Uno con cui è possibile fare affari, insomma. Non ho idea di come fosse la vita alla corte dei visigoti, ma per giustificare i legami tra Avito e Teodorico quest'ultimo doveva essere presentato come la personificazione di tutte le virtù: è proprio quello che fa Sidonio. La rivoluzione avanzava rapidamente. I barbari venivano descritti come romani per giustificare una realtà cui era impossibile sottrarsi, cioè il fatto che, non potendo più escluderli, Roma doveva includerli nella costruzione dei suoi regimi politici.

A un primo sguardo questa inclusione dello straniero non sembra essere un colpo mortale per l'integrità dell'impero. Teodorico era abbastanza romano da voler stare al gioco; vedeva chiaramente la necessità di presentarsi come un buon romano per non disgustare la classe dei proprietari terrieri. C'erano però un paio di tranelli che rendevano insidiosa l'alleanza militare romani-visigoti. Innanzitutto, quel tipo di appoggio politico non era mai gratuito. Teodorico era ben contento di sostenere le ambizioni di Avito, ma, non irragionevolmente, si aspettava di ricevere qualcosa in cambio. La ricompensa che desiderava era di avere mano libera in Spagna, dove, come abbiamo visto, gli svevi stavano provocando disordini dai primi anni successivi al 440, quando l'attenzione di Ezio aveva dovuto rivolgersi alla regione del Danubio. La richiesta fu accolta e subito, sotto gli auspici del nuovo regime di Avito, Teodorico mandò in Spagna un esercito visigoto che in teoria avrebbe dovuto mettere fine alle razzie degli svevi. Fino ad allora, ogni volta che in Spagna si erano utilizzati i visigoti era stato sempre e soltanto in coalizione con contingenti romani. Stavolta invece a Teodorico fu data carta bianca, e abbiamo una descrizione di prima mano – spagnola – di come andarono le cose. L'esercito dei visigoti sconfisse gli svevi, catturando e giustiziando il loro re. Sia durante l'attacco sia nelle operazioni seguenti, inoltre, essi ne approfittarono per afferrare tutto il bottino su cui riuscivano a mettere le mani, saccheggiando tra l'altro le città di Braga, Astorga e Palencia. I goti dunque non si limitarono a distruggere il regno degli svevi, ma si appropriarono senza la minima inibizione di tutte le ricchezze della Spagna.[55] Anche Teodorico, come Attila, doveva infatti ricompensare in qualche modo i suoi guerrieri. La sua disponibilità a sostenere Avito si basava su un calcolo dei profitti futuri: una lucrosa bisboccia ai danni della Spagna faceva perfettamente al caso suo.

In secondo luogo, l'inclusione dei barbari nel gioco politico del nuovo regime d'occidente significava che attorno alla corte imperiale c'erano molti più gruppi che sgomitavano per raggiungere una posizione di prestigio. Prima del 450 tutti i regimi vitali dell'impero occidentale avevano accolto e soddisfatto le richieste di tre gruppi armati – due molto importanti, in Italia e in Gallia, e uno più piccolo nell'Illirico – oltre a quelle delle aristocrazie terriere d'Italia e di Gallia che monopolizzavano i posti di potere della burocrazia imperiale. Ma anche i desideri di Costantinopoli andavano tenuti in conto: infatti ogni volta che le forze armate occidentali si dividevano e sostenevano candidati al trono diversi, gli imperatori d'oriente disponevano di abbastanza influenza e autorità per imporne uno proprio, com'era successo nel caso di Valentiniano. Pur essendo troppo lontana per dirigere direttamente gli affari della metà occidentale dell'impero, Costantinopoli poteva pur sempre esercitare una sorta di diritto di veto sulle scelte delle altre parti interessate. L'incorporazione di nuovi interessi a questo campo di forze poteva trascinare per secoli la ricerca di una soluzione di governo stabile.

Dopo il collasso dell'impero unno furono burgundi e vandali a iniziare le manovre per collocarsi in una posizione migliore e a chiedere a gran voce una ricompensa per i servigi prestati. Intorno al 436-437 Ezio aveva permesso ai primi di stanziarsi attorno al Lago di Ginevra: vent'anni dopo essi approfittarono del nuovo equilibrio di potere nell'impero d'occidente per prendersi un certo numero di città romane e confiscarne il gettito fiscale (città che si trovavano in vari punti della valle del Rodano: Besançon, Valais, Grenoble, Autun, Chalon-sur-Saône e Lione).[56] Come abbiamo visto, anche il sacco di Roma del 455 a opera della coalizione vandalo-alana esprimeva in realtà il desiderio di partecipare alla conduzione della politica imperiale. Alla morte di Valentiniano, racconta Vittorio di Vita,[57] Genserico allargò inoltre la sua base di potere assumendo il controllo della Tripolitania, della Numidia e della Mauretania, della Sicilia, della Corsica e delle Baleari. Il fatto che solo alcune potenze barbare fossero ammesse a partecipare alla vita dell'impero complicò non poco le cose; e comunque più se ne ammetteva, più era difficile racimolare il denaro necessario a generare una coalizione capace di durare nel tempo.

La presenza di quelle tensioni latenti che resero il regime di Avito sostanzialmente instabile emerge chiaramente dal secondo dei poemi di Sidonio sopravvissuti di questa fase della sua produzione. Il 1° gennaio 456, quando a Roma il nuovo imperatore assunse il consolato, il suo fedele genero pronunciò un discorso in sua vece. Il testo, e non c'è di che stupirsene, comincia enunciando con assoluta convinzione la perfetta idoneità di Avito alla porpora imperiale. Sidonio ne approfitta per fare alcuni paragoni taglienti: in particolare liquida Valentiniano III definendolo «pazzo castrato» (*semivir amens*) e confronta il suo stile di comando con l'abilità militare e politica di Avito a tutto vantaggio di quest'ultimo. Passando poi all'argomento delicatissimo dei rapporti tra Avito e il re dei visigoti, Sidonio affronta quel tema potenzialmente esplosivo con particolare sottigliezza: ma il suo intento emerge comunque chiarissimo. Innanzitutto, il poeta afferma con vigore che Avito non è certo il tipo da civettare con la corte visigota. Tutti sanno che da giovane, nel decennio successivo al 420, l'aveva frequentata: allora «[il re dei visigoti] desiderava ardentemente averti [Avito] tra i suoi: ma tu ti rifiutasti di comportarti da amico invece che da romano».[58] Poi Sidonio racconta un piccolo incidente verificatosi dopo il 430. Avito si era crudelmente vendicato di un visigoto che durante un saccheggio aveva ferito uno dei suoi servi:

Quando i due furono vicini e si trovarono petto contro petto e faccia contro faccia, il primo [Avito] tremò di collera, l'altro [il goto] di paura. [...] Ma quando il primo scontro, e poi il secondo, e poi anche il terzo furono combattuti, ecco l'asta levarsi e trafiggere l'uomo a sangue; il petto ne fu squarciato e il corsetto doppiamente lacerato cedette anche laddove copriva la schiena; quando il sangue uscì borbottando dai due fori, il duplice squarcio gli tolse quella vita che una sola ferita sarebbe bastata a portargli via.

Tradotto in italiano (o in latino più diretto), Sidonio sta dicendo che Avito andò a cercare il bastardo che aveva ferito il suo uomo e lo colpì con l'asta così forte da trapassarlo da parte a parte. Tradotto invece nel linguaggio della politica, il messaggio è che Avito non era un traditore innamorato dei visigoti, bensì un vero romano che aveva sempre trattato i barbari con tutta la durezza auspicata dal più spietato dei falchi.

Tutto ciò per placare i sospetti di un pubblico composto sostanzialmente da senatori e generali italo-romani; e lo stesso vale per il racconto dell'elevazione al trono del nuovo imperatore. Saputo della morte di Ezio e di Valentiniano, infatti, i visigoti avevano subito cominciato a progettare una guerra di conquista;[59] ma poi al loro accampamento si era presentato Avito e tutto era cambiato. Con la sua sola presenza il grand'uomo aveva seminato il panico tra i «barbari», e il loro primo impulso era stato quello di placarlo e compiacerlo siglando con lui un'alleanza militare. Quanto alla decisione di autoproclamarsi imperatore, stava al solo Avito. Sidonio fa dire al re dei visigoti:

Noi non ti forziamo [a indossare la porpora], ma ti supplichiamo di farlo; se tu ne sarai il capo, anch'io sarò amico di Roma; se tu ne sarai l'imperatore, io ne sarò il soldato. Non stai rubando la sovranità ad alcuno; nessun Augusto siede sui colli latini e un palazzo senza padrone chiede di appartenerti. [...] A me spetta solo servirti; ma se la Gallia dovesse forzartici, come è suo diritto, il mondo amerà il tuo comando per paura di dover altrimenti perire.

Da questa particolarissima arringa e dall'allusione al vuoto di potere che si era creato in Italia possiamo dedurre esattamente quale fosse il punto sensibile dei destinatari del messaggio. Per gli italiani, cui Sidonio si stava rivolgendo, Avito rischiava di sembrare una creatura dei visigoti, un po' come Attalo lo era stato di Alarico e Ataulfo. Il discorso insiste dunque nel dire che Avito si era fatto da sé: per comprovarlo bastava osservare la sua lunga storia politica e militare, costellata di colpi inferti ai visigoti stessi. Se, pur controvoglia, aveva indossato la porpora, era perché solo lui poteva costringere quegli stranieri all'obbedienza. In quei tempi di grandi tensioni e pericoli la potenza militare dei barbari era necessaria per garantire la sicurezza dell'impero, ma Avito era e restava un vero romano.

Un buon tentativo, non c'è che dire; e più che sufficiente a zittire quanti accusavano Sidonio di non avere idee proprie. Ma il pubblico italiano, e al suo interno soprattutto gli uomini d'arme, non ci cascò. Le fonti, come abbiamo visto, insistono sul fatto che l'esercito romano d'Italia si limitò a tollerare Avito perché a sostenerlo c'era la potenza dei visigoti. Nel 456, quando questi ultimi ebbero troppo da fare in Spagna per immischiarsi ulteriormente negli affari d'Italia, i due principali comandanti militari romani, Maggioriano e Ricimero, si affrettarono a voltargli le spalle. Il 17 ottobre dello stesso anno, a pochi chilometri da Piacenza, essi diedero battaglia ai pochi uomini che Avito era riuscito a racimolare (presumibilmente quel che restava dell'esercito di campo della Gallia). Avito fu sconfitto e costretto a diventare vescovo di quella città, e di lì a poco morì in circostanze misteriose.[60]

Vediamo qui riassunto in poche parole il problema che l'occidente si trovava di fronte. Avito aveva l'appoggio dei visigoti, di alcuni senatori della Gallia e di parte dell'esercito romano di Gallia. Tuttavia, a fronte dell'ostilità dei senatori italiani, e soprattutto dei comandanti dell'esercito di campo italiano, quella coalizione non aveva alcuna possibilità di resistere. Dopo il 460 era ormai chiaro fino a che punto il crollo dell'impero di Attila avesse messo in crisi l'impero d'occidente: troppi erano i partiti coinvolti e troppo poche le ricompense da distribuire. A questo punto Costantinopoli decise di gettare i dadi un'ultima volta.

9. La fine dell'impero

Alcuni storici hanno criticato Costantinopoli per non aver fatto di più, nel V secolo, per salvare l'occidente dalla rovina. Dalla *Notitia Dignitatum* (cfr. pp. 303-304) apprendiamo che, dopo Adrianopoli, gli eserciti orientali si risollevarono fino a comprendere, alla fine del IV secolo, 131 reggimenti distribuiti fra quattro comandi regionali: uno sul fronte persiano, uno in Tracia e due eserciti centrali detti «presentali» (dalla parola latina che significa «schierati alla presenza dell'imperatore»). Le forze mobili di Costantinopoli, dunque, erano forti di 65.000-100.000 uomini.[1] L'oriente inoltre disponeva di numerose unità di truppe di guarnigione frontaliere (reparti *limitanei*). Le ricerche archeologiche realizzate sul territorio negli ultimi vent'anni confermano inoltre che la prosperità agricola attestata nel IV secolo dalle più importanti province orientali – Asia Minore, Medio Oriente ed Egitto – non diede segni di cedimento nemmeno nel V. Per questo alcuni storici hanno pensato che l'impero romano d'oriente, pur avendo tutto il necessario per intervenire con efficacia in quello d'occidente, abbia preferito non farlo. Nelle sue formulazioni più radicali questa impostazione ha portato a dire che Costantinopoli fu ben contenta di vedere i barbari rosicchiare il territorio dell'impero antagonista, proprio per gli effetti invalidanti che ciò avrebbe avuto sul suo establishment militare, il quale, così indebolito, non avrebbe mai più potuto mettere avanti un suo candidato per scalzare l'imperatore d'oriente e riunificare l'impero. Effettivamente, nel corso del IV secolo, ciò si era verificato più di una volta: sia Costantino sia Giuliano, partendo da una base di potere esclusivamente occidentale, avevano finito infatti per impadronirsi di tutto l'impero.[2] Ma se consideriamo i problemi che, nel V secolo, Costantinopoli dovette affrontare lungo le sue stesse frontiere, possiamo dire che l'aiuto che diede all'occidente era tutt'altro che disprezzabile.

Il numero degli effettivi militari dell'impero d'oriente era decisamente alto, ma moltissimi soldati erano da sempre impiegati nei due settori chiave della frontiera orientale: l'Armenia e la Mesopotamia, laddove Roma si trovava faccia a faccia con la Persia. Se si fosse domandato a un qualsiasi romano del IV secolo quale fosse la principale minaccia che incombeva sulla sicurezza dello stato, questi avrebbe sicuramente risposto che era la Persia dei nuovi sovrani sasanidi. Fin dal III secolo, infatti, quando la rivoluzione sasanide aveva operato il miracolo, la Persia era rimasta la seconda superpotenza del mondo antico, gettando fra l'altro l'impero romano in una crisi militare e fiscale durata quasi cinquant'anni. Ai tempi di Diocleziano, dopo il 280, l'impero era ormai riuscito a mobilitare le necessarie risorse economiche e di manodopera militare; ma il processo d'aggiustamento con il potente vicino orientale era stato lungo e doloroso. L'ascesa della Persia aveva reso più o meno inevitabile la presenza costante di un imperatore nella metà orientale dell'impero: questa condivisione del potere era poi diventata un tratto caratteristico dell'ultima fase dell'impero. Grazie a tutte queste trasformazioni Roma aveva ripreso saldamente in pugno la situazione, e il IV secolo non aveva visto ripetersi i gravissimi disastri del III, come il sacco di Antiochia a opera dei persiani.

Per giudicare il contributo militare dato nel V secolo dall'impero d'oriente a quello d'occidente è importante ricordare che la minaccia persiana, pur sostanzialmente contenuta a partire dal 300 circa, non era mai sparita del tutto. Certo, c'erano meno battaglie (e quelle che ancora si combattevano erano sostanzialmente ridotte a una noiosissima serie di assedi con vittorie molto limitate), ma i sasanidi erano ancora un'ossessione nel pensiero strategico dei politici e dei generali romani. Di fronte alla sconfitta della spedizione contro i persiani del 363, voluta da Giuliano, e poi agli effetti a lungo termine del caos provocato dagli unni sul Danubio attorno al 375, per ben due volte gli imperatori romani erano stati costretti a concedere ai sovrani sasanidi condizioni di pace che in altri tempi sarebbero state inconcepibili: dopo la sconfitta di Giuliano, l'imperatore Gioviano aveva dovuto fare umilianti concessioni di territori e di basi militari in Mesopotamia; Valente, con qualche schiamazzo preliminare, aveva addirittura intrapreso qualche azione per provare a riprenderli, ma dopo la sua morte ad Adrianopoli Teodosio non solo aveva confermato quelle perdite, ma era addirittura sceso a compromessi anche sull'Armenia, l'altro grande oggetto del contendere, e ancora una volta a tutto favore della Persia (Carta n. 3).[3]

Quelle concessioni avevano inaugurato una fase relativamente pacifica nelle relazioni tra Roma e la Persia: le aspirazioni dei sasanidi, almeno per il momento, si erano sostanzialmente realizzate. E poi anche la Persia doveva affrontare i disordini provocati dalle popolazioni nomadi in due zone della sua frontiera settentrionale: verso est, nella Transoxania (odierno Uzbekistan), e nel Caucaso, che peraltro interessava anche Costantinopoli (le strade attraverso il Caucaso infatti portavano in territorio romano se si prendeva a destra e in territorio persiano se si proseguiva diritti). Gli unni avevano fatto entrambe le cose: la grande ondata unna del 395, che aveva seminato caos e distruzione nelle province romane a sud del Mar Nero, aveva devastato anche una vastissima area dell'impero persiano. Così, nella nuova era di compromesso votata al contenimento degli unni, i due imperi avevano stretto un accordo di mutua difesa che prima sarebbe stato impensabile: i persiani si erano impegnati a fortificare e a munire di guarnigioni stabili il Darial, un importantissimo valico caucasico, mentre i romani avevano contribuito a pagarne i costi. In questa fase i rapporti tra Roma e la Persia erano così tranquilli che si sparse la voce che lo scià di Persia avesse addirittura adottato Teodosio II su richiesta del padre di quest'ultimo, il defunto imperatore Arcadio, in modo da facilitargli l'ascesa al trono (alla morte del padre il ragazzo aveva solo sei anni).

Ciò ovviamente non significa che Costantinopoli potesse permettersi di abbassare la guardia. Nel V secolo, probabilmente, il numero dei soldati destinati al fronte persiano calò un poco e si spese un po' meno in nuove fortificazioni; ma quel confine richiedeva pur sempre grandi contingenti armati. La *Notitia Dignitatum* – le cui sezioni relative all'oriente risalgono al 395 circa, cioè a dopo l'accordo sull'Armenia – dice che quella metà dell'impero aveva un esercito di campo da 31 reggimenti, grossomodo un quarto del totale, più 156 unità di truppe di guarnigione frontaliere stanziate in Armenia e nelle province mesopotamiche: su un totale di 305 unità dell'intero impero d'oriente, e in un'epoca di relativa calma. Ogni tanto poi i rapporti con la Persia s'incrinavano, e a tratti c'era qualche limitata esplosione, come nel 421 e nel 441. Ma la vera ragione per cui la Persia, a partire dal 440, non accrebbe ulteriormente i problemi creati a Costantinopoli dagli unni probabilmente fu che anch'essa aveva seri guai con le popolazioni nomadi.[4]

Proprio come la Persia era per Roma il nemico pubblico numero uno, Roma lo era per la Persia. Ciascuno dei due imperi apprezzava particolarmente le vittorie riportate sull'altro. Come abbiamo già detto, le province fra l'Egitto e l'Asia Minore occidentale erano la principale fonte d'entrate dell'impero d'oriente: e nessun imperatore poteva permettersi di scherzare con la sicurezza di quella regione. Si arriva così alla conclusione che Costantinopoli doveva comunque tenere fino al 40 per cento del suo esercito lungo la frontiera persiana e altre 92 unità di truppe di guarnigione a difesa dell'Egitto e della Libia. Gli unici distaccamenti che si poteva pensare di utilizzare in occidente erano un sesto delle truppe di guarnigione di stanza nei Balcani, tre quarti delle forze di campo acquartierate in Tracia e i due eserciti presentali.[5]

Fino al 450 la capacità di Costantinopoli di soccorrere l'occidente fu ulteriormente menomata dal fatto che proprio il suo territorio aveva subìto il primo impatto dell'aggressività unna. Già nel 408 (cfr. p. 244) Uldino, per breve tempo, aveva conquistato e tenuto la fortezza romana di Castra Martis, nella Dacia Ripense; e nel 413 le autorità orientali si erano sentite abbastanza minacciate da avviare un programma di miglioramento delle difese rivierasche del Danubio[6] e da costruire la tripla cerchia di mura della capitale (cfr. p. 253). Poi, qualche anno dopo, le forze militari d'oriente si erano impegnate direttamente per cercare di limitare la crescita della potenza unna: probabilmente nel 421 c'era stata una grande spedizione in Pannonia, già temporaneamente caduta in mani unne, e un numeroso gruppo di goti sottratto al controllo degli unni era stato insediato in un territorio dell'impero d'oriente, la Tracia. I due decenni successivi furono poi dedicati alla lotta contro le ambizioni di Attila e di suo zio, e dopo la morte del grande unno furono ancora le autorità di Costantinopoli a occuparsi delle conseguenze del crollo del suo impero. Come abbiamo visto nel Capitolo 8, intorno al 467 i figli di Attila scelsero di attaccare proprio quella metà del mondo romano. Soltanto qualche anno prima, inoltre, contingenti dell'esercito orientale si erano scontrati con frammenti della macchina da guerra di Attila, ormai in avanzata decomposizione, guidati da Hormidac e Bigelis. Analogamente, nel 460, i goti Amal della Pannonia avevano invaso l'impero d'oriente per strappargli un sussidio pari a 300 libbre d'oro (cfr. p. 443).[7]

Giudicato su questo sfondo strategico – l'impegno militare sul fronte persiano non poteva assolutamente essere ridotto e, a causa degli unni, la frontiera del Danubio richiedeva più risorse che in qualsiasi altra fase storica – il contributo dato nel V secolo da Costantinopoli alla difesa dell'occidente appare più che rispettabile. Nel 410, pur impegnato a parare i colpi di Uldino, l'impero d'oriente mandò comunque delle truppe a Onorio quando Alarico conquistò Roma e minacciò il Nordafrica: sei unità, 4000 uomini in tutto, giunsero di rinforzo in un momento particolarmente critico per schierarsi dalla parte di Onorio o da quella dell'usurpatore di turno (anche questo poteva succedere). Un simile contingente fu sufficiente a garantire la sicurezza di Ravenna, la cui guarnigione stava ormai per ammutinarsi, e servì a guadagnare tempo per trarre in salvo l'imperatore.[8] Nel 425, di nuovo, Costantinopoli impiegò massicciamente le sue truppe presentali per mettere sul trono Valentiniano III; e dopo il 430 il generale Aspar intervenne in Nordafrica costringendo Genserico a firmare il trattato del 435, che gli precluse la conquista di Cartagine e delle province più ricche della regione. Nel 440-441, ancora una volta, l'oriente mobilitò per la progettata spedizione in Africa talmente tante delle sue truppe presentali e danubiane che il burocrate incaricato della logistica ricevette una menzione speciale, e Attila e Bleda si videro servire su un piatto d'argento un'occasione da non perdere per invadere il territorio imperiale.

Anche se nel 450, come abbiamo visto nel Capitolo 7, Attila concesse all'impero d'oriente un trattato di pace straordinariamente generoso, nemmeno allora Costantinopoli venne meno ai suoi doveri nei confronti dell'occidente. Nel 452 un certo quantitativo di truppe – nessuno ci dice quante – fu inviato a Ezio per aiutarlo a cacciare gli unni dall'Italia settentrionale, mentre forze armate orientali riportavano notevoli successi respingendo i barbari nelle loro zone d'origine.[9] Non sembra di poterne dedurre che l'impero d'oriente fosse del tutto indifferente ai destini della sua metà occidentale. Né abbiamo il minimo indizio che Costantinopoli desiderasse vedere i barbari travolgere l'impero d'occidente per indebolirne il sovrano, e tantomeno, come più volte è stato pensato, che nel 408 potesse essere arrivata al punto di incoraggiare Alarico a trasferire i goti dai Balcani in Italia. Come ha sottolineato Edward Thompson, nel 451-452 la scelta di Costantinopoli di battersi comunque e affrontarne le conseguenze, invece di accettare la generosa offerta di Attila e tornarsene a casa, fu un atto di vera e sincera dedizione.[10]

Anche nell'impero d'oriente, com'è ovvio, gli imperatori cambiavano continuamente, e a maggior ragione i consiglieri imperiali. Di conseguenza cambiavano anche le linee politiche nei confronti della metà occidentale dell'impero. Come abbiamo già detto, fino alla morte di Teodosio, avvenuta nel luglio del 450, l'impegno verso l'occidente si dovette almeno in parte alla circostanza che l'imperatore d'oriente e quello d'occidente appartenevano allo stesso casato: appoggiando suo cugino, Teodosio riaffermava il diritto al trono della sua famiglia. Il più grande corpo di spedizione organizzato dall'impero orientale in quel periodo raggiunse infatti l'ovest nel 425 per insediare sul trono Valentiniano III. Ma il catalogo dell'assistenza fornita dall'impero d'oriente a quello d'occidente non si riduce alla mera salvaguardia degli interessi dinastici. Anche dopo la morte di Teodosio Costantinopoli accorse in aiuto di Roma, per esempio nel 452, quando Attila attaccò l'Italia. Bisogna poi dire che questa ricompilazione degli aiuti forniti dall'oriente all'occidente è stata costruita attingendo a varie fonti e probabilmente è ben lungi dall'essere completa. In particolare sospetto ci fosse anche un regolare flusso di aiuti finanziari, oltre alla periodica offerta di sostegno militare. La decisione delle autorità di Costantinopoli di organizzare, tra il 460 e il 470, una grande operazione di salvataggio dell'impero d'occidente, non è dunque affatto un repentino allontanamento dalla norma.

Cambio di regime: Antemio e il Nordafrica

Il problema più serio che l'occidente romano dovette affrontare attorno al 460 fu una lunga crisi di successione: a partire dal 453 infatti, data della morte di Attila, lo stato non ebbe un attimo di stabilità politica. Valentiniano III era stato ucciso dalla sua guardia del corpo su istigazione di Petronio Massimo, che si era impadronito del trono ma poco dopo era stato ucciso a sua volta dalla folla inferocita di Roma. Poi, grazie al sostegno dei visigoti e di elementi della classe terriera e dell'establishment militare gallo-romano, Avito si era autoproclamato imperatore; ma nel 456 Ricimero e Maggioriano, comandanti delle forze di campo italiane, l'avevano tolto di mezzo. Quell'esercito era ormai diventato la forza politico-militare più notevole dell'occidente romano e i due comandanti avrebbero giocato un ruolo cruciale nella scelta del nuovo sovrano.

Il primo, Ricimero, è un personaggio particolarmente affascinante. Suo nonno paterno era il re visigoto Vallia che nel 416 aveva negoziato con Flavio Costanzo; per parte di madre discendeva invece da una principessa sveva, mentre sua sorella aveva sposato un membro della casa reale burgunda. I suoi legami familiari riflettono dunque le rivoluzioni che qualche tempo prima avevano portato sul suolo romano tutti quei gruppi autonomi di stranieri, ma la sua carriera era perfettamente romana e militare (si era distinto già sotto Ezio). Nelle sue scelte politiche qualcuno ha voluto riconoscere delle propensioni filobarbare e antiromane: se ci furono, non furono però particolarmente marcate. Come Ezio e Stilicone, anche Ricimero era pronto ad allearsi con le nuove potenze barbare dell'occidente se la situazione lo imponeva, ma non vi sono indizi del fatto che le sue ascendenze barbare lo inducessero in qualche modo a favorire quelle potenze contro le autorità centrali di Roma, tutt'altro. Egli era il vero erede di Stilicone: un barbaro con amicizie altolocate, orgoglioso della sua carriera «romana» e animato da un'adamantina lealtà agli ideali dell'impero. Anche Maggioriano aveva prestato servizio sotto Ezio, ma diversamente da Ricimero veniva da una solida famiglia militare romana: il nonno paterno era stato generale di primo grado nel decennio successivo al 370 e il padre era un importante funzionario della burocrazia di Ezio. Maggioriano stesso era caduto in disgrazia insieme a quest'ultimo, ma dopo l'assassinio del generalissimo era stato richiamato in servizio da Valentiniano III.[11]

L'ostilità nei confronti di Avito aveva avvicinato i due generali che però, una volta rimosso l'ostacolo, non sapevano bene cos'altro fare. Il risultato furono vari mesi di interregno: alla fine i due decisero che Maggioriano sarebbe salito al trono e l'incoronazione avvenne il 1° aprile 457. Nonostante alcuni successi iniziali, però, il nuovo regime non riuscì a venire a capo dei molti problemi dell'occidente: così Ricimero e Maggioriano finirono col litigare. Il 2 agosto 461 Ricimero fece destituire il suo ex socio e cinque giorni dopo lo fece giustiziare; poi si rivolse a un anziano senatore di nome Libio Severo perché gli facesse da prestanome. Il 19 novembre, dopo un secondo interregno, Severo fu innalzato alla porpora. Ma nell'impero romano d'occidente non tutti l'accolsero con favore: decisamente contrari erano soprattutto i due comandanti di ciò che restava degli eserciti di campo della Gallia e dell'Illirico, Egidio e Marcellino, che si ribellarono.

La morte di Valentiniano III dunque aveva aperto una di quelle fasi di prolungata instabilità che, come abbiamo visto, erano endemiche nel sistema politico romano. Di fronte a quella vera e propria anarchia, Costantinopoli fece quanto era in suo potere per promuovere la stabilità. Nel caso di Avito l'imperatore Marciano si era rifiutato di concedere il suo riconoscimento, ma i negoziati attorno all'incoronazione di Maggioriano si erano conclusi favorevolmente: dopo la prima cerimonia d'investitura ce n'era stata una seconda, il 28 dicembre 457, probabilmente all'arrivo del riconoscimento formale da parte del successore di Marciano, l'imperatore Leone I. Dal che deduciamo che il regime di Maggioriano aveva una base di sostenitori molto più ampia di quella di Avito; il che ovviamente non era vero per Libio Severo, che non fu mai riconosciuto da Leone e dovette fare a meno dell'appoggio dell'oriente.

Man mano che gli imperatori si alternavano alla guida dell'occidente, quelli d'oriente, dunque, si sforzavano di identificare e appoggiare i candidati che potevano incarnare una qualche speranza di stabilità. Fu per difendere la propria posizione personale che Ricimero scelse come imperatore l'insipido Severo, ma come per Ezio anche per lui la longevità politica dipendeva dal successo militare, ed egli doveva assolutamente dimostrare di saper difendere sia l'Italia sia il resto dell'occidente romano. Obiettivi per i quali Ricimero aveva assolutamente bisogno del riconoscimento e dell'appoggio di Costantinopoli. Non appena fu evidente a tutti che per Leone la candidatura di Severo era assolutamente inaccettabile – anche perché incontrava l'opposizione di Egidio e Marcellino – il vecchio senatore diventò dunque un impiccio per i piani del generale. Severo morì nel novembre del 465, in un momento troppo opportuno per non essere sospetto. Una fonte dell'inizio del VI secolo afferma che fu avvelenato, mentre Sidonio fa del suo meglio per convincerci che si trattò di un trapasso naturale: il commento però spicca nel bel mezzo di un passaggio dedicato a tutt'altro, tipica *excusatio non petita*. Comunque sia, con la morte di Severo i negoziati tra oriente e occidente poterono riprendere.[12]

Ma finché si limitava a concedere o a negare il suo riconoscimento ai vari candidati alla porpora, Costantinopoli non aiutava affatto l'impero d'occidente a risolvere un secondo problema, ancor più sostanziale. Come abbiamo visto nel Capitolo 8, la scomparsa degli unni come forza armata potente e unitaria aveva costretto i regimi dell'occidente a ricercare il sostegno di almeno alcune delle potenze immigrate che si erano stabilite sul suo territorio. Avito aveva tirato dalla sua i visigoti lasciando loro mano libera in Spagna (con loro grande profitto). Maggioriano aveva dovuto assecondare le mire espansionistiche dei burgundi permettendo loro di occupare altre città (*civitates*) nella valle del Rodano, e aveva lasciato ancora le briglie sul collo ai visigoti in Spagna. Analogamente, per ottenere il sostegno dei visigoti a Libio Severo, Ricimero aveva loro ceduto l'importante città romana di Narbonne con tutti i suoi tributi.[13] Ma ormai i giocatori in campo erano decisamente troppi; e questo fatto, aggiungendosi ai frequenti cambi di regime, creava una situazione in cui il già decurtato gettito fiscale dell'impero d'occidente veniva sperperato nel disperato tentativo di raggiungere una qualche stabilità. Tre cose avrebbero dovuto accadere nell'impero d'occidente se si voleva evitare l'annientamento: la restaurazione del potere legittimo; la riduzione del numero di giocatori che qualsiasi nuovo regime avrebbe dovuto tenere in equilibrio; la crescita del gettito fiscale. Gli analisti politici dell'impero d'oriente pervennero appunto a questa conclusione, e intorno al 465 fu varato un piano che avrebbe potuto insufflare nuova vita all'occidente.

La morte di Severo diede dunque il via a una nuova fase di negoziati tra Ricimero e Costantinopoli. Che furono lunghi e tortuosi. Nessuna fonte ce li racconta nei dettagli, ma ci fu un nuovo interregno di ben diciassette mesi – più lungo di tutti quelli che l'avevano preceduto – prima della proclamazione del nuovo imperatore il 12 aprile 467. Questo buco, come anche l'identità del nuovo sovrano, sono il segno delle contorsioni diplomatiche intercorse. La scelta cadde infatti su Antemio, un generale d'oriente di provata abilità e di illustre lignaggio che godeva dell'approvazione dell'imperatore d'oriente Leone (nonché di quella di Ricimero, ovviamente). Il nonno materno di Antemio – che portava il suo stesso nome – in quanto prefetto pretoriano era stato virtualmente a capo dell'impero d'oriente nel decennio 405-414, durante gli ultimi anni del regno di Arcadio e i primi di quello di suo figlio Teodosio II. Suo padre, Procopio, era quasi altrettanto illustre: discendente dell'usurpatore Procopio (365 circa) e quindi imparentato alla lontana con il casato di Costantino, intorno al 425 aveva avuto il comando supremo delle forze militari romane sul fronte persiano (*magister militum per Orientem*). Da giovane Antemio aveva seguito le orme del padre nell'esercito, dove si era distinto e aveva cominciato a eccellere a partire dal 450: giusto in tempo per giocare un ruolo importante nel tentativo di limitare le conseguenze negative del crollo dell'impero unno dopo la morte di Attila.[14] Quindi era stato nominato console per l'anno 455, poi patrizio e infine comandante generale di uno degli eserciti di campo centrali (*magister militum praesentalis*). Nel frattempo aveva sposato l'unica figlia dell'imperatore Marciano, Aelia Marcia Eufemia. Sidonio afferma che nel 457, alla morte di Marciano, Antemio era stato a un pelo dal diventare imperatore. Per una volta la sua non sembra un'esagerazione: il matrimonio di Antemio suggerisce infatti che proprio lui poteva essere il successore designato da Marciano. Ma quella volta la porpora d'oriente non era passata a lui perché, secondo Sidonio, per primo si era tirato indietro per eccessiva modestia (un altro luogo comune dei panegirici). Al suo posto era salito al trono l'imperatore Leone, un ufficiale della guardia tramite il quale l'altro *magister militum praesentalis*, Aspar, aveva in mente di dirigere l'impero. Antemio comunque non dev'esserne rimasto troppo deluso, dato che anche sotto il nuovo sovrano continuò a prestare servizio come generale.[15]

Ma le credenziali che Antemio poteva produrre per candidarsi a imperatore erano comunque impeccabili, al punto che Leone e Aspar devono aver consultato ansiosamente la rubrica *Posti vacanti in Italia* del «Costantinopolitan Times» fino al quanto mai opportuno decesso di Severo. Pur essendo felici di liberarsi della sua ingombrante presenza, però, i due intendevano offrirgli il massimo appoggio nel suo nuovo impiego. Nella primavera del 467 Antemio arrivò in Italia con l'esercito messo insieme per lui da Marcellino, comandante generale delle forze di campo romane nell'Illirico (*magister militum per Illyricum*)[16] ed ex protégé di Ezio, che aveva assunto il controllo dell'area dopo la sua morte. L'imperatore Maggioriano infatti lo aveva riconfermato nell'incarico; ma dopo la morte di quest'ultimo, per avere l'autorizzazione a rimanere al suo posto egli aveva preferito rivolgersi a Costantinopoli piuttosto che a Libio Severo. Fu attraverso l'imperatore d'oriente Leone, dunque, che il sostegno di Marcellino poté arrivare ad Antemio. Leone assicurò inoltre al nuovo imperatore il consenso di Ricimero e anche questo accordo fu siglato con un'alleanza matrimoniale: non appena Antemio arrivò in Italia la sua unica figlia, Alipia, sposò Ricimero. Combinando nella sua persona talento e natali illustri, il sostegno dell'occidente (nella persona di Ricimero) e quello dell'oriente, Antemio aveva dunque tutte le carte in regola per ridare stabilità all'impero romano d'occidente. Ammesso che qualcuno potesse ancora farlo.

Antemio giunse in Italia con in mente un piano preciso per risolvere i problemi più urgenti dell'impero d'occidente. Innanzitutto cercò di rimettere ordine a nord delle Alpi, in Gallia. È difficile capire quanto del territorio della Gallia, nel 467, funzionasse ancora come parte integrante dell'impero d'occidente. A sud i visigoti, e certamente anche i burgundi, accettarono subito il dominio di Antemio: i loro territori rimasero quindi nell'impero e sappiamo per certo che in quelle regioni funzionavano ancora istituzioni come il *cursus publicus*. Più a nord, invece, le cose sono meno chiare. L'esercito romano del Reno, o quel che ne restava, dopo la deposizione di Maggioriano si era ribellato e almeno in parte era diventato il nocciolo di un comando semi-indipendente ubicato a ovest di Parigi. Alcuni profughi scappati dalla tormentata Britannia romana avevano probabilmente collaborato alla nascita di una nuova potenza in Bretagna e per la prima volta bande di guerrieri franchi facevano i gradassi in territorio romano: già nel IV secolo, sulla frontiera settentrionale del Reno, i franchi avevano avuto un ruolo analogo a quello degli alamanni più a sud. Vassalli sottomessi solo in parte, un po' commerciavano con i romani e un po' li saccheggiavano, sempre fornendo abbondante manodopera ai loro eserciti; molte reclute di spicco, come Bauto e Arbogaste, erano diventate addirittura generali romani di primo grado. Come gli alamanni, inoltre, i franchi erano una coalizione di gruppi più piccoli ciascuno con una sua leadership. Negli anni 460-470, man mano che il controllo romano sul nord si sfaldava, alcuni di questi capi cominciarono a operare solo sul lato romano della frontiera, a quanto pare vendendo i loro servigi al miglior offerente.[17]

Ma nessuna delle potenze regionali galliche era abbastanza forte da minacciare direttamente quel che restava dell'impero romano d'occidente quando a sostenerlo c'era quello d'oriente; e l'arrivo di Antemio le intimidì abbastanza da ridurle al silenzio. La Gallia, comunque, non era certo il problema principale dell'impero: perfino Maggioriano se l'era cavata bene quanto Antemio nel farsi accettare, anzi, sostenere dai proprietari terrieri gallo-romani. Il gallo Sidonio, per esempio, aveva collaborato attivamente con i burgundi nella conquista di Lione e per questo Maggioriano l'aveva punito aumentandogli le tasse. Sidonio aveva reagito scrivendo all'imperatore un poemetto in cui se ne lamentava nel suo solito stile manierato e deliberatamente autoaccusatorio: «Ora però la mia musa chiacchierona è zittita dalle tasse e invece dei versi di Virgilio e di Terenzio recita il conto del soldo e del mezzo soldo che devo alle Finanze».[18] E così Maggioriano aveva deciso di graziarlo e Sidonio, insieme a moltissimi suoi pari, era tornato nei ranghi. Una lettera di quegli anni ricorda una serata conviviale in cui l'imperatore aveva cenato con Sidonio e i suoi amici scambiando con loro battute salaci.[19]

All'arrivo di quell'accattivante Antemio i ricchi proprietari terrieri gallo-romani si misero subito in fila per corteggiarlo ed esserne corteggiati: se sappiamo che il *cursus publicus* funzionava ancora è perché Sidonio ne approfittò per andare a riverire Antemio a capo di una delegazione di galli. L'imperatore ricambiò la cortesia. Sidonio tanto disse e tanto fece da riuscire a ingraziarsi i due principali negoziatori della classe senatoriale italiana dell'epoca, Gennadio Avieno e Flavio Cecina Decio Basilio: i quali, il 1° gennaio del 468, gli regalarono la preziosa opportunità di recitare un panegirico in onore dell'imperatore.[20] Antemio gradì i versi e nominò l'autore prefetto urbano di Roma, una delle cariche più ambite in assoluto. La procedura era consacrata da lunga pratica: all'inizio di un nuovo regime, per ottenere un avanzamento di carriera, i proprietari terrieri di belle speranze si facevano avanti alla corte imperiale per offrire appoggio e ottenere in cambio doni e onorificenze.[21] Ma tutto questo armeggiare con l'equilibrio dei poteri in Gallia non contribuì certo a rendere più stabile e vitale l'impero romano d'occidente.

Perché questa fragile entità avesse almeno una possibilità di risurrezione c'era un solo piano possibile: riconquistare il Nordafrica. La coalizione vandalo-alana non era riuscita a entrare nel club delle potenze straniere alleate fra loro che si era imposto nella prima metà del V secolo. Il trattato di pace del 442, con cui l'impero aveva definitivamente rinunciato a Cartagine, era stato siglato quando Ezio si trovava nel punto più basso della sua parabola e rappresentava un'eccezione nei rapporti tra vandali e stato romano, solitamente molto ostili. A partire dal 410, come abbiamo visto, l'impero d'oriente si era quasi sempre alleato con i visigoti contro vandali e alani; e anche dopo il 450 quei due gruppi erano sempre stati radicalmente emarginati. Diversamente dai visigoti e dai burgundi, vandali e alani non parteciparono nemmeno alla coalizione con cui nel 451 Ezio attaccò Attila in Gallia, né furono mai corteggiati o premiati in alcun modo dai regimi di Avito, Maggioriano o Libio Severo. Al loro capo Genserico sarebbe certamente piaciuto essere ammesso nel club, come paradossalmente dimostra proprio il sacco di Roma dei tempi di Petronio Massimo, che almeno in parte si dovette al fatto che quest'ultimo aveva mandato a monte l'accordo matrimoniale tra suo figlio Unerico e

475

la primogenita di Valentiniano III. Dopo aver saccheggiato Roma nel 455, i vandali avevano continuato a razziare indisturbati le coste della Sicilia e le isole del Mediterraneo: imprese che sicuramente miravano al bottino, ma che per Genserico si inserivano anche in un'agenda politica più ambiziosa. Fra i tesori asportati da Roma, infatti, c'erano anche le donne della famiglia di Valentiniano III: sua moglie Licinia Eudossia e le sue figlie Placidia e Eudossia, l'ultima delle quali fu subito maritata al primogenito di Genserico stesso, Unerico. Probabilmente nel 462 a Placidia e a sua madre fu permesso di tornare a Costantinopoli, dove la ragazza sposò un senatore romano, Anicio Olibrio, scappato nella capitale d'oriente per sottrarsi al sacco di quella d'occidente: dopodiché Genserico si diede molto da fare affinché fosse Olibrio a ereditare il trono imperiale d'occidente. Dal punto di vista dei vandali ciò avrebbe avuto una conseguenza desiderabilissima: il successivo imperatore d'occidente sarebbe stato cognato del successivo re dei vandali. E con ciò Genserico e il suo popolo avrebbero ottenuto l'agognata riabilitazione politica.[22]

Dal punto di vista dei romani, la vicenda che aveva portato i vandali in Nordafrica non era molto diversa da quella che aveva condotto in Gallia visigoti e burgundi. Tutti e tre questi gruppi avevano strappato ai romani condizioni particolarmente favorevoli mettendo in atto o minacciando un'azione militare: potendo, le autorità imperiali d'occidente avrebbero sicuramente preferito non avere a che fare con loro. La vera ragione per cui Genserico non fu mai ammesso nel club delle potenze alleate non era tanto il fatto che in passato aveva commesso delle imprudenze, quanto che aveva allungato le mani sulle province più ricche e produttive dell'impero d'occidente: fin dal 440, infatti, oltre alle terre che già si era preso nel Nordafrica romano, egli aveva conquistato anche la Tripolitania e un certo numero di isole del Mediterraneo. Le sue incursioni annuali seminavano il terrore lungo le coste italiane. Se fossero riusciti ad avere ragione su di lui, quindi, i romani avrebbero preso con una fava due desiderabilissimi piccioni: avrebbero eliminato una delle tre maggiori potenze barbare che infestavano il territorio dell'impero d'occidente e, cosa ancor più importante, avrebbero riconquistato una preziosissima fonte di ricchezze per le casse dello stato.

Facciamo ora un po' di storia basata sui «se». Una vittoria schiacciante su Genserico, in sé tutt'altro che inconcepibile,[23] avrebbe prodotto tutta una serie di effetti a catena. Una volta riuniti Italia e Nordafrica, anche la Spagna sarebbe tornata all'ovile: diversamente dalla coalizione vandalo-alana, infatti, gli svevi rimasti nella penisola iberica non erano molto pericolosi. Il loro potere aumentava e diminuiva a seconda delle risorse che Roma decideva di investire nella regione, e non abbiamo ragione di credere che avrebbero resistito a lungo a un massiccio contrattacco imperiale. A questo punto, quando anche i tributi della Spagna avessero ricominciato ad affluire nelle casse dello stato, si sarebbe potuto avviare un ampio programma di ricostruzione della Gallia romana. Visigoti e burgundi, infine, sarebbero stati racchiusi in enclave d'influenza molto più piccole e privati di alcune delle loro più recenti acquisizioni, per esempio Narbonne e le città della valle del Rodano. *Dulcis in fundo*, gli aggressivi bagaudi del Nord non avrebbero più avuto occasione di alzare la cresta.

Contrariamente a prima, il rinato impero romano d'occidente sarebbe diventato in realtà una coalizione, con sfere d'influenza gote e burgunde sostanzialmente autonome destinate a coesistere fianco a fianco con i territori governati direttamente da Roma: non più dunque la compagine unita e integrata del IV secolo. Ma il centro dell'impero sarebbe stato comunque il partner dominante della coalizione e la situazione strategica generale sarebbe tornata perlomeno paragonabile a quella del secondo decennio del V secolo, prima della perdita del Nordafrica (anzi meglio, dato che in Spagna non ci sarebbe più stata alcuna coalizione vandalo-alana libera di seminare morte e distruzione a suo piacimento). Nel giro di un ventennio, poi, anche i romano-britanni in perenne lotta contro gli invasori sassoni avrebbero potuto trarre giovamento da questi rivolgimenti. Tutto ciò, ovviamente, se le cose fossero andate sempre e soltanto per il meglio. I visigoti si erano dimostrati impossibili da annientare già ai tempi di Teodosio I e di Alarico, quando l'impero poteva disporre di risorse infinitamente superiori: quindi era assai improbabile che li si potesse cancellare dalla faccia della terra. Ciononostante intorno al 470 in Gallia e in Spagna c'era ancora un discreto numero di proprietari terrieri orientati verso Roma, come dimostra la fretta con cui Sidonio si precipitò in Italia per rendere omaggio ad Antemio: tutti costoro avrebbero visto con gioia risorgere un impero romano d'occidente stabile e potente. Comunque la si pensi, quella di un occidente rinato e saldamente in possesso dell'Italia, del Nordafrica, della maggior parte della Spagna e di vaste zone della Gallia era una prospettiva esaltante. Ancora nel decennio 460-470, dunque, non tutto era perduto: una campagna vittoriosa contro i vandali poteva interrompere il circolo vizioso del declino e garantire all'impero romano d'occidente un futuro prospero e unitario per chissà quanto tempo ancora.

Che l'eliminazione dei vandali fosse la miglior risposta possibile ai problemi dell'occidente era un'impostazione già da tempo al vaglio degli analisti. L'unico altro regime occidentale che, dopo l'assassinio di Ezio, avesse dimostrato una qualche bellicosità era quello di Maggioriano, il quale aveva avuto in mente proprio questa strategia. Dalla prima fase del suo regno ci è giunto un panegirico in versi che Sidonio pronunciò nel 458, mentre l'imperatore si trovava a Lione. Dopo il consueto sfoggio di superlativi a indicare che la benevolenza divina aveva ornato Maggioriano di tutte le qualità necessarie a un imperatore perfetto, la parola passa a Roma, rappresentata come una dea armata nell'atto di difendere con fiero cipiglio il suo territorio. Tutto sembra scorrere liscio, fino a che:[24]

Improvvisamente l'Africa si gettò a terra, in lacrime, graffiandosi le guance brune. E chinando la fronte spezzò le spighe di grano che la coronavano, la cui fecondità era diventata per lei ragione di sventura. E così cominciò a parlare: «Io, un terzo del mondo, sono ora sventurata per colpa della buona sorte toccata a un uomo solo. Quest'uomo [Genserico], figlio di una schiava, è sempre stato un ladro; ha annientato quelli che a buon diritto chiamavamo nostri signori e per molto tempo ha levato lo scettro barbaro sulla mia terra; cacciata via la nostra nobiltà, questo straniero non ama niente che non sia stolto».

Comincia così un lungo appello a Roma affinché si svegli dal suo letargo e corra a raddrizzare i torti fatti all'Africa; Sidonio vi intercala la narrazione del marziale passato di Maggioriano, elencando ancora una volta le illustri credenziali che lo rendevano il più idoneo all'alto compito per cui era stato scelto. Il discorso della dea si chiude con un folgorante ritratto di Genserico:

478

[...] egli sprofonda nell'indolenza e, grazie all'incalcolabile quantità d'oro che possiede, non tocca più oggetto che sia fatto di ferro. Il sangue ha abbandonato le sue guance; una pesantezza d'ubriaco lo affligge, una pallida mollezza si è impadronita di lui e il suo stomaco, appesantito da una ghiottoneria senza fine, non riesce più a liberarsi dalla flatulenza acida.

Niente come una bella battuta sui gas intestinali per risollevare gli animi, anche in presenza dell'imperatore: eppure le argomentazioni di Sidonio sono serissime. I tempi erano maturi perché Maggioriano vendicasse la sottrazione dell'Africa: «affinché Cartagine la smetta una buona volta di far guerra all'Italia».

La dichiarazione d'intenti non potrebbe essere più franca e diretta. Nessun autore di panegirici si è mai permesso di spiegare all'imperatore cosa dovesse fare, a meno che l'imperatore stesso non avesse già in mente di fare proprio quella cosa.[25] Evidentemente a Sidonio era stato detto, senza tanti giri di parole, che uno degli scopi del suo panegirico era di preparare i proprietari terrieri all'imminente guerra contro i vandali. Tutto ciò accadeva all'inizio del 458 e i preparativi da fare erano molti, come precisa Sidonio. Innanzitutto bisognava mettere un po' d'ordine in Gallia, prima di lanciarsi nell'avventura nordafricana; e poi bisognava costruire un flotta.[26] Ciononostante, fin dai primi giorni del suo regno Maggioriano si era formalmente impegnato ad attaccare i vandali.

Nel 461 tutto era ormai pronto. Il piano di Maggioriano era di ripercorrere con il suo principale corpo d'armata la rotta seguita dai vandali per le loro scorrerie, ma nella direzione inversa. Nella primavera di quell'anno, trecento navi erano all'ancora nei vari porti della provincia spagnola Cartaginense, da Cartago Nova (Cartagena) a Illici (Elche), un centinaio di chilometri più a nord. Maggioriano e il suo esercito arrivarono puntualmente in Spagna, da dove sarebbero salpati per la Mauretania per marciare poi in ordine di battaglia contro l'Africa vandala.[27] Nel frattempo Marcellino, con alcuni distaccamenti dell'esercito di campo dell'Illirico, andava a combattere in Sicilia e scacciava i vandali dalle roccaforti che vi avevano stabilito. Quello di rendere sicura la Sicilia era già un obiettivo in sé, ma probabilmente quella mossa serviva anche a confondere Genserico sul punto da cui sarebbe partito l'attacco principale. Sentendosi ormai alle corde, il vandalo fece qualche gesto di apertura. Tuttavia Maggioriano aveva fiducia nelle proprie forze e lo respinse: aveva investito troppo su quella spedizione per accontentarsi di una soluzione di compromesso. Informato dei piani di Maggioriano, però, Genserico lo batté sul tempo: con una veloce incursione lungo la costa spagnola la sua flotta distrusse le navi allestite dai romani e l'esercito dell'imperatore rimase sulla spiaggia a raffreddarsi i muscoli. La campagna contro i vandali, propagandata nel 458 come il pezzo forte della politica estera di Maggioriano, era fallita ancor prima di cominciare.

Questo fallimento costò a Maggioriano il trono e la vita. Partito dalla Spagna nel bel mezzo dell'estate, egli si avviò per tornare in Italia via terra; ma il 2 agosto, mentre era ancora in viaggio, Ricimero lo fece arrestare e deporre, e cinque giorni dopo fu giustiziato. Per Maggioriano la scommessa africana si era chiusa con un disastro, ma il ragionamento su cui l'impresa si fondava era corretto. Qualche anno dopo, quando Antemio arrivò in occidente con le spalle coperte di porpora, nessuno si sorprese dunque al vedere che i suoi occhi erano fissi su Cartagine.

L'armata bizantina

Se Leone fu ben contento di allontanare da Costantinopoli l'ingombrante presenza di Antemio, il suo contributo al tentativo di strappare l'Africa ai vandali fu assolutamente generoso e forse rientrava addirittura negli accordi preventivi siglati tra i due. Molte fonti ci danno un'idea del costo totale dell'impresa. Il resoconto più accurato si trova in alcuni frammenti di un altro storico residente a Costantinopoli, un certo Candido, che ne scrisse alla fine del V secolo: frammenti conservati in un'opera enciclopedica bizantina della fine del X secolo, la *Suda*. Leggiamo: «Il funzionario incaricato delle questioni [finanziarie] ha detto che 47.000 libbre d'oro sono arrivate tramite i prefetti e tramite il *comes* del Tesoro altre 17.000 libbre d'oro più 700.000 libbre d'argento, oltre ai denari raccolti con le confische e a quelli da parte dell'imperatore Antemio».[28] Una libbra d'oro equivaleva a circa diciotto libbre d'argento, il che dà un totale di 103.000 libbre d'oro racimolate da ogni fonte possibile: dalla tassazione generale (sfera d'azione dei prefetti) allo sfruttamento delle tenute imperiali (dipendenti dal *comes* per il Tesoro), dalle confische a qualsiasi altro marchingegno che Antemio riuscì a inventarsi per estrarre denaro dalla sua metà dell'impero. Una delle nostre fonti conferma i dati di Candido, mentre altre due arrivano a un totale più alto: rispettivamente di 120.000 e di 130.000 libbre d'oro. Valori che non sono poi molto diversi tra loro (il totale di Candido non comprende i denari raccolti da Antemio stesso in occidente); e anche l'ordine di grandezza generale è perfettamente plausibile. La chiesa che Giustiniano aveva fatto costruire attorno al 530 a Costantinopoli, Santa Sofia, era costata al tesoro d'oriente 15-20.000 libbre d'oro. L'imperatore Anastasio (regnante dal 491 al 517), la cui prudenza finanziaria diventerà leggendaria e il cui regno sarà benedetto da una relativa pace, morendo lascerà al suo successore 320.000 libbre d'oro. 103.000 libbre corrispondono a quaranta tonnellate: un quantitativo molto ingente, quindi, ma plausibile, e un buon indicatore del grado di coinvolgimento di Leone nei fatti d'occidente.[29]

Lo sforzo militare messo in campo a fronte di una spesa così ingente fu altrettanto massiccio. Una flotta di 1100 navi, quasi quattro volte quella di Maggioriano, fu rastrellata in tutto l'impero d'oriente. Anche stavolta il dato numerico è plausibile: se nel 461, nonostante la crisi economica, l'impero d'occidente era riuscito a raccoglierne 300,[30] è proporzionato che per un progetto tanto ambizioso se ne radunassero 1100. Nessuna fonte ci ha tramandato quale fosse il tonnellaggio complessivo della spedizione del 468, però sappiamo che le navi di una flotta orientale del 532 varieranno tra le 20 e le 330 tonnellate. In genere erano imbarcazioni piuttosto piccole per gli standard moderni, soprattutto mercantili che si muovevano esclusivamente a vela; ma forse c'era anche qualche nave da guerra specializzata (il tipico *dromon* o dromone), che poteva arrivare a vela fin sul luogo dell'azione per poi manovrare a remi durante il combattimento.[31] La manodopera militare mobilitata era altrettanto imponente: Procopio parla di 100.000 soldati, ma la cifra sembra un po' troppo alta e tonda per essere vera. La flotta del 532, composta da 500 navi, trasporterà un esercito di 16.000 uomini: quindi le 1100 navi del 468 potrebbero averne avuti 30.000 circa (senza contare i marinai). Inoltre, come nel 461, anche Marcellino si spostò in occidente con una parte delle truppe dell'Illirico per cacciare i vandali dalla Sardegna e occupare in forze la Sicilia. Un terzo contingente, reclutato dall'esercito d'Egitto e messo al comando del generale Eraclio, prese simultaneamente terra in Tripolitania unendo i suoi sforzi a quelli dei locali per cacciare i vandali che l'avevano occupata fin dal 455. Aggiungendo i marinai e tutte queste forze sussidiarie possiamo dire che gli uomini mobilitati per la spedizione furono sicuramente più di 50.000.[32]

Il comando dell'armata fu affidato al cognato di Leone, il generale Basilisco, che qualche tempo prima aveva ottenuto un considerevole successo militare nei Balcani respingendo i figli di Attila che ancora avrebbero voluto rifugiarsi a sud del Danubio. All'inizio del 468, tutti ormai sapevano cosa stesse per accadere: il panegirico pronunciato da Sidonio a Roma il 1° gennaio di quell'anno in onore del consolato di Antemio è carico di aspettativa. Uno storico influente ha detto che nelle fonti occidentali si parla poco di questa armata bizantina: per una volta non sono d'accordo con lui.[33] L'immaginario relativo al mare e alla navigazione pervade potentemente il discorso di Sidonio, che comincia con la seguente presentazione di Antemio:[34]

Questi, miei signori, è l'uomo cui l'ardito spirito di Roma e il vostro amore anelavano, l'uomo cui la nostra confederazione, come una nave battuta dalla tempesta e priva di pilota, ha affidato lo scafo infranto per essere abilmente guidata da un nocchiero degno di lei e non dover più temere tempeste o pirati.

Le metafore marinaresche costellano tutto il testo e il discorso si conclude come segue:

Troppo forti sono ora le brezze che spingono innanzi le mie vele. Controlla tu, o Musa, il mio modesto metro; e mentre io cerco un porto sicuro fa' che l'ancora del mio carme trovi finalmente riposo in un calmo rifugio. Ma della flotta e degli eserciti che tu, o principe [Antemio], stai per guidare, e delle grandi imprese che presto compirai, se Dio accoglie le mie suppliche parlerò al momento opportuno [...].

Le aspettative suscitate dalla spedizione navale ormai imminente sono evidentissime e il discorso di Sidonio ne coglie anche la grandiosa concezione: «Antemio è venuto a noi con un accordo solenne tra i due regni; la pace dell'impero l'ha mandato qui per dirigere le nostre guerre». L'imperatore incarnava dunque la promessa di salvezza dell'impero d'occidente e nel 468 era venuto il momento di mantenerla. Sidonio avverte la solennità del momento: già il fatto che si fosse raccolta una simile armata era di per sé straordinario, e in breve sarebbe cominciata la prova del fuoco. I tuoni e i fulmini della guerra avrebbero rimbombato ancora una volta nel Mediterraneo occidentale. La flotta, simbolo supremo dell'unità dell'impero, era salpata.

I romani però non intendevano certo impegnarsi in uno scontro navale. Come nel 461, pensavano di traghettare il loro esercito in Africa tutto in una volta per poi dare battaglia sulla terraferma. La campagna procedette dunque secondo questo piano d'azione. La flotta di Basilisco salpò dalle coste italiane e seguì la principale rotta commerciale verso sud, dettata da tempo immemorabile da venti e correnti del Mediterraneo centrale. In quelle acque la stagione adatta alla navigazione va da giugno a settembre, quindi probabilmente la partenza avvenne in giugno. Con un vento a favore che sia appena decente, tra la Sicilia e il Nordafrica c'è meno di una giornata di navigazione. Stando a una fonte l'armata gettò l'ancora nel piccolo porto di Capo Bon, a non più di 250 *stadia* (60 chilometri) da Cartagine, cioè in un punto della costa tra Ras el-Mar e Ras Addar, nell'odierna Tunisia. Una buona scelta, perché in quella zona di mare i venti estivi soffiano quasi sempre da est, e se si fosse ancorata sull'altro lato della penisola la flotta avrebbe rischiato di essere spinta contro la costa. Non sappiamo cosa i romani si aspettassero di veder accadere dopo lo sbarco. Le navi accostarono al punto prescelto per sbarcare. Il porto di Cartagine, poco più in là, era protetto dalle aggressioni via mare con una catena: quindi probabilmente la meta di Basilisco era la baia di Utica, da dove con una breve marcia si sarebbe raggiunto il capoluogo.[35]

Ma i vandali, ovviamente, non avevano particolari ragioni per seguire il copione preparato da Roma. Nel 439, conquistando Cartagine, essi si erano impadroniti di uno dei porti più attivi del Mediterraneo romano: da quel momento in poi avevano imparato a sfruttare la forza navale e le abilità marinaresche che vi erano concentrate. Dall'anno stesso della conquista le scorrerie marittime erano diventate per i vandali una specialità e i combattimenti in mare una delle cose in cui eccellevano. Non abbiamo bisogno di fantasticare sulla magica apparizione tra i vandali di vecchi lupi di mare venuti da chissà dove: il lavoro propriamente nautico era a carico degli indigeni, come ci svela Sidonio in un passaggio un po' tortuoso del panegirico di Maggioriano in cui descrive le molte disgrazie di quei poveretti. È l'Africa stessa a lamentarsi: «Ora egli arma per i suoi scopi contro di me la mia stessa carne e dopo tanti anni di prigionia vengo crudelmente straziata dal valore dei miei stessi figli; fertile anche nell'afflizione, nutro dei rampolli che mi causeranno sempre nuove sofferenze».[36] Il fenomeno non è nuovo: già nel III secolo, quando si erano impadroniti della sponda settentrionale del Mar Nero, i goti e gli altri immigrati germanici erano riusciti a convincere i marinai locali, in cambio di una fetta del bottino, ad aiutarli nelle feroci razzie marittime contro le comunità romane della sponda sud. Nel *Codice Teodosiano* c'è una legge che minaccia di bruciare vivo chiunque insegni a un barbaro l'arte di costruire una nave: ma evidentemente non tutti ne furono abbastanza terrorizzati da non farlo.[37] In genere le manovre marittime dei vandali assumevano la forma del «mordi e fuggi»: i contingenti militari sbarcavano solo il tempo necessario a razziare e distruggere, e poi ripartivano. Nel 468, ormai, i barbari e i loro aiutanti nordafricani avevano alle spalle trent'anni di operazioni militari in mare. Forte di uno strumento così utile ed efficace, Genserico entrò dunque in azione. E come ogni comandante che si rispetti lo fece nel modo più inviso ai suoi nemici.

Mentre l'armata bizantina si dondolava all'ancora, fu avvistata la flotta vandala. C'è un elemento che, nella storia, ha deciso le sorti di infinite battaglie: il caso. Contro ogni aspettativa in quel momento il vento soffiava da nord-ovest e i vandali, salpati da Cartagine, lo avevano a favore e potevano scegliere esattamente come e dove dare battaglia. I romani invece, con il vento contro, potevano spostarsi solo lentamente e a zig zag. Le fonti non ci dicono se uno dei due schieramenti avesse navi migliori; fatto sta che il vento non cambiò e la flotta romana rimase incastrata contro il lato occidentale di Capo Bon. I vandali colsero l'occasione al volo e fecero esattamente ciò che che gli inglesi avrebbero rifatto 1120 anni dopo, nel 1588, con l'armata spagnola bloccata nella stessa infelice posizione: misero in acqua dei brulotti. Gli annali delle antiche guerre marittime non contengono molti riferimenti all'uso dei brulotti, ma è uno stratagemma che veniva impiegato ogni tanto, quando le circostanze lo permettevano e cioè soprattutto quando la flotta nemica era all'ancora o in porto e non poteva spostarsi rapidamente. I brulotti sono menzionati per la prima volta in relazione a un attacco ateniese contro la Sicilia avvenuto nel 413 a.C.; romani e cartaginesi li usarono gli uni contro gli altri per anni e l'ultima volta, nella primavera del 149 a.C., con particolare successo: anche quella volta fu la flotta romana ad avere la peggio.[38]

Per comprendere appieno quanto fossero potenzialmente pericolosi i brulotti, dobbiamo pensare al tipo di vascelli che trasportavano i romani. Il più classico dei resoconti relativi alle imprese dell'Armada spagnola lo illustra chiaramente: «Tra tutti i pericoli che possono sovrastare una flotta di navi a vela fatte di legno, il fuoco è sicuramente il più grave: le vele, il cordame incatramato, i ponti di legno seccati dal sole e gli alberi possono prender fuoco in un minuto e in essi non c'è praticamente niente che non bruci».[39] Nella notte tra il 7 e l'8 agosto 1588 gli inglesi lanciarono contro gli spagnoli solo otto brulotti. Le fonti non ci dicono quanti ne avesse Genserico, ma Procopio, probabilmente basandosi sulla cronaca di Prisco, ci ha tramandato un vivace quadretto di ciò che avvenne:[40]

Quando furono più vicini [i vandali] diedero fuoco alle barche che si erano trascinati dietro, e non appena il vento ne gonfiò le vele le lasciarono andare verso la flotta romana. E siccome in quel punto era riunito un gran numero di navi, le barche appiccarono facilmente il fuoco a tutto ciò che toccarono e furono esse stesse rapidamente distrutte insieme ai velieri con cui erano entrate in contatto.

I mercantili a vela della flotta romana bruciarono subito. Gli uomini non poterono far altro che cercare di portarsi lontano dal pericolo con tutte le scialuppe a remi che riuscirono a mettere in acqua: una manovra piuttosto lenta. Le navi che potevano muoversi anche a remi, i dromoni, pur essendo in minoranza furono ovviamente avvantaggiate: la loro principale virtù, infatti, era di potersi muovere anche controvento, fintanto che i rematori ce la facevano a spingere sui remi. Procopio ci racconta cosa accadde poi al largo di Capo Bon:

Man mano che il fuoco avanzava la flotta romana si riempì di tumulto, com'è naturale, e di un baccano che rivaleggiava con il frastuono causato dal vento e dal ruggito delle fiamme, mentre soldati e marinai insieme spingevano con le pertiche sia i brulotti che le navi stesse, le quali perivano una dopo l'altra nel più completo disordine. E già i vandali gli erano addosso, e speronavano le navi e le colavano a picco, e catturavano i soldati che cercavano di mettersi in salvo e facevano bottino delle loro armi.

Evidentemente, in termini di navi bruciate, i brulotti dei vandali del 468 ebbero un effetto più devastante che non quelli degli inglesi del 1588. La classica manovra di contrattacco per neutralizzare i brulotti consiste nel mettere in mare altrettante barche a remi per prenderli a rimorchio e trascinarli via dalle navi: nel 1588 gli spagnoli riuscirono ad allontanare in questo modo due degli otto brulotti spinti contro di loro, ma poi persero la testa e l'Armada si sbandò nella notte. Finalmente, al largo di Dunkirk, gli spagnoli ebbero sottovento lo spazio di manovra che serviva e poterono issare le vele e scappare. L'unica perdita immediata che i brulotti avevano provocato fu quella di una vecchia galera già molto rovinata dalle intemperie, che si arenò nel tentativo di rifugiarsi a Calais; ma nel panico le navi spagnole si dispersero e non riacquistarono la capacità di manovrare come un tutt'uno in tempo utile. E con ciò gli inglesi ebbero la vittoria servita su un piatto d'argento.

Nel 468 i mercantili romani non poterono spiegare le vele perché il vento contrario li avrebbe spinti in secca e la carena delle navi antiche non era abbastanza robusta da permettere di tirarle sulla spiaggia. Genserico inoltre probabilmente aveva a disposizione ben più di otto brulotti. Ma se i brulotti del 468 causarono danni molto più gravi di quelli del 1588, è evidente che in questo secondo caso lo sbando della flotta ebbe effetti altrettanto disastrosi del rogo delle navi romane. Le battaglie navali dell'antichità si risolvevano quando uno dei due contendenti, in un modo o in un altro, riusciva a portarsi dietro il nemico – vuoi aggirandolo da un fianco, vuoi irrompendo attraverso le sue fila – per speronarlo alle spalle (se lo speronamento avveniva di fronte, infatti, l'urto era troppo violento e lo sperone si spezzava). Una seconda strategia d'attacco era quella di isolare le navi nemiche a una a una e prenderle con l'abbordaggio. Pur senza darci ulteriori dettagli, il resoconto di Procopio lascia chiaramente intendere che la flotta vandala seguì da presso i brulotti ed entrò rapidamente in azione, seminando ulteriormente il caos tra i romani che erano già in preda a una drammatica confusione. Freneticamente impegnate a tenere a bada le fiamme, le loro navi furono una facile preda.

Fu una catastrofe. Eppure alcune navi dell'armata bizantina opposero resistenza e alcuni soldati si batterono eroicamente:

Più di tutti Giovanni, uno dei generali di Basilisco [...] che, quando una gran folla di navi ebbe circondato la sua, rimase saldo sul ponte e voltandosi di qua e di là continuò a uccidere moltissimi nemici e quando intuì che la nave stava per essere catturata saltò con tutte le armi dal ponte in mare [...] gridando [...] che Giovanni non sarebbe caduto nelle mani di quei cani.

Emozionante, e tipico delle fonti antiche che tanto apprezzavano gli atti di eroismo individuale. Con queste informazioni, però, non abbiamo modo di valutare i vari elementi dell'azione bellica: per esempio quante navi furono distrutte dal fuoco e quante invece soltanto dopo, con lo speronamento o l'abbordaggio. Inoltre non possiamo sapere quante navi romane andarono perse nella battaglia. È in questi momenti che la storia del tardo impero e dei secoli bui cessa di essere un puzzle affascinante per quanto criptico e diventa semplicemente una faccenda insulsa e noiosa. Comunque, sappiamo che i vandali riportarono una vittoria decisiva, tanto più decisiva in quanto ogni singolo mercantile romano che riuscirono a catturare o ad affondare significava la perdita delle unità militari che trasportava. Le guerre antiche erano quasi sempre molto sanguinose, e in questo solo scontro i romani dovrebbero aver perso più di cento navi e fino a 10.000 uomini. A ogni modo sospetto che le perdite non siano state poi così disastrose come la retorica di Procopio vorrebbe farci credere e che nella sostanza la battaglia del 468 non sia andata diversamente da quella del 1588. I romani scampati agli incendi erano troppo dispersi per contrattaccare in modo efficace e comunque non era più possibile sbarcare come un esercito compatto e pronto a combattere. Costantinopoli aveva teso ogni nervo per riconquistare il regno dei vandali, ma la grande spedizione era fallita. Cinque anni dopo, il 18 gennaio 474, alla morte di Leone, le casse dell'impero d'oriente erano ancora vuote. L'imperatore aveva gettato in quell'impresa ogni sua risorsa e non c'era più niente con cui fare un secondo tentativo.

Secondo Procopio il fallimento dell'armata bizantina fu provocato dal tradimento di Basilisco, che Genserico aveva profumatamente pagato per firmare una tregua di cinque giorni al solo scopo di aspettare che il vento girasse in modo da rendere possibile l'attacco con i brulotti. Ma nella storiografia romana i grandi disastri sono quasi sempre attribuiti al tradimento di qualcuno: un altro esempio della tendenza a ricercare le cause degli avvenimenti storici nei vizi e nelle virtù dei singoli. Procopio aveva spiegato l'arrivo dei vandali in Nordafrica nel 429 con il tradimento di Bonifacio: accusa sicuramente infondata. Nel gennaio del 475 Basilisco s'impadronirà dell'impero d'oriente detronizzando il successore di Leone, Zenone; e rimarrà in trono fino all'estate del 476, quando Zenone se lo riprenderà. Queste vicende l'hanno fatto passare alla storia come usurpatore: di qui ad accusarlo di avere anche consapevolmente provocato la disfatta del 468 il passo è breve. Ma con ogni probabilità la sconfitta ebbe cause più prosaiche: un misto di sfortuna meteorologica, mancanza di strategia (non c'era ragione di sbarcare tanto vicino a Cartagine, bruciando l'elemento sorpresa) ed eccesso d'ambizione.[41]

Che fosse l'esito inevitabile di un'ideazione difettosa o il risultato contingente di condizioni atmosferiche imprevedibili, per una metà dell'impero quel fallimento significava la condanna a morte. Non tutti lo capirono subito: quando un certo stato di cose dura da più di cinquecento anni – il lasso di tempo che ci separa da Cristoforo Colombo, per intendersi – è difficile pensare che possa cambiare dalla sera alla mattina. Ma quella situazione era ormai senza speranza. Costantinopoli non aveva più fondi per allestire una nuova operazione di salvataggio. Antemio e Ricimero controllavano ormai poco più della penisola italiana e della Sicilia: regioni del tutto insufficienti, come fonti di reddito, per mantenere una forza militare abbastanza grande da tenere in riga visigoti, burgundi, vandali, svevi e tutti gli innumerevoli potentati locali (elementi centrifughi che, di fatto, ricominciarono subito ad agitarsi dentro e fuori i confini dell'impero romano d'occidente). La sconfitta di Basilisco aveva cancellato l'ultima opportunità di resuscitare l'impero come forza dominante del teatro europeo. E nel decennio seguente, nonostante l'inerzia politica e culturale che rendeva difficile concepire il mondo senza Roma, vari popoli in vari luoghi cominciarono a realizzare che l'impero romano d'occidente non esisteva più.

Il disfacimento dell'impero. 468-476: la frontiera

Alcuni tra i primi a intuire la verità furono i provinciali romani che vivevano vicino alla frontiera. Fonti storiche e archeologiche ci permettono di metterne a fuoco un gruppo particolare: quelli del Norico, comprendente la zona collinosa tra le pendici esterne delle Alpi e il Danubio in quella che oggi è la Bassa Austria, dove le belle e fertili vallate degli affluenti del grande fiume si allungano fino alle montagne più alte d'Europa: un paesaggio davvero sbalorditivo. In questa magica campagna, in un momento imprecisato della seconda metà del V secolo, vagava un santo misterioso di nome Severino, il quale non voleva dir nulla sulle sue origini se non che si era formato all'ascetismo molto lontano, nei deserti d'oriente; comunque sappiamo per certo che parlava un bellissimo latino.[42] I suoi scritti non ci sono giunti di prima mano, ma una generazione dopo la sua morte uno dei suoi discepoli, un monaco di nome Eugippio, ne scrisse l'agiografia. Severino morì nel gennaio del 482 ed Eugippio scrisse di lui tra il 509 e il 511: pur non avendo fatto parte della cerchia ristretta del santo, il monaco era presente al momento della sua morte e ne aveva udito le imprese narrate da quelli che lo conoscevano meglio. La sua opera è uno scombinato resoconto della vita e dei miracoli del santo: un libro che difficilmente definiremmo una biografia, ma comunque ricco di aneddoti che rievocano vividamente la vita di quei tempi in una regione di frontiera dalla quale l'onda lunga dell'impero si andava ritirando.

L'ex regno di Norico era nato attorno al 400 a.C. quando i norici, una popolazione di lingua celtica, avevano affermato il proprio dominio su un gruppo nativo che parlava illiro. Dal punto di vista strategico la situazione era piuttosto stagnante: il Norico controllava alcuni valichi alpini, ma non quelli principali che passavano un po' più a ovest o un po' più a est attraverso le Alpi Giulie, le quali, con i loro pendii meno ripidi e i valichi più ampi, costituivano una via di comunicazione molto più agevole tra l'Italia e il medio corso del Danubio. Aveva però alcune importanti miniere di ferro e a partire dal II secolo a.C. un vivace flusso commerciale lo collegava all'Italia settentrionale e in particolare ad Aquileia. Col tempo tra il Norico e la repubblica romana si erano instaurati dunque buoni rapporti, che si erano concretizzati nella presenza di molti mercanti romani nella capitale del regno, Magdalensberg.

Il Norico rimase poi alleato dei romani fino all'epoca di Augusto, quando fu pacificamente assorbito dall'impero (15 a.C.). Non essendo abitato da genti ostili a Roma né causa di problemi lungo le principali vie di comunicazione per l'Italia, la romanizzazione vi si svolse in modo un po' diverso da ciò che abbiamo osservato in altre province romane della regione danubiana. Per esempio nessun contingente importante dell'esercito romano vi stazionava in permanenza, gonfiando artificialmente l'economia con le spese infrastrutturali dello stato e la paga dei soldati. Ciononostante vi era stata realizzata qualche strada, e città «romane» erano sorte un po' dappertutto come nel resto dell'impero: diciamo che per ogni opera di sviluppo pianificato centralmente ce n'erano otto che partivano dall'iniziativa locale. La provincia era poi stata gravemente danneggiata dalla guerra marcomannica degli anni 160 e 170 d.C. (cfr. pp. 129-130), e qualche tempo dopo le sue difese erano state rinforzate con truppe di guarnigione molto più ingenti. Ma ciò non aveva modificato in misura sostanziale lo schema di base del suo sviluppo: nel tardo impero il Norico era ancora una provincia di cittadine agricole benedette da una modesta prosperità. La classe dei suoi proprietari terrieri parlava ovviamente latino e nelle principali città le famiglie più agiate potevano procurare ai figli una ragionevole formazione di base: la regione nuotava ancora nella corrente centrale dell'impero. La più importante scoperta archeologica effettuata nella zona è quella di un centro di pellegrinaggio cristiano in cima all'Hemmaburg, risalente alla fine del IV-inizio del V secolo: scavi recenti vi hanno disseppellito tre grandi basiliche e alcune iscrizioni con il nome dei donatori locali che ne finanziarono la costruzione.[43]

Per il Norico, come per molti altri luoghi dell'occidente romano, il V secolo fu uno shock terribile, anche se il suo territorio non riportò troppi danni in conseguenza delle invasioni barbariche. Alla fine del primo decennio del V secolo ci fu un momento in cui Alarico sembrò considerarla una possibile zona d'insediamento per i suoi goti (cfr. Capitolo 5); poi però la cosa non si concretizzò e i visigoti scelsero l'Aquitania. Per il resto, e proprio perché c'erano strade migliori sia a est che a ovest dei loro confini, i norici fecero sostanzialmente da spettatori al passaggio delle successive ondate di barbari. Gli invasori del 406 passarono più a nord, lungo la valle del Danubio, quando valicarono il Reno per invadere la Gallia; e lo stesso fece Attila nel 451. Radagaiso, Alarico e i loro gruppi di goti si riversarono nell'Italia settentrionale attraverso la Pannonia per approfittare dei comodi valichi delle Alpi Giulie, e così Attila nel 452. Ciononostante, la prima metà del V secolo vide intaccarsi in misura sostanziale la sicurezza cui i provinciali del Norico erano abituati.

*

Lo schema dell'insediamento e del mantenimento dell'ordine nella provincia del Norico – così come la diffusione delle città e dell'agricoltura – era un prodotto diretto della potenza militare dell'impero romano. Attorno all'anno 400, secondo la *Notitia Dignitatum*, la provincia era difesa da un numeroso contingente di truppe di guarnigione (i reparti cosiddetti *limitanei*). Distaccamenti di due legioni costituivano la spina dorsale di questo sistema difensivo: la Legio Secunda Italica a Lauriacum (Lorch) e a Lentia (Linz), e la Legio Prima Noricorum ad Adiuvense (Ybbs). Entrambi i contingenti comprendevano unità di polizia fluviale (*liburnarii*), accampate in tre punti diversi del fiume, e unità imbarcate. Nel territorio della provincia si trovavano poi tre coorti di fanteria, quattro unità di cavalleria ordinaria e due di arcieri a cavallo, per un totale di circa 10.000 uomini bene armati.[44]

Ma nella *Vita di san Severino*, ambientata nel 455-460 circa, non si parla molto di tutti questi soldati. Vi si dice che una non meglio specificata unità militare era di stanza a Faviana, l'odierna Mautern (dove secondo la *Notitia Dignitatum* c'era la polizia fluviale della Prima Noricorum), e che un'altra era accampata a Batavis (Passau), appena di là dal confine, nella Rezia (dove la *Notitia* dice che c'era una coorte di fanteria). Tutto qui: non certo i 10.000 uomini che risultano dal nostro conteggio. Eppure buona parte della *Vita* si occupa proprio delle ostilità tra i norici e vari stranieri barbari. In realtà abbiamo ragione di nutrire qualche sospetto riguardo a questa apparente mancanza di una forza militare consistente nella regione: siccome la *Vita* fu scritta proprio per illustrare il grande potere di Severino contro i barbari, la presenza in zona di un vero esercito ne avrebbe offuscato la linea narrativa. Personalmente ritengo che quando Severino andò a vivere nel Norico, da quelle parti ci fossero ben più delle due scarne unità fuggevolmente citate dall'autore della *Vita*. Ciononostante, molte prove suggeriscono che all'epoca della morte di Attila i contingenti militari stanziati nel Norico fossero già stati ridotti in misura sostanziale e spiegano con chiarezza come e perché ciò fosse accaduto.

Innanzitutto dalle testimonianze archeologiche, soprattutto da alcune installazioni militari riportate alla luce, risulta che la circolazione monetaria nella provincia si interruppe improvvisamente poco dopo il 400: l'unica, parziale eccezione a questo brusco fenomeno è l'ex base legionaria di Lauriacum. Come sappiamo, l'impero romano produceva moneta coniata soprattutto per pagare i soldati; quindi un'oscillazione nella circolazione monetaria riflette quasi sempre un intoppo nel flusso dei compensi militari in una certa zona. La presenza di quell'unica eccezione sembra confermare la nostra tesi: essendo Lauriacum il centro di comando militare della provincia, probabilmente le unità dell'esercito vi rimasero anche dopo che tutto il resto del territorio fu abbandonato. Questa brusca interruzione della presenza militare è suggerita anche da chiari indicatori archeologici di un aumento del pericolo. Poco dopo il 400 tutte le ville del Norico (o perlomeno quelle che a tutt'oggi sono tornate alla luce) furono abbandonate o distrutte. Le tenute di campagna isolate, ricche e senza protezione militare (caratteristiche tipiche delle ville romane), erano ovviamente il primo obiettivo dei predoni barbari e non potevano sopravvivere senza un adeguato livello di protezione. Come abbiamo visto, all'epoca della guerra gotica del 376-382 le ville scomparvero altrettanto bruscamente in buona parte dei Balcani.

Ciò non significa che tutti i proprietari di quelle ville fossero stati uccisi e che la classe dei proprietari terrieri non esistesse più. I rilevamenti effettuati sul territorio della provincia hanno dimostrato che nel V secolo l'attività edilizia produsse soprattutto quelli che gli archeologi di lingua tedesca chiamano *Fliehburgen*, cioè castelli-rifugio. Si tratta di insediamenti circondati da mura, spesso abitati in modo permanente, ubicati in posizioni facilmente difendibili come la cima di un'altura e spesso con una chiesa al centro. Qualche *Fliehburg* sorgeva in posizione tattica anche più a nord, vicino al Danubio; ma la maggior parte era più a meridione, sui rilievi prealpini a sud della Drava, nel Tirolo orientale e in Carinzia. Il più grande di tutti era quello di Lavant-Kirchbichl, che sostituì l'antica città romana di Aguntum: in questo insediamento potenti strutture difensive circondavano un'area di 2,7 ettari posta in cima a un picco quasi inaccessibile, con case, magazzini e una chiesa episcopale lunga 40 metri.[45] La *Vita* ci mostra Severino, dopo il 460, nell'atto di dare il seguente consiglio agli abitanti delle campagne attorno a Lauriacum:[46]

L'uomo di Dio, per la divina ispirazione della sua mente profetica, disse loro di portare tutte le loro modeste proprietà all'interno delle mura in modo che il nemico, durante le sue letali spedizioni, non trovando di che umanamente sostentarsi alla fine fosse costretto a desistere dai suoi piani crudeli.

Ma tutte le prove sembrano indicare che i norici non avevano poi molto bisogno dei suggerimenti di Severino, se fin dall'inizio del secolo avevano provveduto a costruire i loro castelli-rifugio come risposta appropriata all'incapacità delle guarnigioni militari di proteggere la vita romana delle campagne.

Buona parte degli avvenimenti narrati dalla *Vita* si svolge su uno sfondo in cui piccoli insediamenti circondati da mura, i *castella* – termine corrispondente a quello moderno di *Fliehburgen* – costituiscono la forma base dell'insediamento utilizzato per proteggere lo stile di vita romano. Nella *Vita* si afferma chiaramente che a partire dal 460 gli abitanti di queste piccole città fortificate si occuparono direttamente della propria difesa organizzando piccole formazioni armate a protezione delle mura: si trattava cioè di milizie cittadine. La presenza di mura e/o di guardie cittadine è riportata a Comagenis, Faviana, Lauriacum, Batavis e Quintanis. Un'altra opzione difensiva – simile a quella adottata in circostanze analoghe dai romano-britanni – era quella di assumere bande di barbari armati cui delegare la protezione delle città fortificate. La cosa è testimoniata solo nel caso di Comagenis, sulla frontiera del Norico, e come in Britannia era destinata a creare solo guai. La *Vita* si apre con la descrizione della gente di Comagenis gravemente oppressa dalle esose richieste dei suoi stessi protettori e prosegue narrando come, con un pizzico di assistenza divina ottenuta per intercessione del santo, alla fine gli abitanti fossero riusciti a cacciarli via[47] (se i romano-britanni fossero stati altrettanto fortunati oggi sarebbe il gallese e non l'inglese la lingua dei computer e delle comunicazioni internazionali).

Intorno al 460 nella provincia c'erano ancora alcune guarnigioni militari romane, ma niente a che vedere con i numerosi contingenti armati elencati dalla *Notitia*. Uno dei fattori responsabili di questo calo emerge chiaramente dalla *Notitia* stessa. Attorno al 420, ai tempi cioè di Flavio Costanzo, l'esercito di campo dell'Illirico comprendeva tra le sue legioni pseudocomitatensi due reggimenti di lancieri (*lanciarii*) precedentemente stanziati a Lauriacum e a Comagenis: lo spostamento di queste truppe era stato effettuato da Costanzo per compensare le pesanti perdite che gli eserciti di campo dell'impero occidentale avevano subìto negli anni successivi al 406.[48] Dopo il 420 non possiamo più seguire da presso le vicende amministrative dell'esercito occidentale, ma sicuramente la perdita del Nordafrica costrinse Ezio a un nuovo giro di vite, che potrebbe aver indotto le autorità centrali d'Italia a ritirare altre unità dalla guarnigione del Norico. E molto probabilmente lo stesso avvenne anche in altri momenti di crisi. Altrettanto significativi furono gli effetti – sul Norico come su moltissimi altri luoghi – della diminuzione del gettito fiscale. La *Vita* comprende una citatissima, ma non per questo meno fantasiosa scenetta riguardante gli ultimi istanti di vita di una certa unità di truppe frontaliere:

Ai tempi in cui ancora esisteva l'impero romano, i soldati di molte città erano mantenuti dall'erario pubblico per la guardia che facevano lungo il muro [la frontiera del Danubio]. Quando questa situazione cessò di esistere le formazioni militari si dissolsero e il muro fu lasciato andare in rovina. Ma la guarnigione di Batavis resisteva ancora. Alcuni soldati andarono dunque in Italia a sollecitare per i loro compagni l'ultimo pagamento, ma lungo il cammino i barbari li attaccarono senza che nessuno lo venisse a sapere. Un giorno, mentre si trovava nella sua cella a leggere, all'improvviso Severino chiuse il libro e cominciò a sospirare tristemente e a spargere lacrime. E a quelli che erano presenti disse di andare subito sul fiume [l'Inn] che, come egli disse, a quell'ora doveva essere rosso di sangue umano. In quel preciso momento arrivò la notizia che i corpi di detti soldati erano stati gettati a riva dalla corrente.

Come tutti gli episodi narrati nella *Vita*, anche questo è impossibile da datare con precisione; ma quando il flusso di denaro dal centro imperiale cominciò a cessare anche le ultime truppe di guarnigione si sbandarono. Man mano che quel flusso si riduceva a un rigagnolo i soldati vennero pagati sempre più irregolarmente (da cui la malaugurata iniziativa della guarnigione di Batavis); e lo stesso vale per i rifornimenti di armi e di altri generi di prima necessità. Da un altro aneddoto apprendiamo che il tribuno a capo dell'unica unità militare rimasta a Faviana non poté inseguire i predoni barbari perché aveva troppo pochi uomini e armati in maniera insufficiente. Severino disse loro che tutto sarebbe andato bene e che avrebbero semplicemente potuto prendere le armi dei nemici dopo averli sconfitti.[49] Tutto ciò ci dà un'idea di cosa accadde a quelle unità dell'esercito di guarnigione frontaliera che non furono né riubicate negli eserciti di campo né annientate in battaglia. Man mano che la crisi finanziaria dell'impero si aggravava, l'invio di stipendi e rifornimenti si fece irregolare fino a interrompersi del tutto.

Nella provincia del Norico fu in un momento imprecisato tra il 460 e il 470 che le truppe si sbandarono: personalmente scommetterei che avvenne poco dopo la disfatta dell'armata bizantina. Ma i soldati delle guarnigioni avevano moglie e figli con sé: quindi rimasero sul posto con le loro famiglie anche dopo aver lasciato l'esercito. Le vecchie guarnigioni non sparirono del tutto: piuttosto si trasformarono lentamente nelle nuove milizie cittadine che, come abbiamo visto, assunsero la difesa degli insediamenti fortificati quando l'esercito romano in quanto tale cessò di esistere. Quasi tutti gli aneddoti della *Vita di san Severino* presuppongono una situazione di questo tipo. Ma siccome il Norico era un luogo sonnolento e lontano dai palcoscenici principali dell'impero, lo stile di vita dei suoi abitanti non smise di essere romano. Dalla *Vita* apprendiamo che le strade erano ancora in buone condizioni e che i traffici commerciali con l'Italia e con i vicini di casa più a valle e più a monte del Danubio non si erano interrotti. I proprietari terrieri facevano ancora lavorare i campi dirigendo i contadini restando all'interno degli insediamenti fortificati. Ma la biografia del santo parla anche delle nuove potenze politiche che dominavano la regione a nord delle Alpi dopo il crollo dell'impero unno e di quello romano: gli eruli, gli alamanni, gli ostrogoti e soprattutto i più immediati vicini di casa dei norici, i rugi.

A questo punto il problema fondamentale che gli abitanti del Norico dovettero affrontare era come continuare a vivere da veri romani di provincia senza l'impero che aveva permesso il fiorire di quello stile di vita.

Sempre dalla *Vita* apprendiamo che i tentativi di autodifesa messi in atto dalle comunità noriche non furono sempre infruttuosi (grazie soprattutto alle virtù profetiche e di mediazione ultraterrena di Severino, come Eugippio si dà pena di ribadire). Le comunità locali avevano sviluppato tecniche abbastanza efficaci per contrastare le razzie: per esempio mandavano in avanscoperta delle vedette che avvertivano i contadini del pericolo imminente, dando loro il tempo di correre a rifugiarsi entro le mura. Anche le aggressioni più massicce, come quella degli alamanni contro Quintanis e Batavis, poterono essere efficacemente respinte, e quando i barbari riuscivano a prendere prigionieri tra i norici era quasi sempre possibile liberarli, o con le armi o pagando un riscatto.[50] Inoltre, se altre potenze più periferiche come alamanni, eruli e ostrogoti guardavano alla provincia del Norico come a una potenziale fonte di bottino e di schiavi, i rugi, stanziati più vicino ai suoi confini, avevano tutto l'interesse a intrattenere con essa rapporti più ordinati: così alcune città noriche cominciarono a pagar loro un tributo pur di essere lasciate in pace. I re dei rugi arrivarono addirittura a corteggiare Severino mostrando di tenere in gran pregio i suoi consigli (perlomeno questa è la versione della *Vita*), mentre da una sponda all'altra del fiume i commerci continuavano a fiorire.

Grazie alla divina intercessione del santo, dice Eugippio, alcune città del Norico riuscirono «per un certo tempo» a mantenere uno stile di vita che conservava molti elementi caratteristici della *romanitas*. La sottolineatura è dovuta. Uno dei temi ricorrenti della *Vita di san Severino* è una determinazione a vivere più che mai da romani. Un altro tema, invece, ha toni più cupi: tutti, ovunque e in ogni momento, avvertivano una sensazione di pericolo, di minaccia. Chi si avventurava fuori dalle mura per raccogliere della frutta, anche in pieno giorno, rischiava di essere rapito e ridotto in schiavitù. Gli abitanti di Tiburnia dovettero corrompere i goti di Valamer cedendo loro quasi tutta la ricchezza mobile che possedevano, compresi gli abiti vecchi e le elemosine raccolte per i poveri, per essere lasciati in pace. Altre comunità più sfortunate vennero annientate da predoni barbari venuti da lontano, che ne sterminarono la popolazione e si portarono via i pochi sopravvissuti. Severino cercò di preavvisare gli abitanti di Asturis del disastro cui andavano incontro decidendo di partire per Comagenis, ma quelli non vollero dargli retta; così la città, già sede del suo primo monastero, fu puntualmente annientata con l'unica eccezione di un solo profugo, che portò la notizia del disastro. Più tardi un attacco improvviso degli eruli distrusse Ioviacum e i turingi sterminarono gli ultimi abitanti di Batavis.

La maggior parte dei batavi infatti si era trasferita tempo prima a Lauriacum, uno degli insediamenti che riuscì a cavarsela meglio: l'esistenza di trinceramenti come questo è il terzo tema ricorrente della *Vita*. Le località periferiche, troppo lontane ed esposte al pericolo, furono progressivamente abbandonate: gli abitanti di Quintanis si trasferirono a Batavis, da dove i due gruppi di cittadini scapparono di nuovo per rifugiarsi a Lauriacum. Ma anche qui evidentemente non si sentivano del tutto al sicuro, perché i rugi, pur interessati a costruire con loro un rapporto a lungo termine, li consideravano pur sempre una risorsa da sfruttare. Non contenti di farsi pagare un tributo, ogni tanto i principi rugi cercavano di deportare i provinciali romani a nord del Danubio per tenerli sotto più stretto controllo. Severino cercò in tutti i modi di opporsi a questa politica, ma era una battaglia persa in partenza.[51]

Fino al 400 circa la potenza militare dell'impero romano aveva protetto l'area tra le Alpi e il Danubio, escludendone con determinazione le forze stanziate a nord del fiume. Ma quando esso si dissolse la regione non poté continuare a esistere come unità autonoma capace di reggersi da sola e la sua popolazione divenne una potenziale risorsa per i nuovi soggetti politici che agivano in quello scenario. Gli insediamenti del Norico non avrebbero conservato per sempre la loro indipendenza (nemmeno grazie ai *Fliehburgen*); anche gli schemi più consolidati della vita provinciale romana erano condannati a sparire, vuoi con la violenza, vuoi con forme di reinsediamento meno aggressive.

Tutto ciò avvenne in un lasso di tempo piuttosto lungo. San Severino morì il 5 gennaio del 482, e in quel momento c'erano ancora varie città romane lungo la linea del Danubio; ma molte altre erano cadute e nuove forze erano al lavoro per trasformare l'intera regione in un mondo sostanzialmente non romano. Stando così le cose, quello del Norico può essere considerato un caso da manuale: una sorta di modello per ciò che accadde alla *romanitas* locale in tutte quelle zone in cui la presenza militare romana deperì lentamente per mancanza di fondi. I provinciali non erano affatto inermi e la *romanitas* non scomparve dalla sera alla mattina, ma lo stile di vita cui erano affezionati dipendeva dalla continuità del flusso di potere che, emanato dal centro dell'impero, continuava a manifestarsi fin dentro alle loro esistenze locali: quando questo si interruppe definitivamente, anche il vecchio stile di vita fu condannato all'estinzione. Il Norico dunque è un modello plausibile per comprendere anche ciò che accadde in Britannia, dove un'altra popolazione subromana lottò a lungo per sopravvivere senza ricevere aiuto dal centro imperiale, utilizzando in un primo momento quelle stesse bande armate di germani che poi dovette combattere. Tutto ciò non accadde in un giorno solo, ma alla fine le ville e le città romane furono distrutte e la popolazione costretta a servire i nuovi padroni: non più gli imperatori d'Italia, ma nel Norico i rugi (quando i locali non erano rapiti e deportati altrove) e in Britannia i vari sovrani anglosassoni.

Il disfacimento dell'impero nel Norico seguì dunque un corso particolare: era un territorio strategico ma quiescente, privo di quell'élite di ricchi proprietari terrieri – ammanicati con l'establishment di Roma – che avrebbe potuto esigere protezione da ciò che restava dello stato. Ne consegue che l'impero, nelle sue province più periferiche, svaporò in realtà lentamente fino a scomparire del tutto. Ma nelle primogenite dell'impero, Gallia e Spagna, il progetto imperiale non poteva dissolversi così in sordina. Anche se la disfatta dell'armata bizantina aveva staccato la spina alle aspettative di ripresa nate con l'arrivo di Antemio, le due regioni erano ancora la patria di famiglie latifondiste romane molto ricche e potenti. In Italia e in alcune zone della Gallia c'erano ancora formazioni militari di una certa consistenza che ormai convivevano con stabili potenze barbariche come quella dei visigoti o dei burgundi.[52] Il destino della Gallia e della Spagna non poteva essere quello del Norico o della Britannia, dove un relativo vuoto di potere aveva precocemente spinto i provinciali a cavarsela da soli: anzi, in quelle due grandi province si intersecavano gli interessi di fin troppe parti in causa. L'epilogo dell'impero in quelle regioni deve quindi organizzarsi su un livello meno domestico, ossia quello delle complicate manovre che si svolgevano alla corte imperiale. E grazie alle lettere di Sidonio Apollinare, il destino di quelle province è altrettanto vivacemente dipinto di quello del Norico nella *Vita di san Severino*.

Uno dei primi a cogliere il significato esatto della disfatta della spedizione nordafricana fu Eurico, il re dei visigoti. Fratello minore di quel Teodorico II che nel lontano 454 aveva sostenuto attivamente il regime di Avito, egli capì subito che il mondo era cambiato. Mentre Teodorico si sarebbe accontentato di conquistarsi un angoletto all'interno di un mondo romano che sembrava destinato a durare in eterno e di ricercare il potere all'ombra del trono imperiale, Eurico dimostrò presto di essere fatto di un'altra stoffa. La sua ascesa al trono avvenne nel 466, dopo un colpo di stato culminato con l'assassinio di Teodorico. Egli mandò subito degli ambasciatori presso i re dei vandali e degli svevi, abbandonando l'atteggiamento ostile che suo fratello aveva sempre mantenuto nei loro confronti.[53] Infatti Teodorico aveva preferito allearsi con quel che restava dell'impero contro queste potenze emergenti; Eurico voleva invece allearsi con loro contro ciò che restava dell'impero. L'arrivo di Antemio con i rinforzi mandati dall'impero d'oriente interruppe bruscamente lo sviluppo di questi piani, ed Eurico richiamò immediatamente i suoi ambasciatori in modo da evitare di scontrarsi con l'apparentemente rinnovata autorità di Roma. Ma la disfatta dell'armata bizantina rese evidente a tutti che Antemio non sarebbe mai diventato la grande potenza che Eurico aveva temuto. Riassume così la *Getica*: «Venuto a sapere dei frequenti cambi d'imperatore dei romani, Eurico, re dei visigoti, prese l'iniziativa di attaccare le province della Gallia per ricondurle tutte sotto la sua autorità».[54] Evidentemente riteneva di non doversi più preoccupare per ciò che avrebbero fatto le autorità centrali di Roma, che con l'ultima sconfitta avevano perso qualsiasi possibilità di intervenire in modo efficace a nord delle Alpi. Eurico aveva davanti a sé una strada sgombra di ostacoli.

Prima ancora che la polvere si fosse posata sul fallimento nordafricano, Eurico si rimise dunque al lavoro e nel 469 lanciò la prima di una serie di campagne militari finalizzate alla costruzione di un regno visigoto indipendente. Il suo esercito mosse verso nord per attaccare i bretoni di re Riotamo, uno dei più fedeli alleati di Antemio, sconfiggendolo e costringendolo a rifugiarsi in territorio burgundo. Eurico ottenne così il controllo di Tours e di Bourges: col che i confini settentrionali del suo regno arrivarono fino alla Loira (Carta n. 16). Ulteriori avanzamenti in quella direzione furono impediti da ciò che restava dell'esercito romano del Reno, comandato dal *comes* Paolo e affiancato dai franchi salii guidati da re Childerico. La Gallia al di là della Loira, comunque, interessava Eurico in modo soltanto periferico: nel 470-471 egli guidò i suoi eserciti verso sud-est, nella valle del Rodano e fino ad Arles, capitale della Gallia romana. Fu qui che, nel 471, il visigoto diede il colpo di grazia alle residue speranze di Antemio sconfiggendo un esercito italiano guidato da suo figlio Antemiolo, che morì in battaglia. Ma la conquista delle città romane fortificate, come ricorderete, non era propriamente la specialità dei visigoti. Dal 471 al 474 ogni estate, per quattro anni consecutivi, essi si presentarono sotto le mura di Clermont-Ferrand, nell'Alvernia, senza riuscire a impadronirsene, e solo nel 476 conquistarono le due prede più ambite della regione, Arles e Marsiglia (quando ormai avevano in loro potere tutta l'Alvernia, ceduta loro dalle autorità italiane nel vano tentativo di frenarne la corsa verso Arles). Nel frattempo altre e più dinamiche campagne si sviluppavano a sud dei Pirenei: nel 473 gli uomini di Eurico conquistarono Tarragona e le città della costa mediterranea della Spagna, e nel 476 tutto il resto della penisola (a eccezione di una piccola enclave sveva nella parte nordoccidentale). L'insediamento provvisorio dei visigoti si era trasformato in un regno vero e proprio, che andava dalla Loira a nord, alle Alpi a est, e a sud fino allo stretto di Gibilterra.[55]

Né i visigoti, in quegli anni, erano l'unica potenza che volesse seguire una politica espansionistica. Le campagne militari di Eu-

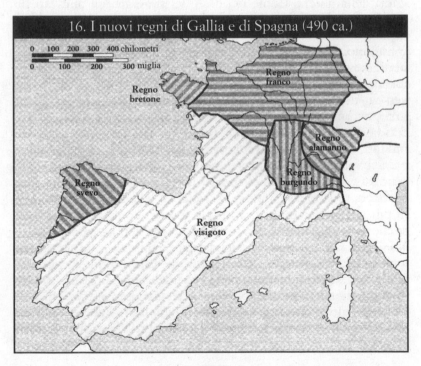

16. I nuovi regni di Gallia e di Spagna (490 ca.)

rico si scontrarono per esempio con le ambizioni del regno dei burgundi, che si era ormai stabilizzato nell'alta valle del Rodano: anch'essi, infatti, già da tempo avevano messo gli occhi su Arles. Non abbastanza potenti da battere sul tempo i visigoti nella corsa verso sud, essi ebbero però un certo successo nell'allargare in quella direzione i confini del loro regno. Verso il 476 avevano conquistato un saliente di città (coi territori annessi) tra le Alpi e il Rodano, aprendosi la via verso sud fino ad Avignone e Cavaillon (Carta n. 16). Più a nord, e per la prima volta in assoluto, anche i franchi cominciavano a stagliarsi come potenza di prima grandezza sulla sponda romana del Reno. La loro storia si perde nel mito e nella leggenda, ma grossomodo le cose andarono come segue. Il mondo franco, prima confinato a est del Reno e suddiviso tra i capi di varie bande guerriere, a un certo punto estese il suo controllo anche sulla sponda occidentale del fiume e fu gradualmente spinto all'unificazione dall'ascesa di più potenti signori della guerra. Come nel caso dei supergruppi unificati da Alarico e da Valamer, ciò creò una forza militare molto potente e capace di competere su un livello del tutto nuovo, la quale conquistò rapidamente vari territori che prima appartenevano all'impero. Negli anni tra il 470 e il 480 il processo era ancora tutt'altro che concluso, ma Childerico era già un personaggio di spicco e verso la fine del decennio, se non addirittura prima, lui e i franchi salii governavano ormai l'ex provincia romana della Belgica Secunda con capitale Tournai.[56] Tutta una serie di nuove potenze militari, dunque, si erano spartite le vecchie province della Gallia e della Spagna. Talvolta, come nel caso di visigoti e burgundi, si trattava già da tempo di elementi stabili del paesaggio strategico europeo; in altri casi, come per franchi e bretoni, erano creazioni più recenti. A sud della Loira le terre conquistate ospitavano anche potenti famiglie di proprietari terrieri abituate a svolgere alti incarichi per lo stato romano: grazie a Sidonio, che era uno di loro, possiamo osservare da un punto di vista interno il significato che tali sommovimenti ebbero per quel pugno di gallo-romani di classe agiata. Nessuna fonte ci ha tramandato le reazioni dell'élite ispano-romana, ma abbiamo ragione di ritenere che non fossero molto diverse da quelle dei colleghi residenti al di qua dei Pirenei.

Ancora tra il 468 e il 476 questi proprietari terrieri facevano del loro meglio per restare all'interno di un impero occidentale che, pur facendo acqua da tutte le parti, si dimostrava ancora funzionale alle loro esigenze. Un atteggiamento che da solo basterebbe a confermare quanto fosse ancora potente l'idea dell'impero nonostante le sue recenti sconfitte. Sidonio stesso, ai tempi di Avito, era stato contento di lavorare con visigoti come Teodorico II: gente che sapeva stare al suo posto e che guardava al futuro nei termini di una sfera d'influenza visigota *all'interno* di un mondo romano di cui non si prevedeva la fine. Ma quando altri visigoti, per esempio Eurico, cominciarono a desiderare un regno tutto loro, assolutamente indipendente, Sidonio fu pronto a battersi per *non* farne parte. A partire dal 470, insieme a un gruppo di amici che concordavano con lui (tra i quali suo cognato Ecdicio, figlio dell'imperatore Avito che era originario dell'Alvernia), Sidonio fece di tutto affinché Clermont-Ferrand restasse romana. Lui e gli altri proprietari terrieri, per esempio, pagarono di tasca propria una forza militare per respingere l'annuale assedio estivo dei visigoti. La battaglia che ne seguì fu piuttosto discontinua: Clermont-Ferrand era tutt'altro che determinante per l'ambizioso piano di Eurico e una volta Ecdicio riuscì a spezzare le linee nemiche con soli diciotto uomini. La determinazione di questi proprietari terrieri a restare romani era più che seria: con i loro sfoggi di lealtà armata essi speravano di convincere prima Antemio e poi i suoi successori a impegnarsi per tenere l'Alvernia all'interno di un impero d'occidente anche ridotto ai minimi termini, e a non rinunciarvi come un prezzo che era necessario pagare all'espansionismo visigoto o burgundo.[57]

Ma mentre Sidonio e i suoi amici si affannavano per restare romani, altri già si erano arresi all'idea che l'impero d'occidente non aveva futuro politico e che era venuto il momento di sganciarsene per allearsi con qualcuna delle nuove potenze. Arvando è un esempio di questa seconda categoria di persone: pur essendo prefetto pretoriano per la Gallia, egli infatti scrisse a Eurico subito dopo la disfatta africana[58]

per dissuaderlo dal fare la pace con l'«imperatore greco» [Antemio], insistendo sul fatto che i bretoni insediati a nord della Loira dovevano essere attaccati e dichiarando che le province galliche, secondo la legge delle nazioni, avrebbero dovuto essere spartite con i burgundi e altre sciocchezze analoghe che potevano suscitare la collera in un re bellicoso e la vergogna in uno più pacifico.

Arvando, che durante il processo intentatogli ammise senza difficoltà di aver scritto questa lettera traditrice, evidentemente preferiva essere governato da Eurico o dal re dei burgundi piuttosto che da Antemio. O forse, come alcuni proprietari terrieri della Gallia intorno al 415, considerava quel tipo di divisione territoriale la via più breve per arrivare a una pace stabile e alla restaurazione dell'ordine sociale. Ma al di là delle sue motivazioni personali, l'episodio dimostra che le opinioni, nella cerchia dei colleghi di Sidonio, erano profondamente divise. Come abbiamo visto, infatti, Sidonio era di tutt'altro parere. Ma Arvando era suo amico e durante il processo Sidonio fece il possibile per difenderlo, anche se a denunciarlo alla magistratura italiana erano stati altri tre proprietari terrieri di grande prestigio e amici di entrambi (anzi, uno era addirittura parente dell'accusato): Tonanzio Ferreolo, prefetto pretoriano per la Gallia nel 451; Taumastio, zio di Sidonio per parte di padre; e un avvocato e senatore d'alto rango (*illustris*), Petronio di Arles. Tuttavia Arvando non era il solo ad avere quell'opinione. Verso il 473, nella Spagna orientale, gli eserciti di Eurico erano sotto il comando congiunto (insieme a un goto) di un certo Vincenzo, che nel decennio precedente era stato comandante dell'ultimo esercito propriamente romano della regione. Nello stesso periodo anche altri personaggi di maggiore o minore spicco nella gerarchia provinciale romana stavano ormai saltando il fosso: intorno al 470 un certo Vittore comandava l'esercito di Eurico in Gallia; e un secondo processo per alto tradimento vide imputato il viceprefetto della Gallia, Seronato, accusato nel 475 di aver facilitato la conquista di territori galli da parte di Eurico (giudicato colpevole, fu poi condannato a morte e giustiziato).[59]

Più a est, intanto, l'ascesa di uno stato burgundo indipendente cominciava a provocare effetti analoghi. Nell'epistolario di Sidonio troviamo una lettera indirizzata a un certo Siagrio, che godeva di molta influenza presso la corte burgunda anche perché parlava il burgundo meglio di tanti burgundi di nascita:

Sono [...] indicibilmente contento che tu abbia acquisito la conoscenza della lingua germanica così in fretta e con tanta facilità. [...] Non hai idea di quanto piacere mi faccia, e lo stesso vale per gli altri, sentire che in tua presenza il barbaro teme di incorrere in un barbarismo nella sua stessa lingua. I risoluti anziani dei germani rimangono stupefatti a sentirti tradurre le lettere e ti chiamano come arbitro e consulente imparziale quando prendono accordi tra loro. Quale novello Solone dei burgundi tu discuti le leggi [...],[60] sei amato, la tua compagnia è ricercata, ti fanno molte visite, li diverti, ti scelgono, ti invitano, dirimi le questioni e tutti ti danno retta.

Sidonio dunque si complimenta con Siagrio per essersi così ben inserito in quel mondo postromano dominato da re stranieri: un mondo del quale, per quanto lo riguardava, non voleva assolutamente far parte.[61] Nella prontezza con cui i più giovani intuirono l'avvicinarsi di un cambio epocale potremmo forse cogliere un dato generazionale: tra i sostenitori alverniati di Sidonio c'era un certo Eucherio che aveva investito un mucchio di soldi nella difesa della città, mentre suo figlio Calminio, sotto le mura, si schierava con gli assedianti goti. Anche il figlio di Sidonio, Apollinare, abbracciò con entusiasmo il nuovo ordine e finì col ricoprire importanti cariche militari sotto il figlio di Eurico.[62] Dopo il 468, dunque, le opinioni dei proprietari terrieri gallo-romani si divisero anche in seno alle famiglie stesse. Nel frattempo Eurico giocava con grande abilità le sue carte. Il lento svanire del controllo imperiale gli permetteva di sfruttare la potenza militare dei suoi visigoti per conquistare un'ampia base territoriale: ma per governare i nuovi possedimenti non aveva altri modelli che quello lasciatogli in eredità dal moribondo stato romano.

Il regno visigoto emerso dopo il 476 era quindi destinato ad avere un carattere decisamente sub-romano. Come il suo predecessore, infatti, esso continuerà a operare attraverso un'infrastruttura di città, province e governatorati, si darà una legge scritta (spesso una mera continuazione dei regolamenti romani) e preleverà una tassa sulla produzione agricola: tutte cose possibili solo perché l'ordine sociale romano, basato sulla presenza di proprietari terrieri e di contadini fittavoli, non sarebbe mai scomparso del tutto. I proprietari terrieri infatti dovevano continuare a fare il loro mestiere se volevano ottenere dai contadini un qualche surplus, trattenendone una parte e passando il resto allo stato sotto forma di gettito fiscale. L'operatività della legge romana, così come quella del sistema fiscale, richiedeva l'attiva collaborazione di esperti funzionari romani in grado di occuparsene.

Pur utilizzando le armi visigote per costruire un regno tutto suo, dunque, Eurico aveva bisogno dei romani per dirigerlo: e più riusciva ad attirare sotto i suoi colori i membri dell'aristocrazia e della classe amministrativa di Roma, più diventava possibile trasformare quelle conquiste in un regno efficiente. Quindi il nuovo sovrano accolse graziosamente tutti gli aristocratici romani che vollero passare al suo servizio, autorizzandoli perfino a cantare le sue lodi in pentametri giambici, se così avessero voluto. Eurico fu ben contento di perpetuare una pratica cominciata già sotto il regno di Teodorico, e mostrò così tanto rispetto per le forme della vita culturale di Roma da attirare sempre più personale amministrativo romano. Quanto a lui, aveva un suo Siagrio personale, un poeta e scrittore narbonese di nome Leone che, secondo Sidonio, nel 476-477 scriveva ormai tutte le sue lettere e i suoi discorsi:

Tramite [Leone] il famoso re [Eurico] semina il terrore nel cuore delle nazioni anche molto lontano, oltre il mare, o dall'alto della sua eminenza nel comando stringe dopo la vittoria un complesso accordo di pace con i tremendi barbari delle rive del Waal, o dopo aver soggiogato i popoli con le armi soggioga le armi con la legge in tutti i suoi vasti domini.

Poiché aveva bisogno di loro, Eurico era pronto a offrire una promozione a tutti i romani disposti a passare dalla sua parte.[63]

In realtà aveva qualcosa di molto interessante da offrire in cambio della loro collaborazione. La scomparsa dello stato romano metteva in serio pericolo la classe dei proprietari terrieri romani, poiché insieme allo stato spariva anche il sistema legale finalizzato alla sua protezione. E nonostante questa classe privilegiata avesse trovato il modo di sopravvivere anche all'interno di regni come quello visigoto o burgundo, non dappertutto le cose andarono lisce. La rivoluzione politica si accompagna spesso a quella sociale e così avvenne in altri punti dell'occidente romano. Nella Britannia postromana, per esempio, la vecchia classe dei latifondisti romani scomparve del tutto. Anche solo permettendo ai proprietari di restare sulle loro terre e di continuare a vivere come prima, dunque, stati come quello goto o burgundo si dimostravano generosissimi nei loro confronti.

A volte gli storici si sono stupiti dell'apparente prontezza con cui la classe agiata sciolse il vincolo di fedeltà con l'impero e negoziò una posizione alternativa col più vicino potentato barbaro. Così facendo, si è detto, quei signori dimostrarono una grave mancanza di lealtà nei confronti dello stato (osservazione che è poi diventata parte integrante della spiegazione del crollo dell'impero stesso). L'Europa romana fu spazzata via, si è detto, anche perché le sue élite non mossero un dito per salvarla. A mio parere questo punto di vista non rende giustizia alla particolarità di una classe la cui posizione si basava quasi esclusivamente sul possesso della terra, una forma di ricchezza non mobile per definizione. A parte i membri dell'esclusivo club dei super-ricchi (quelli che avevano possedimenti anche all'estremo orientale del continente, oltre che in Gallia e in Spagna), quando lo stato andò in pezzi tutti gli altri ebbero ben poche possibilità di scelta: o cercavano di instaurare buoni rapporti con il più vicino re barbaro, o rinunciavano a quello status di cui avevano goduto fin dalla nascita. Se, mentre tutto attorno a loro l'impero franava, i proprietari terrieri intuivano che c'era anche solo una piccolissima possibilità di mantenere la terra, è ovvio che ci si aggrappassero con tutte le loro forze.

Nei suoi rapporti con le aristocrazie provinciali della Gallia meridionale e della Spagna, dunque, Eurico aveva un asso nella manica. Non doveva far altro che espandere sempre di più l'area sotto il suo controllo – compito relativamente facile, dato che il calo del gettito fiscale costringeva lo stato romano a tagliare i fondi della difesa – e i proprietari terrieri gli si sarebbero buttati tra le braccia. Alcuni avevano bisogno di un po' d'incoraggiamento, altri di un po' di persuasione: ma la maggior parte, alla fine, saltò il fosso. Sidonio compreso. Dopo aver capeggiato la resistenza di Clermont-Ferrand, quando la città si arrese, nel 474-475, egli non poteva certo pensare che Eurico sarebbe stato felice di vederlo. Ed effettivamente fu subito condannato all'esilio, prima in un castello vicino a Carcassonne, poi a Bordeaux. Laggiù cercò di riprendere gli studi letterari, ma con qualche difficoltà: «Le palpebre cadenti non riescono a prendersi nemmeno un attimo di sonno, perché accanto al lucernario della mia camera stazionano due

507

rumorosissime vecchie gote, le più litigiose, ubriacone, vomitevo-
li creature che si siano mai viste al mondo». *Biberunt ut gothi*
(«Bevvero come goti») era un'espressione proverbiale molto in
voga nell'Italia del VI secolo. La lettera da cui è tratto questo brano è indirizzata a Leone di Narbonne, poeta, avvocato e primo
consigliere di Eurico: in allegato c'era una copia di un testo intitolato *Vita di Apollonio di Tiana*, che Leone aveva chiesto a Sidonio
di fargli gentilmente avere. Comincia così il percorso di riabilitazione politica di quest'ultimo. Eurico era sempre così occupato
che, a Bordeaux, poté concedergli solo qualche fugace incontro
due volte in tre mesi. Tuttavia Sidonio aveva amici influenti alla
sua corte: primo fra tutti Leone, e poi un altro letterato di nome
Lampridio. Per loro intercessione, alla fine, la sua pratica fu sbri-
gata rapidamente. Le tenute di Clermont, che avrebbero potuto
essergli confiscate, gli furono invece restituite. In cambio lo scrittore compose un piccolo poema di ringraziamento:

Il nostro signore e padrone [Eurico] ha ben poco tempo da dedicarci,
perché tutto un mondo conquistato guarda a lui. Qui a Bordeaux vediamo il sassone dagli occhi azzurri. [...] Qui il vecchio sigambro,[64] che si è
rasato il retro della testa dopo la sconfitta. [...] Qui vaga l'erulo dagli occhi grigioazzurri. [...] Qui il burgundo, alto più di due metri, supplice,
chiede pace piegando il ginocchio. [...] Da questa fonte il romano cerca
salvezza e contro le orde della terra scizia [...] sono le tue bande, Eurico,
le più richieste.

Sidonio inviò questa sua opera a Lampridio nella speranza che
l'amico la facesse leggere al re. L'altro esaudì il suo desiderio. Eurico, il destinatario di tutte quelle smancerie, accettò quella bandiera di resa in metrica e rima e decise di mostrarsi generoso.[65]
Che tutti i suoi ex nemici se la siano cavata altrettanto a buon mercato è poco probabile: sicuramente i proprietari terrieri di altri regni meno ricchi, dove c'erano meno risorse da spartire, dovettero
accettare dai nuovi padroni condizioni di pace ben più dure.

A paragone dei visigoti, per esempio, tra il 468 e il 476 i burgundi riuscirono a espandere i loro domini solo in misura molto modesta. Anche la monarchia burgunda, come Eurico, aveva bisogno
dei romani, ma doveva anche ricompensare i suoi seguaci per i lo-

508

ro servigi, e farlo attingendo a una base di risorse molto più limitata. Il risultato è il compromesso descritto in una raccolta di leggi
della nuova monarchia burgunda, il *Libro delle costituzioni*:

Al tempo in cui fu emessa l'ordinanza si stabilì che il nostro popolo [i bur-
gundi] ricevesse un terzo degli schiavi e due terzi della terra, mentre chiunque avesse già ricevuto in dono terra e schiavi, sia dai nostri predecessori sia
da noi stessi, non doveva fare richiesta di un terzo degli schiavi né dei due
terzi della terra nei luoghi in cui gli era stata assegnata ospitalità.[66]

Vorremmo saperne molto di più, ma l'accordo cui si fa cenno ci
permette di dare almeno un'occhiata al modo in cui il regno burgundo cercò di risolvere i problemi di equilibrio politico posti dalla nuova situazione. Una ventina d'anni fa lo storico Walter Goffart sostenne che in realtà il brano riguardasse una spartizione del
gettito fiscale proveniente dalle terre appartenenti alle città romane (*civitates*) cadute in mani burgunde e non la proprietà vera e
propria di quei terreni. Questa interpretazione forza la lettera del
testo in modo inaccettabile; da allora molti hanno affermato che
invece fu proprio la proprietà terriera a essere redistribuita, passando in parte nelle mani degli uomini liberi burgundi.[67]
Nel regno burgundo, dunque, le terre esistenti furono interamente riassegnate. E, come si evince chiaramente nel testo di legge, si
trattò ancora una volta di un processo, non di un evento. L'ordine di
prendersi i due terzi delle tenute e un terzo della manodopera riguardava solo quei burgundi che ancora non avevano ricevuto niente, né terre né schiavi. Non sappiamo se la confisca riguardò tutti i
proprietari terrieri romani o se il re aveva un qualche potere discre-
zionale che gli permetteva di esentarne qualcuno, ma evidentemente il prezzo che i proprietari terrieri romani dovettero pagare per tenersi almeno una parte delle loro terre fu piuttosto salato. D'altra
parte è strano che in tutta la legislazione burgunda successiva non si
accenni mai ad alcuna forma di prelievo fiscale: anche questo potrebbe essere un dettaglio significativo, perché forse l'accordo era
che, in cambio della cessione dei due terzi della terra, i romani non
solo erano autorizzati a tenersi l'altro terzo, ma erano anche esonerati dal pagare le tasse.[68] In questo caso la loro situazione non sarebbe
poi stata così drammatica. A partire dal 470, come dimostrano le

prove legislative, anche Eurico e Alarico II, suo figlio e successore, ricompensarono i loro sostenitori visigoti con la concessione di terre.[69] Ma il loro regno era molto più grande di quello dei burgundi e di conseguenza l'operazione potrebbe non aver comportato espropriazioni altrettanto massicce.

In entrambi i casi la dissoluzione dell'impero d'occidente nelle sue più antiche province, la Gallia e la Spagna, ebbe come conseguenza una redistribuzione delle risorse immobiliari disponibili. Le potenze militari emergenti avevano tirato fuori i muscoli portando a termine le campagne militari necessarie a disegnare i confini dei nuovi stati. I visigoti ne uscirono con un grande regno, mentre i burgundi ebbero solo la Gallia sudorientale. Più a nord, nel frattempo, la situazione restava fluida: a nord-est erano i franchi salii la nuova potenza emergente; a nord-ovest si stava formando un regno bretone di una certa consistenza. Intanto la leadership di ciò che restava dell'esercito romano del Reno sembrava aver stabilizzato, almeno temporaneamente, una sua base di potere a est di Parigi. Nel 468 la disfatta dell'armata di Basilisco aveva dato il via alle guerre di conquista di Eurico, alle campagne di franchi e burgundi e alla conseguente rivoluzione nella struttura della proprietà terriera: trasformazioni che a loro volta avevano cambiato profondamente le mappe fisiche e mentali di tutta Europa. Ex insediamenti barbarici si erano trasformati in regni indipendenti; la classe dei proprietari terrieri romani era stata costretta a fare scelte che le avrebbero cambiato per sempre la vita; e l'apparato centrale dell'impero romano d'occidente era entrato in agonia.

Il centro dell'impero

Nel 468, mentre ciò che restava delle prime province e di altre zone dell'impero veniva annesso ai regni barbari o svaniva semplicemente nelle brume della lontananza, al centro – in Italia come a Costantinopoli – regnavano il caos e l'indecisione. In Italia, dopo il fallimento dell'armata bizantina, Antemio e Ricimero erano testa a testa nella lotta per la supremazia. Con l'arrivo del primo, ovviamente, il potere personale del secondo si era indebolito, e qualche tempo dopo anche la speranza che Antemio potesse rice-

510

vere dall'oriente un aiuto sufficiente a innescare la ricostruzione si era rivelata fallace. L'imperatore «greco» dunque aveva ben poco da offrire e divenne soltanto un ostacolo per le ambizioni di Ricimero. I due si affrontarono nel 470: Ricimero arrivò al punto di raccogliere un esercito di 6000 uomini e minacciare la guerra, ma poi, nel 471, ci fu la riconciliazione. Seguirono la sconfitta e la morte di Antemiolo, figlio dell'imperatore, e nello stesso anno la perdita di tutte le truppe mandate in Gallia per combattere i visigoti annientò definitivamente le scorte di combustibile militare dell'impero. Ricimero decise allora di sferrare il colpo di grazia: Antemio corse a rifugiarsi a Roma dove fu stretto d'assedio per vari mesi finché la città non si arrese. L'imperatore, ormai alle corde, fu ucciso l'11 luglio del 472 da un nipote di Ricimero, il principe burgundo Gundobado.

Olibrio, cognato di Unerico, il legittimo erede al trono burgundo, già da tempo era il candidato alla porpora d'occidente di Genserico: nel 472 l'imperatore Leone di Costantinopoli lo mandò dunque in Italia a far da mediatore tra Antemio e Ricimero, e quest'ultimo ne divenne il paladino. Proclamato imperatore d'occidente nell'aprile del 472 (prima ancora della morte di Antemio), Olibrio morì però il 2 novembre di quell'anno, poco dopo Ricimero stesso (18 agosto). Tutti questi colpi di scena lasciarono sul campo il solo Gundobado, che si ritrovò nella posizione di indicare il nome del sovrano. La sua scelta cadde su un ufficiale d'alto rango della guardia, Glicerio, responsabile dei domestici (*comes domesticorum*), che fu proclamato imperatore il 3 marzo del 473. Mentre a Roma si svolgevano tutte queste insignificanti manovre, visigoti, burgundi e vandali espandevano tranquillamente i loro regni. Glicerio dunque, una volta incoronato imperatore romano d'occidente, poté regnare solo sull'Italia e su una piccola parte di territorio a nord delle Alpi, nella Gallia sudorientale. La lotta per quello che in teoria era ancora un trono imperiale era degenerata in una carneficina per poco più di niente. Se non altro questa dovette essere almeno la conclusione di Gundobado che, stanco di fare il «creatore di sovrani» come suo zio, alla morte di suo padre Gundioc, re dei burgundi (fine 473-inizio del 474), se ne tornò a casa. La lotta per il potere in Italia doveva sembrargli molto meno interessante della quota di potere che poteva rivendicare nel regno burgundo accanto ai fratelli Chilperico, Godigisel e Godomar: quale indicatore più chiaro del fatto che l'impero d'occidente non contava più niente?

La partenza di Gundobado creò un vuoto di potere in cui si inserì Giulio Nepote, nipote e successore di quel *comes* Marcellino che aveva governato la Dalmazia fin dal 455 circa. Dopo la morte dello zio, assassinato in Sicilia nel 468, Nepote aveva ereditato la Dalmazia e quel che restava dell'esercito da campo dell'Illirico. Con la benedizione dell'impero d'oriente, ma nessuna assistenza militare, all'inizio dell'estate del 474 Nepote sbarcò col suo esercito a Porto, alla foce del Tevere, poco lontano da Roma. Deposto Glicerio senza bisogno di combattere, il 19 o il 24 giugno del 474 Nepote si autoproclamò dunque imperatore d'occidente, ma non riuscì mai a farsi accettare dai comandanti dell'esercito d'Italia e il suo regno durò solo poco più di un anno. A rovesciarlo fu proprio uno dei suoi accoliti, quel generale Oreste che nel Capitolo 7 abbiamo visto nell'improbabile veste di ambasciatore di Attila. Nepote gli si era rivolto per cercare di rimettere ordine nel caos italiano, ma Oreste lo aveva tradito. Il 28 agosto 475 l'imperatore dovette lasciare Ravenna e far vela per la Dalmazia, abbandonando per sempre l'occidente romano.[70]

Mentre in Italia accadeva tutto ciò, a Costantinopoli l'imperatore Leone, impossibilitato a fare qualsiasi altra mossa dopo il fiasco della spedizione del 468, guardava al futuro con disperazione crescente. Tornato in oriente, il comandante dell'armata bizantina, Basilisco, era corso a rifugiarsi nella chiesa di Santa Sofia (non quella attuale, bensì la precedente, bruciata nella rivolta di «Nika» del 532) e non ne era più uscito finché Leone non gli aveva concesso il pubblico perdono. Ora le autorità di Costantinopoli dovevano decidere sul da farsi: la cosa più urgente era cercare di stabilizzare la situazione in Italia nella speranza, ovviamente, che a guidare l'occidente potesse essere un sovrano amico. Anche se dopo la disfatta dell'armata avrebbe dovuto essere chiaro a tutti che l'impero d'occidente era spacciato, fu solo dopo la morte di Antemio che Costantinopoli si arrese all'idea che non c'erano più spazi di manovra. Con i vandali, che non si potevano sconfiggere e che sarebbero rimasti comunque nel Mediterraneo orientale, bisognava scendere a patti. Cominciarono i negoziati e il risultato fu un trattato di pace che l'imperatore Leone siglò nel 474. Chi poteva ancora mettere in dubbio che Costantinopoli aveva rinunciato a ogni speranza di resuscitare l'occidente romano?[71]

Ovviamente, l'ultimo a dare per persa l'idea dell'impero fu l'esercito d'Italia. Eliminato Nepote, Oreste mise sul trono suo figlio Romolo: lui stesso era andato due volte in missione a Costantinopoli per conto degli unni; negli anni precedenti al 450 suo padre Tatulo e suo suocero Romolo erano stati amici personali di Ezio e avevano partecipato all'ambasceria che era giunta alla corte di Attila mentre c'era anche Prisco. Dopo il crollo dell'impero unno Oreste era riuscito a tornare in Italia e a far carriera nell'esercito fino a diventare comandante militare di primo grado sotto Giulio Nepote. Suo figlio, che portava lo stesso nome del fondatore di Roma, fu dunque proclamato imperatore il 31 ottobre 475, ma le vere eminenze grige del regime erano Oreste e suo fratello Paolo. L'oratore che pronunciò il panegirico dell'incoronazione sicuramente disse, con tutta la solennità del caso, che stava per cominciare una nuova età dell'oro sotto gli auspici di un secondo Romolo. Ma poi le cose andarono altrimenti e Romolo, l'ultimo imperatore d'occidente, passò alla storia col soprannome di «Augustolo», cioè Augusto in piccolo.

In questa fase nessuno più poteva credere che la lotta per il potere in Italia avesse per oggetto altre risorse oltre a quelle della penisola. Con tutto il resto dell'occidente in mano ai barbari e ciò che rimaneva dell'esercito d'Italia sostanzialmente impotente, che altre complicazioni potevano insorgere?

A partire dal 465 circa, dopo il collasso dell'impero unno, molti profughi d'origine germanica, soprattutto sciri, ma anche rugi e altri gruppi, si erano trasferiti in Italia ed erano stati reclutati da Ricimero come alleati militari. Negli anni dal 470 al 475 essi riuscivano ancora a rendersi utili all'establishment militare italiano e il loro capo Odoacre, discendente di una vecchia famiglia reale scira, divenne una voce importante nella politica italiana: dapprima partecipando alla guerra civile tra Ricimero e Antemio, e poi assumendo la carica di *comes domesticorum* sotto Nepote e ricevendone il rango di patrizio.[72] Mentre si recava in Italia, Odoacre si fermò nel

Norico per vedere Severino e il sant'uomo l'informò che entro breve sarebbe diventato famoso:

Quando stava per andarsene Severino gli disse ancora: «Va' in Italia, va' in quella terra abitata da meschini stracci d'uomini; e vedrai che presto potrai fare molti ricchi doni».[73]

Intorno al 470, come abbiamo visto, il problema principale dello stato romano era la mancanza di soldi. Nel decennio successivo al 460 l'esercito d'Italia era ancora la più grande formazione militare dell'Europa occidentale, molto più grande, temo, di quanto il gettito fiscale della sola Italia potesse permettersi. E non appena la paga diventò irregolare, i soldati cominciarono ad agitarsi, soprattutto gli sciri. Odoacre aveva abbastanza immaginazione e intelligenza da capirlo: con quell'esercito sempre più irrequieto mettere in piedi un altro effimero regime politico sarebbe stato solo una perdita di tempo. Nell'agosto del 476 aveva raccolto abbastanza appoggi da entrare in azione e come prima cosa fece catturare e uccidere Oreste (il 28 agosto, vicino a Piacenza) e suo fratello Paolo (il 4 settembre, a Ravenna). Quando ebbe il controllo della situazione, riferisce Procopio, Odoacre cominciò a occuparsi dei problemi sostanziali: siccome nel breve termine sarebbe stato impossibile alzare i livelli salariali delle truppe, bisognava trovare qualche altro mezzo di pagamento. E così Odoacre cominciò a distribuire lotti di terre coltivabili: «Concedendo ai barbari un terzo delle terre e conquistandosi così più saldamente la loro fedeltà, [Odoacre] s'impadronì con sicurezza del potere supremo».[74] Come spesso avviene, di ciò che accadde poi sappiamo molto meno di quanto vorremmo. La distribuzione delle terre fu concretamente organizzata da un senatore romano di nome Liberio, ma non riguardò tutta l'Italia: le forze armate andavano trattenute vicino alle zone strategicamente importanti della penisola, soprattutto al nord, in modo da poter sorvegliare i passi alpini, e lungo la costa adriatica, perché Nepote era ancora da qualche parte in Dalmazia.[75] Non è chiaro se Odoacre abbia espropriato i proprietari terrieri italiani com'era accaduto nel regno burgundo, o se ai soldati siano stati girati i contratti d'affitto a lungo termine delle tenute pubbliche, come Ezio aveva fatto con i senatori che Genserico aveva cacciato dalla Proconsolare (cfr. Capitolo 6). Quel che è certo è che diversamente dal regno burgundo l'Italia postromana mantenne il prelievo fiscale come un tratto di governo vivo e vitale: quindi Odoacre, come Eurico, dal punto di vista economico ebbe probabilmente una certa libertà di manovra e non dovette confiscare terre private su larga scala. A ogni modo riuscì a trovare abbastanza risorse terriere da soddisfare le aspettative dei suoi uomini: l'unico modo per assicurarsi una salda presa sul potere in quei tempi agitati.

All'inizio dell'autunno del 476 quasi tutti i pezzi del puzzle erano andati a posto. I cambiamenti introdotti dal regime di Odoacre avevano dato all'Italia una nuova stabilità politica già prima della redistribuzione delle terre. Restava però un'anomalia: l'Italia aveva ancora un imperatore nella persona di Romolo Augustolo, ma Odoacre non aveva alcun interesse a difenderlo dato che questo sovrano di facciata non controllava più altro che la penisola. Dopo aver consultato i suoi amici al senato egli trovò dunque la soluzione. Mandò un'ambasceria senatoriale a Costantinopoli, sul cui trono sedeva l'imperatore Zenone, successore di Leone,

per riferire che non c'era più bisogno di dividere in due il potere e che un solo imperatore poteva bastare per entrambi i territori. I senatori dissero inoltre di aver scelto Odoacre, uomo di grande esperienza politica e militare, per tutelare i loro affari, e che Zenone avrebbe dovuto conferirgli il rango di patrizio e rimettere nelle sue mani il governo dell'Italia.[76]

Con un linguaggio simile a quello che negli anni Ottanta del XX secolo caratterizzerà l'esplosione della guerra delle Falkland, queste frasi significavano che Zenone avrebbe regnato anche sull'Italia col titolo di imperatore romano, mentre Odoacre ne avrebbe controllato l'amministrazione. In pratica, elevandolo al ragno di patrizio, Zenone avrebbe legittimato la presa del potere da parte di Odoacre: quello infatti era il titolo con cui gli effettivi dominatori della penisola, come Stilicone e Ezio, avevano governato per buona parte del secolo. Zenone ebbe un momento d'esitazione, poiché nel frattempo era arrivata anche un'ambasceria da parte di Nepote per chiedergli di aiutarlo a difendere il trono. Per l'impero d'oriente era l'ultima occasione di impegnarsi attivamente al

515

servizio della sopravvivenza di quello d'occidente. L'imperatore soppesò attentamente le due opzioni, poi scrisse a Nepote una lettera piena di simpatia. La conclusione cui era giunto rifletteva un'opinione ormai molto diffusa: l'impero romano d'occidente era finito. La lettera che indirizzò a Odoacre esprimeva il pio desiderio che a Nepote fosse concesso di tornare in Italia, ma soprattutto si rivolgeva a Odoacre stesso col titolo di patrizio, precisando che all'imperatore sarebbe piaciuto moltissimo elevarlo a quella somma dignità, ma non ce n'era bisogno dato che l'aveva già fatto Nepote. Una risposta apparentemente ambigua, ma che nei fatti lo era assai poco. In realtà Zenone non avrebbe potuto muovere un dito per aiutare Nepote e si rivolgeva a Odoacre nel più formale dei modi come al governatore d'Italia.

Odoacre capì al volo e depose Romolo Augustolo mandandolo in pensione in una sua tenuta in Campania (dimostrando nel farlo una misericordia più unica che rara nella tormentata storia della politica imperiale romana). Poi spedì a Costantinopoli le vesti imperiali d'occidente, il diadema e il mantello che solo gli imperatori legittimi avevano il diritto di indossare. Con questo atto solenne si chiudeva il mezzo millennio di vita dell'impero.

10. La caduta di Roma

Nel 476 l'impero romano d'oriente sopravvisse dunque al crollo della sua controparte d'occidente e nel secolo successivo non fece che prosperare. Sotto l'imperatore Giustiniano I (527-565) svilupperà addirittura un programma espansionistico nel Mediterraneo occidentale, che finirà col distruggere il regno vandalo del Nordafrica e quello ostrogoto d'Italia e col portare via ai visigoti parte della Spagna meridionale. Gibbon ne conclude che l'impero romano del Mediterraneo orientale durò praticamente un altro millennio, dato che la sua caduta definitiva può esser fatta coincidere con la caduta di Costantinopoli in mano agli ottomani, nel 1453. A mio modo di vedere, però, nel VII secolo l'ascesa dell'islam provocò una frattura decisiva nella *romanitas* del Mediterraneo orientale sottraendo allo stato di Giustiniano tre quarti del reddito proveniente dai suoi domini e causandone la massiccia ristrutturazione istituzionale e culturale. Anche se i sovrani di Costantinopoli continuarono a farsi chiamare «imperatori dei romani» molto dopo l'anno 700, quello su cui regnavano era in realtà più uno stato successore che non una vera e propria continuazione dell'impero romano.[1] Ma anche secondo questa impostazione uno stato in tutto e per tutto romano sopravvisse pur sempre nel Mediterraneo orientale per più di un secolo e mezzo dopo la deposizione di Romolo Augustolo.

Per tutto questo periodo sia nell'Europa occidentale sia in Nordafrica ci furono delle persone che continuarono a pensarsi romane e che tali erano ritenute dagli altri. Nei primi decenni del VI secolo i documenti ufficiali parlano ancora dei *romani* come di un gruppo specifico; e lo stesso avviene nelle raccolte di leggi dei regni visigoto, ostrogoto, burgundo e franco. In anni recenti qualcuno ha detto che tale denominazione mancava ormai di qualsiasi significato reale; ma come abbiamo visto il processo di costruzione di un regno indipendente sull'ex territorio dello stato roma-

517

no comportò massicci trasferimenti di terra ai seguaci non romani dei nuovi re, che diventarono così un gruppo altamente privilegiato all'interno della nuova compagine statale. Fu proprio tale processo a dare un nuovo significato alla distinzione tra parvenu e proprietari terrieri romani, che in questa fase furono assai meno favoriti. Col tempo queste distinzioni si andarono attenuando fino a scomparire, ma ci vollero varie generazioni.[2] Dopo il 476, dunque, abbiamo ancora «veri» romani sia a oriente sia a occidente. E allora, che cosa esattamente era «crollato»?

La fine della «romanitas» al centro dell'impero

Ciò che finì nel 476 fu il tentativo di tenere in vita l'impero romano d'occidente come struttura politica onnicomprensiva, sovraregionale. Abbiamo già visto che l'aggettivo «romano» assume un significato diverso a seconda che lo si applichi allo stato centrale o agli schemi caratteristici della vita delle classi agiate nelle province. Lo stato romano consisteva, per semplificare al massimo, in un centro decisionale – imperatore, corte e burocrazia –, in determinati meccanismi dell'esazione fiscale e in un esercito professionale che ne definiva e difendeva l'area di dominio. Altrettanto importanti erano le strutture legali emanate dal centro, che definivano e difendevano lo status dei proprietari terrieri residenti nelle province. Nella loro cerchia questi possidenti incarnavano la *romanitas* come fenomeno culturale e sociale, mentre la loro partecipazione ai gradi superiori della burocrazia statale, alla vita di corte e in qualche misura alle attività dell'esercito era il collante che teneva insieme il centro dell'impero e le comunità locali. Dopo il 476 tutto ciò cessò di esistere. Nell'occidente ex romano c'erano ancora molti proprietari terrieri romani che andavano avanti a vivere secondo la loro particolare cultura, rimasta pressoché intatta: ma le principali strutture centrali dell'impero non esistevano più. Non c'era più un'autorità riconosciuta che emanasse leggi valide per tutti, nessuna struttura centrale per il prelievo fiscale finanziava più un esercito professionale coordinato e la partecipazione alla burocrazia, alla vita di corte e all'esercito si era frammentata. I proprietari terrieri sopravvissuti al terremoto bri-

518

gavano ora per proteggere i propri interessi presso le corti dei regni successori, senza rivolgere lo sguardo alle strutture centrali di un solo impero. In alcune parti dell'occidente la *romanitas* provinciale sopravvisse anche dopo il 476, ma quella centrale era ormai cosa del passato.

La scomparsa delle strutture centrali dell'impero non fu avvertita ovunque nello stesso momento. A un estremo, nelle province britanniche, esse si dileguarono per non tornare mai più già attorno al 410, anche se un certo grado di *romanitas* provinciale sopravvisse per un'altra generazione, diciamo all'incirca fino alla metà del V secolo. Le province nordafricane Proconsolare, Byzacena e Numidia caddero fuori dall'orbita dell'impero con la conquista di Cartagine da parte dei vandali, cioè nel 439. Ma per la maggior parte dell'occidente romano la fine fu in realtà piuttosto brusca. Nel 467, quando l'imperatore Antemio arrivò da Costantinopoli, l'Italia, buona parte della Gallia e della Spagna, la Dalmazia e il Norico obbedivano ancora alle strutture centrali di Roma. Alcune zone guardavano all'Italia con più attenzione di altre, ma Antemio fu preso sul serio in buona parte del vecchio impero romano d'occidente, che in sostanza era ancora quello di un secolo prima, ai tempi di Valentiniano I. Otto anni dopo, quei legami si erano dissolti e l'impero d'occidente si era spezzettato in una costellazione di stati indipendenti. Pur non volendo ricadere nel vecchio gioco di individuare una data precisa cui attribuire un significato unico e onnicomprensivo, è importante riconoscere che in meno di un decennio uno straordinario precipitare degli eventi portò l'impero da essere tutto a essere niente. In altre parole c'è davvero un processo storicamente significativo che culmina nel settembre del 476 con la deposizione dell'ultimo imperatore romano d'occidente.

Ma soprattutto una delle tesi fondamentali di questo libro è che nel processo di disintegrazione dell'impero romano d'occidente c'è una coerenza che permette di ricollegare i momenti finali alle prime perdite territoriali. Una coerenza che scaturisce dall'intersezione di tre linee di ragionamento.

Innanzitutto, le invasioni del 376 e del 405-408 non furono eventi casuali, bensì due momenti di crisi generati dalla stessa rivoluzione strategica: l'ascesa della potenza unna nell'Europa centro-orientale. È impossibile negare che nell'estate del 376 l'arrivo di tervingi e greutungi sulle rive del Danubio fosse provocato dagli unni. Che questi ultimi fossero la causa anche del secondo gruppo di invasioni, avvenute quasi una generazione dopo (l'attacco di Radagaiso all'Italia nel 405-406, l'attraversamento del Reno a opera di vandali, alani e svevi alla fine del 406 e lo spostamento verso ovest dei burgundi qualche tempo dopo), è stato affermato da molti studiosi, ma senza raccogliere un consenso unanime. Il quadro completo dell'intrusione della potenza unna in Europa così come l'abbiamo dipinto nel Capitolo 5 costituisce una potente argomentazione a favore di questa tesi. Nel 376 gli unni non dilagarono in massa verso ovest fino alla frontiera danubiana, come qualcuno ha affermato ancora non molto tempo fa. In tutto il decennio successivo furono i goti, non gli unni, a contrastare i romani in questo teatro d'operazioni, e ancora nel 395 la maggior parte degli unni non si era mossa da terre molto più vicine al Caucaso.[3] Ma nel 420 al massimo, e forse già nel decennio precedente, essi si erano trasferiti in massa nel cuore stesso dell'Europa centrale, la grande pianura ungherese. Nessuna fonte scritta dice esplicitamente se nel 405-408 gli unni avessero già realizzato questo spostamento, provocando la seconda ondata di invasioni, ma il fatto che nel 395 fossero ancora dalle parti del Caucaso e che nel 420 si fossero spostati più a ovest di 1500 chilometri rende estremamente probabile che gli avvenimenti del 405-408 siano da addebitarsi proprio alla seconda fase dei loro spostamenti. E così la crescita della potenza unna costituisce una spiegazione unitaria e attendibile per trentacinque anni di periodiche invasioni lungo le frontiere europee di Roma.

In secondo luogo, anche se tra l'ultima di queste invasioni e la deposizione di Romolo Augustolo passarono ben 65 anni, i due eventi risultano collegati da un nesso causale: le varie crisi che l'impero d'occidente attraversò in quel lasso di tempo non sono altro che il lento svilupparsi delle conseguenze politiche di quelle invasioni. I danni inflitti alle province dell'impero d'occidente dal protrarsi della guerra con i popoli invasori, combinandosi con le continue perdite territoriali, determinarono un drammatico calo delle entrate dello stato. Nel 408 e nel 410, per esempio, i visigoti provocarono una devastazione così profonda nelle zone attorno a Roma che dieci anni dopo quelle province versavano al fisco centrale solo un settimo dei tributi normali. Analogamente, nei cinque anni dopo il 406, vandali, alani e svevi si lasciarono dietro una larga scia di distruzione in tutta la Gallia e poi sottrassero per quasi vent'anni la maggior parte della Spagna al controllo centrale dell'impero. Ma la cosa più grave è che dopo questo disastro vandali e alani trasferirono il teatro delle loro operazioni in Nordafrica, conquistando nel 439 le province più ricche e produttive di tutto l'occidente romano. Ogni singola perdita di territorio, sia quelle temporanee sia, a maggior ragione, quelle definitive, ebbe come conseguenza un calo del gettito fiscale dell'impero, linfa vitale dello stato, riducendone la capacità di mantenere un esercito adeguato. Dalla *Notitia Dignitatum* apprendiamo che attorno al 420 Flavio Costanzo aveva cercato di rimediare alle perdite subite dall'esercito di campo nei continui combattimenti dei quindici anni precedenti promuovendo le truppe di guarnigione, e non reclutandone di nuove. Con la perdita del reddito proveniente dal Nordafrica il regime di Ezio dovette affrontare una crisi ancor più grave e lo fece varando una serie di misure antipanico per mantenere a galla sia l'esercito sia l'impero d'occidente.[4]

Man mano che lo stato romano si indeboliva – e che la gente se ne accorgeva – le élite romane delle province si trovarono ad affrontare una nuova, scomoda realtà. Ciò avvenne in momenti diversi nei vari punti dell'impero. Il venir meno della vitalità dello stato minacciava tutti i privilegi su cui la classe più agiata si fondava: interamente definiti dalla terra su cui posavano i piedi, anche i proprietari terrieri più fedeli o più ottusi dovettero arrendersi all'idea che l'unico modo di tutelare i propri interessi era giungere a un accomodamento con le forze che avevano preso il sopravvento nella loro regione. Siccome l'impero era esistito per quattrocentocinquant'anni e la sua metà orientale continuava a spendersi a favore di quella occidentale, non c'è di che stupirsi se il processo di erosione del consenso impiegò tanto tempo a svilupparsi. Molti proprietari terrieri delle province centrali, come i galli che avevano sostenuto Ataulfo intorno al 415 o Sidonio dopo il 450, scesero a patti con goti e burgundi quando essi ancora costituivano elementi autonomi all'interno di uno stato centrale romano che poteva dimostrarsi efficiente dal punto di vista politico e militare; ma un paio di generazioni dopo, tutti avevano capito che quella era solo una posizione intermedia e che la traiettoria dell'occidente romano portava ineluttabilmente verso regni pienamente indipendenti sia per i goti sia per i burgundi.

La terza linea di ragionamento riguarda il ruolo paradossale giocato dagli unni in questi eventi rivoluzionari. Nel decennio dal 440 al 450, l'epoca di Attila, gli eserciti unni seminarono il caos per tutta l'Europa, dalle Porte di Ferro del Danubio fino a Costantinopoli, a Parigi e a Roma. Imprese che sicuramente diedero al condottiero unno una fama imperitura; eppure questi dieci anni di gloria non furono che un evento secondario nel dramma del crollo dell'impero d'occidente. Molto più importante era stato l'impatto indiretto che gli unni avevano avuto nelle generazioni precedenti, quando la situazione di generale insicurezza che avevano creato nell'Europa centro-orientale aveva spinto vari popoli barbari a varcare le frontiere di Roma. Attila, pur infliggendo in più di un'occasione drammatiche sconfitte agli eserciti romani, non arrivò mai nemmeno vicino a sottrarre all'impero porzioni significative di quei territori che pagavano le tasse. Lo stesso non si può dire dei grandi gruppi di fuggiaschi che durante le crisi del 376-378 e 405-406 avevano varcato il *limes*. Nella generazione precedente a quella di Attila, gli unni avevano addirittura aiutato l'impero d'occidente: dopo il 410 impedendo ulteriori flussi migratori nel suo territorio, poi collaborando con Ezio nel respingere le mire espansionistiche dei gruppi germanici che già erano passati con la forza oltre confine. Il secondo grande contributo degli unni al crollo definitivo dell'impero d'occidente, di fatto, fu proprio la loro improvvisa uscita di scena dopo il 453, anno della morte di Attila. Fu questa la goccia che fece traboccare il vaso dell'impero, il quale, privato dell'assistenza militare degli unni, fu costretto a varare dei regimi politici che tenessero conto delle nuove potenze immigrate. Ciò diede il via a una sorta di gara al miglior offerente, durante la quale le ultime risorse dell'impero furono sperperate nel vano tentativo di mettere insieme una coalizione abbastanza forte da stabilizzare la situazione. Ma tra il 465 e il 470 i più ambiziosi tra i capi di questi gruppi stranieri, e soprattutto Eurico re dei visigoti, avevano ormai capito che la presunta autorità centrale dell'impero occidentale controllava in realtà troppo poco per impedire a chiunque lo volesse di costituire un regno indipendente. Tra il 468 e il 476 questa intuizione diede il via al rapido scioglimento delle ultime componenti dell'impero.

Nell'insieme di questo processo furono dunque gli stranieri armati che guerreggiavano in territorio romano a recitare il ruolo di protagonisti. In fasi successive i diversi gruppi barbari dapprima si aprirono un varco oltre il confine, poi costrinsero lo stato a siglare dei trattati di pace, infine gli sottrassero porzioni di territorio così ingenti da prosciugarne interamente le fonti di reddito. Ad alcuni dei primi goti del 376 fu permesso di varcare il Danubio per gentile concessione dell'imperatore Valente, costretto dal fatto che i suoi eserciti erano già impegnati sul fronte persiano. Tutte le altre fasi del processo comportarono l'uso della violenza, anche quelle che si conclusero con un qualche accordo diplomatico. I trattati stipulati erano semplicemente il riconoscimento formale di acquisizioni ottenute con la guerra e non il tipo di diplomazia che può far procedere le cose. Le mie conclusioni, dunque, sono completamente diverse da quelle di un autore che su quegli avvenimenti ha scritto: «Ciò che chiamiamo la caduta dell'impero romano d'occidente fu una sorta di fantasioso esperimento in cui niente accadde così, su due piedi».[5] A mio parere si può giungere a una tesi del genere solo se si preferisce non sporcarsi le mani con la narrazione storica. Ogni tentativo di ricostruire la concatenazione degli eventi del V secolo non può non mettere in luce quanto l'intero processo sia stato violento. La mia conclusione è che non si può negare che l'impero d'occidente sia andato in pezzi perché troppi gruppi stranieri si stabilirono sul suo territorio ed estesero i loro possedimenti con la guerra.

Il processo che distrusse l'impero romano d'occidente è diversissimo, per esempio, da quello che verso la fine del IX secolo mandò in rovina il principale impero europeo nato sulle sue rovine, quello carolingio. Qui il centro imperiale, anche dopo le grandi conquiste di Carlo Magno (768-813), non controllò mai risorse sufficienti a mantenerlo in vita per più di due o tre generazioni, né sviluppò un sistema di tassazione redistributiva come quello che per cinque secoli aveva tenuto a galla l'impero romano. La necessità di «retribuire» il sostegno politico locale, che accomunava l'impero carolingio al suo predecessore romano, mandò quindi rapidamente lo stato in bancarotta. A meno di un secolo dalla sua nascita le élite locali mossero dunque abbastanza rapidamente verso l'autonomia, a volte senza nemmeno dover ricorrere a una particolare violenza. Solo in questo ultimo dettaglio il collasso carolingio somiglia vagamente al disfacimento dell'occidente romano dopo il fallimento della spedizione contro i vandali del 468, mentre in tutto il resto i due processi furono assolutamente diversi: nell'impero di Carlo Magno non ci furono massicce intrusioni di stranieri armati e i sovrani degli stati successori che lo ereditarono facevano parte, in genere, della nobiltà locale e non erano i capi di potenze militari estere. In sostanza lo stato carolingio si dissolse nella bancarotta perché fin dall'inizio non poteva contare su risorse sufficienti e non, come nel caso dell'impero romano d'occidente, perché qualche popolo straniero gli aveva strappato la base imponibile che era stata sua per secoli.[6]

La «romanitas» locale

Mentre al centro dell'impero la *romanitas* veniva cancellata, in provincia subiva destini diversi. Come abbiamo visto lo scenario peggiore – dal punto di vista romano – si sviluppò a nord, nelle isole britanniche. Al riguardo è assolutamente impossibile fornire al lettore una narrazione senza soluzioni di continuità, ma quando la storia ricomincia, nel 600 d.C. circa,[7] non c'è più traccia di quei proprietari terrieri romanizzati, cristianizzati e di lingua latina che ancora nel 400 dominavano la Britannia centromeridionale. Insieme a quella classe erano scomparse le sue tipiche ville e il totale della produzione economica era diminuito e regredito a una semplicità maggiore: la popolazione era calata in misura sostanziale, la moneta non era più usata per gli scambi commerciali, le città avevano smesso di funzionare come insediamenti d'ordine superiore e la maggior parte dei beni era prodotta in casa e non più per il commercio. Nel tardo impero le ceramiche britanniche, per esempio, erano opera di ceramisti che le distribuivano su un raggio di quaranta chilometri circa e che si concentravano soprattutto in centri di produzione come Oxford e Ipswich. Poco dopo il 400, invece, la ceramica veniva prodotta esclusivamente per uso familiare. Le ex province britanniche, probabilmente, furono suddivise in vari piccoli regni, all'inizio una ventina o più, i cui confini, generalmente, non avevano niente a che fare con la geografia politica della Britannia romana. Come tutto ciò sia accaduto è ancora oggetto di indagine. I vittoriani immaginavano che gli invasori anglosassoni avessero cacciato l'intera popolazione celtica subromana dalla Britannia verso ovest, nel Galles e in Cornovaglia, e poi al di là del mare, in Bretagna; ma studi più recenti affermano che molti britannici si trasformarono in anglosassoni proprio come in precedenza erano diventati romani. Comunque sia, i costumi e lo stile di vita della *romanitas* scomparvero dalla Britannia meridionale non appena essa si trovò tagliata fuori dal resto del mondo imperiale.[8]

Un cataclisma simile, però, non può assolutamente dirsi tipico. A parte alcune zone della Gallia nordorientale, che presentano un quadro archeologico simile a quello della Britannia meridionale, le forme consolidate della vita romana di provincia di norma non scomparvero in modo tanto improvviso e totale. Nelle regioni della Gallia a sud della Loira, per esempio, nonostante i timori iniziali, i proprietari terrieri romani raggiunsero con i nuovi sovrani accomodamenti di vario tipo. Come abbiamo visto nel Capitolo 9 tutti dovettero pagare un prezzo: in relazione a un certo numero di fattori (non ultima la disponibilità di risorse del nuovo regno), essi furono costretti a rinunciare a una parte più o meno grande delle loro terre. Il regno dei burgundi, piuttosto piccolo, probabilmente impose confische più estese che non quello dei visigoti, assai più ricco e più grande, ma spesso la pillola fu addolcita da una riduzione delle tasse. I proprietari terrieri romani avevano molto da offrire ai nuovi sovrani barbari, che quindi erano disposti a perpetuare quella distribuzione diseguale delle terre che aveva generato e mantenuto la classe più agiata. Per questo disordini sociali gravi come quelli verificatisi a sud della Loira sono rari e di scarsa portata. Sidonio e i suoi amici attraversarono senza dubbio un momento difficile, ma ne uscirono con una quota delle loro proprietà più che sufficiente a mantenerli nella stessa posizione sociale che avevano prima. Anche in Spagna e in Italia la classe dei proprietari terrieri sopravvisse allo shock iniziale della scomparsa dell'impero; quanto al Nordafrica, benché la conquista vandala fu seguita da massicce confische di terre nella Proconsolare, i proprietari romani delle altre due province conquistate nel 439 – la Byzacena e la Numidia – furono lasciati in pace. E anche quando l'impero vandalo si arricchì di nuovi territori, non ci furono ulteriori confische.

In molti luoghi, dunque, la *romanitas* locale riuscì a sopravvivere piuttosto bene. Il cristianesimo locale, un certo laicato che sapeva il latino, ville, città e forme evolute di produzione e di scambio economico furono in qualche misura portati in salvo sulle spalle dei proprietari terrieri (Britannia esclusa). In buona parte dell'ex occidente romano, quindi, la distruzione delle forme e delle strutture dello stato non impedì la sopravvivenza dello stile di vita tipico della provincia romana.[9]

Ma nemmeno dove le cose andarono come nella Gallia meridionale la vita locale dell'occidente postromano mantenne indenne le proprie caratteristiche. La vera storia di ciò che accadde in queste province dopo la caduta di Roma sarebbe argomento per un altro libro; tuttavia, per mettere nella giusta prospettiva il crollo dell'impero romano d'occidente è importante chiarire almeno un punto fondamentale. Una delle molte discussioni sulla fine dell'impero riguarda il significato da attribuire ai cambiamenti politici avvenuti nel corso del V secolo. La fine dello stato romano fu un evento d'importanza cruciale per la storia dell'Eurasia occidentale o si trattò piuttosto di una perturbazione superficiale, molto meno importante di fenomeni – come la diffusione del cristianesimo – che si svilupparono in profondità, senza quasi risentire del contemporaneo collasso delle strutture imperiali? La storiografia tradizionale era sicurissima che l'anno 476, almeno per l'Europa occidentale, fosse lo spartiacque tra la storia antica e quella medievale. In tempi più recenti questa certezza carica di giudizi di valore, che vedeva nella fine dell'impero romano l'inizio di una fase di rapido declino per tutte le forme della convivenza umana, ha lasciato spazio a punti di vista più sfumati, che a loro volta hanno portato a un rapporto più stretto con la realtà storica. Come abbiamo visto non è che tutto un mondo sia scomparso dalla sera alla mattina: questa consapevolezza ci ha permesso di dare maggior rilievo alle continuità e all'idea che sia meglio considerare lo sviluppo storico del tardo impero e della fase immediatamente postromana più come un'evoluzione organica che non come un cataclisma.[10]

Personalmente non ho dubbi sul fatto che questi nuovi approcci storiografici siano stati una salutare reazione alle vecchie ortodossie storiche, e non mi sento affatto vicino all'idea (nata con i romani stessi) che l'impero romano rappresentasse un livello di civiltà superiore, dopo il quale non poteva esserci altro che declino e decadenza. Ma anche sminuire troppo l'importanza storica della scomparsa dello stato romano occidentale, a mio avviso, sarebbe un errore. Quella struttura era sicuramente un edificio decrepito e pericolante: non poteva essere altrimenti, visto che Roma doveva gestire un territorio immenso servendosi di una burocrazia e di un sistema di comunicazioni decisamente primitivi. La corruzione era endemica, l'applicazione delle leggi sporadica e i livelli locali gestivano una quota di potere eccessiva. Ciononostante, essendo stato eccezionalmente longevo, quel regime a partito unico aveva modificato le regole della vita locale in modo molto profondo: cosa che si manifesta soprattutto nei vari processi che – in modo leggermente fuorviante – vanno sotto l'etichetta di «romanizzazione». Per godere di tutti i benefici che l'impero poteva fornire, le élite provinciali dovevano ottenere la cittadinanza latina (*ius Latii*) e il modo più facile per averla era copiare le leggi di Roma e farsi insignire delle cariche pubbliche cittadine. Per questo in tutte le regioni in cui si instaurò il dominio di Roma assistiamo a una rapida urbanizzazione che seguì uno schema uguale per tutti. Bisognava inoltre sapere bene il latino: era quindi necessario accedere alla formazione letteraria latina e dimostrare di aver assorbito i valori della civiltà classica. Il ventaglio di edifici pubblici in cui il romano ricco e colto poteva condurre quel particolare tipo di esistenza civilizzata insieme ai suoi pari (luoghi di ritrovo, terme e così via) era, insieme allo stile architettonico tipico delle ville imperiali, la manifestazione concreta di quella concezione. Nel frattempo la *pax romana* generava i massicci dividendi che si accompagnano sempre alle fasi di stabilità, creando a livello regionale vaste interconnessioni che a loro volta generavano nuove opportunità economiche.

In sostanza ciò che chiamiamo «romanizzazione» non fu tanto un'attività diretta dallo stato, calata dall'alto, quanto la ricaduta a livello delle risposte individuali con cui le élite conquistate reagirono al fatto compiuto dell'impero, la somma degli adattamenti con cui esse cercarono di rendere la loro comunità più idonea a sopravvivere nelle nuove condizioni imposte dalla dominazione romana. Quel contratto di mutuo sostegno prevedeva però una clausola fondamentale: le élite locali accettavano di trasformare il loro stile di vita in modo da poter partecipare attivamente a ciò che lo stato aveva da offrire, e in cambio gli eserciti dell'impero le proteggevano. In questo senso l'esistenza della *romanitas* locale era inseparabile da quella dell'impero.

La natura simbiotica di tale rapporto è innegabile. Come abbiamo visto, nel III secolo lo stato romano dovette aumentare come mai prima il prelievo fiscale dalle province, e l'onere ricadde principalmente sui vecchi consigli cittadini in cui si svolgeva la vita politica locale tradizionale: per ottenere delle cariche pubbliche i notabili locali spendevano denaro, stringevano amicizie e cercavano di influenzare persone il cui sostegno, a tempo debito, poteva garantire loro l'ascesa al potere e il controllo sui fondi locali. Dalla sera alla mattina la confisca dei redditi locali delle *civitates* tolse scopo all'impresa, e le élite provinciali non ci misero molto ad accorgersene: di qui la repentina scomparsa, alla metà del III secolo, delle iscrizioni celebrative di quei costosi atti di generosità pubblica che fino a un momento prima avevano permesso ai notabili locali di emergere. Nel IV secolo, ormai, alla carriera nei consigli cittadini si preferiva quella nella burocrazia imperiale, nuova via maestra per la conquista del potere locale. Ogni volta che il centro dell'impero inseriva un cambiamento nel suo *modus operandi*, la *romanitas* locale reagiva con una modifica corrispondente nelle sue abitudini (spesso, e soprattutto nel lungo termine, in modi difficili da prevedere).

Dato che buona parte della vita delle province dipendeva direttamente dall'ordine politico e culturale dello stato, ben difficilmente la scomparsa di quest'ultimo poteva passare inosservata. La formazione letteraria tipica delle élite tardoromane – latina in occidente, greca in oriente – non era certo economica: ci volevano quasi dieci anni di studio sotto la guida di un grammatico e solo la classe dei proprietari terrieri poteva permettersi di investire tanto nella formazione dei figli. Come abbiamo visto, le famiglie possidenti affrontavano quella spesa perché era proprio la capacità di parlare il latino (o il greco) classico a identificare immediatamente una persona come «civilizzata», precondizione richiesta per quasi tutti gli avanzamenti di carriera. La maggior parte dei nuovi burocrati statali veniva infatti dalla stessa classe dei membri dei consigli cittadini, i *curiales*: per tutti loro la formazione classica continuò a essere *de rigueur*.[11]

Nell'occidente postromano, invece, gli schemi di carriera delle élite cambiarono drasticamente. Nella nuova situazione era il servizio militare per il proprio re, e non la scala gerarchica della burocrazia, la strada maestra per l'avanzamento sociale, anche nelle regioni in cui i proprietari terrieri romani continuarono a esistere dopo il 476 e si affermò il modello della Gallia meridionale. E così il costosissimo *iter* degli studi letterari classici divenne superfluo. I rampolli delle famiglie più ricche, sia romane sia immigrate, continuarono a onorare le antiche tradizioni: di tanto in tanto un re franco o visigoto entrava negli annali culturali per le sue composizioni poetiche in latino; e ogni volta che un «vero» poeta latino nato in Italia, come nel caso di Venanzio Fortunato, si presentava alla corte dei franchi, le sue composizioni deliziavano tutti i notabili presenti, indipendentemente dalle loro origini barbare o romane. Fortunato in particolare si guadagnava da vivere poetando e il suo pezzo forte erano eleganti distici in onore del dessert. Ciononostante, né i ricchi franchi né i ricchi romani si prendevano più la briga di pagare ai figli una completa formazione latina. Certo, ci tenevano che la loro prole sapesse leggere e scrivere, ma gli obiettivi che si ponevano erano sempre meno ambiziosi. Attorno all'anno 600 la scrittura era ormai privilegio quasi esclusivo degli uomini di chiesa, mentre le élite secolari tendevano ad accontentarsi di saper leggere, soprattutto la Bibbia; saper scrivere non era più parte essenziale e ineliminabile della loro identità. Possiamo dunque dire che era stato l'impero, anche se in modo non del tutto consapevole, a creare e mantenere un contesto nel quale la diffusa alfabetizzazione letteraria era una componente essenziale dell'identità delle classi agiate: con la scomparsa dello stato infatti cambiarono anche gli schemi dell'alfabetizzazione.[12]

Qualcosa di analogo si può dire riguardo al cristianesimo. La cristianizzazione, che nel corso del primo millennio dopo Cristo toccò dapprima il mondo Mediterraneo per poi diffondersi fin nei più remoti angoletti dell'Europa centrale, orientale e settentrionale, è stata a volte considerata tra i fenomeni che non risentirono minimamente della fine dell'impero. C'è del vero in questa impostazione, che però, da un altro punto di vista, può portarci fuori strada. La religione cristiana, a livello istituzionale, si è sempre evoluta in stretto rapporto con il contesto. Nel Capitolo 3 abbiamo visto che, come fenomeno storico, la romanizzazione del cristianesimo fu importante almeno quanto la cristianizzazione dell'impero. Fu grazie all'imperatore Costantino e ai suoi successori che, dall'inizio del IV secolo in poi, assemblee di leader cristiani sovvenzionate dallo stato poterono definire la maggior parte del corpus dottrinario della nuova religione. La chiesa sviluppò una particolarissima gerarchia di vescovi, arcivescovi e patriarchi, la cui collocazione geografica rifletteva sostanzialmente la struttura amministrativa dell'impero, con i suoi capoluoghi locali e regionali. Né gli imperatori convertiti al cristianesimo rinunciarono a dirsi eletti di Dio come i loro predecessori pagani: semplicemente fecero coincidere la potenza superiore da cui derivava la loro autorità con il Dio dei cristiani. Ragion per cui sentivano di avere tutto il diritto di intromettersi negli affari interni della chiesa, a ogni livello, e non mancarono mai di farlo convocando concili, emanando leggi e interferendo nelle nomine dei massimi dignitari della chiesa.

Il cristianesimo che si era evoluto all'interno delle strutture dell'impero romano era dunque molto diverso da quello precedente la conversione di Costantino, e la scomparsa dello stato romano lo cambiò di nuovo e profondamente. Innanzitutto, spesso i confini dei nuovi regni non coincidevano affatto con quelli delle strutture amministrative romane del tardo impero: così a volte i vescovi si trovavano a far parte di un certo regno e i loro arcivescovi di un altro. Ad Arles, che stava nel regno visigoto, ma che come diocesi comprendeva anche quello burgundo, i vescovi entrarono spesso in conflitto con i loro re, finché questi ultimi, insospettiti dai frequenti contatti dei prelati col loro gregge d'oltre confine, non decisero di rimuoverli. Ci furono poi anche trasformazioni d'ordine intellettuale. Nel mondo romano i laici influenti – spesso altrettanto colti dei prelati, se non di più – contribuivano spesso ai dibattiti religiosi; con il diradarsi dell'alfabetizzazione letteraria non furo-

530

no più in grado di farlo, e nell'alto medioevo il mondo intellettuale sarà esclusivamente appannaggio clericale. Ciò non sarebbe accaduto se i laici fossero rimasti istruiti come i chierici. Cosa altrettanto importante, i re postromani ereditarono dai loro predecessori imperiali la rivendicazione dell'autorità religiosa e pretesero di nominare i vescovi e convocare i concili. In questa fase il cristianesimo operò dunque in quelli che Peter Brown chiama «microcosmi cristiani»: la chiesa non era unita e i confini dei regni postromani definivano sottogruppi di lavoro regionali che funzionavano come comunità religiose interne poco collegate fra loro.[13]

Ma al di là di tutto questo bisogna sottolineare che l'ascesa del papato medievale al ruolo di autorità suprema inglobante tutta la cristianità occidentale sarebbe addirittura inconcepibile senza il crollo dell'impero romano. Nel medioevo i papi si appropriarono di molti ruoli che erano stati degli imperatori romani cristiani, per esempio quello di emanare le leggi, di convocare i concili, di decidere o perlomeno influenzare le nomine più importanti. Se l'occidente avesse avuto ancora un imperatore come quelli dell'età romana, una posizione così indipendente non sarebbe stata nemmeno immaginabile. In oriente, dove l'imperatore c'era e regnava ancora, molti patriarchi di Costantinopoli, la cui posizione legale e amministrativa era modellata su quella del papa di Roma, trovarono impossibile agire se non come tirapiedi del sovrano: nominati liberamente dall'imperatore, in genere erano ex burocrati imperiali pronti a scattare al suo comando.[14]

Le componenti del crollo

Nel presentare il mio modo d'intendere le ragioni della caduta dell'impero romano d'occidente so di schierarmi contro una delle più antiche tradizioni storiografiche (perlomeno nella storiografia di lingua inglese). Come tutti sanno, Edward Gibbon attribuiva il crollo soprattutto a fattori interni:

Il declino di Roma fu conseguenza naturale e inevitabile della sua eccessiva grandezza. La stessa prosperità portò a maturazione il principio della decadenza; le cause di distruzione si moltiplicarono con l'ampliarsi delle conquiste; e non appena il tempo o il caso ebbero rimosso tutti i suoi sostegni artificiali, quella meravigliosa struttura cedette sotto il suo stesso peso.

L'analisi di Gibbon riprende esattamente dal punto in cui si era fermato lo scrittore greco Polibio, il quale, come quasi tutti gli storici dell'antichità, vedeva nel vizio o nella virtù morale degli individui la principale forza motrice della causalità storica. Secondo lo storico greco, la repubblica romana fu grande per l'autodisciplina che i suoi capi seppero imporsi, e la caduta da questo stato di grazia cominciò quando gli eccessi generati dallo stesso successo corruppero i posteri. Polibio scriveva nel II secolo a.C., cioè molto prima che l'impero raggiungesse la sua massima estensione e a maggior ragione prima che cominciasse a perdere alcuni dei suoi territori. Nella stessa linea argomentativa, Gibbon sostiene inoltre che il cristianesimo fu una delle trasformazioni che contribuirono in misura rilevante a generare la triste catena di sventure che affondò l'impero. Secondo lui la nuova religione, con le sue dispute dottrinali, seminò nell'impero la divisione interna, allontanò i leader naturali dalla partecipazione politica spingendoli verso il chiostro e, con la filosofia del «porgi l'altra guancia», collaborò a indebolire la macchina da guerra.[15]

Molte cose si possono dire a sostegno di questo modo di pensare, ma esiste una controargomentazione conclusiva che lo relega definitivamente alle note a piè di pagina del dibattito storiografico. Ogni ricostruzione del percorso che nel V secolo portò l'impero romano d'occidente alla rovina non può prescindere dal fatto che la sua controparte d'oriente non solo sopravvisse, ma prosperò ancora per tutto il VI secolo. Tutti i mali individuati nel sistema occidentale si riscontravano assolutamente identici, se non più gravi, in quello orientale. L'oriente romano, semmai, era ancor più cristiano e si appassionava di più alle discussioni dottrinarie. Lo stesso sistema di governo operava sullo stesso tipo di economia: eppure l'impero d'oriente andò avanti quando quello d'occidente crollò. Questa constatazione, da sola, impedisce di sostenere ancora che nel sistema tardoimperiale ci fosse qualcosa di così intrinsecamente sbagliato da predestinarlo a crollare sotto il suo stesso peso. Volendo cercare tra l'impero d'oriente e quello d'occidente le differenze che potrebbero spiegare destini tanto diversi, noteremmo innanzitutto gli accidenti della geografia. Le province più ricche dell'oriente, collocate lungo una fascia che va dall'Asia Minore all'Egitto, sono praticamente nascoste dietro Costantinopoli, che le difendeva da eventuali invasioni sia da nord che da est; l'impero d'occidente invece doveva darsi parecchio da fare per proteggere la lunga linea di frontiera del Reno e del Danubio, con tutti i pericoli che potevano derivarne.

Entrambi i punti sono stati stabiliti chiaramente da due commentatori, N.H. Baynes e A.H.M. Jones;[16] ma da quando Jones ne ha scritto – quarant'anni fa – mi pare sia diventato più necessario che mai, nel ricostruire il crollo dell'occidente romano, sottolineare chiaramente il ruolo che vi ebbe l'immigrazione dei barbari. Questo per due ragioni. La prima: l'unico fattore che secondo Jones contribuì davvero a determinare i destini delle due metà dell'impero fu la differenza nel loro livello di prosperità relativa. Secondo questo studioso fu la tassazione eccessiva ad affondare l'economia del tardo impero: ai contadini così vessati non restava nemmeno il necessario per nutrire sé stessi e le loro famiglie; di conseguenza popolazione e produzione andarono incontro a un calo netto, benché non enorme. Tutto ciò, secondo Jones, avvenne soprattutto nella metà occidentale dell'impero.[17] Ma l'idea che Jones si era fatto dell'economia del tardo impero si basava unicamente sulle fonti scritte e soprattutto su quelle di carattere legale. Proprio mentre lui scriveva Georges Tchalenko, l'archeologo francese, pubblicava invece il resoconto del suo rivoluzionario ritrovamento di prosperi villaggi romani tardoimperiali sulle colline calcaree dietro Antiochia (cfr. pp. 145-146); e dall'epoca in cui Jones ha pubblicato i suoi studi, come abbiamo visto nel Capitolo 3, i rilevamenti aerei hanno completamente trasformato la nostra concezione dell'economia generale del tardo impero. Oggi sappiamo che nel IV secolo il livello del prelievo fiscale non era sicuramente tale da minare la sopravvivenza dei lavoratori della terra: sia in occidente sia in oriente il tardo impero fu un periodo di boom agricolo, che non vide mai il benché minimo segno di declino nei livelli di popolazione. In questa fase l'oriente fu forse più ricco dell'occidente, ma in tutto il mondo romano non ci fu alcuna rilevante crisi economica interna prima del V secolo. E soprattutto, ove si comprenda che entrambi i momenti di crisi lungo la frontiera europea (quello del 376-380 e quello del 405-408) ebbero la stessa causa non romana, e si ricostruisca con precisione la sequenza narrativa degli eventi tra il 405 e il 476, emerge chiaramente il ruolo cruciale degli immigrati stranieri nella storia del crollo dell'occidente.

Detto ciò, nessuno storico serio può pensare che l'impero romano d'occidente sia crollato esclusivamente per i suoi problemi interni o soltanto a causa di uno shock esogeno. In questo libro abbiamo sottolineato in modo particolare quest'ultimo fattore perché a mio parere, finora, l'ascesa della potenza unna in Europa non è stata compresa fino in fondo, e di conseguenza nemmeno il nesso che lega intimamente la calata degli unni alla deposizione di Romolo Augustolo. Per esplorare in modo ancor più esauriente l'interazione tra le invasioni provocate dagli unni e la natura del sistema imperiale romano potremmo ora aggiungere qualche altra riflessione sugli invasori stessi.

Gli invasori della fine del IV e del V secolo arrivarono in gruppi piuttosto numerosi. Dati i limiti delle fonti storiche, dalla mole complessiva degli scritti relativi al secolo che va dal 376 e al 476 non possiamo ricavare numeri precisi per nessuno dei gruppi barbarici coinvolti nell'azione, né una valutazione numerica generale della minaccia collettiva che essi rappresentarono per l'impero. Alcuni studiosi ne hanno tratto la conclusione che, su questo punto, le fonti sono talmente flebili da non consentire alcuna stima nemmeno approssimativa dell'entità del flusso migratorio. È una posizione comprensibile, ma in realtà alcune delle nostre fonti migliori ci offrono qualche dato numerico plausibile, che suggerisce almeno l'ordine di grandezza di alcuni gruppi invasori e vari modi indiretti per risalire alle loro dimensioni complessive. Utilizzando tali indicatori, io sarei pronto a scommettere su quanto segue.

I tervingi e i greutungi che nel 376 si presentarono sulla riva settentrionale del Danubio probabilmente potevano mettere in campo 10.000 guerrieri. L'esercito di Radagaiso che invase l'Italia nel 405-406 era forse più grande di ognuno di quei primi gruppi individualmente preso: diciamo sui 20.000 soldati. Presi insieme, questi valori corrispondono come ordine di grandezza alle indicazioni secondo cui, una volta riuniti quegli eserciti, Alarico ebbe a disposizione circa 30.000 uomini in armi.[18] Quando si trasferirono in Nordafrica, le forze militari congiunte vandalo-alane erano composte da 15-20.000 uomini (ma dopo molti aspri combattimenti e senza contare gli svevi). Ciò conferma per gli invasori del Reno del 406 un totale di circa 30.000 guerrieri. I burgundi che nel 410 si spostarono verso il Reno sono ancora più difficili da contare. Confrontati con i visigoti degli anni intorno al 455, non erano mai stati altro che una potenza di secondo piano, quindi anche il loro esercito doveva essere più piccolo, diciamo nell'ordine dei 15.000 guerrieri o poco più; ma questo soltanto dopo la traumatica sconfitta subita per mano degli unni intorno al 436.[19] Al di là di ciò, non sappiamo assolutamente niente di quanti sciri, rugi ed eruli si siano uniti a partire dal 460 all'esercito romano d'Italia al seguito di Odoacre, dopo il crollo dell'impero unno: sicuramente erano nell'ordine delle migliaia, forse addirittura 10.000. Indicativamente dunque potremmo dire che il grosso degli invasori dell'occidente romano potrebbe essere stato composto da 40.000 goti (nelle due ondate del 376 e del 405-406), 30.000 invasori del Reno, forse 15.000 burgundi e 10.000 altri profughi in fuga dal crollo dell'impero di Attila. A questi 95.000 uomini in armi dobbiamo aggiungere una cifra ignota per i vari gruppi minori, soprattutto alani, che non seguirono Genserico in Africa, oltre a quegli eserciti franchi che, a partire dal 465 circa, giocheranno un ruolo sempre più importante negli affari politici della Gallia. Anche se dopo il 476 i franchi diventeranno rapidamente così potenti da rivaleggiare con i visigoti per il controllo della Gallia, gli eventi che portarono alla deposizione di Romolo Augustolo non avranno visto la partecipazione attiva di più di 10-15.000 franchi. Tutto considerato, quindi, i nostri calcoli ci portano a dire che furono 110-120.000 gli stranieri in armi che collaborarono attivamente alla demolizione dell'impero romano d'occidente.[20]

Da una parte, la ricostruzione narrativa non lascia dubbi sul fatto che furono le forze centrifughe generate da quegli intrusi a spezzettare infine l'impero nei nuovi regni della fine del V secolo. Dall'altra, ciascuno di quei gruppi era composto soltanto da poche decine di migliaia, non da centinaia di migliaia di uomini in armi. Il che a prima vista non sembra certo un'aggressione schiacciante, visto e considerato che nel 375, secondo le stime più prudenti, l'esercito romano contava come minimo 300.000 soldati e secondo altri calcoli ne aveva almeno il doppio. In un certo senso anche la sequenza degli eventi conferma questa tesi. L'impero romano d'occidente non fu spazzato via da un solo impeto di conquista, come nel caso dei mongoli per l'impero cinese. All'inizio gli immigrati avevano solo quel tanto di forza militare che bastava a prendersi una piccola enclave: l'ulteriore movimento espansionistico che portò alla nascita di regni indipendenti fu un processo più lento, che impiegò due o tre generazioni a erodere il potere dello stato romano. In altre parole, nemmeno tutti insieme gli invasori del V secolo erano così numerosi da imporsi su un regno che poteva attingere alle risorse umane ed economiche di un territorio che andava dal Vallo di Adriano ai monti dell'Atlante. I barbari poterono spingere l'impero d'occidente da una condizione di relativa agiatezza alla definitiva scomparsa solo perché la loro azione si sommò ai limiti militari, economici e politici interni al sistema romano così com'era diventato dopo mezzo millennio d'evoluzione.

Prendendo in considerazione innanzitutto la sua capacità militare, bisogna dire che le invasioni provocate dagli unni avvennero dopo che la Persia sasanide, nel corso del III secolo d.C., si era affermata come superpotenza rivale di Roma. Come abbiamo visto nel Capitolo 2, alla fine l'impero romano riuscì a frenare l'espansionismo persiano, ma quest'opera di contenimento non annullò affatto il potere di quella nazione. Anche quando la stabilità tornò a regnare sulla frontiera orientale, verso il 300, i romani non poterono permettersi di abbassare la guardia. Fino al 40 per cento del potenziale militare d'oriente (il 20-25 per cento delle forze armate congiunte delle due metà dell'impero) rimase comunque impegnato contro i persiani. La crisi scoppiata alla fine del IV secolo lungo le frontiere europee di Roma applicò dunque un'ulteriore pressione su una struttura militare già sottoposta a tensioni terribili.

Una buona fetta dell'esercito tardoimperiale, inoltre, era costituita da truppe di guarnigione (i reparti *limitanei*), che storicamente si erano sempre limitate a risolvere piccole scaramucce di frontiera; truppe che avevano anche altro da fare e che non sempre erano addestrate ed equipaggiate in modo idoneo ad affrontare una concentrazione di genti armate come quella generata dagli unni. La capacità militare degli invasori, dunque, non dev'essere confrontata con le forze armate totali dell'impero, considerato come un tutto unico, bensì con i soli eserciti di campo dell'occidente, perché molte unità erano già impegnate in compiti da cui non potevano essere distolte. I contingenti che potevano essere mobilitati contro le nuove minacce erano soprattutto quelli della Gallia, dell'Italia e dell'Illirico occidentale, che nel 420 ammontavano a 181 unità: sulla carta, 90.000 uomini al massimo (allo scoppio della crisi, probabilmente, quelle unità non erano più di 160, cioè circa 80.000 uomini). Paragonato a quest'ultimo dato il numero dei barbari sembra meno misero ed è più facile comprendere come, alla fine, essi abbiano potuto imporsi. Lungi dall'essere numericamente inferiori, probabilmente contati tutti insieme i barbari erano piuttosto in lieve vantaggio rispetto alle forze armate imperiali. All'inizio forse non ce ne eravamo accorti per via della loro mancanza di unità, ma più si avanza nel V secolo più i dati numerici diventano significativi.

Se i nuovi venuti erano così numerosi da imporsi su quella parte dell'esercito romano che poteva essere usata contro di loro, perché l'impero, semplicemente, non reclutò altri soldati? La risposta a questa domanda sta nei limiti insormontabili della sua economia. Come abbiamo visto, se nel IV secolo l'agricoltura tardoimperiale sperimentò un qualche cambiamento, ciò avvenne nella direzione di un'espansione senza precedenti; ma aumentare rapidamente e in misura sostanziale la produttività delle terre non è né facile né scontato. In molte province l'economia era già ai massimi livelli di produttività possibili ed è improbabile che attorno all'anno 400 ci fossero ancora abbastanza sacche di sottoutilizzo da sfruttare per finanziare eserciti più grandi, soprattutto dopo che la pressione fiscale era già stata accresciuta di molto per allestire i nuovi eserciti richiesti dal fronte persiano. La capacità di imporre tasse aveva un tetto anche per via della limitata capacità d'intervento della burocrazia statale, per non parlare del fatto che le élite locali dovevano essere disposte a pagarle; a ogni modo non abbiamo indizi del fatto che ci siano stati problemi con i contribuenti prima del 440, quando Ezio, dopo la perdita del Nordafrica, si vide costretto a revocare tutti i privilegi fiscali. La limitazione più significativa al prelievo tributario, nel caso di Roma, sembrerebbe essere stata proprio l'esistenza di un'economia florida, ma con un tetto piuttosto rigido.

D'altronde anche i limiti politici dell'impero sono direttamente rilevanti per la storia del suo crollo. Come abbiamo visto, era relativamente semplice legare le varie realtà locali al centro dell'impero: in cambio del pagamento delle tasse la macchina dello stato, cioè i suoi eserciti e il suo corpus giuridico, proteggeva una classe di proprietari terrieri piuttosto piccola dai nemici interni ed esterni. Si trattava di persone che si trovavano in una posizione vulnerabile, perché la loro preminenza si basava esclusivamente sul possesso delle terre coltivabili: dunque non avrebbero potuto semplicemente far fagotto e andarsene quando il centro dell'impero non fosse stato più in grado di difenderli. Non c'è di che stupirsi, quindi, se i proprietari terrieri si affrettarono a corteggiare i nuovi potentati barbarici in ascesa. Questo limite interno al sistema ebbe un ruolo notevole nel modellare le forme che il declino assunse per esempio nella Gallia centromeridionale e in Spagna.

Un altro limite politico riguarda le modalità di funzionamento dell'alta gerarchia. In virtù delle vastissime dimensioni dell'impero e dei suoi precedenti successi nella romanizzazione delle élite provinciali, i regimi politici tardoimperiali erano sottoposti a continue pressioni da parte delle lobby locali: anche per questo, nel IV secolo, tutti davano ormai per scontato che si dovesse suddividere il governo tra almeno due imperatori. Nessuno però aveva una ricetta sicura per far funzionare senza problemi la condivisione del trono; in questo senso ogni nuovo regime doveva improvvisare. Il potere centrale poteva essere suddiviso in vari modi, per esempio tra due o più imperatori, oppure tra un imperatore fantoccio e uomini potenti come Ezio e Stilicone che muovevano i fili tenendosi dietro le quinte. Tutte queste manovre potevano generare fasi di stabilità politica lunghe anche dieci o vent'anni, ma più spesso provocavano scontri brutali che potevano sfociare nella guerra civile. E l'instabilità politica al centro dell'impero regalava sempre agli immigrati preziose occasioni di portare avanti i propri interessi.

Ai limiti interni bisogna dunque dare il giusto peso. Tuttavia, chiunque intenda sostenere che abbiano giocato un ruolo *primario* nel crollo dell'impero e che i barbari abbiano solo accelerato il processo deve spiegare in che modo l'edificio imperiale avrebbe potuto collassare *senza* un massiccio attacco militare dall'esterno. Cosa a mio avviso piuttosto difficile. Non dico che quello del tardo impero fosse un sistema politico perfetto: al suo interno c'erano già molte spinte centrifughe anche prima dell'avvento dei barbari, e alcune zone periferiche erano molto meno integrate di quelle centrali raccolte attorno al Mediterraneo. La Britannia, in particolare, aveva sempre avuto una spiccata tendenza a produrre movimenti politici dissidenti e a giudicare dall'entità del suo banditismo anche la Gallia nordoccidentale (Armorica) non si comportava troppo bene. Questo tipo di rivolte è per noi particolarmente istruttivo. Innanzitutto i disordini esplodevano solo nei momenti di instabilità del centro imperiale; poi, per riportare l'ordine nella provincia ribelle, l'impero non doveva far altro che inviare un modesto corpo di spedizione, come avvenne nel caso della Britannia. Nel 368 il *comes* Teodosio, padre del primo imperatore omonimo, ci riuscì con solo quattro reggimenti.[21] Perché l'impero andasse in mille pezzi, dunque, la rivolta avrebbe dovuto scoppiare simultaneamente in una massa critica di luoghi diversi, ciascuno dei quali avrebbe richiesto una fetta di truppe romane abbastanza sostanziosa da impedire all'impero di pacificarle tutte.

Un simile insieme di eventi, analogo a quello che nel IX secolo avrebbe frammentato la metà occidentale del mondo carolingio, era addirittura impensabile nel IV secolo, e proprio perché l'impero romano differiva da quello carolingio per alcuni aspetti fondamentali. Nell'impero carolingio l'esercito era costituito da latifondisti locali che capeggiavano contingenti armati di loro dipendenti, mentre l'impero romano aveva un esercito professionale. Quando si staccarono dall'impero carolingio, le autonomie locali avevano dunque già un loro esercito bell'e fatto; i proprietari terrieri romani, invece, erano dei semplici civili, e nelle loro zone di residenza dovettero faticare non poco per mettere insieme una forza militare che potesse almeno difenderli dalla rapacità del centro. Non solo la Britannia, quindi, ma anche la Gallia settentrionale, la Spagna e il Nordafrica avrebbero dovuto ribellarsi tutti insieme per rendere almeno concepibile un collasso dovuto a fattori interni e non ci sono indizi per ritenere che nel tardo impero ci fosse una pressione centrifuga di questa portata. A mio parere, invece di parlare delle presunte «debolezze» interne al sistema

539

romano che lo avrebbero fatalmente predestinato al crollo, almeno per quanto riguarda la sua metà occidentale, ha più senso parlare dei «limiti» – militari, economici e politici – che gli impediro-
no di affrontare e risolvere la particolarissima crisi del V secolo.
Limiti interni che indubbiamente dovevano esserci, se l'impero si
dissolse; ma che di per sé non erano sufficienti. Senza i barbari,
non ci sono prove del fatto che nel V secolo l'impero avrebbe comunque cessato di esistere.

Uno shock esogeno

Nel concludere questo studio sulla fine dell'occidente romano
c'è un'ultima linea di pensiero che vorrei esplorare. Lo shock esogeno cui ho fatto riferimento aveva due componenti: gli unni che
lo generarono e i gruppi sostanzialmente germanici che si misero
in movimento per sfuggire agli unni e che con le loro invasioni finirono per aprire una falla letale nello scafo della nave-stato romana. A quanto ne sappiamo nessuna ragione d'ordine profondo
spinse gli unni a trasferirsi nelle terre a nord del Mar Nero nel momento preciso in cui lo fecero. Nell'antichità così come nel medioevo la grande steppa eurasiatica ha spesso prodotto pulsazioni
di popoli anche militarmente significative: genti che di volta in volta hanno esercitato pressione verso est, sui confini della Cina, o
verso ovest, sull'Europa. Le dinamiche di tali movimenti non sono
abbastanza conosciute da permetterci di stabilire con assoluta certezza se siano ragioni d'ordine generale a produrre quelle pulsazioni in determinati momenti piuttosto che in altri, o se ciascun episodio abbia avuto in realtà delle ragioni scatenanti tutte sue. Nel caso degli unni non possiamo far altro che citare alcune cause possibili, che vanno dalle condizioni ambientali (la steppa potrebbe
aver attraversato un periodo di siccità che la rese meno idonea ad
alimentare le greggi) ai mutamenti sociopolitici e alle contingenze
militari (l'invenzione di un modello di arco più potente). Ma allo
stato attuale delle conoscenze sulle ragioni per cui alla fine del IV
secolo gli unni si spostarono verso ovest non sappiamo di più che
su quelle per cui i sarmati fecero altrettanto attorno all'anno della
nascita di Cristo.[22]

Gli unni, però, sono solo una parte del problema. Della crisi unna, la componente che ebbe l'effetto più immediato e drammatico sull'impero romano furono i gruppi a dominante germanica che ne varcarono la frontiera nelle due ondate principali del 376-380 e del 405-408. Se a proposito degli unni non sappiamo molto di più di quanto abbiamo detto sopra, l'interazione tra i nomadi della steppa e gli agricoltori stanziali germanici dev'essere studiata attentamente perché, da una prospettiva storica più ampia, i suoi effetti furono davvero straordinari. Nel I secolo d.C., in modo non molto diverso, alcuni nomadi sarmati avevano aggredito le società agricole a dominante germanica stanziate all'estremo orientale dei Carpazi; e alcuni di quei sarmati, un po' come gli unni, si erano poi trasferiti nella grande pianura ungherese. A dispetto di queste similitudini, però, l'arrivo dei sarmati non aveva assolutamente provocato un effetto domino paragonabile al massiccio esodo di goti, vandali, alani ecc. che quattro secoli dopo si sarebbe riversato in territorio romano.[23] Perché?

La spiegazione più probabile di questa differenza sta nelle trasformazioni che tra il I e il IV secolo avevano cambiato la faccia del mondo germanico. Come abbiamo visto nel Capitolo 2, la Germania del I secolo era divisa in molte piccole formazioni politiche in competizione tra loro, ma tutte caratterizzate da una povertà e da un'arretratezza tali che i romani ritennero non valesse nemmeno la pena di conquistarle. A quei tempi la Germania poteva produrre qualche squadra di predoni e costruire qualche alleanza difensiva più ampia, capace per esempio di far cadere in trappola e massacrare un distaccamento militare romano che se ne andasse a zonzo per le sue foreste (come Arminio fece nel 9 d.C. con le legioni di Varo); ma non aveva alcuna struttura politica in grado di reggere a uno scontro aperto e prolungato con le manipolazioni diplomatiche e di potere dei romani. Al tempo della calata degli unni, invece, le cose erano molto cambiate. Una vera e propria rivoluzione economica aveva trasformato sia la produzione agricola che le manifatture germaniche, generando un drastico aumento della popolazione e un nuovo livello di benessere. Ne era nata una nuova stratificazione sociale, caratterizzata dalla presenza di una classe dominante di uomini liberi e di principi ereditari con tanto di seguiti armati. Tutti questi cambiamenti sociali, in alcuni casi, avevano dato origine a strutture politiche più robuste. Nel IV secolo, ormai, certi sottogruppi alamanni e goti funzionavano ai margini del mondo romano come veri e propri stati vassalli. In genere compiacenti, se necessario queste nuove formazioni statali potevano comunque passare all'attacco per contrastare le imposizioni provenienti dall'impero.

Quando i gruppi germanici si rifugiarono in territorio romano per sfuggire agli unni, questo lento processo di coagulazione sociopolitica accelerò sensibilmente. Uno dei fenomeni più importanti e più discussi in questo libro (ma finora meno studiati) riguardo alla narrazione degli eventi del V secolo è che tutti i principali stati successori dell'impero romano d'occidente si formarono attorno alla potenza militare di nuovi supergruppi barbari nati strada facendo. I visigoti che nel secondo decennio del V secolo si stanziarono in Aquitania non erano un'antica suddivisione del mondo gotico, ma una formazione del tutto nuova. Finché gli unni non si presentarono ai confini d'Europa i visigoti non esistevano affatto (e non bisogna lasciarsi convincere del contrario dalle vecchie cartine sulle invasioni barbariche dei libri di storia). Essi nacquero infatti dall'unificazione di tervingi e greutungi che nel 376 erano arrivati sul Danubio, con i sopravvissuti dell'esercito di Radagaiso che aveva attaccato l'Italia nel 405-406. Furono le ambizioni di Alarico a raccogliere i sopravvissuti di questi tre gruppi per creare un nuovo raggruppamento molto più grande di qualsiasi altra cosa si fosse mai vista nel mondo gotico.[24] Anche i vandali che nel 439 conquistarono Cartagine erano un'entità politica del tutto nuova, nata stavolta da un'unica pulsazione migratoria: quella degli invasori che alla fine del 406 attraversarono il Reno e che, in origine, erano una blanda alleanza di due gruppi distinti di vandali – gli Hasding e i Siling –, più un numero imprecisato di gruppi alani (la forza maggioritaria), più gli svevi, che probabilmente si erano a loro volta formati con la ricomposizione di alcuni gruppi germanici provenienti dal medio corso del Danubio. Negli anni dal 416 al 418 l'assalto militare goto-romano fece nascere una nuova entità: i vandali Siling e molti alani infatti si aggregarono alla dinastia regnante dei vandali Hasding.

Più tardi, in Gallia, poté nascere un regno franco solo perché anche tra i franchi si verificò un riallineamento analogo. I franchi non compaiono spesso nella nostra narrazione del crollo dell'impero romano, per la semplice ragione che ne sono più un effetto che una causa. Essi cominciano a caratterizzarsi come forza significativa all'interno del territorio dell'impero solo a partire dal 465 circa, quando nella Gallia settentrionale il potere romano è già in via di dissoluzione. Il fatto che la loro unificazione sia intimamente correlata al crollo di Roma non è dimostrabile, ma è comunque assai probabile. Nel IV secolo la politica romana nei confronti dei vicini più meridionali dei franchi nella regione frontaliera del Reno, gli alamanni, ebbe in parte l'obiettivo di impedire loro di costituire confederazioni politiche potenzialmente pericolose sul piano militare: se, com'è logico, la stessa linea fu applicata anche ai franchi, ne deriva che un qualsivoglia amalgama politico franco fu molto più libero di nascere quando in tutta la regione il potere di Roma cominciò a declinare. Quel che è certo è che il contingente di guerrieri franchi che dopo il 480 Clodoveo utilizzò per creare un regno gallo unitario dalla Garonna alla Manica fu messo insieme assemblando almeno sei eserciti distinti: a quello ereditato da suo padre Childerico, Clodoveo aggiunse infatti quelli di Sigiberto (e di suo figlio Cloderico), di Cararico, di Ragnacaro e di Ricario (fratelli, ma ciascuno con un suo seguito armato) e quello di Rignomero.[25] Analogamente anche gli ostrogoti che nel 492 rovesciarono Odoacre per creare l'ultimo degli stati successori erano una creazione piuttosto recente: infatti era stato Teodorico Amal, primo re ostrogoto d'Italia, a portare a termine il processo che suo zio Valamer aveva avviato a partire dal 455 riunendo alcune bande di guerrieri goti per creare un regno successore dell'impero unno nella regione del medio Danubio (esattamente come Clodoveo farà con i franchi). In quella fase il gruppo contava circa 10.000 guerrieri; poi, dopo il 480, Teodorico aveva fuso questo esercito e un altro di analoghe dimensioni, quello dei goti di Tracia che risiedevano nei Balcani orientali. Fu questo esercito congiunto a conquistare l'Italia.[26]

Vale la pena di guardare un po' più da vicino anche il processo di riorganizzazione di una miriade di piccoli gruppi in unità più grandi e più coese da cui nacquero i regni successori. In tutti i casi l'unificazione fu portata a termine in un putiferio di rivalità dinastiche. Da una parte, il processo fu innescato dai capi di bande

543

armate rivali che cominciarono a uccidersi a vicenda: in particolare a Clodoveo pare piacesse moltissimo l'allegro *crack* che la sua scure produceva colpendo un cranio umano, e altre faide personali imperversarono un po' dappertutto. Dall'altra bisogna dire che gli omicidi generalizzati, che pure erano sempre stati molto popolari tra i capi germanici, non avevano mai provocato prima di allora riallineamenti di questa portata. Altrettanto importante delle ambizioni individuali dei capi, quindi, fu l'atteggiamento dei guerrieri che li aiutavano a massacrarsi tra loro. Dal resoconto di Gregorio di Tours su come Clodoveo unificò i franchi emerge chiaramente che dopo ogni nuovo assassinio i seguaci del capo ucciso trasferivano prontamente la loro lealtà a Clodoveo stesso. E sì che le alternative non mancavano. Lo stesso ragionamento si applica a tutti gli altri processi di unificazione: i visigoti nacquero non solo dalle ambizioni personali di Alarico, ma anche dalla disponibilità a raccogliersi sotto le sue bandiere della maggior parte dei tervingi, dei greutungi e dei seguaci dello sconfitto Radagaiso. La coalizione vandala, come abbiamo visto, nacque quando i Siling e gli alani decisero di unirsi agli Hasding e agli ostrogoti, sull'onda di una positiva risposta ai successi riportati per due generazioni consecutive da Valamer e da Teodorico. In altri casi invece sappiamo che qualcuno si rifiutò di entrare nelle nuove alleanze. Invece di concentrarci solo sulle lotte per la leadership, quindi, dobbiamo riflettere anche sulle scelte operate dai germani liberi che con le loro decisioni seppero trasformare le solite rivalità di potere in un processo di unificazione politica.[27]

Dalle informazioni disponibili si ricava che l'impero romano ebbe un ruolo cruciale in tale processo ad almeno due livelli. Primo: essendo la più grande potenza militare dell'epoca esso aveva messo a punto nel corso dei secoli dei metodi infallibili per minare l'indipendenza dei popoli che si stanziavano entro i suoi confini, perfino quando li lasciava entrare volontariamente. Di fronte a un simile potere armato, e che per giunta si sentiva una forma sociale superiore a tutte le altre, i nuovi immigrati capivano subito di avere delle ottime ragioni per dimenticare le passate divergenze e unire le forze. Tervingi e greutungi cominciarono a collaborare già nell'estate del 376, quando Valente provò ad applicare il solito *divide et impera* permettendo agli uni di varcare la frontiera e rifugiarsi in territorio imperiale e agli altri no. I seguaci di Radagaiso, che subito dopo la sconfitta furono venduti come schiavi o che dopo l'assassinio di Stilicone videro massacrare nelle città italiane le loro donne e i loro figli, capirono altrettanto in fretta perché avrebbero dovuto unirsi ad Alarico. E fu ancora dopo aver subìto pesanti sconfitte che i Siling e gli alani si fusero con gli Hasding, proprio per poter resistere in modo più efficace alle campagne militari di Costanzo. Analogamente, nell'estate del 478 la nascita degli ostrogoti fu segnata da un momento di puro terrore quando l'imperatore Zenone cercò di convincere Teodorico Amal ad allearsi con lui contro i goti di Tracia. L'imperatore aveva in mente di mandare a Teodorico un grosso contingente di soldati fingendo di volerlo aiutare contro i suoi nemici, ma per tenersi in realtà ai margini dei combattimenti fintanto che i due contendenti non si fossero inflitti reciprocamente gravi perdite e intervenire poi per spazzar via le briciole. In quell'occasione, nonostante i capi delle due fazioni fossero in pessimi rapporti, i soldati della base si rifiutarono di battersi perché avevano capito perfettamente come la storia sarebbe andata a finire.[28]

Secondo: l'impero romano aveva una poderosa macchina per la redistribuzione del gettito fiscale: i goti e gli altri gruppi ne approfittarono per costringerlo, con le buone o con le cattive, a riconoscerli e a finanziarli come alleati, oppure se ne presero un pezzo sotto forma di territori cittadini generatori di profitti, garantendosi così un reddito fisso che al di fuori dell'impero non avrebbero mai potuto ottenere. Nonostante le conquiste economiche, infatti, il mondo germanico del IV secolo restava pur sempre relativamente improduttivo a paragone dell'impero. Come abbiamo visto nel Capitolo 7, nelle tombe germaniche l'oro cominciò ad apparire con una certa abbondanza soltanto ai tempi di Attila, il quale riuscì a farselo cedere proprio dallo stato romano in una misura senza precedenti nella storia. Per i barbari più intraprendenti l'impero, pur costituendo una gravissima minaccia alla loro stessa sopravvivenza, rappresentava anche una straordinaria occasione di prosperità. E al momento di prendersi con la forza le ricchezze altrui erano ancora una volta i gruppi stranieri che potevano mettere in campo gli eserciti più grossi a essere avvantaggiati. La percentuale di paura e avidità del cocktail poteva cambiare, ma indubbiamente furono proprio questi due ingredienti a spingere i popoli

545

migranti all'unificazione. In un certo senso, quando gli unni ebbero spinto grandi masse di profughi a ridosso delle frontiere, lo stato romano diventò il peggior nemico di sé stesso. La sua potenza militare, unita alla sofisticata macchina finanziaria, accelerò il processo attraverso cui ondate di profughi allo sbando si trasformarono in forze coese capaci di scavarsi un proprio regno indipendente all'interno del corpo politico imperiale.

Alla luce di questo ordine di considerazioni, credo sia possibile fare un ulteriore passo in avanti. Se gli unni fossero arrivati nel I secolo d.C. anziché nel IV e avessero spinto oltre la frontiera romana i gruppi germanici che esistevano allora, il risultato sarebbe stato del tutto diverso. Nel I secolo infatti le entità politiche della Germania erano molto più piccole, e ben difficilmente avrebbero potuto affrontare una riconversione di quel livello: la creazione di grandi alleanze militari sarebbe stata quindi estremamente improbabile. Le tre, quattro, massimo sei unità politiche che componevano ciascuno dei supergruppi del V secolo, invece, avevano una popolazione capace di mettere in campo 20-30.000 guerrieri: probabilmente il minimo necessario per una sopravvivenza di lungo termine. Perché così tanti guerrieri germanici si concentrassero su uno stesso obiettivo, nel I secolo si sarebbero dovute mettere insieme una dozzina di unità rivali, con i conseguenti problemi d'ordine politico. Questo, direi, spiega perché i movimenti dei sarmati nel I secolo non ebbero le stesse conseguenze di quelli degli unni 300 anni dopo.

Le trasformazioni intervenute nella società germanica tra il I e il IV secolo d.C., dunque, sono un fattore cruciale nella storia della caduta dell'impero romano d'occidente. Ma cosa le aveva provocate? Perché quella società era cambiata in modo tanto radicale, e com'era accaduto?

Sulle dinamiche interne alla società germanica di quei secoli le nostre fonti – ovviamente tutte romane – non ci danno che qualche indizio. Tacito nel I secolo e Ammiano Marcellino nel IV accennano a violenti scontri tra i diversi gruppi germanici, da cui l'impero si tenne alla larga; e non abbiamo ragione di credere che si trattasse di episodi eccezionali. Ma al di là di ciò, mi pare che i rapporti tra Germania e impero romano siano fondamentali a vari livelli, e in parte ne abbiamo parlato in questo libro. Evitando di dare un giudizio di valore sui rispettivi meriti – non dimentichiamo che i romani avevano sì il riscaldamento centralizzato, ma trovavano del tutto normale far sbranare degli esseri umani da bestie feroci per il divertimento delle masse – possiamo dire che il mondo germanico era una società relativamente semplice ubicata ai margini di una più complessa. La stretta prossimità geografica di due entità socio-politiche così diverse non poteva non generare proprio il tipo di trasformazioni che abbiamo osservato.

Il rapporto più ovvio, e uno di quelli che hanno attirato di più l'attenzione degli archeologi, era di tipo economico: effettivamente ci sono importanti conferme dell'esistenza di sostanziosi scambi economici tra le società germaniche e l'impero romano. Gli oggetti di elevata qualità prodotti nelle manifatture romane divennero molto presto un tratto costante delle sepolture più ricche del mondo germanico, anche nelle zone più lontane dal confine con Roma. Nella zona frontaliera poi (una fascia larga circa 200 chilometri), oggetti d'uso di produzione romana facevano parte della vita quotidiana anche per la gente comune. In cambio, come confermano le fonti scritte, i romani consumavano grossi quantitativi di materie prime grezze importate da oltre frontiera: a un certo punto del IV secolo l'imperatore Giuliano inserì nei trattati di pace clausole punitive tese a ottenere da vari gruppi alamanni legname da costruzione, generi alimentari e manodopera (schiavi o reclute per i suoi eserciti); in altre occasioni tali beni e servizi furono invece regolarmente pagati. Le guarnigioni frontaliere romane furono per secoli importanti centri di domanda per le economie germaniche confinanti. I generi deperibili che il mondo germanico produceva per l'esportazione non hanno ovviamente lasciato tracce archeologiche, ma di certo producevano anch'essi una certa ricchezza. Dalla Germania, per esempio, partiva un ingente commercio di manodopera schiava; già nel I secolo d.C. i vicini di Roma stanziati lungo il corso del Reno usavano come mezzo di scambio monete d'argento romane; e ancora 300 anni dopo, quando i rapporti tra l'impero e i tervingi si erano ormai guastati, le stazioni commerciali risultavano funzionanti. Sappiamo inoltre che molto spesso individui provenienti da oltre frontiera si arruolavano nell'esercito romano e poi, alla fine del servizio militare, tornavano a casa per spendere in santa pace l'indennità di fine rapporto.[29]

Attorno all'anno zero il mondo germanico si fondava ancora, sostanzialmente, su un'economia di sussistenza. I successivi 400 anni di scambi commerciali con Roma ebbero un duplice effetto. Innanzitutto da oltre frontiera affluì in Germania una ricchezza che non si era mai vista prima, sia per forma sia per quantità. I rapporti con Roma offrivano profitti senza precedenti a molte categorie di commercianti, dai mercanti di schiavi ai produttori-venditori dei generi alimentari destinati alle truppe di guarnigione. Per la prima volta nella storia, quindi, circolava abbastanza moneta da generare delle vere differenze di ricchezza. In secondo luogo – e si tratta di un fattore più importante che non la mera ricchezza in sé – le trasformazioni economiche produssero a loro volta dei cambiamenti sociopolitici, perché certi gruppi cominciarono a darsi da fare per acquisire il controllo dei nuovi flussi di ricchezza. Nel 50 d.C. Vannio re dei marcomanni, il cui regno era situato accanto al Danubio nell'odierna Repubblica Ceca, fu cacciato da un intraprendente gruppo di avventurieri provenienti dalla Polonia centrale e settentrionale i quali, secondo Tacito,[30] si erano spostati verso sud proprio per rivendicare una fetta della ricchezza commerciale che il sovrano aveva accumulato nei suoi trent'anni di regno. Proprio come sarebbe accaduto con il proibizionismo e la mafia, c'era un nuovo, ingente flusso di ricchezza per cui valeva la pena di battersi; e il parapiglia andò avanti finché tutte le faide non si conclusero e tutte le parti in causa non sentirono che una certa distribuzione delle risorse rifletteva l'equilibrio di potere esistente. Ovviamente a noi non è dato di leggere nulla dell'organizzazione dei commerci e dei profitti sul lato germanico del confine, dato che laggiù nessuno sapeva leggere e scrivere. Ma di recente gli archeologi polacchi che si sono occupati della Via dell'Ambra, il percorso lungo il quale in età romana questa pietra semipreziosa arrivava dalle spiagge del Baltico alle manifatture del Mediterraneo, hanno trovato molti ponti e strade lastricate: la datazione col carbonio 14 e con il conteggio degli anelli degli alberi ha portato a dire che simili strutture furono realizzate nei primi secoli d.C. e poi tenute in funzione per più di 200 anni. Evidentemente in Polonia qualcuno che si occupava del commercio dell'ambra stava guadagnando abbastanza da potersi permettere di mantenere quelle infrastrutture, e sarei pronto a scommettere che la maggior parte di quei soldi non finiva nelle tasche di chi tagliava gli alberi e andava a buttarli nelle paludi. L'organizzazione e il controllo degli scambi commerciali portarono naturalmente a una differenziazione sociale che diventava più marcata man mano che all'interno della società germanica certi gruppi particolari cercavano di accaparrarsene i proventi.[31]

D'altra parte anche i rapporti militari e diplomatici con l'impero spingevano la società germanica nella stessa direzione. Per i primi vent'anni del I secolo d.C. le legioni cercarono di conquistare le regioni a nord e a est del confine e di sottometterne gli abitanti. In quella fase l'atteggiamento dell'impero era ancora decisamente predatorio e i germani reagirono com'è logico aspettarsi: la prima coalizione politica di un qualche peso che si formò nella regione del Reno fu messa insieme da Arminio per respingere un'intrusione dei romani. Quell'alleanza riportò un'importante vittoria sulle legioni di Varo, ma poi non riuscì a restare insieme. Come abbiamo visto nel Capitolo 2, nei tre secoli successivi la politica di Roma verso i germani residenti nel raggio di un centinaio di chilometri dalla frontiera alternò le campagne punitive (circa una per generazione) a temporanei trattati di pace stipulati sull'onda delle vittorie militari. In altre parole, quattro volte in un secolo le legioni romane invadevano quei territori massacrando chi rifiutava di sottomettersi e radendo al suolo gli insediamenti ribelli. Non c'è di che stupirsi, quindi, se nella regione si generò ben presto una corrente di resistenza sotterranea. I goti tervingi, per esempio, non vollero mai saperne di adottare la religione cristiana sponsorizzata dall'imperatore Costanzo II e per tre anni, sotto Atanarico, con una sorta di boicottaggio negarono sistematicamente a Roma i contingenti militari di cui aveva bisogno per la guerra contro la Persia. Abbiamo tutte le ragioni di supporre che il desiderio di sottrarsi agli eccessi dell'imperialismo romano abbia avuto un ruolo nella nascita delle più ampie strutture unitarie che caratterizzarono il IV secolo e che a loro volta resero possibili le nuove coalizioni barbariche che nel V secolo si formarono in seno al territorio romano.

Non che la violenza stesse tutta da una parte, ovviamente. Chiunque fosse in grado di organizzare con successo un raid al di là del confine poteva aspettarsene un grosso guadagno (l'economia delle province di frontiera si sviluppava ancor più rapidamente di quella dei vicini germanici). Ciò fu di ulteriore stimolo all'unificazione politica, dato che in genere più grande è il gruppo impegnato nella razzia, più elevate sono le sue possibilità di successo. E le scorrerie di confine, come abbiamo visto, furono un fenomeno endemico nei rapporti tra romani e popolazioni germaniche per tutta la durata dell'impero: dei ventiquattro anni (354-378) coperti dalla cronaca di Ammiano Marcellino, ben quattordici videro gli alamanni creare disordini lungo la frontiera del Reno. Né si può considerare accidentale, a mio avviso, il fatto che anche i super-re alamanni del IV secolo, come quel Cnodomaro sconfitto da Giuliano a Strasburgo nel 357, non disdegnassero di violare la frontiera per scopi predatori. Il prestigio e la ricchezza che si potevano guadagnare con questo tipo di attività erano un elemento importante delle strategie con cui i sovrani barbari rafforzavano la propria posizione interna. Che fosse per respingere le aggressioni dei romani o per impadronirsi delle loro ricchezze, insomma, nel mondo germanico la formazione di coalizioni si rivelò ben presto la via maestra per il successo. Gli aggiustamenti interni – generati sia dagli aspetti positivi sia da quelli negativi dei rapporti romano-germanici – spinsero le società barbariche a creare entità politiche sempre più grandi e più coese. Le nuove coalizioni che all'inizio del III secolo sorsero nella Germania occidentale, indipendentemente dal fatto che traessero la loro ragion d'essere dalla paura o dall'avidità, puntavano evidentemente al potere e alla ricchezza dell'impero romano.

Non appena queste coalizioni più forti e più coese si furono cristallizzate, la pratica diplomatica di Roma accelerò ulteriormente il processo. Una delle tattiche più amate dall'impero era infatti quella di scegliere un leader che sembrasse intenzionato a mantenere relazioni pacifiche con Roma e poi cercare di rinsaldare la sua presa sui sudditi fornendogli un aiuto mirato, cui spesso si aggiungevano privilegi commerciali. L'elargizione di contributi annui era un tratto caratteristico della politica estera di Roma fin dai primi secoli d.C. Ma si trattava di rapporti fondamentalmente ambigui: i re beneficiati infatti dovevano rispondere anche alle aspettative della loro base, e non solo a quelle dello sponsor imperiale. Più di un sovrano alamanno, per esempio, fu costretto dai suoi seguaci a scegliere se unirsi alla ribellione di Cnodomaro o essere deposto.[32] Inevitabilmente, i capi che si dimostravano in grado di attirare la generosità dei romani erano anche quelli che avevano maggiori probabilità di essere sostenuti da molti seguaci.

Anche le armi romane ebbero un ruolo in questo processo. Non sappiamo come si svolgesse il commercio degli armamenti, ma in alcune paludi della Danimarca sono stati ritrovati più depositi di armi romane che in qualsiasi altro punto d'Europa.[33] L'unica conclusione che se ne può trarre è che questo genere di manufatti romani venisse usato nei conflitti locali anche molto lontano dalle frontiere dell'impero. Dopo aver acquisito il controllo di nuove fonti di reddito, organizzato vittoriose razzie in territorio nemico, ricevuto legittimazione e sostegno da parte dell'impero e comprato quantitativi adeguati di armi romane, il dinasta germanico emergente si trovava dunque nella posizione migliore per espandere il suo dominio con mezzi poco pacifici. Quelle energie si scaricarono in parte su Roma, ma anche le fiere rivalità interne al mondo germanico devono aver fatto la loro parte nella costruzione dei principali blocchi di potere. Ammiano per esempio afferma che, per una certa cifra, i burgundi erano disposti ad attaccare gli alamanni e che un eminente sovrano alamanno, Macriano, morì in territorio franco per il fallimento di una sua guerra di conquista locale.[34] Nel corso dei secoli probabilmente ci fu una miriade di conflitti di questo tipo. Al di là dei suoi confini l'impero romano vide dunque svilupparsi una gran quantità di imprevedibili effetti collaterali man mano che le varie società barbariche reagivano, ciascuna a suo modo, ai pericoli e alle opportunità generati dalla sua stessa opprimente presenza. Quando quel processo di amalgama di gruppi e sottogruppi locali che ormai andava avanti da parecchio tempo interagì con lo shock esogeno provocato dalla calata degli unni, ecco entrare in scena i supergruppi che avrebbero finito con lo smembrare l'impero romano d'occidente.

Sospetto fortemente che il tipo di dominio esercitato dagli imperi tenda inevitabilmente a generare una reazione uguale e contraria che, prima o poi, porta i popoli dominati a spezzare le loro catene.[35] L'impero romano, quindi, gettò i semi della propria distruzione non per le debolezze intrinseche che nel corso dei secoli si erano sviluppate al suo interno e nemmeno per altre nuove debolezze sorte nella fase conclusiva della sua storia, bensì in conseguenza dei rapporti che aveva costruito e intrecciato con il mondo germanico. I sasanidi erano riusciti a riorganizzare la società mediorientale in modo da liberarsi della dominazione romana; altrettanto fece il mondo germanico, solo che la collisione con la potenza unna fece precipitare il processo molto più in fretta di quanto altrimenti sarebbe stato possibile. L'impero romano d'occidente non crollò per lo stesso peso del suo «magnifico edificio», ma perché i vicini germanici reagirono al suo strapotere in modi che i romani stessi non avrebbero mai potuto prevedere. Da ciò possiamo forse trarre una morale positiva: per via della sua illimitata aggressività, l'impero romano fu in ultima analisi la causa della propria distruzione.

Ringraziamenti

Il contratto per questo libro è stato firmato solo quattro anni fa, ma in un certo senso per scriverlo ci ho messo quasi tutti i venticinque anni in cui mi sono occupato della ricerca su barbari e romani. Dunque sono davvero troppe le persone che dovrei ringraziare e verso le quali sono in debito per ciò che mi hanno insegnato: a cominciare dai supervisori della mia tesi di laurea, James Howard-Johnson e John Matthews, per finire con tutti gli amici e i colleghi da cui ho imparato moltissimo sia a Londra sia a Oxford e con tutti i pazienti allievi che hanno avuto la bontà di ascoltare le diverse versioni degli argomenti trattati in questo libro e di sopportare i miei terribili giochi di parole. Le principali osservazioni e le correlazioni che tengono insieme il libro sono senz'altro mie; ma è soprattutto il tipo di narrazione che vi espongo a riflettere il mio modo di comprendere il significato generale (e a volte particolare) di tutta la tradizione storiografica in cui ho lavorato e lavoro. Il mio debito nei confronti dell'erudizione e dell'intelletto di altre persone è davvero enorme e intendo riconoscerlo qui perché, volendo rivolgersi anche al grande pubblico, questo libro ha un apparato di note che non sempre rende pienamente giustizia ai meriti di ciascuno. Io per primo ne sono profondamente consapevole e in particolare vorrei ringraziare tutti i colleghi e gli amici che mi sono stati di stimolante compagnia nella prima metà degli anni Novanta del secolo scorso, quando ho avuto la fortuna di imparare moltissimo dalla mia partecipazione al progetto *La trasformazione del mondo romano* della European Science Foundation. In particolare, inoltre, vorrei ringraziare Jason Cooper, il mio editor alla Macmillan, che con i suoi saggi consigli mi ha sostenuto per tutto il lavoro; Sue Phillpott, il mio copy editor, che ha fatto moltissimo del lavoro che in teoria sarebbe toccato a me; e tutti gli amici che hanno ascoltato, letto e offerto consigli su questo libro, tutto o in parte. Da ultimo, ma non per importanza, devo più di

quanto potrei mai dire alla mia famiglia, che mi ha sempre risolle-
vato l'animo quando mi sentivo troppo infelice per continuare a
scrivere, e al mio cane e ai miei gatti. La necessità di pagare le loro crocchette mi ha tenuto al tavolo da lavoro anche quando avrei
preferito uscire e andare a divertirmi.

Dramatis personae

Akatziri – Gruppo nomade che occupava un territorio a nord del Mar Nero, caduto sotto l'egemonia di Attila prima del 450. La loro struttura politica era formata da una serie di sovrani ordinati gerarchicamente e probabilmente era simile a quella degli unni prima della rivoluzione che diede il potere alla dinastia di Rua e di Attila.

Alamanni – Confederazione di gruppi di lingua germanica che nel IV secolo occupavano un territorio antistante la regione dell'impero romano posta lungo la frontiera del Reno. La gestione interna del potere era sempre condivisa da vari re, ciascuno dei quali aveva alcuni cantoni in cui regnava incontrastato e trasmetteva lo scettro ai figli in successione ereditaria; ma ogni generazione politica avanzava anche la candidatura di super-re preminenti e non ereditari.

Alani – Nome collettivo di gruppi di nomadi di lingua iranica che nel IV secolo occupavano un territorio a nord del Mar Nero e a est del fiume Don. Nella crisi originata dagli unni alcuni vennero facilmente conquistati e rimasero a far parte dell'impero unno fino a dopo la morte di Attila; altri invece scapparono verso ovest fin dentro al territorio dell'impero romano ed entrarono a far parte dell'establishment militare dell'impero d'occidente. Un gruppo molto numeroso partecipò all'attraversamento del Reno del 406 e, dopo le pesanti sconfitte subite nel 416-418, si unì alla confederazione vandalo-alana che nel 439 si spostò in Nordafrica e attaccò Cartagine.

Alarico – Re dei (visi)goti (395-411). Capo, nel 395, di una rivolta dei goti tervingi e greutungi che nel 376 erano passati all'interno dei confini dell'impero e che nel 382 avevano siglato un trattato di pace con l'imperatore Teodosio I. Creò un nuovo supergruppo visigoto unificando definitivamente i primi due gruppi con un terzo, formato dai sopravvissuti dell'attacco sferrato da Radagaiso contro l'Italia nel 405-406. Portò anche i suoi goti fuori dai Balcani e dentro all'impero d'occidente in cerca di un accomodamento politico con lo stato romano. Morì dopo aver saccheggiato Roma nel 410, ma prima che si raggiungesse un accordo duraturo.

Alateo – Capo, insieme a Safrax, dei goti greutungi che attraversarono il Danubio nel 376. Scomparve, probabilmente ucciso, all'epoca in cui fu firmato il trattato del 382.

Ammiano Marcellino – Storico del tardo impero. La parte delle sue opere sopravvissuta fino a noi copre il periodo dal 354 al 378. Fonte di fondamentale importanza per la conoscenza del funzionamento del tardo impero romano e dell'inizio della crisi unna fino alla battaglia di Adrianopoli, nel 378.

Antemio – Generale dell'impero d'oriente. Affrontò le conseguenze del crollo dell'impero di Attila e divenne poi imperatore d'occidente (467-472). Sotto il suo regno, nel 468, fu varato l'ultimo tentativo di riconquistare il Nordafrica ai vandali e di dare nuova vita all'impero d'occidente. Quando l'impresa fallì, l'impero entrò rapidamente nell'ultima fase della sua dissoluzione.

Arcadio – Imperatore romano d'oriente (395-408). Figlio di Teodosio I, salì al trono ma non regnò mai con un potere effettivo. Alla fine Alarico non riuscì a raggiungere un accomodamento con le persone che gestivano il potere in suo nome e invase l'Italia.

Arminio (Hermann il Germano) – Capo dei cherusci, tribù di lingua germanica della regione frontaliera del Reno settentrionale, organizzò la confederazione temporanea che annientò l'esercito romano di Varo nella battaglia della Selva di Teutoburgo, nell'anno 9 d.C. Erroneamente ritenuto il primo nazionalista germanico.

Aspar – Generale romano d'oriente responsabile dell'ascesa al trono d'occidente di Valentiniano III e di aver spinto Genserico a siglare nel 437 il primo trattato di pace con l'occidente romano. A partire dal 457 divenne l'eminenza grigia di Costantinopoli alla morte dell'imperatore d'oriente Marciano.

Atanarico – Capo («giudice») dei goti tervingi che alla metà del IV secolo occupavano un territorio in Moldavia e Valacchia. Respinse con successo il tentativo (367-369) dell'imperatore d'oriente Valente di stabilire un dominio assoluto sul suo territorio, negoziando un trattato meno oneroso di quello impostogli nel 332 da Costantino. Perse la fiducia dei suoi seguaci nel 376, quando questi si rifiutarono di applicare le misure da lui suggerite per affrontare la crisi provocata dagli unni (*vedi anche* Fritigerno).

Ataulfo – Sovrano visigoto (411-415). Cognato ed erede di Alarico. Fece spostare i visigoti dall'Italia alla Gallia meridionale, dove impiegò vari stratagemmi, compreso il matrimonio con Galla Placidia (sorella dell'imperatore d'occidente Onorio), per forzare l'impero a stringere un accordo politico vantaggioso per i suoi goti. Troppo ambizioso nei suoi piani, alla fine fu assassinato per il risentimento originato nelle sue truppe dalla mancanza di rifornimenti alimentari.

Attalo, Prisco – Senatore romano e usurpatore del trono d'occidente elevato due volte alla porpora a opera dei capi visigoti: Alarico, in Italia, nel 409-411, e Ataulfo, in Gallia, nel 413-414.

Attila – Re degli unni (440 ca. - 453). Dopo aver ereditato dallo zio Rua il dominio sugli unni e sui popoli loro sottoposti, in un primo tempo regnò insieme al fratello Bleda. Fu colui che condusse gli unni a una politica di aggressione nei confronti dell'impero romano, lanciando massicci attacchi contro la sua metà orientale nel 441-442 e nel 447 e contro la metà occidentale nel 451 e nel 452. Eliminò il fratello nel 445 e nel 448-449 ricevette un'ambasceria romana di cui faceva parte anche lo storico Prisco. L'impero unno crollò subito dopo la sua morte (*vedi anche* Dengizich).

Augusto – Primo imperatore di Roma (27 a.C. - 14 d.C.). Ottenne la carica per decreto del senato nel 27 a.C. Era l'erede di Giulio Cesare e come tale, dopo il suo assassinio avvenuto nel 44 a.C., prese rapidamente in mano le redini del potere (tra il 44 e il 27 a.C. è comunemente citato con il nome proprio: Ottaviano).

Ausonio – Docente di retorica all'università di Bordeaux. Nel decennio successivo al 360 diventò tutore del giovane imperatore Graziano e poi, soprattutto durante il regno di Graziano stesso, a partire dal 375, si conquistò una posizione di grande prestigio alla sua corte. Fu corrispondente di Simmaco e autore della *Mosella*, poema che in parte rappresenta una reazione all'atteggiamento tenuto da Simmaco durante la sua permanenza nella regione della frontiera del Reno nel 369-370.

Bigelis – Capo goto di un gruppo di ex sudditi degli unni che invasero i Balcani orientali romani dopo il 466, quando l'impero unno crollò e si estinse.

Bleda – *vedi* Attila.

Bonifacio – Comandante generale delle forze armate romane in Nordafrica al tempo dell'invasione di Genserico. Fu erroneamente accusato da fonti più tarde di aver invitato i vandali ad attraversare il Mediterraneo dalla Spagna meridionale dove si trovavano. Fu rivale di Ezio nel controllo del giovane imperatore Valentiniano III dopo il 425. Venne ucciso nella battaglia contro Ezio stesso nel 433, in Italia.

Burgundi – Gruppo di lingua germanica che nel IV secolo occupava un territorio a est di quello degli alamanni. Circa cinque anni dopo l'attraversamento del Reno nel 406, i burgundi si spostarono più a ovest, in alcuni territori sul Danubio dalle parti di Magonza, Spira e Worms. Bistrattati dagli unni, per ordine di Ezio, intorno al 436, vennero subito dopo ristanziati attorno al lago di Ginevra. Dopo la morte di Ezio allargarono in direzione sud la regione sottoposta al loro controllo fino alla valle del Rodano, creando uno dei regni successori dell'impero romano d'occidente. A paragone dei visigoti, dei franchi e degli ostrogoti, furono una potenza di secondo piano.

Carpi – Gruppo di lingua dacia stanziato nel III secolo in territori fuori del controllo di Roma attorno ai Carpazi. Tra la fine del III e l'inizio del IV secolo, molti di loro si spostarono all'interno dell'impero romano e altri furono conquistati durante l'ascesa della potenza gota.

Cassiodoro – Senatore romano e amministratore d'alto livello dei re ostrogoti d'Italia tra il 522-523 e il 540. Scrisse una storia dei goti che indirettamente è la nostra fonte principale sul crollo dell'impero unno (*vedi anche* Giordane).

Celti – Nome collettivo di una serie di gruppi che parlavano lingue correlate e che negli ultimi secoli a.C. dominarono l'Italia settentrionale, la Gallia e le isole britanniche, così come buona parte della penisola iberica e dell'Europa centrale. Molti furono poi incorporati nell'espansione dell'impero romano, non da ultimo perché l'economia di questi gruppi, relativamente sviluppata, offriva un ragionevole ritorno dei costi richiesti dalla conquista.

Childerico – Capo di un gruppo di franchi salii emerso quando l'impero romano d'occidente già si avviava all'estinzione. Operò a ovest del Reno come anche nei tradizionali territori franchi, a est del fiume; alla sua morte, nel 482, aveva assunto il controllo della ex provincia romana Belgica Secunda, il cui capoluogo era Tournai. È possibile che fosse preminente tra gli altri capi dei franchi, ma l'unificazione fu di fatto raggiunta soltanto con suo figlio (*vedi* Clodoveo).

Clodoveo – Re dei franchi salii (482-511). Creò il regno franco subito dopo il crollo di Roma. Alla sua morte, questa entità politica comprendeva tutta la Francia attuale tranne la costa mediterranea, oltre al Belgio e a vasti territori a est del Reno. Il nuovo regno fu creato grazie alle vittorie riportate su quel che restava dell'esercito romano del Reno (*vedi* Egidio) e su bretoni, alamanni, turingi e visigoti, nonché in forza di un processo di centralizzazione che vide Clodoveo eliminare una serie di altri capi franchi inglobandone i seguiti armati.

Cnodomaro – Preminente super-re degli alamanni intorno al 350. Ebbe un suo seguito personale di trecento uomini armati; il suo potere si estinse con la sconfitta subita per mano dell'imperatore Giuliano con la battaglia di Strasburgo, nel 357.

Costantino I – Imperatore romano (306-337). Emerse vittorioso dalle guerre che misero fine alla tetrarchia (*vedi* Diocleziano) per regnare su tutto l'impero a partire dal 324, anche se condivise il potere con i suoi figli. Pacificò le regioni frontaliere del Reno e del Danubio e impose un forte dominio romano a gruppi come i tervingi (*vedi* Atanarico). Portò a completamento molte delle riforme militari e amministrative che permisero all'impero di affrontare l'ascesa della Persia al rango di superpotenza, e avviò il processo che vide il cristianesimo diventare una componente chiave del mondo tardoromano.

Costantino·III – Usurpatore (406-411). Estese rapidamente il suo potere dalla Britannia a tutta la Gallia e perfino a zone periferiche di Spagna e Italia. Si guadagnò sostegni offrendo una reazione coerente agli invasori del Reno del 406, e minacciò addirittura di soppiantare l'imperatore Onorio prima di cadere vittima della ripresa imperiale generata da Flavio Costanzo.

Costantino VII Porfirogenito – Imperatore bizantino (911-957). Più che altro un prestanome, che usò il suo tempo per realizzare un progetto di recupero dell'eredità classica bizantina, raccogliendo in più di cinquanta volumi le opere degli autori antichi sotto una gran varietà di titoli. Pochi sono arrivati fino a noi, ma i suoi *Brani sulle ambascerie* contengono molti estratti dalla cronaca di Prisco e sono importantissimi per la nostra conoscenza di Attila.

Costanzo II – Imperatore romano (337-361). Considerato da Ammiano Marcellino la quintessenza dell'imperatore «cerimoniale», si sforzò di condividere il potere rendendosi conto, benché a fatica, che un uomo solo non poteva occuparsi di tutto il regno dal Reno alla Mesopotamia. Portò sostanzialmente avanti l'opera di cristianizzazione.

Costanzo, Flavio – Generale romano d'occidente. Ricostruì la sua metà dell'impero nel caos generato dalla crisi del 405-406. Sconfisse gli usurpatori nel 411 e nel 413, mise in ginocchio i visigoti (416) e poi condusse insieme a loro efficaci campagne militari contro gli invasori del Reno in Spagna (416-418). Si conquistò una posizione di primissimo piano a corte sposando Galla Placidia, sorella dell'imperatore Onorio. Per breve tempo imperatore nel 421, morì nello stesso anno senza essere riuscito a ottenere il riconoscimento da parte di Costantinopoli.

Dengizich – Figlio di Attila e sovrano di parte degli unni tra il 453 e la sua morte, avvenuta nel 469. Presiedette al crollo dell'impero di suo padre quando i popoli soggiogati si liberarono della dominazione unna, e alla fine cercò di ricavarsi un suo regno a sud del Danubio, nei territori dell'impero romano d'oriente. Fu però sconfitto e ucciso.

Diocleziano – Imperatore romano (285-307). Attuò molte delle riforme, soprattutto finanziarie, che permisero all'impero di mantenere il grande esercito necessario a riconquistare la parità con la Persia dei sasanidi. Sperimentò anche un assetto di potere con due imperatori anziani e due più giovani: la cosiddetta tetrarchia. La cosa funzionò finché egli fu in vita, ma poi generò quasi vent'anni di guerra civile.

Edeco – Seguace di primo piano di Attila. Si reinventò come re degli sciri quando questi riconquistarono l'indipendenza dopo la morte del grande unno. Divenne re per via di matrimonio, ed era di ascendenza turingia o unna (o entrambe). Fu ucciso quando gli ostrogoti cancellarono l'indipendenza degli sciri, intorno al 467. Durante un'ambasceria presso Costantinopoli aveva subìto (a insaputa di Prisco, che lo accompagnerà nel viaggio di ritorno) un tentativo di corruzione da parte dei romani d'oriente allo scopo di assassinare Attila.

Egidio – Comandante generale delle forze armate romane in Gallia sotto l'imperatore Maggioriano, negli anni successivi al 460. Dopo l'omicidio di Maggioriano si ribellò, e il suo comando divenne la base di un feudo indipendente sulla frontiera del Reno e nelle immediate vicinanze. Il suo regno conservò l'autonomia fino al 485 circa, quando fu conquistato da Clodoveo re dei franchi.

Ellac – Figlio di Attila e sovrano di una parte degli unni dopo la morte del padre, avvenuta nel 453. Rimase ucciso nella battaglia del Nedao (454?), dopo la quale i popoli assoggettati da suo padre, in buona misura germanici, cominciarono a rivendicare la propria indipendenza.

Eracliano – Generale comandante delle forze romane in Nordafrica nel 410 circa. Avversario di Stilicone, ma fedele a Onorio. Fornì di tasca sua un aiuto economico all'imperatore nei momenti più difficili; poi, nel 413, invase l'Italia, vuoi per impossessarsi del potere imperiale vuoi per controllare la crescente influenza di Flavio Costanzo. Fu sconfitto e assassinato durante il viaggio di ritorno a Cartagine.

Ernac – Figlio di Attila e re di una parte degli unni dopo il 453. Presiedette al crollo dell'impero di suo padre quando i popoli assoggettati si liberarono della dominazione unna, e alla fine cercò di ottenere per sé un nuovo feudo a sud del Danubio, nel territorio dell'impero d'oriente. Diversamente da suo fratello Dengizich, alla fine riuscì a trovare un accomodamento e insieme ai suoi seguaci poté stabilirsi nella Dobrugia.

Eruli – Gruppo di lingua germanica originario dell'Europa centrosettentrionale. Nel III secolo alcuni suoi membri migrarono nelle regioni a nord del Mar Nero in compagnia dei goti e di altri gruppi. Gli eruli divennero sudditi degli unni e sotto il regno di Attila si spostarono a ovest dei Carpazi, nella grande pianura ungherese. Riconquistarono la loro indipendenza come regno a sé stante con le guerre dei decenni 450 e 460.

Eudossia – Figlia maggiore dell'imperatore Valentiniano III. In base al trattato di pace siglato nel 442 fra Ezio e Genserico, re dei vandali, fu promessa sposa del figlio maggiore di quest'ultimo, Unerico. Lo sposò dopo il 455, quando fu portata a Cartagine dopo il sacco di Roma.

Eunapio – Storico tardoromano del periodo compreso tra la fine del IV e il V secolo, i cui testi sono sopravvissuti parte in frammenti e parte attraverso il riutilizzo che ne fece Zosimo, un altro storico del VI secolo.

Eurico – Re dei visigoti (466-484). Assassinò suo fratello Teodorico II per impadronirsi del potere, cercando di stabilire un regno visigoto completamente indipendente da quel che rimaneva dell'impero romano d'occidente. Dopo la sconfitta della spedizione vandala del 468, lanciò campagne militari a largo raggio che, nel 476, estesero i confini del suo regno fino alla Loira e ad Arles, in Gallia, e fino alla costa meridionale della penisola iberica.

Ezio – Comandante generale, patrizio ed eminenza grigia dell'impero romano d'occidente tra il 433 e il suo assassinio a opera di Valentiniano III, nel 454. Vide la necessità di ricorrere a una potenza estera, quella degli unni, per controllare i gruppi immigrati che nel 405-408 si erano aperti a forza un varco all'interno dell'impero. Ebbe notevoli successi militari nel breve termine, ma nel decennio successivo al 440 la sua strategia fallì per colpa dell'aggressione di Attila. La sua posizione politica divenne insostenibile dopo il crollo dell'impero unno conseguente alla morte di Attila.

Fozio – Bibliofilo bizantino del IX secolo e (per un breve periodo) patriarca di Costantinopoli. La sua esauriente descrizione della propria, grande biblioteca è un'importante fonte d'informazioni su molti dei testi fondamentali per la nostra conoscenza del tardo impero.

Franchi – Nome collettivo per gruppi di lingua germanica che nel IV secolo occupavano i territori antistanti la regione frontaliera romana del basso Reno. L'insieme era certamente composto da molti gruppi più piccoli, alcuni dei quali (per esempio i brutteri) sembrano aver avuto una storia continuativa risalente al I secolo d.C. I franchi non compaiono molto spesso nella cronaca di Ammiano, quindi non è chiaro se fossero una struttura politica confederativa sul tipo di quella, contemporanea, degli alamanni. Una vera unità politica fra di loro nacque soltanto verso la fine del V secolo, dopo il crollo dell'impero romano (*vedi* Clodoveo).

Fritigerno – Sovrano di quei tervingi che arrivarono lungo il Danubio nel 376 chiedendo di essere accolti nell'impero romano per sfuggire agli unni. Più tardi cercò di farsi riconoscere re di tutti i goti – tervingi e greutungi – entrati nell'impero nel 376, ma, per quanto vittorioso ad Adrianopoli, non sopravvisse alla guerra e dunque non partecipò alle trattative di pace del 382.

Galla Placidia – Sorella dell'imperatore Onorio, fu catturata da Alarico durante il sacco di Roma a opera dei goti, nel 410. Più tardi sposò il successore di Alarico, Ataulfo: il matrimonio era parte di una strategia mirante a inserire quest'ultimo (e i suoi seguaci goti) nel cuore dell'impero. Alla fine, dopo la morte del marito e del figlio, tornò presso il fratello e sposò Flavio Costanzo. Dopo la morte del secondo marito concentrò le sue energie sulla salvaguardia degli interessi dinastici del figlio nato da queste seconde nozze, Valentiniano III. Svolse un ruolo cruciale nel persuadere Teodosio II a mettere il giovane Valentiniano sul trono d'occidente, cosa che avvenne nel 425; poi cercò di mantenere l'equilibrio fra i vari generali in competizione alla sua corte. Ma anche questo piano fallì quando Ezio riuscì a conquistare la preminenza nell'impero romano d'occidente, a partire dal 433.

Genserico – Re della coalizione vandalo-alana (428-477). Prese il potere in Spagna, ma subito dopo decise che il Nordafrica romano offriva ai suoi seguaci una sicurezza molto maggiore. Dopo essere approdato a Tangeri nel maggio del 429, guidò i suoi seguaci verso ovest. Dopo molte battaglie, grazie al trattato di pace del 437 si insediò in Mauritania e in Numidia. Nel settembre del 439 prese d'assalto Cartagine e alla fine riuscì a farsi riconoscere la conquista delle province più ricche del Nordafrica con un secondo trattato di pace nel 442. Saccheggiò Roma nel 455, dopo che l'usurpazione di Petronio Massimo minacciò l'accordo matrimoniale tra suo figlio Unerico ed Eudossia. Sopravvisse a due massicce spedizioni organizzate dall'impero romano per riprendersi le province nordafricane, nel 461 e nel 468, e più tardi poté negoziare una pace definitiva con Costantinopoli (473).

Gepidi – Popolo di lingua germanica soggiogato dall'impero unno di Attila. Con la loro rivolta e con la loro vittoria nella battaglia del Nedao ebbe inizio il processo che portò al crollo dell'impero unno. I gepidi emersero dalle guerre dei decenni 450 e 460 con un regno tutto loro in Transilvania e nella parte orientale e soprattutto nordorientale della grande pianura ungherese.

Germani – Nome collettivo di una serie di gruppi che parlavano lingue correlate e che negli ultimi secoli a.C. dominarono buona parte dell'Europa centrosettentrionale tra il Reno e la Vistola, i Carpazi e il Baltico. Per la maggior parte non furono incorporati nel movimento espansionistico di Roma nei primi secoli a.C. e d.C. a causa dell'economia relativamente poco sviluppata prevalente al loro interno. I primi quattro secoli d.C. videro una profonda trasformazione delle loro strutture politiche e socioeconomiche insieme a una massiccia espansione della loro popolazione.

Giordane – Storico delle imprese dei goti residente a Costantinopoli nel 550 circa. Afferma di aver seguito da vicino la storia dei goti scritta da Cassiodoro, andata persa, cosa che personalmente ritengo attendibile ma che ha suscitato molte discussioni tra gli storici. Grande valore storico ha il suo resoconto degli eventi del tempo di Attila e della fase seguente, per alcuni dei quali attingeva alla storia di Prisco.

Gioviano – Imperatore romano (363-364). Succedette a Giuliano e fu costretto a cedere ai persiani ampi tratti di territorio strategico per riscattare l'esercito, rimasto in trappola. Morì avvelenato dal monossido di carbonio.

Giovino – Usurpatore della Gallia (411-413). Il suo regime si formò nella regione del Reno, originariamente con il sostegno dei burgundi e dei visigoti, ma fu fatalmente minato quando Flavio Costanzo gli portò via i visigoti.

Giuliano – Imperatore romano (355-363). Dapprima fu Cesare subordinato ad Augusto, suo cugino Costanzo II, e poi unico Augusto a partire dal 361. Riportò un grande successo nella battaglia di Strasburgo e più tardi tenne le redini del potere della confederazione alamanna sotto Cnodomaro. Al momento di assumere il potere dichiarò la propria fede pagana, prima tenuta nascosta; poi lanciò una massiccia invasione della Persia che terminò con la sua morte e con una pace umiliante (*vedi* Gioviano).

Giustiniano – Imperatore romano d'oriente (527-568). Famoso per aver lanciato delle guerre di conquista nel Mediterraneo occidentale che distrussero i regni vandalo e ostrogoto rispettivamente in Nordafrica e in Italia e conquistarono una striscia di territorio lungo la costa meridionale della Spagna. Fece costruire molti edifici, tra cui la basilica di Santa Sofia tuttora esistente a Istanbul.

Goti – Gruppo di lingua germanica che incontriamo per la prima volta nella Polonia settentrionale nel I secolo d.C. Tra la fine del II e il III secolo la loro originaria unità politica si frammentò, e i goti, in un certo numero di gruppi separati, furono coinvolti da un'attività migratoria verso la regione del Mar Nero settentrionale (attuali Ucraina e Moldavia). Qui essi fondarono un certo numero di nuovi regni (*vedi* Tervingi e Greutungi), che furono a loro volta distrutti nel caos generato dall'ascesa della potenza unna alla fine del IV secolo. Poi vari gruppi goti prima separati si riunirono per creare due nuovi supergruppi, molto più numerosi, nel V secolo (*vedi* Ostrogoti e Visigoti).

Graziano – Imperatore romano d'occidente (375-383). Figlio dell'imperatore Valentiniano I, fu responsabile della conduzione generale della campagna contro i goti dopo la morte di suo zio Valente ad Adrianopoli, nel 378. L'impresa comportò anche l'ascesa al trono di Teodosio I e la sottomissione dei goti dopo la sconfitta di quest'ultimo nell'estate del 380.

Gregorio, vescovo di Tours – Storico del regno franco della fine del VI secolo. La sua opera contiene preziose informazioni sul regno di Clodoveo e importanti estratti da opere perdute di uno storico romano del V secolo, Renato Frigidero, che doveva essere bene informato sull'epoca di Ezio.

Greutungi – Forse nome collettivo di una serie di regni goti indipendenti con base nell'odierna Ucraina, a est del Dnestr, prima del 375, o forse nome di un più grande impero goto che andava dal Dnestr al Don e che si frammentò in seguito all'aggressione unna (io propendo per la prima ipotesi). Un gruppo di greutungi arrivò sulle rive del Danubio nel 376 sotto la guida di Alateo e Safrax, partecipò alla battaglia di Adrianopoli e probabilmente anche alla stesura del trattato di pace del 382; alla fine entrò a far parte del nuovo supergruppo goto di Alarico, i visigoti. Un altro gruppo di greutungi arrivò sul Danubio nel 386, ma subì una pesante sconfitta; i sopravvissuti si stanziarono in Asia Minore. Non è chiaro se questi gruppi di greutungi facessero parte di un'unica entità politica prima dell'arrivo degli unni.

Gundobado – Re dei burgundi (473/474-516). Fece carriera nell'esercito di Roma sotto Ricimero, in Italia, prima di tornare nella valle del Rodano per rivendicare una parte (insieme ai suoi tre fratelli) del regno emergente dei burgundi, quando l'impero romano d'occidente si dissolse.

Idazio – Vescovo e cronista spagnolo. È la nostra fonte principale per gli eventi sviluppatisi nella penisola dall'arrivo degli invasori del Reno fino a oltre il 460.

Leone I – Imperatore romano d'oriente (457-474). Cercò di sostenere l'impero d'occidente identificando regimi fidati nel caos che seguì gli assassini di Ezio e di Valentiniano III, e soprattutto negoziando con Ricimero a vantaggio di Antemio e fornendo una grandissima armata per la spedizione contro i vandali del 468.

Libanio – Retore greco residente ad Antiochia e amico di Temistio. La sua vasta raccolta di lettere ci permette di gettare uno sguardo ai valori e al funzionamento interno delle élite romane del tardo impero.

Libio Severo – Senatore italiano e imperatore d'occidente (461-465). Fantoccio installato sul trono da Ricimero dopo che questi ebbe fatto giustiziare Maggioriano. Mai riconosciuto da Costantinopoli, morì in un momento sospettosamente comodo, permettendo lo svolgersi dei negoziati che portarono Antemio a governare l'occidente romano.

Longobardi – Gruppo di lingua germanica della regione del medio corso dell'Elba. Probabilmente riconobbero il potere di Attila in tutta la sua pompa, ma non fecero mai parte del nocciolo duro dei popoli conquistati dagli unni.

Macriano – Preminente super-re degli alamanni negli anni intorno al 370. Valentiniano I cercò di eliminarlo, ma alla fine dovette legittimare la sua posizione nel 374, quando ebbe bisogno di ritirarsi dal Reno per affrontare nuovi guai nella regione del medio corso del Danubio.

Maggioriano – Imperatore romano d'occidente (457-461). Comandante, insieme a Ricimero, dell'esercito romano d'Italia dopo la morte di Ezio. Nel 457 collaborò alla demolizione del regime di Avito e poi, dopo un interregno, fu eletto imperatore. Riconosciuto alla fine anche da Costantinopoli, Maggioriano riuscì a rimettere insieme buona parte di ciò che restava dell'impero d'occidente e, anticipando la strategia di Antemio, cercò di insufflargli nuova vita riconquistando il Nordafrica catturato dalla coalizione vandalo-alana. Quando la spedizione fallì, Ricimero lo fece deporre e giustiziare.

Marcellino – Comandante delle forze di campo dell'impero d'occidente in Illiria a partire dal 455 circa, ma poi della sola Dalmazia quando la Pannonia, più a nord, fu annessa dagli unni. Originariamente nominato da Maggioriano, spostò la sua lealtà a Costantinopoli dopo che quest'ultimo fu giustiziato. Più tardi sostenne il regime di Antemio e raccolse le forze armate necessarie alla spedizione nordafricana del 468. Poco dopo il fallimento di questa fu assassinato in Sicilia, ma il suo feudo passò al nipote Giulio Nepote.

Marciano – Imperatore romano d'oriente (450-457). Soldato d'alto grado salito al potere alla morte di Teodosio II grazie al matrimonio con Pulcheria, sorella di Teodosio. Nel 451 aiutò in maniera sostanziale Ezio nel suo tentativo di respingere l'attacco di Attila all'Italia.

Merobaude – Poeta e soldato della metà del V secolo. Nato in Spagna, ebbe una salda formazione classica nonostante discendesse da un franco che aveva fatto carriera nei ranghi dell'esercito alla fine del IV secolo fino a diventare generale romano. Fu stretto alleato di Ezio: i frammenti della sua opera poetica ci danno un prezioso punto di vista sulle scelte politiche e sulla propaganda del regime di Ezio, alle cui dipendenze Merobaude lavorò sia come propagandista sia come soldato.

Nepote, Giulio – Imperatore romano d'occidente (474-475). Nipote e successore di Marcellino, come lui basò il suo potere sulle ultime forze armate romane di stanza in Dalmazia. Per breve tempo imperatore romano d'occidente, fu deposto da Oreste e tornò in Dalmazia, dove fu assassinato nel 480.

Odoacre – «Re» d'Italia (476-493). Figlio di uno dei principali seguaci di Attila, Edeco, era un principe sciro. Fu costretto all'esilio quando gli ostrogoti distrussero il regno di suo padre lungo il medio corso del Danubio, durante le guerre che seguirono la morte di Attila. Alla fine arrivò in Italia, dove organizzò un colpo di stato servendosi dell'ultimo esercito romano d'Italia, sostanzialmente composto di profughi provenienti dai conflitti dell'era post Attila. Conquistò l'appoggio dei suoi seguaci distribuendo loro terre coltivabili al posto della paga. Rovesciò ma non uccise l'ultimo imperatore d'occidente, Romolo Augustolo, e regnò dopo di lui col titolo di «re», riconoscendo formalmente la sovranità superiore dell'imperatore di Costantinopoli. Deposto e ucciso a sua volta da Teodorico Amal.

Olimpio – Anziano uomo politico d'occidente e organizzatore del colpo di stato del 408 che eliminò Stilicone. Sostenitore di una politica di ostilità nei confronti di Alarico, non aveva però le capacità militari per metterla in atto. Eliminato quando la sua linea politica si dimostrò fallimentare, finì bastonato a morte sotto gli occhi dell'imperatore Onorio.

Olimpiodoro di Tebe – Storico romano-orientale e diplomatico dell'inizio del V secolo. Fozio ci ha tramandato soltanto un breve riassunto della sua opera, ma Zosimo ne copiò ampi brani relativi agli eventi del 405-410 circa. Essendo un contemporaneo intelligente e bene informato, Olimpiodoro è la fonte di quasi tutto ciò che sappiamo delle complicazioni diplomatiche e militari generate dal sacco di Roma per mano di Alarico nel 410.

Onegesio – Illustrissimo tra i notabili della corte di Attila re degli unni. L'ambasceria romana di cui fece parte Prisco cercò palesemente di ingraziarselo per raggiungere i suoi fini.

Onoria, Giusta Grata – Figlia di Galla Placidia e di Flavio Costanzo. Famosa per essersi offerta in matrimonio ad Attila re degli unni come via di fuga da un complicato affare di cuore.

Onorio – Imperatore romano d'occidente (395-423). Salì al trono a sei anni e non riuscì mai a reggere personalmente le redini del potere. Il suo regno vide il predominio di due uomini forti – Stilicone (395-408) e Flavio Costanzo (411-421) – la cui epoca fu costellata e seguita da alcune sanguinosissime manovre di corte. La grande crisi del 405-408 si sviluppò sotto il suo regno e diede origine a una serie di usurpazioni, in particolare quella di Costantino III, che nel 409-410 circa minacciò di detronizzarlo. Non ebbe figli.

Oreste – Ex proprietario terriero della Pannonia, fu mandato a Costantinopoli come ambasciatore da Attila re degli unni. Dopo il crollo dell'impero unno scese in Italia, dove assieme al fratello Paolo divenne molto influente dopo la morte di Ricimero e il ritorno di Gundobado in Burgundia. I due organizzarono l'opposizione che nel 475 spinse Nepote a ritirarsi dalla Dalmazia e proclamarono imperatore Romolo Augustolo, figlio di Oreste. Entrambi furono giustiziati da Odoacre alla fine dell'estate del 476.

Ostrogoti – Secondo supergruppo goto creato nel V secolo attorno alla dinastia Amal, nelle persone soprattutto di Valamer e di suo nipote Teodorico. Valamer unificò una serie di bande di guerrieri goti indipendenti probabilmente dopo la morte di Attila, a partire dal 453; nel 484 circa suo nipote aggiunse a questa base di potere iniziale (probabilmente composta da circa 10.000 guerrieri) un'altra forza analoga nei Balcani orientali. Fu questo esercito congiunto che nel 489 arrivò in Italia al seguito di Teodorico e che a partire dal 493 gli permise di impadronirsi del potere. Come per i visigoti, tradizionalmente si è pensato che anche gli ostrogoti – identificati con i greutungi del IV secolo – esistessero già come unità politica prima dell'arrivo degli unni a nord del Mar Nero, cosa che invece non è dimostrata.

Ottaviano – *vedi* Augusto.

Petronio Massimo – Senatore italiano e usurpatore (455). Nel 454 spinse Valentiniano III ad assassinare Ezio, quindi congiurò per uccidere l'imperatore e impadronirsi della porpora. Fu ucciso durante il sacco di Roma.

Prisco – Storico romano d'oriente della metà del V secolo. Famoso per il suo resoconto di un'ambasceria ufficiale alla corte di Attila, la maggior parte del quale è giunto fino a noi nei *Brani* di Costantino VII Porfirogenito e costituisce la fonte di molto di ciò che sappiamo sugli eventi della metà del V secolo.

Quadi – Tribù di lingua germanica che occupava un territorio ai margini nordoccidentali della grande pianura ungherese in età romana. Contribuì al contingente umano degli svevi che nel 406 attraversò il Reno in compagnia di vandali e alani.

Radagaiso – Re goto. Invase l'Italia con un grande esercito nel 405-406. Dalla cronaca di Zosimo saremmo portati a supporre che le sue truppe fossero decisamente multietniche, ma tutte le altre fonti identificano Radagaiso come un goto e d'altra parte Zosimo non parla dell'attraversamento del Reno del 406, quello sì interamente multietnico: il che lascia supporre che egli potrebbe aver confuso due distinte invasioni. Alla fine Radagaiso fu sconfitto da Stilicone, che riassorbì quasi tutti i suoi guerrieri migliori nelle file dell'esercito romano. Fu infine giustiziato alle porte di Firenze.

Renato Frigidero – *vedi* Gregorio, vescovo di Tours.

Ricimero – Patrizio e generale romano di origini miste, barbare ma decisamente nobili (era fra l'altro nipote del re visigoto Vallia). Arrivò ai vertici della gerarchia militare dell'esercito d'Italia dopo la morte di Ezio; nel decennio successivo al 460, dopo aver fatto giustiziare Maggioriano, fu una delle principali autorità politiche in grado di scegliere i successori al trono. A volte è stato accusato di aver adottato politiche dannose per gli interessi dell'impero romano d'occidente; eppure, attento com'era al proprio interesse personale, al momento della progettata riconquista dell'Africa usò il suo peso politico a favore del regime di Antemio. Tutto sembra suggerire che sia una sorta di Stilicone del V secolo, il personaggio cioè che tentò disperatamente di tenere a galla l'impero d'occidente in una situazione che imponeva di scendere a compromessi politici almeno con alcune delle nuove potenze immigrate. Morì nel 473.

Romolo Augustolo – Ultimo imperatore d'occidente (475-476). Cfr. Oreste e Odoacre.

Rua – Re degli unni nei decenni del 420 e del 430. Probabilmente fu una delle figure chiave nella creazione del nuovo sistema monarchico centralizzato che sostituì quello precedente, basato su vari re gerarchicamente ordinati fra loro. Tale sistema era ancora esistente nel 411, ma poi scomparve definitivamente nel 440 circa, quando Rua trasmise il potere assoluto ai suoi due figli, Attila e Bleda. Rua organizzò almeno anche una grande spedizione punitiva contro l'impero romano d'oriente per fare bottino e imporre un tributo: quei soldi probabilmente gli permisero di accentrare il potere nelle sue mani.

Rugi – Gruppo di lingua germanica che nel I secolo si stanziò sulle rive del Mar Baltico. Almeno alcuni nel III secolo parteciparono all'espansione verso il Mar Nero insieme ai goti. I loro discendenti rimasero poi inglobati nell'impero unno, che li sospinse verso ovest fino alla regione del medio Danubio. Dopo la morte di Attila rifondarono un loro regno indipendente a nord del Danubio stesso, ai margini di quella provincia del Norico dove li ritroviamo nella *Vita di san Severino*.

Safrax – *vedi* Alateo.

Sapore I – Sovrano sasanide della Persia (240-272). Continuò l'opera del padre Ardashir, trasformando definitivamente il Medio Oriente in una superpotenza capace di rivaleggiare con quella di Roma. Ciò gli permise di ottenere vittorie decisive su tre diversi imperatori romani, non ultimo Valeriano, che cadde in mano sua e venne scorticato per conservarne la pelle. La rivoluzione sasanide diede origine a una vasta crisi strategica dello stato romano, che durò per ben due generazioni (*vedi* Diocleziano).

Sarmati – Gruppo originariamente nomade, di lingua iranica, che conquistò dei territori a nord del Mar Nero attorno all'anno della nascita di Cristo. Alcuni rimasero a est dei Carpazi, altri alla fine si spostarono a ovest fino alla grande pianura ungherese, dove divennero un regno vassallo di Roma fino al IV secolo avanzato, prima di essere a loro volta conquistati dagli unni.

Saro – Generale romano e nobile goto. Sigerico, suo fratello, organizzò il colpo di stato che portò all'assassinio di Ataulfo re dei visigoti, poi regnò brevemente prima di essere assassinato a sua volta. Lo troviamo al servizio di Stilicone e di Onorio appena prima e appena dopo il 410 d.C., quando si fa notare per la sua implacabile inimicizia verso Alarico e il cognato Ataulfo. Sospetto che, come molti altri nobili goti diventati generali dell'esercito romano, sia stato un possibile candidato alla leadership del nuovo supergruppo visigoto che fu sconfitto da Alarico, e che abbia scelto di seguire la carriera militare a Roma come unica alternativa praticabile.

Sassoni – Nome collettivo di un certo numero di gruppi di lingua germanica che nel IV secolo si erano stabiliti a est dei franchi. Non sappiamo se abbiano avuto una qualche identità politica di tipo confederale, come gli alamanni, o se il nome collettivo sia semplicemente un'etichetta di convenienza.

Sciri – Gruppo di lingua germanica che probabilmente emerse in qualche modo dal movimento espansionistico dei germani e dei goti verso la regione del Mar Nero nel III secolo. Almeno due gruppi distinti di sciri furono poi conquistati dagli unni. Uno fece parte nel 408-409 del seguito di Uldino prima di potersi stanziare alla sua morte entro i confini dell'impero; il secondo, dopo il crollo dell'impero unno sotto Edeco, fondò un effimero regno indipendente sul medio Danubio prima di essere distrutto dagli ostrogoti nel decennio del 460. Odoacre, figlio di Edeco, fuggì allora insieme ad altri profughi nell'Italia ancora romana.

Sigerico – *vedi* Saro.

Severino – Santo, presente nella provincia del Norico attorno al 460-480. Misteriosa figura di santo proveniente da est la cui *Vita*, opera di Eugippio, ci ha trasmesso una serie di affascinanti quadretti di ciò che accadde alla fine dell'impero, in una provincia romana di frontiera piuttosto defilata, quando le autorità centrali dello stato esaurirono i fondi.

Sidonio Apollinare – Proprietario terriero gallo, poeta e autore di lettere le cui opere documentano l'ultima generazione dell'impero romano d'occidente nella Gallia meridionale. Le sue lettere ci mostrano i vari modi in cui i suoi pari reagirono al crollo dell'impero, e i panegirici da lui composti per vari imperatori (Avito, Maggioriano e Antemio) ci danno preziose informazioni sulle linee politiche e sulle tecniche di autopresentazione di quei sovrani.

Simmaco, Quinto Aurelio – Senatore romano e autore di un gran numero di lettere pervenute fino a noi, oltre che di alcuni discorsi trasmessici molto meno integralmente . La sua vita e le sue opere ci permettono di osservare da vicino gli atteggiamenti e lo stile di vita degli ultimi romani di Roma.

Stilicone – Generale in capo dell'impero romano d'occidente tra il 395 e il 408. Rampollo di seconda generazione di un generale romano di origini vandale, iniziò la sua carriera presso la corte d'oriente e prese il controllo della metà occidentale dell'impero all'improvvisa morte dell'imperatore Teodosio I, governando in nome del giovane figlio di questi, Onorio. Dapprima cercò di riunificare le due metà dell'impero, ma verso il 400 abbandonò questa ambizione perché dovette concentrarsi sul compito di contrastare due diversi attacchi dei goti all'Italia: quello di Alarico, nel 401-402, e quello di Radagaiso, nel 405-406. Passò indenne attraverso queste burrasche, ma non riuscì a porre rimedio alla dissoluzione provocata dall'attraversamento del Reno nel 406 e alle usurpazioni che ne derivarono in Gallia e in Britannia (*vedi* Costantino III). Perse la fiducia di Onorio nel 407-408, quando Alarico si ripresentò lungo i confini dell'Italia, e fu rovesciato da un colpo di stato organizzato da Olimpio. Preferì accettare la deposizione e la morte piuttosto che combattere per la propria sopravvivenza politica.

Svevi – Nome collettivo di gruppi di lingua germanica dell'angolo nordoccidentale della grande pianura ungherese. Per lungo tempo vassalli dei romani, alcuni di loro parteciparono all'attraversamento del Reno nel 406 e alla fine si stabilirono nella Spagna nordoccidentale. Gli altri rimasero nelle loro vecchie tane e vennero sottomessi dagli unni, per poi riconquistare brevemente la loro indipendenza intorno al 460. Questi gruppi erano composti da un certo numero di entità più piccole, come per esempio i quadi che, prima del 406, non sembrano aver funzionato come un gruppo confederato. Sia quelli che se ne andarono sia quelli che preferirono rimanere dov'erano edificarono nel V secolo strutture politiche più unificate.

Teodorico Amal – Completò il lavoro svolto dallo zio Valamer di unire il contingente di goti armati a un altro distaccamento equivalente, per creare il nuovo supergruppo dei visigoti. Nel 489 condusse questo suo esercito in Italia, sconfisse Odoacre e si fece incoronare re d'Italia, regnando dal 493 al 526.

Teodorico I – Re dei visigoti (418-451). Succedette a Vallia; rimase ucciso nella battaglia dei Campi Catalauni contro le orde di Attila.

Teodorico II – Re dei visigoti (453-466). Sostenne il regime di Avito, e più in generale si accontentò di espandere gli interessi dei visigoti patrocinando contemporaneamente l'esistenza di uno stato romano in occidente. Assassinato, fu sostituito dal fratello Eurico, che concepì il futuro dei visigoti indipendente da qualsiasi legame con Roma.

Teodosio I – Imperatore romano (379-395). Originariamente fu scelto da Graziano come successore non dinastico dell'imperatore Valente nella metà orientale dell'impero, affinché si incaricasse di proseguire la guerra contro i goti dopo Adrianopoli. In ciò fallì, ma riuscì comunque a occupare con successo il trono di Costantinopoli e a estendere il suo controllo su tutto l'impero sconfiggendo due aspiranti usurpatori dell'impero d'occidente, Massimo ed Eugenio. Nelle sue guerre utilizzò anche i goti stanziati nel territorio dell'impero grazie al trattato di pace del 382, e impiegò buona parte del suo regno a fare da mediatore tra loro e lo stato romano. Il suo nome è associato anche alla fase finale dell'avvicinamento tra lo stato romano e il cristianesimo, in quanto promulgò leggi aggressivamente antipagane e favorì la distruzione dei templi.

Teodosio II – Imperatore romano (408-450). Nipote di Teodosio I, ereditò il potere ancora minorenne dal padre Arcadio e non governò mai personalmente. Sotto il suo regno la metà orientale dell'impero aiutò in maniera considerevole quella occidentale, soprattutto nel 410 circa quando Onorio ebbe bisogno di sostegno, nel 425 quando si trattò di favorire l'ascesa al trono di Valentiniano III e dopo il 430, al momento di mandare Aspar in Africa. Negli ultimi anni dovette far fronte alla minaccia di Attila. Durante il suo regno fu completato anche il *Codice Teodosiano* (438).

Teofane – Burocrate d'Egitto del 320 circa. L'archivio di Teofane ci permette di osservare le imponenti operazioni svolte dalla tecnologia di governo del tardo impero.

Tervingi – Nome di un raggruppamento goto del IV secolo insediato vicinissimo alla frontiera romana del basso Danubio, in Moldavia e Valacchia. È una delle entità che emersero dall'espansione gotica del III secolo nella regione del Mar Nero. Era una confederazione di sovrani dominati da un «magistrato» il cui potere pare si trasmettesse per diritto ereditario all'interno di una sola famiglia. In quanto vassalli dei romani, i tervingi fecero di tutto per alleviare i termini del contratto di pace loro imposto dall'impero (*vedi* Atanarico). La confederazione si sciolse sotto la pressione degli unni, e la maggior parte dei tervingi entrò a far parte del nuovo supergruppo visigoto (*vedi* Fritigerno e Alarico).

Treveri – Gruppo di lingua germanica originariamente conquistato da Cesare e causa della rivolta che portò all'annientamento delle truppe di Cotta nel 54 a.C. Più tardi si adattò integralmente alla *romanitas*, con i suoi nobili che divennero cittadini romani a tutti gli effetti, gareggiando fra loro per dotare il nuovo capoluogo della regione – Treviri – di tutti gli edifici pubblici di stampo romano e per costruire residenze di campagna in stile romano (ville).

Turingi – Gruppo di lingua germanica del tardo impero romano che diede il nome alla moderna Turingia tedesca. In parte probabilmente cadde sotto il giogo di Attila, e fu uno dei gruppi sconfitti da Clodoveo quando creò il regno dei franchi.

Uldino – Capo degli unni del primo decennio del V secolo. Personaggio oscuro che costruì il proprio potere a nord del Danubio incorporando gruppi già soggiogati come gli sciri e agendo al tempo stesso come alleato di Roma, per esempio aiutando Stilicone a sconfiggere Radagaiso. Invase poi il territorio dell'impero romano d'oriente, dove fu definitivamente sconfitto. La sua disinvoltura suggerisce che non fu un precursore di Attila nel controllare un vasto corpo di unni unificati: la maggior parte di questi, al tempo delle sue imprese, viveva ancora molto più a est.

Ulfila – Apostolo dei goti, nato in una comunità di prigionieri romani tra i goti tervingi all'inizio del IV secolo. Quando il cristianesimo divenne uno dei fattori della diplomazia goto-romana, fu dapprima ordinato vescovo e poco dopo espulso dal territorio gotico. Creò una forma scritta per la lingua gotica e continuò a tradurre la Bibbia anche dopo l'espulsione, rivestendo un ruolo influente nelle dispute dottrinali cristiane della metà del IV secolo.

Unerico – Figlio di Genserico e re della coalizione vandalo-alana (474-484). Dopo aver sposato la figlia di Valentiniano, Eudossia, in base a una clausola del trattato di pace del 442, visse come ostaggio alla corte di Valentiniano per parte del decennio successivo al 440.

Unni – Gruppo nomade della steppa le cui affiliazioni linguistiche e culturali rimangono a tutt'oggi poco chiare. Il loro potere crebbe a partire dal 350 circa nella regione nordorientale del Mar Nero, dando origine a una crisi iniziale nel mondo a predominio goto dell'Ucraina nel 375-376. Per la maggior parte, comunque, gli unni rimasero a nord del Mar Nero fino al 410 circa, quando si spostarono di nuovo verso occidente fino alla grande pianura ungherese. Qui costruirono un impero: innanzitutto sulla base di gruppi sottomessi conquistati, poi estraendo e riciclando ricchezza dal mondo romano e infine concentrando il potere politico al loro interno. Dopo la morte di Attila, nel 453, il processo regredì e l'indipendenza degli unni venne meno nel giro di un ventennio man mano che i popoli riconquistavano la propria indipendenza.

Valamer – Capo degli ostrogoti. Diede origine al processo da cui nacque un secondo supergruppo goto, quello appunto degli ostrogoti, unendo una serie di bande guerriere gote già incorporate nell'impero unno di Attila. Ciò gli diede una base di potere sufficientemente ampia da permettergli di creare, al crollo dell'impero romano d'occidente, un regno goto indipendente, e di ottenere qualche modesto sussidio da quello d'oriente. Fu ucciso nelle guerre del medio Danubio intorno al 467, dopodiché fu suo nipote Teodorico Amal ad accrescere ulteriormente la potenza militare del nuovo gruppo.

Valente – Imperatore romano d'oriente (364-378). Scelto dal fratello Valentiniano I, passò il suo regno a occuparsi delle battaglie contro gli usurpatori, contro i goti tervingi guidati da Atanarico e contro i persiani. La crisi più seria che si trovò ad affrontare fu quella del 376 quando, incalzati dalla calata degli unni, tervingi e greutungi scesero fino al Danubio. Morì due anni dopo, ad Adrianopoli, combattendo contro i goti.

Valentiniano I – Imperatore romano d'occidente (364-375). Ricevette l'ambasceria senatoriale guidata da Simmaco che nel 369 portò a Treviri l'oro della corona. Si batté per scoprire la verità che si celava dietro le accuse di malgoverno provenienti dalla città nordafricana di Leptis Magna. Famoso per la sua durezza nei confronti dei barbari, pare sia morto di un colpo apoplettico quando alcuni ambasciatori dei sarmati e dei quadi non si dimostrarono abbastanza umili in sua presenza. Nonostante questo, in precedenza aveva accettato di scendere a compromessi con Macriano, super-re degli alamanni, quando la situazione lo aveva richiesto.

Valentiniano III – Imperatore romano d'occidente (425-455). Figlio di Galla Placidia e di Flavio Costanzo, divenne imperatore all'età di sei anni grazie all'intervento di un corpo di spedizione mandato dall'imperatore d'oriente Teodosio II. Rimase un imperatore sostanzialmente da cerimonia, privo di alcun potere effettivo: per quasi tutta la durata del suo regno in realtà fu Ezio a governare. Nel 454 ebbe l'audacia di assassinarlo, quando Ezio gli venne a tiro grazie alla morte di Attila, ma nemmeno allora poté guidare personalmente il suo impero. Fu assassinato a sua volta l'anno dopo.

Vallia – Re dei visigoti (415-418). Prese il potere alla fine di una fase di caos politico generato dal fallimento delle eccessive ambizioni di Ataulfo, che avrebbe voluto dare ai visigoti un ruolo di primo piano nell'arena politica dell'impero romano d'occidente. Negoziò un trattato di pace con Flavio Costanzo, secondo il quale i visigoti avrebbero potuto stabilirsi in Aquitania in cambio dell'aiuto dato ai romani contro i vandali, gli alani e gli svevi, che nel 406 avevano attraversato il Reno per poi occupare la Spagna. La piena realizzazione di tale accordo, dopo la sua morte, fu opera di Teodorico I, che nemmeno gli era parente. Tramite una figlia, fu nonno di Ricimero.

Vandali Hasding – Uno o due gruppi di vandali che, per sfuggire all'insicurezza generata in Europa centrale dall'ascesa della potenza unna, alla fine del 406 si aprirono a forza un varco attraverso la frontiera del Reno. La dinastia regnante degli Hasding fornì poi la leadership per una nuova coalizione comprendente anche i sopravvissuti dei vandali Siling e gli alani schiacciati dalle forze armate congiunte visigoto-romane in Spagna tra il 416 e il 418. Prima della crisi dell'impero unno abitavano dei territori a nord dei Carpazi, ma nel 402 si spostarono nella regione dell'alto Danubio antistante il possedimento romano della Rezia (odierna Svizzera).

Vandali Siling – Uno dei due gruppi di vandali che, per sfuggire all'insicurezza creatasi in Europa centrale con l'ascesa della potenza unna, si aprirono un varco al di là del Danubio nel 406. Prima della crisi unna avevano abitato dei territori a nord dei Carpazi, ma poi, a partire dal 402, si spostarono nella regione dell'alto Danubio, proprio davanti ai possedimenti romani, nell'odierna Svizzera. I Siling subirono ingenti perdite durante le campagne congiunte tra romani e visigoti organizzate da Flavio Costanzo dopo il 416, che portarono alla cattura del loro re Fredibaldo. I sopravvissuti si unirono ai seguaci della dinastia Hasding.

Varo, P. Quintilio – Generale e politico romano. Famoso per aver perso un intero esercito (tre legioni più le truppe ausiliarie, per un totale di 20.000 uomini circa) per opera della coalizione creata nel 9 d.C. da Arminio durante la battaglia della Selva di Teutoburgo. Morì suicida dopo la sconfitta.

Venanzio Fortunato – Poeta latino. Dopo aver ricevuto un'istruzione classica in Italia, entrò nelle grazie dell'aristocrazia franca e romana alla corte di vari re franchi nella Gallia della fine del VI secolo. Il suo successo dimostra che i galli rispettavano i valori letterari della classicità anche dopo la scomparsa del sistema educativo romano.

Visigoti – Il primo dei nuovi supergruppi goti nati nel V secolo. Fu creato da Alarico (395) sotto il cui regno si unificarono definitivamente, tra gli altri, i tervingi e i greutungi del 376 e i sopravvissuti dell'attacco di Radagaiso contro l'Italia (405-406). Sotto vari leader successivi il gruppo si stanziò infine nella valle della Garonna, in Aquitania, nel 418, da dove riuscì a espandere il proprio potere, soprattutto sotto Teodorico II ed Eurico dopo il 450, evolvendosi da un insediamento alleato di Roma in un regno indipendente non appena le strutture centrali dello stato romano d'occidente rimasero a corto di soldi.

Zenone – Imperatore romano d'oriente (474-491). Generale isaurico, salì al potere sposando una ragazza della casa reale. Dopo una lunga lotta sconfisse l'usurpatore Basilisco (475-476) e gestì la risposta della metà orientale dell'impero all'ambasceria inviata da Odoacre che segnò l'ultimo respiro dell'impero d'occidente. Durante i suoi ultimi anni di regno Teodorico Amal unificò il nuovo supergruppo ostrogoto nel territorio dell'impero romano d'oriente, e nel 488-489 negoziò la sua partenza per l'Italia.

Zosimo – Storico dell'impero romano d'oriente vissuto nel VI secolo. Importante fonte sul IV e sull'inizio del V secolo in quanto fece abbondante uso delle cronache di Eunapio e di Olimpiodoro, che di quei periodi furono contemporanei.

Tavola cronologica

Re e imperatori

In corsivo i nomi degli usurpatori, cioè dei sovrani non riconosciuti dall'altra metà dell'impero. Sono stati esclusi i nomi di alcuni usurpatori minori dell'impero occidentale, la cui base di potere non andò mai al di là di una determinata località molto circoscritta.

IMPERATORI D'OCCIDENTE	IMPERATORI D'ORIENTE	NON ROMANI
Valentiniano I (364-375)	Valente (364-378)	Atanarico, «giudice» dei goti tervingi (360/375 ca. - 381)
Graziano (375-383)	Teodosio I (379-395)	
Massimo (383-388)		
Valentiniano II (383-392)		
Eugenio (392-393)		
Onorio (395-423)	Arcadio (395-408)	Alarico, creatore e capo dei visigoti (395-411 ca.)
Costantino III (406-411 ca.)	Teodosio II (408-450)	
Flavio Costanzo (421)		
Giovanni (423-425)		
Valentiniano III (425-455)		Genserico, capo della coalizione vandalo-alana (428-477)
Petronio Massimo (455)	Marciano (450-457)	Attila, re degli unni (440 ca. - 453)

Avito
(455-456)

| Maggioriano (457-461) | Leone I (457-474) | Valamer, capo dei goti della Pannonia (455 ca. - 467) |

Libio Severo
(461-465)

Antemio
(467-472)

Eurico, creatore
del regno visigoto
(466-484)

| Olibrio (472) | Zenone (474-491) | Gundobado, re dei burgundi (473/474-516) |

| Glicerio (473-474) | Basilisco (475-476) |

Giulio Nepote
(474-475)

Romolo Augustolo
(475-476)

Odoacre, re d'Italia
(476-493)

Teodorico Amal, capo e
creatore degli ostrogoti
(493-526)

Eventi

350 ca. Gli attacchi degli unni contro gli alani, a est del Don, e contro i goti greutungi, a ovest dello stesso, destabilizzano le zone a nord e a est del Mar Nero.

375 Autunno (?). Un ingente gruppo di greutungi, dopo la morte in battaglia di un loro sottocapo, si sposta a ovest nel territorio limitrofo dei goti tervingi.

376 Fine estate (?). I greutungi e la maggior parte dei tervingi arrivano sul Danubio e chiedono asilo all'impero romano.

377-382 Guerra gotica a sud del Danubio.

377 Fine inverno-inizio primavera. Prima rivolta dei tervingi: i greutungi varcano il Danubio.

377-378 Prima fase della guerra gotica, limitata ai Balcani orientali.

378 24 agosto. Battaglia di Adrianopoli; morte di Valente.

379-381 La seconda fase della guerra gotica si allarga ai Balcani occidentali.

382 3 ottobre. La guerra si conclude con un trattato di pace; tervingi e greutungi si stanziano nei Balcani ottenendo condizioni piuttosto favorevoli.

386 Altri greutungi cercano di varcare il Danubio: vengono sconfitti da Teodosio e si stanziano in Asia Minore a condizioni alquanto dure.

387-388 Teodosio I sconfigge Massimo; i goti dei Balcani partecipano alla guerra e ad alcune rivolte.

392-393	Teodosio I sconfigge Eugenio; i goti dei Balcani partecipano ancora alla guerra e a ulteriori rivolte.
395 ca. - 411	**Alarico regna sui tervingi e sui greutungi compresi dal trattato del 382.**
395-396	Primo attacco importante degli unni all'impero romano attraverso il Caucaso (anche l'impero persiano ne è seriamente danneggiato).
395-397	Prima rivolta di Alarico.
397	Trattato di pace tra Alarico ed Eutropio; Alarico diventa comandante generale di Roma nella provincia dell'Illirico.
399	Caduta di Eutropio; fine del trattato di pace.
401-402	Prima invasione dell'Italia a opera di Alarico; battaglie di Pollenza e Verona.
405 ca. - 408	**Seconda ondata di invasioni dell'impero romano a causa della calata degli unni in alcune regioni a ovest dei Carpazi.**
405-406	Trattato di pace tra Alarico e Stilicone. Radagaiso invade l'Italia varcando i passi austriaci, poi viene sconfitto e ucciso; molti dei suoi seguaci sono venduti in schiavitù e i guerrieri migliori arruolati nell'esercito di Roma.
406	31 dicembre (?). Gli invasori del Reno – vandali, alani, svevi e altri gruppi minori – irrompono attraverso la frontiera romana dell'alto Reno.
407	Costantino III guida le truppe romane di stanza in Britannia e in Gallia contro gli invasori del Reno.
407-409	Gli invasori del Reno devastano la Gallia, quindi passano i Pirenei e dilagano in Spagna.
408 (?)	Uldino, un capo di secondo piano degli unni, invade l'impero d'oriente.
408-411	Seconda invasione dell'Italia a opera di Alarico; creazione dei visigoti con l'aggiunta dei seguaci di Radagaiso ai tervingi e ai greutungi compresi dal trattato del 382.
410	20 agosto. Alarico saccheggia Roma.
410-411 ca. (?)	Le province britanniche si rivoltano contro Costantino III (?).
411-421	**Flavio Costanzo prende il potere nell'impero d'occidente.**
411	Morte di Alarico, cui succede Ataulfo; Olimpiodoro parte con un'ambasceria per il gruppo principale degli unni, che in quel momento sono stanziati nell'Europa centrale (?). Flavio Costanzo sopprime Costantino III e altri usurpatori correlati.
412	Gli invasori del Reno si spartiscono le province della Spagna.
412-413	Onorio invia una lettera ai provinciali della Britannia per dire che le forze armate centrali dell'impero non sono più in grado di proteggerli.
413-416	Flavio Costanzo mina il potere di Ataulfo (ucciso durante un colpo di stato nel 415) per costringere i visigoti a rinnovare la loro alleanza con l'impero romano d'occidente; comincia l'insediamento dei visigoti stessi in Aquitania.
416-418	Le campagne militari congiunte tra visigoti e romani cancellano l'indipendenza degli alani e dei vandali Siling in Spagna; i sopravvissuti si uniscono sotto le bandiere dei vandali Hasding per creare il nuovo supergruppo vandalo-alano.
421	Elevazione alla porpora imperiale e morte di Flavio Costanzo.

423 Morte di Onorio; usurpazione di Giovanni.

422-429 La coalizione vandalo-alana ha mano libera in Spagna, quindi si trasferisce in Marocco; a partire dal 428 è guidata da Genserico. Gli svevi prendono il controllo della Spagna nordoccidentale (Galizia).

425 L'esercito dell'impero d'oriente mette sul trono di quello d'occidente Valentiniano III, di 6 anni.

425-433 Scontri di potere alla corte di Valentiniano III, che si chiudono quando Ezio sconfigge i generali Felice e Bonifacio; eclissi parziale dell'influenza della madre dell'imperatore, Galla Placidia.

433-454 Ezio governa l'impero d'occidente.

435 La coalizione vandalo-alana ottiene delle terre in Numidia e in Mauretania.

436 Gli eserciti di Ezio annientano i bagaudi nella Gallia nordoccidentale.

436-437 Distruzione del regno dei burgundi su entrambe le rive dell'alto Reno a opera degli unni; Ezio sposta i sopravvissuti all'interno dell'impero romano, attorno al Lago di Ginevra.

436-439 La guerra di Ezio contro i visigoti nella Gallia sudoccidentale si chiude con un nuovo trattato di pace.

438-441 Sotto il re Rechila gli svevi conquistano le province Betica e Cartaginense.

439 Settembre. I vandalo-alani conquistano Cartagine, capoluogo del Nordafrica romano, e le province Proconsolare e Byzacena.

440 ca. - 453 Attila è capo supremo degli unni.

441-442 Attila invade per la prima volta i Balcani orientali romani, provocando il rientro dell'esercito mandato in Sicilia dall'impero d'oriente per partecipare alla spedizione di riconquista delle province nordafricane.

444 Trattato di pace tra Genserico e l'impero romano d'occidente, che gli riconosce il controllo della Proconsolare, della Byzacena e della Numidia.

445 (?) Attila uccide il fratello Bleda e regna da solo sugli unni.

446 (?) Ultimo appello dei provinciali della Britannia che chiedono il soccorso del centro imperiale contro i sassoni e altri invasori.

447 Attila invade per la seconda volta i Balcani romani: gravi sconfitte dei romani al fiume Utus e nel Chersoneso.

448 Prisco partecipa a un'ambasceria per uccidere Attila.

450 Attila concede un generoso trattato di pace a Costantinopoli.

451 Attila invade la Gallia, ma viene sconfitto ai Campi Catalauni dalla coalizione di romani, burgundi, visigoti e franchi organizzata da Ezio (fine di giugno?).

452 Attila invade l'Italia e saccheggia molte città fra cui Milano; si ritira poi quando le epidemie e il contrattacco romano indeboliscono il suo esercito.

453-469 Crolla l'impero unno di Attila.

453 Morte di Attila.

454 Estate (?). Battaglia del Nedao; un primo gruppo di sudditi gepidi riacquista l'indipendenza dalla dominazione unna.
21 o 22 settembre. Ezio è assassinato da Valentiniano III.

455	16 marzo. Valentiniano III viene assassinato da Petronio Massimo, proclamato Augusto il giorno dopo. Fine maggio. Le truppe di Genserico saccheggiano Roma, Petronio Massimo viene ucciso mentre cerca di scappare dalla città (31 maggio); Genserico aggiunge al suo regno anche la Tripolitania, la Sardegna e le Baleari. 9 luglio. Avito viene proclamato imperatore d'occidente dai senatori gallo-romani con il sostegno di Teodorico II re dei visigoti.
450-460 ca.	San Severino comincia la sua opera nella provincia del Norico.
456	17 ottobre. Battaglia di Piacenza e detronizzazione di Avito.
457	1° aprile. Maggioriano diventa imperatore d'occidente.
459	I goti della Pannonia al comando di Valamer, ormai uniti e indipendenti dal controllo unno, invadono il territorio dell'impero romano d'oriente per ottenere un sussidio annuo di 300 libbre d'oro.
461-472	**Ricimero domina la politica centrale dell'impero d'occidente.**
461	Estate. Sconfitta del corpo di spedizione nordafricano in Spagna voluto da Maggioriano, che viene deposto il 2 agosto e giustiziato il 7 agosto. Ormai il dominio di Ricimero sull'Italia non ha più rivali. 19 novembre. Nominato da Ricimero, Libio Severo diventa imperatore d'occidente.
465	14 novembre. Morte di Libio Severo.
466	Eurico depone e uccide Teodorico II per diventare re dei visigoti.
467	Dengizich, figlio di Attila, dichiara guerra all'impero d'oriente. 12 aprile. Dopo lunghi negoziati tra Ricimero e Costantinopoli, Antemio viene proclamato imperatore d'occidente.
468-476	**Disfacimento dell'impero romano d'occidente.**
468	Giugno (?). Sconfitta dell'ultima spedizione congiunta delle due metà dell'impero romano contro il regno dei vandali.
469	La testa di Dengizich viene esposta a Costantinopoli; Ernac, l'ultimo dei figli di Attila ancora in vita, si rifugia a sud del Danubio in territorio dell'impero romano d'oriente. L'esercito di Eurico sposta il confine del regno dei visigoti verso nord fino alla Loira.
472	Aprile. Olibrio è proclamato da Ricimero imperatore d'occidente. 11 luglio. Uccisione di Antemio per mano di Gundobado, alleato di Ricimero, dopo una guerra civile. 18 agosto. Morte di Ricimero. 2 novembre. Morte di Olibrio.
473-475	Sidonio e alcuni suoi amici cercano di difendere l'Alvernia dall'annessione visigota mentre l'impero d'occidente va in rovina.
473-489	Le campagne militari di Teodorico Amal, nipote di Valamer, nei Balcani orientali romani, portano alla creazione di un supergruppo ostrogoto.
473	3 marzo. Glicerio viene proclamato imperatore d'occidente. In Spagna l'esercito di Eurico conquista Tarragona.
474	Prima di giugno. Gundobado lascia la politica imperiale per diventare cosovrano dei burgundi. 19 o 24 giugno. Glicerio viene deposto da Giulio Nepote e diventa vescovo di Salona; Nepote si autoproclama imperatore d'occidente.
475	28 agosto. Attaccato da Oreste, Nepote si ritira in Dalmazia.

31 ottobre. Oreste proclama imperatore d'occidente suo figlio Romolo Augustolo.

476 Dopo l'esecuzione della condanna a morte di suo padre Oreste (28 agosto) e di suo zio Paolo (4 settembre), **Romolo Augustolo, ultimo imperatore d'occidente, viene deposto.** Odoacre rimanda a Costantinopoli gli indumenti regali, comunicando con ciò all'imperatore Zenone che l'occidente non ha più bisogno di un imperatore.

Il regno visigoto di Eurico controlla ormai tutta la penisola iberica tranne il suo angolo nordoccidentale, e si annette Arles e il resto della Provenza.

481/482-507 Le campagne militari di Clodoveo portano all'unificazione dei franchi e all'estensione del controllo franco su tutta la ex Gallia romana.

482 Gennaio. Morte di san Severino.

489-493 Teodorico Amal conquista l'Italia, sconfiggendo e deponendo Odoacre.

Glossario

adoratio – cerimonia imperiale consistente nel bacio dell'abito color porpora dell'imperatore: gesto riservato ai favoriti del sovrano e ai dignitari di rango più elevato.

affitto a enfiteusi – forma di affitto molto favorevole che lasciava ai tenutari il possesso della terra più o meno permanente, ereditabile e alienabile a terzi.

agri deserti – ossia «terre abbandonate». Un tempo l'espressione si interpretava nel senso di terre un tempo coltivate e poi lasciate inutilizzate durante il periodo del tardo impero. Oggi invece la consideriamo alla stregua di una categoria fiscale, relativa a quelle terre che non producevano – e probabilmente non avevano mai prodotto – gettito fiscale per l'erario dell'impero.

alae – ausiliari di cavalleria romani, nell'alto impero in genere non cittadini.

annona militaris – nuova tassa sulla produzione economica resa regolare alla fine del III secolo sotto Diocleziano, pagata solitamente in natura, ma a volte commutata in oro.

aurum coronarium – «oro della corona». Pagamento in oro, teoricamente volontario, modellato in forma di corona e proveniente dalle singole città: lo si versava all'ascesa al trono di un nuovo imperatore e poi ogni quinto anniversario del suo regno.

Baia – spiaggia dei romani ricchi e famosi nel Golfo di Napoli, amatissima da Simmaco.

barbaricum – «terra dei barbari». Termine collettivo per tutti i luoghi che non si trovavano all'interno dell'impero romano.

civitas (pl. *civitates*) – territorio cittadino: unità amministrativa di base composta da un centro urbano e dalle sue campagne circostanti, caratteristica del tardo impero.

clarissimus (pl. *clarissimi*) – «illustrissimo». Titolo originariamente riservato ai senatori di Roma e che nel 367, dopo le riforme degli imperatori Valentiniano e Valente, divenne accessibile a tutti i professionisti civili e militari. Al di là del suo significato letterale, indica il minore dei tre livelli senatoriali emersi alla fine del IV secolo (vedi *illustris* e *spectabilis*).

clarissimate – termine collettivo per i *clarissimi*.

Codex Argenteus – lussuosa copia del VI secolo della traduzione in gotico dei quattro Vangeli effettuata da Ulfila, oggi ospitata dalla biblioteca dell'università di Uppsala.

Codex Theodosianus (*Codice Teodosiano*) – raccolta delle leggi imperiali varate da Teodosio II e contenente tutti i nuovi regolamenti del periodo 300-440 circa.

cohortales – funzionari imperiali, a volte ricchi, della burocrazia provinciale.

cohortes – ausiliari della fanteria romana che nell'alto impero erano non cittadini.

581

coloni – contadini affittuari romani, nel tardo impero sempre più vincolati alla terra.

comes rei militaris – comandante dell'esercito di campo romano di livello alto ma non elevatissimo (vedi *comitatenses, magister militum*). Alcuni avevano delle responsabilità a livello regionale, per esempio il *comes Africae* o il *comes Thraciae*; altri comandavano sezioni dell'esercito di campo centrale.

comes domesticorum – «conte dei domestici». Comandante dei reggimenti di guardia d'élite dell'esercito di campo.

comes ordinis tertii – «conte di terza classe». I conti (pl. *comites*) erano un ordine di compagni dell'imperatore creato da Costantino, suddiviso al suo interno in tre classi.

comitatenses (agg.) – forze dell'esercito di campo mobile romano di stanza nei territori dell'impero o lungo le principali frontiere (Reno, Danubio e oriente). Venivano pagate meglio delle forze di guarnigione (vedi *limitanei*).

consul – in origine, la più alta carica della repubblica romana, eletta con mandato annuo. Nel tardo impero il console restava ancora in carica per un anno, ma veniva nominato dall'imperatore; pur non avendo più concrete funzioni esecutive, era ancora il massimo titolo onorifico della vita politica, secondo solo al titolo imperiale.

contubernium – unità di base dell'esercito romano nell'alto impero, composta da otto uomini che condividevano una tenda.

cultura di Černjachov – zona di ritrovamenti materiali che alla fine del III secolo e in tutto il IV si estendeva sulle attuali Valacchia, Moldavia e Ucraina meridionale, dai Carpazi al fiume Don. Costruita attorno al potere dei goti e di altri immigrati dal nord, ciononostante comprendeva anche una vasta popolazione indigena.

cultura di Jastorf – zona di ritrovamenti materiali piuttosto semplici risalenti agli ultimi secoli a.C., ampiamente sovrapponibili alla coeva diffusione dei germani.

cultura di La Tène – zona di ritrovamenti materiali piuttosto sofisticati risalenti agli ultimi secoli a.C., ampiamente sovrapponibili alla coeva diffusione delle popolazioni di lingua celtica.

cultura di Przeworsk – zona di ritrovamenti materiali estesa su buona parte della Polonia centromeridionale, risalente a un periodo compreso tra il IV secolo a.C. e il IV d.C.

cultura di Wielbark – zona di ritrovamenti materiali estesa su buona parte della Polonia settentrionale e risalente al I e al II secolo d.C., che poi si diffuse verso est e verso sud nel III e nel IV secolo.

cura palatii – «curatore del palazzo». Alto dignitario di palazzo del IV e V secolo.

curia – consiglio cittadino dei proprietari terrieri romani che amministrava la *civitas*; i suoi membri erano noti col nome di decurioni o *curiales*.

cursus honorum – scala della carriera senatoriale romana.

cursus publicus – sistema di trasporti con stazioni di posta e di rifornimento utilizzata dai funzionari statali che avevano bisogno di viaggiare per tutto l'impero romano.

deditio – la «resa» dei barbari ai romani: i termini del trattato che faceva seguito alla resa potevano però variare in maniera sostanziale.

denarius (pl. *denarii*) – diffusissima moneta d'argento romana usata fino alla fine del III secolo, quando perse completamente di valore.

distributio numerorum – sezione della *Notitia Dignitatum* relativa all'occidente (vedi sotto) che registra la distribuzione delle unità dell'esercito di campo romano nel 420 circa.

dromon – nave da guerra a ponte specializzata e spinta a remi della marina dell'impero romano d'oriente.

duumviri – «due uomini»: il normale staff esecutivo di una *curia*.

dux – «duca»: comandante regionale dei *limitanei*.

eserciti presentali, praesentales – vedi *magister militum*.

fibula (pl. *fibulae*) – spilla decorata usata per allacciare gli abiti.

Fliehburgen – «centri rifugio». Termine archeologico tedesco per gli insediamenti murati costruiti nel V secolo in molte aree esposte dell'impero.

foedus – «trattato»: di qui *foederati*, cioè «gruppo straniero vincolato da un trattato». Spesso usato dagli storici moderni come vocabolo tecnico con un significato chiaro e inequivoco, secondo me è un termine più complesso.

Fürstengraber – «tombe principesche». Termine archeologico tedesco per indicare sepolture talmente ricche da sembrare appartenenti a un re o a qualcuno di grado analogo.

Germania, germani – termine romano per l'area compresa tra il Reno e la Vistola e per i suoi abitanti: la regione era ampiamente dominata da gruppi di lingua germanica, ma in epoca romana non arrivò mai nemmeno vicina all'unificazione.

giureconsulto – studioso romano specializzato in giurisprudenza tra il I e il III secolo d.C., cui spettava il compito di introdurre innovazioni legali attraverso la casistica.

gladius – la caratteristica spada corta dei legionari romani.

honoratus (pl. *honorati*) – burocrate d'alto rango in pensione: con l'avanzare del IV secolo gli *honorati* diventano sempre più spesso *clarissimi*, e sostituiscono quasi interamente i *curiales* come forza dominante della società romana a livello locale.

illustris (pl. *illustres*) – il più alto dei tre gradi in cui nel IV secolo era suddivisa la classe senatoriale (vedi *clarissimus* e *spectabilis*).

imperator – imperatore. Deriva dal titolo che assumeva il comandante dell'esercito nel periodo di Roma repubblicana.

iudex – giudice. Titolo assunto dal re dei re che nel IV secolo, prima della calata degli unni, reggeva la coalizione dei goti tervingi.

iugum (pl. *iugera*) – Unità di valore, e non di estensione geografica, in cui erano suddivise le terre coltivabili sotto Diocleziano: era la base su cui veniva calcolata l'*annona militaris*.

largitionales (*comites sacrarum largitionum*) – personale del dipartimento finanziario dell'imperatore.

legiones comitatenses – unità di fanteria assegnate alle truppe di campo negli eserciti del tardo impero.

legiones pseudocomitatenses – erano truppe di *limitanei*, ma all'inizio del V secolo furono considerate alla stregua di truppe dell'esercito di campo.

Lex Irnitana – la costituzione della città romana di Irni, caratteristica della cosiddetta costituzione municipale flaviana che nell'alto impero regolava il funzionamento della maggior parte delle città romane.

libertas – libertà. Conteneva il significato tecnico di «libertà all'interno della legge».

limitanei – truppe di guarnigione di frontiera stanziate in modo permanente; erano pagate un po' meno dei *comitatenses*.

magister (pl. *magistri*) *militum* – il titolo per esteso è *comes et magister utriusque militiae*: comandante in capo dell'esercito di campo. I *magistri militum prae-*

sentalis comandavano gli eserciti di campo centrali, e i *magistri militum per Gallias, per Thraciam, per Orientem* e *per Illyricum* comandavano quelli delle principali frontiere dell'impero (Gallia, Tracia, oriente, Illirico).

magister officiorum – direttore degli uffici: analogo per funzioni a un capo della cancelleria, uno dei massimi incarichi della burocrazia imperiale.

navicularii – gilda degli armatori sussidiata dallo stato, cui spettava il compito di trasportare i tributi in natura provenienti dalle varie province dell'impero (vedi *annona militaris*).

Notitia Dignitatum – lista dei dignitari militari e civili del basso impero e del loro personale relativa soprattutto al 395 d.C. circa, anche se la sezione riguardante l'occidente fu aggiornata fino al 420 circa (vedi *distributio numerorum*).

numeri – reggimenti. Termine di base per indicare le unità dell'esercito del basso impero.

ostrogoti – raggruppamento di goti, nuovo e molto più grande dei precedenti, organizzato da Valamer (455 ca. - 467) e da suo nipote Teodorico Amal (474-526) che unirono vari gruppi preesistenti, fino a quel momento divisi. Erroneamente identificati con i greutungi (già guidati da Ermanarico) che nel 376 arrivarono sulle rive del Danubio.

palatini – burocrati del tardo impero (da *palatium*, palazzo).

pars melior humani generis – «la parte migliore dell'umanità»: così Simmaco definì l'aristocrazia romana di classe senatoria.

pars rustica, urbana – le due parti di cui si componeva la tipica villa romana: quella «rurale», adibita a fattoria, e quella cosiddetta «urbana», in cui si svolgevano gli intrattenimenti «civilizzati».

patricius – patrizio. Titolo onorifico con cui nel V secolo si distingueva l'ufficiale militare d'alto grado o il burocrate che esercitava il potere reale dietro il trono.

pax romana – la pace romana. Si applica al periodo dell'alto impero che fece seguito all'epoca delle conquiste, ma prima della crisi del III secolo; grosso-modo dalla fine del I all'inizio del III secolo d.C.

possessores – la classe dei proprietari terrieri grazie alla quale e per la quale sussisteva l'impero.

praepositus sacri cubiculi – funzionario eunuco addetto alla residenza imperiale.

primicerius notariorum – notaio capo. Funzionario burocratico di grado elevato.

primicerius sacri cubiculi – funzionario eunuco di grado elevato addetto alla residenza imperiale.

principales – piccola cerchia interna alla *curia* tardoimperiale, che utilizzava il consiglio cittadino come strumento per procurarsi ricchezze e avanzamenti di carriera.

proskynesis – l'atto cerimoniale di gettarsi a terra quando si veniva introdotti alla sacra presenza dell'imperatore.

quaestor – funzionario burocratico d'alto livello, sempre più specializzato in questioni giuridiche.

quinquennalia – anniversario che si celebrava ogni cinque anni dall'ascesa al trono di un imperatore (vedi *aurum coronarium*).

rationalis Aegypti – ufficiale finanziario da cui dipendevano le fabbriche di armi e altre operazioni statali ubicate nella provincia d'Egitto.

receptio (pl. *receptiones*) – ingente migrazione di stranieri nei confini dello stato romano su esplicita autorizzazione imperiale.

Relationes (sing. *Relatio*) – lettere ufficiali mandate all'imperatore da Simmaco nella veste ufficiale di prefetto urbano di Roma.

Res gestae Divi Saporis – Imprese del divino Sapore, re di Persia, in cui sono registrate le sue vittorie sugli imperatori romani del III secolo, in un'iscrizione ritrovata a Naqs-i Rustam, qualche chilometro a nord di Persepoli.

rescripta – le risposte che l'imperatore scriveva sulla metà inferiore di un papiro in risposta a quesiti giuridici formulati nella sua metà superiore. Ogni giorno lo staff imperiale rispondeva a centinaia di tali quesiti.

romanitas – parola latina per indicare gli schemi culturali caratteristici dell'impero romano.

Saltus Teutoburgiensis – Selva di Teutoburgo, dove Arminio tese un'imboscata alle tre legioni di Varo e le annientò.

Sasanidi – dinastia mediorientale che nel III secolo d.C. unificò Iran e Iraq creando una superpotenza rivale dell'impero romano.

solidus (pl. *solidi*) – da Costantino in poi, moneta d'oro romana standard coniata a un settantaduesimo di libbra, cioè 4,55 grammi; c'erano anche monete da mezzo *solidus* e da un terzo di *solidus*.

sortes vandalorum – «assegnazioni dei vandali». Concessioni di terreni agricoli nella Proconsolare assegnate da Genserico ai suoi seguaci dopo la conquista di Cartagine (439) e la successiva confisca delle proprietà ai senatori romani.

spectabilis (pl. *spectabiles*) – grado senatorio intermedio della fine del IV secolo (vedi *clarissimus* e *illustris*).

testudo – «tartaruga»: la classica formazione della fanteria romana con gli scudi messi uno accanto all'altro a far da muro, che garantiva alle truppe completa protezione da tutte le parti.

visigoti – raggruppamento goto recente e molto numeroso creato da Alarico I (re dal 385 al 410) unendo parte dei tervingi e dei greutungi, arrivati nel 376 sulle sponde del Danubio per chiedere asilo all'impero romano, ai goti di Radagaiso, che avevano invaso l'Italia nel 405-406. Il termine è stato erroneamente usato come sinonimo di tervingi prima del 376 (quando alla loro guida c'era Atanarico).

Note

Abbreviazioni

AM – *anno mundi*, anno dalla creazione del mondo
CAH 1. 12 – *Cambridge Ancient History*, prima edizione, vol. 12: *The Imperial Crisis and Recovery AD 193-324*, a cura di S.A. Cook e altri, Cambridge 1939
CAH 2. 7. 2. – *Cambridge Ancient History*, seconda edizione, vol. 7. 2: *The Rise of Rome to 220 BC*, a cura di F.W. Walbank e altri, Cambridge 1989
CAH 2. 8 – *Cambridge Ancient History*, seconda edizione, vol. 8: *Rome and the Mediterranean to 133 BC*, a cura di A.E. Astin e altri, Cambridge 1989
CAH 2. 9 – *Cambridge Ancient History*, seconda edizione, vol. 9: *The Last Age of the Roman Republic 146-143 BC*, a cura di J.A. Crook e altri, Cambridge 1994
CAH 2. 10 – *Cambridge Ancient History*, seconda edizione, vol. 10: *The Augustan Empire 43 BC-AD 69*, a cura di A.K. Bowman e altri, Cambridge 1996
CAH 2. 11 – *Cambridge Ancient History*, seconda edizione, vol. 11: *The High Empire 70-192 AD*, a cura di A.K. Bowman e altri, Cambridge 2000
CE – *Codice di Eurico*, dalle *Leges Visigothorum*: a cura di Zeumer (1902)
Chron. Gall. 452 – *Chronica Gallica* del 452: a cura di Mommsen (1892)
Chron. Gall. 511 – *Chronica Gallica* del 511: a cura di Mommsen (1892)
CIL – *Corpus Inscriptionum Latinarum*
CI – *Codex Iustinianeus* (*Corpus Iuris Civilis*): a cura di Kreuger (1877)
CM 1, 2 – *Chronica Minora*, volumi 1 e 2: a cura di Mommsen (1892, 1894)
CMH 1. 1 – *Cambridge Medieval History*, prima edizione, vol. 1, *The Christian Empire*, a cura di J.B. Bury e altri, Cambridge 1911
CTh – *Codex Theodosianus*: a cura di Mommsen e Kreuger (1905); traduzione di Pharr (1952)
fr., frr. – frammento, frammenti
HE – *Historia Ecclesiastica*
ILT – *Rapport sur des inscriptions latines découvertes en Tunisie de 1900 à 1905*, a cura di P. Gauckler, Paris 1907
LC – *Liber Constitutionum*: a cura di Von Salis (1892); traduzione di Drew (1972)
MGH – *Monumenta Germaniae Historica*
Not. Dig. Occ. – *Notitia Dignitatum*, impero d'occidente: a cura di Seeck (1876)
Not. Dig. Or. – *Notitia Dignitatum*, impero d'oriente: a cura di Seeck (1876)
Nov. Teod. – *Novelle dell'imperatore Teodosio II*: a cura di Mommsen e Kreuger (1905); traduzione di Pharr (1952)
Nov. Val. – *Novelle dell'imperatore Valentiniano III*: a cura di Mommsen e Kreuger (1905); traduzione di Pharr (1952)
Or. – *Oratio, Orationes*
P. Columbia 123 – Papiri provenienti dalla raccolta della Columbia Universi-

ty, n. 123: *Apokrimata: Decisions of Septimius Severus on Legal Matters*, a cura di W.L. Westermann e A.A. Schiller, New York 1954

P. Ital. – Die nichtliterarischen lateinischen Papyri Italiens aus der Zeit 445-700, a cura di J.-O. Tjader, 3 voll., Lund 1954-1982

Pan. Lat. – Panegyrici Latini: traduzione e cura di Nixon e Rogers (1994)

PLRE 1 – *The Prosopography of the Later Roman Empire*, vol. 1, *AD 260-395*, a cura di A.H.M. Jones e altri, Cambridge 1971

PLRE 2 – *The Prosopography of the Later Roman Empire*, vol. 2, *AD 395-527*, a cura di J.R. Martindale, Cambridge 1980

s.a. – *sub anno*, nell'anno

Introduzione

[1] Note nella letteratura specialistica come *fibulae*.

[2] I volumi prodotti dal progetto di studio della European Science Foundation possono forse essere considerati alla stregua di una metafora dello stato generale degli studi sulla materia: comprendono moltissimi stimolanti saggi monografici, ma nemmeno un lavoro d'insieme (d'altra parte, non se lo prefiggevano nemmeno).

[3] La verità di questa asserzione appare evidente nei capitoli dedicati al IV e al V secolo dell'ultimo volume della *Cambridge Ancient History* e del primo volume della *Cambridge Medieval History*, pubblicate entrambe negli anni Dieci del XX secolo, che professano proprio questa ortodossia dell'inevitabile declino e crollo di Roma. Impostazione rimasta in auge fino agli anni Sessanta.

[4] Quando dico questo non intendo esprimere la benché minima critica a progetti come quello su *La trasformazione del mondo romano*, il cui scopo era condividere i risultati di alcune opere specialistiche per consentire a tutti i partecipanti di svolgere meglio la propria ricerca. È per l'appunto questo sforzo che si può trovare riflesso nei libri nati da quell'iniziativa, e io stesso posso testimoniare con gratitudine di aver imparato moltissimo nel corso dei cinque, felici anni in cui vi ho partecipato.

1. I romani

[1] Cesare, *De bello Gallico*, 6. 1.

[2] *De bello Gallico*, 3. 37.

[3] Episodio del Passo del San Bernardo: *De bello Gallico*, 3. 1-6. Episodio di Alesia: *De bello Gallico*, 7. 75ss. Episodio di Uxellodunum: *De bello Gallico*, 8. 33ss. Per saperne di più sull'esercito romano e i suoi metodi d'addestramento, cfr. *CAH* 2. 10, capitolo 11, e *CAH* 2. 11, capitolo 9.

[4] Ci furono ulteriori aggiunte. Alcune aree tra l'alto Reno e l'alto Danubio – il saliente Taunus/Wetterau e la regione del Neckar – furono annesse prima della fine del secolo. Una zona molto più estesa fu acquisita da Traiano. All'inizio del II secolo questo imperatore lanciò una serie di campagne militari (101-102, 105-106) che alla fine aggiunsero all'impero tutta la Dacia transilvana. Questo territorio fu poi abbandonato dall'imperatore Aureliano (prima del 275 d.C.). Buoni resoconti generali dell'ascesa di Roma si possono leggere in *CAH* 2. 7. 2, capitoli 8-10.

[5] Episodio di Acco: *De bello Gallico*, 6. 44. Episodio di Avarico: *De bello Gallico*, 7. 27-28.

[6] Episodio di Induziomaro: *De bello Gallico*, 5. 58. 4-6. Episodio di Catuvolco: *De bello Gallico*, 6. 31. Episodio di Ambiorige: *De bello Gallico*, 8. 25. 1.

[7] Gibbon (1897), pp. 160ss. Jones (1964), capitolo 25. Molti studi presentano le varie spiegazioni della caduta dell'impero addotte nel corso degli anni: per esempio Demandt (1984); Kagan (1992).

[8] Su Roma, tra gli altri, cfr. Krautheimer (1980). Con riferimento a Ostia: Meiggs (1973). Di Cartagine si parlerà più specificamente nel Capitolo 6. Un'eccellente introduzione all'impero è Cornell e Matthews (1982).

[9] In genere si calcola che la repubblica romana si sia conclusa con il regno di Augusto, primo imperatore di Roma, che pure mantenne molti segni esteriori della costituzionalità repubblicana. Ma già prima di Augusto Roma aveva annesso con la conquista alcuni territori d'oltremare, e poteva quindi essere considerata una potenza imperiale a tutti gli effetti.

[10] In particolare su Simmaco cfr. Matthews (1974); per un dettagliato apparato di note cfr. anche la nuova traduzione francese delle sue opere approntata da Callu (1972-2002) e i volumi in uscita del progetto di commento italiano. Buone introduzioni all'argomento della classe senatoria di Roma alla fine dell'età antica sono contenute in Matthews (1975), Arnheim (1972) e Chastagnol (1960).

[11] *Lettere*, 1. 52. 1.

[12] Per esempio: «A è – sempre – seguito da B», oppure «A sarà – nel futuro – seguito da B», oppure «A potrebbe – in certe condizioni – essere seguito da B».

[13] Il commento su Palladio si trova nelle *Lettere* di Simmaco, 1. 15. Per ulteriori informazioni su questo tipo di formazione scolastica cfr. l'eccellente studio di Kaster (1988).

[14] *Lettere*, 1. 1.

[15] Dopo la morte di Simmaco, i suoi discorsi godettero di meno favore rispetto alle lettere: i sette arrivati fino a noi sono sopravvissuti in un solo manoscritto molto danneggiato, che probabilmente in origine ne conteneva molti di più.

[16] A volte, i commenti a margine di questi illustri personaggi finivano per errore nel testo vero e proprio, regalando ai curatori odierni la fatica irta di pericoli di separare il dettato originario da questi inserti spuri. Dopo la morte di Simmaco i *Saturnalia* di Macrobio ripresero gli ideali letterari e filosofici del maestro e dei suoi amici sotto forma di dialoghi inventati che avrebbero dovuto tramandare una versione condensata di quell'eredità classica. Sulle radici antiche della fiorente tradizione erudita che ha salvato per noi molti testi classici cfr. Matthews (1975), capitolo 1.

[17] Homes Dudden (1935), p. 39. Secondo Boissier (1891), vol. 2, p. 183, esse sarebbero «le più sciocche epistole mai composte in lingua latina».

[18] L'elenco delle scuse accettabili è ricavato dalle *Lettere* di Simmaco, 3. 4. Quasi tutte le regole della buona educazione sono analizzate da Matthews (1974) e Bruggisser (1993).

[19] Per le idee di Cesare: Adcock (1956). La bibliografia su Cicerone è sconfinata: si può citare per esempio Rawson (1975) e un testo più recente sulla sua oratoria, Fantham (2004).

[20] Per l'episodio del cibo: Ammiano, 27. 3. 8-9. Per l'episodio del vino: Ammiano, 27. 3. 4.

[21] Simmaco, *Lettere*, 5. 62.

[22] Simmaco, *Lettere*, 6. 33; 6. 42.

[23] Simmaco, *Lettere*, 4. 58-62; 5. 56.

24 Simmaco, *Lettere*, 6. 43.
25 Per l'ideologia dell'impero cfr. Dvornik (1966). Per un'introduzione alla vita cerimoniale dell'impero cfr. Matthews (1989), capitoli 11-12, e MacCormack (1981). La citazione è tratta da Ammiano, 16. 10. 10.
26 Sullo sviluppo legislativo a Roma: Robinson (1992), Honoré (1994) e Millar (1992), capitoli 7-8. Sulle tasse: Millar (1992), capitolo 4, e Jones (1964), capitolo 13.
27 I due titoli imperiali di maggior prestigio del tardo impero erano Augusto e Cesare, entrambi in origine nomi propri di persona (Giulio Cesare e suo nipote Ottaviano Augusto). Nel IV secolo Augusto divenne il titolo adottato dai due imperatori anziani, mentre i due più giovani si facevano chiamare Cesare.
28 Matthews (1989), p. 235 con rimandi.
29 Temistio, *Or.*, 6. 83c-d.
30 Per i tratti generali dello sviluppo della carica imperiale: Millar (1992), soprattutto i capitoli 2 e 5, e Matthews (1989), capitolo 11.
31 *Pan. Lat.*, 6. 22. 6.
32 Introduzioni sull'esercito tardoimperiale: Jones (1964), Elton (1996 b) e Whitby (2002).
33 Sulla crescita della burocrazia: per esempio Matthews (1975), capitoli 2-4 e Heather (1994 b).
34 L'episodio di Teodoro è ampiamente documentato dalle fonti: Ammiano, 29. 1; per la lista completa cfr. *PLRE* 1, p. 898.
35 La storia più profonda di questo cambiamento è ben esplorata in *CAH* 2. 11, capitolo 4.
36 Per esempio un contemporaneo di Simmaco che compare spesso nel suo epistolario, Petronio Probo, fu prefetto pretoriano (più o meno l'equivalente di un primo ministro) per l'Italia, l'Africa e i Balcani occidentali per un totale di circa otto anni divisi in due fasi.
37 Per un'introduzione a questi sviluppi cfr. Jones (1964), capitolo 18; Dagron (1974); e Heather (1994 b).
38 Per lo sviluppo generale di Treviri: Wightman (1967).
39 I discorsi per l'offerta dell'oro della corona erano in genere più brevi di quelli pronunciati nelle altre occasioni cerimoniali, probabilmente perché erano così tanti – uno per ciascuna delle città dell'impero – che l'augusta persona dell'imperatore sarebbe senz'altro uscita dal suo imperiale senno se gli oratori l'avessero tirata troppo per le lunghe.
40 La bibliografia sulle città romane è smisurata, ma per alcuni elementi introduttivi sulla loro importanza – in senso fisico, amministrativo e politico – cfr. Jones (1964), capitolo 19.
41 Su Konz e sulle ville della Mosella cfr. Wightman (1967), capitolo 4. La letteratura sulla villa come fenomeno culturale è vasta come quella sulle città romane: cfr. per esempio Percival (1976).
42 *Lettere*, 9. 88; questa lettera fu identificata per primo da Roda (1981).
43 Sulla latinità di Ausonio cfr. Green (1991). Il nonno materno di Ausonio era un importante proprietario terriero degli edui stanziati nella Gallia centrale. Il fratello di sua madre era un retore di successo che diventò precettore di un familiare di Costantino. Ausonio parla meno spesso dei suoi avi paterni, particolare che ha suscitato il sospetto che non fossero altrettanto distinti; ma suo padre faceva il medico e aveva delle proprietà nella Gallia sudoccidentale e suo zio aveva fatto fortuna col commercio.

[44] Per Aristotele questa era l'unica vita degna, e chiunque scegliesse di vivere isolato nella sua tenuta era condannato a diventare meno razionale. Il termine «idiota» viene dalla parola greca (*idiotes*) riferita a coloro che evitavano la partecipazione alle strutture della comunità locale.

[45] Gonzalez (1986), tradotto da M.H. Crawford.

[46] Le ville erano sempre suddivise al loro interno in una *pars rustica* (parte agricola, cioè la fattoria vera e propria) e una *pars urbana* (parte cittadina, per le attività più civilizzate). La *pars urbana* comprendeva grandi sale pubbliche per gli intrattenimenti tra pari e un vero stabilimento termale, affinché la vita in villa fosse tutt'altro che «idiota». Esistono molti buoni studi sugli aggiustamenti ideologici richiesti dal diventare romani: cfr. per esempio Woolf (1998); Keay e Terrenato (2001) e D.J. Mattingly (2002).

[47] Simmaco, *Lettere*, 1. 14.

[48] Le seguenti tre citazioni sono tratte dalla *Mosella*, vv. 161-167, 335-348, 399-404.

[49] Il contributo di Quintiliano alla tradizione latina è esaminato per esempio in Leeman (1963).

[50] Utilizzando l'indice analitico delle opere di Simmaco, cfr. Lomanto (1983), vedo che Baia e i suoi piaceri compaiono almeno venti volte nel suo epistolario.

[51] *Lettere*, 1. 14.

[52] Secondo un vero esperto in materia, Jones (1964), p. 528, verso il 370 «la terza classe della *comitiva* era ancora conferita, ma solo a persone di livello piuttosto oscuro, decurioni che avevano compiuto il proprio dovere di cittadini o patroni della gilda dei panettieri o dei macellai di Roma».

[53] Sulla straordinaria carriera di Ausonio cfr. Matthews (1975), capitolo 3.

2. I barbari

[1] Tacito, *Annali*, 1. 61. 1-6.

[2] Wells (2003), soprattutto i capitoli 2-3 e le appendici, è una buona introduzione al mito di Arminio e ai più recenti ritrovamenti archeologici. Il suo resoconto della battaglia, comunque, è molto strano: descrive un massacro che nel giro di un'ora era già bell'e finito senza commentare minimamente il fatto che tutte le nostre fonti migliori parlano di un combattimento protrattosi per quattro giorni su un campo di battaglia estesissimo (cfr. Dione Cassio, 56. 19-22, che nessun'altra fonte contraddice).

[3] Dahn (1861-1909), (1876).

[4] Un'eccellente indagine che mette in luce le differenze strategiche tra le varie frontiere è contenuta in Whittaker (1994).

[5] Nella versione del 1926 del suo *The Origin of the Germani*, Kossinna afferma che «province archeologiche chiaramente definite, nettamente distinte e con precisi confini corrispondono in modo incontestabile ai territori di popoli e tribù particolari». Le idee di Kossinna si diffusero con la massima influenza nel mondo anglofono attraverso le opere di V.G. Childe (1926), (1927). Per un'introduzione alle recenti reinterpretazioni del significato delle aree culturali in archeologia cfr. Renfrew e Bahn (1991).

[6] Per le vicende di Ariovisto: Cesare, *De bello Gallico*, 1. 31-53. Per la profetessa Veleda: Tacito, *Storie*, 4. 61, 65; 5. 22, 24. Per un'utile introduzione all'antica società germanica si possono leggere Todd (1975), (1992) e Hachmann (1971).

⁷ I brutteri sono citati in Tacito, *Germania*, 33; gli amsivari in Tacito, *Annali*, 13. 56.

⁸ *Annali*, 1. 68.

⁹ Elton (1996 b), pp. 66-69.

¹⁰ Strabone 4. 5. 3.

¹¹ Sull'espansionismo cinese cfr. Lattimore (1940). Per un'introduzione alla cultura degli *oppida*: Cunliffe e Rowley (1976); Cunliffe (1997). Sulla cultura di Jastorf: Schutz (1983), capitolo 6. Per i germani che adottarono schemi culturali di La Tène: Hachmann e altri (1962). Molto è stato scritto sulle dinamiche dell'espansionismo imperiale di Roma, ma per un'introduzione si può vedere *CAH* 2. 9, soprattutto il capitolo 8a; *CAH* 2. 10, soprattutto i capitoli 4 e 15; Isaac (1992), soprattutto il capitolo 9; Whittaker (1994), capitoli 2-3. Studi moderni hanno dimostrato che il processo si svolse in modo molto più anarchico di quanto la vecchia concezione di un coerente piano di conquiste lasciasse intuire.

¹² Traduzione di Dodgeon e Lieu (1991), pp. 43-46, 50, 57.

¹³ Per un'introduzione alla storia del Medio Oriente nella fase dell'alto impero romano cfr. Millar (1993).

¹⁴ *Chronicon Paschale*, p. 510.

¹⁵ Sulla rivoluzione sasanide cfr. Christiansen (1944); Howard Johnson (1995); McAdams (1965); Dodgeon e Lieu (1991).

¹⁶ I dati numerici totali sono tratti da Agazia, *Storia*, 5. 13; Ioannes Lydus, *De mensibus*, 1. 27. Per la discussione in generale: Jones (1964), pp. 679-686 (incline ad accettare un aumento fino a 600.000 effettivi sotto Diocleziano); Hoffmann (1969); Elton (1996 a); Whitby (2002). Le diffusissime argomentazioni di MacMullen (1963) sull'inefficacia militare dei *limitanei* sono state smentite.

¹⁷ Sulla confisca dei redditi cittadini cfr. Crawford (1975), che però rimane controverso. Costanzo ne restituì un quarto alle città dell'Africa, Valentiniano e Valente un terzo a tutte le città; cfr. Jones (1964), capitolo 19.

¹⁸ Su queste misure cfr. Jones (1964), soprattutto il capitolo 13 e pp. 623-630.

¹⁹ L'unica eccezione, la pesante sconfitta subita dai romani nel 363, fu dovuta alle eccessive ambizioni dell'imperatore Giuliano, sul quale torneremo tra poco. Per i rapporti tra Roma e la Persia nel IV secolo cfr. per esempio Dodgeon e Lieu (1991); Matthews (1989), capitoli 4 e 7.

²⁰ Per un'introduzione a questi eventi del III secolo cfr. Jones (1964), capitolo 1; e Drinkwater (1987).

²¹ Questa citazione è tratta da Ammiano, 28. 5. 4, e le due seguenti da 28. 5. 7.

²² Fu menzionato infatti da due propagandisti contemporanei (*Pan. Lat.*, 7. 10ss.; 10. 16. 5-6), e si ricavò un angoletto nelle principali cronache annalistiche del IV secolo: Eutropio 10. 3. 2.

²³ *Relationes*, 47.

²⁴ Temistio, *Or.*, 10. 131b-c. Su Temistio e la sua carriera cfr. Heather e Moncur (2001), soprattutto il capitolo 1.

²⁵ La costruzione ideologica romana attorno alla figura del barbaro discendeva direttamente da quella dei greci. Cfr. per esempio Dauge (1981) e Ferris (2000).

²⁶ Calo Levi (1952) e McCormick (1986) tra gli altri sottolineano l'importanza della vittoria per gli imperatori romani.

²⁷ Temistio, *Or.*, 5. 66a-c, con Matthews (1989), capitolo 7, e Smith (1999) sulla campagna militare.

²⁸ Temistio, *Or.*, 6. 73c-75a.

[29] Le due citazioni sono tratte da Temistio, *Or.*, 10. 205a-b e 10. 202d-203a.

[30] Per un'analisi completa di tutte le implicazioni della pace siglata con i goti da Costantino nel 332 e da Valente nel 369 cfr. Heather (1991), capitolo 3, con rimandi completi. Temistio, *Or.*, 8. 116 (pronunciata nel marzo del 368), parla dell'arrivo del principe iberico Bacurio al quartier generale di Valente e data l'inizio delle manovre di Cosroe nel bel mezzo della guerra gotica. La storia dell'altro summit sull'acqua del IV secolo è narrata da Ammiano, 30. 3.

[31] Il trattato del 369 è presentato come una conclusione ragionevole della guerra in Ammiano, 27. 5. 9, e Zosimo, 4. 11. 4. Anche dopo aver sconfitto gli alamanni nel 357, l'imperatore Giuliano continuò a inserire l'invio di doni annuali in tutti i trattati che negoziò con i vari re: Heather (2001); cfr. Klöse (1934) per altri esempi più antichi. Un esercito di forse 3000 uomini (un numero tutt'altro che insignificante, quando un corpo di spedizione ne contava probabilmente 20-30.000) fu prestato dai goti ai romani in quattro occasioni dopo la vittoria di Costantino del 332; nel 348 (Libanio, *Or.*, 59. 89), nel 360 (Ammiano, 20. 8. 1), nel 363 (Ammiano, 23. 2. 7) e nel 365 (Ammiano, 26. 10. 3).

[32] Per la questione della statua: Temistio, *Or.*, 15. 191a. Per il giuramento di Atanarico al padre: Ammiano, 27. 5. 9. Sull'uso degli ostaggi: Braund (1984). L'influenza culturale non sempre aveva gli effetti sperati: Arminio, tre secoli e mezzo prima, era stato ufficiale delle truppe ausiliarie dell'esercito romano prima di congiurare per massacrare le legioni di Varo.

[33] Su questi due manoscritti cfr. rispettivamente Tjäder (1972) e Gryson (1980).

[34] Le due fonti principali su Ulfila – la lettera di Aussenzio e il frammento 2. 5 della storia della chiesa di Filostorgio – comportano dei problemi di datazione relativamente alla sua ordinazione e al periodo in cui visse in Gotia. Cfr. Heather e Matthews (1991), capitolo 5, con rimandi e traduzioni, per il ragionamento che sta dietro la soluzione da me scelta. Per un'analoga comunità di prigionieri romani tra gli avari del VII secolo cfr. i *Miracoli di san Demetrio*, in Lemerle (1979-1981), pp. 285-286.

[35] Il testo del Vangelo del *Codex Argenteus* contiene il lavoro di Ulfila più o meno intatto, mentre altri dopo la sua morte lavorarono sul testo dell'Epistola: Friedrichsen (1926), (1939). Prima di Ulfila i goti usavano le rune per scopi divinatori e per altri fini limitati, ma come abbiamo già detto altrove il gotico come lingua scritta non esisteva. Ulfila dovette innanzitutto scegliere un alfabeto adatto a quei suoni, e lo fece attingendo ampiamente al greco con qualche piccola aggiunta per alcuni suoni particolari, quindi si applicò a rendere il testo della Bibbia nella nuova lingua da lui creata.

[36] Per un'introduzione a questi dibattiti e a queste manovre teologiche cfr. Hanson (1988) e Kopecek (1979).

[37] Ammiano, 16. 12. 26 e 63 per i dati numerici; 16. 12 in generale per la battaglia.

[38] Per teoria e pratica di questi trattati cfr. Heather (2001).

[39] Per la vicenda di Cnodomaro: Ammiano, 16. 12. Per la storia di Macriano: Ammiano, 29. 4. 2. Sulle guerre alamannica, burgunda e franca: Ammiano, 28. 5. 9-10, 30. 3. 7.

[40] La tradizione ne nomina soltanto due, visigoti e ostrogoti, ma si tratta di un anacronismo. Come vedremo nel Capitolo 5 la tradizionale equazione tra tervingi e visigoti non sta in piedi: i secondi nacquero in suolo romano sotto il regno di Alarico, nell'ultimo decennio del IV secolo.

⁴¹ La prova è un amalgama di materiali scritti e archeologici; cfr. Heather (1996), capitolo 3.

[41] La prova è un amalgama di materiali scritti e archeologici; cfr. Heather (1996), capitolo 3.

[42] Le prove archeologiche non sono molte, ma quella linguistica è molto più robusta. La lingua parlata dai burgundi nel V secolo e all'inizio del VI è nettamente un germanico orientale, e non occidentale, a dispetto del fatto che in quel momento essi erano stanziati a occidente. Cfr. Haubrichs (in corso di pubblicazione).

[43] Per i sottogruppi franchi: Gregorio di Tours, *Storie*, 2. 9. Per la battaglia di Strasburgo: Ammiano, 16. 12. Per le imprese di Cnodomaro e Macriano: cfr. nota 39. Per Vadomaro: Ammiano, 21. 3-4. Una fonte chiama Atanarico «il giudice dei re» (Ambrogio, *Sullo Spirito Santo*, prologo 17), e la confederazione dei tervingi comprendeva un certo numero di «re» di secondo livello (la parola in greco e in latino probabilmente traduce il germanico *reiks*, che potrebbe significare «nobile» e non «sovrano»).

[44] Su Wijster e Feddersen Wierde cfr. Van Es (1967) e Haarnagel (1979). Per una più ampia esposizione con rimandi: Heather (1996), capitolo 3.

[45] Sulla Polonia: Urbanczyk (1997), 40. Sulla ceramica e i pettini dei goti: Heather e Matthews (1991), capitolo 3, con rimandi. Sulla produzione del vetro: Rau (1972); cfr. anche Hedeager (1987) e Heather (1996), capitolo 3, per una più ampia discussione.

[46] Heather (1996), pp. 65-75 con rimandi.

[47] Sui tervingi: Wolfram (1988), pp. 62ss.

[48] Heather (1996), pp. 66, 70-72 con ampi rimandi.

[49] Ørsnes (1968); cfr. anche Hedeager (1987) con rimandi.

[50] Ammiano, 16. 12. 60.

[51] *Passione di san Saba*, 4. 4, 7. 1-5.

[52] *Annali*, 13. 57.

[53] Evidenze archeologiche sul continente: Heather (2000) e Wickham (1992). Sugli anglosassoni: Harke (1990); parte delle persone seppellite con le armi potrebbe non aver mai partecipato a una battaglia, compreso un individuo con la spina bifida che probabilmente non poté mai nemmeno camminare.

[54] La presenza di liberti in armi accanto ai germani compare nei codici di legge franchi e visigoti del VI e del VII secolo, e anche in testimonianze letterarie del V e del VI secolo: Heather (1996), Appendice 2; Heather (2000).

[55] Wormald (1999), capitolo 2.

[56] *Passione di san Saba, passim*.

[57] Tacito, *Annali*, 12. 25.

[58] Ammiano, 17. 12. 9.

3. I limiti dell'impero

[1] Ammiano, 28. 6. 26.

[2] Probabilmente quelli dovuti in occasione dell'ascesa al trono di Valentiniano, nel 364. Spesso questi pagamenti erano finanziati con le offerte dell'oro della corona, come quello portato a Valentiniano da Simmaco nel 369 (cfr. Capitolo 1).

[3] Paghe gonfiate: Jones (1964), capitolo 19. Soldi che si perdevano: Simmaco, *Relationes*, 23. MacMullen (1988) elenca amorevolmente molte delle truffe documentate.

[4] Libanio, *Lettera* 66. 2, tradotta in Norman (1992) come *Lettera 52*. Le parole di Temistio sugli amici dell'imperatore sono per esempio in *Or.*, 1. 10c ss. Sul

tema delle relazioni a corte e della posizione personale: Matthews (1975), soprattutto i capitoli 1-2.

[5] L'impero romano nacque grazie al nesso tra reddito proveniente da oltremare e influenza politica (cfr. Capitolo 2). Lo stesso vale per l'impero inglese: Ferguson (2001). Sulla corruzione sotto Valentiniano: Ammiano, 30. 9.

[6] L'archivio di Teofane è pubblicato e discusso in Roberts e Turner (1952), pp. 104-156.

[7] Compreso il famoso Chanel n. 5, secondo fonti attendibili.

[8] Molte raccolte di lettere – compresa quella di Simmaco – tradiscono da vari indizi il fatto di essere state messe insieme da originali immagazzinati in tale maniera, e gli archivi del papato antico (generalmente considerati come un calco della pratica governativa del tardo impero) funzionavano certamente così; cfr. Noble (1990); Markus (1997), Appendice. Per trovare qualcosa in quegli archivi, comunque, bisognava sapere in che anno guardare; non abbiamo indizi che ci fosse anche la possibilità di effettuare ricerche incrociate per tema o per luogo. Kelly (1994) esplora ciò che si sa degli archivi imperiali di Costantinopoli.

[9] Per decidere quante tasse dovesse versare una certa comunità, la terra coltivabile della *civitas* era suddivisa in unità di base chiamate *iugera* (sing. *iugum*). Lo *iugum* era un'unità di valore, non di dimensioni: quindi uno *iugum* di terra di buona qualità era più piccolo di uno di una terra meno fertile. A ciascun *iugum* era ascritta una stima uguale di reddito annuo, cui corrispondeva la stessa cifra in tasse. Stabilire il totale degli *iugera* di ciascuna città era compito del governo centrale, e richiedeva una profonda conoscenza delle risorse agrarie (la cui presunta mancanza è spesso lamentata dalle nostre fonti). Ma nemmeno queste operazioni venivano condotte allo stesso modo in tutto l'impero. In Siria, gli assessori distinguevano tre tipi di terre arabili e due tipi di piantagioni di ulivo; in altri luoghi si applicava una distinzione molto più grossolana tra terre arabili e campi a pastorizia; in Egitto e in Nordafrica le misurazioni agrarie esistenti furono approssimate alle nuove unità fiscali introdotte dall'impero e non si procedette ad alcuna rivalutazione, in parte perché probabilmente era troppo difficile farlo, e in parte perché la cosa avrebbe sollevato disordini. Analogamente, nemmeno la cartella delle tasse era uguale in tutto l'impero: a volte arrivava sia ai plebei delle città sia a quelli delle campagne, a volte solo a questi ultimi. Per ulteriori dettagli sul sistema fiscale dei romani cfr. Jones (1964), capitolo 13.

[10] Si sa, per esempio, che alcune comunità locali si indebitarono pur di costruire il tipo di edifici pubblici che avrebbe portato con sé le necessarie garanzie del diritto latino. In questo contesto il caso di Irni, in Spagna, è molto interessante: a tutt'oggi gli archeologi non sono riusciti a scoprire dove si trovasse, tanto i resti archeologici della zona sono irrilevanti, e a dispetto della sua magnifica costituzione si è cominciato a domandarsi se non si trattasse in realtà di una città virtuale, ideata a scopi meramente legali.

[11] *P. Columbia* 123; cfr. Millar (1992), p. 245; Honoré (1994).

[12] *CTh*, 1. 2.

[13] Jones (1964), capitolo 25, contiene la più considerata e coerente enunciazione di questo tipo di analisi. La concezione ortodossa è espressa in termini più stridenti in varie opere precedenti: Rostovtzeff (1957); *CAH* 1. 12, soprattutto il capitolo 7; *CMH* 1. 1, specialmente il capitolo 19.

[14] Per l'esposizione standard del caso della «fuga dei curiali» cfr. Jones (1964), pp. 737-763, che commenta soprattutto l'imponente serie di leggi raccolta in *CTh*, 12. 1.

¹⁵ Sugli *agri deserti*: Jones (1964), pp. 812-823. Sul tentativo di vincolare i contadini alla terra: Jones (1964), pp. 795-812.

¹⁶ Tchalenko parla ampiamente dei suoi ritrovamenti archeologici (1953-1958). Opere più recenti hanno suggerito che alcune delle sue conclusioni sulla fonte della prosperità di quei villaggi devono essere rettificate, ma ciò non intacca minimamente la veridicità della scoperta; cfr. per esempio Tate (1989).

¹⁷ Ho sentito parlare di valori numerici tra i 5 e gli 8 milioni.

¹⁸ Riassunti e analisi recenti delle prove derivanti dai rilevamenti aerei si possono leggere in: Lewitt (1991); Whittaker e Garnsey (1998); Ward Perkins (2000); e Duncan Jones (2003).

¹⁹ Nell'Inghilterra medievale (fino al 1300 circa) i vincoli di servaggio si facevano più rigidi quando la popolazione cresceva e di conseguenza aumentava anche il bisogno che i contadini avevano di terra da lavorare, mentre si allentarono per esempio dopo la peste nera, quando i proprietari terrieri avevano molto più bisogno di braccia che non di terra. Per una revisione del concetto di *agri deserti* cfr. Whittaker (1976). Su tasse e agricoltura di sussistenza: Hopkins (1980).

²⁰ Ciò avvenne sia nelle capitali imperiali, come Treviri, Antiochia e Costantinopoli, ai più alti livelli, sia nei meno importanti capoluoghi di regione come Afrodisia, nell'Asia Minore sudoccidentale. Su questo tipo di sviluppi cfr. per esempio Jones (1964), capitolo 19; e Roueché (1989).

²¹ Alcuni storici dell'antichità usano una parola derivata dal greco, «evergetismo», cioè «buon funzionamento», per descrivere lo sfoggio competitivo locale dell'alto impero commemorato dalle migliaia e migliaia di iscrizioni arrivate fino a noi dai primi due secoli e mezzo dopo Cristo. Il che è almeno in parte un eufemismo.

²² Libanio, *Or.*, 42. 24-25.

²³ Sulla lista d'attesa per entrare in burocrazia: *CTh*, 6. 30. 16; cfr. Libanio, *Lettere* 358-359, 365-366, 362, 875-876. Per una risistemazione generale del problema: Heather (1994 b) con ampi rimandi.

²⁴ Tra i principali perdenti ci furono i costruttori e gli incisori di iscrizioni di tutte le piccole città dell'impero.

²⁵ Sull'efficienza dell'esercito: Elton (1996 a) e Whitby (2002). Tra i gruppi stranieri che «prestavano» contingenti armati per specifiche campagne militari c'erano anche i goti tervingi (cfr. Capitolo 2). La svolta veramente pericolosa avvenne dopo il 382, quando grossi contingenti armati furono reclutati tra i gruppi barbari che si erano già stanziati sul territorio dell'impero romano e che avevano cominciato ad agire come forze politiche di tipo centrifugo (cfr. Capitoli 4 e 5). Buona parte della discussione tradizionale si è concentrata sul comportamento e sulla fedeltà all'impero di generali-politici di origini non romane assurti a posizioni di grande influenza. Ma molti di costoro, pur definiti «barbari» dalla storiografia antica, come Stilicone, erano in realtà immigrati di seconda generazione e quindi romani fatti e finiti; e a ogni modo nel loro comportamento non si rinvengono tracce di slealtà. Su Stilicone in particolare cfr. più nel dettaglio pp. 268ss.

²⁶ Gibbon (1897), vol. 4, pp. 162-163 (dal capitolo *General Observations on the Fall of the Roman Empire in the West*).

²⁷ Liebeschuetz (1972), pp. 37-38, 104-105.

²⁸ Sulle monete: Calo Levi (1952). Le parole di Ursulo sono riportate da Ammiano, 20. 11. 5 e 22. 3. 7-8. Sulle riduzioni delle tasse: Jones (1964), pp. 462ss.;

a mio avviso, Jones dà un po' troppa importanza a quello che in fin dei conti è un comportamento umano assolutamente normale.

[29] Sulle abitudini dei grammatici: Agostino, *Confessioni*, specialmente libb. 2 e 4, *passim*. Questa rivoluzione culturale, e in particolare i casi di Melania e Paolino da Nola, sono stati molto studiati in anni recenti. Per un'introduzione all'argomento cfr. le molte opere di P.R.L. Brown, soprattutto (1981) e (1995); Markus (1990); e Trout (1999).

[30] *CTh*, 16. 5. 42 sul decreto del 408 che bandiva i pagani dal servizio imperiale. Sull'ideologia dell'impero cristiano cfr. Dvornik (1966).

[31] La storia di questo prezioso manoscritto è raccontata in Matthews (2000), capitolo 3.

[32] In quel momento c'erano due imperatori, Valentiniano III in occidente e Teodosio II in oriente.

[33] I papiri egiziani hanno conservato per noi alcune belle testimonianze di acclamazione: Jones (1964), pp. 722ss.

[34] Gli studiosi si sono concentrati solo sulla cristianizzazione dell'impero, di modo che la vera storia dell'altra faccia della medaglia attende ancora di essere raccontata. Per un'introduzione al tema cfr. Jones (1964), capitolo 22; e Markus (1990).

[35] La tesi di Gibbon in realtà è molto più facile da sostenere in relazione alla conquista araba dell'impero romano d'oriente nel VII secolo, quando effettivamente l'ostilità tra gli ortodossi di rito greco e siriano (questi ultimi spesso erroneamente chiamati monofisiti) giocò un ruolo nel processo. La disaffezione religiosa, invece, nel V secolo non ebbe niente a che fare con la conquista germanica dell'impero d'occidente.

[36] Sull'approccio «morbido» degli imperatori del IV secolo alla cristianizzazione delle loro classi dirigenti cfr. i contributi recenti di Brown (1995); Bradbury (1994); Barnes (1995); Heather e Moncur (2001), soprattutto capitolo 1.

[37] «Costituzione» è il termine ufficiale per indicare un formale editto imperiale.

[38] Invece che stenografate. I burocrati del tardo impero avevano molti modi per velocizzare il laborioso procedimento della scrittura a mano, ma la stenografia comportava qualche rischio di ricostruzione delle parole.

[39] Dvornik (1966); Barnish (1986), introduzione; Heather (1993).

[40] La storia è raccontata per intero in Matthews (2000), soprattutto capitoli 4-5.

[41] In Matthews (1986) possiamo leggere un'affascinante analisi di come Simmaco riesca a esprimere critiche e scetticismo all'interno delle pesanti costrizioni imposte dall'etichetta della vita pubblica di Roma.

[42] Per la formazione di Agostino cfr. Brown (1967), specialmente i capitoli 3-4.

[43] Sui *cohortales* di Afrodisia e d'Egitto: Roueché (1989), pp. 73-75. Sulle professioni giuridiche: Jones (1964), capitolo 14. McLynn (1994) e Van Dam (2003) sono studi recenti sulla prima generazione di vescovi di classe elevata; cfr. Brown (1967), soprattutto i capitoli 17-19, sulle tensioni create dal coltissimo Agostino tra i vescovi del Nordafrica un po' fuori dal mondo.

[44] Nelle grandi città le gare di bighe si svolgevano tra quattro squadre o fazioni: verdi, blu, rossi e bianchi. Le fazioni erano organizzatissime, e all'occasione potevano essere mobilitate – per esempio tramite la sommossa – per esercitare pressione politica o anche per svolgere dei compiti utili alla cittadinanza.

[45] Sui maratacupreni: Ammiano, 28. 2.

[46] *Lettere*, 1. 1-5 (citazione poco sopra: 1. 5. 2). Altre lettere sulla conduzione delle proprietà agricole: 2. 30-31; 5. 81; 6. 66; 6. 81; 7. 126. Un altro buon esem-

pio del concetto tardoimperiale di «miglioria» è in Paolino da Pella, *Eucharisticon*, pp. 187-197.
[47] Per esempio, *Lettere*, 2. 87; 6. 11.
[48] *Lettere*, 2. 13 (rimandi a *CTh*, 4. 4. 2 del 389); cfr. più in generale 6. 2; 6. 11; 6. 27; 7. 12.
[49] *Lettere*, 1. 6.
[50] *Lettere*, 6. 3; cfr. per altri rimandi a matrimoni: 4. 14; 4. 55; 9. 83; 9. 106-107.
[51] Sull'*affaire* Orfito cfr. Simmaco, *Relatio* 34.
[52] Lettere «normali»: *Lettere*, 1. 74; 3. 4; 4. 68; 5. 18; 6. 9; e la coppia 5. 54 e 66. Lettere «ufficiali»: *Relationes* 16, 19, 28, 33, 38, 39, 41.
[53] *Lettere*, 1. 12 (al padre). Sulla nuova stanza da bagno: 1. 10; 2. 16; 2. 60; 5. 93; 6. 70; 7. 7; 7. 18; 8. 42. Sui costruttori ritardatari: 6. 70. Cfr. più in generale 1. 10; 2. 2; 6. 11; 6. 49; 7. 32.
[54] Sulle attrattive di Baia in autunno: *Lettere*, 1. 7 (cfr. 1. 3). Sulle «gite» del 196: 5. 21; 5. 93; 7. 24; 7. 31; 7. 69; 8. 2; 8. 13; 8. 27; 8. 61; 9. 111; 9. 125. Richiami alle altre tenute: 1. 5; 2. 59; 3. 23; 3. 50; 7. 35; 7. 59; 9. 83.
[55] Anche se Simmaco liquida la caccia come passatempo immaturo: *Lettere*, 4. 18.
[56] La lettera in cui Simmaco si dichiara troppo occupato è la 1. 35. Cfr. *Lettere*, 1. 24 (con allegato il dono della *Naturalis Historia* di Plinio), 3. 11 (su una traduzione in latino delle *Costituzioni* di Aristotele), 4. 20 (sullo studio del greco assieme al figlio.
[57] *Lettere*, 2. 47-48; 3. 4; 3. 23.
[58] *Lettere* quotidiane sulla salute: 6. 32, con 6. 4 e 6. 29 sulla dieta. Più in generale: 1. 48; 2. 22; 2. 55; 5. 25; 6. 20.
[59] *P. Ital.*, 10-11, è una superba illustrazione delle complessità del trasferimento di proprietà nell'antica Roma, ove si dimostra che lo scambio poteva dirsi legalmente concluso solo quando il nuovo proprietario era iscritto in quanto tale nel relativo registro delle proprietà cittadine.
[60] Prisco, fr. 11. 2, pp. 267-273.
[61] I titoli del *Codice Teodosiano* sono altamente illuminanti – per esempio, Contratti d'acquisto, Doti, Eredità – e così i *curricula studiorum* richiesti per insegnare diritto romano: cfr. Honoré (1978), capitolo 6, sia sull'introduzione del nuovo curriculum del VI secolo a opera di Giustiniano sia su quello così sostituito. Sull'Inghilterra del XVIII secolo: Linebaugh (1991), soprattutto capitolo 3.
[62] La propaganda dell'imperatore Teodosio, per esempio, insisteva molto sul fatto che egli aveva rimesso nella posizione loro spettante alcune famiglie senatoriali mandate in rovina dal suo predecessore Valente (Temistio, *Or.*, 16. 212d; 34. 18).

4. Guerra sul Danubio

[1] A meno che sia indicato altrimenti, le citazioni di questo capitolo sono tratte da Ammiano, libro 31; questa è da 31. 4. 3.
[2] Duecentomila: Eunapio, fr. 42; cfr. Lenski (2002), pp. 354-355. Negli anni successivi al 470 un contingente di circa 10.000 guerrieri goti trascinò con sé le famiglie e tutto ciò che avevano in una lunga carovana composta da almeno 2000 carri (Malco di Filadelfia, fr. 20). Le mie convinzioni riguardo ai numeri si basano sul fatto che Valente ad Adrianopoli attaccò i goti pensando di trovarsene davanti solo 10.000 circa (Ammiano, 31. 12. 3), forse perché credeva fossero

598

solo i tervingi. Il rapporto tra combattenti e non combattenti tradizionalmente viene considerato di 1 a 4 oppure 1 a 5, il che per i tervingi suggerirebbe un numero di circa 50.000 persone. Le fonti fanno supporre che anche i greutungi fossero in un numero analogo a quello dei tervingi.

[3] Ammiano, 31. 2.

[4] Cfr. Maenchen-Helfen (1973), capitoli 8-9.

[5] Che era un titolo e non, come in Walt Disney, un nome proprio.

[6] Molti studi hanno affrontato questa spinosa questione, ma per un'introduzione all'argomento cfr. Maenchen-Helfen (1945) e Twitchett e Loewe (1986), soprattutto pp. 383-405.

[7] Giordane, *Getica*, 24. 123-126; cfr. Vasiliev (1936) sulla storia. Per un commento del XX secolo: Bury (1928).

[8] Per un'introduzione ai chioniti e ai Gupta cfr. *Encyclopaedia Iranica*: Yarshater (1985-2004 e in corso di pubblicazione).

[9] Ammiano, 31. 3. 2: «trovò sollievo ai suoi terrori togliendosi la vita».

[10] Ammiano, 31. 3. 7 dice che queste mura si estendevano «dal fiume Geraso [l'odierno Pruth] fino al Danubio e costeggiavano le terre dei taifali [Oltenia]». Discuto questo punto in Heather (1996) con rimandi alle varie alternative.

[11] Ammiano, 31. 4. 12.

[12] Questa la cronologia tradizionale. Wanke (1990) propende invece per la primavera del 376, ma su basi non troppo solide, e Lenski (2002), pp. 182ss. e 325s., per l'inizio dell'estate, sulla base del fatto che fu l'arrivo dei goti a spingere Valente a emettere qualche grugnito aggressivo verso i persiani nell'estate del 376. A ogni modo mi sembra inconcepibile che un imperatore che nel 369 aveva completamente sistemato il fronte balcanico prima di affrontare la Persia (cfr. Capitolo 2) possa aver volutamente provocato un conflitto in Armenia dopo aver ricevuto la notizia che il Danubio era di nuovo in subbuglio; dunque per me tutto ciò conferma che i goti arrivarono sul Danubio solo dopo che Valente ebbe fatto le sue manovre a est, quindi al più presto alla fine dell'estate del 376.

[13] Ammiano, 31. 3. 8.

[14] Ammiano, 31. 3. 3.

[15] Come dimostrato da un massiccio attacco unno di quello stesso anno, che mosse attraverso il Caucaso e non attraverso il Danubio (cfr. oltre, pp. 251ss.).

[16] Ammiano, 31. 2. 8-9; Zosimo, 4. 20. 4-5.

[17] Le testimonianze archeologiche sull'arco unno sono raccolte e discusse in Harmatta (1951); Laszlo (1951); Bona (1991), pp. 167-174. La storia dell'arco a doppia curva e le informazioni sui migliori tiri registrati sono tratte da Klopsteg (1927). I tentativi effettuati da Klopsteg per calcolare la potenza di fuoco sono stati superati dal lavoro realizzato con la matematizzazione da Kooi; per un'introduzione cfr. Kooi (1991) e (1994). Questi e altri studi si possono leggere anche on-line all'indirizzo elettronico www.bio.vu.nl/thb/users/kooi. Tra le variabili significative che determinano la performance di un arco ci sono la lunghezza dei bracci, la forma della sezione a croce, le proprietà elastiche dei materiali usati, la lunghezza della tensione, il peso della freccia, il peso e le proprietà elastiche della corda.

[18] Olimpiodoro, fr. 19.

[19] Giordane, *Getica*, 49. 254: attribuito a Prisco.

[20] Laszlo (1951); Harmatta (1951).

[21] Fonti: Ammiano, 31. 4. 4; Eunapio, fr. 42; Socrate Scolastico, *HE*, 4. 34; Sozomeno, *HE*, 6. 37. La maggior parte delle fonti racconta una storia sostanzialmente analoga, ma Ammiano riporta molti più particolari mentre Eunapio enfatizza il tradimento dei goti.

²² Ammiano riporta nel caso dell'ammissione dei limiganti una giustificazione che richiama decisamente quella fornita nel caso dei goti del 376: «[accogliendo i limiganti] Costanzo avrebbe guadagnato più sudditi fecondi di figli e avrebbe potuto radunare un grosso contingente di reclute» (19. 11. 7).

²³ Sainte-Croix (1981), Appendice III, ci dà una lista esauriente dei momenti di immigrazione documentati. La storia degli sciri è in Sozomeno, *HE*, 9. 3, e *CTh*, 5. 6. 3. Per un'analisi completa della politica e della letteratura di Roma cfr. Heather (1991), pp. 123-130.

²⁴ Le due citazioni sono da Ammiano, 10. 11. 10-15.

²⁵ Ammiano, 31. 5. 9.

²⁶ Le manovre aggressive messe in atto da Valente contro la Persia nell'estate del 376 sono ben ricostruite in Lenski (2002), pp. 180-185. Cfr. sopra, nota 12: secondo me (non secondo Lenski) tutto ciò dovrebbe collocare l'arrivo dei goti sul Danubio dopo l'aggressione di Valente, cioè al più presto alla fine dell'estate.

²⁷ Se vogliamo credere a Sozomeno, *HE*, 6. 37. 6, anche Ulfila potrebbe aver partecipato alla trattativa diplomatica; cfr. Heather e Matthews (1991), pp. 104-106.

²⁸ Ammiano, 31. 4. 12.

²⁹ Per una discussione più approfondita dei termini del trattato cfr. Heather (1991), pp. 122-128. Ci sono almeno due punti controversi. Sulla base di Socrate Scolastico, *HE*, 4. 33, alcuni studiosi datano la conversione dei tervingi a prima del 376; cfr. Lenski (1995). Il che, comunque, contraddice il particolareggiato resoconto degli avvenimenti datoci dal contemporaneo Ammiano. Socrate, un autore più tardo e molto meno informato, difficilmente è preciso. Quindi preferisco attenermi alla conclusione raggiunta in Heather (1986). La seconda controversia, derivante dalla stessa fonte, si focalizza sul resoconto di Eunapio, fr. 42, dove si dice che i goti avrebbero dovuto abbandonare le armi al momento di passare il fiume ma in realtà non lo fecero. La fonte afferma anche che i goti avrebbero fatto un giuramento segreto di non fermarsi prima di aver completamente distrutto l'impero romano. Ma né questo giuramento segreto né la detenzione illegale di armi sono confermati da alcuna altra fonte, segnatamente non da Ammiano, e chiaramente Eunapio li aveva utilizzati come trucchi per spiegare la successiva vittoria dei goti ad Adrianopoli. A mio avviso si tratta di dati non convincenti in quanto Valente aveva in mente di utilizzare i goti in combattimento accanto alle sue truppe regolari, e i goti, come vedremo tra poco, covavano assolutamente troppa diffidenza nei confronti dell'impero per entrarvi disarmati. Molti degli studiosi che accettano la storia del disarmo negano poi quella del giuramento segreto, una soluzione che mi sembra arbitraria; cfr. per esempio Lenski (2002), pp. 343ss.

³⁰ Temistio, *Or.*, 13. 163c; sul *Simposio* di Socrate 203d.

³¹ Ammiano, 31. 5. 5-8.

³² Altri rapimenti organizzati dai romani in Ammiano, 21. 4. 1-5; 27. 10. 3; 29. 4. 2ss; 29. 6. 5; 30. 1. 18-21. Molti altri studiosi ritengono che dietro il banchetto di Lupicino ci fosse una premeditazione malevola (per esempio Lenski [2002], p. 328), senza trarne conclusioni riguardo agli ordini che Lupicino potrebbe aver ricevuto da Valente.

³³ Ammiano, 31. 4.

³⁴ *Diuque deliberans*: Ammiano, 31. 3. 8.

³⁵ Ammiano, 31. 5.

³⁶ Non è assurdo supporre che i goti fossero al corrente della situazione con la Persia. I barbari avevano potuto osservare da vicino i movimenti di truppe in

atto dall'altra parte della frontiera (Ammiano, 31. 10. 3-5), e i contatti erano abbastanza frequenti da far passare le informazioni. Il fatto che i rapporti tra tervingi e greutungi non si siano mai interrotti è una prova evidente dei sospetti nutriti dai goti.

[37] Valente poté prendere ancora in considerazione l'idea di arruolare truppe ausiliarie gote per la guerra contro la Persia a un certo punto dell'inverno 376-377 (Ammiano, 30. 2. 6), evidentemente prima dello scoppio delle ostilità.

[38] C'è un'immensa bibliografia sullo sviluppo delle varie parti dei Balcani romani, ma nessuno studio d'insieme. I paragrafi precedenti sono una sintesi basata sui principali di questi studi, come Mocsy (1974); Lengyel e Radan (1980); Wilkes (1969); e Hoddinott (1975), con monografie come Poulter (1995) e Mango (1985) su Costantinopoli.

[39] Nella storiografia di lingua tedesca dopo Várady (1969) è stato tradizione argomentare che i greutungi di Alateo e Safrax fossero composti da tre contingenti etnici equipollenti: goti, alani e unni (il cosiddetto gruppo *Drei Völker*). Di questa sorta di fantasia da eruditi fa parte la tesi secondo cui il resoconto di Ammiano sul confluire di unni e alani nella rivolta nell'autunno del 377 (cfr. più sotto) descriverebbe in realtà il momento in cui Alateo e Safrax si unirono ai tervingi in rivolta. La cosa però non ha senso. Gli unni e gli alani dell'autunno 377 (Ammiano non menziona i goti) erano del tutto separati e distinti da Alateo e Safrax, che si trovavano già a sud del Danubio e che probabilmente si unirono alla rivolta immediatamente dopo i disordini di Lupicino. Per rimandi più completi e un'ulteriore discussione del tema cfr. Heather (1991), Appendice B; Lenski (2002), pp. 330-331.

[40] Ammiano, 31. 6. 4.

[41] Sui forti cfr. Scorpan (1980); Petrovic (1996); le relative guarnigioni sono elencate in *Not. Dig. Or.*, 39.

[42] Ammiano, 31. 6. 5-8.

[43] Secondo itinerari romani, una stazione di posta chiamata Ad Salices si trovava nell'estremo nord della Dobrugia, ma Ammiano dice che lo scontro ebbe luogo vicino a Marcianopoli, cioè almeno 150 chilometri più a sud. All'inizio della rivolta vera e propria la carovana dei carri goti era già avanzata fino a circa 15 chilometri da Marcianopoli, ed è difficile immaginare perché mai i goti avrebbero dovuto decidere di ritirarsi tanto a nord. Quindi probabilmente esisteva un *oppidum* Salices da non confondersi con Ad Salices.

[44] Estate e autunno: Ammiano, 31. 8. 2. La campagna del 377 è raccontata in Ammiano, 31. 7.

[45] Ammiano, 31. 10. 1: quindi all'inizio di novembre, forse.

[46] Sulle nuove alleanze e sull'abbandono dei valichi: Ammiano, 31. 8. 4. Cfr. sopra, nota 39: secondo alcuni questo sarebbe il momento in cui Alateo e Safrax si unirono alla rivolta di Fritigerno. Da notarsi comunque che Ammiano non nomina i greutungi in questo contesto.

[47] Sugli arabi cfr. Lenski (2002), pp. 335s. con rimandi. Sulla distruzione delle ville romane: Poulter (1999).

[48] Ammiano, 31. 11.

[49] La storia di questi mesi è narrata in Ammiano, 31. 10-11.

[50] Il resoconto sulla battaglia si può leggere in Ammiano, 31. 12. Per una stima maggiore delle perdite subite dai goti: Hoffmann (1969), p. 444 nota 138, pp. 450-458: cfr. per esempio Lenski (2002), p. 339 con rimandi. Ma se davvero Valente avesse avuto più di 30.000 uomini da impiegare contro i goti dubito che avrebbe avuto bisogno di aspettare Graziano, né si sarebbe preoccupato tanto di sape-

re se i goti fossero o meno tutti lì, poiché credo che nemmeno tutti i goti riuniti insieme potessero mettere in campo più di 20.000 uomini (cfr. sopra, nota 2).

[51] Ammiano, 31. 16. 7.

[52] Ammiano, 31. 12.

[53] Solo i frr. 47-48 di Eunapio sopravvivono di quello che originariamente sembra essere un ampio resoconto delle peripezie di queste città.

[54] Questa ricostruzione deriva dalla considerazione che Zosimo, 4. 24-33, basato sull'opera di Eunapio, è di fatto un resoconto coerente degli eventi intercorsi tra il 378 e il 382, sciupato solo dal fatto che Zosimo ha voluto inserire nel suo testo anche un secondo resoconto della guerra in 4. 34. La maggior parte degli studiosi ritengono che nel 380 i greutungi abbiano siglato con Graziano una pace separata e di conseguenza abbiano avuto il permesso di stanziarsi in Pannonia, ma io non ne sono convinto; cfr. Heather (1991), pp. 147ss. e Appendice B per ulteriori argomentazioni ed esaurienti rimandi.

[55] Temistio, *Or.*, 16. 210b-c.

[56] C'è letteralmente un buco in questo punto cruciale del manoscritto di Temistio, *Or.*, 34. 24, che rende poco chiaro se l'autore si riferisca al fatto che dopo il 382 i goti si insediarono in Macedonia o solo al loro attacco alla provincia prima dell'accordo di pace.

[57] Questi comandanti presumibilmente sono gli stessi che avrebbero goduto dello status di *reiks* semiautonomi sotto Atanarico «il giudice» ai vecchi tempi della confederazione dei tervingi a nord del Danubio (cfr. Capitolo 2), dai cui ranghi nel 376 erano emersi anche Fritigerno, Alateo e Safrax.

[58] Il significato di tale trattato è stato ormai ampiamente riconosciuto: per esempio Mommsen (1910), Stallknecht (1969). Per una discussione più particolareggiata e rimandi completi cfr. Heather (1991), pp. 158ss.

[59] Fino alla fine del capitolo, tranne che dove altrimenti indicato, le citazioni sono tratte da Temistio, *Or.*, 16.

[60] Temistio, *Or.*, 14. 181b-c.

[61] Zosimo, 4. 32-33, con Heather (1991), pp. 152-155; Heather e Moncur (2001), capitolo 4; cfr. sopra, nota 54.

[62] Questi goti erano altri greutungi guidati da un certo Odoteo: Zosimo, 4. 35. 1, 38-39; Claudiano, *De quarto consulatu Honorii Augustii*, tradotto in Platnauer (1922), pp. 626ss.

[63] Poulter (1995), (1999).

[64] «Quegli uomini passarono in Asia sotto la legge di guerra, e dopo averne spopolate [ampie zone] [...] si stabilirono nel territorio che abitano tuttora. Né Pompeo né Lucullo li annientarono, anche se la cosa sarebbe stata perfettamente possibile, né Augusto, né gli imperatori dopo di lui; tutti costoro invece rimisero i loro peccati e li assimilarono nell'impero. E oggi nessuno si riferirebbe ai galati come a barbari, bensì come a romani in tutto e per tutto. Perché anche se i loro antichi nomi sono sopravvissuti, il loro stile di vita è ormai il nostro. Pagano le tasse come le paghiamo noi, si arruolano nelle stesse file in cui militiamo, accettano di essere governati negli stessi termini e obbediscono alle stesse leggi. Quindi vedremo anche gli sciti [i goti] fare altrettanto in un breve lasso di tempo» (*Or.*, 16. 211c-d).

[65] Ambrogio, *Commento al Vangelo di Luca 10,10*, tradotto da Maenchen-Helfen (1973), p. 20.

5. La Città di Dio

[1] Gerolamo, *Prediche sopra Ezechiele*, *Prefazione al Libro Primo*. Commento pagano: Agostino, *Sermone* 296; per una visione d'insieme dei vari commenti cfr. Courcelle (1964), pp. 58ss.

[2] Su Olimpiodoro e il suo pappagallo, e sull'uso che fu fatto dei suoi testi, cfr. Matthews (1970); Zosimo fuse i testi di Eunapio e di Olimpiodoro in 5. 26. 1.

[3] Zosimo, 5. 26. 3-5.

[4] Sul fatto che Radagaiso fosse un goto: fonti come *PLRE* 2, p. 934.

[5] Tra questi rifugiati c'erano gli abitanti di Scarabanzia, che portarono con sé il corpo di san Quirino. Anche *CTh*, 10. 10. 25 e 5. 7. 2 si riferisce a loro: Alföldy (1974), pp. 213ss.

[6] Claudiano, *Guerra gotica*, vv. 363ss. (cfr. 414-415); cfr. Courtois (1955), pp. 38ss.

[7] Alamanni e quadi sono menzionati da Gerolamo tra i partecipanti all'invasione del Reno (*Lettere*, 123. 15). Wolfram (1988), p. 387 nota 55, assume una posizione simile, mentre Thompson (1982 b), pp. 152-153, non è d'accordo. Per gli svevi del V secolo: Pohl (1980), pp. 274-276.

[8] Gerolamo, *Lettere*, 123. 15. Per i sarmati del IV secolo: Ammiano, 17. 12-13 (i sarmati che non parteciparono all'avventura del 406 continuarono a vivere lungo il Danubio, cfr. Pohl [1980], pp. 276-277).

[9] Sulla marcia per raggiungere Valente: Ammiano, 31. 11. 6. Sull'esercito romano d'occidente: Zosimo, 4. 35. 2.

[10] Sozomeno, *HE*, 9. 25. 1-7; cfr. *CTh*, 5. 6. 2. Thompson (1966), pp. 63-64, è certo che Uldino fosse una figura relativamente di secondo piano. Per un'impostazione alternativa, a mio avviso errata, cfr. Maenchen-Helfen (1973), pp. 59-72, soprattutto 71.

[11] Sidonio, *Poesie*, 12.

[12] Per i burgundi del IV secolo: per esempio Matthews (1989), pp. 306ss.; sui loro movimenti successivi: per esempio Demougeot (1979), pp. 432, 491-493.

[13] Zosimo, 5. 35. 5-6.

[14] Paolino di Pella, *Eucharisticon*, pp. 377-398.

[15] *CTh*, 5. 6. 2.

[16] Forse di più, dato che non siamo molto sicuri di quali fossero le dimensioni delle unità del tardo impero.

[17] Sui guerrieri di Radagaiso: Olimpiodoro, fr. 9; il riassunto di Fozio dice «12.000 nobili», ma di solito è considerato un numero totale piuttosto confuso: per esempio Wolfram (1988), pp. 169-170; Heather (1991), pp. 213-214. Secondo Agostino, Radagaiso aveva «più di» 100.000 seguaci (*La Città di Dio*, 5. 23); secondo Orosio (7. 33. 4) ne aveva 200.000; e secondo Zosimo 400.000 (5. 26). Nessuna di queste stime risulta particolarmente affidabile.

[18] Procopio, *Guerre*, 3. 5. 18-19, dice che i guerrieri erano 80.000, ma Vittorio di Vita, più contemporaneo e meglio informato (*Historia persecutionis*, 1. 2) lo considera un numero totale e racconta che il re aveva diviso il suo seguito in 80 gruppi indicativamente di 1000 soldati ciascuno, ma in realtà un po' più piccoli. 80.000 guerrieri è un dato poco credibile, che farebbe di questo gruppo una forza armata due volte più potente della massima stima possibile per i goti di Alarico. Vittorio viveva tra i vandali e in genere sapeva abbastanza bene di che cosa stava parlando, anche se le sue opere sono piuttosto polemiche. Goffart (1980), pp. 231-234, prende una posizione conclusiva anche sulla testimonianza

di Vittorio (il quale, incidentalmente, nota che anche altri tra i suoi contemporanei avevano fatto confusione con il numero totale dei guerrieri), ma a p. 33 si accontenta di supporre, anche se abbastanza a priori, che l'esercito congiunto vandalo-alano doveva avere decine di migliaia di guerrieri.

[19] Gerolamo, *Cronaca*, 2389. Orosio, 7. 32. 11.

[20] Per alcuni molto più vicino all'anno 400, o addirittura prima; cfr. Heather (1996), pp. 117ss. per un riassunto con tutti i rimandi.

[21] Su Radagaiso: Olimpiodoro, fr. 9, distingue gli *optimatoi* (i migliori) dagli altri; cfr. Heather (1996), Appendice 1, più in generale.

[22] Pro: per esempio Lot (1939), pp. 78-79; Courtois (1995), pp. 39-40; Musset (1965), pp. 103-104; Demougeot (1979), p. 415. Contro: Goffart (1980), pp. 2ss., soprattutto 16-17; cfr. Maenchen-Helfen (1973), pp. 60-61, 71-72.

[23] Alcune squadre di razziatori unni si spinsero fino al Danubio già nel 376 (cfr. Capitolo 4), ma sempre partendo da una base operativa posta molto più a est.

[24] Claudiano, *Contro Rufino*, 2. 26ss., racconta di due minacce portate contro l'impero d'oriente nel 395, una attraverso il Caucaso, l'altra sul Danubio; a 36ss. precisa che i goti di Alarico erano la minaccia sul Danubio e non, come qualcuno ha supposto, un secondo gruppo di unni stanziati molto più a ovest.

[25] Marcellino *comes*, s.a. 427; cfr. Giordane, *Getica*, 32. 166.

[26] Quel generale era Ezio, del quale parleremo ancora molto nei prossimi due capitoli: l'aiuto degli unni da lui reclutati sette anni prima presumibilmente venne dalla stessa regione (rimandi in *PLRE* 2, pp. 22-24).

[27] Sulle tombe reali: Prisco, fr. 6. 1. Sull'accampamento di Attila: Browning (1953), pp. 143-145.

[28] Sulle affiliazioni di Olimpiodoro, cfr. Matthews (1970). Sul suo viaggio per mare: Olimpiodoro, frr. 19 e 28, entrambi sicuramente relativi alla stessa traversata; cfr. Croke (1977), p. 353. Altri hanno supposto che Olimpiodoro visitasse il Ponto – per esempio Demougeot (1979), pp. 391-392 – ma sappiamo anche che nel 409 Onorio aspettava l'imminente arrivo di 10.000 unni (Zosimo, 5. 50. 1). Ciò avvenne dopo la sconfitta di Uldino, e possiamo dedurne che nel frattempo si era preso contatto anche con altri unni. Siamo tentati di associare questa nuova alleanza con il periodo di tempo che il generale Ezio aveva trascorso tra gli unni come ostaggio nel 410 circa (rimandi in *PLRE* 2, p. 22).

[29] *CTh*, 7. 17. 1, 28 gennaio 412: «Noi decretiamo che debbano essere assegnati al confine con la Mesia novanta navi da pattuglia di recente costruzione e che a queste ne vadano aggiunte altre dieci con la riparazione di navi vecchie, e sul confine con la Scizia, che è piuttosto ampio ed esteso, debbano essere assegnate centodieci di tali navi nuove, più altre quindici ottenute dal restauro di quelle vecchie [...] Tali opere dovranno essere dotate di tutte le armi e i rifornimenti su istanza del comandante e verranno realizzate sotto la responsabilità del suo personale».

[30] Mango (1985), pp. 46ss.

[31] Non importa poi tanto ai fini della discussione se la gran massa degli unni sia arrivata a occidente dei Carpazi durante la crisi del 405-408 o nel corso del decennio seguente. Dopo il 376, quando tervingi e greutungi abbandonarono le loro case a nord del Mar Nero, gli unni impiegarono alcuni anni per raggiungere la frontiera del basso Danubio. Dato che il loro arrivo a nord del Mar Nero era stato preceduto da una profonda convulsione demografica a est dei Carpazi, l'intrusione degli unni nella pianura ungherese nel 410-420 sicuramente dev'essere stata preceduta da sconvolgimenti analoghi a occidente.

³² Nel 401-402, per affrontare un attacco contro l'Italia, Stilicone aveva richiamato truppe dalla Gallia e dalla Britannia, e abbiamo tutte le ragioni di supporre che fece altrettanto in questa occasione.

³³ Gli alani furono forse reclutati dalle regioni a nord della provincia della Rezia (Claudiano, *Guerra gotica*, vv. 400-403); gli unni furono mandati da Uldino, all'epoca ancora docile.

³⁴ Orosio, 7. 37. 37ss.

³⁵ Orienzio, *Commonitorium*, 2. 184.

³⁶ Le ultime due citazioni sono tratte da Prospero Tirone (Prospero d'Aquitania), *Epigrammi*, 17-22; 25-26. Una buona introduzione a questi poemi è in Roberts (1992); cfr. anche Courcelle (1964), pp. 79ss.

³⁷ Idazio, *Cronaca*, 49.

³⁸ *Guerre*, 3. 33.

³⁹ Orosio, 7. 43. 14.

⁴⁰ I goti di Fritigerno fecero altrettanto in Macedonia nel 380 circa, dopo tre anni di saccheggio (cfr. Capitolo 4).

⁴¹ Zosimo, 6. 1. 2, combacia solo leggermente con Olimpiodoro, fr. 13, l'originale cui Zosimo attinge direttamente. Il frammento di Olimpiodoro precisa che le usurpazioni britanniche cominciarono prima del 1° gennaio 407 (inizio del settimo consolato di Onorio), laddove Zosimo intende male e dice che cominciarono *durante* il settimo consolato.

⁴² Ciò si evince, nonostante alcuni pasticci, da Zosimo, 6. 3.

⁴³ Orosio, 7. 40. 4.

⁴⁴ Questa versione, su cui concordano gli studiosi, è stata contraddetta da Liebeschuetz (1990), pp. 48-85, ma io sono ancora soddisfatto delle controargomentazioni fornite in Heather (1991), pp. 193-199.

⁴⁵ Orosio, 7. 35. 19.

⁴⁶ Questo è proprio ciò che avvenne con Attila, che fu nominato almeno formalmente generale di primo grado dell'impero in modo che si potesse fingere che il sussidio in oro pagatogli dalle casse dello stato non fosse un vero sussidio, bensì il salario per le sue truppe. Personalmente sospetto che lo stratagemma fosse stato utilizzato per la prima volta con Alarico, una cinquantina d'anni prima. Sul background della rivolta di Alarico cfr. per ulteriori dettagli Heather (1991), pp. 181-192, 199ss.

⁴⁷ Secondo me ciò dev'essere accaduto già nel 395, al primo scoppiare della rivolta. Altri sostengono che non può essere accaduto prima del 408-409, quando il cognato di Alarico, Ataulfo, lo raggiunse in Italia con un esercito congiunto di unni e goti provenienti dalla Pannonia. Ma in realtà si tratta di un dettaglio irrilevante. Il punto fondamentale è che le vecchie distinzioni furono messe da parte. La cosa presumibilmente fu resa molto più facile dalla soppressione fisica dei precedenti capi di entrambi i gruppi (Fritigerno, Alateo e Safrax, con il trattato del 382), che potevano aver avuto interesse a mantenere in vita le differenze. Per altri dettagli e rimandi completi a punti di vista alternativi cfr. Heather (1991), pp. 213-214, Appendice B.

⁴⁸ Cameron (1970), pp. 159ss.; cfr. pp. 474ss. per un convincente scioglimento della confusione fatta dalle due fonti principali sulle due campagne.

⁴⁹ Sulla caduta di Eutropio: Cameron (1970), capitolo 6; Heather (1988).

⁵⁰ Su Gaina e la politica di corte a Costantinopoli: Cameron e Long (1993), capitoli 5-6 e 8. Sull'episodio di Silvano: Ammiano, 15. 5. La letteratura sulla prima avventura italiana di Alarico è sconfinata, ma per un'introduzione cfr. Heather (1991), pp. 207ss.

605

[51] *CTh*, 15. 14. 11.

[52] Simmaco aveva ricoperto una carica pubblica per l'ultima volta nel 383, durante la quale aveva preso una serie di pessime decisioni tra cui quella di sostenere l'usurpatore Massimo; cfr. Matthews (1974).

[53] *Lettere*, 5. 51; 6. 2 e 27.

[54] *Contro Rufino*, 2. 4-6.

[55] Su Stilicone in generale cfr. Cameron (1970), soprattutto i capitoli 2-3, e Matthews (1975), capitolo 10. Questa visione delle manovre di Stilicone con Alarico è discussa più nel dettaglio e con rimandi completi in Heather (1991), pp. 211-213.

[56] Le due citazioni seguenti sono tratte da Zosimo, 5. 32. 1; 5. 33. 1-2.

[57] *CTh*, 9. 42. 20-22.

[58] Sulla caduta di Stilicone e Olimpiodoro: Matthews (1970); (1975), pp. 270-283.

[59] Secondo Zosimo, 30.000 guerrieri si unirono ad Alarico dopo il pogrom, ma il dato è assolutamente troppo alto. Sospetto che ancora una volta egli non abbia interpretato correttamente Olimpiodoro, che era sicuramente la sua fonte anche su questo punto, ritenendo che 30.000 fosse il numero delle nuove reclute quando in realtà rappresentava il totale degli uomini di Alarico, reclute comprese. 30.000 è anche la mia ipotesi per le dimensioni approssimative dell'esercito di Alarico quando furono arrivati tutti i rinforzi; per esempio 10.000 ciascuno dai greutungi e tervingi del 376, cui vanno aggiunti i più di 10.000 ex seguaci di Radagaiso che Stilicone aveva riassorbito nell'esercito romano.

[60] Le prossime due citazioni sono tratte da Zosimo, 5. 48. 3; 5. 50. 3 - 51. 1.

[61] Saro e Alarico avevano litigato in un momento imprecisato, ma prima che il secondo scendesse in Italia (Zosimo, 6. 13. 2) Saro morì per mano di Ataulfo (Olimpiodoro, fr. 18) e Sigerico trasse beneficio dall'assassinio di Ataulfo e della sua famiglia (Olimpiodoro, fr. 26. 1).

[62] Per un resoconto più dettagliato degli eventi che portarono al sacco di Roma cfr. per esempio Matthews (1975), capitolo 11, con rimandi completi; Heather (1991), pp. 213-218.

[63] Livio 5. 41. 8-9. Le fonti per il sacco di Alarico sono collazionate in Courcelle (1964), pp. 45-55.

[64] Le citazioni nel resto di questo passaggio, a meno che non sia altrimenti specificato, sono tratte da sant'Agostino, *La Città di Dio*, qui 3. 17.

[65] *La Città di Dio*, 2. 19-20.

[66] La «passione del dominio» riprende Sallustio, *La congiura di Catilina*, 2. 2; la citazione è tratta dalla *Città di Dio*, 3. 14.

[67] La citazione è tratta dalla *Città di Dio*, 2. 29. Prosegue Agostino: «Tra questi veri nemici si nascondono i futuri cittadini [della città celeste]; e quando si confronta con loro, essa non deve pensare che sia un compito infruttuoso quello di sopportare la loro inimicizia fintanto che li vede confessare la fede. Allo stesso modo, mentre la Città di Dio è pellegrina su questa terra, essa ha nel suo seno alcune persone che sono unite con lei nella partecipazione ai sacramenti, ma che non si riuniranno a lei nell'eterna gloria dei santi» (*La Città di Dio*, 2. 34-35).

[68] La citazione è dalla *Città di Dio*, 2. 18. Per un'introduzione alla *Città di Dio* e per tutto l'ampio ventaglio di reazioni al sacco di Roma cfr. Courcelle (1964), pp. 67-77; Brown (1967), capitoli 25-27.

[69] Le prossime cinque citazioni sono tratte da Rutilio, *De reditu suo*. Il poema

è tradotto in Keene e Savage-Armstrong (1907). Sul viaggio e i suoi particolari cfr. Cameron (1967); Matthews (1975), pp. 325-328.

[70] Febo è il dio del sole, che attraversa il cielo su un carro trainato da cavalli.

[71] Il *Carmen de Providentia Dei* è parzialmente tradotto e interamente analizzato in Roberts (1992).

[72] Di solito indicato con il nome completo – anche se in genere «Flavio» sarebbe omesso – per evitare possibili confusioni con l'usurpatore Costantino III. Richiami completi alle fonti per la sua carriera si possono trovare in *PLRE* 2, pp. 321-325. La descrizione migliore della sua carriera è quella di Matthews (1975), capitoli 12-14.

[73] Olimpiodoro, fr. 23.

[74] Questo usurpatore non è il Magno Massimo sconfitto da Teodosio I nel 387, bensì un pretendente omonimo molto meno famoso.

[75] Matthews (1975), pp. 313-315 (c'è un piccolo punto interrogativo sulla geografia).

[76] Su questo aumento di salario cfr. Sivan (1985), il quale lo data al 416; ma è molto più probabile che si tratti di una misura precoce tesa a stimolare la lealtà di quelle truppe che avevano seguito gli usurpatori e che a quel punto avrebbero dovuto combattere contro i barbari.

[77] Orosio, 7. 43. 2-3.

[78] Fr. 24.

[79] Sigerico: cfr. nota 61. Per un'analisi molto più dettagliata sul tema Costanzo e i goti, con rimandi completi, cfr. Heather (1991), pp. 219-224. Un *modius* corrisponde a circa un quarto di staio, pari a 36,37 litri.

[80] *Cronaca*, 24.

[81] Oppure per via indiretta, attraverso il riassunto composto da Fozio nel IX secolo sull'opera dello storico della chiesa Filostorgio, che usava come fonte Olimpiodoro. I passi chiave si trovano in Filostorgio, *HE*, 12. 4-5, e Olimpiodoro, fr. 26. 2.

[82] Per il Nordafrica intorno alla metà del V secolo cfr. pp. 356-357. Per il dibattito storiografico più ampio che ha circondato la forma economica degli insediamenti barbarici all'interno dell'impero cfr. pp. 508ss. e relativi rimandi.

[83] Due storici di una generazione fa, i professori Thompson (1956, favorevole alla tesi dei contadini in rivolta) e Wallace-Hadrill (1961, propenso a quella dei pirati sassoni) sono virtualmente venuti alle mani sull'argomento. Raccomando in modo particolare ai lettori l'appendice a Thompson (1982 c), la cui possente argomentazione comincia così: «Sfortunatamente, nel 1961 la discussione in merito è stata gettata nella confusione da alcune sconsigliate pagine di J.M. Wallace-Hadrill...».

[84] Le autorità di Costantinopoli sono spesso state criticate per non aver fatto di più, ma la cosa non è molto realistica: Demougeot (1951), soprattutto parte III, colloca la separazione completa tra oriente e occidente in una fase assolutamente troppo precoce. Più equilibrati sono Kaegi (1968), capitolo 1, e Thompson (1950). Per un'analisi più completa dei rapporti tra Costantinopoli e l'occidente cfr. Capitolo 9.

[85] Maenchen-Hilfen (1973), p. 69, dubitava che questi unni fossero mai arrivati, anche se la maggior parte degli studiosi ritiene che le truppe ausiliarie a un certo punto si fossero presentate. Tra le clausole di questo accordo ce n'era una che vincolava un giovanotto di nome Ezio, del quale ci occuperemo molto nei prossimi capitoli, a trattenersi per parecchio tempo come ostaggio presso gli unni, dal che si può dedurre che i negoziati arrivarono a qualcosa di concreto.

[86] Il surplus agricolo dell'impero si può pensare fosse diviso tra la classe dei proprietari terrieri (che ne ricevevano una quota sotto forma di affitto) e le autorità dell'impero (che ne ricevevano un'altra sotto forma di tasse). Al fine di soddisfare le richieste dei goti restando all'interno di un'area adeguatamente limitata, Costanzo aveva forse intenzione di cedere loro la parte destinata alle casse statali del surplus della Garonna, di modo che i proventi fiscali della regione – uniti agli affitti delle terre di proprietà pubblica – potessero servire al sostentamento dei goti. Ancora una volta, dunque, qualcosa di simile a ciò che era accaduto in Africa.

[87] Questa citazione e la seguente sono tratte da Zosimo, 6. 5. 2-3; 6. 10. 2.

[88] Sulle strutture difensive costiere contro i sassoni cfr. Pearson (2002). Per un'introduzione al ventaglio di opinioni generate da questi e da alcuni altri riferimenti cfr. per esempio Campbell (1982), capitolo 1; Higham (1992), soprattutto capitoli 3-4; Salway (1981), capitolo 15.

[89] *De reditu suo*, 1. 208-213.

[90] Dicendo ciò consideriamo la situazione da un punto di vista un po' più ottimistico di quello di Matthews (1975), pp. 336-338, sulla base però delle stesse prove documentarie. Colonia e Treviri non caddero in mani franche fino al 457 (*Liber Historiae Francorum*, 8).

[91] *CTh*, 11. 28. 7 e 12.

[92] *Not. Dig. Occ.*, 5, 6 e 7.

[93] Se ne può ricavare la data perché, all'interno di ogni categoria di unità, i reggimenti sono elencati in ordine cronologico secondo la loro creazione, e ce ne sono pochissimi che prendono il nome da Valentiniano, figlio di Costanzo e Placidia, nato nel luglio del 419. Su tutto ciò e su quanto segue cfr. Jones (1964), Appendice II.

[94] L'incertezza che regna sulle dimensioni delle unità militari tardoimperiali (cfr. pp. 87-88) ci impedisce di dirlo con maggior precisione, ma 500 uomini per reggimento è il dato minimo.

[95] Come per le perdite riportate dall'esercito dopo la battaglia di Adrianopoli, non sappiamo quale percentuale di un'unità dovesse perire perché i vertici militari decretassero che quell'unità non poteva essere ricostituita (cfr. p. 227).

[96] Per la *Notitia* e l'esercito d'occidente cfr. Jones (1964), Appendice III, e i vari documenti contenuti in Bartholomew (1976).

[97] *Eucharisticon*, pp. 302-310.

6. *Via dall'Africa*

[1] Ammiano, 22. 7. 3-4.

[2] Fr. 33.

[3] Ammiano, 28. 1. 24-25.

[4] Sul cerimoniale di corte in generale e sull'episodio di Giuliano cfr. Matthews (1989), capitoli 11-12; MacCormack (1981). Sugli schemi delle nomine, una buona introduzione è rappresentata da Matthews (1975), *passim*, con molti dei saggi raccolti in Matthews (1985), soprattutto Matthews (1971) e Matthews (1974).

[5] Fr. 11. 1.

[6] Per un'introduzione ai cambiamenti di regime politico alla romana cfr. Mat-

thews (1975), per esempio pp. 64 ss. sul periodo successivo alla morte di Valentiniano I.

[7] Ammiano, 27. 22. 2-6.

[8] Molte delle lettere di Libanio, per esempio, sono incredibilmente aggressive nei confronti di un potenziale patrono, nel senso che gli chiedono esplicitamente di dimostrare di che stoffa è fatto: cfr. per esempio Bradbury (2004), sulle *Lettere* 2, 5, 8, 9 ecc.

[9] I due comandanti dell'esercito erano stati condannati all'esilio, ma vennero uccisi durante il viaggio.

[10] Gli *Annali di Ravenna* datano questo assassinio al 7 marzo 413, ma la data sembra essere un po' troppo vicina all'inizio dell'anno: di solito non ci sono navi che percorrono la rotta tra Cartagine e l'Italia tra novembre e marzo, e bisogna dare a Eracliano il tempo di sbarcare, farsi sconfiggere e tornare in Africa. La data del 7 marzo potrebbe essere quella del suo sbarco in Italia. Cfr. più in generale Orosio, 7. 42. 12-14; altre fonti in *PLRE* 2, p. 540.

[11] Olimpiodoro, fr. 33. 1.

[12] Su Galla Placidia cfr. Oost (1968).

[13] Fr. 38.

[14] *PLRE* 2, p. 1024.

[15] Olimpiodoro, fr. 43. 2.

[16] Cfr. Matthews (1970) su Olimpiodoro, con Matthews (1975), capitolo 15, sull'intera storia.

[17] Prospero Tirone s.a. 425; *Chron. Gall.* 452, n. 102; il dato 60.000 è assolutamente troppo grande.

[18] Per Ezio, Felice e Bonifacio, rimandi in *PLRE* 2, pp. 23-24, 238-240, 463-464. I principali resoconti di seconda mano a cui ho attinto per questa discussione e la seguente sulle attività di Ezio sono: Mommsen (1901); Stein (1959), capitolo 9; Zecchini (1983); Stickler (2002).

[19] Rimandi in *PLRE* 2, pp. 22-23.

[20] Ammiano, 31. 2. 25.

[21] Nessun codice di leggi del regno vandalo è arrivato fino a noi, ma la narrazione di Procopío sulla conquista bizantina rileva di passaggio lo schema osservato in altri gruppi germanici dell'epoca che avevano due diverse caste militari, che io ritengo essere quelle dei «liberi» e dei «non liberi» (cfr. Capitolo 2). Anche i resti della cultura di Przeworsk, dalla quale provengono i vandali, suggeriscono che non ci siano evidenti differenze di struttura sociale rispetto ad altri germani sui quali siamo meglio informati. Per un'introduzione alle strutture sociali dei nomadi, esili e relativamente egualitarie, cfr. Cribb (1991) con rimandi completi.

[22] Gregorio di Tours, *Storie*, 2. 9.

[23] *Cronaca*, 42, 49, 67-68, soprattutto 68: *Alani qui vandalis et sueuis potentabantur*, cioè «gli alani che stavano governando sui vandali e sugli svevi».

[24] Idazio, *Cronaca*, 68.

[25] Su quanto esagerassero le fonti riportate da Vittorio di Vita, cfr. pp. 247-248. Sul titolo ufficiale dei re Hasding cfr. Wolfram (1967).

[26] Tutti i resoconti narrativi delle imprese di vandali e alani in Spagna si basano ampiamente sulla *Cronaca* di Idazio. La datazione dipende dalla controversia su quale delle versioni esistenti del testo sia da commentare: cfr. per esempio Burgess (1993), pp. 27ss., per un'introduzione alla disputa. Le mie annotazioni seguono qui il sistema di riferimento usato in Mommsen (1894); per i nostri sco-

pi, fortunatamente, tali controversie riguardano solo i dettagli e non la visione d'insieme.

[27] Idazio scrive mentre i visigoti saccheggiano selvaggiamente la Spagna, ed è quindi sempre molto critico nei loro confronti. Ma, data la prontezza con cui dopo il 416 essi avevano collaborato alla sconfitta di vandali e alani, non è chiaro perché nel 422 dovessero covare in cuore pensieri di tradimento.

[28] Giordane, *Getica*, 33. 168.

[29] *Not. Dig. Occ.*, 25

[30] *Guerre*, 3. 3. 22ss.

[31] La pace fu negoziata dal senatore Dario, con il quale Agostino scambiò dei convenevoli (Agostino, *Lettere* 229-231).

[32] La ricostruzione storica esposta nel resto di questa sezione si basa su Courtois (1955), pp. 155ss. con rimandi.

[33] *Not. Dig. Occ.*, 26.

[34] La citazione più sopra è tratta da Vittorio di Vita 1. 3. Tra i vescovi che subirono la tortura Vittorio cita Pampiniano di Vita e Mansueto di Urusi.

[35] *Lettera* 220. Olimpiodoro, fr. 42.

[36] L'illustratore di una delle copie più tarde di questo manoscritto le ha erroneamente interpretate come anatre a testa in giù, presumibilmente con il *rigor mortis* in atto perché l'Africa le tiene per il collo e i loro corpi sono dritti in aria come baccalà.

[37] Verso la fine del 1941, in modo pochissimo *politically correct* e assolutamente impreciso dal punto di vista storico, un sergente dell'Ottava Armata inglese, dopo un'entusiasmante lezione tenuta a Tripoli dal direttore del settore formativo dell'esercito sulle meraviglie del Nordafrica romano, disse: «Adesso sappiamo tutto quel che c'è da sapere su questo posto; sappiamo che è pieno di rovine dei palazzi che ci hanno costruito gli *Eyeties* [spregiativo per «italiani», *n.d.t.*] prima della guerra, ma a quanto posso vedere adesso ci sono soltanto cammelli e gentiluomini orientali d'occidente» (citato in Manton [1988], p. 139).

[38] E anche quelle ormai sul punto di scomparire: segno sicuro del fatto che erano rimaste tagliate fuori dalle correnti principali della loro specie per qualche tempo.

[39] Anche la Tripolitania, in epoca romana, era amministrata da Cartagine.

[40] Gli storici dell'Africa romana che ne scrivevano nel XIX secolo e all'inizio del XX hanno ritenuto che un ingente flusso migratorio proveniente dall'Italia avesse contribuito al processo. Ed è sicuramente vero che un flusso migratorio ci fu. Quando Cartagine fu rifondata come colonia romana nel 29 a.C., per esempio, 30.000 coloni italiani attraversarono il mare per stabilirvisi. A partire dal 23 a.C., inoltre, la terza legione fu stanziata in Nordafrica dando origine a un lento ma consistente gocciolamento di coloni veterani che si comprarono delle fattorie nell'area e fondarono città come Diana Veteranorum (Zana), Thamugadi (Timgad), Thurburbo Maius e Cuicul (Djemila). Ma nel III secolo d.C. la stragrande maggioranza delle 600 città romane del Nordafrica era abitata da romano-africani indigeni: quindi anche il ruolo avuto dagli immigrati non dev'essere sovrastimato.

[41] Una famosa iscrizione rinvenuta ad Ain Zraia (l'antica Zarai), in Algeria, testimonia il fatto che mentre la maggior parte dei beni erano tassati al 2-2,5 per cento, gli animali e i loro sottoprodotti (materiali tessili, pellami ecc.) lo erano tra un quinto e un terzo dell'1 per cento.

[42] La visione «coloniale» del Nordafrica si può leggere in Baradez (1949). Cfr. anche le più recenti revisioni di Whittaker (1994), pp. 145-151, e i saggi raccol-

ti in Shaw (1995 a), nn. 1, 3, 5, 6, e (1995 b), n. 7. Resoconti generali sul Nordafrica romano più che accessibili sono Raven (1993) e Manton (1988).
[43] Su Cartagine: Ennabli (1992), pp. 76-86. Su Utica: Procopio, *Guerre*, 3. 11. 13-15.
[44] *CTh*, 13. 5 e 6, contiene una lunga lista di rilevanti pronunciamenti imperiali in merito.
[45] Lepelley (1979-1981). Anche altrove, come abbiamo visto nel Capitolo 3, questo cambiamento ebbe più a che fare con la ristrutturazione delle finanze cittadine che fece seguito alla crisi del III secolo e con le sue ripercussioni politiche che non con il declino economico.
[46] *ILT*, 243.
[47] *CIL*, 8, 18587. Ancora una volta, secondo la visione colonialista francese sarebbero stati i coloni europei a portare con sé le nuove tecnologie per lo sfruttamento dell'acqua (per esempio l'acquedotto lungo 50 chilometri che serviva la Cartagine tardoimperiale), che resero possibile il boom agricolo del Nordafrica. Ma quelle massicce costruzioni servivano per portare nelle città l'acqua destinata al lusso, non quella necessaria all'agricoltura: per esempio l'acqua di cui si servivano le terme antonine.
[48] Sull'iscrizione di Mactar, gli olivi e l'espansione rurale: Raven (1993), pp. 84-86, 92-96. Un buon resoconto generale dei ritrovamenti effettuati col metodo dei rilevamenti aerei è in Mattingly e Hitchner (1995).
[49] *Expositio Totius Mundi*, 61.
[50] Tra i divertimenti offerti dall'anfiteatro c'era un po' di tutto, dalla caccia alle bestie feroci (quando due cacciatori potevano affrontare fino a nove orsi in una lotta all'ultimo sangue), a rappresentazioni lascive degli amori di Giove, a nuovissime esibizioni come quelle degli acrobati che recitavano drammi classici camminando sulla fune. Al circo si poteva assistere alle sempre popolarissime corse delle bighe, ma da giovane Agostino amava soprattutto il teatro: egli era andato a vivere a Cartagine all'età di sedici anni, trovando «un calderone di amori illeciti che bolliva e schizzava» tutt'attorno a lui. E sulle sue reazioni al palcoscenico: «Nel mio squallore, amavo esser reso triste e andavo in cerca di cose per cui rattristarmi: e nelle miserie altrui – per quanto fittizie ed esistenti solo sul palcoscenico – più mi si facevan scorrere le lacrime più io ricavavo piacere dal dramma e più fortemente esso mi avvinceva» (*Confessioni*, 3. 2).
[51] Per un'introduzione ai ritrovamenti degli scavi finanziati dall'Unesco cfr. Ennabli (1992).
[52] Gregorio di Tours, *Storie*, 2. 8, tratto da Renato Frigerido. Sulle origini di Ezio cfr. il più recente Stickler (2002), pp. 20-25, con rimandi.
[53] Zosimo, 6. 2. 4-5; Idazio, *Cronaca*, 125, 128.
[54] Per una panoramica e una revisione della storia dei bagaudi cfr. Drinkwater (1992); Halsall (1992); argomenta contro un filone interpretativo più vecchio e più marxista per esempio Thompson (1956).
[55] Che varia nella forma dalla prosa latina agli esametri, ai distici elegiaci, al metro falecio.
[56] Di cui sopravvivono ancora il basamento e l'iscrizione commemorativa (*CIL*, 6. 1724).
[57] Su Merobaude cfr. in generale Clover (1971), il quale discute del manoscritto e traduce e commenta le poesie; con ulteriore approfondimento in *PLRE* 2, pp. 756-758.
[58] Le citazioni nelle prossime pagine, a meno che non sia altrimenti indicato, sono tratte da Merobaude, *Panegyrici*, 1 e 2.

611

⁵⁹ I rivoltosi son detti «norici», ma questa tribù preromana non esisteva più da secoli: quindi potrebbe trattarsi di un altro gruppo semibagaudo.

⁶⁰ Fonti in *PLRE* 2, p. 166; cfr. Courtois (1955), pp. 155-171; Stickler (2002), pp. 232-247.

⁶¹ Prisco, fr. 11. 1, p. 243; la data e le dimensioni della concessione hanno suscitato parecchio dibattito: per un'introduzione cfr. Maenchen-Helfen (1973), 87ss.

⁶² Merobaude, *Panegyrici*, 1, fr. IIB.

⁶³ Rimandi in *PLRE* 2, pp. 24-25; molti commenti recenti, con rimandi completi, in Sticker (2002), pp. 48ss. Procopio, *Guerre*, 3. 3. 15 si riferisce a Ezio (e a Bonifacio) come agli ultimi romani,

⁶⁴ Quodvultdeus di Cartagine, *Epoca barbarica*, 2. 5.

⁶⁵ Merobaude, *Carmina*, IV.

⁶⁶ *Nov. Val.*, 5. 1, 6. 1.

⁶⁷ *Nov. Val.*, 9.

⁶⁸ Sul contingente orientale: Teofane, AM 5941, con *CI*, 12. 8. 2 su Pentadio. Commento di seconda mano: Courtois (1995), pp. 171-175.

⁶⁹ *Panegyrici*, 2. 51-53. Le prossime due citazioni sono tratte da *Panegyrici*, 2. 61-67, 2. 98-104.

⁷⁰ *Nov. Val.*, 34: 13 luglio 451.

⁷¹ Per i termini di base del trattato del 442: Procopio, *Guerre*, 3. 14. 13, con Clover (1971).

⁷² *Panegyrici*, 2. 25-33.

⁷³ *Carmina*, 1. 5-10.

⁷⁴ L'idea di questa concessione di terre potrebbe far sorgere la visione di vandali e alani, nei dintorni di Cartagine, impegnati a seminare ortaggi, costruire serre e confrontare tra loro le dimensioni delle zucche. Ed effettivamente il quadretto non è del tutto improprio: cfr. la nota seguente.

⁷⁵ Vittorio di Vita 2. 39. Su questo punto sono debitore a Moderan (in corso di pubblicazione), le cui argomentazioni rendono obsolete quelle di Goffart (1980), pp. 67-68 e nota, secondo il quale con gli insediamenti successivi al 439 i vandali si limitarono a ottenere i proventi fiscali della provincia. La tesi di Goffart era basata su un'argomentazione per analogia piuttosto che su un'analisi dettagliata delle testimonianze storiche sul Nordafrica. Su questo problema storiografico cfr. oltre, pp. 508ss.

⁷⁶ Celestiaco: Teodoreto di Ciro, *Lettere* 29-36; su Maria: 70.

⁷⁷ È qui che l'immagine dei pacifici contadini impegnati a coltivare orticelli va in pezzi; e a ogni modo tutte le conoscenze agricole precedenti che i vandali potevano essersi portati dietro dall'Europa centrosettentrionale sarebbero state del tutto inadeguate sul litorale mediterraneo dell'Africa.

⁷⁸ Il che non era altrettanto redditizio della proprietà vera e propria, ma i nuovi affittuari ebbero un contratto di enfiteusi pienamente ereditabile e perlomeno quindi si ritrovarono in una posizione abbastanza sicura (*Nov. Val.*, 34).

⁷⁹ *Nov. Val.*, 13. Questo grado di remissione nel gettito fiscale è paragonabile a quello concesso alle zone circostanti Roma colpite dai visigoti di Alarico tra il 408 e il 410 (cfr. p. 302).

⁸⁰ Si tratta del genere di provvedimenti che spesso gli imperatori emettevano come dimostrazione di favore personale, e che, quando la base imponibile era più vasta, erano assorbiti senza difficoltà dall'erario pubblico. Ora invece senti-

te cosa ne dice la legge: «il peso del tributo da cui una certa persona viene individualmente esentata ricade sugli altri» (*Nov. Val.*, 4).

[81] *Nov. Val.*, 7. 1; dato leggermente modificato in 7. 2 del 27 settembre 442.

[82] *Nov. Val.*, 10.

[83] Quattromiladuecento *solidi* (un ottavo del vecchio totale) avrebbero dovuto essere pagati da quel momento in poi dalla Numidia sotto il nuovo decreto fiscale generale, oltre a 1200 indennità di sussistenza militari e 200 unità di foraggio per gli animali. Cinquemila *solidi* (ancora un ottavo del dato precedente) e 50 unità di foraggio erano richiesti alla Mauretania Sitifense. Sia le indennità di sussistenza militare sia le unità di foraggio inoltre erano state ridotte di un *solidus* (*Nov. Val.*, 13).

[84] Secondo i calcoli di Elton (1996 a), pp. 120-125, che dovrebbero essere grossomodo giusti, anche se alcuni punti nello specifico sono discutibili.

[85] Le due citazioni seguenti sono tratte dai *Panegyrici*, 2. 55-58, 75-76.

7. Attila re degli unni

[1] Per le opinioni su Attila: Thompson (1996), pp. 226-231; Maenchen-Helfen (1973), pp. 94ss. Thompson e Maenchen-Helfen sono i due principali autori che sul tema hanno scritto in inglese. La citazione è da Marcellino *comes*, s.a. 447. 2. Qualche anno fa mi è stato chiesto di rivedere la vecchia voce su Attila dell'*Oxford Dictionary of the Christian Church*: in quell'occasione mi fu detto di cambiare pure tutto ciò che volessi, ma di lasciare «flagello di Dio».

[2] Una fonte data la morte di Rua al 434, ma è facile dimostrare che sbaglia. Maenchen-Helfen (1973), pp. 91-94.

[3] Le tre citazioni seguenti sono tratte da Prisco, frr. 2, 6. 1, 6. 2.

[4] Confronta gli approcci di Thompson (1945) e Blockley (1972).

[5] Giuliano, *Lettera agli ateniesi*, 279A-B; Ammiano, 16. 2ss; cfr. Matthews (1989), capitolo 6.

[6] Per un'introduzione allo sviluppo delle città lungo la Via della Seta cfr. Boulnois (1966).

[7] Ammiano, 31. 10. 3-5, ci dà un eccellente esempio di attività d'intelligence transfrontaliera risalente all'inverno 377-378. Gli alamanni vennero a sapere dei movimenti di truppe dei romani da una guardia in pensione, ma poterono anche osservarli con i loro stessi occhi.

[8] Sul contesto generale della sua vita cfr. Toynbee (1973); Runciman (1929).

[9] Il fatto che sia arrivata fino a noi una parte del volume numero 50 significa che un tempo la maggior parte dei libri esisteva davvero; la citazione è tratta dalla Prefazione ai *Brani sui vizi e sulle virtù* di Costantino.

[10] Per un'introduzione al progetto di Costantino cfr. Lemerle (1971), pp. 280-288.

[11] Su questo punto seguo sostanzialmente Maenchen-Helfen (1973), pp. 116-117.

[12] Avere a che fare con il suo libro è un po' come avere a che fare con Prisco. Come spiegato nella nota introduttiva del suo curatore, l'autore aveva consegnato agli uffici della California University Press un manoscritto «dattilografato con precisione» all'inizio di gennaio del 1969, ma poi morì a distanza di pochi giorni. Dopodiché si scoprì che il manoscritto non conteneva in realtà il libro completo, bensì solo alcuni capitoli; e, a dispetto dell'imponente lavoro editoriale, il volume che fu infine dato alle stampe rimane altamente episodico e mancante di

613

moltissimi passaggi di connessione. Senza che tutto ciò possa minimamente alterare, ancora una volta come per i frammenti di Prisco, l'elevata qualità delle parti esistenti.

[13] Maenchen-Helfen (1973), pp. 86-103 discute di Teofane, AM 5942.

[14] Dato che tra il 442 e il 447 ci sono sei anni, in quel periodo i romani avrebbero dovuto pagare 8.400 libbre d'oro, ma il fatto che ci fossero 6000 libbre di arretrati suggerisce che ne fossero state effettivamente versate solo 2.400.

[15] *Nov. Teod.*, 24.

[16] Sul reclutamento degli isauri cfr. Thompson (1946).

[17] Citato in Maenchen-Helfen (1973), p. 121.

[18] *Vita di Ipazio*, 104.

[19] Poulter (1995), (1999).

[20] Prisco, fr. 9. 3, p. 238; Asemus sarebbe sopravvissuta ancora agli attacchi degli avari di 150 anni dopo: Teofilatto Simocatta, *Storia*, 7. 3. Le due citazioni seguenti sono tratte da Prisco, fr. 9. 3.

[21] Sulla questione della strada: fr. 11. 2, p. 263. Su quella delle tende: fr. 11. 2, p. 251.

[22] Prisco, fr. 11. 2, p. 275.

[23] Abbiamo praticamente l'intero resoconto di Prisco su questa vicenda, trasmessoci in un'infinità di frammenti diversi. Questi brani sono sistemati in ordine cronologico e tradotti in Gordon (1960), capitolo 3 (con commento), e Blockley (1983), frr. 1-15. 2, la cui traduzione è utilizzata per quanto segue. Tranne dove altrimenti indicato le citazioni nel resto di questo capitolo sono tutte tratte da Prisco.

[24] Fr. 11. 2, pp. 247-249.

[25] Sulle mura perimetrali: Prisco, fr. 11. 2, p. 265; sugli edifici: fr. 11. 2, p. 275; sulla sistemazione dei sedili: fr. 13. 1, p. 285; sulla mobilia: fr. 11. 2, p. 275; sui festeggiamenti: fr. 11. 2, p. 165.

[26] In modo abbastanza simile a quanto accadeva nel vecchio gioco del *Kremlin-watching*, questo cerimoniale rendeva immediatamente evidente a tutti chi era stato promosso o degradato.

[27] Le due citazioni seguenti sono tratte dalla *Getica*, 34. 182 e 35. 183 (= Prisco, fr. 12. 2).

[28] Fr. 2, p. 227.

[29] Fr. 14, p. 293.

[30] Prisco, fr. 11. 2, p. 267. La condivisione del bottino, come vedremo tra poco, risulta chiaramente dalle testimonianze archeologiche, ma si trova anche citata di passaggio in quelle letterarie: per esempio in Prisco, fr. 11. 2, pp. 263s.

[31] Prisco, fr. 15. 2, p. 297.

[32] Olimpiodoro, fr. 19.

[33] Alcuni commentatori hanno rimproverato Matthews (1970) per aver semplicemente affermato che le cose erano andate così (cfr. Matthews [1985], nota addizionale), ma il testo è ambiguo ed è facile che l'originale sia stato corretto.

[34] «Ehm, ecco... temo di aver dato i doni più preziosi al re sbagliato, e così adesso gli akatziri ce l'hanno giurata. Mi spiace, sire.» Un pasticcio diplomatico paragonabile a quando la regina d'Inghilterra si riferì alla battaglia di Waterloo come a un ottimo esempio di cooperazione anglo-tedesca, con grande sdegno dei francesi.

[35] Oltre a segnare un altro punto contro la tesi secondo cui Uldino, eminente prima del 411, aveva un potere paragonabile a quello di Attila. Ci sono anche al-

tre ragioni, come abbiamo visto, per respingere questa ipotesi (cfr. p. 247), ma è altrettanto importante notare che in una fase così precoce non c'era affatto un re unno dominante sugli altri.

[36] Heather (1996), pp. 113-117, sull'ascesa di Valamer tra i goti della Pannonia: egli uccise Vinitario, capo di una linea dinastica, ne sposò la nipote, e costrinse Beremund, di un altro casato, a fuggire; Gesimund invece, zio di Beremund, accettò la sua signoria. Cfr. oltre, Capitolo 8.

[37] Parte della manovra tesa a cogliere in flagrante Vigilas prevedeva la proibizione per i romani di acquistare cavalli dagli unni, mentre il primo scontro con Attila e Bleda comprese un attacco a sorpresa in un giorno di mercato (Prisco, fr. 6. 1).

[38] Che richiese la somma non irrilevante di quasi sette libbre d'oro.

[39] I dati sono quelli di Lindner (1981) il quale, in un famoso articolo, concludeva che siccome ai tempi di Attila gli eserciti unni comprendevano sicuramente decine di migliaia di guerrieri, gli unni stessi non potevano più essere nomadi perché in Ungheria non c'era spazio sufficiente per così tanti cavalli. Questa tesi trascura il fatto importantissimo che buona parte della forza lavoro degli eserciti di Attila era in realtà composta dai suoi sudditi germanici, e non dagli unni stessi: quindi non c'è bisogno di postulare che avessero bisogno di così tanti cavalli. Il problema dei soldati dell'esercito unno è ampiamente discusso più avanti in questo stesso capitolo.

[40] Sulle lingue cfr. Prisco, fr. 11. 2, p. 267: «Essendo un miscuglio di popoli, oltre alla loro propria lingua essi coltivavano la lingua unna o gota, o anche il latino per coloro che avevano a che fare con i romani». Sui nomi cfr. Maenchen-Helfen (1973), pp. 386ss. Cfr. Giordane, *Getica*, 9. 58 sullo scambio di nomi tra gruppi linguistici diversi.

[41] Sozomeno, *HE*, 9. 5; *CTh*, 5. 6. 3.

[42] Teofane, AM 5931; cfr. Procopio, *Guerre*, 3. 2. 39-40, con Croke (1977). La data potrebbe essere sia il 421 che il 427.

[43] Gepidi, rugi, svevi, sciri ed eruli sono tutti citati nelle narrazioni post Attila degli eventi della grande pianura ungherese (cfr. Capitolo 8), mentre Attila intervenne negli affari di politica interna dei franchi (Prisco, fr. 20. 3), il che rende estremamente probabile che egli esercitasse un qualche grado di egemonia anche su longobardi e turingi, forse addirittura sugli alamanni, tutti popoli che vivevano ancor più vicino alla originaria base operativa degli unni.

[44] Personalmente trovo Prisco perfettamente comprensibile, diversamente da Baldwin (1980), il quale dice che tutti questi termini sono usati in modo confuso e tale da indurre deduzioni sbagliate.

[45] È possibile dedurre come si vestisse la gente dal punto esatto in cui sono state ritrovate le spille di sicurezza (che è tutto ciò che sopravvive degli abiti indossati dai defunti nella maggior parte delle tombe).

[46] Le ragioni che possono portare all'invisibilità archeologica vanno da un piano più tragico, in cui i corpi dei defunti vengono lasciati alle intemperie e alla voracità degli animali selvatici, a uno più prosaico (cremazione seguita da dispersione delle ceneri, oppure defunti seppelliti senza oggetti di corredo funebre cronologicamente identificabili): ciò fa sì che spesso i cimiteri medievali dell'Europa settentrionale non siano databili dal momento in cui le popolazioni si convertirono al cristianesimo.

[47] Anche se le fonti scritte ci offrono sporadicamente qualche informazione che è possibile utilizzare in concomitanza con le testimonianze archeologiche per identificare alcuni gruppi particolari.

[48] Gli «orizzonti» archeologici si possono distinguere gli uni dagli altri per

certe differenze riscontrabili nelle decorazioni di oggetti funebri sostanzialmente molto simili. In ordine cronologico – e ci sono ovviamente delle sovrapposizioni – la sequenza comincia con l'orizzonte di Villafontana, seguito da quelli di Untersiebenbrunn e Domolospuszta/Bacsordas (nomi che non sono certo per studiosi dal cuore debole!).

[49] Molti dei gruppi germanici dell'Europa centrale dal I al III secolo hanno praticato la cremazione, ma l'inumazione si stava già diffondendo in un'area più vasta prima dell'arrivo degli unni.

[50] Per un'introduzione a questi ritrovamenti cfr. Bierbrauer (1980); Kazanski (1991); Tejral (1999). Wolfram (1985) ha alcune eccellenti illustrazioni.

[51] Il punto è stato sottolineato per primo da Bury (1928).

[52] Prisco, fr. 15. 4, p. 299.

[53] Prisco, fr. 11. 2, p. 277.

[54] Fonti in *PLRE* 2, pp. 568-569. A parte tutto, è proprio il genere di cose che fanno i personaggi ricchi e sottoccupati – soprattutto se dotati di energia e determinazione – imprigionati nei vuoti cerimoniali di una vita di corte orchestrata con cura. Nel 2001, in Nepal, un principe ubriaco perse il controllo e sparò a dieci suoi parenti, compreso il monarca regnante, prima di uccidersi; i lettori dotati di una memoria un po' più lunga ricorderanno la morte, ampiamente insabbiata dalla stampa, di una principessa saudita uscita dalla retta via dell'inazione prescritta dal protocollo.

[55] Sui piatti d'oro: Prisco, fr. 11. 2, pp. 263, 265, 277. Sulla successione al trono franco: Prisco, fr. 20. 3. Sui contatti con Genserico e sul contesto diplomatico generale: Clover (1972).

[56] *Getica*, 33. 182.

[57] *Poesie*, 7. 319ss.

[58] Il mio riassunto delle due campagne occidentali di Attila deve molto a Thompson (1996), capitolo 6, e Maenchen-Helfen (1973), pp. 129ss., il secondo dei quali si occupa solo della campagna italiana: un resoconto dell'attacco alla Gallia invece non si trova tra i frammenti esistenti (cfr. sopra, nota 12).

[59] Giordane, *Getica*, 195.

[60] Il resoconto della battaglia è tratto da Giordane, *Getica*, 38. 197 - 41. 218.

[61] Fr. 22. 2, p. 313 = Procopio, *Guerre*, 3. 4. 33-34.

[62] Idazio, *Cronaca*, 154.

[63] Il fatto che Ezio non abbia voluto o potuto affrontare Attila a testa alta a capo di un'altra confederazione, come aveva fatto in Gallia, ha suscitato molti commenti. Prospero Tirone, s.a. 451, dice che Ezio fu colto impreparato, e molti altri sono stati poi dello stesso parere. Maenchen-Helfen (1973), pp. 135ss., ricostruisce in modo convincente le contromisure messe in atto da Ezio e le colloca nel contesto delle altre strutture difensive romane contemporanee nella valle del Po. Seguo l'impostazione di Maenchen-Helfen anche nell'interpretare Idazio, *Cronaca*, 154, nel senso che Ezio ricevette un aiuto militare dall'impero d'oriente in Italia e beneficiò di una campagna condotta dalle truppe orientali lungo il Danubio.

[64] Anche in epoche più moderne, condurre una campagna militare su distanze di questo tipo ha spesso comportato un fallimento. Nell'estate del 1914 l'esercito tedesco arrivò alle porte di Parigi prima di ritirarsi di nuovo (non risulta che ciò sia avvenuto per intervento di santa Genoveffa). A fermarlo era stata una coraggiosa manovra tattica sulla Marna da parte dei francesi, ma anche il puro e semplice sfinimento dei tedeschi, che aveva dato ai francesi l'opportunità di metterla in atto. Un soldato di cavalleria britannico che si era già ritirato prima del-

l'avanzata dei tedeschi ricorda: «Il principale elemento di tensione [...] era [...] la fatica [...]. Io stesso ero caduto da cavallo più di una volta, e vedevo che anche agli altri capitava la stessa cosa: scivolavano lentamente in avanti, si aggrappavano al collo del cavallo in uno stato d'animo annebbiato, quasi fuori di sé. Ogni volta che ci fermavamo, anche per poco, gli uomini cadevano immediatamente addormentati» (citato in Keegan [1988], p. 107). Ovviamente ci sono moltissime differenze tra la guerra del 451 e quella del 1914. Nel 1914 la distanza tra il Belgio e Parigi fu percorsa di gran carriera in due settimane, costringendo gli uomini a marciare per quaranta chilometri al giorno, ogni giorno senza interruzione. L'avanzata unna in confronto fu un affare molto più rilassato. Nel 1914 i tedeschi però raggiunsero il confine tra Germania e Belgio in treno, e quindi restavano ancora soltanto 500 chilometri da percorrere a piedi o a cavallo. Inoltre avevano rifornimenti alimentari e treni merci.

[65] *Getica*, 49. 256-258.

[66] Anche se cercò di fare il paciere tra svevi e provinciali della Galizia per il raggiungimento della pace.

[67] Ogni resoconto di ciò che avvenne in Spagna nei decenni del 430 e del 440 dev'essere ricostruito a partire da Idazio, *Cronaca*, 91-142.

[68] L'eresia pelagiana prende il nome dal teologo romano-britannico Pelagio, il quale affermava, non da ultimo in contrapposizione ad Agostino, che la salvezza richiede non solo la grazia divina, sulla quale tanti altri mettevano l'accento, ma anche un grande sforzo individuale per vivere una vita virtuosa.

[69] Per quanto non più in contanti, poiché gli elementi non di mera sussistenza dell'economia locale, come per esempio le manifatture per la produzione della ceramica, probabilmente crollarono attorno all'anno 420.

[70] Le tre citazioni che seguono sono tratte da Gildas, *Sulla rovina della Britannia*, 23. 5, 24. 3 e 20. 1.

[71] Sulla crisi successiva al 440 e sulla fine della Britannia romana cfr. per esempio Campbell (1982), capitolo 1; Higham (1992), capitoli 5-8; Salway (1981), capitolo 16; Esmonde Cleary (2000).

[72] Il resto del Nordafrica, la Gallia meridionale a est fino ad Arles, la Gallia nordoccidentale afflitta dalla presenza dei bagaudi, la Gallia centrale e l'Italia del Nord danneggiata dalle campagne di Attila.

8. Il crollo dell'impero unno

[1] Giordane, *Getica*, 48. 246-255, 282.

[2] Momigliano (1955) e Goffart (1988) arrivano a conclusioni opposte rispetto ai rapporti tra Cassiodoro e Giordane, pur partendo grossomodo dallo stesso insieme di osservazioni. La tesi secondo cui probabilmente Giordane mentiva si basa soprattutto sul fatto che egli scriveva alla vigilia della campagna militare dell'impero romano d'oriente che distrusse il regno ostrogoto d'Italia. È stato affermato che la *Getica* conterrebbe un importante messaggio politico (da parte di Cassiodoro, o che finge di venire da parte di Cassiodoro) rivolto alla gente affinché non opponesse resistenza all'esercito romano d'oriente. Queste ipotesi ignorano molto opportunamente il problema di come questo presunto messaggio politico della *Getica*, secondo il suo autore, avrebbe dovuto diffondersi. L'unico modo per trasformare un'opera di storiografia letteraria in propaganda politica è immaginare che i proprietari terrieri venissero riuniti ed esposti alla lettura della *Getica*, un po' come quelli che erano esposti all'ascolto dei discorsi di un Te-

mistio, di un Merobaude o di un Sidonio Apollinare. Il che è estremamente improbabile. Per una discussione più tecnica cfr. Heather (1991), capitolo 2.

[3] Cassiodoro si concentra sulla dinastia reale da cui discendeva Teodorico (il suo datore di lavoro), cioè sulla famiglia Amal, e organizza la narrazione della storia dei goti in ordine geografico, dividendola a seconda dei vari luoghi di residenza abitati dai goti in tempi diversi. Entrambi i punti risultano evidenti anche dalla narrazione di Giordane. Cfr. per ulteriori ragguagli Heather (1993).

[4] Gruppo 1: veniamo a saperne per la prima volta dal racconto che Giordane fa del crollo dell'impero unno, poi da molte altre fonti consecutive; cfr. per ulteriori ragguagli Heather (1996), pp. 111-117). Gruppo 2: cfr. p. 241. Gruppi 3-6: la testimonianza migliore è quella di Malco di Filadelfia nel decennio successivo al 470, origini forse documentate in Teofane, AM 5931; cfr. per altre informazioni Heather (1996), pp. 152ss., e sopra, Capitolo 7 nota 42. Gruppo 4: Giordane, *Romana*, 336. Gruppo 5: Prisco, fr. 49. Gruppo 7: Procopio, *Guerre*, 8. 4. 9ss. («non numerosi») e *Edifici*, 3. 7. 13 (3000 guerrieri).

[5] Valamer e suo nipote Teodorico unificarono almeno i gruppi 1 e 6, ma forse anche il 3 e il 4: cfr. Heather (1991), capitolo 1, con rimandi.

[6] Questo rimando e la citazione seguente sono tratti dalla *Getica*, 50. 261-262, 50. 260.

[7] Teodorico Amal, re ostrogoto d'Italia, combatté per esempio contro i gepidi nel 488-489 e di nuovo all'inizio del primo decennio del VI secolo.

[8] *Getica*, 50. 262-264.

[9] *Getica*, 268-269, 272-273.

[10] Prisco, fr. 49.

[11] *Getica*, 248-252.

[12] *Getica*, 248-252.

[13] Il passo cruciale è nella *Getica*, 248-252, più la discussione in Heather (1989), con tutti i rimandi ai precedenti tentativi di risolvere le sue ovvie difficoltà.

[14] Rimandi in *PLRE* 2, pp. 385s. Maenchen-Helfen (1973), p. 388 e nota 104, nega l'identità tra i due Edeco, che però è generalmente accettata; cfr. anche, più in generale, sulla nascita dei regni che avrebbero fatto seguito a quello degli unni, Pohl (1980).

[15] Tranne forse i goti Amal. Giordane dice che essi vennero a ovest dei Carpazi dopo che gli unni scapparono a est degli stessi in seguito alla battaglia del Nedao (*Getica*, 50. 263-264). Il che però sembra improbabile; personalmente sospetto che i goti Amal fossero stati insediati in Pannonia dagli unni e non l'avessero fatto di loro iniziativa, ma non è possibile esserne sicuri.

[16] *Getica*, 53. 272-355; 282.

[17] *Getica*, 54. 279.

[18] Fr. 45.

[19] *Getica*, 52. 268 *vs* 53. 273.

[20] Thompson (1996), soprattutto capitolo 7; cfr. Maenchen-Helfen (1973), pp. 95ss.

[21] Prisco, fr. 11. 2, p. 259.

[22] Su tervingi e greutungi: cfr. pp. 185-186. Sui burgundi: p. 247. Dei vari goti, il gruppo 3 di cui sopra, forse corrispondente agli ultimi goti della Tracia (gruppo 4), si staccò dalla signoria degli unni grazie all'intervento militare dei romani, mentre i goti Amal della Pannonia (gruppo 1) avevano chiarissimo il fatto di essere stati costretti con la forza a rientrare nell'impero unno, nonostante le «storie di Balamber» della *Getica* siano un po' confuse (cfr. sopra, nota 13).

[23] Sull'episodio del mercante: Prisco, fr. 11. 2, p. 269, linee 419-272 e 510. Sull'impiccagione: Prisco, fr. 14, p. 293, linee 60-65.

[24] Fr. 49.

[25] Teofane, AM 5931 (gruppo 3): la tesi ovviamente tiene indipendentemente dal fatto che il gruppo 3 si identifichi o meno con il 6 (cfr. sopra, nota 4).

[26] Le citazioni seguenti sono tratte da Prisco, fr. 2, p. 225; p. 227; p. 227.

[27] I romani fornirono agli unni tutta una serie di segretari, tra cui il prigioniero Rusticio che scrisse quella strana lettera (Prisco, fr. 14, p. 289). Questa macchina governativa stilava le liste dei principi rinnegati che erano scappati nell'impero romano e forse teneva il conto dei rifornimenti che i gruppi sottomessi dovevano cedere come tributi.

[28] I più dominati sono i goti che compaiono in Prisco, fr. 49, parzialmente citato sopra. I meno dominati erano i gepidi, che guidarono la rivolta contro i figli di Attila (Giordane, *Getica*, 50. 260-262). Nel mezzo stavano i goti di Valamer, stanziati in Pannonia (Giordane, *Getica*, 48. 246-253, 268ss.), con commento in Heather (1996), pp. 113-117, 125-126.

[29] Ognuno degli «orizzonti» del periodo unno prende il nome da una di queste ricche sepolture.

[30] Un'eccellente introduzione ad Apahida e altre ricche sepolture del periodo si può leggere nel catalogo di Menghin e altri (1987).

[31] L'oro certamente esisteva anche nella Germania del IV secolo e veniva lavorato in foglia. Il famoso tesoro del V secolo ritrovato in Romania, quello di Pietroasa, contiene un paio di oggetti che chiaramente erano già antichi al tempo della sepoltura del defunto e che quindi dovevano esser stati prodotti a metà del IV. Anche le monete d'oro romane erano tutt'altro che inusuali. Cfr. Harhoiu (1977).

[32] Secondo Bierbrauer (1980).

[33] Per esempio Ammiano, 17. 12-13 e 19. 11, sugli insediamenti voluti da Costanzo lungo il medio corso del Danubio intorno al 359, con ulteriori commenti in Heather (2001).

[34] Su Odoacre in Gallia: Gregorio di Tours, *Storie*, 2. 18 (in un momento non meglio identificato tra il 463 e il 469); cfr. *PLRE* 2, pp. 791-793. Su eruli, alani e turcilingi: Procopio, *Guerre*, 3. 1. 6; Ennodio, *Vita di sant'Epifanio*, pp. 95-100.

[35] *Romana*, 336.

[36] Sidonio, *Poesie*, 2. 239ss.

[37] L'altro fattore di complicazione potrebbe essere l'arrivo di un'altra potenza nomade a nord del Mar Nero. Dopo il 480, per esempio, i bulgari si erano stabiliti vicino alla frontiera danubiana dell'impero (Giovanni d'Antiochia, fr. 211. 4).

[38] Fr. 37.

[39] Fr. 45.

[40] Giordane, *Getica*, 49. 255, probabilmente in origine in Prisco e poi tradotto da Blockley come Prisco, fr. 24. 1.

[41] I migliori resoconti generali della morte di Ezio sono: Stein (1959), pp. 347ss.; Stickler (2002), pp. 150ss.

[42] Per la carriera di Petronio, con esaurienti rimandi, cfr. *PLRE* 2, pp. 749-751.

[43] Le citazioni seguenti sono da Prisco, fr. 30.

[44] Per l'inizio della carriera di Avito, con esaurienti rimandi, cfr. *PLRE* 2, pp. 196-198.

[45] Per uno studio recente su Sidonio, la sua vita e i suoi tempi cfr. Harries (1994); Stevens (1933) resta ancora valido.

[46] Dill (1899), p. 324; per una raccolta di giudizi analoghi cfr. Harries (1994), pp. 1-2.

[47] *Lettera* 4. 10. 2, citata in Harries (1994), p. 3.

[48] Molti studiosi hanno contribuito a questa vera e propria rivoluzione nell'apprezzamento di questo stile, e un'eccellente introduzione al tema è in Roberts (1989) con rimandi ad altri studi rilevanti.

[49] Le citazioni seguenti sono tratte da Sidonio, *Poesie*, 7.

[50] Prisco, fr. 30. 2.

[51] Per una ricostruzione completa: Courtois (1955), pp. 185-186.

[52] Prisco, fr. 32 = Giovanni di Antiochia, fr. 202.

[53] Sul contesto letterario della Gallia cfr. per esempio Harries (1994), capitoli 1-2.

[54] Sidonio, *Lettere*, 1. 2.

[55] La storia di questa campagna militare è raccontata in Idazio, *Cronaca*, 173-186. Sulla precedente campagna congiunta romano-gota in Spagna cfr. Capitoli 5 e 6 in questo stesso volume.

[56] È impossibile ricostruire nei dettagli la storia dei burgundi, ma per una discussione approfondita e con tutti i rimandi cfr. Favrod (1997).

[57] *Historia persecutionis*, 1. 13.

[58] Questa citazione e la prossima sono tratte da Sidonio, *Poesie*, 7. 233-236, 286-294.

[59] Sidonio, *Poesie*, 361ss. La citazione seguente: 510-518.

[60] Rimandi in *PLRE* 2, p. 198.

9. La fine dell'impero

[1] A seconda del rapporto tra unità da 500 e da 1000 uomini: Jones (1964), vol. 3, pp. 364 e 379; cfr. sopra, pp. 87ss. La sezione della *Notitia* riguardante l'impero d'oriente risale solo al 395 circa, ma dopo quella data gli eserciti orientali non subirono più perdite umane consistenti. Nel 395 inoltre l'impero romano d'oriente controllava l'intero esercito di campo dell'Illirico (altri 26 reggimenti), mentre più tardi l'Illirico occidentale e le sue truppe tornarono sotto il controllo dell'occidente.

[2] È la tesi di Goffart (1981). Tra il 306 e il 324 Costantino sconfisse tutta una serie di rivali per unificare l'impero, pur controllando in partenza solo la Britannia e la Gallia. Nel 355 Giuliano fu proclamato Cesare dell'impero d'occidente da suo cugino Costanzo, ma nel 360 si ribellò, unificando nel 361 tutto l'impero sotto il suo controllo dopo l'improvvisa morte di Costanzo.

[3] Teodosio accettò che la Persia esercitasse il controllo su due terzi dell'Armenia, tenendone per sé solo un terzo.

[4] Un corretto riassunto dei rapporti tra Roma e la Persia si può leggere in Blockley (1992). Rubin (1986) rileva la natura estremamente pacifica (in termini relativi) di quei rapporti nel V secolo, cosa che non era nel IV e non sarà nel VI.

[5] *Not. Dig. Or.*, 5, 6, 8.

[6] *CTh*, 7. 17. 1 del 412.

[7] Per il 421: Teofane, AM 5931 (cfr. Capitolo 8). Per Ruga: Maenchen-Helfen (1973), pp. 81-94.

[8] Zosimo, 6. 8. 2-3.

[9] Così Idazio, *Cronaca*, 154: «Gli unni [...] furono massacrati dagli ausiliari mandati dall'imperatore Marciano e guidati da Ezio, e al tempo stesso furono

schiacciati nei loro insediamenti sia dai disastri mandati dal cielo sia dall'esercito di Marciano». Cfr. anche il Capitolo 7 di questo stesso volume.

[10] Cameron (1970), pp. 176ss., liquida definitivamente la vecchia tesi secondo cui Costantinopoli avrebbe incoraggiato Alarico a impadronirsi dell'Italia. Il giudizio di Edward Thompson si può leggere in Thompson (1996), pp. 161ss.; egli sembra particolarmente preoccupato dalla vendetta che Attila avrebbe scatenato contro l'oriente nel 453 se la sua stessa morte non avesse fatto abortire la campagna militare. Nelle narrazioni più dettagliate non si trova niente a sostegno della tesi di Goffart (1981) (cfr. sopra, nota 2).

[11] L'opinione degli studiosi sulle scelte politiche di Ricimero è andata su e giù come la marea, e alcuni hanno sempre pensato che le sue origini barbare avessero in qualche misura ridotto la sua capacità di essere fedele a Roma. Ma di fatto la successione al trono dei visigoti era nelle mani di un'altra linea dinastica, quella che discendeva da Teodorico I, il successore di Vallia, quindi probabilmente Ricimero non sarebbe stato accolto a braccia aperte se si fosse fatto rivedere nell'Aquitania visigota; e nella sua politica, per quanto sicuramente incentrata sul suo interesse personale, non si notano particolari pregiudizi filobarbari. O'Flynn (1983), capitolo 8, offre una panoramica generale. Su Maggioriano cfr. *PLRE* 2, pp. 702-703, con rimandi.

[12] *Poesie*, 2. 317-318. Per un ottimo resoconto narrativo: Stein (1959), pp. 380ss.; cfr. O'Flynn (1983), pp. 11-117. Per il punto di vista dei galli su tali manovre cfr. Harries (1994), capitoli 6-7.

[13] Idazio, *Cronaca*, 217.

[14] Così Sidonio: «Insignito dell'autorità di *comes*, egli percorse la riva del Danubio e l'intera lunghezza delle grandi linee di frontiera esortando, sistemando le cose, esaminando tutto quanto, migliorando gli equipaggiamenti» (*Poesie*, 2. 199-201). In quanto *comes rei militaris* (generale dell'esercito di campo di secondo grado) egli sistemò anche il caos creatosi sul Danubio nel 453-454, quando la guerra civile tra i figli di Attila sembrava non voler avere mai fine e i regni successori dell'impero unno cominciavano a definire i propri confini.

[15] Antemio continuò poi ad avere a che fare con le conseguenze di lungo termine del collasso unno, affrontando Valamer nel 460 circa, quando quest'ultimo invase l'Illirico per strappare un sussidio, e ricacciando i frammenti dell'esercito unno guidati da Hormidac che invasero l'impero nel decennio successivo al 460.

[16] Negli anni successivi al 390, come registrato in *Not. Dig. Or.*, 19, l'esercito di campo dell'Illirico comprendeva 26 unità, un po' più di 10.000 uomini. Poi l'Illirico stesso fu diviso tra l'impero d'oriente e quello d'occidente quando salì al potere Stilicone, nel 395, e verso il 420 il suo esercito occidentale era già composto da 22 unità (*Not. Dig. Occ.*, 7. 40-62). Successivamente la regione subì gravi perdite, tra cui la cessione della Pannonia agli unni, quindi nel decennio successivo al 460 il suo dominio era sostanzialmente limitato alla Dalmazia e anche le sue installazioni militari dovevano esser state ridimensionate in misura notevole, anche se Marcellino rimpinguò le truppe regolari arruolando ausiliari barbari (Prisco, frr. 29, 30). Su Marcellino in generale cfr. MacGeorge (2002), parte 1.

[17] Su visigoti e burgundi: Harries (1994), capitolo 6. Sull'esercito romano del Reno: MacGeorge (2002), parte 2. Sulla Bretagna: Galliou e Jones (1991), capitoli 1-2. Sui franchi: James (1988), capitoli 2-3; Wood (1994), capitolo 3.

[18] *Poesie*, 13. 35-36.

[19] *Lettere*, 1. 11.

[20] *Lettere*, 1. 9.

[21] Maggioriano aveva costretto i burgundi a cedere alcune città (*civitates*) del-

la valle del Rodano con tutti i loro proventi fiscali; la più significativa era Lione, che i barbari avevano assediato durante il regno di Avito; aveva poi intimidito i visigoti fino a far loro riconoscere il proprio potere, attirando contemporaneamente dalla sua i proprietari terrieri galli. Su Antemio e i gallo-romani cfr. Harries (1994), capitolo 7.

[22] Le fonti riportano in maniera contraddittoria che il matrimonio fu celebrato prima del sacco a opera dei vandali ma contemporaneamente all'arrivo di Placidia a Costantinopoli. Probabilmente quindi i due furono fidanzati nel 454-455 e si sposarono nel 462; cfr. *PLRE* 2, pp. 796-798, con Clover (1978) più in generale su Olibrio. Per il sacco di Roma a opera dei vandali cfr. sopra, pp. 455-456.

[23] Il generale di Giustiniano Belisario conquistò il Nordafrica nel 532-533.

[24] Le tre citazioni seguenti sono tratte da Sidonio, *Poesie*, 5. 53-60, 338-341, 349-350.

[25] Vorrei sottolineare questo principio con la maggior insistenza possibile, anche se alcuni studiosi non sembrano comprendere fino a che punto la vita pubblica del tardo impero somigli a quella di uno stato a partito unico: per ulteriori approfondimenti cfr. Heather e Moncur (2001), soprattutto capitolo 1.

[26] Sidonio, *Poesie*, 349-369, 441-469.

[27] Il che solleva lo stesso problema già affrontato con Genserico nel Capitolo 5, e cioè se l'esercito di Maggioriano sia stato trasportato con un solo viaggio o più di uno. Belisario avrebbe avuto bisogno di 500 navi per imbarcare 16.000 soldati (cfr. p. 481), quindi le 300 di Maggioriano potrebbero aver trasportato in una volta sola 9.600 uomini circa; e dubito fortemente che il generale intendesse dare battaglia con così pochi effettivi. Quindi la mia idea è che Belisario avesse in mente di realizzare almeno due viaggi, e che fosse proprio per questa ragione che non volle sbarcare la sua avanguardia troppo vicino a Cartagine. Sulle campagne militari di Maggioriano cfr. Courtois (1955), pp. 199-200.

[28] Candido, fr. 2 = *Suda*, X, 245.

[29] Rispettivamente Ioannes Lydus, *De Magistratibus*, 3. 43; Procopio, *Guerre*, 3. 6. 1; cfr. Courtois (1955), p. 201; Stein (1959), pp. 389-391.

[30] Per le 11.000 navi: Prisco, fr. 53 = Teofane, AM 5961; il manoscritto riporta «100.000 navi», quindi quella di 1100 è una correzione basata sul numero di 1113 riportato da Cedreno, p. 613. Così corretto, il numero di navi dell'armata del 468 verrebbe a coincidere con quello messo insieme per la spedizione del 441, quella che non prese mai il mare: cfr. p. 355. Nel 532, quando l'imperatore Giustiniano allestì un'altra spedizione verso l'Africa vandala, di carattere più esplorativo, l'impero romano d'oriente mise insieme 500 navi comuni e 92 navi da guerra (*dromon*): il che rende ancora una volta il numero di 1100 proporzionato a uno sforzo estremo realizzato dalle due metà dell'impero.

[31] Sulla flotta del 532 cfr. Casson (1982), con rimandi sulle navi dell'antichità più in generale. Per collocare lo sforzo dell'impero romano d'oriente in una prospettiva più vasta: l'Invincibile Armata che salpò dalla Spagna alla fine della primavera del 1588 comprendeva 90 grandi navi da 300 tonnellate o più e altre 40 imbarcazioni ausiliarie. Eppure tutto ciò non era che una forza di copertura per il duca di Parma, che avrebbe dovuto provvedere altri vascelli con cui traghettare i suoi uomini al di là della Manica.

[32] Sugli uomini dell'armata bizantina: Procopio, *Guerre*, 3. 6. 1. Su Marcellino: fonti in *PLRE* 2, p. 710. Su Eraclio: Teofane, AM 5963.

[33] Qui contraddico Courtois (1955), p. 201, che di solito è una guida eccellen-

te, ma che desidera minimizzare l'ordine di grandezza dello sforzo messo in campo nel 468.

[34] Le tre citazioni seguenti sono tratte da *Poesie*, 2. 14-17, 537-543 e 315-316.

[35] La flotta di Belisario salperà dall'Italia per l'Africa il 21 giugno 532 e attraccherà nella baia di Utica, vicina a Cartagine e abbastanza ampia da accogliere le sue 600 navi.

[36] *Poesie*, 5. 332-335.

[37] *CTh*, 9. 40. 24; Zosimo, 1. 31-33, con commenti di Heather (1996), pp. 38-43 sul III secolo. Zosimo rileva esplicitamente che navi e marinai erano forniti dagli insediamenti a nord del Mar Nero.

[38] Viereck (1975), pp. 165-166 raccoglie i rimandi.

[39] Mattingly (2002), p. 313.

[40] Le tre citazioni seguenti sono tratte da Procopio, *Guerre*, 3. 6. 18-19, 20-21 e 22-24.

[41] Procopio, *Guerre*, 1. 6. 10-16. Vale la pena di confrontare il fallimento di Basilisco nel 468 con il successo di Belisario del 532. Belisario salpò con una flotta più piccola, sbarcò sano e salvo e fece piazza pulita del regno vandalo in meno di un anno, con due decisive battaglie terrestri. Il punto in cui prese terra è Caputvada, a sud di Capo Bon, chiaramente molto più lontano da Cartagine del punto scelto da Basilisco, ovunque si trovasse. Belisario inoltre poté sfruttare un ottimo effetto sorpresa: la spedizione nordafricana era infatti una scommessa del tutto imprevedibile da parte del suo principale, l'imperatore Giustiniano, che aveva colto al volo l'occasione di una disputa sulla successione interna al regno vandalo che aveva diviso le forze armate barbare. Di conseguenza, all'apparire dell'esercito di Belisario, 120 navi e 5000 dei migliori guerrieri vandali erano in Sardegna per sedare una rivolta e così il generale poté sbarcare i suoi uomini senza doversi impegnare in un combattimento marittimo. Negli sbarchi anfibi, una delle operazioni militari più difficili in assoluto, secondo la dottrina moderna gli attaccanti devono avere almeno un vantaggio di 6 a 1 sui difensori. Basilisco dunque può anche aver programmato di prender terra troppo vicino a Cartagine, piombando proprio nel bel mezzo del grosso della flotta vandala, ma a ogni modo stava sprecando il suo tempo senza alcuna possibilità di successo. La notizia dell'arrivo della sua flotta, anticipata con tanta fervida eccitazione da Sidonio già nel gennaio del 468, non era certo tale da poter essere in qualche modo nascosta o camuffata. Genserico ne era sicuramente a conoscenza, quindi è difficile pensare che quell'armata, per quanto grande fosse, potesse assicurarsi un vantaggio tale da riportare la vittoria di fronte a un esercito nemico che l'aspettava e si era mobilitato per riceverla. Nel 1588, analogamente, anche i piani di guerra degli spagnoli erano mal concepiti: Medina Sidonia non aveva una flotta abbastanza potente da ricacciare indietro gli inglesi, e il duca di Parma aveva mezzi di trasporto troppo lontani e scorte troppo piccole per scavalcare una flotta olandese sottocosta e aprirsi la strada fino all'Inghilterra. Il duca lo sapeva benissimo, e quindi non fece nemmeno preparare gli uomini, pur avendo saputo in grande anticipo dell'arrivo dell'Armada.

[42] Tanta reticenza ha fatto nascere una marea di speculazioni inconcludenti da parte di storici moderni particolarmente eccitabili. Le ipotesi più spettacolari sul conto di Severino sono contenute in Lotter (1976), il quale afferma che la *Vita* comincia in realtà dopo il 460 circa e non dopo il 453 (data della morte di Attila), e che Severino nel 461 era console e aveva già dietro di sé una lunga carriera nell'amministrazione statale. Io non mi sentirei di sottoscrivere tutto ciò (cfr. la replica in Thompson [1982]), ma sono convinto che gli eventi comincino effettivamente più vicino al 460 che al 453 dato che, più che con gli unni stessi, sembrano aver a che

fare con gli stati successori dell'impero unno (per esempio quello dei rugi o dei goti di Valamer), i quali ci misero pur sempre un certo tempo a formarsi.

[43] Sullo sviluppo della provincia del Norico cfr. Alföldy (1974), *passim*.

[44] *Not. Dig. Occ.*, 39: polizia fluviale a Boiodurum (Passau Instadt), Asturis (Zeiselmauer) e Cannabiaca; normali unità di cavalleria a Comagenis (Tulln), Augustiana (Tralsmauer), Arelape (Pöchlarn) e Ad Mauros (Eferding); arcieri a cavallo a Lentia e Lacufelix.

[45] Per un'esposizione delle testimonianze archeologiche: Alföldy (1974), capitolo 12.

[46] Questa citazione e la seguente sono tratte dalla *Vita di san Severino*, 30. 1 e 20. 1-2.

[47] Su mura e milizie cittadine, per Comagenis: *Vita di san Severino*, 2. 1; per Faviana: 22. 4; per Lauriacum: 30. 2; per Batavis: 22. 1; per Quintanis: 15. 1; sui barbari: 2. 1.

[48] *Not. Dig. Occ.*, 7. 40-62. L'evoluzione dell'esercito di campo dell'Illirico si può seguire senza soluzione di continuità raffrontando, nella *Notitia Dignitatum*, gli elenchi relativi all'impero d'oriente (che risalgono al 395 d.C. o appena prima) con quelli dell'impero d'occidente (relativi al 420 circa) contenuti nella *distributio numerorum*. Questi *lanciarii* erano certamente stati risucchiati nell'esercito di campo in un momento imprecisato tra il 395 e il 420.

[49] *Vita di san Severino*, 4. 1-4.

[50] Sulle vedette: *Vita di san Severino*, 30; sulle aggressioni respinte: 25, 27; sul riscatto dei prigionieri: 4, 31.

[51] Sulle catture da parte degli schiavisti: *Vita di san Severino*, 10; su Tiburnia: 17; sull'annichilimento degli eruli: 24, 27; sui rugi e i loro tentativi di trapianto: 8, 31.

[52] Pur sempre più ricco di reclute barbare in fuga dalle ricadute del crollo dell'impero unno, l'esercito romano d'Italia continuò a esistere anche sotto Ricimero; lo stesso vale, fino a un certo punto, per l'esercito di Gallia, parti del quale si erano già ribellate nel 462 sotto Egidio. Cfr. MacGeorge (2002), capitolo 6.

[53] Idazio, *Cronaca*, 238-240.

[54] *Getica*, 45. 237.

[55] Per ulteriori particolari e rimandi completi cfr. Wolfram (1988), pp. 181ss.

[56] Sui burgundi: Favrod (1997); sui franchi: James (1988), pp. 72ss; Wood (1994), pp. 38ss.

[57] Harries (1994), pp. 222ss.; cfr. Sidonio, *Lettere*, 3. 3, su Ecdicio.

[58] Le cinque citazioni seguenti sono tratte da Sidonio, *Lettere* 1. 7. 5; 5. 5; 8. 3; 8. 9.

[59] Su Arvando: Sidonio, *Lettere*, 1. 7; su Vincenzo: *Chron. Gall.* 511, s.a. 473; cfr. *PLRE* 2, p. 1168. La descrizione che Sidonio fa del processo di Arvando fu composta per un Vincenzo, ma non si sa se si tratti della stessa persona. Su Vittore: *PLRE* 2, pp. 1162-1163; su Seronato: Sidonio, *Lettere*, 2. 1; 4. 13; 7. 2. Diversamente da Arvando, Seronato non era amico di Sidonio, il quale dunque non si commosse affatto per il suo triste destino. Già dopo il 410 alcuni proprietari terrieri gallo-romani erano stati attratti dal partito di Ataulfo, che forse consideravano la via più breve per raggiungere ordine e pace.

[60] Solone è il leggendario legislatore di Atene, quello che diede alla città il suo primo codice di leggi scritte. La legge scritta aveva un significato importantissimo per i romani.

[61] Ma Sidonio ebbe sempre un ruolo di *Nimby*.

[62] Su Eucherio: Sidonio, *Lettere*, 3. 8. Su Calminio: *Lettere*, 5. 12 (dove si afferma che Calminio non avrebbe voluto essere dove di fatto stava). Sul figlio di Sidonio, cfr. *PLRE* 2, p. 114.

[63] Per un'introduzione al regno visigoto: Heather (1996), capitolo 7, con rimandi.

[64] Designazione poetica piuttosto comune per indicare i franchi.

[65] Sull'imprigionamento e il rilascio di Sidonio cfr. più di recente Harries (1994), pp. 238ss.

[66] *LC*, 54. 1.

[67] Goffart (1980), sostenuto soprattutto da Durliat (1988), (1990). Per una contro-argomentazione, soprattutto in riferimento al regno dei burgundi: Heather (in corso di pubblicazione a); Innes (in corso di pubblicazione). Cfr. più in generale Wickham (1993), Liebeschuetz (1997), Barnisch (1986) e sopra, Capitolo 6, nota 75, sul regno dei vandali. Gli uomini liberi dei burgundi avevano ciascuno i propri dipendenti – liberti e schiavi – ed è per questo che in tale occasione ricevettero una porzione inferiore della forza lavoro disponibile. La legislazione burgunda successiva affrontò poi alcuni temi che cambiarono il valore della partecipazione di uno dei partner alle tenute congiunte (cambiamenti nella destinazione d'uso tramite deforestazione o piantumazione a vigna – più redditizia dei normali arativi) e, fatto salvo il diritto di prelazione a favore dei precedenti proprietari romani, ai comproprietari burgundi fu permesso di vendere la proprietà. Tutti questi regolamenti, ma anche l'ordine originario a cui furono applicati, ha molto più senso in rapporto alla vera proprietà dei fondi che non a quella dei proventi fiscali che ne derivavano (*LC*, 31, 55. 1-2, 67, 84).

[68] Il che costituirebbe un'omissione estremamente improbabile se la raccolta e distribuzione delle tasse giocava nella struttura del nuovo regno il ruolo politico cruciale suggerito dalla tesi di Goffart.

[69] *CE*, frr. 276, 277; cfr. Liebeschuetz (1997).

[70] Il miglior resoconto narrativo è in Stein (1959), pp. 393ss. Per l'«improvvisa» partenza di Gundobado dall'Italia: Malalas 375.

[71] Per ulteriori dettagli: Courtois (1955), p. 209.

[72] Sulla nomina a *comes domesticorum*: Procopio, *Guerre*, 5. 1. 6. Su quella a patrizio: Malco di Filadelfia, fr. 14 (non registrato in *PLRE* 2, pp. 791-792).

[73] *Vita*, 7. 1.

[74] *Guerre*, 5. 1. 8.

[75] Così distribuì le truppe Teodorico re degli ostrogoti, che regnò sull'Italia dopo Odoacre; cfr. Heather (1996), capitolo 7 con rimandi. Goffart (1980), capitolo 3, ancora una volta afferma che, in entrambi i casi, le ricompense assunsero la forma di un prelievo fiscale e non di una concessione in proprietà della terra, ma la cosa non ha senso: il punto della rivolta è proprio che l'Italia non stava pagando abbastanza tasse. Dopo aver sconfitto Odoacre, Teodorico assegnò sicuramente delle terre in proprietà, mentre mantenne almeno in parte il sistema di esazione fiscale; cfr. Barnish (1986).

[76] Malco di Filadelfia, fr. 2.

10. La caduta di Roma

[1] Sulla riduzione delle tasse: Hendy (1985), pp. 613-669; cfr. più in generale sulle trasformazioni del VII secolo Whittow (1996), Haldon (1990).

[2] Il più stravagante tra i tentativi recenti di minimizzare l'importanza del-

l'identità di gruppo è quello di Amory (1997); cfr. Amory (1993). Ma cfr. per esempio le controargomentazioni di Heather (in corso di pubblicazione a) o Innes (in corso di pubblicazione). I romani sono menzionati nei codici legali dei regni visigoto, franco e burgundo e, secondo Cassiodoro, *Variae*, anche in quello del regno ostrogoto.

[3] In quell'anno gli unni sferrarono un vasto attacco contro l'impero romano, ma a est e non a ovest del Mar Nero (cfr. p. 195).

[4] Sull'esercito romano attorno al 420 circa: cfr. pp. 304-305. Sulla crisi fiscale e sulla perdita dell'Africa: cfr. pp. 361-362.

[5] Goffart (1980), p. 35.

[6] Sul collasso dell'impero carolingio: Reuter (1985), (1990); cfr. vari saggi in Gibson e Nelson (1981). Per una rassegna più generale cfr. Dunbabin (1985) e per i rilevamenti regionali Hallam (1980). Goffart cominciò come specialista dell'impero carolingio e spesso mi sono chiesto se questo non abbia influenzato un po' troppo la sua lettura del crollo dell'impero romano. L'unica eccezione alla regola «internalista» fu il ducato di Normandia, fondato dal vichingo Rollo: ma qui la principale assegnazione di territorio fu fatta solo nel 911, quando il grosso del processo di disgregazione dell'impero carolingio aveva ormai avuto luogo.

[7] L'arrivo della missione cristiana inviata a Canterbury da papa Gregorio I nel 597 costituisce in sostanza il limite cronologico inferiore della pur dettagliata conoscenza che Beda ha del passato anglosassone.

[8] Indagini generali: Campbell (1982), capitolo 2; Esmonde Cleary (2000); Higham (1992). Il regno del Kent forse mantenne gli antichi confini della vecchia *civitas* romana dei Cantii, e lo stesso potrebbe valere anche per Lincoln e la Lindsey anglosassone. Ma quasi tutti i primi regni anglosassoni erano molto più piccoli delle corrispondenti *civitates* romane, dalle quali evidentemente erano stati ritagliati pezzo dopo pezzo: cfr. i saggi in Bassett (1989).

[9] A volte gli storici si sono scontrati sul fatto se la fine dell'impero debba essere considerata come una distruzione o un'evoluzione. Altrettanto spesso la risposta a questa domanda, che può sembrare una sorta di contraddizione in termini, dipende da ciò di cui esattamente si sta parlando caso per caso.

[10] Tipico dell'approccio tradizionale è il titolo dello studio di Frank Walbank del 1969: *The Awful Revolution* (La spaventosa rivoluzione). Il vento del cambiamento si nota invece nel titolo dato dalla European Science Foundation al progetto di studio sullo stesso tema: *La trasformazione del mondo romano*.

[11] Nell'alto impero, questo tipo di formazione era finalizzato a produrre esperti oratori pubblici capaci di eccellere nei consigli cittadini. Nel tardo impero, il latino classico (e in una certa misura anche il greco) divenne la lingua della burocrazia imperiale, il nuovo percorso di carriera che aveva sostituito quello nei consigli cittadini.

[12] Sullo schema generale: Heather (1994); su Venanzio, cfr. George (1992). Le prove rilevanti da tutta l'ex Europa romana sono analizzate in Riché (1976).

[13] Brown (1996) esplora molti di tali cambiamenti.

[14] Sulla chiesa d'oriente: Hussey (1990); cfr. alcuni studi particolari davvero illuminanti come Alexander (1958).

[15] Gibbon (1897), pp. 160ss. (citazione da p. 161).

[16] Baynes (1943); Jones (1964), capitolo 25.

[17] La tassazione eccessiva, secondo Jones, era in buona misura addebitabile al bisogno di mantenere un esercito sufficientemente numeroso da contrastare con

efficacia sia i barbari sia l'impero persiano; quindi anche questo aspetto, per quanto indirettamente, era comunque dovuto ai barbari, nonostante Jones identifichi nelle «bocche inutili» della nuova burocrazia imperiale (Gibbon fa lo stesso con la chiesa) un'ulteriore fonte di problemi: Jones (1964), capitolo 25).

[18] Sui tervingi e i greutungi: cfr. p. 185; su Radagaiso: cfr. p. 247. Su Alarico: cfr. pp. 277-278.

[19] Sugli invasori del Reno: cfr. p. 247; sui burgundi: cfr. p. 247.

[20] Non ho incluso i dati sugli anglosassoni immigrati in Britannia perché non furono loro a far cadere definitivamente le province britanniche fuori dal sistema imperiale.

[21] Ammiano, 27. 8

[22] Il caso di alcuni altri nomadi più tardi, come per esempio gli avari del VI secolo, è meglio documentato: essi stavano scappando dai turchi occidentali (cfr. per esempio Pohl [1988]). Per un'introduzione ai nomadi della steppa euroasiatica cfr. Sinor (1977).

[23] Sia le testimonianze scritte che quelle archeologiche suggeriscono che i gruppi a dominante gemanica che subirono quegli attacchi, come per esempio i bastarni, furono conquistati o frammentati; cfr. Shchukin (1989), parte 1, capitoli 7-9; parte 2, capitoli 7-8.

[24] I dati numerici, come abbiamo visto, sono poco più che congetture, ma tervingi e greutungi potrebbero aver avuto circa 10.000 guerrieri ciascuno, mentre l'esercito di Radagaiso era forse il doppio. Il nuovo gruppo aveva dunque circa 30.000 guerrieri. Per ulteriori dettagli cfr. Heather (1991), parte 2.

[25] La politica seguita dai romani nei confronti degli alamanni (cfr. pp. 112-113) sembra simile al tipo di azione preventiva registrata contro i gruppi franchi in Gregorio di Tours, *Storie*, 2. 9. La successiva unificazione sotto Clodoveo è raccontata da Gregorio di Tours, *Storie*, 2. 40-42. Egli la data per implicazione a dopo il 507, ma ci sono buone ragioni per ritenere che i processi di conquista e unificazione fossero andati di pari passo tra il 482 e il 507.

[26] Cfr. per ulteriori dettagli Heather (1991), parte 3. L'unico nuovo regno del quale non sappiamo che fosse il prodotto di un riallineamento politico su grande scala è quello dei burgundi. Si tratta di una potenza di secondo piano, che poté conservare l'indipendenza solo quando riuscì a mettere franchi e ostrogoti gli uni contro gli altri e che cadde in balia dei franchi quando la conquista dell'Italia a opera di Giustiniano eliminò gli ostrogoti. Si danno due possibilità (altrettanto probabili, data la scarsità di informazioni che abbiamo in merito): o dietro la creazione del regno burgundo, nel V secolo, non ci fu alcun riallineamento politico degno di nota, il che potrebbe spiegare la sua relativa mancanza di forza militare; oppure il riallineamento ci fu, ma non in misura paragonabile a quella che diede origine agli altri regni.

[27] Sulla classe degli uomini liberi cfr. pp. 125ss. Molti degli individui di cui sappiamo che si staccarono dai gruppi che si stavano unificando erano candidati leader sconfitti: per esempio, tra i visigoti, Modares, Fravittas e Saro. Tra i goti della Tracia che rimasero a est e non vollero seguire in Italia Teodorico re degli ostrogoti c'erano Bessa e Godidisklus (Procopio, *Guerre*, 1. 8. 3).

[28] Sui seguaci di Radagaiso: Orosio, 7. 37. 13ss. (schiavitù); Zosimo 5. 35. 5-6 (pogrom). Su vandali e alani: Idazio, *Cronaca*, 67-68. Sugli ostrogoti: Malco di Filadelfia, frr. 15 e 18. 1-4, con Heather (1991), capitolo 8.

[29] Sui trattati di pace di Giuliano: Ammiano, 17. 1. 12-13; 17. 10. 3-4, 8-9; 18. 2. 5-6, 19. Le prove che testimoniano dell'esistenza di contatti economici sono raccolte e analizzate per esempio da Hedeager (1978). Sui tervingi cfr. pp. 99ss.

627

[30] *Annali*, 12. 25.
[31] Sulla settentrionale Via dell'Ambra: Urbanczyk (1997).
[32] Per esempio Ammiano, 16. 12. 17; cfr. più in generale Klöse (1934) sui doni.
[33] Ørsnes (1968).
[34] Ammiano, 30. 3. 7.
[35] Ciò cui faccio brevemente cenno qui e che penso di sviluppare meglio in un altro studio, cfr. Heather (in corso di pubblicazione b), è un modello centro/periferia per analizzare gli sviluppi attorno alle frange più esterne del mondo romano. Per un'introduzione a questo genere di impostazione cfr. Rowlands e altri (1987); Champion (1989). Secondo me è cruciale aggiungere a questo tipo di analisi un potente elemento di attività; cfr. per esempio Prakash e altri (1994). I vicini di casa di Roma non erano recettori passivi delle azioni e degli stimoli provenienti dall'impero, ma reagivano in modo dinamico e conforme alle loro proprie agende politiche.

Bibliografia

Fonti primarie

Seguendo le solite convenzioni, l'edizione delle opere classiche standard non è citata in bibliografia: la maggior parte si può trovare in traduzione sia nei Loeb sia nei Penguin Classics. Tutti gli autori cristiani sono reperibili, anche se a volte in forma un po' datata, nelle edizioni della *Patrologia Latina* e *Graeca*. Edizioni più recenti (e a volte discordanti) della maggior parte dei testi citati nell'Introduzione e nelle note si possono trovare in *GCS* (*Die Griechischen Christlichen Schriftsteller der ersten Jahrhunderte*), *CSEL* (*Corpus Scriptorum Ecclesiasticorum Latinorum*), *CC* (*Corpus Christianorum*) e *SC* (*Sources Chrétiennes*). Molti sono tradotti nelle raccolte dei Padri niceni e postniceni e nelle collezioni della *Early Church Fathers*. Altrimenti, ho usato le seguenti edizioni e traduzioni delle fonti tardoromane; dove non è citata, la traduzione è mia.

Agazia, *Historiae*, a cura di Keydell (1967); traduzione di Frendo (1975).
Ammiano Marcellino, *Res gestae*, cura e traduzione di Rolfe e altri (1935-1939).
Annali di Ravenna, a cura di Bischoff e Koehler (1952).
Cedreno, a cura di Bekker (1838-1839).
Chron. Gall. 452, a cura di Mommsen (1892).
Chron. Gall. 511, a cura di Mommsen (1892).
Chronicon Paschale, a cura di Dindorf (1832); traduzione di Whitby e Whitby (1989).
Claudiano, cura e traduzione di Platnauer (1922).
Codex Iustinianeus, a cura di Kreuger (1877).
Ennodio, *Vita di sant'Epifanio*, a cura di Vogel (1885).
Eugippio, *Vita di san Severino*, a cura di Noll e Vetter (1963); traduzione di Bieler (1965).
Eunapio, cura e traduzione di Blockley (1983).
Eutropio, a cura di Santini (1979); traduzione di Bird (1993).
Gregorio di Tours, *Historiae*, a cura di Krusch e Levison (1951); traduzione di Thorpe (1974).
Idazio, a cura di Mommsen (1894); traduzione di Burgess (1993).
Giovanni di Antiochia, a cura di Mueller (1851-1870); traduzione di Gordon (1966).
Ioannes Lydus, *De mensibus*, a cura di Wuensch (1898).
Ioannes Lydus, *De Magistratibus Populi Romani*, cura e traduzione di Bandy (1983).
Giordane, *Getica*, a cura di Mommsen (1882); traduzione di Mierow (1915).
Giordane, *Romana*, a cura di Mommsen (1882).

Giuliano, cura e traduzione di Wright (1913).
Lettere di Aussenzio, a cura di Gryson e altri (1980); traduzione di Heather e Matthews (1991).
Libanio, *Opera*, a cura di Foerster (1903-1927).
Libanio, *Lettere*, traduzione parziale di Bradbury (2004).
Liber Historiae Francorum, a cura di Krusch (1888).
Malalas, a cura di Dindorf (1831); traduzione di Jeffreys e altri (1986).
Malco di Filadelfia, cura e traduzione di Blockley (1983).
Marcellino *comes*, a cura di Mommsen (1894).
Miracoli di san Demetrio, a cura di Lemerle (1979-1981).
Olimpiodoro di Tebe, cura e traduzione di Blockley (1983).
Paolino di Pella, *Eucharisticon*, cura e traduzione di Evelyn White (1961).
Passione di san Saba, a cura di Delehaye (1912); traduzione di Heather e Matthews (1991).
Prisco, cura e traduzione di Blockley (1983).
Procopio, cura e traduzione di Dewing (1914-1940).
Prospero Tirone, a cura di Mommsen (1892).
Sidonio, cura e traduzione di Anderson (1936-1965).
Simmaco, *Opera*, a cura di Seeck (1883).
Simmaco, *Relationes*, traduzione di Barrow (1973).
Sinesio di Cirene, a cura di Garzya (1989).
Temistio, *Orationes*, a cura di Schenkl e altri (1965-1874); traduzione parziale di Heather e Moncur (2001).
Teofane, *Chronographia*, a cura di Niebuhr (1839-1841); traduzione di Mango e Scott (1997).
Teofilatto Simocatta, a cura di De Boor e Wirth (1972); traduzione di Whitby e Whitby (1986).
Vittorio di Vita, *Historia persecutionis*, a cura di Halm (1879); traduzione di Moorhead (1992).
Zosimo, *Historia nova*, a cura di Paschoud (1971-1981); traduzione di Ridley (1982).

Generale

Adcock, F.E., *Caesar as Man of Letters*, Cambridge 1956.
Alexander, P.J., *The Patriarch Nicephorus of Costantinople: Ecclesiastical Policy and Image Worship in the Byzantine State*, Oxford 1958.
Amory, P., *The Meaning and Purpose of Ethnic Terminology in the Burgundian Laws*, «Early Medieval Europe», 2(1993), n. 1, pp. 1-21.
—, *People and Identity in Ostrogothic Italy 489-554*, Cambridge 1997.
Alföldy, G., *Noricum*, London 1974.
Anderson, W.B., cura e traduzione di, *Sidonius Apollinaris Poems and Letters*, London 1936-1965.
Arnheim, M.T.W., *The Senatorial Aristocracy in the Later Roman Empire*, Oxford 1972.
Ausenda, G., *The Burgundians: An Ethnographic Perspective*, London in corso di pubblicazione a.

—, *The Vandals: An Ethnographic Perspective*, London in corso di pubblicazione b.

Bachrach, B.S., *The Alans in the West*, Minneapolis 1973.

Baldwin, B., *Priscus of Panium*, «Byzantion», 50(1980), pp. 18-61.

Bandy, A.C., cura e traduzione di, *John Lydus de Magistratibus Populi Romani*, Philadelphia 1983.

Baradez, J., *Fossatum Africae: recherches aérienne sur l'organisation des confins sahariens à l'époque romaine*, Paris 1949.

Barnes, T.D., *Statistics and the Conversion of the Roman Aristocracy*, «Journal of Roman Studies», 85(1995), pp. 135-147.

Barnish, S.J.B., *Taxation, Land and Barbarian Settlement in the Western Empire*, «Papers of the British School at Rome», 54(1986), pp. 170-195.

Barrow, R.H., cura e traduzione di, *Prefect and Emperor: The Relationes of Symmachus, AD 384*, Oxford 1973.

Bartholomew, P., *Aspects of the Notitia Dignitatum*, Oxford 1976.

Bassett, S., *The Origins of Anglo-Saxon Kingdoms*, Leicester 1989.

Baynes, N.H., *The Decline of the Roman Empire in Western Europe: Some Modern Explanations*, «Journal of Roman Studies», 33(1943), pp. 29-35.

Bekker, I., *Georgius Cedrenus Joannis Scylitzae*, 2 voll., Bonn 1838-1839.

Bieler, L., *Eugippius: The Life of Saint Severin*, Washington, DC, 1965.

Bierbrauer, V., *Zur chronologischen, soziologischen und regionalen Gliederung des ostgermanischen Fundstoffes des 5. Jahrhunderts in Südosteuropa*, in Wolfram e Daim (1980), pp. 131-142.

—, *Ostgermanische Oberschichtsgräber der römischen Kaiserzeit und des frühen Mittelalters*, in *Peregrinatio Gothica*, vol. 2, Lodz 1989 (Archaeologia Baltica, VIII), pp. 40-106.

Bird, H.W., traduzione di, *Eutropius Breviarium*, Liverpool 1993.

Bischoff, B. e Koehler, W., *The Annals of Ravenna*, «Studi Romagnoli», 3(1952), pp. 1-17.

Blockley, R.C., *Dexippus and Priscus and the Thucydidean Account of the Siege of Plataea*, «Phoenix», 26(1972), pp. 18-27.

—, cura e traduzione di, *The Fragmentary Classicising Historians of the Later Roman Empire: Eunapius, Olympiodorus, Priscus and Malchus*, vol. 2, Liverpool 1983.

—, *East Roman Foreign Policy: Formation and Conduct from Diocletian to Anastasius*, Leeds 1992.

Boissier, G., *La fin du paganisme*, vol. 2, Paris 1891.

Bona, I., *Das Hunnenreich*, Stuttgart 1991.

Boulnois, L., *The Silk Road*, traduzione di D. Chamberlin, London 1966.

Bowman, A. e Woolf, G., a cura di, *Literacy and Power in the Ancient World*, Cambridge 1994.

Bradbury, S.A., *Constatine and Anti-pagan Legislation in the Fourth Century*, «Classical Philology», 89(1994), pp. 120-139.

—, traduzione di, *Selected Letters of Libanius from the Age of Constantius and Julian*, Liverpool 2004.

Braund, D.C., *Rome and the Friendly King: The Character of Client Kingship*, London 1984.

Brown, P.R.L., *Augustine of Hippo: A Biography*, London 1967.

—, *The Cult of the Saints: Its Rise and Function in Latin Christianity*, London 1981.

631

—, *Authority and the Sacred: Aspects of the Christianisation of the Roman World*, Cambridge 1995.

—, *The Rise of Western Christendom: Triumph and Diversity, AD 200-1000*, Oxford 1996.

Browning, R., *Where Was Attila's Camp?*, «Journal of Hellenic Studies», 1953, pp. 143-145.

Bruggisser, P., *Symmaque, ou, Le rituel épistolaire de l'amitié littéraire: recherches sur le premier livre de la correspondance*, Fribourg 1993.

Burgess, R., traduzione di, *The Chronicle of Hydatius and the Consularia Constantinopolitana*, Oxford 1993.

Bury, J.B., *The Invasion of Europe by the Barbarians*, London 1928.

Callu, J.P., *Symmaque Lettres: texte établi, traduit et commenté*, Paris 1972-2002.

Calo Levi, A., *Barbarians on Roman Imperial Coinage and Sculpture*, New York 1952 (Numismatic Notes and Monographs, 123).

Cameron, A.D.E., *Rutilius Namatianus, St Augustine, and the Date of the «De Reditu»*, «Journal of Roman Studies», 57(1967), pp. 31-39.

—, *Claudian: Poetry and Propaganda at the Court of Honorius*, Oxford 1970.

— e Long, J., *Barbarians and Politics at the Court of Arcadius*, Berkeley 1993.

Cameron, Averil e altri, a cura di, *Cambridge Ancient History*, vol. 14, Cambridge 1993².

Campbell, J., *The Anglo-Saxons*, London 1982.

Casson, L., *Belisarius' Expedition Against Carthage*, in *Carthage VII: Excavations at Carthage 1978 Conducted by the University of Michigan*, a cura di J.H. Humphrey, Ann Arbor 1982, pp. 23-28.

Champion, T.C., *Centre and Periphery: Comparative Studies in Archaeology*, London 1989.

Chastagnol, A., *La Préfecture urbaine sous le bas-empire*, Paris 1960.

Childe, V.G., *The Aryans: A Study of Indo-European Origins*, London 1926.

—, *The Dawn of European Civilization*, London 1927.

Christiansen, A., *L'Iran sous les Sassanides*, Copenhagen 1944².

Clover, F.M., *Flavius Merobaudes. A Translation and Historical Commentary*, «Transactions of the American Philological Society», 61(1971), pp. 1-78.

—, *Geiseric and Attila*, «Historia», 22(1972), pp. 104-117.

—, *The Family and Early Career of Anicius Olybrius*, «Historia», 27(1978), pp. 169-196.

Cornell, T. e Matthews, J.F., *Atlas of the Roman World*, London 1982.

Courcelle, P., *Histoire littéraire des grandes invasions germaniques*, Paris 1964.

Courtois, C., *Les Vandales et l'Afrique*, Paris 1955.

Crawford, M., *Finance, Coinage and Money from the Severans to Constantine*, «Aufsteig und Niedergang der antiken Welt», 2(1975), n. 2, pp. 572-575.

Cribb, R.J., *Nomads in Archaeology*, London 1991.

Croke, B., *Evidence for the Hun Invasion of Thrace in AD 422*, «Greek, Roman and Byzantine Studies», 18(1977), pp. 347-367.

Cunliffe, B., *The Ancient Celts*, Oxford 1997.

— e Rowley, T., a cura di, *Oppida, the Beginnings of Urbanisation in Barbarian Europe: Papers Presented to a Conference at Oxford, October 1975*, Oxford 1976.

Dagron, G., *Naissance d'une capitale: Constantinople et ses institutions de 330 à 451*, Paris 1974.

Dahn, F., *Die Könige der Germanen: Das Wesen des ältesten Königthums der germanischen Stämme und seine Geschichte bis auf die Feudalzeit*, München 1861-1909.

—, *Ein Kampf um Rom*, Leipzig 1876.

Dauge, Y.A., *Le Barbare: recherches sur la conception romaine du barbare et de la civilisation*, Bruxelles 1981 (Collection Latomus, 176).

De Boor, C. e Wirth, P., a cura di, *The History of Theophylact Simocatta*, Stuttgart 1972.

Delehaye, H., *Saints de Thrace et de Mésie*, «Analecta Bollandia», 31(1912), pp. 161-300.

Demandt, A., *Der Fall Roms: die Auflösung des römischen Reiches im Urteil der Nachwelt*, München 1984.

Demougeot, E., *De l'Unité à la division de l'Empire romain 395-410: Essai sur le gouvernement impérial*, Paris 1951.

—, *La Formation de l'Europe et les invasions barbares*, vol. 2, *De l'avènement de Dioclétien (284) à l'occupation germanique de l'Empire romain d'Occident (début du VIᵉ siècle)*, Paris 1979.

Dewing, H.B., cura e traduzione di, *The Works of Procopius*, London 1914-1940.

Diesner, H.-J., *Die Völkerwanderung*, Leipzig 1976.

Dill, S., *Roman Society in the Last Age of the Western Empire*, London 1899.

Dindorf, L., a cura di, *Malalas Chronographia*, Bonn 1831.

—, a cura di, *Chronicon Paschale*, Bonn 1832.

Dodgeon, M.H. e Lieu, S.N.C., *The Roman Eastern Frontier and the Persian Wars (AD 226-363): A Documentary History*, London 1991.

Drew, K. Fisher, traduzione di, *The Burgundian Code: Book of Constitutions or Law of Gundobad*, Philadelphia 1972.

Drinkwater, J.F., *The Gallic Empire: Separatism and Continuity in the Northwestern Provinces of the Roman Empire, AD 260-274*, Stuttgart 1987.

—, *The Bacaudae of Fifth-century Gaul*, in Drinkwater and Elton (1992), pp. 208-217.

— e Elton, H., a cura di, *Fifth-century Gaul: A Crisis of Identity?*, Cambridge 1992.

Dunbabin, J., *France in the Making, 843-1180*, Oxford 1985.

Duncan-Jones, R., *Economic Change and the Transition to Late Antiquity*, in *Approaching Late Antiquity: The Transformation from Early to Late Empire*, a cura di S. Swain e M. Edwards, Oxford 2003, pp. 20-52.

Durliat, J., *Le salaire de la paix sociale dans les royaumes barbares (Vᵉ-VIᵉ siècles)*, in *Anerkennung und Integration: Zu den wirtschaftlichen Grundlagen der Völkerwanderungszeit (400-600)*, a cura di H. Wolfram e A. Schwarcz, Vienna 1988 (Denkschriften der Österreichischen Akademie der Wissenschaften, Phil.-Hist. Kl., 193), pp. 21-72.

—, *Les finances publiques de Dioclétien aux Carolingiens (284-889)*, Sigmaringen 1990.

Dvornik, H., *Early Christian and Byzantine Political Philosophy: Origins and Background*, Dumbarton Oaks Center for Byzantine Studies, Washington, DC, 1966.

Elton, H., *Warfare in Roman Europe, AD 350-425*, Oxford 1996 a.

—, *Frontiers of the Roman Empire*, London 1996 b.

Ennabli, E.A., *Pour Sauver Carthage: Exploration et conservation de la cité punique, romaine et byzantine*, Tunis 1992.

633

Esmonde Cleary, A.S., *The Ending of Roman Britain*, London 2000.

Evelyn White, H., *The Works of Ausonius*, vol. 2, London 1961.

Fantham, E., *The Roman World of Cicero's De Oratore*, Oxford 2004.

Favrod, J., *Histoire politique du royaume burgonde (443-534)*, Lausanne 1997.

Ferguson, N., *The Cash Nexus: Money and Power in the Modern World, 1700-2000*, London 2001.

Ferris, I.M., *Enemies of Rome: Barbarians through Roman Eyes*, Stroud 2000.

Foerster, R., a cura di, *Libanii opera*, Leipzig 1903-1927.

Frendo, J.D., traduzione di, *Agathias: History*, Berlin 1975.

Friedrichsen, G.W.S., *The Gothic Version of the Gospels: A Study of Its Style and Textual History*, Oxford 1926.

—, *The Gothic Version of the Epistles: A Study of Its Style and Textual History*, Oxford 1939.

Galliou, P. e Jones, M., *The Bretons*, Oxford 1991.

Garzya, A., cura e traduzione italiana di, *Opere di Sinesio di Cirene: epistole, operette, inni*, Torino 1989.

George, J.W., *Venantius Fortunatus: A Latin Poet in Merovingian Gaul*, Oxford 1992.

Gibbon, E., *The Decline and Fall of the Roman Empire*, a cura di J.B. Bury, vol. 4, London 1897.

Gibson, M. e Nelson, J., *Charles the Bald: Court and Kingdom*, Oxford 1981.

Goffart, W., *Barbarians and Romans AD 418-584: The Techniques of Accommodation*, Princeton 1980.

—, *Rome, Constantinople, and the Barbarians in Late Antiquity*, «American Historical Review», 76(1981), pp. 275-306.

—, *The Narrators of Barbarian History (AD 550-800): Jordanes, Gregory of Tours, Bede, and Paul the Deacon*, Princeton 1988.

Gonzalez, J., *The Lex Irnitana: A New Copy of the Flavian Municipal Law*, «Journal of Roman Studies», 76(1986), pp. 147-243.

Gordon, D.C., traduzione di, *The Age of Attila*, Ann Arbor 1960.

Green, R.P.H., *The Works of Ausonius*, Oxford 1991.

Gryson, R., a cura di, *Littérature Arienne Latine*, Louvain 1980.

Haarnagel, W., *Die Grabung Feddersen Wierde: Methode, Hausbau, Siedlungs- und Wirtschaftsformen sowie Sozialstruktur*, Wiesbaden 1979.

Hachmann, R., *The Germanic Peoples*, London 1971.

— e altri, *Völker zwischen Germanen und Kelten: Schriftquellen, Bodenfunde und Namengut zur Geschichte des nördlichen Westdeutschlands um Christi Geburt*, Neumünster 1962.

Haldon, J.F., *Byzantium in the Seventh Century: The Transformation of a Culture*, Cambridge 1990.

Hallam, E.M., *Capetian France, 987-1328*, London 1980.

Halm, C., a cura di, *MGH, Auctores antiquissimi*, vol. 2, Berlin 1879.

—, *Victoris Vitensis Historia persecutionis africanae provinciae sub Genserico et Hunrico regibus Wandalorum*, in *MGH, Auctores antiquissimi*, vol. 2, Berlin 1879.

Halsall, G., *The Origins of the «Reihengraberzivilisation»: Forty Years On*, in Drinkwater e Elton (1992), pp. 196-207.

Hanson, R.P.C., *The Search for the Christian Doctrine of God*, Edimburgh 1988.

Harhoiu, R., *The Treasure from Pietroasa, Romania*, Oxford 1977.

Härke, H., «*Warrior Graves?*» *The Background of the Anglo-Saxon Weapon Burial Rite*, «Past and Present», 126(1990), pp. 22-43.

Harmatta, J., *The Golden Bow of the Huns*, «Acta Archaeologica Hungariae», 1(1951), pp. 114-149.

Harries, J., *Sidonius Apollinaris and the Fall of Rome*, Oxford 1994.

Haubrichs, W., *Burgundian Names – Burgundian Language*, in Ausenda (in corso di pubblicazione b).

Heather, P.J., *The Crossing of the Danube and the Gothic Conversion*, «Greek, Roman and Byzantine Studies», 27(1986), pp. 289-318.

—, *The Anti-Scythian Tirade of Synesius' «De Regno»*, «Phoenix», 42(1988), pp. 152-172.

—, *Cassiodorus and the Rise of the Amals: Genealogy and the Goths under Hun Domination*, «Journal of Roman Studies», 79(1989), pp. 103-128.

—, *Goths and Romans 332-489*, Oxford 1991.

—, *The Historical Culture of Ostrogothic Italy*, in *Teodorico il Grande e i Goti d'Italia*, Atti del XIII Congresso internazionale di studi sull'alto medioevo, Spoleto 1993, pp. 317-353.

—, *Literacy and Power in the Migration Period*, in Bowmann e Woolf (1994), pp. 177-197.

—, *New Men for New Constantines? Creating an Imperial Elite in the Eastern Mediterranean*, in *New Constantines: The Rhythm of Imperial Renewal in Byzantium, 4th-13th Centuries*, a cura di P. Magdalino, London 1994 b, pp. 11-33.

—, *The Huns and the End of the Roman Empire in Western Europe*, «English Historical Review», 110(1995), pp. 4-41.

—, *The Goths*, Oxford 1996.

—, *State, Lordship and Community in the West (c. AD 400-600)*, in Averil Cameron e altri (2000), pp. 437-468.

—, *The Late Roman Art of Client Management and the Grand Strategy Debate*, in *The Transformation of Frontiers from Late Antiquity to the Carolingians*, a cura di W. Pohl e I.N. Wood, Atti della seconda conferenza plenaria della European Science Foundation sul progetto *Transformation of the Roman World*, Leiden 2001, pp. 15-68.

—, *Law and Identity in the Burgundian Kingdom*, in Ausenda (in corso di pubblicazione b), in corso di pubblicazione a.

—, *Emperors and Barbarians: Migration and State Formation in First-millennium Europe*, in corso di pubblicazione b.

— e Matthews, J.F., *The Goths in the Fourth Century*, Liverpool 1991 (Translated Texts for Historians, 11).

— e Moncur, D., traduzione di, *Politics, Philosophy and Empire in the Fourth Century: Select Orations of Themistius*, Liverpool 2001 (Translated Texts for Historians, 36).

Hedeager, L., *A Quantitative Analysis of Roman Imports in Europe North of the Limes (0-400 AD), and the Question of Roman-Germanic Exchange*, in *New Directions in Scandinavian Archaeology*, a cura di K. Kristiansen e C. Paludan-Muller, Copenhagen 1978, pp. 191-216.

—, *Empire, Frontier and the Barbarian Hinterland. Rome and Northern Europe from AD 1 to 400*, in Rowlands e altri (1987), pp. 125-140.

Hendy, M.F., *Studies in the Byzantine Monetary Economy, c. 300-1450*, Cambridge 1985.

Higham, N., *Rome, Britain and the Anglo-Saxons*, London 1992.

Hoddinott, R.F., *Bulgaria in Antiquity: An Archaeological Introduction*, London 1975.

Hoffmann, D., *Das spätrömische Bewegungsheer und die Notitia Dignitatum*, Düsseldorf 1969.

Homes Dudden, F., *The Life and Times of St Ambrose*, Oxford 1935.

Honoré, A.M., *Tribonian*, London 1978.

—, *Emperors and Lawyers*, seconda edizione rivista, Oxford 1994.

Hopkins, K., *Taxes and Trade in the Roman Empire*, «Journal of Roman Studies», 70(1980), pp. 101-125.

Howard Johnson, J.D., *The Two Great Powers of Late Antiquity: A Comparison*, in *The Byzantine and Early Islamic Near East*, a cura di Averil Cameron, vol. 3, *States, Resources and Armies*, Princeton 1995, pp. 123-178.

Hussey, J.M., *The Orthodox Church in the Byzantine Empire*, Oxford 1990.

Innes, M., *On the Social Dynamics of Barbarian Settlement: Land, Law, and Property in the Burgundian Kingdom*, in Ausenda (in corso di pubblicazione b).

Isaac, B., *The Limits of Empire: The Roman Army in the East*, Oxford 1992.

James, E., *The Franks*, Oxford 1988.

Jeffreys, E. e altri, traduzione di, *The Chronicle of John Malalas*, Melbourne 1986.

Jones, A.H.M., *The Later Roman Empire: A Social, Economic and Administrative Survey*, 3 voll., Oxford 1964.

Kagan, D., *The End of the Roman Empire*, Lexington, Mass., 1992³.

Kaegi, W., *Byzantium and the Decline of Rome*, Princeton 1968.

Kaster, R.A., *Guardians of Language: The Grammarian and Society in Late Antiquity*, Berkeley 1988.

Kazanski, M., *Les Goths (Ier-VIIe siècles après J.-C.)*, Paris 1991.

Keay, S. e Terrenato, N., a cura di, *Italy and the West: Comparative Issues in Romanization*, Oxford 2001.

Keegan, J., *The First World War*, London 1988.

Keene, C.H. e Savage-Armstrong, G.F., *The Home-coming of Rutilius Claudius Namatianus from Rome to Gaul in the Year 416 AD*, London 1907.

Kelly, C.M., *Later Roman Bureaucracy: Going through the Files*, in Bowman e Woolf (1994), pp. 161-176.

Keydell, R., a cura di, *Agathias Historiae*, Berlin 1967 (Corpus Fontium Historiae Byzantinae).

Klopsteg, P.E., *Turkish Archery and the Composite Bow*, Evanston, Ill., 1927.

Klöse, J., *Roms Klientel-Randstaaten am Rhein und an der Donau: Beiträge zu ihrer Geschichte und rechtlichen Stellung im 1. und 2. Jhdt n. Chr.*, Breslau 1934.

Kooi, B.W., *On the Mechanics of the Modern Working-recurve Bow*, «Computational Mechanics», 8(1991), pp. 291-304.

—, *The Design of the Bow*, «Proceedings Koninklijke Nederlandse Akademie van Wetenschappen», 97(1994), n. 3, pp. 283-309.

Kopecek, T.A., *A History of Neo-Arianism*, Philadelphia 1979.

Kossinna, G., *Ursprung und Verbreitung der Germanen in vor- und frühgeschichtlicher Zeit*, Leipzig 1928.

Krautheimer, R., *Rome: Profile of a City, 312-1308*, Princeton 1980.

Kreuger, P., a cura di, *Corpus Iuris Civilis*, Berlin 1877.

Krusch, B., a cura di, *Liber Historiae Francorum*, in *MGH, Scriptores rerum merovingicarum*, vol. 2, Berlin 1888.

— e Levison, W., a cura di, *Gregory of Tours Historiae*, in *MGH, Scriptores rerum merovingicarum*, vol. 1. 1, Berlin 1951.

Laszlo, G., *The Golden Bow of the Huns*, «Acta Archaeologica Academiae Scientiarum Hungaricae», 1(1951), pp. 91-106.

Lattimore, O., *Inner Asian Frontiers of China*, Oxford 1940.

Leeman, A.D., *Orationis Ratio: The Stylistic Theories and Practice of the Roman Orators, Historians and Philosophers*, Amsterdam 1963.

Lemerle, P., *Le premier humanisme byzantin*, Paris 1971.

—, cura e traduzione francese di, *Les plus anciens recueils des miracles de Saint Démétrius*, Paris 1979-1981.

Lengyel, A. e Radan, G.T.B., a cura di, *The Archaeology of Roman Pannonia*, Budapest 1980.

Lenski, N., *The Gothic Civil War and the Date of the Gothic Conversion*, «Greek, Roman and Byzantine Studies», 36(1995), pp. 51-87.

—, *Failure of Empire: Valens and the Roman State in the Fourth Century AD*, Berkeley 2002.

Lepelley, C., *Les Cités de l'Afrique romaine au Bas-Empire*, Paris 1979-1981.

Lewitt, T., *Agricultural Production in the Roman Economy AD 200-400*, Oxford 1991.

Liebeschuetz, J.H.W.G., *Antioch: City and Imperial Administration in the Later Roman Empire*, Oxford 1972.

—, *Barbarians and Bishops: Army, Church and State in the Age of Arcadius and John Chrysostom*, Oxford 1990.

—, *Cities, Taxes and the Accommodation of the Barbarians: The Theories of Durliat and Goffart*, in *Kingdoms of the Empire: The Integration of Barbarians in Late Antiquity*, a cura di W. Pohl, Leiden 1997, pp. 135-152.

Lindner, R., *Nomadism, Huns and Horses*, «Past and Present», 92(1981), pp. 1-19.

Linebaugh, P., *The London Hanged: Crime and Civil Society in the Eighteenth Century*, London 1991.

Lomanto, V., *A Concordance to Symmachus*, Hildesheim 1983.

Lot, F., *Les invasions germaniques: La pénétration mutuelle du monde barbare et du monde romain*, Paris 1939.

Lotter, F., *Severinus von Noricum, Legende und historische Wirklichkeit: Unters. zur Phase d. Übergangs von spätantiken zu mittelalterl. Denk-u. Lebensformen*, Stuttgart 1976.

McAdams, R., *Land behind Baghdad: A History of Settlement on the Diyala Plains*, Chicago 1965.

MacCormack, S.A., *Art and Ceremony in Late Antiquity*, Los Angeles - Berkeley 1981.

McCormick, M., *Eternal Victory: Triumphal Rulership in Late Antiquity, Byzantium and the Early Medieval West*, Cambridge 1986.

MacGeorge, P., *Late Roman Warlords*, Cambridge 2002.

McLynn, N., *Ambrose of Milan*, Berkeley 1994.

MacMullen, R., *Soldier and Civilian in the Later Roman Empire*, Cambridge, Mass., 1963.

—, *Corruption and the Decline of Rome*, New Haven, Conn. 1988.
Maenchen-Helfen, O.J., *Huns and Hsiung-Nu*, «Byzantion», 17(1945), pp. 222-243.
—, *The World of the Huns*, Berkeley 1973.
Mango, C., *Le développement urbain de Constantinople (IVᵉ-VIIᵉ siècles)*, Paris 1985 (Travaux et Mémoires. Monographies, 2).
— e Scott, R., traduzione di, *Chronographia, The Chronicle of Theophanes Confessor*, Oxford 1997.
Manton, E.L., *Roman North Africa*, London 1988.
Markus, R.A., *The End of Ancient Christianity*, Cambridge 1990.
—, *Gregory the Great and his World*, Cambridge 1997.
Matthews, J.F., *Olympiodorus of Thebes and the History of the West (AD 407-425)*, «Journal of Roman Studies», 60(1970), pp. 79-97 (= Matthews [1985], saggio n. 3).
—, *Gallic Supporters of Theodosius*, «Latomus», 30(1971), pp. 1073-1099 (= Matthews [1985], saggio n. 9).
—, *The Letters of Symmachus*, in *Latin Literature of the Fourth Century*, a cura di J.W. Binns, London 1974, pp. 58-99 (= Matthews [1985], saggio n. 4).
—, *Western Aristocracies and the Imperial Court AD 364-425*, Oxford 1975.
—, *Political Life and Culture in Late Roman Society*, London 1985.
—, *Symmachus and His Enemies*, in *Colloque genevois sur Symmaque: à l'occasion du mille-six-centième anniversaire du conflit de l'autel de la Victoire*, a cura di F. Paschoud e altri, Paris 1986, pp. 160-175.
—, *The Roman Empire of Ammianus*, London 1989.
—, *Laying Down the Law: A Study of the Theodosian Code*, New Haven, Conn., 2000.
Mattingly, D.J., *Vulgar and weak «Romanization», or Time for a Paradigm Shift?*, «Journal of Roman Archaeology», 15(2002), pp. 163-167.
— e Hitchner, R.B., *Roman Africa: An Archaeological Review*, «Journal of Roman Studies», 85(1995), pp. 165-213.
Mattingly, G., *The Defeat of the Spanish Armada*, London 2002.
Meiggs, R., *Roman Ostia*, Oxford 1973.
Menghin, W. e altri, *Germanen, Hunnen und Awaren: Schätze der Völkerwanderungszeit*, Nuremberg 1987.
Mierow, C.C., traduzione di, *Jordanes Getica*, New York 1915.
Millar, F., *The Emperor in the Roman World*, London 1992².
—, *The Roman Near East 31 BC-AD 337*, Harvard 1993.
Mocsy, A., *Pannonia and Upper Moesia*, London 1974.
Moderan, Y., *The «Notitia Dignitatum» of the Province of Africa 484 and Huneric's Persecution*, in Ausenda (in corso di pubblicazione a).
Momigliano, A., *Cassiodorus and the Italian Culture of His Time*, «Proceedings of the British Academy», 41(1955), pp. 215-248.
Mommsen, Th., a cura di, *Jordanes Romana et Getica*, in MGH, *Auctores antiquissimi*, vol. 5. 1, 1882.
—, a cura di, *Chronica Minora 1*, in MGH, *Auctores antiquissimi*, vol. 9, Berlin 1892.
—, a cura di, *Chronica Minora 2*, in MGH, *Auctores antiquissimi*, vol. 11, Berlin 1894.

638

—, *Aetius*, «Hermes», 76(1901), pp. 516-547.

—, *Das römische Militarwesen seit Diocletian*, in *Gesammelte Schriften*, vol. 6, Berlin 1910, pp. 206-283.

— e Kreuger P., a cura di, *Codex Theodosianus*, Berlin 1905.

Moorhead, J., traduzione di, *Victor of Vita: History of the Persecution in Africa*, Liverpool 1992.

Mueller, K., a cura di, *Fragmenta Historicorum Graecorum*, voll. 4-5, Paris 1851-1870.

Musset, L., *Les invasions: Les vagues germaniques*, Paris 1965.

Niebuhr, B.G., a cura di, *Theophanes Chronographia*, Bonn 1839-1841.

Nixon, C.E.V. e Rogers, B.S., cura e traduzione di, *In Praise of Later Roman Emperors: The Panegyrici Latini*, Berkeley 1994.

Noble, T.F.X., *Literacy and the Papal Government*, in *The Uses of Literacy in Early Mediaeval Europe*, a cura di R. McKitterick, Cambridge 1990, pp. 82-108.

Noll, R. e Vetter, E., a cura di, *Eugippius Vita Sancti Severini*, Berlin 1963 (Schriften und Quellen der Alten Welt, 11).

Norman, A.F., traduzione di, *Libanius: Autobiography and Select Letters*, 2 voll., Cambridge, Mass., 1992.

O'Flynn, J.M., *Generalissimos of the Western Roman Empire*, Edmonton, Alta, 1983.

Oost, S., *Galla Placidia Augusta: A Biographical Essay*, Chicago 1968.

Ørsnes, M., *Der Moorfund von Eisbøl bei Hadersleben. Deutungsprobleme der grossen nordgermanischen Waffenopferfunde*, Abandlung der Akademie der Wissenschaft in Göttingen, Göttingen 1968.

Paschoud, F., cura e traduzione francese di, *Zosimus Historia Nova*, Paris 1971-1981.

Pearson, A., *The Roman Shore Forts: Coastal Defences of Southern Britain*, Stroud 2002.

Percival, J., *The Roman Villa*, London 1976.

Petrovic, P., a cura di, *Roman Limes on the Middle and Lower Danube*, Belgrade 1996.

Pharr, C., *The Theodosian Code and Novels, and the Sirmondian Constitutions*, New York 1952.

Platnauer, M., cura e traduzione di, *The Works of Claudian*, London 1922.

Pohl, W., *Die Gepiden und die «Gentes» an der mittleren Donau nach dem Zerfall des Attilareiches*, in Wolfram e Daim (1980), pp. 239-305.

—, *Die Awaren: Ein Steppenvolk im Mitteleuropa, 567-822 n. Chr.*, Beck 1988.

Poulter, A.G., *Nicopolis ad Istrum: A Roman, Late Roman, and Early Byzantine City: Excavations 1985-1992*, London 1995.

—, *The Transition to Late Antiquity on the Lower Danube: An Interim Report (1996-1998)*, «Antiquaries Journal», 79(1999), pp. 145-185.

Prakash, G. e altri, *American Historical Review Forum: Subaltern Studies as Postcolonial Criticism*, «American Historical Review», 99(1994), 5.

Ramsay, A.M., *The Speed of the Imperial Post*, «Journal of Roman Studies», 15(1925), pp. 60-74.

Rau, G., *Körpergraber mit Glasbeigaben des 4. nachschristlichen Jahrhunderts im Oder-Wechsel-Raum*, «Acta praehistorica et archaeologica», 3(1972), pp. 109-204.

Raven, S., *Rome in Africa*, London 1993³.

Rawson, E., *Cicero: A Portrait*, London 1975.

Renfrew, C. e Bahn, P., *Archaeology: Theories, Methods and Practice*, London 1991.

Reuter, T., *Plunder and Tribute in the Carolingian Empire*, «Transactions of the Royal Historical Society», quinta serie, 35(1985), pp. 75-94.

—, *The End of Carolingian Military Expansion*, in *Charlemagne's Heir: New Perspectives on the Reign of Louis the Pious*, a cura di P. Godman e R. Collins, Oxford 1990, pp. 391-405.

Riché, P., *Education and Culture in the Barbarian West, Sixth through Eighth Centuries*, traduzione di J.J. Contreni, Columbia 1976.

Ridley, R.T., traduzione di, *Zosimus New History*, Canberra 1982.

Roberts, C.H. e Turner, E.G., a cura di, *Catalogue of the Greek and Latin Papyri in the John Rylands Library, Manchester*, vol. 4, Manchester 1952.

Roberts, M., *The Jeweled Style: Poetry and Poetics in Late Antiquity*, Ithaca 1989.

—, *Barbarians in Gaul: The Response of the Poets*, in Drinkwater e Elton (1992), pp. 97-106.

Robinson, O.F., *The Sources of Roman Law*, London 1992.

Roda, S., *Una nuova lettera di Simmaco ad Ausonio? (a proposito di Simm. «Ep.» IX, 88*, «Revue des Études Anciennes», 83(1981), pp. 273-280.

Rolfe, J.C., a cura di, *Ammianus Marcellinus*, London 1935-1939.

Rostovtzeff, M., *The Social and Economic History of the Roman Empire*, seconda edizione rivista da P. Fraser, Oxford 1957.

Roueché, C., *Aphrodisias in Late Antiquity: The Late Roman and Byzantine Inscriptions*, London 1989.

Rowlands, M. e altri, a cura di, *Centre and Periphery in the Ancient World*, Cambridge 1987.

Rubin, Z., *The Mediterranean and the Dilemma of the Roman Empire in Late Antiquity*, «Mediterranean History Review», 1(1986), pp. 13-62.

Runciman, S., *The Emperor Romanus Lecapenus and His Reign: A Study of Tenth-century Byzantium*, Cambridge 1929.

Sainte-Croix, G. de, *The Class Struggle in the Ancient Greek World*, London 1981.

Salway, P., *Roman Britain*, Oxford 1981.

Santini, C., a cura di, *Eutropius Breviarium ab urbe condita*, Stuttgart 1979.

Schenkl, H. e altri, a cura di, *Themistii Orationes*, Leipzig 1965-1974.

Schutz, H., *The Prehistory of Germanic Europe*, New Haven, Conn., 1983.

Scorpan, C., *Limes Scythiae: Topographical and Stratigraphical Research on the Late Roman Fortifications on the Lower Danube*, Oxford 1980.

Shaw, B., *Environment and Society in North Africa: Studies in History and Archaeology*, Aldershot 1995 a.

—, *Rulers, Nomads and Christians in North Africa*, Aldershot 1995 b.

Shchukin, M.B., *Rome and the Barbarians in Central and Eastern Europe: 1st Century BC-1st Century AD*, Oxford 1989.

Seeck, O., a cura di, *Notitia Dignitatum omnium tam civilium quam militarum*, Berlin 1883.

—, a cura di, *Symmachus quae supersunt*, Berlin 1883.

Sinor, D., *Inner Asia and Its Contacts with Medieval Europe*, London 1977.

Sivan, H., *An Unedited Letter of the Emperor Honorius to the Spanish Soldiers*, «Zeitschrift für Papyrologie und Epigraphik», 61(1985), pp. 273-287.

Smith, R., *Telling Tales: Ammianus' Narrative of the Persian Expedition*, in *The La-*

640

te Roman World and Its Historian: Interpreting Ammianus Marcellinus, a cura di
J.W. Drijvers e D. Hunt, London 1999, pp. 89-104.

Stallknecht, B., *Untersuchungen zur römischen Aussenpolitik in der Spätantike*,
Bonn 1969.

Stein, E., *Histoire du Bas Empire*, traduzione di J.R. Palanque, Paris 1959.

Stevens, C.E., *Sidonius Apollinaris and His Age*, Oxford 1933.

Stickler, T., *Aetius: Gestaltungsspielraume eines Heermeisters im ausgehenden We-
strömischen Reich*, Beck 2002 (Vestigia, 54).

Tate, G., *Les campagnes de la Syrie du Nord a l'époque proto-Byzantine*, in *Hommes
et richesses dans l'antiquité byzantine*, a cura di C. Morrisson e J. Lefort, Paris
1989, pp. 63-77.

Tchalenko, G., *Villages antiques de la Syrie du Nord*, Paris 1953-1958.

Tejral, J. e altri, a cura di, *L'Occident romain et l'Europe centrale au début de l'époque
des Grandes Migrations*, Brno 1999.

Thompson, E.A., *Priscus of Panium, Fragment 1b*, «Classical Quarterly», 39(1945),
pp. 92-94.

—, *The Isaurians under Theodosius II*, «Hermathena», 48(1946), pp. 18-31.

—, *The Foreign Policy of Theodosius II and Marcian*, «Hermathena», 76(1950), pp.
58-78.

—, *The Settlement of the Barbarians in Southern Gaul*, «Journal of Roman Studies», 46(1956), pp. 65-75.

—, *The End of Noricum*, in Thompson (1982 c), pp. 113-135, 1982 a.

—, *Hydatius and the Invasion of Spain*, in Thompson (1982 c), pp. 137-160, 1982 b.

—, *Romans and Barbarians: The Decline of the Western Empire*, Winsconsin 1982 c.

—, *The Huns*, Oxford 1996.

Thorpe, L., traduzione di, *Gregory of Tours: The History of the Franks*, London
1974.

Tjäder, J.-O., *Der Codex argenteus in Uppsala und der Buchmeister Viliaric in Ravenna*, in *Studia Gotica*, a cura di U.E. Hagberg, Stockholm 1972, pp. 144-164.

Todd, M., *The Northern Barbarians 100 BC - AD 300*, London 1975.

—, *The Early Germans*, Oxford 1992.

Toynbee, A., *Constantine Porphyrogenitus and His World*, London 1973.

Trout, D.E., *Paulinus of Nola: Life, Letters, and Poems*, Berkeley 1999.

Twitchett, D. e Loewe, M., *Cambridge History of China*, vol. 1, Cambridge 1986.

Urbanczyk, P., *Changes of Power Structures During the 1ˢᵗ Millennium AD in the
Northern Part of Central Poland*, in *Origins of Central Europe*, a cura di P. Urbanczyk, Warsaw 1997, pp. 39-44.

Van Dam, E., *Becoming Christian: The Conversion of Roman Cappadocia*, Philadelphia 2003.

Van Es, W.A., *Wijster: A Native Village beyond the Imperial Frontier 150-425 AD*,
Gröningen 1967.

Várady, L., *Das Letzte Jahrhundert Pannoniens: 376-476*, Amsterdam 1969.

Vasiliev, A.A., *The Goths in the Crimea*, Cambridge 1936.

Viereck, H.D.L., *Die Römische Flotte*, Herford 1975.

Vogel, F., a cura di, *Ennodius Opera*, in *MGH, Auctores antiquissimi*, vol. 7, Berlin
1885.

Von Salis, L.R., a cura di, *Liber Constitutionum*, in *MGH, Leges nationum Germa-
nicarum*, vol. 2. 1, Hanover 1892.

641

Walbank, F.W., *The Awful Revolution: The Decline of the Roman Empire in the West,* Liverpool 1969.
Wallace-Hadrill, J.M., *Gothia and Romania,* «Bulletin of the John Rylands Library», 44(1961), n. 1.
Wanke, U., *Die Gotenkriege des Valens: Studien zu Topographie und Chronologie im unteren Donauraum von 366 bis 378 n. Chr.,* Frankfurt am Main 1990.
Ward Perkins, B., *Land, Labour and Settlement,* in Averil Cameron e altri, a cura di (2000), pp. 315-345.
Wells, P.S., *The Battle That Stopped Rome,* New York 2003.
Whitby, L.M., *Rome at War AD 229-696,* Oxford 2002.
— e Whitby, J.M., traduzione di, *The History of Theophilact Simocatta,* Oxford 1986.
— e Whitby, J.M., traduzione di, *The Chronicon Paschale,* Liverpool 1989.
Whittaker, C.R., *Agri Deserti,* in *Studies in Roman Property,* a cura di M.I. Finley, Cambridge 1976, pp. 137-165, 193-200.
—, *Frontiers of the Roman Empire: A Social and Economic Study,* Baltimore 1994.
— e Garnsey, P., *Rural Life in the Later Roman Empire,* in *Cambridge Ancient History,* vol. 13, a cura di Averil Cameron e P. Garnsey, Cambridge 1998², pp. 277-311.
Whittow, M., *The Making of Orthodox Byzantium, 600-1025,* London 1996.
Wickham, C., *Problems of Comparing Rural Societies in Early Medieval Western Europe,* «Transactions of the Royal Historical Society», sesta serie, 2(1992), pp. 221-246.
—, *La chute de Rome n'aura pas lieu. À propos d'un livre récent,* «Le Moyen Age» 99(1993), pp. 107-126.
Wightman, E.M., *Roman Trier and the Treveri,* London 1967.
Wilkes, J.J., *Dalmatia,* London 1969.
Wolfram, H., *Intitulatio 1: Lateinische Königs- und Fürstentitel bis zum Ende des 8. Jahrhunderts,* Vienna 1967 (Mitteilungen des Instituts für österreichische Geschichtsforschung, Erganzungsband 21).
—, *Treasures on the Danube: Barbarian Invaders and Their Roman Inheritance,* Vienna 1985.
—, *History of Goths,* traduzione di T.J. Dunlap, Berkeley 1988.
— e Daim, F., a cura di, *Die Völker an der mittleren und unteren Donau im fünften und sechsten Jahrhundert,* Vienna 1980 (Denkschriften der Österreichischen Akademie der Wissenschaften, Phil.-Hist. Kl. 145).
Wood, I.N., *The Merovingian Kingdoms,* London 1994.
Woolf, G., *Becoming Roman: The Origins of Provincial Civilization in Gaul,* Cambridge 1998.
Wormald, P., *The Making of English Law: King Alfred to the Twelfth Century,* vol. 1, Oxford 1999.
Wright, W.C., *The Works of the Emperor Julian,* 3 voll., London 1913.
Wuensch, R., a cura di, *Ioannis Laurentii Lydi Liber de mensibus,* Leipzig 1898.
Yarshater, E., a cura di, *Encyclopaedia Iranica,* London 1984-2004 e in corso di pubblicazione.
Zecchini, G., *Aezio: l'ultima difesa dell'occidente romano,* Roma 1983.
Zeumer, K., a cura di, *Leges Visigothorum,* Hanover 1902.

Indice analitico

648

650

653

655

Indice delle carte

Indice

10. La caduta di Roma   517

*La fine della «romanitas» al centro dell'impero, 518; La
«romanitas» locale, 524; Le componenti del crollo, 531;
Uno shock esogeno, 540*

Finito di stampare nel mese di gennaio 2007
da «La Tipografica Varese S.p.A.» (VA)